Pathologie	Changement	Étude de cas
Sexualité infantile ; fixation et régression ; conflit ; symptômes	Transfert ; résolution des conflits intrapsychiques ; « le moi doit être à la place du ça »	Le petit Hans
Maintien défensif du soi ; incongruence	Climat thérapeutique : congruence, considération positive inconditionnelle et compréhension empathique	Mme Oak
Scores extrêmes dans les dimensions des traits (par exemple, névrosisme)	(Aucun modèle formel)	Un homme de 69 ans
Réponses apprises et inadaptées	Extinction ; apprentissage de la discrimination ; contre-conditionnement ; renforcement positif ; imitation ; désensibilisation systématique ; modification du comportement	Peter ; réinterprétation du cas du petit Hans
Dysfonctionnement du système de construits	Reconstruction psychologique de la vie ; « disposition accueillante » ; thérapie d'assignation de rôles	Ronald Barrett
Modes de réponse appris ; normes personnelles trop exigeantes ; sentiment d'autoefficacité dysfonctionnel	Modelage ; participation guidée ; hausse du sentiment d'autoefficacité	Gary W.
Croyances irréalistes ou inadaptées ; erreurs dans le traitement de l'information	Thérapie cognitive, modification des croyances irrationnelles, des pensées dysfonctionnelles et des attributions inadaptées	Jacques

PERSONNALITÉ

Théorie et recherche

PERSONNALITÉ

Théorie et recherche

Lawrence A. Pervin
Rutgers University

Oliver P. John
University of California, Berkeley

Adaptation française :

Louise Nadeau
Université de Montréal

Didier Acier
Université de Montréal

Dave Miranda
Université de Montréal

ÉDITIONS DU RENOUVEAU PÉDAGOGIQUE INC.

5757, RUE CYPIHOT, SAINT-LAURENT (QUÉBEC) H4S 1R3
TÉLÉPHONE : (514) 334-2690 TÉLÉCOPIEUR : (514) 334-4720
COURRIEL : erpidlm@erpi.com www.erpi.com

Supervision éditoriale : Jacqueline Leroux

Traduction : Sylvie Dupont et Lyna Lepage

Révision linguistique : Louise Garneau

Correction d'épreuves : Odile Dallaserra

Recherche iconographique : Chantal Bordeleau

Supervision de la production : Muriel Normand

Conception graphique et couverture : Alibi Acapella

Illustration de la couverture : Geneviève Côté

Édition électronique : Infographie DN

Dans cet ouvrage, le générique masculin est utilisé sans aucune discrimination et uniquement pour alléger le texte.

Cet ouvrage est une version française de la huitième édition de *Personality : theory and research* de Lawrence A. Pervin et Oliver P. John, publiée et vendue à travers le monde avec l'autorisation de John Wiley & Sons, Inc.

Dépôt légal : 1er trimestre 2005
Bibliothèque nationale du Québec
Bibliothèque nationale du Canada
Imprimé au Canada

ISBN 2-7613-1494-8

1234567890 II 0987654
20306 ABCD VO-7

Avant-propos

J'entamerai cet avant-propos en rapportant une anecdote personnelle, comme on le fait dans tous les chapitres de cet ouvrage. Lors de l'entrevue de sélection au département de psychologie, j'ai confié que j'étais prête à donner un certain nombre de cours, à l'exception de celui qui portait sur la personnalité, car ce sujet m'avait laissée indifférente durant mes études et, à vrai dire, je n'avais pas là-dessus de conception bien précise. Imperturbable, le directeur m'a alors informée que le cours d'introduction à la personnalité était lié au poste. Je l'ignorais encore, mais ce que j'avais considéré comme un petit malheur deviendrait la source d'un grand bonheur.

Souhaitant faire mieux que mes prédécesseurs en la matière, je voulais qu'au terme de ce cours obligatoire mes étudiants puissent se référer à des concepts clairs, qui leur serviraient tout au long de leur vie professionnelle. Au lieu d'avoir seulement la « tête bien pleine » – afin de passer l'examen et de tout oublier ensuite ! –, ils auraient également la « tête bien faite ». Dès ma deuxième année d'enseignement, j'ai « découvert » la 6e édition de l'ouvrage de Pervin et j'en ai fait le pivot de mon cours. Au fil des ans, j'ai consulté un grand nombre d'ouvrages consacrés à la personnalité, en me demandant si d'autres manuels pouvaient être plus satisfaisants que celui-ci. Mais j'y revenais toujours...

Il en est de même aujourd'hui quand, se préparant à donner pour la première fois un cours d'introduction à la personnalité, nos étudiants de doctorat consultent à leur tour de nombreux ouvrages et choisissent en fin de compte le manuel de Pervin et John ; j'ai trouvé dans leur démarche mon critère de validité externe ! C'est pourquoi j'ai accepté d'effectuer la révision scientifique de ce livre avec Didier Acier et Dave Miranda, qui le connaissent bien tous les deux.

Cet ouvrage est fort bien construit. Comme le rappellent Pervin et John dans la préface de l'édition originale, il permet au lecteur de comprendre la personnalité en se basant sur les paramètres suivants :

- *On s'interroge sur les questions fondamentales de la psychologie.* Les auteurs commencent l'ouvrage en présentant les grandes questions que pose l'étude de la personnalité : *Quelles* sont les caractéristiques des individus que nous étudions ? *Comment* sont-ils devenus ce qu'ils sont ? *Pourquoi* agissent-ils de telle ou telle manière ? Pour répondre à ces questions d'ordre général, Pervin et John analysent chacune des théories à partir des cinq dimensions qui sont résumées dans les pages de garde de l'ouvrage : la structure, les processus, la croissance et le développement, la psychopathologie, le changement. En inscrivant chacune des théories dans le même découpage, on donne aux étudiants des points de repère, ce qui par la suite rendra plus aisées les comparaisons entre les diverses perspectives théoriques. À cela s'ajoute une interrogation concernant des aspects qui sont primordiaux dans la détermination de la conduite : Quelle est l'importance relative de notre histoire personnelle par rapport à nos perspectives d'avenir ? Comment nos forces internes, conscientes ou inconscientes, agissent-elles et comment évalue-t-on le rôle de l'environnement en comparaison de ces forces internes ? Quels sont les liens entre nos cognitions, nos affects et notre conduite ? Autant de questions auxquelles chacune des conceptions de la personnalité offre des réponses qui lui sont propres. Reprises au dernier chapitre, ces questions permettent de réaliser plus facilement la synthèse des théories et de proposer une véritable approche intégrée de la personnalité.

- *On présente les grandes approches de la personnalité.* Plutôt que de couvrir de manière superficielle de trop nombreuses théories, l'ouvrage se concentre sur les principales approches, sur les perspectives les plus importantes. Par ailleurs, s'ils rendent justice aux grandes théories du passé – à celles de Freud ou de Rogers, par exemple —, les auteurs s'intéressent également aux conceptions contemporaines, qui sont plus diversifiées, notamment à la théorie des traits, aux fondements biologiques de la personnalité ou au traitement cognitif de l'information, pour ne citer que celles-là. Le texte se montre donc fidèle à la tradition, qui conserve son importance, tout en tenant compte des travaux les plus récents.

- *On associe théorie et recherche.* L'ouvrage met en évidence les liens logiques et nécessaires entre les théories et la recherche. Autrement dit, les auteurs montrent que l'évolution de la recherche peut et doit faire partie intégrante de l'élaboration des théories de la personnalité. Ils affirment la nécessité de fonder la théorisation sur des données probantes et ils rappellent du même souffle que la recherche ne permet pas encore de répondre à toutes les questions que suscite l'étude de la personnalité.

- *On illustre les théories au moyen d'études de cas.* Afin de construire des passerelles entre la théorie, qui par définition s'intéresse aux abstractions et aux généralisations, et ce qu'il y a d'unique chez l'individu, l'ouvrage propose un certain nombre d'études de cas ; on se penche tout particulièrement sur l'histoire de Jacques qui, d'un chapitre à l'autre, sera soumise à la grille de chacune des théories. Grâce à ces données, les étudiants auront en main des éléments de réponse à l'une des questions charnières que nous nous posons : Les aspects de la personnalité ainsi mis en lumière diffèrent-ils complètement les uns des autres ou représentent-ils des composantes complémentaires ? Comment, par exemple, concilier les phénomènes inconscients, qui ont un effet sur la conduite, et le conditionnement de certains comportements ?

- *On traite chacune des théories de manière objective.* L'ouvrage cherche à comprendre chaque théorie dans ce qu'elle a d'essentiel et à dégager le sens que son auteur lui donne. On évalue toutes les théories selon les mêmes critères, et on analyse les points forts et les limites de chacune. Plutôt que d'essayer de convaincre le lecteur de la valeur d'une théorie, les auteurs cherchent à lui offrir un état de la question aussi juste que possible et ils lui laissent le soin d'en tirer ses propres conclusions.

Comme il n'existe pas, à l'heure actuelle, de théorie qui rende compte de la personnalité dans sa totalité et dans sa complexité, il faut en étudier plusieurs, qui souvent se sont élaborées en s'opposant les unes aux autres. Pour dépasser les contradictions apparentes, il est indispensable de mettre au point une approche qui prenne en considération tous les niveaux de la personnalité et qui permette de les juxtaposer. De fait, on trouve en nous des traits constants, présents également chez nos ancêtres les mammifères ; notre environnement conditionne certains de nos comportements ; nous sommes capables d'une pensée téléologique complexe ; notre façon de traiter l'information n'est pas indépendante de nos affects ; et des forces inconscientes influent sur notre personnalité. Il serait souhaitable d'en venir à conceptualiser les diverses manifestations du syndrome dépressif et à le considérer tout à la fois comme la résultante de problèmes liés à la neurotransmission nerveuse, comme l'expression de conflits inconscients, comme une réponse à des contingences de l'environnement *et* comme un ensemble de cognitions erronées. C'est à cette compréhension synthétique de la personnalité que nous convient Pervin et John : chaque perspective théorique présentée dans cet ouvrage permet donc aux étudiants de comprendre un aspect essentiel de la personnalité et de le situer dans l'ensemble de la personnalité. Il s'agit là d'outils incontestablement précieux dans toute vie professionnelle.

Louise Nadeau

Table des matières

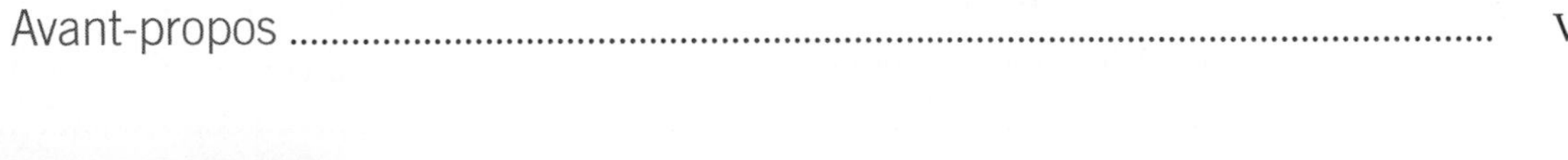

Avant-propos V

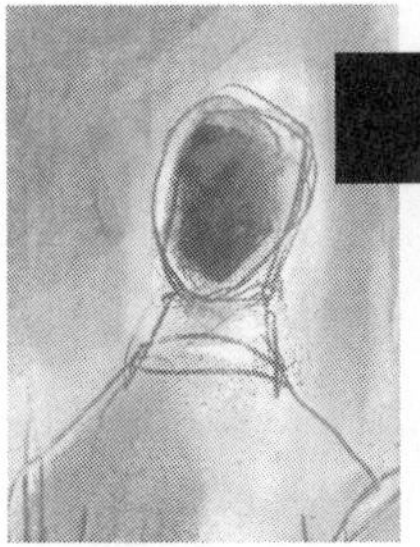

Chapitre 1

La théorie de la personnalité : De l'observation quotidienne aux théories systématiques 1

Pourquoi étudier la personnalité ? 2
Définir la personnalité 3
La théorie de la personnalité : une réponse aux questions sur le comportement 4
La structure 5
Les processus 6
La croissance et le développement 8
Les déterminants génétiques 8
Les déterminants environnementaux 10
Les relations entre les déterminants génétiques et les déterminants environnementaux 12
La psychopathologie et le changement de comportement 13
Les grands débats 14
La conception philosophique de la personne 14
Les déterminants internes et externes du comportement 14
La stabilité à travers les situations et le temps 16
L'unité du comportement et le soi en tant que concept 16
Les différents états de conscience et le concept d'inconscient 17
Les liens entre la cognition, l'affect et le comportement manifeste 18
L'influence du passé, du présent et de l'avenir sur le comportement 19
L'évaluation des théories 20
La portée 21
La parcimonie 22
La pertinence scientifique 22
La théorie et l'étude de la personnalité 23
Résumé 23

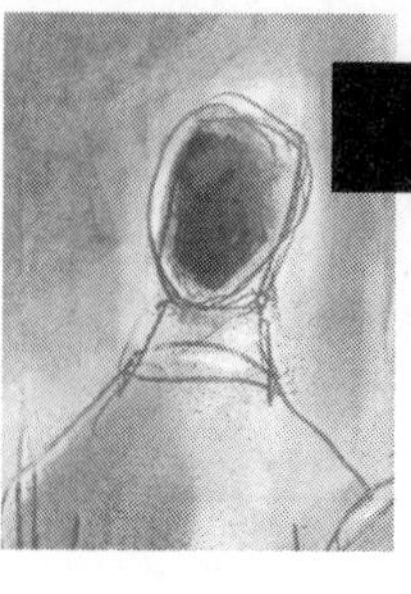

Chapitre 2

L'étude scientifique de l'être humain 25

Les données de la psychologie de la personnalité 27
Les buts de la recherche 30
La fidélité 30
La validité 31
L'éthique 31
Les trois méthodes de recherche 33
La recherche clinique et l'étude de cas 33
Le stress au combat 34
La recherche expérimentale et l'étude en laboratoire 35
La résignation acquise 36
La recherche corrélationnelle et le questionnaire de personnalité 39
Le lieu de contrôle interne ou externe 40
L'attribution causale : un style explicatif 42
L'évaluation des trois méthodes de recherche : leurs avantages et leurs inconvénients 47
La recherche clinique et l'étude de cas 47
Les rapports verbaux 48
La recherche expérimentale et l'étude en laboratoire 49
La recherche corrélationnelle et le questionnaire de personnalité 50
La théorie de la personnalité et la recherche 53
L'histoire de Jacques 54
Résumé 55

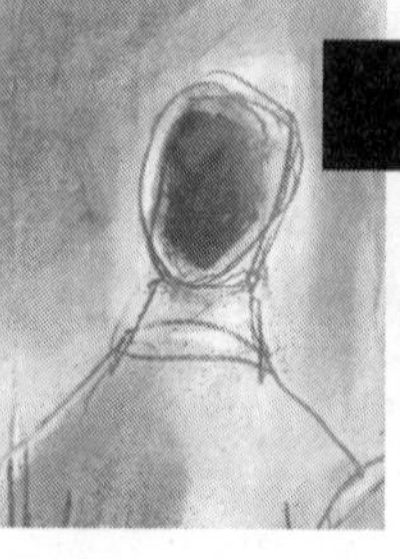

Chapitre 3

L'approche psychodynamique : Freud, la psychanalyse et la théorie de la personnalité 57

Sigmund Freud : aperçu biographique 59
Les rapports entre l'individu et la société, selon Freud 61
La science, la théorie et la recherche, selon Freud 63

La psychanalyse : une théorie de la personnalité 64
La structure 64
Le concept d'inconscient 64
Les niveaux de conscience 65
Le ça, le moi et le surmoi 71
Les processus 75
Les pulsions de vie et les pulsions de mort 75
La dynamique du fonctionnement psychique 75
L'angoisse et les mécanismes de défense 76
La croissance et le développement 84
Le développement des processus mentaux 84
Le développement des pulsions 85
L'importance des premières expériences 90
Résumé 93

Chapitre 4

L'approche psychodynamique : La théorie de Freud, applications et évaluation 95

Les applications cliniques 96
L'évaluation : les tests projectifs 96
Le test de Rorschach 97
Le test d'aperception thématique 99
Les tests projectifs et la recherche 101
La psychopathologie 102
Les types de personnalité 102
Le conflit et les mécanismes de défense 104
Le changement de comportement 107
L'exploration de l'inconscient : l'association libre et l'interprétation des rêves 107
Le processus thérapeutique : le transfert 108
Étude de cas : le petit Hans 109
L'histoire de Jacques 113
Les conceptions connexes et l'évolution de la théorie 117
Deux contestataires de la première heure 118
Alfred Adler 118
Carl G. Jung 119
La place des facteurs culturels et interpersonnels 121
Karen Horney 121
Harry Stack Sullivan 123

L'évolution de la théorie psychanalytique orthodoxe 124
La théorie de la relation d'objet 124
La théorie de l'attachement et les relations personnelles chez les adultes 127

L'évaluation critique 133
Les avantages 133
Les limites 133
Le statut scientifique de la théorie psychanalytique 134
La conception psychanalytique de la personne 135

Résumé 137

Chapitre 5

L'approche phénoménologique :
La théorie de la personnalité élaborée par Carl Rogers 139

Carl R. Rogers : aperçu biographique 141
La conception de la personne, selon Rogers 143
La science, la théorie et la recherche, selon Rogers 143
La théorie de la personnalité, selon Rogers 144
La structure 144
Le soi 144
Comment évaluer le concept de soi 146
Les processus 150
L'autoactualisation 150
La cohérence du soi et la congruence 152
Le besoin de considération positive 155
La croissance et le développement 156
L'autoactualisation et le développement psychologique sain 157
Les études sur les relations entre les parents et les enfants 157
Le « bon soi » et le « mauvais soi », aux yeux des enfants 159

Résumé 162

Chapitre 6

L'approche phénoménologique :
La théorie de Rogers, applications et évaluation 165

Les applications cliniques 166
La psychopathologie 166
Le désaccord entre le soi et l'expérience 166
Les divergences entre les éléments du soi 167

Le changement ... 169
Les conditions du changement en thérapie ... 169
Les résultats de la thérapie centrée sur le client ... 172
Les traits distinctifs de la thérapie centrée sur le client ... 172

Étude de cas : Mme Oak ... 173

L'histoire de Jacques ... 175

L'évolution de la théorie ... 176
Le changement de cap chez Rogers : de l'individu au groupe et à la société ... 176
L'intérêt pour le soi et pour les motivations intrinsèques ... 177

Les conceptions voisines : le courant humaniste ... 179
Kurt Goldstein ... 180
Abraham H. Maslow ... 180
L'existentialisme ... 183

L'évaluation critique ... 185
La phénoménologie ... 185
Le soi en tant que concept ... 186
Les conflits, l'angoisse et les mécanismes de défense ... 188
La psychopathologie et le changement ... 189

Résumé ... 191

Chapitre 7

La théorie des traits de personnalité : Les conceptions d'Allport, d'Eysenck et de Cattell 193

Le concept de trait de personnalité ... 194
Qu'est-ce qu'un trait de personnalité ? ... 195
Les hypothèses de base ... 195

La théorie des traits de personnalité : Gordon W. Allport ... 196
Les traits de personnalité, l'état d'esprit et les activités ... 197
Les types de traits de personnalité ... 198
L'autonomie fonctionnelle ... 198
La recherche idiographique ... 199

La théorie des trois facteurs : Hans J. Eysenck ... 200
L'analyse factorielle et l'évaluation des traits de personnalité ... 201
Les dimensions fondamentales de la personnalité ... 202
Les questionnaires d'évaluation ... 203
Les résultats de la recherche ... 204
Le fondement biologique ... 206
La psychopathologie et le changement de comportement ... 207

L'analyse factorielle des traits de personnalité : Raymond B. Cattell 209
La conception de la science 210
La théorie de la personnalité 212
Les types de traits 212
L'origine des données : biographies, questionnaires et tests objectifs 212
La stabilité et la variabilité du comportement 215
Les trois théoriciens : Allport, Eysenk et Cattell 218
Résumé 219

Chapitre 8

La théorie des traits de personnalité : Le modèle à cinq facteurs et ses applications – l'évaluation critique de la théorie 221

Le modèle à cinq facteurs 224
Les termes utilisés pour désigner les traits de personnalité 224
L'hypothèse lexicale fondamentale 226
La recherche interculturelle : les « Cinq Grands » sont-ils universels ? 226
Les « Cinq Grands » dans les questionnaires de personnalité 229
Les facteurs d'Eysenck et de Cattell : leur intégration aux « Cinq Grands » 231
Le modèle théorique des « Cinq Grands » 232
La croissance et le développement 233
Les différences attribuables à l'âge chez les adultes 234
Les premiers résultats des recherches sur l'enfance et l'adolescence 236
La stabilité et le changement 236
Les applications du modèle 237
L'orientation professionnelle 237
La santé et la longévité 238
Les troubles de la personnalité 238
La thérapie 239
Étude de cas : un homme de 69 ans 240
L'histoire de Jacques 244
Le débat personne-situation 251
La stabilité longitudinale 251
La stabilité intersituationnelle 252
L'évaluation critique de la théorie des traits 255
Les avantages 255
Le dynamisme de la recherche 255
Des hypothèses intéressantes 255
La possibilité d'établir des liens avec la biologie 256

Les limites 256
Les problèmes de méthode liés à l'analyse factorielle 256
Les problèmes liés au concept de trait 257
Les aspects absents ou négligés 258

Résumé 259

Chapitre 9

Les fondements biologiques de la personnalité 261

Le tempérament : les conceptions de la relation corps-esprit, d'hier à aujourd'hui 263
La constitution et le tempérament : de l'Antiquité au milieu du XXe siècle 263
La constitution et le tempérament : les études longitudinales 266
La constitution et le tempérament : la recherche de Kagan sur les enfants inhibés et non inhibés 267

La théorie évolutionniste et la personnalité : synthèse moderne, 1re partie 270
Les différences hommes-femmes : le choix du partenaire 271
Les différences hommes-femmes : les causes de la jalousie 272
La théorie évolutionniste et les cinq grandes dimensions de la personnalité (le modèle des « Cinq Grands ») 273

Les gènes et la personnalité : synthèse moderne, 2e partie 276
La génétique comportementale 276
Les études de croisements sélectifs 277
Les études de jumeaux 277
Les études d'adoption 278
Le coefficient d'héritabilité 279
L'héritabilité de la personnalité : les résultats de recherche 280
Mises en garde 281
Les facteurs environnementaux et les interactions gènes-environnement 283
Les environnements partagés et les environnements non partagés 284
Les effets des environnements non partagés 286
Les trois types d'interactions nature-culture 287
Mises en garde 289

Les neurosciences et la personnalité 289
La localisation des fonctions du cerveau : l'amygdale 289
La prédominance hémisphérique cérébrale 290
Le fonctionnement des neurotransmetteurs : la dopamine et la sérotonine 291
La neurobiologie et les trois grandes dimensions du tempérament 291
Les trois grandes dimensions du tempérament : AN, AP et Dol 292
Le style émotionnel, le mode de vie et les dimensions AN, AP et Dol 292

Les facteurs biologiques et les dimensions AN, AP et Dol 293
Mises en garde 293
La plasticité des processus biologiques 295
La biologie et les enjeux sociopolitiques 296
Résumé 297

Chapitre 10

La personnalité et les approches fondées sur l'apprentissage 299

La science et la personne dans la perspective de l'apprentissage 301
Le béhaviorisme de Watson 302

La théorie du conditionnement classique de Pavlov 303
Aperçu biographique 303
Les principes du conditionnement classique 303
La psychopathologie et le changement 306
Les réactions émotionnelles conditionnées 306
La peur « inconditionnée » à l'égard d'un lapin 307
Les autres applications du conditionnement classique 308
La désensibilisation systématique 310
Une réinterprétation du cas du petit Hans 311
Les recherches subséquentes 312

La théorie du conditionnement opérant de Skinner 314
Aperçu biographique 314
La théorie skinnérienne de la personnalité 315
La structure 316
Le processus : le conditionnement opérant 316
La croissance et le développement 318
La psychopathologie 319
L'évaluation du comportement 320
La modification du comportement 323

La théorie stimulus-réponse de Hull, Dollard et Miller 323
Aperçus biographiques 324
Clark L. Hull 325
John Dollard et Neal E. Miller 325
La théorie S-R de la personnalité 326
La structure 326
Les processus 327

La croissance et le développement ... 327
La psychopathologie ... 328
Les approches fondées sur l'apprentissage et les théories traditionnelles ... 330
L'évaluation critique ... 330
Les avantages ... 331
Les limites ... 332
Résumé ... 334

Chapitre 11

L'approche cognitive de la personnalité : La théorie des construits personnels de George A. Kelly 337

George A. Kelly : aperçu biographique ... 340
La conception de la personne ... 341
La science, la théorie et la recherche ... 342
La théorie de la personnalité ... 344
La structure ... 344
Les construits et leurs répercussions sur les rapports interpersonnels ... 345
Les types de construits et le système de construits ... 345
Le répertoire des construits de rôles (test de Kelly) ... 347
La complexité cognitive ... 351
Les processus ... 352
Anticiper les événements : prévoir l'avenir ... 353
L'anxiété, la peur et la menace ... 354
La croissance et le développement ... 357
Résumé ... 358

Chapitre 12

L'approche cognitive de la personnalité : La théorie de Kelly, applications et évaluation 361

Les applications cliniques ... 362
La psychopathologie ... 362
Les dysfonctionnements du système de construits ... 363
Le suicide et l'hostilité ... 365
Le changement ... 366
Les conditions favorisant le changement ... 366
La thérapie d'assignation de rôle ... 367

Les résultats de recherche ... 369
La thérapie des construits et les autres approches thérapeutiques ... 369

Étude de cas: Ronald Barrett ... 371

L'histoire de Jacques ... 373

Les conceptions connexes et l'évolution de la théorie ... 375

L'évaluation critique ... 377
Les avantages et les limites ... 377

L'approche cognitive de la personnalité et les autres théories ... 380
Kelly et Freud ... 380
Kelly et Rogers ... 381
Kelly et la théorie des traits de personnalité ... 382
Kelly et la théorie de l'apprentissage ... 383
Quelques construits liés à la théorie de la personnalité ... 383

Résumé ... 384

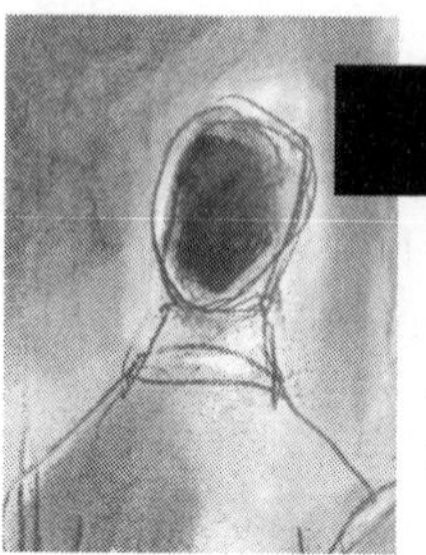

Chapitre 13

L'approche sociocognitive: Bandura et Mischel 387

Aperçus biographiques ... 389
Albert Bandura ... 389
Walter Mischel ... 390

La conception de la personne ... 392

La conception de la science, de la théorie et de la recherche ... 392

La théorie sociocognitive de la personnalité ... 393
La structure ... 393
Les attentes-croyances ... 393
Les objectifs ... 396
Les compétences-habiletés ... 396
Les processus ... 397
Buts, normes et autorégulation ... 397
Le sentiment d'autoefficacité et le rendement ... 398
La croissance et le développement ... 402
L'apprentissage par observation ... 402
L'apprentissage de la capacité à différer la gratification ... 405

Résumé ... 409

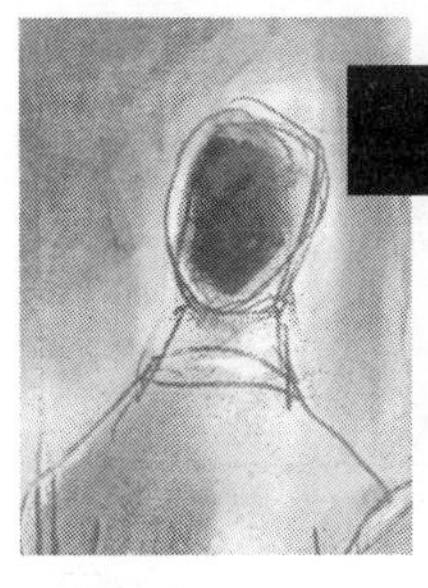

Chapitre 14

L'approche sociocognitive : Applications et évaluation 411

Les applications cliniques 412

La psychopathologie 412

Les attentes dysfonctionnelles et les conceptions de soi 413

Le changement 416

Le modelage et la participation guidée 417

Étude de cas : Gary W. 423

L'histoire de Jacques 424

L'évolution récente 426

L'analyse comparative 427

La théorie sociocognitive et la psychanalyse 427

La théorie sociocognitive et la phénoménologie 428

La théorie sociocognitive et la théorie des construits personnels 428

La théorie sociocognitive et la théorie des traits de personnalité 429

La théorie sociocognitive et la théorie de l'apprentissage 429

L'évaluation critique 430

Les avantages 430

L'intérêt pour l'expérimentation et les données de recherche 430

L'importance des phénomènes considérés 431

L'ouverture au changement 431

La mise en évidence d'enjeux importants 431

La conception de la personne et les préoccupations sociales 431

Les limites 432

La systématisation et l'intégration incomplètes 432

Les problèmes liés à l'évolution récente 432

Les domaines relativement négligés 434

Le caractère préliminaire des résultats 434

Résumé 436

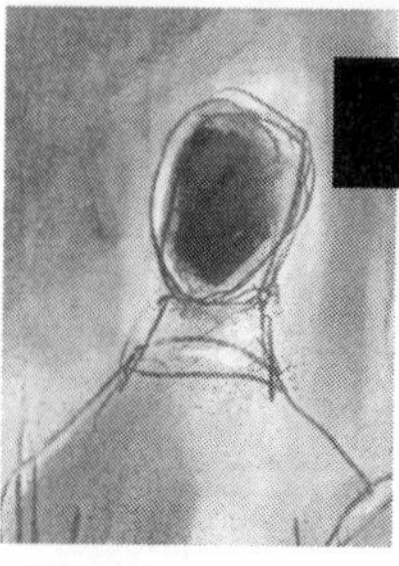

Chapitre 15

L'approche cognitive du traitement de l'information 437

Les structures cognitives 439
- Les catégories 439
  - Les objets matériels 439
  - Les situations 441
  - Les gens 443
- Les explications et les attributions causales 448
  - Les explications 449
  - Les conséquences 449
- La théorie implicite de la personnalité 451

Les applications cliniques 452
- Le stress et les stratégies d'adaptation 453
  - Le stress 453
  - Les stratégies d'adaptation 453
  - La technique d'immunisation contre le stress 454
- La pathologie et le changement 455
  - La thérapie émotivo-rationnelle d'Ellis 455
  - La thérapie de la dépression mise au point par Beck 456

L'histoire de Jacques 458

L'évolution récente 460
- Des cognitions aux émotions et aux motivations 461
- Des cognitions conscientes aux cognitions inconscientes 461
- De la pensée à l'action 462
- Du soi occidental au soi transculturel 462

La théorie du traitement de l'information et les théories traditionnelles 464

L'évaluation critique 465
- Les avantages 465
  - Les rapports avec la psychologie cognitive 465
  - L'examen d'aspects importants de la personnalité 466
  - Les contributions à la gestion des problèmes de santé et à la thérapie 466
- Les limites 467
  - Les problèmes liés au modèle de l'ordinateur 467
  - L'omission de l'affect et de la motivation 467
  - Les thérapies : bilan à établir 468

Résumé 469

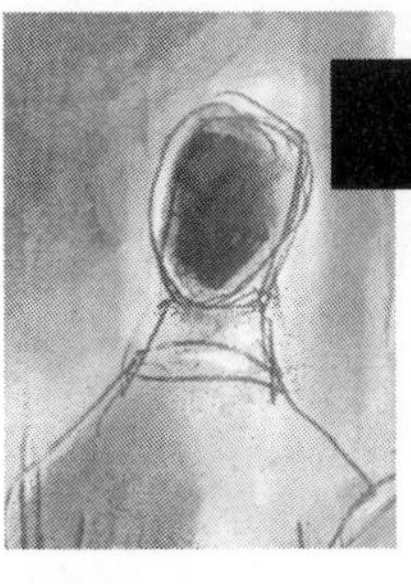

Chapitre 16

Les théories de la personnalité : Tableau général, évaluation et recherche 471

Les théories et l'évolution de la science 472
Le stade embryonnaire 473
Le stade du consensus scientifique : les paradigmes 473
Le stade de la révolution scientifique 473
Les grands débats 476
La conception philosophique de la personne 476
Les déterminants internes et externes du comportement 477
La stabilité à travers les situations et le temps 478
L'unité du comportement et le soi en tant que concept 479
Les différents états de conscience et le concept d'inconscient 480
Les liens entre la cognition, l'affect et le comportement manifeste 481
L'influence du passé, du présent et de l'avenir sur le comportement 482
La théorie de la personnalité : une réponse aux questions sur le comportement ? 483
La structure 483
Les processus 486
La croissance et le développement 487
La psychopathologie 488
Le changement 489
Les fondements biologiques et les niveaux d'explication 490
Les rapports entre la théorie, l'évaluation et la recherche 492
L'histoire de Jacques 493
Résumé 495

Glossaire 497
Bibliographie 505
Sources des illustrations 529
Index des auteurs 531
Index des sujets 537

Chapitre 1

La théorie de la personnalité : De l'observation quotidienne aux théories systématiques

Pourquoi étudier la personnalité ?

Définir la personnalité

La théorie de la personnalité : une réponse aux questions sur le comportement

La structure
Les processus
La croissance et le développement
La psychopathologie et le changement de comportement

Les grands débats

La conception philosophique de la personne
Les déterminants internes et externes du comportement
La stabilité à travers les situations et le temps
L'unité du comportement et le soi en tant que concept
Les différents états de conscience et le concept d'inconscient
Les liens entre la cognition, l'affect et le comportement manifeste
L'influence du passé, du présent et de l'avenir sur le comportement

L'évaluation des théories

La portée
La parcimonie
La pertinence scientifique

La théorie et l'étude de la personnalité

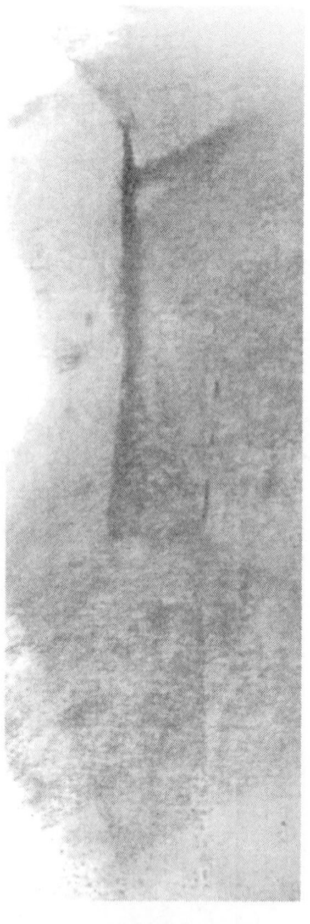

Avez-vous une amie que vous connaissez si bien que vous pouvez prédire comment elle agira, peu importent les circonstances ? Parce que vous l'avez vue vivre, vous connaissez ses façons uniques de réfléchir, de réagir émotionnellement et d'agir. Vous connaissez ses sentiments de même que ce qui lui plaît ou lui déplaît. Vous savez aussi ce qui la rend différente de vos autres amis. Vous êtes alors ce qu'on pourrait appeler un expert de la personnalité de votre amie.

Ce genre de tâche que nous accomplissons tous dans notre vie quotidienne n'est pas radicalement différent de celui qu'effectue le chercheur qui étudie la personnalité. Dans tous ces cas, il s'agit de concevoir un modèle du fonctionnement humain, une méthode pour saisir les différences entre les individus et, enfin, un ensemble de règles pour prédire leur comportement. Ce modèle, ainsi que les règles de prédiction qui en découlent, forme l'essence de la théorie de la personnalité élaborée par le psychologue autant que celle de nos théories de tous les jours, à la différence que le psychologue de la personnalité développe des modèles plus explicites, définit ses termes plus clairement et fait des recherches systématiques pour évaluer l'exactitude de ses prédictions. Le présent chapitre traite de la définition d'une théorie de la personnalité, des éléments que devrait comprendre cette théorie ainsi que de l'évaluation de sa validité. Alors que, dans sa vie quotidienne, un individu peut accepter des théories vagues et déformer les événements pour les rendre conformes à ses croyances, les psychologues de la personnalité doivent expliciter les concepts qu'ils utilisent et tendre à être objectifs face aux résultats de leurs recherches.

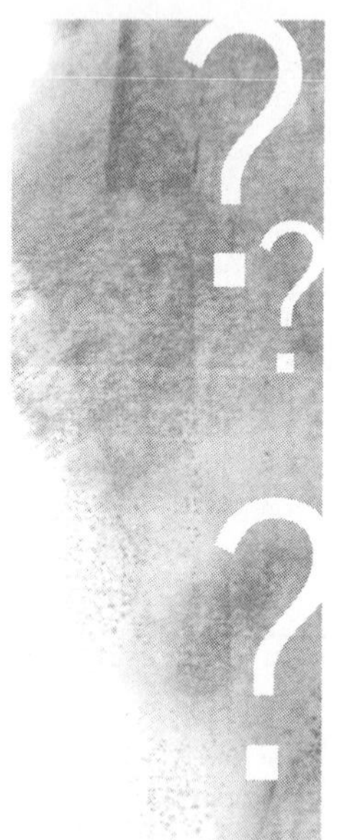

Le chapitre... *en questions*

1. On dit parfois que nous sommes tous des psychologues de la personnalité et que chacun d'entre nous possède une théorie sur le sujet. Si c'est le cas, en quoi les théories des psychologues de la personnalité se distinguent-elles de celles qu'utilisent dans leur fonctionnement quotidien les gens ordinaires, qui sont des profanes en psychologie de la personnalité ?
2. Y a-t-il des aspects fondamentaux du fonctionnement humain qu'une théorie de la personnalité doit nécessairement traiter ? Autrement dit, quels sont les aspects du fonctionnement humain qui nous intriguent et quelles sont les questions auxquelles nous voulons qu'une théorie de la personnalité apporte des réponses ?
3. Existe-t-il des questions importantes sur lesquelles les théories de la personnalité prennent des positions différentes (par exemple, la nature fondamentale des êtres humains, l'importance de leurs gènes et de leurs expériences de vie, l'influence de leur inconscient) ?

Pourquoi étudier la personnalité ?

Pourquoi les étudiants choisissent-ils de suivre un cours sur la personnalité ? Pourquoi certains décident-ils de devenir psychologues de la personnalité ? Nous pouvons supposer qu'ils cherchent des réponses aux questions suivantes : « Pourquoi les gens sont-ils ce qu'ils sont ? Pourquoi suis-je ce que je suis ? » Nous sommes tous fascinés par l'être humain ; nous nous demandons souvent en quoi et pourquoi les individus sont si différents les uns des autres et pourquoi ils agissent comme ils le font. Pourquoi certains ont-ils des difficultés d'ordre affectif que d'autres n'ont pas ? Pourquoi certains réussissent-ils dans des domaines où d'autres échouent, malgré des capacités apparemment similaires ? Un cours de psychologie de la personnalité offre des réponses possibles à ces questions. Ce livre ne pourra sans doute pas répondre à toutes les questions que se posent ceux qui s'intéressent à la personnalité, mais il fournira un certain nombre de réponses, ainsi qu'une manière de penser et d'étudier l'être humain.

La psychologie de la personnalité est ce domaine de la psychologie qui étudie l'individu dans sa totalité et dans toute sa complexité. Le lecteur de ce livre y trouvera diverses réponses que les psychologues de la personnalité ont données autrefois et qu'ils donnent aujourd'hui pour expliquer ce que nous sommes. Il découvrira aussi les moyens que le psychologue utilise pour étudier les différences entre les individus, c'est-à-dire les méthodes de recherche auxquelles il recourt. Les questions que se pose le psychologue de la personnalité ne sont probablement pas très différentes de celles que se pose tout individu qui s'intéresse au comportement humain. Cependant, elles sont souvent formulées différemment, d'une manière qui se prête à une étude systématique. En outre, les méthodes de recherche employées par le psychologue de la personnalité seront vraisemblablement beaucoup plus systématiques et moins sujettes aux erreurs et aux partis pris que les méthodes que nous utilisons habituellement dans nos façons d'observer le comportement humain.

En résumé, l'étude scientifique de la personnalité cherche à comprendre ce que nous sommes et pourquoi nous sommes ainsi. En essayant de répondre à cette question, nous ne pouvons pas ignorer la complexité du comportement humain. Les individus se ressemblent à bien des égards, pourtant ils sont différents à bien d'autres. Dans ce labyrinthe complexe qui se rapproche parfois du chaos, nous souhaitons trouver de l'ordre et des rapports significatifs. Voilà ce qu'est la psychologie de la personnalité, ce qui attire l'étudiant et ce qui pousse certains d'entre eux à embrasser la profession.

Définir la personnalité

La notion de personnalité invoque des caractéristiques psychologiques communes à tous les êtres humains, à la *nature humaine* ainsi qu'aux *différences individuelles*. Le psychologue de la personnalité s'intéresse aux similitudes et aux différences entre les individus. Pourquoi certains réussissent-ils, alors que d'autres échouent ? Pourquoi les individus perçoivent-ils différemment les mêmes choses ? Pourquoi certaines personnes souffrent-elles d'un grand stress, alors que d'autres non ?

Le théoricien de la personnalité s'intéresse également à l'ensemble de la personne et essaie de comprendre en quoi les différents aspects du fonctionnement de l'individu sont reliés entre eux. Par exemple, il ne s'agit pas d'étudier la perception, mais plutôt la façon dont les individus diffèrent dans leurs perceptions ainsi que l'effet de ces différences sur le fonctionnement global de l'individu. La psychologie de la personnalité ne se limite pas aux divers processus psychologiques ; elle traite aussi des relations et des interactions entre ces divers processus. En effet, pour comprendre la façon dont ces processus interagissent en vue de former un tout intégré, il faut en général éviter de les analyser de façon séparée. Les individus fonctionnent comme des ensembles organisés et c'est à la lumière d'une telle organisation que nous devons les comprendre (Magnusson, 1999).

Personnalité *(personality).* Caractéristiques d'une personne qui expliquent les modes stables de son comportement.

Étant donné l'importance accordée aux différences entre les individus et à la personne dans sa totalité, comment définirions-nous la personnalité ? Pour le grand public, parler de personnalité peut représenter un jugement de valeur : si vous aimez quelqu'un, c'est parce que cette personne a une « belle » personnalité ou « beaucoup » de personnalité. Cependant, pour le chercheur et l'étudiant en psychologie, le terme **personnalité** sert à définir un domaine d'étude. Une définition scientifique de la personnalité nous révèle les aspects qui doivent être étudiés et propose une façon judicieuse de les aborder.

Pour l'instant, nous allons nous appuyer sur cette définition : *la personnalité représente les caractéristiques de la personne auxquelles renvoie sa manière habituelle de sentir, de penser et de se comporter.* C'est une définition très générale, qui nous permet de nous concentrer sur de nombreux aspects de la personne. Elle souligne en outre que nous prenons en considération les modes stables du comportement et que nous expliquons ceux-ci à la lumière des caractéristiques intrinsèques de l'individu plutôt qu'à la lumière des caractéristiques du milieu. Les constances qui nous intéressent sont les pensées, les émotions et les comportements manifestes (observables) de l'individu. Nous nous demandons plus précisément comment ces pensées, ces émotions et ces comportements sont liés entre eux et comment ils interagissent pour former un individu unique et distinctif.

Il existe de nombreuses autres définitions de la personnalité en dehors de celle que nous avons proposée. Elles ne sont ni bonnes ni mauvaises ; elles sont simplement plus ou moins utiles pour nous aider à comprendre des aspects importants du comportement. On considérera une définition comme utile si elle permet à la psychologie de la personnalité de progresser en tant que science.

En résumé, l'exploration scientifique de la personnalité exige de notre part des efforts systématiques pour que nous parvenions à découvrir et à expliquer les constances de la pensée, des émotions et des comportements manifestes de l'individu dans sa vie quotidienne. Notre tâche de chercheur consiste à élaborer des théories qui permettent d'observer et d'expliquer ces constances. Passons maintenant à la nature de la théorie.

La théorie de la personnalité : une réponse aux questions sur le comportement

Toute théorie de la personnalité propose des façons d'organiser et de systématiser un large éventail de phénomènes. Elle peut également suggérer des orientations utiles à la recherche. De façon générale, les théories nous permettent de réunir ce que nous savons déjà et nous proposent des moyens de découvrir ce que nous ne savons pas encore.

Pourquoi devrions-nous élaborer une théorie de la personnalité ? Parce que nous voulons, par une étude rigoureuse des individus, trouver les réponses aux trois questions suivantes :

1) *Quelles sont les caractéristiques des individus?*
2) *Comment sont-ils devenus ce qu'ils sont?*
3) *Pourquoi agissent-ils comme ils le font?*

La question 1 se rapporte aux caractéristiques de la personne et à leurs interactions : l'individu est-il honnête, persévérant, manifeste-t-il un grand besoin d'accomplissement ? La question 2 concerne les déterminants de la personnalité de l'individu : dans quelle mesure et de quelle façon les facteurs génétiques et environnementaux interagissent-ils pour produire ce résultat ? La question 3 renvoie aux motivations : qu'est-ce qui pousse un individu à vouloir faire fortune ? un enfant à vouloir obtenir de bons résultats scolaires ? une mère à surprotéger son enfant ?

Examinons le cas de la dépression. Grâce à la théorie, nous découvrirons dans quelle mesure la dépression est caractéristique d'une personne, de quelle façon cette caractéristique de la personnalité se développe, pourquoi elle est vécue dans des circonstances particulières (la personne est-elle dépressive à cause d'une rupture amoureuse, parce qu'elle s'est sentie humiliée, parce qu'elle éprouve de la culpabilité ?) et pourquoi la personne se comporte de telle manière plutôt que de telle autre (pourquoi une personne déprimée choisit-elle de se consoler en allant magasiner, alors qu'une autre se replie sur elle-même ?).

Une théorie adéquate de la personnalité devrait nous permettre d'analyser les cinq aspects suivants :

1) la *structure* — les unités, ou composantes de base de la personnalité ;
2) le *processus* — les aspects dynamiques de la personnalité, y compris les motivations ;
3) la *croissance et le développement* — la façon dont nous évoluons pour devenir la personne unique que nous sommes ;
4) la *psychopathologie* — la nature et les causes des troubles de la personnalité ;
5) le *changement de comportement* — la façon dont l'individu change et pourquoi il résiste au changement ou est incapable de changer de façon d'agir.

LA STRUCTURE

On peut comparer les théories en fonction des concepts sur lesquels elles s'appuient. Le concept de **structure** se rapporte aux aspects les plus stables et durables de la personnalité, c'est-à-dire aux composantes de base de la théorie de la personnalité. En ce sens, on peut faire une analogie avec les parties du corps ou avec l'atome et la molécule en physique. On s'est beaucoup servi de concepts se rapportant à des structures tels que la *réaction*, l'*habitude*, le *trait* et le *type* pour se représenter les individus.

Structure *(structure)*.
Dans la théorie de la personnalité, concept qui se rapporte aux aspects les plus durables et stables de la personnalité.

Le concept de *trait* s'applique à la stabilité de la réaction de l'individu dans une variété de situations et il peut être assimilé à ce que les profanes entendent ordinairement. Ainsi, pour vous décrire vous-même ou décrire un ami, vous utilisez des adjectifs tels que « intelligent », « sociable », « honnête », « amusant » ou « sérieux ». Ces termes sont très similaires à ceux qu'emploient de nombreux théoriciens de la personnalité.

Le concept de *type* est un regroupement de différents traits. Il indique un degré supérieur de régularité et de généralité du comportement par rapport au simple trait. Bien que l'individu puisse posséder de nombreux traits à des degrés divers, on le décrit généralement comme appartenant à un type particulier. On peut, par exemple, définir un individu selon qu'il est introverti ou extraverti, et selon qu'il adopte une conduite de rapprochement, d'éloignement, de retrait ou d'affrontement par rapport à autrui (Horney, 1945).

Il est possible de se fonder sur d'autres concepts que le trait ou le type pour représenter la structure de la personnalité. Les théories se distinguent précisément par les types d'unités ou de concepts structuraux qu'elles privilégient ainsi que par leur façon d'envisager l'organisation de ces unités : certaines théories construisent un système structurel *complexe* dans lequel de nombreuses composantes sont reliées de multiples façons ; d'autres présentent au contraire un système structurel *simple*, qui offre peu de composantes et qui établit des liens limités entre celles-ci. Le cerveau humain est une structure beaucoup plus complexe que le cerveau d'un poisson parce qu'il possède un plus grand nombre de composantes distinctes ainsi que des liaisons ou des interactions plus nombreuses.

Les théories de la personnalité se distinguent aussi par la façon dont elles organisent hiérarchiquement les composantes structurelles. Selon la hiérarchie adoptée, les composantes structurelles ont alors plus ou moins de poids et, par conséquent, contrôlent ou non le fonctionnement des composantes secondaires. Le système nerveux de l'être humain est plus complexe que celui d'autres espèces parce qu'en plus de présenter un plus grand nombre de parties différentes et d'interactions il comprend des organes qui, comme le cerveau, gèrent le fonctionnement d'autres parties du système. Examinons la structure d'une entreprise en guise d'analogie. Certaines entreprises ont une structure plus complexe que d'autres ; elles comptent de nombreuses unités ayant des interactions multiples et une hiérarchisation des personnes ayant un pouvoir décisionnel. À l'inverse, les entreprises qui ont une structure simple présentent peu d'unités, celles-ci ayant des interactions limitées et un système hiérarchique peu développé. C'est une entreprise familiale par opposition à un géant de l'automobile. On peut ainsi caractériser les théories de la personnalité par le nombre et le type de composantes structurelles qu'elles préconisent ainsi que par l'intérêt qu'elles accordent à la complexité ou à l'organisation du système.

LES PROCESSUS

Il est aussi possible de comparer les théories en examinant les concepts *motivationnels* dynamiques sur lesquels elles s'appuient pour expliquer le comportement. Ces concepts se rapportent au comportement en tant qu'ensemble de **processus**.

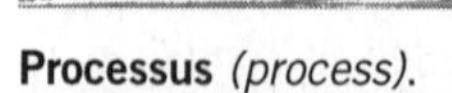

Processus *(process)*.
Dans la théorie de la personnalité, concept qui se rapporte aux aspects motivationnels de la personnalité.

Modèle de réduction de la tension *(tension reduction model)*.
Modèle selon lequel des besoins internes créent chez l'individu des tensions qu'il cherche à réduire par la satisfaction des besoins en question.

Les psychologues de la personnalité ont utilisé trois grandes catégories de concepts motivationnels : les motivations de recherche de plaisir et d'évitement de la douleur, les motivations de croissance ou d'actualisation de soi et les motivations cognitives (Pervin, 1996). Le concept hédoniste, qui met en relief la recherche du plaisir et l'évitement de la douleur, sous-tend deux modèles : le modèle de réduction de la tension et le modèle de l'incitation. Un théoricien important de la personnalité qualifie ces modèles de « théorie du bâton » (push th*eory*, ou *pitch fork theory)*, de « théorie de la carotte » (*pull theory*, ou *carrot theory*) et de théorie du bâton et de la carotte (Kelly, 1958). Selon le **modèle de réduction de la tension** (bâton), des besoins internes, par exemple physiologiques, poussent l'individu à agir ; ceux-ci créent chez lui des tensions qu'il cherche à réduire par la satisfaction des besoins en question. La faim, la soif ou la douleur créent chez nous une tension que nous pouvons soulager en mangeant, en buvant ou en prenant un analgésique. Le terme de « pulsion » *(drive)* s'applique habituellement aux états de tension interne qui dirigent l'activité d'un individu et l'orientent vers la réduction de cette tension. En ce qui concerne le **modèle de l'incitation** (carotte), celui-ci met l'accent sur un objet externe (un incitateur) qui attire ou repousse (*pull*) l'individu. On s'intéresse alors aux résultats, aux buts ou aux récompenses que l'individu cherche à atteindre, comme la richesse, la gloire, l'acceptation sociale ou le pouvoir. Même si c'est l'objectif qui est mis en évidence plutôt que l'état de tension interne, la quête du plaisir et la fuite de la douleur demeurent néanmoins dans la ligne de mire, puisque le plaisir ou l'absence de douleur sont associés à l'atteinte de l'objectif. Voilà pourquoi les modèles de l'incitation et de la réduction de la tension sont considérés comme des théories hédonistes de la motivation.

Modèle de l'incitation *(incentive model).* Modèle qui met l'accent sur un objet externe qui attire ou repousse l'individu.

À la différence de ces théories axées sur le plaisir, d'autres soulignent les efforts de l'organisme pour se développer et se réaliser. Selon cette approche, l'individu cherche à se développer et à réaliser son potentiel, même au prix d'une tension accrue. Enfin, dans les théories cognitives de la motivation, on accorde de l'importance aux efforts de l'individu pour comprendre et prédire les événements qui surviennent dans son environnement. D'après ces théories, l'individu manifeste un besoin de stabilité ou de connaissance plutôt qu'un besoin de plaisir ou d'actualisation de soi. L'individu peut chercher à maintenir une image de soi stable et à s'assurer que les autres se comportent d'une manière prévisible ; dans ce cas, il privilégie la stabilité et la prévisibilité, même au prix de la douleur ou de l'inconfort. Ainsi, l'individu peut à l'occasion préférer un événement désagréable si ce dernier permet de rendre l'environnement plus stable et plus prévisible (Swann, 1992, 1997).

Le modèle de réduction de la tension était largement répandu dans les premières théories de la motivation. Les études effectuées sur les animaux et les êtres humains ont toutefois démontré que les organismes cherchent souvent la tension. C'est le cas des singes, qui s'évertuent à résoudre des casse-tête quelle que soit la récompense ; en fait, les récompenses peuvent nuire à leur rendement. Les comportements exploratoires et ludiques des membres de nombreuses espèces sont bien connus. Ces observations ont amené R.W. White (1959) à conceptualiser un processus du fonctionnement humain appelé *besoin de compétence*. Selon cette approche, l'individu est motivé à interagir efficacement avec son environnement. En effet, à mesure

La motivation Les théories de la personnalité mettent l'accent sur différents types de motivation (par exemple, la réduction de la tension, l'actualisation de soi, l'exercice du pouvoir).

qu'il évolue, l'individu adopte des conduites de plus en plus axées vers le développement de compétences qui lui permettront de maîtriser la situation ou d'agir efficacement dans ses rapports avec l'environnement ; ses conduites sont par contre de moins en moins dirigées vers la réduction de la tension.

À chaque époque ses théories de la motivation (Little, 1999 ; McAdams, 1999). Jusqu'aux années cinquante, les théories de la motivation basées sur les pulsions internes étaient assez répandues. La baisse de l'intérêt manifesté à l'égard des pulsions et de la réduction de la tension a par la suite favorisé l'émergence des modèles de croissance et d'actualisation de soi. Dans la foulée de la révolution cognitive des années soixante, on observe un intérêt marqué pour les motivations cognitives de stabilité et de prévisibilité. De nos jours, on constate un regain d'intérêt pour les théories dites des buts, qui présentent une vision de l'individu cherchant activement à atteindre des objectifs prédéterminés.

Doit-on faire un choix parmi les diverses théories de la motivation ? En choisissant une théorie, invalide-t-on les autres ? Comme nous le constaterons dans les chapitres ultérieurs, les théoriciens de la personnalité ont tendance à s'en tenir à un seul modèle de motivation. Cependant, il se peut que l'individu manifeste divers types de motivation à l'occasion : la quête de plaisir sous la forme de la réduction de la tension ou de l'atteinte d'un objectif, la recherche d'actualisation de soi ou encore la recherche de stabilité et de prévisibilité cognitives. Il peut exister des différences entre les individus quant à la nature des motivations qui les animent. Ces différences individuelles peuvent constituer une part importante de la personnalité. Bien qu'une telle approche soit possible et même souhaitable, les théoriciens de la personnalité ont eu plutôt tendance à favoriser l'un ou l'autre des modèles de motivation pour expliquer le processus du comportement humain.

LA CROISSANCE ET LE DÉVELOPPEMENT

L'un des plus grands défis du psychologue de la personnalité consiste à expliquer le développement des différences entre les individus qui font de chacun de nous des individus uniques. En règle générale, on distingue deux catégories de déterminants de la personnalité : les déterminants génétiques et les déterminants environnementaux. Malheureusement, cette division a souvent donné lieu à de vives polémiques entre ceux qui estiment que ce sont les premiers qui ont le plus de poids et ceux qui estiment que ce sont les seconds. C'est la fameuse *controverse nature-culture,* la nature correspondant à la contribution des gènes, et la culture à l'importance du milieu. Selon les époques, l'un ou l'autre de ces déterminants prédomine ; l'opinion oscille tantôt vers une priorité des gènes, tantôt vers une priorité de l'environnement, tel le balancier d'une horloge. Depuis quelques années, on privilégie plutôt les facteurs génétiques ; cependant, même les tenants de cette approche soutiennent qu'on a peut-être tendance à exagérer l'importance de la nature, c'est-à-dire des gènes (Plomin, 1994 ; Plomin et Caspi, 1999 ; Plomin, Chipuer et Loehlin, 1990).

Est-il encore une fois nécessaire de choisir ? Manifestement, les deux types de déterminants comptent beaucoup dans la formation de la personnalité. Avant d'analyser les relations qui les unissent, examinons séparément l'apport de chacun d'entre eux.

Les déterminants génétiques

Les facteurs génétiques jouent un rôle essentiel dans la formation de la personnalité, notamment en ce qui a trait à la singularité de chaque individu (Caspi, 1999 ; Plomin

Les influences génétiques et le développement de la personnalité Le développement de la personnalité reflète l'interaction des facteurs génétiques et environnementaux. Les triplés photographiés ont été séparés en bas âge et se sont retrouvés au début de l'âge adulte. Non seulement ont-ils des traits physiques semblables, mais en plus ils parlent et sourient de la même façon.

et Caspi, 1999; Rowe, 1999). Bien que de nombreux psychologues aient traditionnellement souligné l'influence des facteurs génétiques et environnementaux dans le façonnement global de la personnalité, des théoriciens ont admis récemment que cette influence pouvait varier selon la caractéristique de la personnalité qui est à l'étude. Ainsi, les facteurs génétiques jouent en général un rôle clé dans le développement de l'intelligence et du tempérament et un rôle beaucoup moins important dans celui des valeurs, des idéaux et des croyances.

Le degré d'activité, ou encore d'appréhension, est un bon exemple de différence entre les individus attribuable au tempérament (Kagan, 1994, 1999). Certains jeunes enfants sont plus actifs et moins craintifs que d'autres. Ces caractéristiques peuvent persister à l'âge adulte : certains individus sont toujours sur la brèche, alors que d'autres préfèrent la lecture ou la sieste ; certains sont audacieux, alors que d'autres sont généralement craintifs ou prudents. Le fait qu'elles apparaissent tôt, qu'elles persistent et qu'elles se développent indépendamment de l'expérience de vie de chacun, laisse croire que ces différences sont attribuables à des caractéristiques génétiques ou innées. On dit souvent que les parents sont des « environnementalistes » à la naissance de leur premier enfant, mais qu'ils deviennent des « héréditaristes » après la naissance de leurs autres enfants, ayant constaté des différences frappantes chez leurs enfants dès la naissance.

Les psychologues de la personnalité qui accordent une grande importance à l'évolution génétique de l'espèce humaine mettent également l'accent sur les déterminants génétiques (Buss, 1991, 1995, 1999, 2000 ; Buss et Kenrick, 1998). Selon ces psychologues, de nombreux modes de comportement relèvent de notre patrimoine évolutif et se rapportent à des gènes que nous partageons avec les membres d'autres espèces animales. Malgré notre propension à croire que les gènes contribuent grandement à nous différencier les uns des autres, nous ne devons pas oublier la part importante de la structure génétique que nous avons en commun avec les autres membres de notre propre espèce et avec ceux d'autres espèces animales.

Ainsi, nous sommes constitués pour la plupart de la même façon : deux yeux, deux oreilles, un nez, etc. Selon les psychologues évolutionnistes, outre ces traits physiques de base, nous partageons des modes sociaux de relations avec autrui. Par exemple, les caractéristiques jugées souhaitables chez un partenaire masculin ou féminin, les différences entre l'homme et la femme dans l'investissement parental, l'altruisme ainsi que les émotions fondamentales reflètent notre patrimoine évolutif sous la forme d'informations contenues dans les gènes que nous avons en commun avec d'autres espèces. Les psychologues qui mettent au premier plan les émotions fondamentales (la colère, la tristesse, la joie, le dégoût, la peur) laissent entendre que ces émotions sont innées, c'est-à-dire que l'information pertinente est codée dans nos gènes (Ekman, 1992, 1993, 1994 ; Izard, 1991, 1994). Ainsi, les enfants comme les adultes, les chimpanzés comme les êtres humains, ressentent de telles émotions en raison d'une structure génétique et d'un patrimoine évolutif communs. Cela ne veut pas dire que l'expérience ne joue pas un rôle dans les émotions que peut manifester l'individu, ou dans l'apparition d'émotions particulières et de leur expression, mais plutôt que l'expérience survient conformément à une structure génétique sous-jacente. En somme, les gènes contribuent à façonner nos ressemblances en tant qu'êtres humains et nos différences en tant qu'individus.

Les déterminants environnementaux

Les déterminants environnementaux englobent les influences qui nous rendent semblables à autrui de même que les expériences qui font de nous des êtres uniques.

La culture ■ Parmi les déterminants environnementaux de la personnalité, les expériences individuelles que nous vivons en tant que membres d'une *culture* donnée sont primordiales. Chaque culture possède ses propres modes institutionnalisés et approuvés de comportements acquis, de rituels et de croyances. Cela signifie que la plupart des membres d'une culture partagent certaines caractéristiques de la personnalité. Nous négligeons souvent ces influences culturelles jusqu'à ce que nous entrions en contact avec des membres d'une autre culture dont la vision différente du monde remet peut-être en question la nôtre. Même si nous considérons ces influences comme allant de soi, leur effet est énorme et agit sur presque tous les aspects de notre existence : notre façon de définir nos besoins et les moyens de les satisfaire ; notre expérience de diverses émotions et la façon dont nous exprimons nos sentiments ; nos relations avec autrui et avec soi ; ce que nous trouvons drôle ou triste ; notre manière de vivre et de mourir ; et ce que nous considérons comme sain ou malsain (Cross et Markus, 1999 ; Fiske, Kitayama, Markus et Nisbett, 1998 ; Markus et Kitayama, 1991).

La classe sociale ■ Si certains de nos modes de comportement proviennent de notre appartenance à une culture, d'autres proviennent de notre appartenance à une classe sociale. Rares sont les aspects de la personnalité d'un individu que l'on peut expliquer sans tenir compte du groupe auquel il appartient. Le groupe social — qu'il s'agisse de la classe « inférieure » ou « supérieure », de la classe ouvrière ou d'une profession libérale — a une importance particulière. Il permet de déterminer le statut de l'individu, son rôle, ses responsabilités et les privilèges dont il jouit. Ces facteurs influent sur la perception que l'individu a de lui-même et des membres des autres classes sociales, ainsi que sur la façon dont il gagne et dépense son argent. Comme les facteurs culturels, les facteurs liés à la classe sociale modifient notre façon de définir les situations et d'y réagir.

Les déterminants de la personnalité Les différences génétiques et les expériences de vie variées au sein et à l'extérieur de la famille contribuent aux différences de personnalité entre frères et sœurs.

La famille ▪ Si certains facteurs environnementaux comme la classe sociale et la culture sont à l'origine de similitudes entre les individus, d'autres entraînent des variations considérables dans le développement de la personnalité. C'est le cas de la famille (Collins *et al.,* 2000; Halverson et Wampler, 1997; Maccoby, 2000). Le milieu familial peut être chaleureux et aimant ou hostile et rejetant, surprotecteur et possessif ou sensible au besoin de liberté et d'autonomie des enfants. Chaque mode de comportement parental a un effet sur le développement de la personnalité de l'enfant. Les parents influencent le comportement de leurs enfants d'au moins trois façons:

1) Par leurs comportements, ils créent des situations qui suscitent un certain comportement chez l'enfant (par exemple, la frustration entraîne l'agressivité).
2) Ils agissent en qualité de modèles auquel l'enfant peut s'identifier.
3) Ils récompensent certains comportements plutôt que d'autres.

Des chercheurs se sont récemment demandé pourquoi les enfants d'une même famille étaient si différents. La réponse réside non seulement dans les différences constitutionnelles (biologiques) entre frères et sœurs, mais aussi dans les expériences variées qu'ils vivent dans leur famille et à l'extérieur de celle-ci (Dunn et Plomin, 1990; Plomin et Caspi, 1999; Plomin et Daniels, 1987). À la surprise générale, les expériences individuelles (dans le milieu non partagé) peuvent s'avérer plus marquantes pour le développement de la personnalité que les expériences communes (au sein de la famille).

Les pairs ▪ Si le milieu familial n'est pas aussi influent qu'on le croit, quels seraient les déterminants environnementaux prépondérants ? S'agit-il des expériences familiales uniques à chaque enfant ? On a émis récemment une autre hypothèse selon laquelle ce sont les pairs qui expliquent les effets du milieu social sur le développement de la personnalité. « Les expériences que les enfants et les adolescents vivent avec leurs groupes de pairs en dehors de la famille, plutôt que les expériences qu'ils vivent à la maison, expliquent les influences du milieu sur le développement de la

DÉBATS ACTUELS

Les limites de l'influence familiale

Pendant longtemps, les psychologues de la personnalité et du développement ont supposé que la famille était d'une importance primordiale dans le façonnement de la personnalité. On présumait ainsi que, par leur appartenance à la même famille, les frères et sœurs avaient des caractéristiques de la personnalité qui étaient communes en raison des influences environnementales partagées. Comme nous l'avons mentionné, les généticiens du comportement, c'est-à-dire ceux qui étudient la relation entre les similitudes génétiques et les caractéristiques de la personnalité afin de déterminer les influences génétiques sur la personnalité, sont arrivés à la conclusion que les frères et sœurs grandissant au sein de la même famille ne partagent pas le même environnement. Au contraire, le milieu familial est distinctif pour chaque enfant.

En outre, d'après certains généticiens du comportement, le milieu familial aurait même une influence systématique limitée sur la personnalité ! Ils prétendent que les gènes — les influences génétiques directes, tout comme les caractéristiques génétiques individuelles qui poussent chacun à réagir à sa façon à l'environnement — jouent un rôle plus important que les expériences familiales. L'enfant de tempérament agressif peut choisir un milieu différent, susciter des réactions différentes chez les autres et réagir différemment aux mêmes événements environnementaux que l'enfant de tempérament passif. Ainsi, malgré l'importance relative des expériences environnementales, ces généticiens supposent qu'elles se produisent en grande partie à l'extérieur du milieu familial et qu'elles subissent l'influence des facteurs génétiques.

Les psychologues qui mettent au premier plan les expériences familiales dans le façonnement des similitudes et des différences entre frères et sœurs ont contesté ces assertions. Dans une étude récente et particulièrement remarquée, on a constaté que le milieu familial commun exerçait une grande influence sur les attitudes à l'égard des relations amoureuses, alors que l'effet des facteurs génétiques était pratiquement nul. Selon les auteurs de l'étude, « le milieu familial commun joue un rôle assez considérable dans la définition des styles de relations amoureuses, résultat compatible avec les théories soulignant l'importance des interactions familiales dans le développement de la personnalité » (Waller et Shaver, 1994, p. 268). Peut-être vaudrait-il mieux à l'heure actuelle se borner à énoncer qu'il reste encore beaucoup à apprendre au sujet de la façon dont les gènes et l'environnement interagissent pour façonner les diverses caractéristiques de la personnalité.

SOURCES : Harris, 1998 ; Hoffman, 1991 ; Maccoby, 2000 ; Rowe, 1999 ; Scarr, 1992 ; Stoolmiller, 1999 ; Waller et Shaver, 1994.

personnalité. À la question "Pourquoi les enfants d'une même famille sont-ils si différents ?" (Plomin et Daniels, 1987), on peut répondre : parce qu'ils vivent des expériences différentes à l'extérieur de la maison et que leurs expériences en milieu familial ne les rendent pas plus semblables » (Harris, 1995, p. 481).

On laisse donc entendre que les enfants font de nombreux apprentissages à la maison, mais que ceux-ci sont restreints au milieu familial et qu'ils s'effacent souvent devant la pression au conformisme exercée par leurs pairs. Ainsi, le groupe d'amis sert à socialiser l'individu en l'amenant à accepter de nouvelles règles de comportement et lui procure des expériences qui auront des effets durables sur le développement de sa personnalité. Selon cette approche, les liens parentaux sont importants au début du développement, mais ce sont les relations avec les pairs qui assurent le développement ultérieur plus durable de la personnalité.

Les relations entre les déterminants génétiques et les déterminants environnementaux

Les psychologues se sont de tout temps interrogés sur l'importance relative des gènes et de l'environnement, même si tous admettront sans doute que c'est un débat futile, puisque les gènes et l'environnement sont interdépendants ; les gènes n'agissent jamais sans l'environnement, et l'environnement n'agit jamais sans les gènes. Pour les psychologues, il s'agit donc de comprendre le processus de développement de la personnalité qui découle des interactions permanentes entre les gènes et l'environnement. Examinons, par exemple, le concept de l'*éventail des effets possibles* (Gottesman, 1963), selon lequel l'hérédité établit un éventail possible de résultats, tandis que l'environnement détermine le résultat donné dans l'éventail en question. Autrement dit, l'hérédité établit un champ de possibilités à l'intérieur duquel le développement ultérieur d'une caractéristique de la personnalité sera déterminé par l'environnement. Par exemple, l'hérédité définira les limites du talent en musique ou dans les sports, et le milieu déterminera la forme et le degré précis du développement du talent.

Bien qu'il soit utile, le concept d'éventail des effets possibles ne parvient pas à représenter le processus actif de l'interaction permanente entre la nature et la culture. Une fois nés, non seulement les bébés sont exposés à différents milieux, mais aussi, compte tenu des caractéristiques constitutionnelles dont ils ont hérité, ils suscitent des réactions différentes de la part de l'environnement. L'enfant hyperactif, par exemple, n'engendre pas de la part de ses parents les mêmes réactions que l'enfant sage ; il en va ainsi de l'enfant physiquement attrayant par rapport à l'enfant peu attrayant, et de la fillette par rapport au petit garçon. Dans son développement ultérieur, l'individu recherchera des environnements différents en partie à cause de ses particularités constitutionnelles, et en partie à cause de ses expériences antérieures de plaisir ou de douleur associées à des environnements particuliers. Ainsi, au lieu d'une simple relation de cause à effet, nous sommes en présence d'une interaction permanente ou d'un processus réciproque entre l'hérédité et l'environnement.

En résumé, la personnalité est déterminée par de nombreux facteurs en interaction, notamment l'hérédité, la culture, la classe sociale et la famille. L'hérédité fixe les limites de l'étendue du développement des caractéristiques de la personnalité, à l'intérieur desquelles les caractéristiques du comportement sont déterminées par les facteurs environnementaux. Elle nous procure des talents qu'une culture peut choisir de récompenser et de développer. Il est possible de constater l'interaction de ces nombreux facteurs héréditaires et environnementaux dans tous les aspects fondamentaux de la personnalité. La théorie de la personnalité doit expliquer le développement des structures et des modes de comportement ; elle doit permettre de déceler les caractéristiques de la personnalité qui définissent les individus, et de comprendre comment et pourquoi ces caractéristiques de la personnalité apparaissent.

LA PSYCHOPATHOLOGIE ET LE CHANGEMENT DE COMPORTEMENT

Pour expliquer les divers aspects du comportement humain, une théorie globale de la personnalité doit offrir des analyses permettant de comprendre pourquoi certains individus sont en mesure de gérer le stress de la vie quotidienne et sont en général heureux, alors que d'autres présentent des comportements psychopathologiques (conduite anormale attribuable à des causes psychologiques). En outre, une telle théorie doit proposer des psychothérapies ou des moyens de modifier les formes pathologiques de comportement. Bien qu'ils ne soient pas tous thérapeutes, les théoriciens de la personnalité doivent expliquer le processus de changement ou de résistance au changement et indiquer pourquoi certains individus acceptent de changer et d'autres non.

En bref

Dans la présente section, nous avons exploré les cinq aspects dont une théorie complète de la personnalité doit traiter et qui permettent de la comparer à d'autres théories de la personnalité; il s'agit de la structure, des processus, du développement, des troubles mentaux et du changement de la personnalité. Ces cinq aspects sont les concepts ou les moyens grâce auxquels on peut organiser le champ d'étude de la personnalité. Les abstractions théoriques existent également dans d'autres sciences; elles définissent le champ que doit couvrir une théorie de la personnalité.

Les grands débats

Dans l'histoire assez brève de la théorie de la personnalité, les théoriciens ont eu sans cesse à débattre d'un certain nombre de sujets (Pervin, 1999). Leur façon d'aborder ceux-ci détermine en grande partie les caractéristiques de chaque théorie. Dans l'évaluation des approches de la personnalité, nous devons donc tenir compte de l'importance accordée aux divers sujets débattus et des solutions proposées par chacun des théoriciens.

LA CONCEPTION PHILOSOPHIQUE DE LA PERSONNE

Quelle est la nature fondamentale de l'être humain ? Les théories actuelles de la personnalité reposent en général sur une conception philosophique de la nature humaine. Par exemple, selon une première théorie, la personne est un être qui raisonne, choisit et décide (approche rationnelle) et, selon une deuxième, elle est un animal irrationnel agissant sous la force de ses pulsions (approche psychodynamique); dans une troisième théorie, la personne est un organisme qui réagit automatiquement aux stimuli extérieurs (approche mécaniste) et, dans une quatrième, elle est un être qui traite l'information à la manière d'un ordinateur (approche du traitement de l'information). Cette dernière approche diffère de la première en ce qu'elle ne suppose pas que les processus cognitifs sont parfaits et purement rationnels.

Les tenants de ces approches ont vécu des expériences qui leur sont propres et subi l'influence de leur époque. Ainsi, au-delà des preuves et des faits scientifiques, les théories de la personnalité sont conditionnées par des facteurs personnels, par l'esprit de l'époque et par les présuppositions philosophiques caractéristiques d'une culture donnée (Pervin, 1978b). Bien qu'elles reposent sur les faits observés, les théories privilégient chacune des types de données différents et dépassent les faits connus; elles sont donc sujettes à l'influence des facteurs personnels et culturels. Dans une certaine mesure, nous parlons de nous-mêmes lorsque nous élaborons des théories psychologiques. Ce n'est pas un problème en soi, sauf lorsque les expériences personnelles prennent le pas sur d'autres types d'expériences et qu'elles nous amènent à négliger les résultats des recherches scientifiques.

LES DÉTERMINANTS INTERNES ET EXTERNES DU COMPORTEMENT

Le comportement humain est-il déterminé par des processus internes ou par des événements externes ? La question ici concerne l'influence relative de ces deux types de déterminants. Tous les théoriciens de la personnalité conviennent que l'on doit tenir compte des facteurs internes et des événements du milieu environnant pour définir le comportement. Ils divergent toutefois sur l'importance accordée aux uns et aux autres. Examinons, par exemple, la différence entre la théorie de Freud, affirmant que nous sommes dominés par des forces internes inconnues, et celle de Skinner, laissant entendre que « l'individu n'agit pas sur le monde, c'est le monde qui agit sur lui » (1971, p. 211). Alors que Freud présente les causes du comportement comme résidant à l'intérieur même de l'individu, Skinner les montre comme existant d'abord dans l'environnement de l'individu (1972, p. 255). Ainsi, l'approche freudienne nous incite à nous concentrer sur ce qui se passe à l'intérieur de la personne, contrairement à celle de Skinner qui laisse entendre que de tels efforts sont vains et qu'il vaut mieux s'attarder aux variables de l'environnement.

Même si de nombreux psychologues préfèrent éviter des points de vue aussi diamétralement opposés, la plupart ont néanmoins tendance à orienter leur théorie vers les facteurs internes ou externes. Périodiquement, on déplace la prépondérance accordée aux facteurs internes vers les facteurs externes ou inversement, en y ajoutant à l'occasion une invitation à explorer la relation entre ces deux facteurs. Dans les années quarante, par exemple, un psychologue s'est élevé contre la tendance, alors assez répandue, à surestimer l'importance des facteurs internes (la personne) par rapport aux facteurs externes (l'environnement) dans l'étude de la personnalité (Ichheiser, 1943). Dans les années soixante-dix, un autre psychologue s'est demandé où était la personne dans les recherches sur la personnalité (Carlson, 1971). Plus récemment, le débat sur le rôle des déterminants internes et externes a été alimenté par la *controverse au sujet des variables personnelles et situationnelles (personne-situation)*. Dans un ouvrage paru en 1968, *Personality and Assessment*, le théoricien de l'apprentissage social Walter Mischel critiquait l'importance accordée aux structures internes stables et durables dans les théories classiques de la personnalité, car cela mène à la perception d'un comportement humain plutôt invariable, quels que soient le moment et la situation. Au lieu de mettre l'accent sur des caractéristiques générales de la personnalité qui agiraient indépendamment des facteurs externes, Mischel laissa entendre que les changements dans l'environnement ou dans les conditions externes étaient susceptibles de modifier le comportement des individus. Il en résulterait donc des comportements relativement limités à chaque situation, laquelle agirait séparément pour déterminer le comportement individuel.

Depuis la publication de l'ouvrage de Mischel, la controverse au sujet des variables internes et externes (ou personne-situation) a suscité beaucoup d'intérêt. Il y eut un premier débat pour déterminer si ce sont les individus ou les situations qui régissent le comportement, puis un second pour établir lesquelles des variables personnelles ou des variables situationnelles sont les plus déterminantes. On a finalement conclu à l'égalité entre les deux types de variables et à leur interaction (Endler et Magnusson, 1976 ; Magnusson et Endler, 1977 ; Snyder et Cantor, 1998). De nos jours, presque tous les chercheurs insistent sur l'interaction des variables personnelles et situationnelles, malgré la persistance de désaccords fondamentaux. Même lorsque les personnes, les situations et les interactions sont considérées comme des facteurs importants, il subsiste des différences théoriques quant à l'*identification* des facteurs internes et externes, et aux *types* d'interaction. La controverse au sujet des variables internes et externes demeure donc vive et on ne doit pas la passer sous silence lorsqu'on étudie les diverses perspectives théoriques.

LA STABILITÉ À TRAVERS LES SITUATIONS ET LE TEMPS

Quel est le degré de stabilité de la personnalité d'une situation à l'autre ? Dans quelle mesure êtes-vous la « même personne » lorsque vous êtes en présence de vos amis ou de vos parents, au cours d'une fête ou d'une discussion en classe ? Sur le plan de la stabilité temporelle, votre personnalité actuelle ressemble-t-elle à celle de votre enfance, et sera-t-elle la même dans vingt ans ? Nous constatons une fois de plus que les théoriciens de la personnalité adoptent des positions différentes à ce sujet. La constance du comportement dans l'ensemble des situations se rapporte à la controverse que nous avons mentionnée précédemment. Alors que certains affirment que le comportement de l'individu est constant dans l'ensemble des situations, d'autres prétendent que les individus sont très changeants, qu'ils deviennent pratiquement des personnes différentes selon le contexte. Même s'il y a manifestement des différences entre les individus sous ce rapport — certains étant plus constants et d'autres plus changeants —, on peut se demander si, en général, les individus adoptent le même comportement quelles que soient les situations ou s'ils l'adaptent à celles-ci. D'une manière plus générale, nous pouvons nous interroger sur la façon dont une théorie rend compte de la stabilité et de la variabilité qui caractérisent le comportement de chaque personne dans un éventail de situations.

Certains théoriciens de la personnalité soulignent l'importance de la continuité de la personnalité au fil du temps (Caspi et Roberts, 1999). Selon cette perspective, l'enfant « est le père de l'homme » et, lorsque l'individu atteint l'âge de vingt-cinq ans environ, sa personnalité est pratiquement fixée (Costa et McCrae, 1994a). En revanche, d'autres théoriciens de la personnalité font valoir le peu de continuité entre l'enfance et l'âge adulte (Lewis, 1999). Selon cette approche, on ne s'étonne pas qu'il soit si difficile de prédire ce que deviendra l'enfant et l'on comprend que l'adulte adopte des modes de comportement fort différents de ceux de son enfance. En effet, certains psychologues soutiennent que la prévisibilité du comportement de l'enfance à l'âge adulte est très limitée, étant donné tous les événements fortuits qui jouent un rôle dans le développement humain (Lewis, 1995).

La stabilité de la personnalité est une question complexe et les réponses reposent en partie sur l'aspect qui est pris en considération. On peut s'attendre à ce que l'individu change davantage sur certaines caractéristiques de la personnalité que sur d'autres, que le changement concerne des caractéristiques secondaires plutôt que des caractéristiques centrales. De plus, la question tourne en partie autour de la définition de la stabilité : par stabilité, entend-on que l'individu agit d'une manière identique ou que son comportement reflète les mêmes caractéristiques de la personnalité ? Un enfant agressif, par exemple, peut demeurer agressif à l'âge adulte, mais exprimer son agressivité d'une manière très différente. Peut-on alors parler de stabilité ? Un individu peut paraître différent en deux occasions ou situations, mais sa personnalité sous-jacente demeure identique, au même titre que la structure chimique fondamentale de l'eau, de la glace et de la vapeur reste la même malgré des apparences physiques très différentes. En somme, il n'y a pas de consensus parmi les théoriciens de la personnalité au sujet du degré de stabilité du comportement dans l'ensemble des situations et au fil du temps.

L'UNITÉ DU COMPORTEMENT ET LE SOI EN TANT QUE CONCEPT

Comment expliquer la nature unifiée de notre fonctionnement dans son ensemble, c'est-à-dire que notre comportement soit généralement structuré et organisé en modes plutôt qu'imprévisible ou désordonné ? La plupart des psychologues admet-

Le soi en tant que concept Les psychologues de la personnalité s'intéressent à la façon dont le soi en tant que concept se développe et permet d'organiser l'expérience.

tent que le comportement humain résulte non seulement du fonctionnement de diverses parties, mais également des interactions entre ces parties. Dans une certaine mesure, cet énoncé est vrai pour un système mécanique tel qu'une voiture ; il l'est encore davantage pour un organisme vivant comme le corps humain. Au lieu d'exprimer des réactions isolées, le comportement humain traduit généralement une *structure*, une *organisation* et une *intégration*. Comme la voiture qui roule en douceur, les parties fonctionnent en harmonie. Elles semblent toutes opérer de concert pour atteindre leurs buts communs, au lieu de fonctionner séparément pour atteindre des buts différents qui peuvent s'opposer mutuellement. En fait, lorsque le comportement d'un individu semble désorganisé et désordonné, nous pensons que quelque chose ne va pas bien chez lui. Comment définirons-nous le mode de comportement et l'organisation psychique de cette personne ? Qu'est-ce qui confère un caractère d'intégration au comportement ? Certains théoriciens (Baumeister, 1999 ; Robins, Norem et Cheek, 1999) ont proposé de recourir au soi en tant que concept pour expliquer cette intégration. Si de nombreux théoriciens de la personnalité accordent une grande importance au soi en tant que concept, d'autres l'ignorent complètement.

Traditionnellement, on a mis l'accent sur le soi en tant que concept pour trois raisons : d'abord, parce que la conscience que nous avons de nous-mêmes représente un aspect important de notre expérience phénoménologique ou subjective ; ensuite, parce que de nombreuses recherches révèlent que la façon dont nous nous percevons influe sur notre comportement dans de nombreuses situations ; enfin, comme l'avons mentionné précédemment, parce que le soi en tant que concept est une hypothèse qui permet de rendre compte des aspects organisés et unifiés du fonctionnement de la personnalité humaine. S'interrogeant sur la nécessité de recourir au soi en tant que concept, l'éminent théoricien Gordon Allport (1958) laisse entendre que de nombreux psychologues qui ne se sont pas appuyés sur la notion en question ont été incapables d'expliquer l'intégration, l'organisation et l'unité de la personne humaine.

Faute de disposer d'un soi en tant que concept, les théoriciens doivent mettre au point une solution de remplacement pour rendre compte du fait que le fonctionnement humain est intégré. En revanche, l'utilisation du soi en tant que concept oblige le théoricien à définir le soi d'une manière qui permette de l'étudier de manière systématique, plutôt que d'en donner une définition vague se rapportant à une mystérieuse entité intérieure. Donc, la façon d'expliquer les aspects organisés de la personnalité et l'utilité du soi en tant que concept dans ce rôle demeurent au centre des préoccupations de nombreux psychologues de la personnalité.

LES DIFFÉRENTS ÉTATS DE CONSCIENCE ET LE CONCEPT D'INCONSCIENT

Dans quelle mesure sommes-nous conscients de notre vie psychique et des causes de nos comportements ? La conceptualisation du rôle des différents états de conscience dans le fonctionnement de l'individu est un autre grand sujet de débat chez les théoriciens de la personnalité (Kihlstrom, 1990, 1999 ; Pervin, 1996, 1999). La plupart des psychologues admettent l'existence possible de différents états de conscience ;

les effets des drogues, de même que l'intérêt manifesté envers les religions orientales et les techniques de méditation, les ont sensibilisés à tous les états altérés de conscience. Dans l'ensemble, ils reconnaissent que nous ne sommes pas toujours attentifs ou sensibles aux facteurs qui influent sur notre comportement. Cependant, beaucoup nourrissent des réserves à l'égard de la théorie de l'inconscient élaborée par Freud; ils ont l'impression que l'inconscient, tel que Freud le définit, sert à expliquer trop de phénomènes et qu'il ne se prête pas à l'investigation empirique.

Comment expliquerons-nous alors des phénomènes aussi diversifiés que les lapsus, les rêves et la capacité, dans certains cas, de se souvenir d'événements du passé apparemment oubliés ? S'agit-il de phénomènes ayant une même cause ou des causes distinctes et indépendantes ? Doit-on les comprendre en fonction de l'activité de l'inconscient, ou existe-t-il d'autres explications ? Comme nous le constaterons, la réponse à cette question influera considérablement sur la façon d'élaborer une théorie de la personnalité et d'évaluer la personnalité des individus. Jusqu'à quel point pouvons-nous compter sur l'individu pour donner un compte rendu fidèle de lui-même ? Connaît-il certains faits le concernant et en ignore-t-il d'autres ? Est-il conscient de toutes ses émotions, ou certaines sont-elles inconscientes ? Si nous sommes incapables de déceler des émotions personnelles importantes, quelles sont les conséquences de cette lacune dans l'évaluation des perceptions de soi ?

LES LIENS ENTRE LA COGNITION, L'AFFECT ET LE COMPORTEMENT MANIFESTE

Quelles sont les relations entre les pensées, les émotions et le comportement manifeste ? L'un est-il plus déterminant que l'autre ? Est-ce que ce sont les émotions qui modifient les pensées, ou l'inverse ? Les deux sont-ils possibles ?

La personnalité englobe les cognitions (les processus de la pensée), les affects (les émotions et les sentiments) et le comportement manifeste. Tous les psychologues ne considèrent pas que ces trois aspects méritent également d'être étudiés et, même lorsqu'ils en conviennent, ils ne décèlent pas entre ceux-ci les mêmes interactions. Comme nous le verrons dans un autre chapitre, le béhaviorisme radical privilégie l'étude du comportement manifeste et rejette celle de processus internes comme les pensées et les émotions. À partir des années cinquante, des théories cognitives sont apparues et ont établi leur emprise sur la psychologie de la personnalité. Après une baisse d'intérêt pendant une période, on assiste depuis quelques années à un regain d'intérêt pour l'étude des affects proprement dits et de leurs répercussions sur la pensée et la conduite.

Les psychologues de la personnalité se distinguent par le poids ou l'attention qu'ils accordent à chacun de ces trois aspects du fonctionnement humain, qu'il s'agisse de ce qui va être étudié, des méthodes de recherche appropriées ou de la façon d'évaluer la personnalité. Il existe en effet diverses méthodes de recherche et d'évaluation de la personnalité pour étudier la cognition, les émotions et le comportement humain. Les psychologues de la personnalité diffèrent aussi dans les liens de causalité qu'ils établissent entre la pensée, les émotions et le comportement. Alors que certains théoriciens accordent la primauté aux affects, d'autres mettent l'accent sur le rôle de la cognition dans l'affect et le comportement.

Il est intéressant d'examiner la pertinence de ces phénomènes à la lumière de sa propre personnalité. Votre comportement manifeste est-il un bon reflet de votre personnalité ? Pourrions-nous tout connaître de vous par l'observation de votre comportement manifeste ? par la connaissance de vos pensées ? par la connaissance de vos affects ? Ne serait-il pas plus juste d'affirmer que la personnalité englobe ces trois aspects, et plus précisément les relations entre les pensées, les affects et le comportement ? Convient-il d'agir plus sur un aspect que sur un autre pour changer les autres ? Quel est l'aspect le plus facile à modifier : les pensées, les affects ou les comportements ?

L'INFLUENCE DU PASSÉ, DU PRÉSENT ET DE L'AVENIR SUR LE COMPORTEMENT

Dans quelle mesure sommes-nous « prisonniers de notre passé », au lieu d'être « façonnés » par notre vision de l'avenir ? Cette dernière question porte sur l'importance du passé, du présent et de l'avenir dans l'explication du comportement. Les théoriciens reconnaissent que les facteurs opérant uniquement dans le présent peuvent influer sur le comportement. En ce sens, seul le présent compte pour comprendre le comportement. Toutefois, les expériences du passé lointain ou récent peuvent avoir des répercussions sur le présent. De même, les réflexions présentes orientées vers l'avenir, proche ou lointain, peuvent avoir un effet immédiat sur l'individu. Les gens varient dans leur façon de considérer le passé ou l'avenir. De même, les théoriciens de la personnalité diffèrent selon qu'ils attribuent au passé et au à l'avenir les causes des comportements présents. Dans la théorie psychanalytique, ce sont les premières expériences de vie qui sont considérées comme primordiales, alors que dans certaines théories cognitives ce sont les projets d'avenir. Cependant, ce qui importe n'est pas tant de savoir si les événements appartenant au passé ont des conséquences durables ou si la façon d'envisager l'avenir a des répercussions sur le présent (les théoriciens reconnaissent sans peine que les deux possibilités existent et qu'elles se produisent), que de préciser le rôle respectif des expériences appartenant au passé et des prévisions d'avenir, ainsi que de lier leur influence à ce qui arrive dans le présent.

Les effets des expériences précoces Les psychologues s'entendent généralement sur l'importance possible des expériences précoces dans le développement de la personnalité ; ils sont toutefois en désaccord quant à la question de savoir si ces expériences donnent lieu à la mise en place de caractéristiques de la personnalité relativement durables.

En bref

Dans leur tentative pour décrire, expliquer et prédire le comportement humain, les théoriciens de la personnalité se heurtent à de nombreux problèmes. Nous avons mentionné plus haut sept préoccupations importantes : (1) la conception philosophique de la personne ; (2) l'influence des facteurs internes (personnels) et externes (situationnels) comme causes du comportement ; (3) la constance des comportements à travers les diverses situations et la stabilité de la personnalité dans le temps ; (4) le soi en tant que concept et la façon d'expliquer les aspects intégrés du fonctionnement de la personnalité ; (5) le rôle des différents états de conscience et le concept d'inconscient ; (6) les liens entre la cognition, les affects et le comportement ; (7) le rôle du passé, du présent et de l'avenir comme déterminants du comportement. Évidemment, de nombreux autres sujets intéressent les théoriciens de la personnalité et les distinguent, mais notre but était de souligner les principales questions dont traite la psychologie de la personnalité. L'importance de ces questions et d'autres sujets sera plus évidente lorsque nous examinerons les positions de quelques théoriciens dans les chapitres suivants.

L'évaluation des théories

D'une certaine manière, nous sommes tous des théoriciens et des psychologues de la personnalité parce que nous avons tous acquis un ensemble organisé de connaissances sur les individus et sur nous-mêmes, que nous cherchons à prédire quel sera leur comportement ou le nôtre, que nous confrontons ces connaissances avec des observations empiriques et que, au besoin, nous modifions ces connaissances (G.A. Kelly, 1955). Les théories de la personnalité que nous élaborons dans notre vie quotidienne sont habituellement implicites ; nous prenons rarement le temps de les clarifier ou de leur donner une structure formelle. Mais les psychologues de la personnalité se doivent de formuler explicitement leurs théories et de définir clairement les unités et les processus fondamentaux qui, selon eux, régissent le comportement humain.

En quoi l'évaluation de nos théories dans la vie quotidienne se compare-t-elle à l'évaluation des théories issues du travail scientifique des psychologues de la personnalité ? Dans la vie quotidienne, nous cherchons vraisemblablement à découvrir un modèle, une constance et une prévisibilité dans les événements. Si dans nos vies quotidiennes nous n'étions pas capables de trouver l'ordre et la prévisibilité, ce serait le chaos. Nous serions paralysés par l'incertitude. Notre capacité d'expliquer et de prédire les événements est directement proportionnelle à notre bien-être. De plus, comme nous devons souvent prendre des décisions rapides, nous cherchons un système simple et facile d'emploi pour interpréter les événements et faire des prédictions. Enfin, puisque personne n'est infaillible, nous devons être prêts à reconnaître nos erreurs et à les corriger. Même si nous hésitons souvent à le faire, nous devons à l'occasion mettre à l'épreuve nos idées et en vérifier la pertinence. Malgré notre propension à l'aveuglement dans l'examen des faits et notre réticence à les accepter, nous sommes en général au moins prêts à admettre la nécessité d'examiner et de réviser nos opinions ou nos théories implicites.

Ces principes fondamentaux, que nous respectons pour la plupart dans nos vies, sont comparables à ceux que les psychologues de la personnalité adoptent dans leur travail, à quelques différences près. Comme nous l'avons mentionné, les règles scientifiques exigent que les théories soient explicites plutôt qu'implicites. De plus, alors que, dans la vie quotidienne, nous pouvons glaner des renseignements de façon peu méthodique, la science nécessite que nous soyons systématiques dans la collecte de données afin que d'autres chercheurs soient en mesure d'obtenir des résultats identiques aux nôtres. Les critères employés par les psychologues de la personnalité pour évaluer leurs théories sont analogues à ceux que nous utilisons dans la vie quotidienne ; ils découlent des fonctions que doit remplir toute théorie, soit l'organisation des connaissances existantes et la création de nouvelles connaissances. Il s'agit de la *portée* de la théorie, de la *parcimonie* dans le nombre de ses concepts et postulats théoriques, de la *simplicité* des relations entre ses concepts, ses postulats et les événements expliqués, et de la *pertinence scientifique* (Hall et Lindzey, 1957). Comme c'est le cas pour nos théories implicites, les théories explicites des psychologues de la personnalité peuvent donc être évaluées en fonction du nombre de faits dont elles peuvent rendre compte avec un minimum de notions et en fonction de leur capacité de nous permettre de prédire et d'expliquer les événements. Nous avons indiqué plus tôt que le rôle de la théorie consiste à structurer ce que nous savons et à orienter la recherche vers ce qui demeure inconnu. Les trois premiers critères — la portée, la parcimonie et la simplicité — se rapportent au rôle de structuration des connaissances, alors que le dernier — la pertinence scientifique — touche à l'orientation de la recherche.

LA PORTÉE

Une bonne théorie doit englober et expliquer un grand nombre de phénomènes. Elle doit donc couvrir chacun des aspects de la personnalité qui ont été traités précédemment. Il importe de s'interroger sur la variété des phénomènes pertinents que la théorie peut expliquer. Cependant, il ne faut pas se limiter à l'aspect quantitatif. Aucune théorie ne peut expliquer tous les phénomènes ; il faut donc se demander si les phénomènes expliqués par une théorie aident à comprendre le comportement humain autant que les phénomènes couverts par une autre théorie. Il est essentiel de reconnaître que la portée d'une théorie recouvre à la fois le nombre et l'importance des faits expliqués par la théorie.

De plus, nous voulons également examiner la capacité d'une théorie à traiter en détail les phénomènes qu'elle couvre. Celle-ci doit non seulement étudier de nombreux phénomènes différents, mais aussi faire preuve d'une grande exactitude dans son analyse de chaque phénomène. Une bonne théorie doit prédire de nombreux phénomènes, mais elle doit également effectuer des prédictions très précises. Pour ce faire, on utilise les concepts d'**étendue** et de **précision**. L'étendue définit la variété des phénomènes traités par une théorie, c'est-à-dire son champ d'application ; et la précision, les phénomènes auxquels elle prétend s'appliquer en particulier ou le mieux, c'est-à-dire son foyer d'application. En guise d'analogie, examinons le fonctionnement d'une radio. La qualité d'une radio se mesure au vaste choix de stations qu'elle capte (largeur de la bande de fréquences couvertes ou étendue) et à la clarté (précision) des signaux reçus de chaque station. De même, une excellente théorie de la personnalité explique un vaste champ de phénomènes avec une grande clarté et une grande spécificité. Cependant, nous sommes souvent obligés de faire un compromis entre l'étendue et la précision. Une radio peut capter un plus grand nombre de signaux avec moins de clarté, une autre offrira une plus grande clarté, mais un nombre limité de stations. De même, les théories de la personnalité privilégient souvent une caractéristique aux dépens de l'autre, soit en traitant un plus vaste champ de phénomènes à un degré de spécificité moindre, soit en traitant un

Étendue *(bandwidth).*
Concept se rapportant au champ des phénomènes traités par une théorie.

Précision *(fidelity).*
Concept ayant trait à la spécificité ou à la clarté d'une théorie à l'égard du phénomène étudié.

champ plus restreint de phénomènes à un degré de spécificité supérieur. Ainsi, même en admettant que l'étendue et la précision sont souhaitables, nous devons à l'occasion nous préparer à faire des compromis.

LA PARCIMONIE

La théorie doit être non seulement générale mais également simple et parcimonieuse. Elle doit expliquer des phénomènes variés d'une manière économe et logique. Une théorie qui emploie un concept différent pour chaque aspect du comportement, ou encore des concepts contradictoires, est médiocre. En matière de théorie de la personnalité, la recherche de la simplicité en même temps que de l'étendue soulève en retour la question du niveau d'organisation et d'abstraction qui doit être le sien. Plus une théorie devient globale et économe, plus elle devient abstraite. Par conséquent, il est important que les théories reposent sur des concepts qui se rapportent clairement au comportement étudié. La parcimonie appliquée à une théorie ne doit donc pas se traduire par des concepts confus ou imprécis.

LA PERTINENCE SCIENTIFIQUE

Enfin, on évalue une théorie d'après son utilité scientifique ; une bonne théorie produit de nombreuses hypothèses nouvelles que la recherche systématique peut ensuite confirmer. C'est ce que Hall et Lindzey nomment la *traduction empirique*, et qui permet de définir les variables et les concepts. Il existe donc un accord entre les chercheurs et les utilisateurs de la théorie quant à la signification des concepts et des variables et à la possibilité de les mesurer. Grâce à la traduction empirique, les concepts d'une théorie sont clairs, explicites et axés sur l'élargissement de la connaissance, et ils possèdent une capacité de prédiction. Autrement dit, la théorie doit contenir des hypothèses vérifiables au sujet des relations entre les phénomènes. Une théorie qui ne permet pas d'effectuer de *test négatif*, c'est-à-dire qu'il est absolument impossible d'infirmer, est médiocre ; elle ne fournira que des disputes et des polémiques, sans permettre de progrès scientifique. Quelle qu'en soit l'issue, une bonne théorie aura apporté une contribution précieuse à la science si elle engendre de nouvelles idées et de nouvelles méthodes de recherche.

En bref

La portée de la théorie, sa parcimonie et sa pertinence scientifique sont les trois critères qui permettent de comparer et d'évaluer les théories de la personnalité. Lors de la comparaison des théories, toutefois, deux questions se posent : Traitent-elles des mêmes phénomènes ? Sont-elles à un même niveau de développement ? On peut évaluer deux théories qui portent sur différents types de phénomènes en fonction des trois critères cités ci-dessus. Néanmoins, il n'est pas nécessaire de préférer l'une ou l'autre ; chacune peut engendrer de nouvelles idées, avec l'espoir que nous pourrons ultérieurement les intégrer en une seule théorie plus générale. Enfin, quoiqu'elle puisse être incapable d'expliquer de nombreux phénomènes ou des phénomènes compris grâce une théorie reconnue, une nouvelle théorie moins développée n'en pourra pas moins produire quelques observations importantes et permettre une percée dans des domaines encore vierges. C'est comme une nouvelle idée qui reste à développer, mais qui pourrait élucider des phénomènes encore inexpliqués.

La théorie et l'étude de la personnalité

Le domaine de la personnalité est rempli de questions qui divisent les chercheurs de manière importante et engendrent des écoles de pensée rivales. Il est important de reconnaître que ces différences théoriques existent et qu'elles ne seront peut-être pas rapidement résolues par la discussion ou la preuve expérimentale. Les sciences humaines n'en sont encore qu'à un stade embryonnaire de développement. Par conséquent, il ne faut pas s'étonner que des approches contradictoires prétendent expliquer les mêmes phénomènes tout en préconisant des observations et des méthodes de recherche différentes.

Quel est alors le rôle de la théorie dans l'étude de la personnalité ? Dans le présent ouvrage, on estime que la théorie est importante pour comprendre et expliquer le comportement humain. Nous pouvons adopter une attitude critique à l'égard des théories de la personnalité, comme beaucoup l'ont fait avec raison, et même choisir de ne pas en tenir compte et de nous consacrer à d'autres problèmes de recherche, comme le font de nombreux psychologues. Mais en dernière analyse, nous devrons prendre conscience du fait que la théorie est nécessaire et qu'il est crucial de concevoir une bonne théorie de la personnalité.

Les théories guident toujours nos efforts pour étudier et comprendre l'être humain. Il est donc essentiel qu'elles soient présentées clairement et qu'elles soient vérifiées. La tâche des psychologues de la personnalité consiste à rendre leur théorie explicite et ouverte à un examen scientifique. Idéalement, une théorie de la personnalité doit permettre de comprendre ce qui nous différencie les uns des autres et ce que nous avons de commun avec les autres. Nous devons concevoir des théories qui assurent une organisation cohérente des faits connus et laissent de la place à l'exploration de nouvelles avenues.

Résumé

1. Nous agissons tous comme des psychologues de la personnalité lorsque nous essayons d'observer, d'expliquer et de prédire le comportement humain.
2. Les théories de la personnalité étudient la structure, les processus, la croissance et le développement du fonctionnement humain. Elles traitent également de la nature des troubles mentaux et du changement de la personnalité.
3. Les théoriciens de la personnalité se sont intéressés à de nombreuses questions au cours de l'histoire relativement courte de ce champ d'étude. Les réponses à ces questions contribuent grandement à l'établissement des caractéristiques essentielles de chacune des théories élaborées.
4. À la différence des gens ordinaires, le psychologue de la personnalité fait des observations plus systématiques, élabore des théories plus explicites et fournit une vérification plus rigoureuse des prédictions particulières.
5. Dans l'évaluation de ces théories, il utilise les critères d'intégration, de parcimonie et de pertinence scientifique.

6. Les théories structurent les faits connus et proposent des réponses aux questions sur des faits encore mal connus. Bien que le rôle de la théorie dans l'étude de la personnalité soit contesté, nous avançons que la théorie est importante pour comprendre et expliquer le comportement humain.

Chapitre 2

L'étude scientifique de l'être humain

Les données de la psychologie de la personnalité

Les buts de la recherche

La fidélité

La validité

L'éthique

Les trois méthodes de recherche

La recherche clinique et l'étude de cas

La recherche expérimentale et l'étude en laboratoire

La recherche corrélationnelle et le questionnaire de personnalité

L'évaluation des trois méthodes de recherche : leurs avantages et leurs inconvénients

La recherche clinique et l'étude de cas

La recherche expérimentale et l'étude en laboratoire

La recherche corrélationnelle et le questionnaire de personnalité

La théorie de la personnalité et la recherche

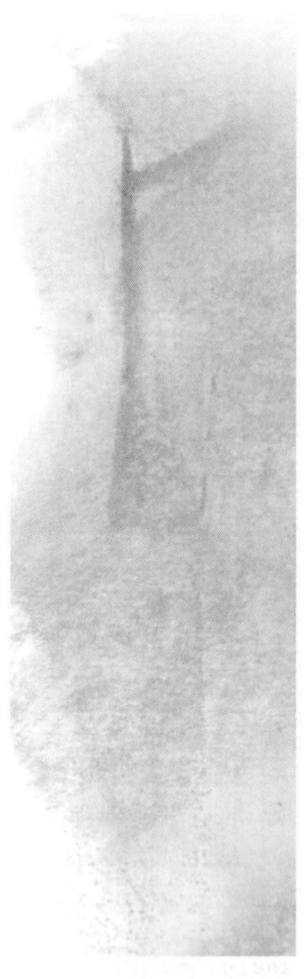

Dans le cadre du cours de psychologie de la personnalité, trois étudiants collaborent à un projet de recherche sur les effets du besoin d'accomplissement sur le rendement scolaire. Dès leur première rencontre, ils se rendent compte qu'ils ont des opinions radicalement différentes sur la façon de procéder. Alexandre est convaincu que la meilleure approche serait de suivre un étudiant pendant un trimestre et d'enregistrer minutieusement tous les renseignements pertinents (notes, changements dans la motivation, impressions sur les cours, etc.) afin d'obtenir un tableau complet et approfondi. Sarah n'est pas d'accord avec la méthode d'Alexandre, car les conclusions ne s'appliqueraient alors qu'à cette seule personne ; elle choisirait plutôt d'élaborer un ensemble de questions générales et de soumettre son questionnaire au plus grand nombre d'étudiants possible en leur demandant d'y répondre par écrit. Michel, lui, est en faveur d'une étude expérimentale ; il constituerait deux groupes – un groupe témoin et un groupe qu'il motiverait – et comparerait leur performance. L'*étude de cas*, l'*administration de questionnaires* et les *expériences en laboratoire* sont les trois principales méthodes utilisées dans l'étude de la personnalité.

Nous allons examiner d'abord quatre types de données que les chercheurs recueillent sur les individus. Nous étudierons ensuite les trois principales méthodes de recherche et nous montrerons leurs avantages et inconvénients en explorant des études effectuées sur le stress, la résignation et le contrôle. Les théories de la personnalité diffèrent quant aux méthodes préconisées, que ce soit pour la recherche ou pour l'évaluation des individus. En effet, il existe un lien étroit entre les théories et les méthodes. Enfin, nous aborderons les forces personnelles et sociales qui influent sur la recherche, depuis la définition d'un problème de recherche jusqu'à l'implantation de mesures sociales d'intérêt public.

Le chapitre... *en questions*

1. Quel type de données est-il important de recueillir pour étudier l'être humain ?
2. Qu'entend-on par *fidélité* et *validité* des observations ?
3. Comment doit-on procéder pour étudier l'être humain ? Doit-on effectuer des recherches en laboratoire ou dans le milieu naturel ? Doit-on utiliser l'autodescription (ou autoévaluation), c'est-à-dire les renseignements qu'un individu fournit sur lui-même, ou que des familiers fournissent ? Doit-on étudier de nombreux individus ou un seul individu ?
4. Obtient-on des résultats différents ou identiques en utilisant un type de données plutôt qu'un autre, une méthode plutôt qu'une autre, une approche théorique plutôt qu'une autre ? Autrement dit, des études fondées sur des perspectives différentes aboutissent-elles à une même description de la personne ?

Dans le premier chapitre, nous avons mentionné que nous étions tous des psychologues de la personnalité. Ce qui distingue les théories du scientifique de celles du profane, c'est leur caractère plus explicite et ouvert et le fait qu'elles sont soumises à un examen systématique. Nous sommes tous des chercheurs dans le domaine de la personnalité, car nous constatons des différences entre les individus et des modes stables de comportement chez chacun. Mais la « recherche » du profane diffère également de celle du psychologue de la personnalité. Ce dernier explicite ses concepts et effectue des observations systématiques; il applique une démarche établie pour que ses observations soient le plus précises possible et puissent être reproduites par d'autres; il s'assure qu'elles sont fidèles et stables, et non le résultat du hasard ou d'une erreur. En publiant ses résultats de recherche, le psychologue de la personnalité permet à des collègues de reproduire ses résultats, de vérifier ses données et de réexaminer ses conclusions. Nos observations dans la vie quotidienne sont rarement aussi systématiques.

La recherche scientifique implique l'étude systématique des relations entre les événements. En général, la théorie propose des problèmes spécifiques à la recherche, ce qui, en retour, permet d'évaluer la théorie et d'orienter son développement ultérieur. La théorie et la recherche sont donc étroitement associées. La théorie sans recherche n'est que conjectures et spéculations, et la recherche sans théorie est une collecte de faits non intégrés ou vides de sens.

Les données de la psychologie de la personnalité

Quelles données intéressent le psychologue de la personnalité? Quel type de renseignements doit-il obtenir pour parvenir à une étude systématique de l'être humain? Quatre catégories d'information ou de données sont utilisées couramment dans la recherche (Block, 1993). Ce sont les **données biographiques** *(L-data)*, les **observations** (*O-data*), les **résultats d'épreuves** psychométriques ou expérimentales *(T-data)* et l'**autodescription** ou **autoévaluation** (*S-data*). Comme nous le constaterons, chaque catégorie présente des avantages et des inconvénients (Ozer, 1999).

Données biographiques *(L-data).* Données ou renseignements au sujet de l'individu recueillis dans son histoire personnelle ou ses antécédents.

Observations *(O-data).* Données ou renseignements fournis par des observateurs bien informés tels que les parents, les amis ou les enseignants.

Résultats d'épreuves *(T-data).* Données ou renseignements recueillis par la méthode expérimentale ou les tests psychométriques standardisés.

Autodescription ou autoévaluation *(S-data).* Données ou renseignements fournis par le participant sur lui-même.

La première catégorie d'information — les données biographiques — est extraite de documents existants, comme les dossiers scolaires, médicaux ou judiciaires, de journaux intimes ou de biographies et autobiographies. Si on s'intéresse au lien entre l'intelligence et le rendement scolaire, on peut utiliser alors les relevés de notes contenus dans le dossier scolaire. Si c'est le lien entre la personnalité et la criminalité qui le préoccupe, le chercheur peut consulter le casier judiciaire de l'individu.

La deuxième catégorie — les observations — se compose de renseignements fournis par des observateurs éclairés tels que les parents, les amis, les enseignants, ou par des experts dûment formés. Il s'agit en général de notations numériques de caractéristiques de la personnalité. On peut demander à des amis d'évaluer un individu en se fondant, par exemple, sur quelques-unes de ses caractéristiques de la personnalité, comme la gentillesse, l'extraversion ou la sensibilité. Dans certaines études, le chercheur est formé pour observer l'individu dans la vie courante et effectuer une évaluation de la personnalité en fonction de ses observations. On peut instruire les moniteurs pour qu'ils observent le comportement des campeurs et recueillent ensuite des données pertinentes sur la personnalité sous la forme d'observations de conduites précises, par exemple l'agressivité verbale, l'agressivité physique, la soumission, ou sous la forme de notations de caractéristiques de la personnalité plus générales, par exemple la confiance en soi, l'équilibre affectif, les habiletés sociales (Shoda, Mischel et Wright, 1994; Sroufe, Carlson et Shulman, 1993). Comme l'indiquent ces exemples, on peut faire des observations sur des caractéristiques de comportement très précises ou très générales. De plus, on peut recueillir les données d'un seul ou de plusieurs observateurs (amis ou enseignants). Dans le dernier cas, on peut vérifier la concordance ou la fidélité des observations multiples.

On obtient la troisième catégorie d'information en soumettant l'individu à une épreuve expérimentale ou à des tests psychométriques standardisés. Le psychologue place alors l'individu dans une situation qu'il a créée spécifiquement pour mesurer une caractéristique de personnalité. On peut ainsi mesurer la capacité d'un enfant de supporter un délai de satisfaction en établissant le temps qu'il est prêt à patienter afin d'obtenir une grosse récompense plutôt qu'une récompense immédiate mais moindre (Mischel, 1990, 1999b). Le résultat obtenu dans un test psychométrique standardisé, comme le test d'intelligence, est aussi un exemple d'épreuve.

Enfin, la quatrième catégorie, l'autodescription (ou autoévaluation), correspond aux renseignements qu'un individu donne verbalement sur lui-même. Il s'agit habituellement de réponses à des questionnaires. Dans ce cas, l'individu adopte le rôle d'observateur et s'évalue lui-même (« Je suis une personne consciencieuse »). Les questionnaires de personnalité peuvent servir à distinguer des caractéristiques très précises de la personnalité (par exemple l'optimisme) ou englober l'ensemble de la personnalité.

Même s'ils utilisent principalement l'autodescription, les psychologues ne négligent pas pour autant les autres catégories d'information. Ainsi, les données biographiques, l'observation et les épreuves expérimentales ou psychométriques peuvent permettre d'évaluer l'utilité des données qui sont recueillies plus facilement et couramment par l'autodescription. Malheureusement, les études employant plusieurs catégories d'information pour évaluer la même caractéristique de la personnalité sont plutôt rares et il faudrait en outre pouvoir comparer davantage les résultats ainsi obtenus.

Quel est donc le degré de concordance des mesures obtenues par les différentes catégories de données (Pervin, 1999) ? Si une personne se décrit comme très consciencieuse, d'autres observateurs (amis, enseignants) feront-ils la même évaluation ? Le score élevé qu'elle a obtenu dans un questionnaire mesurant la dépression sera-t-il confirmé par l'évaluation d'un intervieweur professionnel ? Si elle se considère comme très extravertie, obtiendra-t-elle le même résultat en laboratoire où ce trait est mesuré, par exemple, par sa participation à une discussion de groupe ? Nous savons que les scores obtenus dans les questionnaires diffèrent souvent des résultats obtenus en laboratoire. Les questionnaires ont tendance à englober des opinions générales sur une variété considérable de situations (« Je suis généralement d'humeur plutôt égale »), alors que les méthodes expérimentales évaluent les traits de personnalité dans un cadre très précis. C'est pourquoi les résultats d'épreuves et l'autodescription ont tendance à diverger.

Mais qu'en est-il de la relation entre les données fournies par l'autodescription et les données résultant de l'évaluation par autrui ? Les psychologues de la personnalité diffèrent d'opinion à ce sujet. Certains déclarent que l'autoévaluation des traits correspond en grande partie à l'évaluation fournie par les amis et les conjoints ; d'autres contestent cette conclusion et laissent entendre que l'autodescription et l'évaluation par autrui peuvent entraîner des conclusions différentes (Coyne, 1994 ; Funder, Kolar et Blackman, 1995 ; John et Robins 1994a ; Kenny *et al.,* 1994 ; McCrae et Costa, 1990 ; Pervin, 1996, 1999). Les biais dans la perception de soi entrent en ligne de compte surtout lorsque la caractéristique de la personnalité évaluée implique un jugement de valeur (par exemple stupide, chaleureux) ; la concordance entre l'autodescription et l'évaluation faite par autrui en est alors réduite (John et Robins, 1993, 1994a ; Robins et John, 1997). Certaines caractéristiques de la personnalité sont par ailleurs plus faciles à observer et à évaluer que d'autres (la sociabilité, par opposition au névrosisme), ce qui augmente la concordance entre les résultats de l'autodescription et ceux de l'évaluation faite par autrui, et entre les évaluations obtenues d'observateurs différents au sujet de la même personne (Funder, 1989, 1993, 1995 ; John et Robins, 1993). En outre, il semble qu'il soit particulièrement aisé d'évaluer avec précision certaines personnes (Colvin, 1993) ; elles sont comme « transparentes ». D'autres par contre sont plus fermées (secrètes) et les évaluations d'autrui sont alors très variables. Autrement dit, la « facilité à être évalué » pourrait même constituer une caractéristique de la personnalité. Nous ne pouvons donc pas affirmer avec certitude qu'il y aura un degré élevé de concordance entre les évaluations de la personnalité obtenues de sources différentes.

Si les diverses mesures de la personnalité peuvent engendrer des résultats différents, pouvons-nous affirmer que l'une est supérieure, plus fidèle et plus valide que les autres ? C'est là une question complexe à laquelle il est difficile d'apporter une réponse définitive. Chaque catégorie de données comporte des avantages et des inconvénients. Par ailleurs, les psychologues de la personnalité n'accordent pas tous la même valeur à chacune. Certains affirment que la manière de formuler les questions par écrit peut influencer l'autoévaluation des comportements et des attitudes (Schwarz, 1999). D'autres rejettent de nombreuses formes d'autodescription ; selon eux, quand il s'autoévalue, l'individu peut déformer la réalité inconsciemment, s'il ne ment pas consciemment (Paulhus, Fridhandler et Hayes, 1997). D'autres, en revanche, affirment que le meilleur moyen de recueillir des renseignements au sujet d'un individu consiste à les lui demander (Allport, 1961 ; G.A. Kelly, 1955). Alors que certains psychologues considèrent que l'évaluation faite par des proches est le meilleur moyen de mesurer la personnalité d'un individu, d'autres font remarquer le manque de concordance entre les conclusions des différents évaluateurs (Hofstee, 1994 ; John et Robins, 1994a ; Kenny *et al.*, 1994). Enfin, pour certains, seule la mesure objective du comportement dans les conditions expérimentales et précises dont on dispose en laboratoire permet véritablement de créer une psychologie scientifique de la personnalité ; d'autres contestent la pertinence d'une étude menée dans les conditions artificielles d'un laboratoire, privilégiant le milieu naturel. Les psychologues de la personnalité ne sont donc pas tous du même avis quant au mérite des diverses catégories de données.

En dépit de ces divergences, une très grande majorité de psychologues conviendraient sans doute de l'utilité possible des quatre catégories de données dans la mesure où on les affecterait à des fins différentes. Par exemple, si on s'intéresse au domaine de l'expérience subjective, c'est-à-dire à la façon dont un individu se perçoit et perçoit les autres, il convient alors d'avoir recours aux résultats de l'autodescription. Par ailleurs, si on désire évaluer le rendement réel par rapport à des tâches, il serait préférable d'utiliser les données objectives recueillies par des épreuves. Idéalement, il serait sans doute préférable de recueillir diverses catégories de données afin de dresser un tableau plus complet de l'individu et de tenter d'expliquer la concordance ou l'écart entre les divers résultats obtenus. (Nous aurons d'ailleurs l'occasion dans le présent ouvrage d'examiner les relations entre les diverses catégories de données recueillies sur une même personne.) Nous croyons qu'il s'agit d'une pratique souhaitable mais trop rarement adoptée, peut-être parce qu'elle exige beaucoup de temps. De plus, les études approfondies qui s'appuient sur plusieurs catégories de données permettent rarement de vérifier des hypothèses spécifiques ou d'obtenir des réponses explicites à des questions théoriques. Malgré une grande valeur potentielle, la pratique consistant à cumuler les catégories de données est surtout courante dans les recherches de type exploratoire. Enfin, elle va à l'encontre de la tendance générale des psychologues de la personnalité qui est de privilégier une seule catégorie de données.

Quelles données doit-on obtenir pour connaître la personnalité d'un individu ? Lui demander de répondre à des questions sur lui-même en faisant son autodescription ? Enregistrer nos observations personnelles et celles d'autres observateurs (observation) ? Vérifier des antécédents spécifiques dans divers dossiers pour en tirer des données biographiques ? Soumettre l'individu à diverses épreuves par des méthodes expérimentales ou des tests psychométriques objectifs ? Dans la vie quotidienne, nous avons rarement accès à des renseignements aussi variés sur un individu ; nous devons nous contenter d'un seul type de données, habituellement ce que l'individu nous confie sur lui-même ainsi que nos observations et celles des autres. Même dans ce cas, nous constatons souvent des divergences entre les renseignements de diverses sources ; ce que l'individu dévoile sur lui-même ne cadre pas avec nos observations personnelles et celles d'autrui. Comment devons-nous interpréter les différentes représentations du même individu ? Doit-on se fier davantage à l'une des sources de données ou peut-on expliquer autrement ces différences ?

Comme vous pouvez le constater, la tâche du psychologue de la personnalité est très complexe. Nous pouvons maintenant compter sur d'excellents instruments de mesure de la personnalité et sur des méthodes de recherche très raffinées. Dans la section suivante, nous examinerons les critères reconnus qui permettent d'établir la valeur scientifique des différentes mesures. Manifestement, ce n'est pas du tout une question de préférence personnelle. Néanmoins, nous demeurons aux prises avec le fait que les résultats d'évaluation de la personnalité obtenus de sources différentes ne concordent pas toujours, et qu'il n'existe pas de réponse globale quant à la mesure ou à la catégorie de données la meilleure, la plus fidèle et la plus valide. Pour apprécier l'être humain dans sa complexité et mesurer la diversité de la recherche sur la personnalité, nous devons être prêts à faire face à des questions difficiles et à accepter des réponses peu concluantes.

Les buts de la recherche

Toutes les tentatives de recherche poursuivent les mêmes buts : effectuer des observations systématiques qui peuvent être reproduites par d'autres chercheurs et qui conviennent au concept à l'étude. Nous cherchons donc à obtenir des observations fidèles et valides (West et Finch, 1997).

LA FIDÉLITÉ

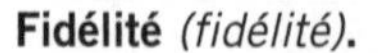

Fidélité *(fidélité).*
Stabilité, fiabilité et capacité de reproduire les observations.

Le concept de **fidélité** englobe la stabilité, la fiabilité et la capacité de reproduire les observations. Il existe de nombreuses formes de fidélité et beaucoup de facteurs peuvent la diminuer. Il y a cependant dans toute recherche scientifique un facteur essentiel : il faut que d'autres chercheurs soient en mesure de reproduire les observations rapportées par un collègue. C'est donc dire qu'on doit pouvoir compter sur des observations stables et fidèles avant même de formuler des interprétations théoriques.

Quels facteurs peuvent contribuer à rendre les observations incertaines ? Du côté du participant, on peut douter des résultats obtenus si la conduite de l'individu est grandement influencée par des facteurs passagers comme l'attitude ou l'humeur.

Si l'individu passe le même test de personnalité à deux occasions différentes, et qu'un événement fortuit modifie les réponses à l'un des deux tests, les résultats des deux tests seront différents. Ce manque de concordance ou de fidélité pose un problème si le test prétend mesurer des caractéristiques stables de la personnalité, sur lesquelles l'attitude ou l'humeur passagère n'ont guère d'effet. Du côté de l'expérimentateur, les variations dans les directives fournies au participant ainsi que dans l'évaluation ou l'interprétation des réponses peuvent contribuer au manque de fidélité. Ainsi, l'absence de rigueur dans l'analyse d'un test ou des règles ambiguës pour l'interprétation des résultats peuvent engendrer un manque de concordance ou de fidélité dans les résultats.

LA VALIDITÉ

En plus de la fidélité des observations, il faut s'assurer de la validité des données. Le concept de **validité** concerne la pertinence des observations qui mesurent le phénomène ou les variables qui intéressent le chercheur. Quelle est l'utilité d'une observation fidèle si elle ne se rapporte pas à ce que nous voulons étudier ? Supposons que nous ayons un test fidèle pour évaluer les traits névrotiques ou extravertis, mais qu'il n'y ait aucune preuve que le test mesure ce qu'il est censé mesurer. À quoi sert alors une telle mesure ? Supposons que nous voyions dans certains comportements des formes de névrosisme, alors qu'ils se rapportent à d'autres phénomènes. À quoi sert une telle mesure ? Ce type de problèmes peut paraître anodin dans certains domaines. Nous savons, par exemple, qu'une balance et une règle sont des instruments de mesure fiables et valides du poids et de la taille parce qu'elles ont été étalonnées. Mais comment déterminer si des comportements expriment l'extraversion ou si les réponses d'un questionnaire révèlent des symptômes de névrosisme ?

Validité *(validity).*
Pertinence des données recueillies par rapport au phénomène ou aux variables qui nous intéressent.

Malheureusement, il n'est pas rare que différents tests ou instruments mesurant le même concept ne concordent pas dans les études sur la personnalité. Quelle est alors la bonne mesure, celle qui est valide ? Lorsque deux thermomètres donnent deux températures différentes, comment choisit-on la bonne ? C'est la mesure qui nous procure le résultat le plus fidèle et le plus utile sur le plan théorique. S'il y a deux mesures différentes d'un concept de la personnalité, comment saurons-nous identifier celle qui est valide ? Dans ce cas également, nous évaluerons la fidélité, la cohérence et l'utilité des observations. La validité se résume donc à s'assurer que nous mesurons bien les phénomènes ou les variables qui nous intéressent. Nous constaterons ultérieurement que les différents types de recherche sur la personnalité offrent des défis différents en ce qui concerne la satisfaction des critères de fidélité et de validité.

L'ÉTHIQUE

La recherche implique des préoccupations d'ordre éthique quant à la façon dont elle est menée et les résultats, dévoilés. Au cours des dernières décennies, plusieurs études ont soulevé des questions d'ordre éthique. C'est le cas de l'une d'elles qui a par ailleurs remporté le prix de l'American Association for the Advancement of Science. Dans cette étude portant sur l'obéissance à l'autorité, des participants devaient obéir aux ordres d'un chercheur et infliger des chocs électriques de plus en plus douloureux à des personnes (complices du chercheur) qui commettaient des fautes dans une tâche d'apprentissage (Milgram, 1965). Même si aucun choc électrique véritable n'était infligé, les participants croyaient administrer de tels chocs et ont souvent administré des chocs de grande intensité malgré les supplications feintes des complices du chercheur. Dans une autre étude où l'on simulait le milieu carcéral, on a demandé à des participants de jouer le rôle de gardiens et à d'autres celui de prisonniers (Zimbardo, 1973). On a constaté que les participants « gardiens » manifestaient de l'agressivité verbale et physique envers les participants « prisonniers » qui recevaient ce traitement humiliant.

De telles études soulèvent des questions importantes, mais elles ne doivent pas faire oublier la question fondamentale des principes d'ordre moral de la recherche. L'expérimentateur a-t-il le droit d'exiger la participation ? d'utiliser la duperie ? Quelles sont les responsabilités morales du chercheur à l'égard des personnes qui participent à la recherche et de la psychologie en tant que science ? Dans le cas des participants, l'American Psychological Association a adopté une liste de principes déontologiques pertinents (*Ethical Principles of Psychologists*, 1981). L'essence de ces principes est la suivante : « Le psychologue effectue la recherche en respectant la dignité et le bien-être des participants. » À cet effet, il doit évaluer l'acceptabilité morale de la recherche, s'assurer que les participants à l'étude ne sont aucunement en danger et établir une entente claire et équitable avec les participants au sujet des obligations et des responsabilités de chacun. Même si la dissimulation ou la duperie sont jugées nécessaires dans certains cas, il convient d'établir des directives rigoureuses quant à leur usage. Il incombe au chercheur de protéger l'intégrité physique et morale des participants.

La responsabilité morale du psychologue englobe l'interprétation et la présentation des résultats ainsi que le déroulement de la recherche. Depuis quelque temps, on s'inquiète sérieusement de la « prolifération des fraudes » dans le domaine scientifique en général (*APA Monitor*, 1982). Les préoccupations à ce sujet ont commencé avec les accusations portées contre sir Cyril Burt, éminent psychologue britannique qui aurait délibérément faussé des données dans son étude sur la transmission des caractères héréditaires de l'intelligence. Dans d'autres domaines scientifiques, on a signalé que des chercheurs avaient falsifié les données pour accroître leurs chances d'être publiés, de recevoir du financement, d'obtenir une promotion et de jouir de la reconnaissance publique. Les scientifiques n'aiment pas admettre que la fraude existe ni même en parler parce que cela va à l'encontre de l'essence de la démarche scientifique. Bien que les données frauduleuses et les conclusions falsifiées soient rares, les psychologues ont commencé à reconnaître leur existence et à adopter des mesures constructives pour y remédier. Outre l'intégrité professionnelle, l'exigence que d'autres chercheurs puissent reproduire tous les résultats constitue la meilleure protection contre la fraude scientifique.

Il existe toutefois un aspect beaucoup plus insidieux et d'une portée plus vaste que la fraude : ce sont les effets des biais personnels et sociaux sur le développement des problématiques de recherche ainsi que sur les catégories de données admises à titre de preuve (Pervin, 1978b). Dans quelle mesure, par exemple, les projets de recherche sont-ils élaborés de façon à exclure la discrimination dans l'évaluation des différences sexuelles ? Dans quelle mesure la preuve de l'existence ou de l'inexistence de différences sexuelles sera-t-elle également acceptée ? En quoi nos valeurs sociales et politiques personnelles influent-elles sur les sujets étudiés, sur les méthodes de recherche ainsi que sur les conclusions que nous sommes prêts à obtenir (Bramel et Friend, 1981) ? Malgré tous les efforts déployés pour assurer son objectivité et éliminer toutes les sources possibles d'erreur et de biais, la recherche demeure une entreprise humaine susceptible d'être influencée par des facteurs d'ordre personnel, social, culturel et politique.

En terminant, soulignons le rôle de la recherche dans les décisions personnelles et dans la formulation de la politique gouvernementale. Même s'il s'agit d'une science encore jeune, la psychologie se rapporte à des préoccupations fondamentales sur le plan humain. On fait souvent appel aux psychologues pour administrer des tests d'embauche ou d'admission et pour rappeler la pertinence des résultats de recherche en matière de politique gouvernementale. On se sert souvent des tests de personnalité pour l'embauche ou la promotion d'un employé ou encore l'admission à des programmes universitaires. Les résultats de recherches psychologiques ont influé sur la politique gouvernementale en ce qui concerne l'immigration, les programmes d'intervention préscolaire comme « Head Start » (États-Unis) et la violence à la télévision. C'est pourquoi les psychologues doivent se montrer prudents et signaler les limites de leurs conclusions relativement aux décisions personnelles et aux décisions gouvernementales.

Les trois méthodes de recherche

Quoiqu'ils visent des objectifs communs de fidélité, de validité et de développement de la théorie, les psychologues de la personnalité ne s'entendent pas sur la méthode à adopter. Dans certains cas, le désaccord est mineur et se limite au choix d'une méthode expérimentale ou d'un test. Dans d'autres cas, par contre, il est plus profond et traduit des divergences plus fondamentales. La recherche en psychologie de la personnalité tend à utiliser l'une ou l'autre des trois grandes approches méthodologiques que nous allons maintenant décrire. Aux fins de comparaison, nous appliquerons chaque approche à une étude portant sur le stress et la résignation. Nous pourrons ainsi constater que, recueillies au moyen de plusieurs méthodes de recherche, les données peuvent être cohérentes et engendrer une meilleure compréhension du phénomène étudié. Nous avons choisi les sujets du stress et de la résignation en raison de leur intérêt intrinsèque et de leur importance actuelle dans l'étude de la personnalité.

LA RECHERCHE CLINIQUE ET L'ÉTUDE DE CAS

La **recherche clinique** implique l'étude approfondie de l'individu. La documentation recueillie par le psychanalyste Sigmund Freud illustre bien cette méthode. Les études de cas et les observations approfondies effectuées par des cliniciens auprès de patients ont joué un rôle déterminant dans le développement de plusieurs grandes théories de la personnalité. À mesure que les théories se développaient, on a déployé d'autres efforts pour formuler des hypothèses permettant une vérification plus systématique au moyen de tests et de questionnaires de personnalité ou de la méthode expérimentale. Cependant, l'observation des patients était la priorité initiale de ces théoriciens ; leurs observations cliniques de même que celles des tenants de ces idées ont continué de jouer un rôle important dans l'élaboration ultérieure des théories.

Recherche clinique *(clinical research).* Méthode de recherche qui implique l'étude approfondie de l'individu à partir de l'observation de son comportement spontané ou de ses rapports verbaux sur les événements qui se produisent dans son milieu de vie.

Quelle a été l'utilisation de la recherche clinique dans l'étude du stress et de la résignation ? Le concept d'anxiété, associé à celui de stress, a fait l'objet d'une recherche clinique considérable. L'éminent psychanalyste Rollo May, dans un compte rendu préliminaire d'un texte sur le sujet, conclut que « l'état d'incertitude et de résignation devant le danger constitue la caractéristique particulière de l'anxiété face au danger » (1950, p. 191). La documentation clinique mentionne à plusieurs reprises l'incertitude (ou l'absence de structure cognitive) et la résignation (ou l'absence de contrôle). L'incertitude s'exprime souvent par la « crainte de l'inconnu », et on

La stratégie de recherche
L'étude de cas est l'une des méthodes utilisées dans la recherche en psychologie de la personnalité.

l'associe à l'état d'impuissance ou de résignation : le danger dont on ignore la nature engendre une situation ne permettant aucune action ciblée, ce qui produit un état de paralysie psychique et de résignation (Kris, 1944). Parmi les nombreuses recherches cliniques intéressantes sur les réactions au stress, mentionnons les études de Grinker et Spiegel (1945) sur le stress au combat des pilotes de la Deuxième Guerre mondiale.

Le stress au combat

À la fin de la Deuxième Guerre mondiale, deux psychanalystes (Grinker et Spiegel, 1945) ont présenté leurs travaux réalisés auprès de soldats de l'armée de l'air, à partir d'entrevues et de séances de traitement. Leur ouvrage, *Men Under Stress*, est un compte rendu fascinant du stress que subissent tous les combattants et des réactions variées qu'il suscite selon les individus. Après avoir décrit les types de dangers auxquels font face les pilotes et leur utilisation du soutien moral du groupe pour contrer les menaces constantes qu'ils affrontent, les auteurs soulèvent la question suivante : De quoi les pilotes ont-ils peur ? Voici donc leur description du lien entre la résignation et l'anxiété :

> Même si la crainte d'un problème mécanique et d'une déficience humaine est une source constante de stress, c'est l'activité de l'ennemi qui engendre la plus grande peur. L'ennemi ne possède que deux moyens de défense contre nos avions de combat : des avions de chasse et des canons antiaériens. Les avions de chasse ennemis sont efficaces et nos combattants en conviennent. Mais la plus grande source de stress demeure les canons antiaériens. Les avions ennemis sont des objets qu'on peut combattre. On peut les abattre ou les déjouer. Le tir des canons antiaériens est impersonnel, inexorable et d'une précision mortelle entre les mains des Allemands. On ne peut rien faire contre une traînée de fumée noire graisseuse dans le ciel tant que l'explosion ne s'est pas produite.
>
> Grinker et Spiegel, 1945, p. 34.

Grinker et Spiegel ont décrit de la même façon la réaction des soldats de la force terrestre aux attaques aériennes et aux tirs de mortier de l'ennemi. L'aspect le plus stressant est « qu'on ne peut rien utiliser dans l'environnement pour anticiper l'approche du danger... Tout stimulus peut signifier le début d'une attaque. L'inhibition de l'anxiété devient de plus en plus difficile » (1945, p. 52). Selon les deux psychanalystes, la réaction initiale à ce stress s'exprime par une tension et une vigilance accrues. L'individu se prépare mentalement et physiquement de manière à neutraliser la menace et à éviter la perte de contrôle. On peut utiliser une variété de moyens pour combattre la menace mais, en dernière analyse, « la maîtrise ou, son contraire, la résignation, est la clé de la réaction émotive ultime » (p. 129). La confiance diminue en raison des tirs manqués de peu, de la fatigue physique et de la perte de compagnons d'armes. Il devient de plus en plus difficile de se convaincre qu'on ne peut pas être blessé, de se considérer comme invulnérable : « De la résignation qui s'ensuit naît une intense anxiété » (p. 129). Certains cherchent à s'accrocher à l'idée d'une invulnérabilité personnelle (« Ça ne peut pas m'arriver ») ; d'autres se cramponnent à la croyance en des pouvoirs magiques ou surnaturels (« Dieu est mon copilote »).

Quelle que soit la nature des efforts, on peut les considérer comme une tentative pour combattre la menace d'une perte de contrôle ou comme l'expérience de la résignation. En situation de stress prolongé, presque tous les types de réaction névrotique et psychosomatique (troubles occasionnés par des facteurs psychiques) peuvent se manifester. Ces réactions sont classées sous les termes *fatigue fonctionnelle* ou *fatigue de combat* et elles englobent un mélange d'anxiété, de dépression et de réaction psychosomatique. La dépression la plus répandue dans ces cas est associée au sentiment d'échec (« J'ai laissé tomber mes camarades ») et à l'orgueil blessé. En somme, l'état de résignation en présence d'un danger perçu est la composante principale de l'anxiété. Un stress prolongé de ce type entraîne un effondrement psychologique et physique qui se traduit par une variété de réactions névrotiques souvent accompagnées de fatalisme et de dépression.

Ces observations de Grinker et Spiegel sont intéressantes pour comprendre non seulement le stress et la résignation, mais aussi la dépression. Signalons qu'ils associent la dépression au stress prolongé, au sentiment d'échec et à l'orgueil blessé. Bibring (1953) souligne des facteurs similaires dans son analyse clinique de cas de dépression chez des patients. Il décrit un patient qui devient dépressif chaque fois qu'est éveillée en lui la crainte de rester faible ; une autre qui devient dépressive lorsqu'elle éprouve un sentiment d'impuissance ; d'autres qui sont devenus dépressifs pendant la crise économique des années trente et les crises politiques qui ont précédé la Deuxième Guerre mondiale. Selon Bribing, les thèmes qui se répètent dans les cas de dépression sont la résignation, le pessimisme et la perte d'estime de soi.

LA RECHERCHE EXPÉRIMENTALE ET L'ÉTUDE EN LABORATOIRE

Recherche expérimentale *(experimental research)*. Méthode de recherche qui permet à l'expérimentateur de manipuler des variables et qui vise à établir des lois générales montrant des relations de cause à effet entre ces variables.

Par la **recherche expérimentale,** le chercheur tente d'agir sur les variables à l'étude et d'établir si elles présentent un rapport de cause à effet. Grâce à cette méthode, le chercheur peut créer artificiellement des conditions d'anxiété élevée, modérée ou faible et observer les effets de ces variations sur les processus cognitifs ou le comportement interpersonnel. Le but est de pouvoir produire des énoncés spécifiques au sujet de la causalité ; autrement dit, en manipulant une variable, on peut provoquer des changements dans une autre variable. Le laboratoire offre le cadre d'une telle recherche.

La recherche clinique et la recherche expérimentale diffèrent de nombreuses façons. Alors que le clinicien fait ses observations le plus près possible de la réalité quotidienne, permet aux événements de se produire spontanément et étudie seulement

La stratégie de recherche
L'expérimentatrice évalue le développement de la cognition chez l'enfant.

quelques individus, l'expérimentateur dans son laboratoire établit un contrôle rigoureux des variables dont il étudie l'effet sur de nombreux individus. Dans le but d'évaluer la méthode expérimentale, nous examinerons un programme de recherche visant à comprendre les effets du stress et de la résignation. Nous insisterons sur l'utilisation des méthodes expérimentales en laboratoire, bien que d'autres méthodes de recherche soient aussi utilisées.

La résignation acquise

À titre d'exemple de la recherche en laboratoire, examinons les importants travaux de Seligman et le concept de **résignation acquise**. Au cours de leurs premières études sur le conditionnement et l'apprentissage de la peur, Seligman et ses collègues ont observé que les chiens ayant reçu dans une situation des chocs électriques qu'ils ne pouvaient éviter ou fuir transféraient leur état de résignation à une deuxième situation où les chocs étaient évitables. Dans une première phase — le prétraitement —, les chiens étaient placés dans une situation où aucune réaction de leur part ne pouvait modifier le début, la fin, la durée ou l'intensité des chocs. Ensuite, dans une deuxième phase — le test —, ils étaient placés dans une autre situation qui leur permettait d'éviter le choc en sautant par-dessus une barrière; cependant, la plupart des chiens semblaient ne plus avoir alors la capacité d'éviter ou de fuir les chocs, les acceptant passivement. Ils avaient appris, lors de la première phase ou situation, qu'ils ne pouvaient rien faire pour arrêter les chocs et ils transféraient cet apprentissage à la deuxième phase ou situation. Signalons que ce transfert ne s'appliquait pas à tous les chiens, mais aux deux tiers environ, ce qui laisse entrevoir une différence importante chez les individus dont nous reparlerons ultérieurement.

Résignation acquise *(learned helplessness).*
Concept conçu par Seligman, désignant la passivité inappropriée et la réduction des efforts déployés pour échapper à une situation difficile; ces deux éléments sont liés à l'absence d'espoir découlant des expériences répétées d'événements incontrôlables.

Le comportement des chiens ayant appris qu'ils étaient impuissants tranchait fortement avec celui des chiens qui, dans la première phase, n'avaient reçu aucun choc ou des chocs qu'ils pouvaient apprendre à éviter. Dans la situation où il était possible de fuir ou d'éviter les chocs, ces derniers ont couru désespérément jusqu'à ce qu'ils tombent par hasard sur la réponse qui leur permettait de fuir. Par la suite, ils ont progressivement appris à trouver la réponse plus rapidement jusqu'à ce qu'ils soient enfin capables d'éviter complètement le choc. Le tableau 2.1 présente la structure générale du schème expérimental utilisé dans l'épreuve de résignation acquise.

Tableau 2.1 Structure générale du schème expérimental de résignation acquise

	Première phase : Prétraitement	**Deuxième phase : Vérification de la résignation**
Groupe avec absence de contrôle	Exposition à des stimuli aversifs inévitables	Exposition à des stimuli aversifs évitables
Groupe avec présence de contrôle	Exposition à des stimuli aversifs évitables	Exposition à des stimuli aversifs évitables
Groupe témoin	Aucune exposition préalable aux stimuli aversifs	Exposition à des stimuli aversifs évitables

À la différence des chiens « en bonne santé », ceux qui manifestaient une résignation acquise ont d'abord couru désespérément, pour ensuite s'arrêter, se coucher et gémir. Lors des essais suivants, ils abandonnaient de plus en plus vite et acceptaient le choc plus passivement, ce qui est la réaction classique de la résignation acquise. L'état de résignation s'est amplifié au point où il est devenu très difficile de modifier la nature de leurs réactions. Les expérimentateurs ont essayé en vain de rendre la fuite des chiens plus facile et de les attirer dans un lieu sûr avec de la nourriture. Dans l'ensemble, les chiens sont restés passifs.

Même en dehors de cette situation, le comportement des chiens résignés était différent de celui des autres chiens. Lorsque l'expérimentateur essayait de sortir un chien non résigné de la cage où il vivait et où il ne recevait pas de choc, l'animal résistait ; il jappait, reculait au fond de la cage et refusait d'obéir. Les chiens résignés, au contraire, semblaient battre en retraite ; ils s'écrasaient au fond de la cage, se retournaient même à l'occasion et adoptaient une position soumise ; ils n'offraient aucune résistance (Seligman, 1975, p. 25).

D'autres études ont révélé que le même phénomène pouvait se produire chez les êtres humains (Hiroto, 1974). Dans une étude, un groupe d'étudiants entendaient un bruit violent qu'ils pouvaient arrêter en appuyant sur un bouton ; les étudiants d'un deuxième groupe entendaient le même bruit, mais ils ne pouvaient pas l'arrêter ; et dans un troisième groupe (groupe témoin), les étudiants n'entendaient aucun bruit. Les trois groupes ont ensuite été placés dans une autre situation où tous les étudiants devaient bouger la main pour faire cesser le bruit lorsqu'un signal lumineux apparaissait. Les membres du premier et du troisième groupe ont rapidement appris à échapper au bruit en bougeant la main, mais ceux du deuxième groupe (résignation acquise) n'ont pas arrêté le bruit ; la plupart se sont assis sans bouger et ont supporté le bruit violent. La mesure de l'effet de la résignation acquise était la latence de réponse, c'est-à-dire le temps de réaction des participants au signal lumineux. En somme, la manipulation, dans la première phase de l'expérience, des possibilités d'échapper ou non au stimulus aversif a fourni, dans la deuxième phase de l'expérience, une preuve évidente des différences dans la résignation acquise (figure 2.1).

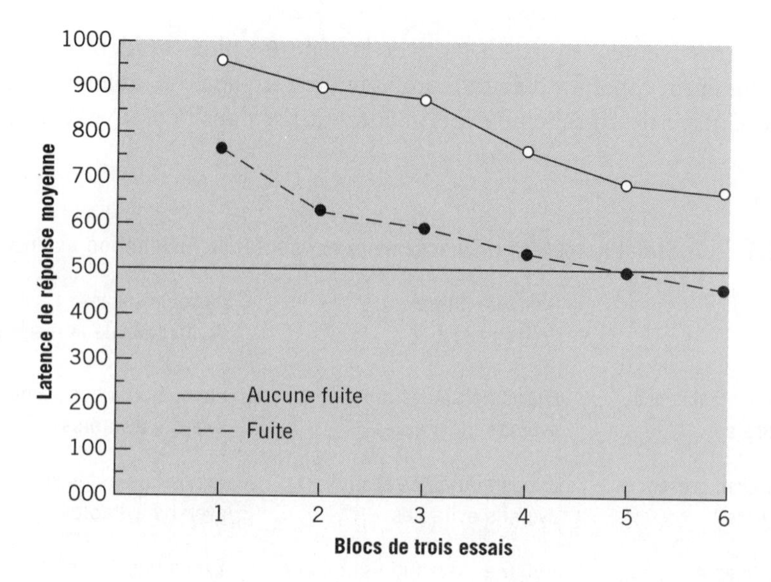

Figure 2.1 La résignation acquise chez l'être humain Comme dans le cas de l'étude sur les animaux, les participants ayant d'abord été placés antérieurement dans une situation où ils ne pouvaient se soustraire au traitement ont réagi plus lentement et n'ont pas été aussi nombreux à fuir que ceux qui avaient pu initialement échapper à la situation. (Hiroto, 1974. © 1974, American Psychological Association, reproduction autorisée.)

D'autres recherches ont révélé que la résignation acquise pouvait s'étendre à de nombreux autres comportements (Hiroto et Seligman, 1975). Les études ont démontré qu'une personne peut devenir résignée en observant d'autres individus montrant de la résignation (Brown et Inouye, 1978 ; DeVellis et McCauley, 1978). Les individus abandonnent plus facilement toute tentative d'agir sur une situation donnée s'ils sont exposés à d'autres individus montrant de la résignation que s'ils observent un individu qui réussit (non résigné) ou s'ils se considèrent comme plus efficaces que l'individu observé.

Selon l'explication que donne Seligman du phénomène de la résignation acquise, l'animal ou la personne apprend que son comportement ne modifie pas l'issue de la situation. Le fait de s'attendre à ce que les événements soient indépendants de la réaction de l'organisme a alors des incidences motivationnelles, cognitives et affectives : (1) les événements incontrôlables sapent la motivation de l'organisme et l'empêchent de manifester d'autres comportements susceptibles d'agir sur les événements en question. (2) En raison de l'inévitabilité des événements précédents, l'organisme éprouve de la difficulté à apprendre que son comportement peut avoir un effet sur d'autres événements. (3) Les expériences répétées d'événements incontrôlables provoquent finalement un état affectif semblable à celui de la dépression chez l'être humain.

Voilà donc la théorie de la résignation, théorie qui peut aussi offrir des pistes en matière de prévention et de traitement. Pour empêcher l'organisme de considérer les événements comme indépendants de son comportement, on doit lui donner l'occasion d'exercer un contrôle sur sa vie. En particulier, l'expérience antérieure de maîtrise d'événements traumatisants protège des effets engendrés par des expériences ultérieures de traumatisme inévitable. Seligman suppose que les chiens de l'étude initiale qui ne sont pas devenus résignés, même lorsqu'ils étaient exposés à un choc inévitable, avaient probablement des antécédents de traumatisme contrôlable avant l'arrivée au laboratoire. On a vérifié cette hypothèse et découvert que les chiens ayant peu d'expérience de la maîtrise d'une situation quelconque étaient particulièrement susceptibles de devenir résignés. Sur le plan thérapeutique, la personne dépressive qui se perçoit comme étant impuissante doit être exposée à des expériences de vie qui l'amèneront à croire que son comportement peut changer la situation. Le thérapeute propose alors au patient des jeux de rôle et des tâches de difficulté croissante, en commençant par ceux dont la réussite est assurée (Beck, 1991).

La résignation acquise Les expériences associées à un sentiment de maîtrise et de compétence durant l'enfance peuvent empêcher l'apparition de la résignation acquise.

Le modèle de la résignation acquise et les études qui en découlent sont effectivement impressionnants. On a ainsi observé chez les chats, les poissons et les rats, ainsi que chez les chiens et les êtres humains, les effets négatifs de l'expérience d'événements impossibles à maîtriser. Cependant, d'autres études concernant les êtres humains ont révélé que l'inévitabilité n'est pas seule en cause dans l'apparition d'un état de résignation (Peterson et Park, 1998). Chez les humains du moins, les effets de l'exposition à des événements incontrôlables semblent dépendre de la façon dont l'individu interprète la situation. Les chercheurs ont observé que des modifications du schème expérimental utilisé ou des différences entre les individus produisent des effets variables. Cela a entraîné la reformulation du modèle de la résignation acquise. Nous n'avons pas encore examiné toutes les recherches expérimentales sur la résignation acquise; toutefois, la plupart des études ayant suivi la reformulation du modèle ont plutôt utilisé la méthode corrélationnelle de recherche. Nous examinerons quelques-unes de ces études dans la section suivante. À ce stade, nous pouvons cependant faire le point sur quelques-unes des caractéristiques essentielles de la recherche expérimentale telle que les études de Seligman les ont illustrées. Dans ce programme de recherche, nous pouvons observer la manipulation et le contrôle rigoureux des variables pertinentes et, globalement, l'importance accordée à des facteurs systématiques qui sont indépendants des différences individuelles.

LA RECHERCHE CORRÉLATIONNELLE ET LE QUESTIONNAIRE DE PERSONNALITÉ

On utilise les tests et les questionnaires de personnalité lorsqu'il est impossible ou qu'il n'est pas souhaitable d'étudier les individus en profondeur, et quand on ne peut entreprendre des expériences en laboratoire. De plus, le questionnaire de personnalité a l'avantage de recueillir simultanément une quantité importante de données sur un grand nombre de personnes. Aucun individu n'est étudié aussi en

La stratégie de recherche
On utilise les questionnaires de personnalité pour recueillir une quantité importante de données sur un grand nombre de personnes.

profondeur qu'avec l'étude de cas mais, avec les questionnaires, le chercheur peut étudier plusieurs caractéristiques différentes de la personnalité chez un grand nombre d'individus. Même s'il ne peut pas exercer un grand contrôle sur les variables qui l'intéressent, comme c'est le cas avec la méthode expérimentale, le chercheur a cependant la possibilité d'étudier des variables qui sont difficiles à reproduire en laboratoire.

Les tests et les questionnaires de personnalité sont souvent associés à l'étude des différences entre les individus. Les psychologues de la personnalité s'intéressent, par exemple, aux différences entre les individus en ce qui concerne l'anxiété, la gentillesse ou la dominance. Ils veulent aussi savoir si les individus qui présentent une caractéristique particulière de la personnalité se distinguent également par une autre caractéristique. Les individus plus anxieux sont-ils également moins créatifs ou plus inhibés dans leur comportement interpersonnel ? Ce genre de questions est typique de la **recherche corrélationnelle**. Effectivement, le chercheur s'efforce d'établir un lien entre deux ou plusieurs variables qui ne se prêtent pas volontiers à la manipulation et au contrôle expérimentaux. Il vérifie l'existence d'une association (une corrélation statistique) plutôt que d'une relation de cause à effet entre les phénomènes étudiés. Par exemple, il pourrait affirmer que l'anxiété est associée à une plus grande rigidité au lieu de dire qu'elle cause une plus grande rigidité. En raison de l'importance qu'ils accordent aux différences individuelles et à l'étude simultanée de nombreuses variables, les psychologues de la personnalité ont beaucoup utilisé les questionnaires et la recherche corrélationnelle.

Recherche corrélationnelle *(correlational research).* Méthode de recherche qui consiste à mesurer et à relier statistiquement les différences entre les individus.

Le lieu de contrôle interne ou externe

Pour mieux comprendre les méthodes expérimentale et corrélationnelle, reportons-nous brièvement à la recherche expérimentale sur la résignation acquise chez l'être humain (figure 2.1). Rappelons que les participants d'abord exposés à une première situation où ils avaient un contrôle sur les événements ont réagi plus rapidement au signal lumineux et ont réussi plus souvent à échapper à la stimulation aversive présentée dans la deuxième situation expérimentale, contrairement à ceux qui étaient d'abord placés dans une situation inévitable, où ils n'avaient aucun contrôle sur les événements. Dans la situation inévitable, les participants expérimentaux apprenaient que leur comportement n'avait aucun effet sur la situation. Nous pouvons nous demander si des participants qui diffèrent dans leur croyance en leur capacité à influer sur les événements auraient un comportement autre dans la deuxième situation qu'ils peuvent réellement modifier. Autrement dit, serait-il possible d'identifier des différences personnelles qui existent naturellement chez les individus et qui correspondraient aux effets des manipulations expérimentales? Nous pouvons maintenant examiner une autre caractéristique de la recherche de Hiroto sur la résignation acquise chez l'être humain. Hiroto a étudié non seulement les effets des conditions expérimentales inévitables ou évitables sur le rendement ultérieur, mais aussi l'effet de différences dans une caractéristique de la personnalité appelée **lieu de contrôle.**

Lieu de contrôle *(locus of control)*. Concept élaboré par Rotter pour exprimer l'attente généralisée ou la croyance concernant les causes de l'apparition ou de la non-apparition des renforcements et des punitions.

Le concept de lieu de contrôle fait partie de la théorie de l'apprentissage social de la personnalité développée par Rotter (1966, 1982). Cette caractéristique de la personnalité représente une attente généralisée concernant les sources de renforcement (récompense) et de punition dans la vie de l'individu. Un individu peut croire en sa capacité de contrôler les événements (les renforcements ou les punitions) qui se produisent dans sa vie. Il montre alors qu'il dispose d'un lieu de contrôle interne. À l'opposé, un autre individu peut croire qu'il n'exerce aucune influence sur ces événements, que ce qui lui arrive est le résultat de causes externes, incontrôlables, comme le hasard, la chance ou le destin. On dit de cet autre individu qu'il a un lieu de contrôle externe. L'**échelle du lieu de contrôle interne-externe** a été créée pour mesurer les différences individuelles de perception du contrôle interne ou externe. Nous présentons à la figure 2.2 des éléments représentatifs de ce test.

Échelle du lieu de contrôle interne-externe [i-e] *(internal-external scale [I-E])*. Échelle de personnalité élaborée par Rotter pour mesurer la croyance d'un individu en sa capacité d'agir sur les événements de sa vie (lieu de contrôle interne), par opposition à la croyance selon laquelle les événements de sa vie sont le résultat de facteurs externes échappant à son emprise, tels que le hasard, la chance ou le destin (lieu de contrôle externe).

Comme les croyances des personnes ayant un lieu de contrôle externe ressemblent de près aux croyances qui caractérisent la résignation acquise, Hiroto en est venu à penser que les individus qui se distinguent par leur lieu de contrôle obtiendraient des résultats différents dans une épreuve expérimentale du type de Seligman. Hiroto a donc constitué deux groupes, répartissant les participants selon que leur lieu de contrôle est interne ou externe, en se fondant sur les réponses qu'ils ont données

1a) Parmi les événements malheureux survenus dans la vie d'une personne, nombreux sont ceux qui sont dus en partie à la malchance.

1b) Les malheurs que connaît une personne résultent des erreurs qu'elle a commises.

2a) Le manque d'intérêt de la population envers la politique est l'une des principales raisons de l'existence des guerres.

2b) Il y aura toujours des guerres, quels que soient les efforts déployés pour les empêcher.

3a) Parfois, je ne peux pas comprendre la façon dont les enseignants déterminent la note qu'ils accordent.

3b) Il y a un lien direct entre l'effort déployé par un étudiant et les notes obtenues.

4a) Le citoyen moyen peut exercer une influence sur les décisions gouvernementales.

4b) Nous sommes gouvernés par une poignée de gens puissants et nous ne pouvons rien y changer.

Figure 2.2 Quelques éléments représentatifs de l'échelle du lieu de contrôle interne-externe de Rotter.

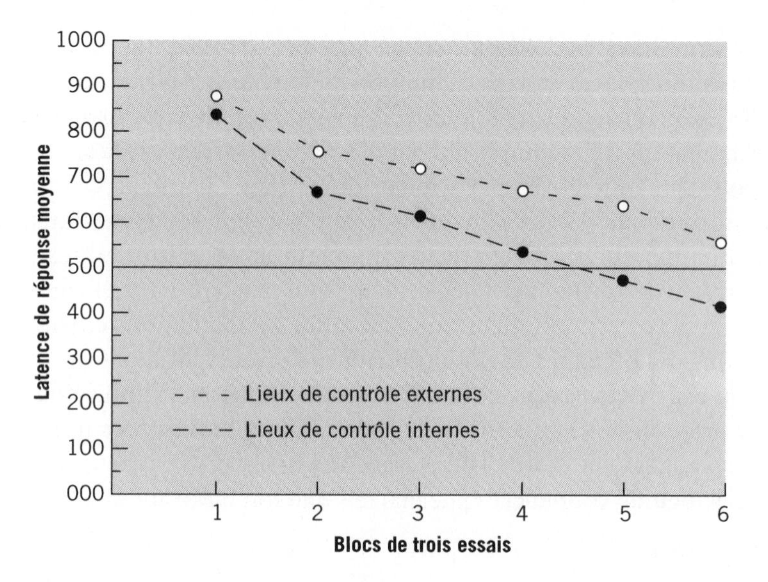

Figure 2.3 Le lieu de contrôle et le rendement La variable du contrôle externe peut être assimilée à la variable de l'inévitabilité observée dans le prétraitement expérimental. Étant donné les effets parallèles engendrés par l'inévitabilité et le lieu de contrôle externe, il est probable que les variables présentent le même processus sous-jacent, suggérant l'indépendance du comportement et du renforcement. (Hiroto, 1974. © 1974, American Psychological Association, reproduction autorisée.)

à l'échelle du lieu de contrôle interne-externe. Il a exposé les membres de chaque groupe à des situations inévitables et évitables. Il a ensuite examiné leurs résultats dans la deuxième situation expérimentale où ces individus pouvaient exercer un contrôle. Comme prévu, il a constaté que les participants dont le lieu de contrôle est externe, quelle que soit leur première situation expérimentale, réagissent plus lentement pour éviter la stimulation que les participants caractérisés par un lieu de contrôle interne (figure 2.3). Le lieu de contrôle externe semble donc avoir les mêmes effets que la première phase expérimentale marquée par l'inévitabilité. On a découvert une association entre un trait de personnalité déjà existant et le rendement obtenu dans une situation expérimentale.

L'attribution causale : un style explicatif

Pour illustrer davantage la méthode corrélationnelle en psychologie de la personnalité, de même que l'utilisation combinée des questionnaires et de la méthode expérimentale, poursuivons l'histoire de la recherche sur la résignation acquise. Nous avons signalé précédemment que la formulation initiale de la résignation acquise ne pouvait pas expliquer les diverses conséquences de l'inévitabilité souvent identifiées chez les participants humains. L'interprétation que les individus donnent des événements et le fondement de la résignation semblent jouer un rôle important. Cette constatation a entraîné une reformulation du modèle de la résignation acquise (Abramson, Seligman et Teasdale, 1978 ; Abramson, Garber et Seligman, 1980). Cette reformulation s'inspire de travaux antérieurs et parallèles en psychologie sociale et, plus particulièrement, des théories de l'attribution développées par Fritz Heider (1958), Harold Kelley (1971, 1972) et d'autres. D'après cette reformulation, l'individu se demande pourquoi il est résigné. Il répond à cette question en postulant une cause. Trois dimensions semblent importantes dans le postulat, ou dans l'**attribution causale**. L'individu peut d'abord imputer la cause de sa résignation à lui-même ou à la nature de la situation. Dans le premier cas, on considère qu'il s'agit d'une cause interne ou personnelle ; dans le deuxième, c'est une cause externe ou universelle. L'individu peut ensuite attribuer sa résignation à des facteurs restreints à la situation où il se trouve, ou encore à des conditions plus générales dans son environnement ou en lui-même. L'individu peut enfin percevoir les conditions de sa situation comme étant stables et passablement permanentes, ou comme étant instables et peut-être provisoires.

Attribution causale *(causal attribution).* Dans la théorie révisée de la résignation acquise et de la dépression, attributions faites selon trois dimensions : interne (personnelle)/externe (universelle), spécifique/globale, stable/instable.

En somme, le nouveau modèle de résignation acquise propose trois dimensions dans l'attribution des causes: *interne/externe*, *spécifique/globale* et *stable/instable*. Un large éventail de conséquences importantes découle de l'attribution causale qui est faite. Par exemple, l'attribution d'un manque de contrôle à des facteurs internes entraîne une plus grande perte d'estime de soi que l'attribution à des facteurs externes. S'il juge que ses échecs répétés sont dus à son manque d'intelligence ou à son incompétence, l'étudiant subira une perte d'estime de soi beaucoup plus grande que s'il les rapporte à la piètre qualité de l'enseignement qui lui est dispensé. Si l'individu impute le manque de contrôle à des facteurs globaux, il y aura généralisation de la réponse de résignation acquise; celle-ci sera étendue à plus de situations que si la cause est attribuée à une situation spécifique. Et si l'individu impute le manque de contrôle à des facteurs stables, comme son manque d'aptitude ou la complexité du programme d'études, les effets dureront plus longtemps que s'il l'impute à des facteurs changeants tels que son humeur ce jour-là, ou encore la chance ou la malchance. De l'attribution qui aura été faite pour expliquer la résignation dépendra l'évolution de celle-ci: elle sera chronique ou aiguë, globale ou limitée, et la perte d'estime de soi sera plus ou moins grande. Soulignons en particulier l'hypothèse selon laquelle les attributions internes, globales et stables ont des répercussions importantes sur l'apparition de la dépression.

Le questionnaire d'évaluation du style d'attribution ■ L'étude expérimentale du nouveau modèle de résignation acquise implique la manipulation des attributions causales et l'observation des effets motivationnels et émotionnels qui en résultent. Ainsi, on pourrait placer les individus dans des conditions qui les amèneraient à formuler des attributions internes ou externes d'un échec pour prédire les différences sur l'estime de soi. Bien que des recherches expérimentales aient fourni un certain appui au nouveau modèle de résignation acquise, la plupart d'entre elles ont montré des problèmes méthodologiques dans la création des attributions désirées ou des effets de résignation acquise. Pour faciliter la recherche dans ce domaine, Peterson (1991; Peterson et Park, 1998) a élaboré un **questionnaire d'évaluation du style d'attribution** mesurant les différences entre les individus dans l'utilisation de ces trois dimensions d'attribution. Ce questionnaire demande aux participants de donner une cause à chacune des douze situations hypothétiques et d'évaluer ensuite l'importance de la cause en fonction des dimensions interne/ externe, stable/instable et spécifique/globale. La figure 2.4 donne des exemples de questions. Six des situations hypothétiques sont positives (« Vous devenez très riche »); et les six autres sont négatives (« Vous avez un rendez-vous amoureux et ça tourne mal »). De plus, certaines situations décrites sont de nature interpersonnelle, alors que d'autres concernent la réussite personnelle. On présume que les individus possèdent des styles d'attribution caractéristiques qu'il est possible de mesurer au moyen d'un questionnaire.

Questionnaire d'évaluation du style d'attribution *(Attributional Style Questionnaire [ASQ]).*
Questionnaire conçu pour mesurer les attributions concernant la résignation acquise selon trois dimensions: interne (personnelle)/externe (universelle), spécifique/globale, stable/instable.

Selon le modèle reformulé de résignation acquise, l'attribution d'événements négatifs incontrôlables à des facteurs internes, stables et globaux entraîne la dépression. Les individus dont le score est élevé pour ces dimensions devraient donc présenter plus de signes de dépression que ceux dont le score est bas. En effet, les auteurs du questionnaire d'évaluation du style d'attribution signalent une corrélation entre les attributions internes, stables et globales à des événements négatifs et les symptômes dépressifs chez des étudiants, des adultes et des patients. On a constaté que les scores au questionnaire étaient associés à l'apparition de symptômes dépressifs à la suite d'un résultat médiocre à un examen de mi-session chez les étudiants. Enfin, dans une étude employant un questionnaire semblable, on a constaté que

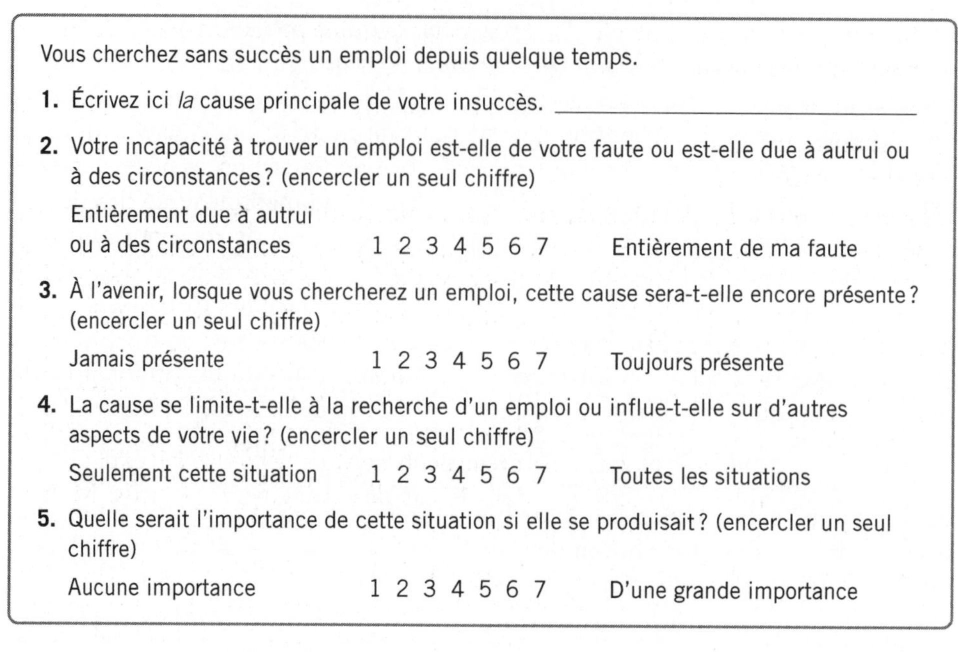

Vous cherchez sans succès un emploi depuis quelque temps.

1. Écrivez ici *la* cause principale de votre insuccès. ______________

2. Votre incapacité à trouver un emploi est-elle de votre faute ou est-elle due à autrui ou à des circonstances ? (encercler un seul chiffre)

Entièrement due à autrui ou à des circonstances	1 2 3 4 5 6 7	Entièrement de ma faute

3. À l'avenir, lorsque vous chercherez un emploi, cette cause sera-t-elle encore présente ? (encercler un seul chiffre)

Jamais présente	1 2 3 4 5 6 7	Toujours présente

4. La cause se limite-t-elle à la recherche d'un emploi ou influe-t-elle sur d'autres aspects de votre vie ? (encercler un seul chiffre)

Seulement cette situation	1 2 3 4 5 6 7	Toutes les situations

5. Quelle serait l'importance de cette situation si elle se produisait ? (encercler un seul chiffre)

Aucune importance	1 2 3 4 5 6 7	D'une grande importance

Figure 2.4 Extrait du questionnaire d'évaluation du style d'attribution (Peterson *et al.*, 1982, p. 292).

les individus dépressifs blâmaient leur personnalité plutôt que leur comportement (Peterson, Schwartz et Seligman, 1981) ; ils pensaient que les événements négatifs attribuables à leur caractère (« Je suis ce type de personne ») étaient moins contrôlables que les événements attribués à leur comportement (« J'ai fait quelque chose »). De plus, les explications attribuées à un défaut de personnalité étaient plus stables et globales que les explications attribuées à une erreur de comportement. Cependant, il a été impossible de démontrer que le blâme imputé à sa propre personnalité était une cause de dépression. Autrement dit, on a constaté une corrélation, et non un lien de cause à effet, entre le blâme personnel et les symptômes dépressifs.

Le dernier point mentionné en rapport avec l'étude ci-dessus est important à la fois pour le modèle reformulé de résignation acquise de la dépression et pour une appréciation des limites de la recherche corrélationnelle. Cette étude suggère une association entre les attributions internes, globales et stables des événements négatifs et la dépression, mais elle ne démontre pas que ces attributions cognitives engendrent la dépression. Pourraient-elles faire partie de la dépression et être provoquées par les mêmes facteurs qui entraînent la dépression ? Une étude importante des individus avant et après l'état dépressif a effectivement révélé que les cognitions liées à la dépression n'avaient pas permis de prédire une dépression future et s'apparentaient davantage à un effet concomitant plutôt qu'à une cause. Avant de souffrir de la dépression, les personnes n'attribuaient pas l'échec à des causes internes et ne considéraient pas qu'elles avaient peu de contrôle sur les événements de leur vie (Lewinsohn, Steinmetz, Larson et Franklin, 1981).

Le style explicatif ■ Une vingtaine d'années se sont écoulées depuis la création du concept de style d'attribution, appelé maintenant *style explicatif*, et des moyens de le mesurer. On a accumulé une importante documentation sur le sujet, surtout de nature corrélationnelle. Voici ce que révèle un compte rendu récent des publications sur la signification et l'évaluation du style explicatif (Peterson, 1991 ; Peterson, Maier et Seligman, 1993 ; Peterson et Park, 1998).

1. On a amplement démontré l'influence très répandue de la résignation acquise chez l'être humain et l'animal.
2. On a amplement démontré que les individus présentent des styles explicatifs caractéristiques qui sont stables pendant une longue période, et peut-être pendant toute leur vie.
3. Le style explicatif a des répercussions sur la motivation, l'état affectif et le comportement. Plus particulièrement, on associe le style explicatif pessimiste (explications internes, stables et globales des événements négatifs) à une moins grande motivation, à une performance moindre et à un état affectif plus négatif que le style explicatif optimiste.
4. Les symptômes de la résignation acquise correspondent à ceux de la dépression. Les individus dépressifs, tant les adultes que les enfants, produisent des explications internes, stables et globales des événements négatifs, ainsi que des explications externes, instables et spécifiques dans le cas des événements positifs. Malgré l'*association* établie entre le style explicatif pessimiste et la dépression, on n'a pas démontré que ce style en est la *cause* (Robin et Hayes, 1995). Cependant, on croit de plus en plus que les styles cognitifs négatifs rendent l'individu plus vulnérable à la dépression lorsqu'il est aux prises avec des événements de la vie négatifs (Alloy, Abramson et Francis, 1999).
5. Le style explicatif n'est pas immuable. La thérapie cognitive peut améliorer le style explicatif et entraîner un soulagement considérable de la dépression (DeRubeis et Hollon, 1995 ; Tang et DeRubeis, 1999a, b).
6. La résignation acquise et le style explicatif pessimiste sont associés à une mauvaise santé. Le style explicatif pessimiste au début de l'âge adulte est un facteur de risque de mauvaise santé à l'âge mûr et à la vieillesse.

Cette impressionnante somme de résultats amène Seligman et ses collègues à envisager avec beaucoup de confiance les possibilités futures : « Nous savons maintenant comment réorganiser la société au profit de l'individu et du groupe... Dans notre vision la plus utopique, nous imaginons la création d'instituts d'optimisme qui constitueraient des centres de recherche fondamentale sur la maîtrise personnelle dont les résultats seraient ensuite appliqués à l'école, au travail et à la société proprement dite » (Peterson, Maier et Seligman, 1993, p. 309 et 310).

Malgré les nombreuses recherches qui appuient le modèle de Seligman, il faut admettre que toutes les recherches ne concordent pas avec ce modèle théorique et qu'il existe de graves problèmes. En voici quelques-uns qui permettent de constater les limites de la recherche corrélationnelle et de l'utilisation des questionnaires (*Psychological Inquiry*, 1991, vol. 2, n° 1).

1. Les réponses au questionnaire d'évaluation du style d'attribution ne correspondent peut-être pas aux véritables attributions causales que font les individus.
2. Les individus peuvent avoir des explications pour des événements spécifiques plutôt que des styles explicatifs plus généralisés.
3. L'importance relative des composantes du style explicatif (interne/externe, stable/instable, global/spécifique) reste à déterminer, de même que la portée des attributions dans le cas des événements positifs.
4. On ne sait toujours pas si le style explicatif précède et engendre la dépression ou s'il s'agit par contre d'un facteur contributif, d'un élément qui accompagne la dépression ou encore qui découle de la dépression.
5. Les scores de pessimisme obtenus au questionnaire d'évaluation du style d'attribution (styles explicatifs internes, stables et globaux des événements négatifs) ne

APPLICATIONS ACTUELLES

Optimisme et réussite professionnelle
Le style explicatif optimiste est associé à la réussite dans les ventes.

Style explicatif, réussite professionnelle et santé

Les recherches de Seligman sur le style explicatif ont dépassé le cadre de la dépression pour s'appliquer au rendement au travail, à la réussite sportive et à la santé, comme en font foi les manchettes dans les médias : « La recherche confirme le pouvoir de la pensée positive » et « Cessez de rejeter la faute sur vous-même ».

L'agent d'assurances au style explicatif optimiste garde-t-il son emploi plus longtemps et vend-il plus d'assurance-vie que son collègue au style pessimiste ? Comme les agents d'assurances font sans cesse face à l'échec, au rejet et à l'indifférence, dans leurs relations avec les clients potentiels, Seligman calcule que les « optimistes » relèveraient mieux le défi que les « pessimistes ». (Les optimistes ont des explications internes, stables et globales pour les événements positifs, et des explications externes, instables et spécifiques pour les événements négatifs. Par contre, les pessimistes ont des explications externes, instables et spécifiques pour les événements positifs, et des explications internes, stables et globales pour les événements négatifs.) Bien sûr, la réponse à la question ci-dessus est *affirmative*. Seligman ajoute : « Je crois que nous possédons un test permettant d'évaluer les personnes qui peuvent relever avec succès le défi d'un emploi stressant et difficile. Ce test pourrait permettre aux compagnies d'assurances d'épargner annuellement des millions de dollars en frais de formation uniquement, car il en coûte 30 000 $ environ pour former chaque nouvel agent et la moitié abandonne en cours de route. »

Dans le cadre de la réussite sportive, on a constaté que les équipes et les athlètes ayant des styles explicatifs optimistes obtenaient une meilleure performance que leurs adversaires ayant des styles explicatifs pessimistes, surtout sous la pression. Et, dans le cas de la santé, on a démontré que la pensée « positive » est associée au sentiment de « bien-être », peut-être parce que le système immunologique des optimistes offre une résistance supérieure à la maladie que celui des pessimistes.

Avertissement : Bien qu'il soit facile de classer les individus parmi les optimistes ou les pessimistes, les scores des mesures applicables suivent un continuum et la plupart des individus se trouvent au milieu.

SOURCES : Peterson, 1995 ; Peterson et Park, 1998 ; Rettew et Reivich, 1995 ; Schulman, 1995 ; Seligman, 1991.

révèlent pas une concordance élevée avec les scores également de pessimisme obtenus à d'autres questionnaires de la personnalité. Dans l'ensemble, les études effectuées à ce jour indiquent que, malgré la corrélation possible de chacune des mesures différentes du style explicatif avec des variables importantes (par exemple la dépression, la santé), les scores de ces mesures sont souvent indépendants les uns des autres. Ainsi, les recherches futures doivent utiliser des mesures multiples du style explicatif dans la même étude afin que l'on comprenne mieux leurs liens réciproques de même que leur rapport avec d'autres variables de la personnalité.

6. Il reste à établir jusqu'à quel point les attributions causales chez des individus de cultures différentes sont similaires et jusqu'à quel point les attributions causales présentes dans la société occidentale sont similaires à celles qu'on trouve dans d'autres cultures.

Il convient de noter particulièrement trois problèmes possibles dans l'utilisation de cette méthode de recherche : (1) On peut utiliser le questionnaire pour obtenir un score unique, alors que le questionnaire peut mesurer des éléments différents, chacun méritant un score distinct. (2) Les scores obtenus avec une mesure spécifique d'une caractéristique de la personnalité ne concorderont peut-être pas avec les scores obtenus avec d'autres mesures de la même caractéristique de la personnalité, alors qu'ils le devraient. Cela laisse supposer que ces différentes mesures d'une caractéristique de la personnalité n'évaluent peut-être pas réellement la même caractéristique. (3) Il est difficile d'établir des liens de causalité entre les phénomènes mesurés.

L'évaluation des trois méthodes de recherche : leurs avantages et leurs inconvénients

Ayant examiné les buts de la recherche en psychologie de la personnalité, nous sommes maintenant en mesure d'évaluer les trois principales méthodes de recherche. Nous constaterons que chaque stratégie comporte des avantages et des inconvénients en raison de la méthodologie utilisée.

LA RECHERCHE CLINIQUE ET L'ÉTUDE DE CAS

La recherche clinique comporte des avantages et des inconvénients, selon le phénomène étudié et la façon de procéder. Dans la recherche clinique en général, le chercheur étudie le comportement qui l'intéresse directement et n'a pas besoin de transposer ses observations du milieu artificiel au milieu naturel. La recherche clinique peut aussi être le seul moyen possible d'analyser certains phénomènes (le stress au combat par exemple). Et grâce à l'étude de cas, on peut observer toute la complexité des processus de la personnalité et des relations personne-environnement. Comme nous l'avons déjà indiqué, le psychologue de la personnalité se distingue par l'importance qu'il accorde à l'organisation des structures et des processus internes de l'individu. La recherche clinique et l'étude de cas approfondie permettent l'analyse de cette organisation. Ce type de recherche comprenant aussi des impressions subjectives, les résultats peuvent varier selon le clinicien ; comme ils font des observations dans des conditions subjectives, les chercheurs accumulent des données dont la fidélité et la validité sont considérablement réduites.

L'étude approfondie de quelques individus comporte deux caractéristiques principales qui se démarquent de la recherche effectuée sur des groupes (Pervin, 1983). D'une part, les relations établies pour l'ensemble d'un groupe ne refléteront peut-être pas la manière dont se comportent un ou quelques individus au sein d'un sous-groupe ; la courbe d'apprentissage moyenne, par exemple, ne correspond peut-être pas au mode d'apprentissage de l'individu. D'autre part, en ne tenant compte que des données collectives, on peut laisser de côté des aspects importants du fonctionnement typique et unique d'un individu donné. Il y a quelque temps déjà, Henry Murray témoignait en faveur de l'utilité des études individuelles et des études de groupe : « Pour s'exprimer comme le profane, les individus qui ont eu la réaction de la majorité peuvent avoir obéi à des raisons différentes. En outre, les solutions statistiques laissent sans explication la réaction exceptionnelle manifestée par la minorité des individus. On ne peut que la considérer comme une exception malheureuse à la règle et la passer sous silence. Les moyennes effacent les "caractéristiques individuelles des organismes individuels" (Whitehead) et, ce faisant, ne réussissent pas à révéler l'interaction complexe des forces qui déterminent chaque événement concret » (1953-1954, p.VIII).

Les rapports verbaux

La recherche clinique sur la personnalité n'englobe pas nécessairement l'utilisation des rapports verbaux (les autodescriptions libres ou ouvertes, par opposition aux questionnaires d'autodescription structurés) des participants, même si de toute évidence elle s'en sert souvent. Les rapports verbaux engendrent des problèmes caractéristiques du type de données qu'ils produisent. Deux groupes très différents ont contesté le fait que l'on puisse traiter les propos de l'individu comme étant le reflet exact du passé ou du présent. Dans le premier groupe, comprenant les psychanalystes et les psychologues d'orientation psychodynamique (chapitres 3 et 4), on soutenait que les individus déforment souvent les faits pour des raisons inconscientes: « Les enfants ont une perception incorrecte, sont très peu conscients de leurs états intérieurs et retiennent des souvenirs faux. Beaucoup d'adultes font à peine mieux » (Murray, 1953-1954, p. 15-16). Dans l'autre groupe, formé de nombreux théoriciens de la psychologie expérimentale, on affirmait que les individus n'ont pas accès à leurs processus internes et répondent aux questions de l'interviewer à partir d'inférences sur ce qui a dû se passer plutôt que de rapporter exactement ce qui s'est réellement produit (Nisbett et Wilson, 1977; Wagner, 2002; Wilson, Hull et Johnson, 1981; Wilson, 2002). Par exemple, même si l'expérimentateur affirme que les participants ont pris des décisions conformément à certaines manipulations expérimentales, ces derniers peuvent donner une tout autre justification à leur comportement; les consommateurs à qui l'on demande pourquoi ils ont acheté tel produit au supermarché peuvent avancer une raison très différente de celle qui fera l'objet de la démonstration expérimentale. Dans une certaine mesure, les gens fournissent les *raisons* subjectives de leur conduite, non les *causes* réelles. Bref, que ce soit parce que les individus cherchent à se protéger ou parce qu'ils éprouvent des problèmes « normaux » à connaître leurs processus internes, les rapports verbaux sur soi produisent des données dont la fidélité et la validité sont douteuses (West et Finch, 1997; Wilson, 1994).

D'autres psychologues soutiennent qu'il faut accepter les rapports verbaux pour ce qu'ils sont: des données (Ericsson et Simon, 1993). Selon eux, rien ne justifie qu'on les considère comme moins utiles qu'une réaction motrice manifeste, tel qu'actionner une manette. En fait, on peut analyser les réponses verbales d'une manière aussi objective, systématique et quantitative que les réactions comportementales. Si on n'écarte pas automatiquement les réponses verbales, on peut alors se poser la question suivante: Quelles sont les données verbales les plus utiles et les plus fiables ? Selon Ericsson et Simon, le participant ne peut rendre compte que de faits auxquels il accorde ou a accordé de l'attention. Si l'expérimentateur lui demande de se remémorer des faits auxquels il n'a jamais prêté attention ou de les expliquer, le participant répondra par déduction ou énoncera une hypothèse au sujet de l'événement (White, 1980). Ainsi, si vous demandez à des individus pourquoi ils ont acheté tel produit au lieu de tel autre au supermarché, alors qu'ils ne se sont pas posé la question au moment de l'achat, ils émettront une inférence ou une hypothèse plutôt que de rendre compte de l'événement.

Ceux qui appuient l'utilisation des rapports verbaux prétendent qu'ils peuvent être une source d'information utile lorsqu'ils sont obtenus avec soin et qu'ils tiennent compte des circonstances. Bien que les psychologues expérimentaux aient discrédité il y a longtemps l'*introspection* (c'est-à-dire la description verbale d'un processus qui se passe à l'intérieur de la personne), on constate maintenant un intérêt accru pour les données ainsi produites. L'acceptation des rapports verbaux peut nous permettre d'élargir le champ des données possibles de manière à bénéficier d'une observation féconde et significative. Par ailleurs, nous ne devons pas perdre de vue les critères de fidélité et de validité. Ainsi, nous devons veiller à ce que d'autres chercheurs puissent effectuer les mêmes observations et interprétations et à ce que les données correspondent effectivement aux concepts qu'elles sont censées mesurer. Même si nous reconnaissons l'utilité des rapports verbaux et leur vaste potentiel, nous ne devons pas ignorer les mauvais usages et les interprétations naïves dont ils peuvent faire l'objet. Bref, les données provenant des rapports verbaux devraient subir le même examen rigoureux que les autres observations de recherche.

LA RECHERCHE EXPÉRIMENTALE ET L'ÉTUDE EN LABORATOIRE

À bien des égards, la recherche expérimentale en laboratoire représente le modèle scientifique idéal. Demandez à quiconque de décrire un scientifique et il évoquera sans doute l'image d'un individu vêtu d'un sarrau blanc, muni d'une planchette à pince, notant des lectures de compteur ou effectuant des réglages mineurs sur un appareil dans un laboratoire. La méthode expérimentale permet une manipulation rigoureuse des variables à l'étude, la collecte de données objectives sans interprétation partiale ou subjective et l'établissement de relations de cause à effet. Dans une expérience bien conçue et bien dirigée, on planifie soigneusement chaque étape pour limiter les effets de variables autres que celles à l'étude. On examine quelques variables seulement, ce qui élimine la difficulté d'avoir à interpréter des relations complexes entre des variables. On établit des relations systématiques entre les changements de certaines variables et les conséquences sur d'autres variables, si bien que l'expérimentateur peut affirmer : « Si X, donc Y. » On fournit les détails complets de la démarche expérimentale afin que des chercheurs puissent reproduire les résultats dans d'autres laboratoires.

Les détracteurs de la recherche en laboratoire estiment qu'il s'agit d'un procédé trop souvent artificiel, de portée limitée. On prétend que les résultats obtenus en laboratoire ne se reproduiront peut-être pas dans un autre cadre. De plus, les liens établis entre des variables isolées ne résisteront peut-être pas devant la complexité du comportement humain. En outre, comme la recherche en laboratoire comporte généralement de brèves expositions aux stimuli, on peut ne pas reconnaître des processus importants qui surviennent avec le temps. Ces critiques s'ajoutent bien sûr au fait qu'il est impossible de reproduire tous les phénomènes dans un laboratoire.

À titre d'entreprise humaine, la recherche expérimentale sur des êtres humains est soumise aux influences inhérentes à la conduite interpersonnelle quotidienne. On pourrait définir l'investigation de ces influences comme la *psychologie sociale de la recherche*. Voici deux exemples qui illustrent bien la situation.

Premièrement, il peut y avoir des facteurs qui influent sur le comportement des participants humains qui ne font pas partie du schème expérimental ; mentionnons la possibilité que des signaux implicites dans le milieu expérimental suggèrent au participant que l'expérimentateur a une certaine hypothèse et que, « dans l'intérêt de la science », le participant se comporte de façon à confirmer cette hypothèse. Ces facteurs, appelés **exigences implicites de la situation expérimentale**, laissent entendre que l'expérience psychologique est une forme d'interaction sociale dans laquelle les participants donnent aux faits un but et une signification (Orne, 1962 ; Weber et Cook, 1972). Le but et la signification de la recherche peuvent varier d'un participant à un autre de telle sorte que ces variables ne font pas partie du modèle expérimental et qu'elles en diminuent, par conséquent, la fidélité et la validité.

Exigences implicites de la situation expérimentale *(demand characteristics).* Signaux implicites inhérents au milieu expérimental ou qui influent sur le comportement du participant étudié.

Effets attribuables à l'expérimentateur *(experimenter expectancy effets).* Effets involontairement induits par le comportement de l'expérimentateur et qui amènent les participants à se comporter de façon à corroborer l'hypothèse de ce dernier.

Deuxièmement, en plus de ces sources d'erreur ou de biais provenant du participant, il faut également tenir compte des sources involontaires d'influence ou d'erreur provenant de l'expérimentateur. Sans s'en rendre compte, l'expérimentateur peut se tromper dans l'enregistrement et l'analyse des données ou fournir des indices aux participants et ainsi influer sur leur comportement d'une façon particulière. Ces **effets attribuables à l'expérimentateur,** involontaires, peuvent amener les participants à se comporter conformément à l'hypothèse du chercheur (Rosenthal, 1969, 1994; Rosenthal et Rubin, 1978). À titre d'exemple, examinons le cas classique du cheval Hans (Pfungst, 1911). Hans était un cheval qui pouvait additionner, soustraire, multiplier et diviser en tapant du sabot. On présentait un problème mathématique au cheval et, aussi incroyable que cela puisse paraître, il était capable de donner la réponse. Dans le but de découvrir le secret des talents de Hans, on a manipulé une variété de facteurs situationnels. Si Hans ne pouvait pas voir l'interrogateur ou si ce dernier ne connaissait pas la réponse, le cheval était alors incapable de fournir la bonne réponse. En revanche, si l'interrogateur savait la réponse et était visible, Hans pouvait donner la réponse. Apparemment, l'interrogateur signalait involontairement au cheval le moment où il devait commencer à taper du sabot et le moment où il devait s'arrêter. Les coups de sabot commençaient lorsque l'interrogateur penchait la tête vers l'avant, s'accéléraient lorsque l'interrogateur penchait la tête plus avant et s'arrêtaient lorsque l'interrogateur se redressait. Comme nous pouvons le constater, l'effet de l'expérimentateur peut être passablement discret et ni le chercheur ni le participant ne sont conscients de son existence.

Les exigences implicites de la situation expérimentale et les effets attribuables à l'expérimentateur peuvent constituer des sources d'erreur dans les trois types de recherche, même si c'est dans le contexte de la recherche expérimentale qu'ils ont été le plus souvent étudiés. Cependant, comme c'est la recherche expérimentale qui se rapproche le plus de l'idéal scientifique, c'est dans ce domaine que les sources d'erreur seront les plus notables.

Les psychologues utilisant une méthode de recherche expérimentale ont contesté de nombreuses critiques formulées à l'encontre de ce type de recherche et énoncé plusieurs faits en sa faveur.

Examinons maintenant certains avantages propres à la méthode expérimentale. (1) *La recherche expérimentale est la méthode la plus appropriée pour vérifier les hypothèses causales.* La généralité de la relation établie peut faire ensuite l'objet d'une investigation plus approfondie. (2) *Certains phénomènes ne seraient jamais découverts à l'extérieur du laboratoire.* (3) *Certains phénomènes peuvent difficilement être étudiés ailleurs qu'en laboratoire;* par exemple, en laboratoire, on autorise les participants à se montrer agressifs, à la différence du milieu social naturel où les interdits sont souvent très forts. (4) *Il existe peu de données empiriques qui viennent soutenir l'assertion que les participants essaient habituellement de confirmer l'hypothèse de l'expérimentateur ou qui expliquent la signification des artefacts expérimentaux en général.* En effet, de nombreux participants adoptent une attitude plus négative que docile (Berkowitz et Donnerstein, 1982).

LA RECHERCHE CORRÉLATIONNELLE ET LE QUESTIONNAIRE DE PERSONNALITÉ

Comme nous l'avons constaté précédemment, plusieurs avantages et inconvénients de la recherche corrélationnelle sont à l'opposé de ceux de la recherche expérimentale. D'une part, il y a la possibilité d'étudier un éventail plus vaste de variables;

de l'autre, on exerce moins de contrôle sur ces dernières. Examinons l'utilisation des questionnaires de personnalité dans la recherche corrélationnelle. De nombreux psychologues mettent en doute l'exactitude des énoncés du répondant relativement à ce qu'il ressent et à sa façon de se comporter. Les réponses à des questionnaires d'autodescription sont soumises à des biais particuliers. Les études révèlent que les répondants réagissent souvent à d'autres aspects que le contenu du questionnaire, ou qu'ils ont une tendance systématique à répondre à un test d'une manière définie, adoptant un **style de réponse**.

Style de réponse *(response style)*. Tendance des participants à répondre aux éléments du test d'une manière systématiquement biaisée en se fondant sur la forme des questions ou des réponses plutôt que sur leur contenu.

Deux styles de réponse illustrent bien les problèmes soulevés. Le premier, appelé l'**acquiescement**, concerne la tendance à adopter une attitude favorable ou défavorable quel que soit le contenu des éléments. Par exemple, les participants peuvent préférer des réponses comme « aimer » et « d'accord » (répondants favorables) ou des réponses telles que « ne pas aimer » et « en désaccord » (répondants défavorables). La deuxième possibilité de biais dans les réponses au questionnaire est la **désirabilité sociale** des éléments. Au lieu de réagir à la signification psychologique voulue d'un élément du questionnaire, le participant peut répondre en suggérant une caractéristique de la personnalité jugée socialement acceptable ou désirable.

Acquiescement *(acquiescence)*. Tendance des participants à adopter une attitude favorable ou défavorable quel que soit le contenu des éléments.

Désirabilité sociale *(social desirability)*. Tendance des participants à répondre en suggérant une caractéristique de la personnalité jugée socialement acceptable ou désirable.

Une autre critique de la recherche utilisant des questionnaires porte sur la fidélité de l'autodescription et sur le risque d'éprouver des problèmes identiques à ceux qu'on a soulevés dans le cas des rapports verbaux. Une étude récente souligne la déformation des réponses pour des raisons inconscientes et insiste également sur la valeur potentielle du jugement clinique (Shedler, Mayman et Manis, 1993). Dans cette étude dirigée par des psychologues ayant une approche psychanalytique qui doutaient de l'acceptation au pied de la lettre des données de l'autodescription, des individus apparemment en « bonne santé mentale » selon les résultats d'un questionnaire d'autodescription étaient évalués par un clinicien d'approche psychodynamique. À partir de ses évaluations cliniques sont apparus deux sous-groupes distincts : l'un composé d'individus en bonne santé mentale conformément aux résultats du questionnaire, l'autre composé d'individus en état de détresse psychologique qui ont maintenu l'*illusion* de santé mentale par le déni défensif de leurs difficultés. On a constaté que la réaction au stress des individus des deux groupes différait considérablement. Les participants du groupe affichant une santé mentale illusoire révélaient un taux beaucoup plus élevé de réactivité coronarienne au stress que les participants du groupe affichant une réelle bonne santé mentale. En fait, les premiers montraient même un taux de réactivité coronarienne au stress supérieur à celui des participants dont les résultats signalaient leur état de détresse. Les différences de réactivité au stress parmi les deux sous-groupes étaient significatives sur le plan statistique ainsi que sur le plan médical. On en a donc déduit que, « pour certains individus, les questionnaires de santé mentale sont apparemment une mesure valide de la santé mentale. Pour d'autres, ils semblent mesurer un déni défensif. Il ne paraît y avoir aucun moyen de déterminer ce qui est mesuré chez un répondant donné par le seul résultat du test » (Shedler, Mayman et Manis, 1993, p. 1128).

Ceux qui favorisent l'utilisation des questionnaires proposent d'éliminer ces problèmes et sources de biais par une construction et une interprétation plus rigoureuses des tests. Par exemple, ceux qui administrent des tests recommandent de ne pas considérer les réponses au questionnaire comme indiquant réellement les sentiments et les comportements du répondant ; selon eux, ces résultats doivent seulement être corrélés au phénomène à l'étude. Ils ajoutent que la formulation minutieuse des questions permet d'éliminer les effets possibles de biais tels que l'acquiescement et la désirabilité sociale. Enfin, ils préconisent d'inclure des éléments ou des échelles mesurant si les participants mentent ou simulent, ou s'ils essaient de se présenter sous un jour plus favorable ou de manifester un comportement socialement désirable.

Ces mesures de protection sont peut-être possibles, mais peu d'entre elles figurent dans les nombreux questionnaires de personnalité. En outre, même lorsqu'un test de personnalité présente une fidélité et une validité raisonnables, ses résultats ne concordent pas nécessairement avec ceux d'un autre test censé mesurer le même concept. En somme, malgré l'attrait que suscitent les questionnaires de personnalité en raison de leur facilité d'utilisation et de la possibilité qu'ils offrent de traiter de nombreux aspects de la personnalité que l'on pourrait sinon difficilement étudier, les problèmes de fidélité et de validité sont souvent manifestes.

En bref

Dans l'évaluation des méthodes de recherche utilisées, nous avons présenté les avantages et limites potentiels plutôt qu'effectifs (tableau 2.2). En fait, les résultats d'une méthode correspondent généralement à ceux d'une autre méthode (Anderson, Lindsay et Bushman, 1999). Au fond, chaque méthode doit être évaluée en fonction de ses mérites et de sa capacité de faire avancer les connaissances plutôt

Tableau 2. 2 Avantages et limites des principales méthodes de recherche

Avantages potentiels	Limites potentielles
Recherche clinique et étude de cas	
1. Évite le caractère artificiel du laboratoire.	**1.** Observation pouvant être peu méthodique.
2. Permet d'explorer la complexité des relations personne-environnement.	**2.** Peut se perdre dans des relations multiples et ambiguës, voire accidentelles, entre les variables.
3. Permet une étude approfondie de chaque cas clinique.	**3.** Peut encourager l'interprétation subjective des données.
Recherche expérimentale et étude en laboratoire	
1. Permet de manipuler des variables spécifiques.	**1.** Exclut les phénomènes qui ne peuvent être étudiés en laboratoire.
2. Fournit des données objectives.	**2.** Limite la généralisation des résultats.
3. Permet d'établir des relations de cause à effet entre les phénomènes.	**3.** Favorise les exigences implicites de la situation et les effets attribuables à l'expérimentateur.
Recherche corrélationnelle et questionnaire	
1. Permet d'étudier un vaste choix de variables.	**1.** Établit un lien corrélationnel plutôt que causal.
2. Examine les relations entre plusieurs variables.	**2.** Présente des problèmes de fidélité et de validité.
3. Permet un vaste échantillonnage de participants à la recherche.	**3.** Ne permet pas d'étudier les individus en profondeur.

qu'à partir d'idées préconçues. On peut utiliser une méthode de recherche conjointement avec une autre dans toute entreprise de recherche. De plus, on peut intégrer les données recueillies dans l'élaboration d'une théorie plus globale.

La théorie de la personnalité et la recherche

Dans le premier chapitre, nous avons examiné la nature de la théorie de la personnalité, les efforts que l'on déploie pour systématiser les connaissances acquises et orienter la recherche vers de nouvelles connaissances. Dans le présent chapitre, nous avons d'abord étudié les quatre types de données recueillies par les psychologues de la personnalité dans leur recherche. Nous avons ensuite examiné les trois méthodes de recherche traditionnelles utilisées pour l'étude de la personnalité : la recherche clinique, expérimentale et corrélationnelle. Par des voies différentes, les trois méthodes visent des buts communs de fidélité et de validité ; elles cherchent à obtenir des résultats qui peuvent être reproduits, qui élargissent les connaissances et qui peuvent être intégrés dans un cadre théorique. Jusqu'à présent, nous avons considéré la théorie et la recherche séparément. Cependant, il convient de souligner que la théorie et la recherche influent considérablement l'une sur l'autre. La théorie propose des routes pour l'exploration, et la recherche offre des moyens de vérifier les hypothèses issues de la théorie. Une théorie sans lien avec la recherche n'est que conjectures, et une recherche sans lien avec la théorie n'est qu'une collecte de données. La théorie et la recherche sont interdépendantes et trouvent leur pertinence dans cette interaction.

Outre leur interdépendance, la théorie et la recherche sont également liées d'une autre façon. Nous avons indiqué précédemment que les chercheurs avaient tendance à favoriser un type de données. Ils manifestent aussi des préférences et des biais concernant la méthodologie de recherche. Traditionnellement, la recherche en psychologie de la personnalité a eu tendance à privilégier l'un ou l'autre de deux points de vue concernant chacune des questions associées aux trois méthodes de recherche : (1) *provoquer les événements* (recherche expérimentale), par opposition à *étudier ce qui s'est produit* (recherche corrélationnelle) ; (2) *étudier des groupes d'individus* (recherche expérimentale), par opposition à *étudier un seul individu* (recherche clinique) ; et (3) *étudier un ou quelques aspects de l'individu* (recherche expérimentale), par opposition à *étudier l'individu dans sa totalité* (recherche clinique). C'est pourquoi on constate des préférences ou des biais à l'égard de la recherche clinique, expérimentale et corrélationnelle. Malgré l'objectivité de la science, la recherche est une entreprise humaine et ces préférences en font partie intégrante. Tous les chercheurs essaient d'être le plus impartiaux possible dans leurs travaux et avancent généralement des raisons « objectives » pour justifier leur choix d'une méthode. Autrement dit, on souligne les avantages de la méthode de recherche adoptée en fonction des avantages et des inconvénients des autres méthodes. Par ailleurs, des facteurs d'ordre personnel entrent en jeu. Comme dans le choix d'une catégorie de données, les psychologues sont également plus à l'aise avec une méthode de recherche plutôt qu'avec une autre.

En outre, on peut ajouter que les diverses théories de la personnalité sont associées à des stratégies particulières de recherche et de ce fait à des types différents de données. Les liens qui unissent la théorie, les données et la recherche sont tels que les observations associées à une théorie de la personnalité divergent souvent des observations associées à une autre. De plus, les phénomènes étudiés par une théorie ne sont pas aussi faciles à étudier par les méthodes de recherche que privilégie une autre théorie. Une première théorie de la personnalité nous entraîne à recueillir un type de données et à suivre une méthode de recherche, alors qu'une deuxième nous convie à recueillir d'autres types de données et à adopter une méthode différente. L'une n'est pas meilleure que l'autre, elles sont simplement différentes ; nous devons évaluer ces différences lorsque nous examinons chaque approche théorique et chaque méthode de recherche. Comme les chapitres suivants du présent ouvrage sont organisés autour des principales approches théoriques de la personnalité, il est important de tenir compte de ces liens et de ces différences lors de la comparaison et de l'évaluation des théories.

L'histoire de Jacques

Les théories de la personnalité

Comme nous l'avons constaté, l'étude de la personnalité implique l'évaluation de l'individu en fonction des caractéristiques de la personnalité que nous présumons être d'une importance théorique. Le terme *évaluation* s'applique généralement aux efforts que l'on déploie pour mesurer les aspects de la personnalité de l'individu en vue de prendre une décision appliquée ou pratique : Cette personne sera-t-elle une bonne candidate pour ce poste ? Profitera-t-elle de tel ou tel type de traitement ? Cet individu sera-t-il un bon candidat pour le programme de formation ? De plus, le terme *évaluation* est souvent attribué aux efforts que l'on déploie pour atteindre une compréhension globale de l'individu en recueillant une grande variété de renseignements à son sujet. De ce fait, l'évaluation d'un individu comporte l'administration d'une variété de tests ou de mesures de la personnalité, ce qui permet également, comme nous l'avons mentionné plus haut, de comparer les résultats de différentes sources d'information. Le présent ouvrage présume que chaque méthode d'évaluation offre un aperçu du comportement humain et qu'il n'existe pas de test qui puisse, à lui seul, fournir ou espérer fournir un tableau de la personnalité globale de l'individu. Les individus sont des êtres complexes et nos tentatives pour évaluer la personnalité doivent refléter cette complexité. Dans les chapitres suivants, nous étudierons plusieurs théories de la personnalité et plusieurs méthodes d'évaluation. En outre, nous examinerons l'évaluation d'un individu, Jacques, du point de vue de chaque théorie et méthode d'évaluation. Grâce à cette démarche, nous serons en mesure de constater le lien qui existe entre la théorie et l'évaluation, et de déterminer également si des approches différentes produisent une représentation similaire de l'individu.

Avant de décrire Jacques, nous présenterons quelques renseignements au sujet de l'évaluation. Jacques étudiait à l'université lorsque, à la fin des années soixante, il s'est proposé pour participer à un projet portant sur l'étude approfondie des étudiants. Il s'est engagé dans le projet surtout en raison de son intérêt pour la psychologie, mais aussi parce qu'il espérait mieux se comprendre. À l'époque, il a donc passé une série de tests. Ceux-ci représentaient un échantillon des tests utilisés à l'époque. Depuis lors, d'autres théories de la personnalité et des tests connexes se sont ajoutés. Jacques a donc accepté de relater ses expériences de vie et de passer d'autres tests cinq, vingt et vingt-cinq ans plus tard. Il a pu ainsi passer des tests élaborés en association avec les nouvelles théories de la personnalité.

Nous n'avons donc pas la possibilité d'évaluer tous les tests au cours de la même période. Nous pouvons cependant examiner la personnalité d'un individu pendant une période prolongée, et par conséquent étudier la façon dont les théories, et les tests, se rapportent aux événements antérieurs et postérieurs de la vie de Jacques. Commençons par un bref aperçu de l'autobiographie de ce dernier ; nous reviendrons sur son cas tout au long de l'ouvrage lorsque nous examinerons les diverses approches de la personnalité.

Aperçu autobiographique

Dans son autobiographie, Jacques signale qu'il est né à Montréal à la fin de la Deuxième Guerre mondiale et qu'il a reçu beaucoup d'attention et d'affection durant son enfance. Son père est diplômé de l'université et possède une concession d'automobiles ; sa mère est femme au foyer et elle fait aussi du travail bénévole auprès des aveugles. Jacques considère qu'il entretient de bons rapports avec son père et décrit sa mère comme une personne « très empathique et très aimante ». Il est l'aîné de quatre enfants, dont une sœur de quatre ans plus jeune que lui et deux frères de cinq et sept ans ses cadets. Les principaux thèmes de son autobiographie concernent son incapacité d'entretenir des relations satisfaisantes avec les femmes, son désir de réussite et ses échecs relatifs depuis le collège, ainsi que son incertitude face à la poursuite d'études supérieures en administration des affaires ou en psychologie clinique. Dans l'ensemble, il croit que les autres ont une haute opinion de lui parce qu'ils utilisent des critères superficiels ; intérieurement, toutefois, il est inquiet.

Nous avons donc un aperçu limité d'une personne. Avec un peu de chance, les détails s'accumuleront au fil de l'évaluation par les différentes théories de la personnalité. Nous espérons qu'à la fin de l'ouvrage vous aurez une vision globale de Jacques.

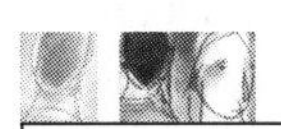

Résumé

1. L'étude de la personnalité repose sur l'analyse systématique des relations entre les phénomènes ou les événements. Elle permet de recueillir quatre catégories de données — les données biographiques, l'observation, les résultats d'épreuves expérimentales ou psychométriques et l'autodescription (ou autoévaluation) — au moyen de trois méthodes : la recherche clinique, les expériences en laboratoire et la recherche corrélationnelle avec administration de questionnaires.
2. Toutes les recherches visent à obtenir des résultats fidèles et valides, c'est-à-dire des informations qui peuvent être reproduites et qui sont pertinentes compte tenu des concepts psychologiques à l'étude. À titre d'entreprise humaine, la recherche comporte des questions d'ordre éthique au sujet du traitement des participants et de la publication des résultats.
3. La recherche clinique comprend l'étude approfondie des individus. L'étude des réactions au stress au combat constitue un exemple de ce type de recherche.

4. La recherche expérimentale implique la manipulation de variables spécifiques et la capacité, le cas échéant, d'énoncer des relations de cause à effet. Cette méthode de recherche est illustrée par l'étude des effets de la résignation acquise.
5. Dans la recherche corrélationnelle, l'expérimentateur renonce à exercer un contrôle sur les variables à l'étude et essaie d'associer ou de mettre en corrélation des phénomènes existants. Les questionnaires sont particulièrement importants dans la recherche corrélationnelle, comme le démontrent l'échelle du lieu de contrôle interne-externe et le questionnaire d'évaluation du style d'attribution.
6. Selon le modèle reformulé de la résignation acquise, les individus expliquent les événements par des attributions causales faites sur les dimensions suivantes : interne/externe, globale/spécifique, stable/instable. Des styles d'attribution (ou styles explicatifs) seraient associés à des conséquences particulières (les attributions ou explications internes, globales et stables des événements négatifs seraient associés à la dépression).
7. Les trois méthodes de recherche produisent des observations similaires au sujet de la relation entre l'absence de contrôle ou la résignation et le stress. Le fait de s'attendre à ce qu'il n'y ait pas de lien entre les événements et nos actions (lieu de contrôle externe, résignation acquise) a des répercussions importantes sur les plans motivationnel, cognitif et affectif.
8. On peut considérer que chacune des trois méthodes offre des avantages et des inconvénients (tableau 2.2). Ainsi, chaque stratégie de recherche peut ouvrir de nouveaux horizons ou s'engager dans un cul-de-sac.
9. Les théories de la personnalité se distinguent par le type de données et la méthode qu'elles privilégient. Il y a donc des liens entre la théorie, le type de données et la méthode de recherche. Nous ne devrons pas perdre de vue ces liens lorsque nous examinerons les principales théories de la personnalité dans les chapitres suivants. Nous présenterons également l'étude de cas du même individu selon chaque perspective théorique à des fins d'illustration et de comparaison.

Chapitre 3

L'approche psychodynamique : Freud, la psychanalyse et la théorie de la personnalité

Sigmund Freud : aperçu biographique

Les rapports entre l'individu et la société, selon Freud

La science, la théorie et la recherche, selon Freud

La psychanalyse : une théorie de la personnalité

La structure

Les processus

La croissance et le développement

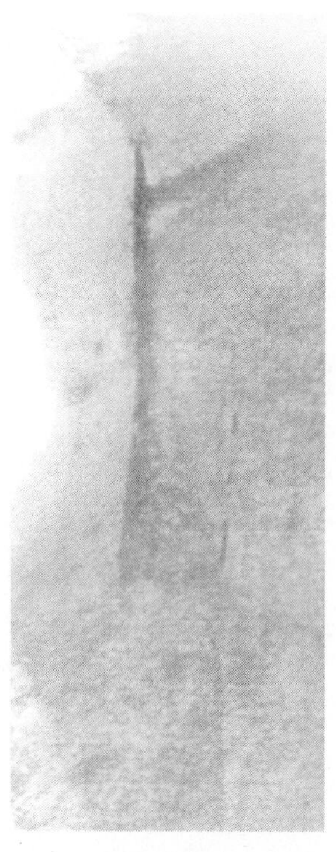

Jessica, la meilleure joueuse de l'équipe nationale de tennis, se prépare pour la finale du tournoi. Comme elle n'a jamais rencontré son adversaire auparavant, elle décide d'aller la trouver et de se présenter avant le match. Sans se presser, elle se rend à l'autre extrémité du court où son adversaire est en train de se livrer à des exercices d'échauffement, elle s'approche et lui dit : « Bonjour, je m'appelle Jessica, contente de l'emporter ! » Vous pouvez imaginer l'embarras de Jessica ! Troublée, elle se reprend et corrige cette erreur commise en toute innocence avant de retourner de l'autre côté du filet pour s'échauffer à son tour. « Comment ai-je pu commettre une bourde pareille ? » songe-t-elle.

Le lapsus de Jessica était-il si innocent ? Freud aurait répondu par la négative. Selon lui, la bêtise de Jessica dévoilerait plutôt, de manière très révélatrice, l'existence de pulsions agressives *inconscientes*. La théorie *psychanalytique* de Freud représente un exemple de l'approche *psychodynamique* et *clinique* adoptée dans l'étude de la personnalité. On voit dans le comportement le résultat de l'interaction dynamique qui s'exerce entre les motivations, les pulsions, les besoins et les conflits. La recherche entreprise dans le cadre de la théorie psychanalytique consiste surtout en des études cliniques axées sur l'individu, sur les différences entre les individus, ainsi que sur les efforts visant à évaluer et à comprendre l'individu dans sa totalité.

Le chapitre… *en questions*

1. En quoi la théorie de Freud a-t-elle été façonnée par les événements historiques et par les données de sa biographie ?
2. Sur le plan scientifique, sur quoi s'appuie-t-on pour dire que l'inconscient influe sur notre vie ?
3. L'angoisse est souvent une émotion très intense. Quels moyens utilise-t-on pour s'en protéger ?
4. Est-il possible de refouler des souvenirs d'enfance traumatisants et de les recouvrer à l'âge adulte ?
5. Quelle est l'importance des premières expériences dans le développement de la personnalité ?

La psychanalyse a, d'une part, reflété l'évolution des valeurs au sein de notre société et, d'autre part, joué un rôle dans le changement de ces valeurs. Si nous étudions la théorie psychanalytique de Freud, c'est en raison de sa prééminence dans la culture de notre société et de son influence sur la théorie psychodynamique de la personnalité. Comme le soulignait Norman O. Brown : « Pour quiconque demeure profondément attaché aux traditions occidentales de moralité et de rationalité, c'est une rude épreuve que de considérer sans sursauter ni broncher la doctrine que Freud nous propose. Il est humiliant de se voir révéler l'envers grossier, fort peu édifiant, de tant de grands idéaux… Acquérir la connaissance de la pensée freudienne, c'est mordre une seconde fois au fruit défendu… » (1972, p. 8). Freud l'a observé avec finesse, le narcissisme et l'image de soi de l'être humain ont connu trois blessures : comme l'a découvert Copernic, la Terre ne représente pas le centre de l'Univers ; comme l'a découvert Darwin, notre existence n'est pas indépendante du monde animal ; et nous subissons l'influence de forces inconnues, inconscientes, et par moments incontrôlables.

La théorie psychanalytique tire sa source de l'énorme travail thérapeutique accompli auprès des patients et elle s'applique, en retour, à comprendre l'être humain. La psychanalyse constitue un exemple de théorie *psychodynamique* parce qu'elle s'intéresse à l'interaction des forces qui modèlent la conduite humaine. Selon la théorie psychanalytique, le comportement représente le résultat des luttes et des compromis entre les motivations, les pulsions, les besoins et les conflits. Les motivations s'expriment d'une manière directe, ou d'une manière subtile et dissimulée. Un comportement donné peut correspondre à des motivations diverses chez des personnes différentes, ou encore s'expliquer par tout un éventail de motivations chez un même individu. Par exemple, manger peut servir à assouvir la faim, mais manger peut aussi remplir symboliquement un besoin d'amour ; embrasser la profession médicale peut répondre au désir d'aider autrui et en même temps être un moyen de surmonter sa crainte de la maladie et des blessures. Enfin, l'appareil psychique fonctionne à divers niveaux de conscience, les individus étant plus ou moins au fait des forces qui orientent leurs comportements.

Au cours du présent chapitre, nous examinerons donc cette théorie qui souligne l'idée suivante : le comportement résulte de l'interaction de diverses forces. Théorie d'une grande portée, elle met en relief des phénomènes simples comme le lapsus ou complexes comme le développement de la culture.

Sigmund Freud : aperçu biographique

Sigmund Freud (1856-1939) est né en Autriche. Son père, de vingt ans plus âgé que sa mère, avait eu deux fils d'un précédent mariage, mais Freud était l'aîné des enfants du second mariage. Sa naissance fut suivie par l'arrivée et le décès précoce d'un autre enfant et, ensuite, par la venue de six autres enfants. Considéré comme le préféré de sa mère, Freud a lui-même avoué que « l'homme qui a été indiscutablement le favori de sa mère conserve toute sa vie un sentiment de conquérant, cette confiance en la réussite qui produit souvent le véritable succès » (Freud, 1900, p. 26). Enfant, il rêvait de devenir général ou ministre, mais, étant juif, il aurait eu à combattre l'antisémitisme qui prévalait dans l'armée et la politique. Il se tourna donc vers la médecine. Durant ses études (1873-1881), il fut influencé par les idées de l'éminent physiologiste Ernst Brucke, qui se représentait l'être humain comme un système physiologique dynamique obéissant aux principes physiques de la conservation d'énergie. Ces idées constituent le fondement de la conception dynamique du fonctionnement psychique énoncée par Freud (Sulloway, 1979).

Après avoir obtenu son doctorat en médecine, Freud se consacre pendant quelques années à la théorie et à la recherche dans le domaine de la neurologie. Notons au passage que, comparant dans ses premiers travaux le cerveau d'un adulte et celui d'un fœtus, il conclut que les structures du début demeurent et ne sont jamais détruites. Cette conception trouvera plus tard un équivalent dans ses théories concernant le développement de la personnalité. Pour des raisons financières, il se tourne ensuite vers la pratique médicale. Sur le plan personnel, Freud connaît des dépressions récurrentes et des crises d'angoisse ; à l'occasion, il recourt à la cocaïne pour apaiser l'agitation et chasser la dépression. C'est à cette époque qu'il se marie ; de cette union naîtront trois filles et trois garçons.

En 1886, Freud passe un an à Paris auprès du psychiatre français Jean Charcot, qui connaissait un certain succès dans le traitement de patients névrosés en utilisant l'hypnose. Freud ne trouvait pas convaincants les effets de l'hypnose, mais les idées de Charcot avaient sur lui un effet stimulant. Ernest Jones, le biographe de Freud, le décrit ainsi : « Tous ces travaux auraient suffi à faire considérer Freud comme un neurologue de premier ordre, un travailleur acharné, un penseur sérieux, mais presque rien alors, sauf peut-être son livre sur l'aphasie, ne laissait prévoir son génie » (1976, vol. 1, p. 243).

En 1897, l'année suivant le décès de son père, Freud commence son autoanalyse. Il continue d'être tourmenté par des dépressions périodiques et, même si les travaux intellectuels l'aident à se détourner de sa souffrance, il continue à chercher des réponses du côté de l'inconscient : « Ma guérison ne peut provenir que du travail effectué dans l'inconscient ; je ne peux pas y parvenir par les seuls efforts conscients. » Il poursuivit son autoanalyse tout au long de sa vie, en y consacrant la dernière demi-heure de sa journée de travail. Dans les années 1890, il essaie une batterie de techniques thérapeutiques auprès de ses patients. Il utilise d'abord la suggestion hypnotique telle que la pratique Charcot ; il essaie ensuite une technique de concentration qui consiste à appuyer ses mains sur la tête du patient pour l'inciter à se remémorer ses souvenirs. Au cours de ces années, il travaille également avec le médecin viennois Joseph Breuer, qui lui a fait connaître la **catharsis** (technique permettant de se libérer de ses émotions grâce à la parole), et il collabore avec celui-ci à la rédaction des *Études sur l'hystérie*. À cette époque, Freud a atteint la quarantaine et il n'a encore pratiquement rien élaboré de ce qui deviendra plus tard la psychanalyse. En outre, le jugement qu'il porte sur lui-même et sur son travail rejoint le commentaire énoncé plus tard par son biographe : « Je possède des capacités ou des talents limités : aucune aptitude pour les sciences naturelles ou les mathématiques, ni pour tout ce qui est quantitatif. Par contre, j'ai pour mes intérêts, par ailleurs limités, une très grande passion. »

Catharsis *(catharsis)*.
Technique permettant de se libérer de ses émotions grâce à la parole.

Il est clair que le travail de Freud commence à porter ses fruits, et ses idées à s'épanouir alors que débute son autoanalyse et qu'il commence à utiliser auprès de ses patients, en 1896, la méthode de l'**association libre**. Cette méthode, qui permet de s'exprimer librement, sans contrainte ni falsification aucune, aboutit en 1900 à *L'interprétation des rêves*, que beaucoup considèrent encore comme l'œuvre la plus importante de Freud. Dans cet ouvrage, Freud commence à élaborer sa théorie du psychisme et, bien que seulement six cents exemplaires de son livre aient été vendus au cours des huit années suivantes, un groupe de disciples a commencé à se constituer. En 1902, on assiste à la création de la Société de psychanalyse, qui comptera dans ses rangs nombre de psychanalystes de grande renommée. La théorie freudienne progresse et les textes se font plus nombreux, mais l'accroissement de l'intérêt s'accompagne d'un flot d'injures. En 1904, Freud rédige la *Psychopathologie de la vie quotidienne* et, en 1905, il publie *Trois essais sur la théorie de la sexualité*. Cet ouvrage présente les conceptions de Freud sur la sexualité infantile ; il met celle-ci en rapport avec les perversions et les névroses. L'auteur est alors tourné en ridicule et considéré comme un homme foncièrement mauvais, animé d'idées perverses. On boycotte les institutions médicales qui tolèrent les conceptions freudiennes ; Ernest Jones, l'un des premiers adeptes de la psychanalyse, est forcé de démissionner de son poste de neurologue parce qu'il pose à ses patients des questions à propos de leur vie sexuelle.

Association libre *(free association)*.
En psychanalyse, méthode par laquelle le patient rend compte à l'analyste de tout ce qui lui vient à l'esprit.

En 1909, Freud reçoit de G. Stanley Hall une invitation à donner une série de conférences à la Clark University de Worcester, au Massachusetts. C'est durant cette période qu'il élabore sa théorie du développement de l'être humain et des **fantasmes** infantiles, qu'il dégage les principes du fonctionnement psychique et qu'il échafaude sa conception du processus psychanalytique. De plus, les patients doivent s'inscrire sur une liste d'attente pour le consulter, car il jouit dorénavant d'un certain renom et ses idées reçoivent un accueil favorable.

Fantasme *(fantasm)*.
Production de l'imagination par laquelle le moi cherche à échapper à la réalité.

Les problèmes ne manquent cependant pas. En 1919, toutes ses économies se sont envolées à la suite de la Première Guerre mondiale. Un an plus tard, une de ses filles meurt à l'âge de vingt-six ans. La crainte de perdre ses deux fils à la guerre est alors sans doute sa plus grande source d'inquiétude. Dans ce contexte historique, Freud, qui en 1920 a soixante-quatre ans, édifie sa théorie de la pulsion de mort, exprimant le désir de mourir, par opposition au désir de survivre inspiré par les pulsions de vie.

Au même titre que la guerre, la montée de l'antisémitisme dans les années 1930 semble influer sur sa pensée. En 1934, par exemple, les nazis jettent ses livres au feu. Peu après, Freud publie *Moïse et le monothéisme*, ouvrage dans lequel il soutient que Moïse était un noble égyptien qui s'est joint aux Juifs et leur a donné une religion. Freud attribue l'antisémitisme au ressentiment provoqué par le strict code moral des Juifs qui, paradoxalement, leur aurait été donné par un Égyptien.

Freud meurt le 23 septembre 1939, à l'âge de quatre-vingt-trois ans. Il poursuivra ses analyses quotidiennes et continuera à écrire presque jusqu'à la toute fin. Les vingt dernières années de sa vie représentent une période remarquable tant par le courage que par la fécondité intellectuelle dont il fait preuve. Dans sa jeunesse, il lui fallut beaucoup d'audace pour poursuivre son travail, bien qu'il ait été en butte aux critiques du public et de ses collègues du milieu médical. Par la suite, il devra déployer un grand courage pour poursuivre son activité malgré la brutalité nazie et la perte de nombreux disciples. Au cours de la dernière période de sa vie, Freud continuera de travailler en dépit des grandes douleurs et des souffrances extrêmes qui l'affectent, attribuables notamment aux trente-trois opérations qu'il dut subir pour traiter un cancer de la mâchoire. Bien qu'il ne soit pas bien riche, il refusera des offres lucratives qui, selon lui, auraient porté atteinte à la valeur de son travail. En 1920, il décline l'offre que lui fait le magazine *Cosmopolitan* d'écrire sur des sujets comme « La place du mari au foyer » et il leur répond de la manière suivante : « Si, depuis le début de ma carrière, j'avais tenu compte des considérations qui guident votre publication, je serais certainement demeuré un parfait inconnu, tant en Amérique qu'en Europe ! » En 1924, il refuse une proposition de 100 000 $, émanant de Samuel Goldwyn, pour contribuer à la réalisation de films consacrés à des histoires d'amour célèbres.

La plupart des éléments que l'on qualifie aujourd'hui de fondamentaux dans la théorie de Freud ont été mis en place au cours des vingt dernières années de sa vie. Certains le considèrent comme un homme compatissant, courageux et génial. D'autres, songeant à ses nombreuses disputes et ruptures avec ses collègues, voient en lui un homme rigide, autoritaire, ne supportant pas les opinions contradictoires (Fromm, 1959). Quelle que soit leur opinion, la plupart de ceux qui s'intéressent à Freud et à la psychanalyse, sinon tous, reconnaissent qu'il a poursuivi ses recherches en faisant montre d'un grand courage. Ils estiment également que des facteurs tenant à la personne même de Freud ainsi que des facteurs historiques (l'époque victorienne, la Première Guerre mondiale et l'antisémitisme) ont contribué à donner à sa théorie sa forme définitive et qu'ils ont orienté le développement de l'école psychanalytique.

Les rapports entre l'individu et la société, selon Freud

La psychanalyse recèle une conception implicite de l'individu et de la société, et peut-être même une philosophie globale de la vie. En dépit des efforts déployés par Freud pour éviter que sa vie personnelle et la période où il évoluait ne pèsent trop lourdement sur la théorie psychanalytique, celle-ci reflète les thèmes en vogue en Europe à la fin du XIXe siècle et au début du XXe siècle. La théorie freudienne repose certes sur des observations, mais les patients en cause appartiennent aux classes moyennes et supérieures de l'époque victorienne.

Système d'énergie *(energy system).* Conception freudienne de la personnalité selon laquelle celle-ci résulterait de l'interaction de diverses forces (par exemple, les pulsions), ou sources d'énergie.

Au fond, la conception psychanalytique de l'individu propose de considérer l'être humain comme un **système d'énergie**. On postule qu'il s'agit d'un système dans lequel l'énergie circule, se disperse ou s'endigue. L'être humain ne dispose que d'une quantité d'énergie limitée ; si une partie de cette énergie sert à une fin déterminée, la quantité disponible diminue et elle ne peut plus être utilisée autrement. L'énergie employée à des fins culturelles ne peut plus être investie à des fins sexuelles, et inversement. Si l'énergie qui s'exprime par une certaine voie est bloquée, elle trouvera une autre voie offrant moins de résistance. Le but de tout comportement est le *plaisir*, c'est-à-dire la réduction de la tension ou la libération de l'énergie.

Pourquoi veut-on expliquer le comportement humain en recourant à l'hypothèse d'un modèle d'énergie ? On peut rattacher cette hypothèse à l'enthousiasme que manifestaient les scientifiques d'alors pour le domaine de la dynamique de l'énergie. Par exemple, selon le principe de la conservation de l'énergie formulé au XIXe siècle par le physicien Helmholtz, on peut transformer la matière et l'énergie, mais non les détruire. Outre les physiciens, des scientifiques issus d'autres disciplines étudiaient également les lois régissant les changements d'énergie dans un système. Comme nous l'avons signalé plus haut, Freud a été influencé par le physiologiste Brucke pendant ses études de médecine. Brucke considérait que les êtres humains étaient mus par des forces obéissant au principe de la conservation de l'énergie, conception que Freud a semble-t-il appliquée à la psychologie du comportement. L'âge de l'énergie et de la dynamique a fourni aux scientifiques une nouvelle conception de l'être humain, « selon laquelle l'homme en tant que système d'énergie obéit aux mêmes lois physiques que celles qui régissent la formation des bulles de savon et le mouvement des planètes » (Hall, 1954, p. 12-13).

À la vision de l'individu comme système d'énergie ajoutons la notion que l'être humain est régi par des pulsions sexuelles et par des pulsions agressives. L'importance que Freud accordait à l'agressivité dans le comportement humain s'appuyait sur des observations, mais l'interprétation qu'il en donnait avait indéniablement le caractère d'une conception philosophique. C'est ainsi qu'il écrit, dans *Malaise dans la civilisation* (1976) : « La part de vérité que dissimule tout cela et qu'on nie volontiers se résume ainsi : l'homme n'est point cet être débonnaire, au cœur assoiffé d'amour, dont on dit qu'il se défend quand on l'attaque, mais un être, au contraire, qui doit porter au compte de ses données instinctives une bonne somme d'agressivité » (p. 64). Freud poursuit en affirmant que la pulsion d'agression réside « au fond de tous les sentiments de tendresse ou d'amour unissant les humains, à l'exception d'un seul peut-être : du sentiment d'une mère pour son enfant mâle » (p. 67). Nous avons mentionné plus haut que Freud a publié sa théorie de l'agression et de la pulsion de mort en 1920, après la longue période sanglante de la Première Guerre mondiale.

Principe de plaisir *(pleasure principle).* Selon Freud, un des deux régulateurs du fonctionnement psychologique ; celui-ci est axé sur la recherche du plaisir et l'évitement de la douleur.

Tout autant que la pulsion agressive, Freud met en évidence la pulsion sexuelle, de même que le conflit qui surgit entre l'expression de ces pulsions et les règles sociales. Pour Freud, l'individu en quête de plaisir entre en conflit avec la société et la civilisation. Il agit selon le **principe de plaisir**, à la recherche de la « satisfaction débridée » de tous les désirs, alors que ce mode de fonctionnement va à l'encontre des exigences de la société et du monde extérieur. L'énergie qui autrement aurait été libérée pour la recherche du plaisir et de la satisfaction doit maintenant être refoulée et canalisée pour se conformer aux objectifs de la société. Freud croyait que les activités scientifiques et artistiques, en fait toute la gamme de la production culturelle, étaient l'expression de l'énergie sexuelle et agressive qui n'avait pu se manifester d'une manière directe.

Les souffrances et la névrose représenteraient une autre conséquence possible de ce conflit entre l'individu et la société. En fait, selon Freud, la souffrance, le renoncement au bonheur et l'intensification du sentiment de culpabilité constituent le prix à payer pour le progrès de la civilisation.

Nous pouvons donc constater que, au-delà de la conceptualisation en bonne et due forme d'une théorie de la personnalité, on trouve dans la psychanalyse une conception implicite de la personne. Selon cette façon de voir, les êtres humains sont, comme les autres animaux, poussés par l'instinct ou les pulsions, et ils recherchent le plaisir. L'individu fonctionne comme un système qui accumule, entrepose et libère sous une forme ou sous une autre la même énergie fondamentale. Tous les comportements sont déterminés en grande partie par des forces inconscientes. En définitive, la psychanalyse se range du côté des pulsions et elle vise à atténuer le refoulement qui s'opère à leur endroit.

La science, la théorie et la recherche, selon Freud

Nous savons que Freud avait reçu une formation en recherche médicale et qu'il connaissait la nature des rapports entre la théorie et la recherche. S'il tenait à ce que les concepts soient bien définis, il acceptait également l'idée qu'on doit recourir à des notions vagues et à des spéculations au cours des premières phases du développement scientifique.

Ce n'est pas dans l'élaboration d'une théorie de la personnalité que réside la principale contribution de Freud, mais bien dans la nature des observations qui l'étayent. Ses observations reposaient sur l'étude des patients et, d'une façon générale, il se préoccupait très peu de vérifier en laboratoire les principes de la psychanalyse. Lorsqu'un psychologue lui fit part de ses recherches expérimentales concernant un concept psychanalytique, Freud lui répondit que les concepts psychanalytiques s'appuyaient sur une foule d'observations fiables et qu'il n'était donc pas nécessaire d'effectuer des vérifications expérimentales indépendantes. L'étude clinique approfondie de chacun des patients constituait sa principale méthode de recherche et il s'en contentait.

Grâce à cette méthode de recherche, il accumulait un grand nombre de données au sujet d'un individu. Il n'existe probablement aucune autre méthode en psychologie qui permette au psychanalyste de recueillir une telle quantité de renseignements à propos d'une seule personne. En revanche, comme Freud le signalait lui-même, les analystes, à l'inverse des autres scientifiques, mènent leur recherche sans faire appel aux expériences de laboratoire. Même si Freud considérait que la psychanalyse relevait de la psychologie scientifique, les premières recherches ont été pour la plupart réalisées par des professionnels de la santé et en milieu thérapeutique. Ce n'est que depuis environ vingt ou trente ans que des psychologues tentent d'appliquer les méthodes scientifiques propres à leur discipline aux concepts de la psychanalyse. Notre analyse des concepts psychanalytiques nous conduira à noter, une fois de plus,

DÉBATS ACTUELS

À quel prix refoule-t-on les représentations sexuellement excitantes ?

Freud affirme que le progrès de la civilisation ne s'obtient qu'en refoulant davantage le principe de plaisir et en renforçant le sentiment de culpabilité. Ce refoulement accru est-il indispensable ? Quel est le coût pour l'individu des efforts qu'il déploie pour supprimer ses envies et inhiber la « satisfaction débridée » de ses désirs ?

Dans une étude récente, Daniel Wegner et ses collègues soutiennent que le refoulement des représentations sexuellement excitantes peut engendrer des réactions affectives négatives et des symptômes psychologiques tels que les phobies (peurs irrationnelles) ou les obsessions (idées ou images qui s'imposent à l'esprit). On demandait à certains participants d'éviter de penser à quoi que ce soit de sexuel, ce qui a suscité chez eux une excitation émotive ; il en fut de même chez les participants à qui on avait permis d'entretenir des idées sexuelles. Bien que dans les deux groupes de participants l'excitation ait diminué au bout de quelques minutes, les conséquences différaient. Dans le premier groupe, la tentative d'inhibition des représentations sexuellement excitantes a provoqué l'intrusion de ces pensées dans la conscience et la réapparition de vagues d'émotions. Cet état était absent chez les participants qui avaient été autorisés à songer à la sexualité.

Les chercheurs font valoir que le refoulement des pensées sexuellement excitantes peut susciter l'excitation ; le fait de refouler ces représentations peut les rendre encore plus excitantes que lorsqu'on y pense volontairement. Bref, ces tentatives de refoulement ne rendent peut-être pas plus service sur le plan affectif que sur le plan psychologique.

SOURCES : Petrie, Booth et Pennebaker, 1998 ; Wegner, 1992 ; Wegner *et al.*, 1990.

les écarts entre d'une part les observations complexes et incontrôlées provenant du milieu clinique et d'autre part les phénomènes étudiés en laboratoire d'une manière systématique et contrôlée. En fait, cette absence de contrôle des observations, tout autant que la façon de les présenter, ont encore récemment fait l'objet de vives critiques : « Au lieu de former des scientifiques, Freud finit par former des gens qui exercent leur profession en s'en tenant à un système d'idées passablement arrêtées » (Sulloway, 1991, p. 275).

La psychanalyse : une théorie de la personnalité

Nous allons maintenant examiner la théorie psychanalytique dans le détail, en tenant compte de l'importance accordée aux explorations cliniques et à la conception du fonctionnement humain en tant que résultat d'une interaction de forces.

LA STRUCTURE

À quels éléments structuraux la théorie psychanalytique recourt-elle pour expliquer le comportement humain ? Dans les premières moutures de la théorie, le concept des niveaux de conscience servait de cadre de référence à l'approche psychanalytique. Freud affirmait en effet : « Le seul et unique but de la psychanalyse est de révéler le rôle que joue l'inconscient dans la vie psychique » (1924, p. 397).

Le concept d'inconscient

Il serait difficile d'exagérer l'importance du concept d'inconscient dans la théorie psychanalytique, des dilemmes moraux qui en ont résulté ainsi que des problèmes qu'ont connus les scientifiques désireux de mener à bien des recherches pertinentes. Non seulement le concept d'inconscient, tel que le définit la psychanalyse, révèle-t-il qu'il existe des aspects de notre fonctionnement dont nous ne sommes pas pleinement conscients, mais il donne également à penser que bon nombre de nos comportements, sinon la majorité d'entre eux, sont déterminés par des forces inconscientes et que nous consacrons une grande part de notre énergie psychique à fournir à ces idées inconscientes une expression acceptable ou à les maintenir dans l'inconscient. C'est le poids des influences inconscientes et leur rapport avec les motivations qu'il convient de noter relativement au concept psychanalytique d'inconscient.

Les niveaux de conscience

Dans *L'interprétation des rêves* (1900, 1953), Freud élabore un modèle (topique I) pour décrire la vie psychique en fonction du degré de conscience que nous avons des phénomènes : la **conscience** se rapporte aux phénomènes dont nous sommes conscients à un moment donné, le **préconscient** aux phénomènes dont nous pouvons être conscients si nous y prêtons attention, et l'**inconscient** aux phénomènes qui sont inconscients et dont la prise de conscience est *impossible* sauf dans des circonstances spéciales.

Conscient *(conscient).* Qualifie les pensées, les expériences et les sentiments dont on a conscience.

Préconscient *(preconscious).* Concept élaboré par Freud et désignant les pensées, les expériences et les sentiments que nous avons momentanément oubliés, mais qu'il est facile de rappeler à la mémoire.

Inconscient *(unconscious).* Désigne les pensées, les expériences et les émotions dont nous ne sommes pas conscients. Selon Freud, cette inconscience est la conséquence du refoulement.

Freud n'a pas été le premier à s'intéresser à l'inconscient ; il a cependant été le premier à explorer en profondeur les propriétés de la vie inconsciente et à leur faire jouer un rôle majeur dans notre vie quotidienne. En se livrant à l'analyse des rêves, des lapsus, des névroses, des psychoses, des œuvres d'art et des rituels, Freud a tenté de comprendre les caractéristiques de l'inconscient. Il a découvert qu'il constitue un niveau de la vie psychique dans lequel rien n'est impossible. L'inconscient est illogique (les contraires peuvent représenter la même chose), il ne tient compte ni du temps (des événements appartenant à des périodes différentes peuvent coexister) ni de l'espace (les considérations de taille et de distance sont écartées, de sorte que des objets de grande dimension se glissent dans des objets plus petits et que des lieux éloignés voisinent avec des lieux plus proches). On pensera à William James, qui voyait dans l'univers du nouveau-né un état d'« immense confusion bourdonnante ».

C'est dans le rêve que les mécanismes de l'inconscient deviennent plus apparents. L'univers des symboles se trouve mis à nu ; plusieurs idées peuvent se condenser en un seul mot, l'élément d'un objet peut renvoyer à des significations multiples. C'est par l'entremise du processus de symbolisation qu'un serpent ou un nez peut représenter un pénis, qu'une église, une chapelle ou un bateau peut évoquer une femme, une pieuvre une mère dévorante. Ce processus nous autorise à penser que l'écriture est un acte sexuel, le crayon représentant l'organe mâle et le papier la femme qui reçoit l'encre (la semence) s'écoulant au rythme des brusques mouvements du crayon (Groddeck, 1973). Dans *Le livre du ça*, Groddeck propose des exemples nombreux et fascinants concernant les mécanismes de l'inconscient ; il offre l'exemple suivant du fonctionnement de l'inconscient dans sa vie personnelle.

> Je ne me souviens plus de son aspect physique [ma nourrice], je ne sais plus que son nom : Bertha, la resplendissante. Mais j'ai gardé de très claires réminiscences du jour de son départ. Elle me fit don, comme cadeau d'adieu, d'une pièce de bronze de trois *groschen*, dite « Dreier »... Depuis, je suis poursuivi par le chiffre trois. Des mots comme trinité, triplice, triangle ont pour moi une résonance suspecte ; et pas seulement les mots, mais les notions qui s'y rattachent, jusqu'à des complexes d'idées, édifiés à ce propos et sur ce sujet par le cerveau têtu d'un enfant. C'est ainsi que j'ai, dès ma petite enfance, écarté le Saint-Esprit, parce qu'il était le troisième, qu'à l'école la construction des triangles devint pour moi un cauchemar... ce trois est devenu pour moi une sorte de chiffre fatidique.
>
> Groddeck, 1973, p. 18.

APPLICATIONS ACTUELLES

L'échec, le malheur et les motivations inconscientes

Dans son étude sur « ceux qui sont anéantis par le succès », Freud décrit des personnes qui, en raison de leur sentiment de culpabilité, sont tombées malades après avoir réalisé un désir depuis longtemps caressé. Plus récemment, le psychanalyste Roy Schafer a exposé les significations inconscientes que peuvent représenter le succès, l'échec, le bonheur et le malheur. Il fait valoir que l'échec répété et le malheur chronique sont habituellement des états que l'on s'inflige à soi-même plutôt que des événements inévitables. Par exemple, un patient obtenait des résultats décevants pour éviter d'être envié et un jeune homme recherchait l'échec pour protéger l'amour-propre de son père : « Ainsi, l'échec représentait un certain succès pour ce jeune homme, tandis que le succès était par ailleurs un échec. » Il cite aussi l'exemple d'une femme qui se sacrifiait énormément pour conserver l'amour des autres. Bien que la « recherche de l'échec » et l'« idéalisation du malheur » se retrouvent chez les deux sexes, Schafer prétend que la recherche de l'échec est plus fréquente chez les hommes et l'idéalisation du malheur chez les femmes. Évitons toutefois de conclure que tous les cas d'échec ou de malheur traduisent des conflits inconscients.

SOURCE : Schafer, 1984.

Les motivations inconscientes ■ À l'origine, la théorie psychanalytique est une théorie qui s'attache à ce qui motive le comportement des êtres humains. Comme nous l'avons indiqué précédemment, on y soutient que notre comportement répond à des influences inconscientes. Il existe des pensées, des sentiments et des motivations dont la présence dans l'inconscient obéit à des raisons bien précises, et dont l'émergence dans la conscience provoquerait un malaise ou de la souffrance. Par exemple, se remémorer des souvenirs pénibles appartenant au passé, admettre qu'on entretient des sentiments d'envie et d'hostilité, ou qu'on nourrit le désir d'avoir des rapports sexuels interdits ou de blesser un être cher, tous ces éléments engendrent un malaise grave chez l'individu. Ainsi, conformément au principe de quête du plaisir et d'évitement de la douleur, nous cherchons à maintenir dans l'inconscient ces pensées, ces sentiments et ces motivations.

Les psychanalystes soutiennent que l'inconscient peut s'exprimer dans le comportement quotidien par l'entremise des lapsus, des actes manqués, des perceptions erronées, des accidents et des conduites inhabituelles ou en apparence irrationnelles. Autrement dit, nos sentiments « véritables » et nos motivations profondes peuvent s'exprimer en dépit des efforts déployés pour les enfouir dans l'inconscient. Non seulement existe-t-il des parties de nous-mêmes dont nous sommes inconscients, mais ces éléments influent souvent sur notre comportement quotidien d'une manière embarrassante pour nous et pour les autres. Pour de nombreux analystes, la psychanalyse n'est rien moins que l'exploration de ces influences inconscientes.

L'inconscient et la recherche en psychanalyse ■ On ne peut jamais observer directement l'inconscient. Comment est-il possible d'en corroborer l'existence ? Examinons les données dont nous disposons pour fonder le concept d'inconscient ; commençons par les observations cliniques de Freud, qui a compris l'importance de l'inconscient après avoir observé les phénomènes hypnotiques. Tout le monde sait que l'individu sous hypnose peut se remémorer des événements qu'il était incapable de se rappeler auparavant. De plus, en vertu de la suggestion posthypnotique, il accomplit des actes sans « savoir » consciemment qu'il agit selon cette suggestion ; autrement dit, il croit fermement qu'il agit volontairement et d'une manière indépendante de toute suggestion. Quand il renonça à la technique de l'hypnose afin de poursuivre son travail thérapeutique, Freud constata que les patients prenaient souvent conscience de souvenirs et de désirs auparavant enfouis. Ces découvertes étaient souvent associées à une émotion pénible. Du point de vue de l'observation clinique, il est effectivement convaincant de voir un patient qui soudainement fait face à une terrible angoisse, est pris d'une violente crise de larmes ou se met en rage parce qu'il se souvient d'un événement oublié ou entre en contact avec une émotion interdite. Ce sont donc des observations cliniques de ce genre qui ont amené Freud à penser que l'inconscient renferme des souvenirs et des désirs qui ne font pas partie de notre conscience et qui de surcroît sont « volontairement enfouis » dans l'inconscient.

Qu'en est-il des données expérimentales ? Dans les années 1960 et 1970, la recherche expérimentale s'est concentrée sur la perception inconsciente, appelée également **perception sans prise de conscience.** Peut-on « savoir » quelque chose sans être conscient qu'on le sait ? Une personne peut-elle entendre ou percevoir des stimuli, et être influencée par ces perceptions, sans en être consciente ? C'est un phénomène qu'on nomme à présent *perception subliminale*: l'individu enregistre des stimuli émis à un seuil inférieur à celui qui est requis pour la prise de conscience. Dans une des premières études consacrées à cette question, on a fait voir à un groupe de participants une illustration comportant l'image d'un canard formée par les branches d'un arbre. On a présenté à un autre groupe une illustration semblable, mais sans l'image du canard. La manœuvre s'effectuait si rapidement qu'on pouvait tout juste apercevoir l'illustration. L'expérience a été réalisée au moyen d'un tachistoscope, appareil qui permet à l'expérimentateur de présenter les stimuli aux participants à une vitesse très rapide, rendant impossible la perception consciente. On a ensuite demandé aux participants de fermer les yeux, d'imaginer un paysage, de dessiner la scène et d'en nommer les divers éléments. A-t-on relevé des différences entre les deux groupes ? Les participants qui ont « vu » l'image du canard ont-ils exécuté des dessins qui différaient de ceux des autres ? Dans ce cas, faudrait-il associer ces écarts à des différences concernant le souvenir de ce qui avait été perçu ? L'étude a révélé que les participants ayant vu l'image du « canard » avaient, plus souvent que les autres, dessiné des images associées au canard (par exemple : canard, eau, oiseaux, plumes). Cependant, ces participants n'avaient pas signalé avoir vu le canard pendant l'expérience et la majorité d'entre eux ont eu de la difficulté à trouver le canard lorsqu'on leur demandait de le repérer. Autrement dit, bien qu'ils n'aient pas fait l'objet d'une perception consciente, les stimuli ont pourtant influé sur les images et les pensées présentes dans l'esprit des participants (Eagle, Wolitzky et Klein, 1966).

Perception sans prise de conscience *(perception without awareness).* Perception inconsciente, ou perception d'un stimulus sans véritable prise de conscience d'une telle perception.

Le fait que les individus peuvent percevoir des stimuli dont ils ne sont pas conscients, mais qui néanmoins agissent sur eux, n'indique aucunement que des facteurs psychodynamiques ou motivationnels soient en cause. Peut-on démontrer qu'ils le sont ? À cet égard, citons deux pistes de recherche. La première renvoie à la **défense perceptive**, c'est-à-dire à un processus par lequel l'individu se défend contre l'angoisse qui accompagne l'identification d'un stimulus menaçant. Lors d'une première expérience, on a présenté aux participants deux types de mots dans un tachistoscope : des mots neutres comme *pomme*, *danse* et *enfant*, et des mots dotés d'une connotation affective comme *viol*, *putain* et *pénis*. Les mots ont d'abord été présentés à des vitesses très rapides et ensuite à des vitesses de plus en plus lentes. On a ensuite noté à quel moment les participants étaient en mesure d'identifier chacun des mots et on a mesuré l'activité de leurs glandes sudoripares (qui révèle le niveau de tension) en réaction à chaque mot. Les résultats indiquent que les participants ont mis plus de temps à reconnaître les mots pourvus d'une connotation affective que les

Défense perceptive *(perceptual defense).* Processus de défense (inconscient) mis en place pour se protéger d'un stimulus perçu comme menaçant.

mots neutres et qu'ils ont montré des signes de réaction émotive à l'égard des mots connotés avant de les identifier verbalement (McGinnies, 1949). En dépit des critiques que soulève ce type de recherche (les participants ont-ils identifié plus tôt les mots dotés d'une connotation affective, tout en hésitant à les nommer devant l'expérimentateur ?), il semble qu'on ait amplement démontré que les individus peuvent, hors du champ de la conscience, réagir de façon sélective et rejeter des stimuli émotionnels particuliers (Erdelyi, 1984).

Activation psychodynamique subliminale *(subliminal psychodynamic activation).* Méthode expérimentale associée à la théorie psychanalytique, dans laquelle on présente des stimuli sous le seuil perceptif (subliminal) pour stimuler divers désirs et craintes.

Plus récemment, on s'est intéressé à l'**activation psychodynamique subliminale** (Silverman, 1976, 1982 ; Weinberger, 1992) ; dans cette étude, on tente de stimuler les désirs inconscients sans les ramener à la conscience. En général, on se sert d'un tachistoscope au cours de ces expériences, afin de montrer aux participants du matériel associé à des désirs que l'on suppose menaçants ou apaisants pour eux et, ensuite, d'observer si on obtient les effets prévus. Dans le cas des désirs menaçants, on s'attend à ce que le matériel présenté de manière subliminale (sous le seuil de la conscience) réveille un conflit inconscient et accroisse ainsi les perturbations psychologiques. Dans le cas des désirs apaisants, on prévoit que le matériel présenté d'une manière subliminale atténuera le conflit inconscient et réduira ainsi les perturbations psychologiques. Par exemple, « Je perds maman » peut bouleverser certains participants, alors que « Maman et moi ne faisons qu'un » peut les rassurer.

Silverman et ses collègues ont démontré dans une série d'études qu'il est possible de provoquer de tels effets d'activation psychodynamique subliminale. C'est ainsi qu'ils ont utilisé cette méthode pour présenter du matériel accentuant le conflit (« Aimer papa est mal ») et du matériel atténuant le conflit (« Aimer papa est bien ») à des étudiantes de premier cycle. On a constaté que, si — hors du champ de la conscience — on montrait à des participantes enclines à des désirs sexuels conflictuels du matériel accentuant le conflit, le souvenir qu'elles conservaient des passages présentés après l'activation subliminale du conflit en était plus confus. Il n'en fut pas de même pour le matériel atténuant le conflit ou pour les participantes non sujettes à des désirs sexuels conflictuels (Geisler, 1986). Il faut retenir de tout cela que, grâce à la théorie psychanalytique, on peut prévoir quels seront, parmi les éléments présentés, ceux dont le contenu aura un effet bouleversant ou un effet apaisant sur les divers groupes de participants, à condition que les stimuli soient perçus d'une manière subliminale ou inconsciente.

L'activation psychodynamique subliminale s'applique également à un autre champ d'investigation intéressant, celui des troubles de l'alimentation. Dans la première étude effectuée dans ce domaine, on a comparé des étudiantes normales et des femmes manifestant des symptômes de troubles de l'alimentation en fonction du nombre de craquelins consommés lors de la présentation subliminale des trois messages suivants : « Maman me quitte » ; « Maman s'équipe » ; « Mona s'équipe » (Patton, 1992). On voulait vérifier l'hypothèse suivante, fondée sur la théorie psychanalytique : les participantes souffrant de troubles de l'alimentation sont aux prises avec des sentiments de perte et d'abandon liés à des problèmes de soutien émotif et, par conséquent, elles cherchent des satisfactions de substitution en mangeant les craquelins, une fois le conflit activé de manière subliminale par le message « Maman me quitte ». Effectivement, les participantes souffrant de troubles de l'alimentation qui ont reçu le stimulus de l'abandon (Maman me quitte) de manière subliminale ont mangé, de manière significative, plus de craquelins que les participantes qui n'avaient pas de troubles de l'alimentation ou que celles qui, bien qu'affectées par des troubles de l'alimentation, avaient été mises en contact avec le stimulus de l'abandon au-dessus du seuil de la conscience. On a reproduit cette étude en y ajoutant des stimuli visuels : l'image d'un bébé en pleurs et d'une femme s'éloignant accompagnée du message « Maman me quitte » et l'image d'une femme qui marche accompagnée d'un stimulus neutre, dans ce cas « Maman marche ». Une fois de plus, les femmes souffrant de troubles de l'alimentation et mises en contact d'une manière subliminale avec la phrase et l'image d'abandon ont mangé, de manière significative, plus de craquelins que celles qui avaient été mises en contact avec ces stimuli au-dessus du seuil de la conscience ou que celles qui, ne souffrant pas de troubles de l'alimentation, avaient été mises en contact avec les stimuli au-dessus du seuil de la conscience ou sous celui-ci (Gerard, Kupper et Nguyen, 1993). Cette fois encore, on avance que c'est seulement lorsque les stimuli sont présentés d'une manière subliminale qu'ils peuvent activer des désirs ou des conflits inconscients.

Certains scientifiques considèrent que les recherches expérimentales portant sur la défense perceptive et sur l'activation psychodynamique subliminale prouvent de façon concluante que les facteurs psychodynamiques constituent des motivations importantes lorsqu'il s'agit de déterminer ce qui sera « entreposé » et « conservé » dans l'inconscient (Weinberger, 1992). Toutefois, ces expériences ont souvent fait l'objet de contestations, et cela pour des raisons méthodologiques ; il a été difficile de reproduire certains de ces résultats dans d'autres laboratoires (Balay et Shevrin, 1988, 1989 ; Holender, 1986).

L'évaluation actuelle du concept d'inconscient ■ L'idée que l'être humain obéit à des motivations inconscientes se trouve toujours au cœur de la théorie psychanalytique. De manière plus générale, comment les psychologues de la personnalité envisagent-ils le concept ? À l'heure actuelle, la très grande majorité des psychologues, quelle que soit leur orientation théorique, admettent que les processus inconscients influent considérablement sur nos préoccupations et nos émotions. À titre d'exemple, voyons ce qu'en pense Jacoby, qui est un théoricien important dans le domaine de la perception inconsciente, *sans être* un adepte de la théorie psychanalytique : « Nous en avons tiré la conclusion, qui ne rassurera peut-être pas le profane, que les influences inconscientes sont partout. Il est évident que les gens planifient et agissent parfois d'une manière consciente. Cependant, le comportement est plus fréquemment influencé par les processus inconscients ; autrement dit, nous agissons et, s'il y a contestation, nous trouvons des excuses » (Jacoby, Toth, Lindsay et Debner, 1992, p. 82). Il existe également bien des opinions concernant le fonctionnement de l'inconscient, son contenu et les motivations qui lui sont liées.

Examinons deux points de vue opposés, l'un qui met en relief l'inconscient psychanalytique, l'autre l'*inconscient cognitif* (Kihlstrom, 1990, 1999 ; Pervin, 1996). Comme nous l'avons constaté, dans la théorie psychanalytique, on souligne le caractère irrationnel et illogique du fonctionnement de l'inconscient. De plus, les psychanalystes supposent que l'inconscient renferme principalement des pensées, des émotions et des motivations d'ordre sexuel et agressif. Enfin, selon eux, ce qui se retrouve dans l'inconscient n'y est pas sans raison, et ces motivations influent sur le comportement quotidien. En revanche, les tenants de l'approche cognitive de l'inconscient affirment qu'il n'existe fondamentalement aucune différence qualitative entre les processus inconscients et les processus conscients. Selon eux, les processus inconscients peuvent dénoter autant d'intelligence, de logique et de rationalité que les processus conscients. De plus, dans l'approche cognitive de l'inconscient, on souligne l'idée qu'une grande diversité d'éléments peuvent relever de l'inconscient, sans qu'on accorde d'intérêt particulier aux éléments sexuels et agressifs. Enfin,

APPLICATIONS ACTUELLES

L'influence des messages subliminaux

Depuis la découverte de la perception subliminale, on s'est demandé jusqu'à quel point ces messages pouvaient agir sur les pensées, les sentiments et le comportement. Les annonceurs publicitaires pourraient-ils utiliser des « messages de persuasion cachés » pour inciter les consommateurs à se procurer des biens qu'autrement ils n'auraient pas achetés ? Les cassettes à visée thérapeutique qui comportent des messages camouflés nous incitant à la détente peuvent-elles réellement avoir un effet apaisant ? Peuvent-elles renforcer la confiance en soi si elles diffusent des messages renforçant l'image que nous avons de nous-mêmes ?

Et que dire des parents qui ont intenté un procès en affirmant que le message « Do it ! », dissimulé dans la musique du groupe rock Judas Priest, avait incité leur fils à se suicider ?

Les psychologues s'accordent à reconnaître l'existence de la perception subliminale, mais ils ne s'entendent ni sur sa force ni sur sa portée. Rien ne prouve qu'elle ait un rôle dans la publicité ou qu'elle ait des effets thérapeutiques dans les cassettes subliminales ; d'ailleurs, les parents ont perdu leur cause contre Judas Priest. Cependant, certains psychologues affirment que des messages subliminaux, créés pour correspondre à l'inconscient de l'individu, peuvent modifier ses pensées, ses sentiments et son comportement.

cette façon de voir ne tient pas compte des facteurs motivationnels ; si les cognitions sont inconscientes, c'est parce qu'on ne peut les traiter au niveau de la conscience, qu'elles n'ont jamais atteint la conscience ou qu'elles sont trop routinières et automatiques. Lacer ses chaussures, par exemple, représente un geste si machinal que nous ne savons plus comment nous nous y prenons pour l'accomplir. On pourrait en dire autant de la dactylographie et de l'emplacement des lettres sur le clavier. Bon nombre de nos croyances culturelles nous ont été transmises d'une manière si peu apparente que nous ne sommes même pas en mesure de les expliquer clairement. Comme nous l'avons noté au premier chapitre, c'est en entrant en contact avec des gens appartenant à une culture différente que nous en prenons conscience. Cependant, l'enfouissement de ces éléments ne répond pas à des motivations inconscientes et celles-ci n'influent pas forcément sur notre comportement. Enfin, il a été démontré que les stimuli subliminaux peuvent modifier nos pensées et nos émotions, bien qu'ils ne renvoient pas toujours à une signification psychodynamique particulière, à un désir menaçant par exemple (Klinger et Greenwald, 1995 ; Nash, 1999 ; voir le tableau 3.1).

Tableau 3.1 Conceptions psychanalytique et cognitive de l'inconscient

Conception psychanalytique	Conception cognitive
1. Mise en relief des processus inconscients, illogiques et irrationnels.	**1.** Absence de différence fondamentale entre les processus conscients et inconscients.
2. Mise en évidence des motivations et des désirs que renferme l'inconscient.	**2.** Importance attribuée à ce qui relève de la pensée.
3. Insistance sur les éléments de motivation liés au fonctionnement de l'inconscient.	**3.** Prépondérance des éléments non liés à la motivation dans le fonctionnement de l'inconscient.

Kihlstrom, un des grands défenseurs de la théorie cognitive de l'inconscient, donne un aperçu de ces contradictions :

> L'inconscient décrit par la psychologie récente est passablement différent de ce que Sigmund Freud et ses collègues psychanalystes avaient en tête à Vienne. Leur inconscient était scabreux ; il était rongé par la luxure et la colère ; il était hallucinatoire, primitif et irrationnel. L'inconscient de la psychologie contemporaine est plus doux et plus modéré, plus mesuré et plus rationnel, même s'il n'est pas complètement innocent.
>
> Kihlstrom, Barnhardt et Tataryn, 1992, p. 788.

Bien qu'on ait tenté d'intégrer les deux conceptions, psychanalytique et cognitive, de l'inconscient, les différences sont toujours présentes (Bornstein et Masling, 1998 ; Epstein, 1994 ; Westen et Gabbard, 1999). Bref, même si on reconnaît l'importance des manifestations de l'inconscient et son intérêt comme champ d'étude, la théorie psychanalytique de l'inconscient reste controversée pour bien des chercheurs qui n'y souscrivent pas, sinon pour la totalité d'entre eux.

Le ça, le moi et le surmoi

En 1923, Freud élabore un modèle structurel plus rigoureux (topique II), faisant reposer la psychanalyse sur les concepts de ça, de moi et de surmoi, qui expriment des aspects différents de l'appareil psychique. Selon cette théorie, le **ça** représente le réservoir de toutes les énergies psychiques, celles-ci résidant à l'origine dans les pulsions de vie et les pulsions de mort, autrement dit dans les pulsions sexuelles et dans les pulsions agressives. Dans son fonctionnement dynamique, le ça entre en conflit avec le moi et le surmoi. Il cherche à libérer l'excitation, la tension et l'énergie. Il obéit au principe de plaisir : recherche du plaisir et évitement de la douleur. Ainsi, il est en quête d'une satisfaction immédiate et totale. Il ressemble à un enfant gâté : il veut ce qu'il désire au moment qui lui convient. Le ça ne peut supporter ni la frustration ni les interdits. Il ne tient aucun compte de la réalité et peut chercher la satisfaction en agissant ou en imaginant qu'il a obtenu ce qu'il désire ; la satisfaction fantasmée a la même valeur que la satisfaction réelle. Le ça est dénué de raison, de logique, de valeurs, de morale ou d'éthique. Bref, il est exigeant, impulsif, aveugle, irrationnel, asocial, égoïste et hédoniste.

Ça *(id)*.
Concept structurel freudien à la source de toute l'énergie des pulsions.

À l'opposé du ça, le **surmoi** représente la partie du psychisme renfermant les idéaux que nous essayons d'atteindre et les punitions (culpabilité) que nous prévoyons recevoir lorsque nous ne respectons pas notre code d'éthique. Cette structure psychique modèle le comportement conformément aux règles établies par la société, offre des récompenses (fierté, amour de soi) pour la « bonne » conduite et des punitions (culpabilité, sentiment d'infériorité, accidents) pour la « mauvaise » conduite. Le surmoi peut opérer sur un mode très primitif et être incapable de passer l'épreuve de la réalité, c'est-à-dire de modifier son action selon les circonstances. Dans ce cas, l'individu est incapable de faire la distinction entre la pensée et l'action, il se sent coupable d'avoir eu en tête une pensée même si elle ne s'est pas concrétisée. En outre, il s'entrave dans des jugements sans nuances et dans la recherche de la perfection. L'usage excessif de termes tels que *bon*, *mauvais*, *jugement* et *procès* dénote un surmoi rigide. Toutefois, le surmoi peut aussi être bienveillant et souple. La personne sait se pardonner ou excuser une autre personne si le fait reproché a un caractère accidentel ou résulte d'un stress grave. Au cours de leur développement, les enfants apprennent à établir ces distinctions importantes et à ne plus envisager les choses uniquement selon le mode du tout ou rien, vrai ou faux, noir ou blanc.

Surmoi *(superego)*.
Concept structurel freudien désignant la partie de la personnalité qui exprime nos idéaux et nos valeurs morales.

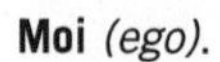

Moi *(ego).*

Concept structurel freudien désignant la partie de la personnalité qui tente de satisfaire ses pulsions conformément à la réalité et aux valeurs morales de l'individu.

Principe de réalité *(reality principle).*

Selon Freud, mode de fonctionnement psychologique reposant sur la réalité et dans lequel la satisfaction du plaisir est retardée jusqu'au moment le plus propice.

Le **moi** est la troisième instance de la structure psychique. Alors que le ça cherche le plaisir et le surmoi la perfection, le moi est en quête de réalité. Le rôle du moi consiste à exprimer les désirs du ça conformément à la réalité et aux exigences du surmoi, et à les satisfaire. Tandis que le ça fonctionne selon le principe de plaisir, le moi agit selon le **principe de réalité**: la satisfaction des pulsions est retardée jusqu'au moment où il est possible d'obtenir le plus de plaisir possible en réduisant autant que faire se peut la douleur ou les conséquences négatives. Selon le principe de réalité, l'énergie du ça peut être bloquée, détournée ou libérée graduellement, selon les exigences de la réalité et de la conscience. Le principe de plaisir ne s'en trouve pas contredit, mais plutôt temporairement suspendu, « ce qui permet, selon les mots de George Bernard Shaw, de choisir la voie présentant le plus grand avantage au lieu de s'accommoder de la direction offrant le moins de résistance ». Le moi peut distinguer le désir du fantasme, supporter la tension et le compromis, ainsi que les changements qui s'opèrent au fil du temps. Ainsi exprime-t-il, par conséquent, le développement des aptitudes perceptives et cognitives, la capacité accrue de percevoir et de réfléchir de manière plus complexe. À titre d'exemple, l'individu peut commencer à penser à long terme, en fonction de l'avenir et de la meilleure voie à emprunter. Toutes ces qualités vont à l'encontre des caractéristiques irréalistes, immuables et exigeantes du ça.

Freud s'est peu attardé au fonctionnement du moi, par comparaison avec le temps qu'il a consacré à ses recherches sur l'inconscient et sur le fonctionnement du ça. Il considérait le moi comme une instance faible, une pauvre créature qui dépendait de trois maîtres exigeants: le ça, la réalité et le surmoi. Le « pauvre » moi a de la difficulté à servir ces trois maîtres et il doit concilier les revendications et les exigences de chacun d'entre eux. La tyrannie du ça revêt pour le moi une importance particulière.

> On pourrait comparer le rapport du moi au ça avec celui du cavalier à son cheval. Le cheval fournit l'énergie de la locomotion, le cavalier a la prérogative de déterminer le but, de guider le mouvement du puissant animal. Mais entre le moi et le ça survient trop fréquemment le cas, qui n'est pas idéal, où le cavalier doit mener le cheval dans un chemin où ce dernier ne veut pas aller.
>
> Freud, 1984, p. 106-107.

Bref, le moi freudien est logique, rationnel et il supporte la tension; c'est l'« organe exécutif » de la personnalité, mais un piètre cavalier sur le cheval rapide du ça. Il est également régi par trois maîtres.

Peu avant sa mort, Freud commença à s'intéresser davantage au rôle du moi dans la personnalité. Anna Freud, sa fille, poursuivit ses recherches sur le sujet, comme le firent nombre de psychanalystes dont l'orientation est chapeautée par l'expression *psychologie du moi*. Alors qu'au début on estimait que le moi n'avait pas d'énergie propre et qu'il était forcé d'accompagner le ça sans contrarier ses désirs, on en vint plus tard à mettre l'accent sur le rôle du moi dans la résolution des conflits et dans l'adaptation. Cette façon de voir permet à l'individu de retirer du plaisir lorsque le moi fonctionne sans conflit, et non pas seulement lorsque les énergies du ça peuvent être libérées. Pour les adeptes de la psychologie du moi, celui-ci possède une énergie propre et prend plaisir à maîtriser son environnement. Ce concept est associé à celui de R.W. White (1959), l'*incitation à l'accomplissement*. Dans sa description de la personnalité, cette théorie s'attache à la façon dont l'individu s'investit activement dans son environnement, ainsi qu'à sa façon de penser et de percevoir. Même si on peut encore envisager que ces modes soient mis au service du ça et de la réduction des conflits, on leur attribue maintenant des fonctions d'adaptation indépendantes.

Un double scotch pour moi et mon surmoi, et un verre d'eau pour mon ça, qui conduit.

La théorie psychanalytique Freud élabore les concepts de ça, de moi et de surmoi, qui constituent les trois instances de la personnalité. (Dessin de Handelsman. © 1972, *The New Yorker Magazine*, reproduction autorisée.)

Les psychologues de la personnalité ont entrepris d'étudier les différences individuelles qui se manifestent dans le fonctionnement du moi et ils ont voulu évaluer des notions comme la *force du moi* (Barron, 1953), le *développement du moi* (Loevinger, 1976, 1985, 1993), de même que la *résilience du moi et sa capacité de maîtrise* (Block, 1993; Block et Block, 1980; Funder et Block, 1989). Bien qu'ils diffèrent quelque peu dans la formulation qu'on en donne et dans les moyens employés pour les mesurer, ces concepts présentent des caractéristiques communes: capacité d'admettre un délai de gratification, de tolérer la frustration et de gérer le stress, solide sens de l'identité, capacité d'interagir avec les autres dans le cadre de la réciprocité et de l'intimité, bref un ensemble de valeurs intériorisées et un fonctionnement passablement exempt de conflits.

Le conscient, l'inconscient, le ça, le moi et le surmoi constituent des concepts très abstraits et qui ne sont pas toujours définis avec une grande précision. En outre, ce manque de clarté vient de ce que la signification de certains concepts a changé au gré de l'évolution de la théorie, mais que la nature exacte du changement de sens n'a jamais été expliquée clairement (Madison, 1961). Enfin, on doit comprendre qu'il s'agit de notions élaborées à partir de conceptualisations; en dépit du fait que nous utilisons un langage pittoresque et concret, nous devons éviter de considérer les concepts comme des objets réels. Il n'y a pas en nous d'usine vouée à la production

DÉBATS ACTUELS

Comment évaluer le fonctionnement du moi : les phrases à compléter de Loevinger

Freud ne croyait pas beaucoup à la capacité du moi de jouer son rôle « d'organe exécutif » du ça, du surmoi et de la réalité. Jane Loevinger, elle, est d'un avis différent. Sa théorie du *développement du moi* (1976) s'intéresse aux énormes différences entre les individus en ce qui concerne le fonctionnement du moi, à la façon dont l'individu interprète l'expérience et agit sur son environnement, c'est-à-dire à sa façon de traiter l'information, de contrôler ses réactions et d'interagir avec les autres.

S'appuyant sur la théorie psychanalytique de même que sur d'autres courants de la psychologie, Loevinger postule que le moi franchit au cours de son développement une succession de stades qui, de niveau en niveau, le conduisent à une *maturité de plus en plus grande.* L'individu qui se trouve au stade inférieur du développement du moi pense d'une manière simpliste et stéréotypée, adopte un comportement impulsif et autoprotecteur et est absorbé par ses besoins fondamentaux et immédiats. Quant à l'individu qui a atteint le stade intermédiaire, il envisage le monde en fonction des valeurs du bien et du mal, il valorise le respect des règles et la loyauté envers les amis et la famille, et il se soucie de l'opinion des autres. L'individu arrivé au stade supérieur est quant à lui un penseur complexe, qui essaie d'intégrer intimité et autonomie dans ses relations interpersonnelles et qui accepte la complexité et l'ambiguïté de la vie. Il est possible de s'arrêter à l'un ou l'autre de ces stades ; c'est pourquoi on constate, dans tous les groupes d'âge, de grands écarts en ce qui a trait au développement du moi.

Comment s'y prendre pour mesurer un échafaudage si ample et si universel ? Loevinger a élaboré un test consistant en une série de phrases à compléter (Loevinger et Wessler, 1970) ; il s'agit de trente-six phrases inachevées (par exemple, « Une femme doit toujours... ») auxquelles les participants ajoutent ce que bon leur semble. Selon Loevinger, « comme il peut répondre en toute liberté au test des phrases à compléter, l'individu est amené à afficher son propre cadre de référence. On obtient ainsi un aperçu de la structure de la personnalité que les tests objectifs ne peuvent fournir » (1993, p. 12). Voici deux exemples de phrases inachevées et les réponses données par des personnes dont le développement du moi correspond aux stades inférieur, intermédiaire ou supérieur.

Conceptions psychanalytique et cognitive de l'inconscient

Développement du moi	(1) Une femme doit toujours...	(2) Quand on me critique...
Inférieur :	... obtenir ce qu'elle désire.	... je me fâche et je frappe quelqu'un.
Intermédiaire :	... essayer d'être jolie.	... je suis profondément blessé et je crois que l'autre personne ne m'aime pas.
Supérieur :	... choisir des rôles qui, selon elle, reflètent ses sentiments véritables à l'égard d'elle-même.	... je l'apprécie, car je peux apprendre des autres et ainsi mieux me connaître.

Ces réponses aux deux phrases inachevées illustrent les progrès du moi, selon Loevinger. Au stade inférieur, on donne de l'expérience une interprétation plutôt simple (c'est-à-dire qu'on vise à la satisfaction impulsive des besoins immédiats), tandis qu'au stade supérieur on recourt à un cadre de référence beaucoup plus complexe et plus intégré. Les phrases à compléter, conçues pour les adultes, mettent également en lumière l'éventail considérable des différences entre les individus dans le fonctionnement du moi. Alors que Freud s'était peu préoccupé du moi, Loevinger, tant dans son élaboration théorique que dans ses recherches approfondies, met en lumière le rôle de cette instance dans le fonctionnement de la personnalité.

d'énergie et qui serait dirigée par une seule personne. Nous ne « possédons » pas de ça, de moi et de surmoi ; selon la théorie, il s'agit de propriétés du comportement humain qu'il est utile de représenter sous forme structurelle. Les structures se définissent en fonction des processus sous-jacents, sujet que nous allons maintenant aborder.

LES PROCESSUS

Les pulsions de vie et les pulsions de mort

Comme nous l'avons noté précédemment, dans la conception freudienne, on conçoit l'individu comme un système d'énergie obéissant aux mêmes lois que d'autres systèmes d'énergie. L'énergie peut être modifiée et transformée, mais elle demeure essentiellement la même. Au sein de cette structure globale, les processus (la dynamique) évoqués par la théorie psychanalytique se rapportent à la façon dont l'énergie est exprimée, bloquée ou transformée. La source de toute l'énergie psychique réside dans les états d'excitation du corps qui cherchent à s'exprimer et à réduire la tension. Ces états d'excitation, appelés *pulsions*, ou instincts, représentent des forces qui agissent de façon constante et inéluctable. Dans la première version de la théorie, les pulsions du moi visaient l'autoconservation, et les **pulsions sexuelles** visaient la conservation de l'espèce. Dans la formulation théorique adoptée ultérieurement, on trouve d'une part les **pulsions de vie** (éros), qui comprennent les pulsions du moi et les pulsions sexuelles de la première version, et d'autre part les **pulsions de mort** (thanatos), qui visent la mort de l'organisme ou le retour de l'être vivant à l'état inorganique. L'énergie psychique des pulsions de vie est appelée **libido**, mais on n'a pas accolé de nom à l'énergie des pulsions de mort. En fait, les pulsions de mort sont encore maintenant l'une des notions les plus controversées et les moins aisément admises de la théorie psychanalytique; la plupart des psychanalystes préfèrent plutôt parler de **pulsions agressives**. On considère que les pulsions sexuelles et les pulsions agressives font partie du ça.

Dans la théorie psychanalytique, les pulsions cherchent à réduire immédiatement la tension et à atteindre la satisfaction et le plaisir. Contrairement aux autres espèces animales, l'être humain dispose de moyens nombreux et variés pour satisfaire ses pulsions, conformément à sa personnalité. De plus, l'être humain peut décider de retarder et de modifier les pulsions avant de les libérer.

Pulsions sexuelles *(sexual instincts).* Concept freudien désignant les pulsions axées sur la satisfaction ou le plaisir sexuels.

Pulsions de vie *(life instinct).* Concept freudien désignant les pulsions ou les sources d'énergie (libido) axées sur l'autoconservation et la satisfaction sexuelle.

Pulsions de mort *(death instinct).* Concept freudien désignant les pulsions ou les sources d'énergie orientées vers la mort ou le retour à un état inorganique.

Libido *(libido).* Terme psychanalytique désignant l'énergie psychique associée d'abord aux pulsions sexuelles et plus tard aux pulsions de vie.

Pulsions agressives *(aggressive instincts).* Concept freudien désignant les pulsions axées sur le désir de causer un dommage, d'infliger des blessures corporelles ou de détruire.

La dynamique du fonctionnement psychique

Dans la dynamique du fonctionnement psychique, que peut-il advenir des pulsions ? On peut au moins temporairement les empêcher de s'exprimer, les exprimer en les modifiant ou les exprimer sans modification. L'affection peut être l'expression modifiée des pulsions sexuelles, et le sarcasme l'expression altérée des pulsions agressives. Il est également possible de modifier ou de *faire passer* la pulsion d'un objet de satisfaction à un autre. Ainsi, l'amour que l'individu porte à sa mère peut être transféré à son épouse, aux enfants ou au chien. On peut transformer ou modifier chacune des pulsions, et en combiner plusieurs. Le football, par exemple, peut satisfaire à la fois les pulsions sexuelles et les pulsions agressives; la chirurgie est peut-être un lieu où fusionnent l'amour et la destruction. On se rend compte que la théorie psychanalytique est en mesure d'expliquer une grande partie du comportement grâce à deux pulsions seulement. C'est la nature fluide, mobile et changeante des pulsions et les nombreux types de satisfaction de substitution qui autorisent une telle variabilité du comportement. Au fond, une pulsion peut être satisfaite de plusieurs façons et un comportement donné peut renvoyer à des facteurs qui diffèrent selon les individus.

Dans la théorie psychanalytique, tous les processus peuvent se ramener à une dépense d'énergie, qu'il s'agisse de l'énergie investie dans un objet ou qu'il s'agisse de l'énergie dont l'expression est inhibée par une force quelconque empêchant la satisfaction de la pulsion. Comme le refoulement implique une dépense d'énergie, l'individu qui oriente le gros de ses efforts dans cette direction finit par éprouver de la fatigue et de l'ennui. L'interaction entre l'expression et le refoulement des pulsions forme le fondement des aspects dynamiques de la théorie psychanalytique, dont la clé est le concept d'**angoisse**. Dans la théorie psychanalytique, la notion d'angoisse désigne une expérience affective pénible renvoyant au sentiment que l'individu fait face à une menace ou à un danger. Lorsqu'il se trouve dans un état d'angoisse « diffuse », l'individu est incapable de lier son état de tension à un objet extérieur ; en revanche, s'il ressent de la peur, la cause de la tension est identifiable. Freud présente deux théories de l'angoisse : dans la première, il considère l'angoisse comme la conséquence du refoulement des pulsions sexuelles, c'est-à-dire de la répression de la libido ; dans la deuxième, l'angoisse représente une émotion pénible qui sert à signaler la présence d'une menace imminente pour le moi. Dans ce cas, l'angoisse se comporte comme une fonction du moi et elle l'avertit du danger pour qu'il puisse agir.

Angoisse *(anxiety)*.
Dans la théorie psychanalytique, émotion pénible qui avertit le moi de la présence d'une menace.

La théorie psychanalytique de l'angoisse stipule qu'à un certain moment l'individu a subi un traumatisme, moral ou physique. L'angoisse représente la répétition, en miniature, d'une expérience traumatisante antérieure. L'angoisse éprouvée aujourd'hui est donc associée à une menace appartenant au passé. L'enfant peut être sévèrement puni à la suite d'un acte de nature sexuelle ou agressive. Plus tard, l'adulte éprouvera de l'angoisse s'il ressent le désir de reproduire cet acte pour lequel il avait été blâmé. Il aura peut-être oublié la punition d'autrefois (traumatisme). Sur le plan structurel, on dira que l'angoisse traduit le conflit qui se déclenche entre les pulsions du ça et le surmoi menaçant de le châtier. Autrement dit, le ça proclame « Je le désire ! », le surmoi rétorque « C'est affreux ! » et le moi ajoute « J'ai peur ! ».

L'angoisse et les mécanismes de défense

L'angoisse est tellement pénible que nous sommes incapables de la supporter très longtemps. Comment y réagissons-nous ? Pourquoi ne sommes-nous pas angoissés plus souvent ? C'est que l'individu élabore des **mécanismes de défense** contre l'angoisse. Inconsciemment, nous mettons en œuvre des moyens de déformer la réalité et de rejeter certaines émotions hors du champ de la conscience pour ne pas éprouver d'angoisse. Quels sont les moyens d'y parvenir ? La **projection** est l'un des mécanismes de défense les plus rudimentaires. Dans la projection, ce qui est interne et inacceptable est projeté à l'extérieur et est alors perçu comme externe. Plutôt que de reconnaître sa propre hostilité, l'individu l'attribue aux autres. Supposons que vous éprouviez de l'angoisse ou de la culpabilité parce que vous nourrissez de l'antipathie et de l'hostilité à l'égard d'un ami qui a profité de vous. Vous pourriez projeter votre propre hostilité sur cette personne et juger que plusieurs de ses actions les plus inoffensives constituent des gestes hostiles à votre égard ; au même moment, vous pourriez nier tout sentiment hostile de votre part. Nous agissons tous ainsi à l'occasion. En fait, certaines données empiriques démontrent que bien des gens qui refusent d'admettre chez eux certains traits peu flatteurs les projettent à l'occasion sur d'autres personnes (Newman, Duff et Baumeister, 1997). Lorsque pareille attitude prend de l'ampleur et devient extrême, on peut en venir à projeter tous les sentiments inacceptables sur les autres, qui sont alors perçus comme des êtres mauvais, tandis qu'on se considère soi-même comme un être vertueux et bon.

Mécanismes de défense *(defense mechanisms)*.
Concept freudien désignant les mécanismes utilisés pour contenir et réduire l'angoisse. C'est par leur intervention que certains désirs ou certaines émotions sont exclus du champ de la conscience.

Projection *(projection)*.
Mécanisme de défense par lequel on attribue aux autres (ou on projette sur eux) ses propres pulsions ou désirs inacceptables.

Les tentatives visant à reproduire la projection en laboratoire se sont révélées problématiques (Holmes, 1981). Dans une étude semi-expérimentale, Halpern (1977) a voulu vérifier l'hypothèse psychanalytique selon laquelle les participants qui se tiennent sur la défensive réagissent à la menace en projetant les caractéristiques redoutées sur d'autres personnes vues comme antipathiques. On a d'abord mesuré l'attitude de défense sur le plan sexuel en calculant le nombre de fois que les participants répondaient par l'affirmative à des éléments du questionnaire tels que « Je n'ai jamais eu de fantasmes sexuels » ou « Je n'ai jamais eu de rêves de nature sexuelle ». Les participants ont ensuite été répartis en deux groupes : un groupe de gens très portés à se tenir sur la défensive et un autre réunissant des gens qui l'étaient peu. On a alors soumis les membres de chaque groupe à l'une ou l'autre des deux expériences. Dans un groupe, on a montré aux participants des photographies pornographiques ; dans l'autre, ils n'ont reçu aucun stimulus sexuel. On a par la suite demandé à chaque participant de désigner la personne la plus antipathique parmi celles qu'il avait vues dans les photographies et de s'évaluer lui-même en fonction d'une série de traits.

Sous quelle forme la projection peut-elle se manifester et où peut-elle apparaître ? L'hypothèse prenait la luxure comme élément essentiel en supposant que les participants très portés à se tenir sur la défensive projetteraient ce trait sur la personne antipathique après avoir vu les photographies de nus. Ces stimuli seraient sans doute menaçants pour les membres du groupe ayant une attitude sexuelle portée à la défensive et ils seraient plus susceptibles de se livrer à la projection. Les participants sexuellement sur la défensive qui ont vu les photographies de nus ont effectivement accordé le score de lubricité le plus élevé à la personne antipathique, alors que les participants peu portés à se tenir sur la défensive et ayant vu les mêmes photographies ont accordé le score de lubricité le plus bas à cette même personne. Dans les deux cas, les participants ayant une attitude de défense très marquée se sont accordé un score plus bas en matière de lubricité que les participants ayant une attitude de défense peu marquée. L'étude révèle qu'il fallait que certaines conditions soient réunies pour susciter la projection. De plus, l'étude a démontré que, en vertu de la théorie psychanalytique, les individus projetteront uniquement les traits ou attitudes dont ils cherchent à se défendre et qu'ils associeront ces caractéristiques à une personne antipathique ; autrement dit, *en tant que mécanisme de défense, la projection est utilisée uniquement en fonction de caractéristiques spécifiques, dans des conditions particulières et en rapport avec des individus déterminés.* Malheureusement, bien des études réalisées ne sont pas aussi rigoureuses quand il s'agit de définir et d'explorer ce mécanisme de défense.

Déni *(denial).*
Mécanisme de défense par lequel on refuse de reconnaître une réalité interne ou externe pénible.

Le **déni** constitue un autre mécanisme de défense. Il peut s'agir d'un déni de la réalité, comme chez la fillette qui nie l'absence de pénis ou comme chez le garçon qui, dans son fantasme, nie l'absence de pouvoir, ou encore d'un déni de réaction, comme lorsqu'une personne furieuse nie qu'elle est en colère. Le déni de la réalité s'observe souvent chez l'individu qui refuse de reconnaître l'ampleur de la menace. L'expression « Oh non ! » qui vient aux lèvres à l'annonce du décès d'un ami proche représente un réflexe de déni. On sait que les enfants nient la mort de leur animal préféré et se comportent pendant longtemps comme s'il était encore vivant. Lorsqu'on a demandé à Edwin Meese, ancien ministre de la Justice sous Reagan, à combien s'élevait la facture de ses frais juridiques, il a rétorqué : « Je ne sais vraiment pas. J'ai trop peur, je n'ose même pas y penser. » Plus récemment, la mère de l'ancien président Clinton aurait affirmé : « Lorsque des événements désagréables surviennent, je fais tout pour les oublier. Dans ma tête, j'ai construit un compartiment étanche. J'y place des choses auxquelles je désire penser, le reste demeure à l'extérieur. À l'intérieur, c'est blanc ; à l'extérieur, c'est noir. Le seul gris que je tolère, c'est la mèche dans mes cheveux. »

À l'origine, cet évitement peut être conscient, mais il devient plus tard automatique et inconscient, de telle sorte que la personne n'est pas consciente du fait qu'elle ne regarde pas.

On note également un déni de la réalité lorsque la personne affirme ou prétend que ça ne peut pas lui arriver, même si l'imminence de la catastrophe apparaît clairement. On a observé ce mécanisme de défense chez les Juifs qui ont été victimes des nazis. Steiner (1966), dans l'ouvrage qu'il consacre au camp de concentration nazi de Treblinka, montre que dans le camp on se comportait comme si la mort n'existait pas, alors que le contraire était évident. L'extermination d'un peuple entier, écrit-il, est à ce point inconcevable que les gens refusaient de l'admettre. Ils préféraient accepter les mensonges plutôt que de supporter le terrible traumatisme de la vérité.

Citons un autre exemple de déni de la réalité, plus près de nous; il a trait à la façon dont les gens réagissent à des désastres imprévisibles, comme les tremblements de terre. On a prédit pendant quelque temps qu'il y aurait un tremblement de terre majeur en Californie du Sud. En 1983, l'Université de la Californie à Los Angeles (UCLA) a chargé une commission d'enquête d'étudier la vulnérabilité des édifices du campus; les résultats ont été largement diffusés dans un rapport présenté à la communauté universitaire. Une étude menée auprès des personnes qui avaient pris connaissance du rapport et qui étaient conscientes du danger a révélé que les répondants qui occupaient les édifices les plus vulnérables étaient beaucoup plus enclins que les autres à nier la gravité de la situation et à mettre en doute les prévisions des experts que les répondants occupant les édifices moins exposés. De plus, les deux groupes ignoraient les règles fondamentales de sécurité qui s'imposent lors d'un tremblement de terre et ils n'ont pris aucune mesure pour s'y préparer. Selon les auteurs, « les résultats de l'étude révèlent que, lorsque les gens envisagent un événement catastrophique dont la probabilité est très élevée, mais le moment indéterminé, ils peuvent supporter cette idée en refusant de tenir compte de la gravité de la situation ou en la niant... Le fait que les répondants étaient en général conscients de la menace et que ceux qui habitaient dans les édifices les plus exposés au séisme exprimaient plus souvent des refus et des dénis que ceux qui résidaient dans des édifices moins vulnérables, tout cela indique que ces perceptions constituent des moyens de s'adapter à l'événement, plutôt que le résultat de l'ignorance ou d'une information trop pauvre » (Lehman et Taylor, 1987, p. 551 et 553).

Le déni est-il forcément une mauvaise chose ? Devons-nous toujours éviter de nous dérober ? Les psychanalystes admettent en général que, même si les mécanismes de défense présentent une certaine utilité pour réduire l'angoisse, ce sont par ailleurs des comportements inadaptés qui amènent l'individu à se détourner de la réalité. Nous avons exposé, au chapitre 2, le problème suivant: les participants qui se tenaient sur la défensive et conservaient l'illusion de jouir d'une bonne santé mentale montraient les signes d'un plus grand stress que les participants en bonne santé mentale ou que ceux qui admettaient leur détresse psychologique (Shedler, Mayman et Manis, 1993). Ainsi, les psychanalystes considèrent que l'« orientation vers la réalité » est essentielle à la stabilité émotive et ils mettent en doute la valeur des tentatives visant à dénaturer l'image de soi ou des autres (Colvin et Block, 1994; Robins et John, 1996).

Néanmoins, certains psychologues avancent que les illusions sur soi-même et les dérobades, qui reposent souvent sur le déni ou d'autres déformations de la réalité, peuvent jouer un rôle constructif et favoriser l'adaptation. Les illusions qu'on entretient sur soi-même, sur l'avenir et sur sa capacité de maîtriser les événements peuvent avoir de bons effets sur la santé mentale, et même lui être essentielles (Taylor et Brown, 1988, 1994 ; Taylor et Armor, 1996 ; Taylor *et al.*, 2000). L'interprétation à donner de ces résultats contradictoires semble dépendre de l'ampleur de la déformation, de son caractère omniprésent et des circonstances de son apparition. Il peut être utile de se faire des illusions sur soi-même, à condition que ces illusions ne soient pas trop extrêmes. Le déni et la dérobade peuvent également soulager temporairement l'individu d'un traumatisme émotionnel et lui éviter d'être submergé par l'angoisse ou la dépression. Le déni peut constituer une conduite appropriée s'il est impossible d'agir, par exemple lorsqu'on est aux prises avec une situation qu'on ne peut modifier (une maladie mortelle). Par contre, il faut certainement le considérer comme un comportement peu approprié si, à cause de lui, l'individu s'abstient de prendre des mesures concrètes, par exemple de prendre au sérieux les symptômes d'une maladie et d'avoir recours au traitement qui convient.

Une autre façon de combattre l'angoisse et la menace à laquelle elle est liée consiste à ramener les événements aux souvenirs ou à séparer l'émotion du souvenir lui-même ou de la pulsion. Dans l'**isolation**, on n'empêche pas la pulsion, la pensée ou l'acte d'accéder à la conscience, mais on repousse l'émotion qui l'accompagne habituellement. Ainsi, une femme peut avoir en tête l'idée ou le fantasme d'étrangler son enfant sans qu'aucun sentiment de colère n'y soit associé. L'utilisation de ce mécanisme donne lieu à l'*intellectualisation*, c'est-à-dire à la prédominance de la pensée sur l'émotion et à la création de compartiments rationnels hermétiques. En pareil cas, les émotions que la personne éprouve existent de manière séparée, comme chez l'homme qui répartit les femmes en deux catégories, les vierges et les putains. Les premières, chez qui on trouve de l'amour mais non de la sexualité, et les secondes, chez qui on trouve de la sexualité mais non de l'amour.

Isolation *(isolation).*
Mécanisme de défense par lequel l'émotion est isolée d'un désir ou d'un souvenir pénible.

Celui qui utilise le mécanisme de l'isolation emploie également souvent le mécanisme de l'**annulation rétroactive**. Il s'agit alors d'annuler magiquement un acte ou un désir et de le remplacer par un autre. Selon Anna Freud, « c'est une sorte de magie négative dans laquelle le deuxième geste de l'individu abolit ou invalide le premier, comme s'il n'avait jamais eu lieu, alors que les deux se sont effectivement produits dans la réalité ». Ce mécanisme s'exprime dans les compulsions — l'individu éprouve le désir irrésistible d'agir d'une certaine manière (il annule ainsi le fantasme du suicide ou du meurtre en employant des rites obsessionnels comme la fermeture des conduits de gaz à la maison) —, dans les rituels religieux ou dans les proverbes comme « Le malheur des uns fait le bonheur des autres ».

Annulation rétroactive *(undoing).*
Mécanisme de défense utilisé pour annuler magiquement un acte ou un désir associé à l'angoisse.

Dans la **formation réactionnelle**, l'individu lutte contre la manifestation d'un désir inacceptable en ne reconnaissant et en n'exprimant que ce qui en représente le contraire. Ce mécanisme de défense se traduit par un comportement qui est socialement acceptable, mais qui est aussi rigide, exagéré et inadéquat. La personne qui se sert de la formation réactionnelle ne peut avouer qu'elle éprouve d'autres sentiments ; c'est le cas des mères surprotectrices qui ne s'autorisent aucune hostilité consciente envers leurs enfants. La formation réactionnelle est le plus nettement visible lorsque le mécanisme de défense échoue, quand le garçon modèle fait feu sur ses parents ou lorsque l'homme qui « ne ferait pas de mal à une mouche » se livre à un massacre. N'oublions pas les juges qui, à l'occasion, commettent des crimes.

Formation réactionnelle *(reaction formation).*
Mécanisme de défense qui sert à exprimer le contraire d'un désir inacceptable.

Quant à la **rationalisation**, c'est un mécanisme souvent bien connu des étudiants. Ici, on perçoit l'action, mais non la motivation sous-jacente. On réinterprète le comportement pour en faire quelque chose de raisonnable et d'acceptable. Ce

Rationalisation *(rationalization).*
Mécanisme de défense employé pour donner une justification acceptable à un motif ou à un acte inacceptable.

APPLICATIONS ACTUELLES

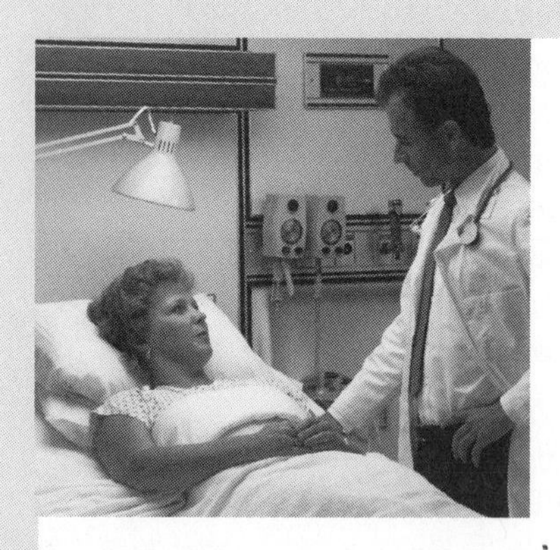

Le déni
Faut-il tout dire à la patiente ?

Le déni : comportement sain ou malsain, approprié ou peu approprié ?

Devons-nous éviter de nier l'évidence ? Le fait de tout savoir est-il garant de la santé ? En général, les psychanalystes admettent que, même s'ils contribuent à réduire l'angoisse, les mécanismes de défense constituent également des comportements peu appropriés puisqu'ils amènent les gens à se détourner de la réalité. Voyons en quoi le déni peut être préjudiciable. La personne qui nie l'existence de signes menaçants ne sera peut-être pas en mesure de réagir d'une façon appropriée. Ainsi, la femme qui se découvre une grosseur au sein et qui tarde à aller consulter le médecin parce qu'elle nie la gravité possible de la tumeur risque de compromettre sérieusement ses chances de guérison par la chirurgie. L'homme qui ne tient pas compte des symptômes de crise cardiaque et qui poursuit son activité physique ou continue de grimper les marches pourrait avoir commis une erreur fatale.

Cependant, nous savons aussi, puisque la chose a été démontrée, que le déni et la dérobade comportent à l'occasion des éléments positifs et adaptés à la situation. Pensons à ceux qui se trouvent aux prises avec une maladie invalidante grave, comme la polio ou le cancer. Le déni et la dénégation les soulagent alors temporairement du traumatisme émotionnel et leur évitent de se laisser submerger par l'angoisse, la dépression ou la colère. Les processus de défense ainsi mis en œuvre peuvent ensuite aider les gens à se sentir plus optimistes et par conséquent leur permettre de participer aux efforts de réadaptation. En tant que processus d'adaptation à la réalité, le déni représente parfois un comportement approprié. Il peut être bon pour la santé !

Quel sens faut-il donner à ces éléments contradictoires ? Le déni, a-t-on avancé, représente habituellement un comportement peu approprié lorsqu'il empêche l'individu d'accomplir une action qui pourrait améliorer sa situation. Toutefois, il s'agit en général d'un comportement approprié lorsque l'action est impossible ou peu indiquée et quand une émotion démesurée peut contrecarrer les efforts réparateurs. Le médecin doit-il tout dire aux patients ? Évidemment, outre les facteurs mentionnés ci-dessus, cela dépend de la personnalité du patient. Certaines personnes tiennent à ce qu'on leur procure toute l'information et elles réagissent mieux lorsqu'elles disposent de tous les renseignements. D'autres évitent de s'informer et résistent mieux lorsqu'elles ne connaissent que l'essentiel. Autrement dit, ce sont les circonstances qui déterminent si le déni constitue ou non un comportement approprié et c'est le mode d'adaptation de l'individu qui indique si l'information a ou non un caractère nuisible.

SOURCES : Lazarus, 1983 ; Miller et Mangan, 1983 ; Robins et John, 1996 ; Taylor, 1989 ; Taylor et Armor, 1996.

mécanisme présente un grand intérêt car, grâce à la rationalisation, l'individu peut exprimer la pulsion menaçante apparemment sans encourir la désapprobation du surmoi. Quelques-unes des pires atrocités de l'humanité n'ont-elles pas été commises au nom de l'amour ? Si nous utilisons le mécanisme de la rationalisation, nous pouvons adopter une attitude hostile ou immorale tout en professant l'amour ou la moralité.

Refoulement *(repression)*.
Mécanisme de défense primaire qui permet de repousser une pensée, une idée ou un désir hors du champ de la conscience.

Enfin, nous en venons au principal mécanisme de défense primaire, le **refoulement**, par lequel on repousse la pensée, l'idée ou le désir dans l'inconscient. C'est comme si nous disions : « Ce qu'on ne sait pas ou dont on ne se souvient pas ne peut blesser. » On considère que le refoulement joue un rôle dans tous les autres mécanismes de défense et que, comme ces derniers, il exige une constante dépense d'énergie pour repousser ce qui est menaçant hors du champ de la conscience. Le refoulement a fait l'objet de plus de recherche expérimentale que tout autre mécanisme de défense et peut-être même que tout autre concept relevant de la théorie psychanalytique. Dans une des premières études réalisées dans ce domaine, Rosenzweig (1941) a constaté que les étudiants de Harvard qui avaient participé à l'expérience se souvenaient davantage des tâches qu'ils avaient été en mesure d'accomplir que de celles qu'ils n'avaient pu mener à bien. Lorsqu'ils ne se sentaient pas menacés, les étudiants gardaient en mémoire un plus grand nombre de tâches non remplies.

Dans une étude plus récente, on a présenté une bande vidéo érotique à des femmes ayant une culpabilité élevée en matière sexuelle et à d'autres affichant une faible culpabilité à ce sujet en leur demandant d'évaluer leur degré d'excitation sexuelle. On enregistrait au même moment leurs réactions physiologiques. Les femmes ayant une culpabilité élevée ont signalé une excitation moins vive que les autres femmes, mais leurs réactions physiologiques étaient plus fortes. Il semble que la culpabilité associée à l'excitation sexuelle entraîne le refoulement ou amène à repousser l'excitation physiologique hors du champ de la conscience (Morokoff, 1985).

Dans une étude fort intéressante et qui portait elle aussi sur le refoulement, on a demandé à des participants de repenser à leur enfance et de se remémorer une expérience ou une situation. Ils devaient également se remémorer des expériences datant de l'enfance et associées à chacune des cinq grandes émotions (bonheur, tristesse, colère, crainte et surprise), et d'indiquer à quand remontait leur premier souvenir de chaque émotion. Les participants furent répartis en deux groupes, ceux qui présentaient un refoulement et ceux qui n'en présentaient pas (eux-mêmes se divisant en très angoissés et en peu angoissés), selon les réponses aux questions. La capacité de se remémorer différait-elle selon les individus, comme le soutient la théorie psychanalytique du refoulement ? On a constaté que les participants présentant un refoulement se souvenaient moins des émotions désagréables et qu'ils étaient nettement plus âgés au moment du premier souvenir négatif (figure 3.1). Les auteurs en arrivèrent à la conclusion suivante : « Le schéma des résultats est conforme à l'hypothèse selon laquelle le refoulement se caractérise par l'inaccessibilité des souvenirs liés à des émotions négatives ; il indique en outre que le refoulement est associé d'une certaine manière à la suppression ou à l'inhibition des expériences émotives en général. La définition du concept de refoulement en tant que processus restreignant l'accès aux souvenirs affectifs négatifs semble valide » (Davis et Schwartz, 1987, p. 155).

D'autres études du même genre confirment la thèse selon laquelle certaines personnes sont des adeptes du refoulement (Weinberger, 1990) ; elles ne sont pas disposées à subir des affects négatifs et elles présentent des réactions émotives plutôt uniformes. Ces personnes ont une image d'elles-mêmes plutôt stéréotypée, elles sont peu enclines aux changements et refusent toute information qui pourrait entraîner des changements. Il semble que leur calme relatif ait un prix. Ainsi, leur réaction physiologique au stress semble plus élevée que chez ceux qui ne refoulent pas leurs affects et elles ont l'air d'être plus prédisposées à contracter des maladies (Contrada, Czarnecki et Pan, 1997 ; Deraskshan et Eysenck, 1997 ; Weinberger et Davidson, 1994). Se référant à des études connexes, Schwartz révèle que la bonne humeur des personnes présentant un refoulement dissimule une tension artérielle et un pouls élevés, ce qui les prédispose à des affections telles que les maladies de cœur et le cancer (*APA Monitor*, juillet 1990, p. 14). Ce constat concorde avec des résultats indiquant que le peu d'expressivité émotionnelle est associé à un risque accru de maladies (Cox et MacKay, 1982 ; Levy, 1991 ; Temoshok, 1985, 1991).

Figure 3.1 Refoulement et souvenirs affectifs. (Davis et Schwartz, 1987, © 1987, American Psychological Association, reproduction autorisée.)

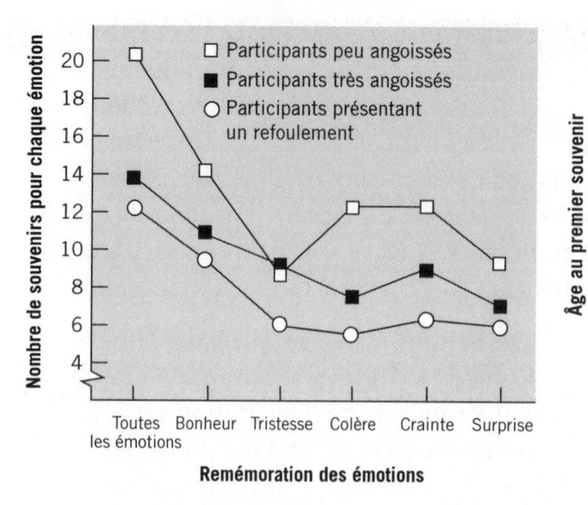

Moyenne du nombre de souvenirs pour chaque émotion chez les participants peu angoissés, très angoissés ou présentant un refoulement.

Moyenne d'âge au premier souvenir pour chaque émotion chez les participants peu angoissés, très angoissés ou présentant un refoulement.

L'étude du refoulement nous ramène aux questions abordées en relation avec l'inconscient, ce qui ne devrait pas surprendre puisque ces deux concepts sont étroitement associés. Alors qu'ils essaient de démontrer la nécessité de prendre en compte le refoulement, Erdelyi et Goldberg (1979) font état des problèmes soulevés par la définition du concept et par les expériences de laboratoire. Leur réflexion débute par une citation des *Notes du sous-sol*, de Dostoïevski (1993, p. 55) :

> Dans les souvenirs de tout homme, il y a des choses qu'il ne confie pas à tout le monde, mais seulement à ses amis. Il y en a d'autres qu'il ne confie pas à ses amis, à peine à soi-même et encore sous le sceau du secret. Mais enfin, il y en a aussi que l'homme a peur de s'avouer à soi-même, et de pareilles choses s'amassent en assez grande quantité chez tout homme convenable.

Selon les deux chercheurs, des études ont permis de recueillir un grand nombre de données à propos d'événements ou de souvenirs semble-t-il complètement oubliés. En revanche, il est plus difficile de démontrer en laboratoire le rôle que joue le refoulement, ce mécanisme de défense qui consiste à repousser les idées hors du champ de la conscience pour atténuer la souffrance psychologique. Cependant, au lieu de proposer d'abandonner le concept, faute de données expérimentales, Erdelyi et Goldberg s'intéressent aux difficultés qu'il y a à reproduire des phénomènes complexes en laboratoire. Commentant d'une manière éloquente la valeur des données cliniques et des données de laboratoire, ils soutiennent que « les deux méthodes ont produit des résultats manifestement différents. Selon nous, ces divergences reflètent des traits propres à chacune des deux méthodes plutôt qu'une quelconque instabilité particulière du phénomène lui-même. La méthode clinique se distingue par sa capacité de dévoiler des processus cognitifs vraiment complexes... Du point de vue clinique, le refoulement se confirme de façon accablante et manifeste. La faiblesse de la méthode clinique, par contre, réside dans son manque de rigueur... l'avantage de la méthode expérimentale en laboratoire est sa rigueur méthodologique ; sa faiblesse primordiale vient de son incapacité à s'occuper de processus très complexes » (Erdelyi et Goldberg, 1979, p. 383-384).

En somme, tandis que les psychanalystes cliniciens considèrent que l'existence du refoulement est confirmé par des preuves incontestables, les tenants de la recherche expérimentale affirment que le concept de refoulement ne peut faire l'objet de vérifi-

DÉBATS ACTUELS

Souvenirs d'expériences traumatisantes ou mémoire fictive ?

Les psychanalystes soutiennent que, par le mécanisme du refoulement, l'individu enfouit dans l'inconscient le souvenir d'expériences traumatisantes remontant à l'enfance. Ils avancent aussi que dans certaines circonstances, par exemple au cours d'une thérapie, il est possible de se remémorer ces expériences oubliées. Par contre, d'autres mettent en doute la fidélité des souvenirs que les adultes conservent des expériences de l'enfance. Ce problème a défrayé la chronique lorsque des personnes affirmant se remémorer les violences sexuelles subies durant leur enfance ont intenté un procès à ceux qu'elles accusent aujourd'hui d'avoir commis ces crimes. Même si certains professionnels sont convaincus de l'authenticité de ces souvenirs de violences sexuelles et que, selon eux, c'est faire du tort à la victime que de refuser de les tenir pour vrais, d'autres contestent leur authenticité et invoquent le « syndrome de la mémoire fictive ». Alors que certains considèrent ces rappels comme salutaires pour ceux qui avaient refoulé le traumatisme de la violence, d'autres laissent entendre que ces « souvenirs » surgissent sous l'effet des interrogatoires serrés que mènent les thérapeutes convaincus du fait que ces violences ont bel et bien eu lieu. Dans un article paru dans une revue destinée aux psychologues, on pose les questions suivantes : « Sur le plan scientifique, existe-t-il des preuves de l'authenticité des souvenirs concernant les violences sexuelles, souvenirs qu'on aurait d'abord "refoulés", puis qu'on se serait "remémorés" avec l'aide d'un thérapeute ? Comment les scientifiques, les juristes et les gens en détresse feront-ils pour différencier les souvenirs authentiques des souvenirs fictifs ? » Malheureusement, on ne peut répondre à ces questions de manière précise. D'une part, nous savons que l'être humain peut oublier des événements et se les rappeler par la suite. D'autre part, nous savons également que l'individu peut se « remémorer » des événements qui n'ont jamais eu lieu. Cependant, les psychologues ne s'entendent pas sur la valeur des données concernant la mise au jour de souvenirs auparavant « refoulés ». De plus, s'il est possible de se remémorer des événements, nous n'avons aucun moyen de distinguer les « souvenirs d'expériences traumatisantes » des « souvenirs fictifs ».

SOURCES : *American Psychological Society Observer*, juillet 1992, p. 6 ; Loftus, 1993, 1997 ; *New York Times*, 8 avril 1994, p. A1 ; Williams, 1994.

cation contrôlée en laboratoire et qu'il serait peut-être temps de songer à abandonner toute tentative en ce sens (Holmes, 1990).

Avant de clore la discussion ayant trait aux mécanismes de défense, il est important de souligner l'existence d'un autre mécanisme servant à exprimer un désir sans qu'il soit accompagné d'angoisse. Ce mécanisme, d'une importance sociale considérable, est la **sublimation** ; l'objet de satisfaction vers lequel on s'orientait d'abord est remplacé par un objectif culturel plus élevé et plus éloigné de l'expression directe de la pulsion. Tandis que les autres mécanismes de défense rencontrent les pulsions de plein fouet et que, dans l'ensemble, ils s'opposent à leur libération, dans la sublimation la pulsion est canalisée vers une autre voie, utile celle-là. Contrairement à ce qui se passe pour les autres mécanismes de défense, le moi n'a pas à dépenser constamment de l'énergie pour empêcher la décharge. Freud voit dans *Sainte Anne, la Vierge et l'enfant Jésus* de Léonard de Vinci la représentation sublimée du désir à l'égard de la mère. Les professions de chirurgien, de boucher ou de boxeur peuvent constituer des sublimations des pulsions agressives, à des degrés divers. La profession de psychiatre peut représenter la sublimation de tendances au « voyeurisme ». Freud n'était-il pas d'avis, comme nous l'avons noté plus haut, que l'essence de la civilisation réside dans la capacité de l'individu à sublimer ses pulsions sexuelles et ses pulsions agressives ?

Sublimation *(sublimation)*. Mécanisme de défense par lequel on remplace la première expression de la pulsion par un objectif culturel de plus haut niveau.

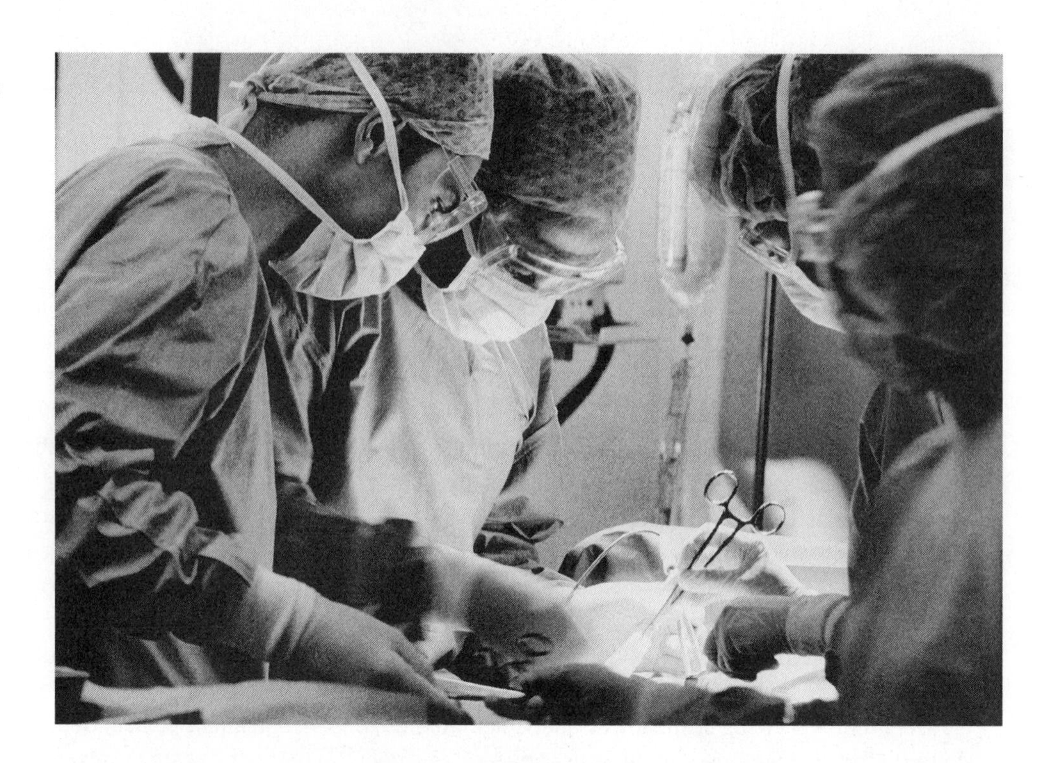

La sublimation En devenant chirurgien, on oriente ses pulsions agressives vers des objectifs utiles et construits.

LA CROISSANCE ET LE DÉVELOPPEMENT

La théorie psychanalytique du développement tient compte de tous les aspects de la formation du caractère (personnalité). Elle s'appuie sur deux idées centrales: d'une part, l'être humain progresse par stades; d'autre part, les premières expériences sont d'une importance capitale pour toute la conduite future. Si on poussait à l'extrême la conception psychanalytique, on irait jusqu'à affirmer que les aspects les plus fondamentaux de la personnalité se forment au cours des cinq premières années.

Le développement des processus mentaux

Processus primaire *(primary process).* Dans la théorie psychanalytique, mode de fonctionnement de l'appareil psychique qui n'obéit pas à la logique ou ne subit pas l'épreuve de la réalité et que l'on observe dans les rêves ou dans d'autres manifestations de l'inconscient.

Processus secondaire *(secondary process).* Dans la théorie psychanalytique, mode de fonctionnement de l'appareil psychique régi par la réalité et associé au développement du moi.

La théorie psychanalytique du développement des processus mentaux s'intéresse au passage du **processus primaire** au **processus secondaire**. On appelle *processus primaire* le langage de l'inconscient dans lequel la réalité et le fantasme sont indifférenciables. Les rêves mettent en œuvre certains éléments relevant du processus primaire. Les événements surviennent à plus d'un endroit à la fois, des caractéristiques appartenant à des personnes et à des objets différents s'entremêlent, les événements vont et viennent rapidement dans le temps et ce qui est impossible à l'état de veille se réalise facilement. Le *processus secondaire* représente le langage de la conscience et de l'épreuve de la réalité. En parallèle, on assiste au développement du moi et du surmoi. Lorsque le moi se développe, l'individu se différencie du reste du monde, en tant que soi, et on observe une baisse de l'égocentrisme.

Récemment, Epstein (1994) a proposé d'établir une autre distinction, connexe, dans les processus mentaux, entre la *pensée fondée sur l'expérience* et la *pensée rationnelle*. On estime que ce sont deux modes d'apprentissage essentiellement différents, le premier ayant trait aux émotions et à l'expérience, et le deuxième à l'intelligence. On croit que la pensée fondée sur l'expérience, analogue au processus primaire défini précédemment, se met en place au début de l'évolution et qu'elle fonctionne de manière holistique, concrète et fortement influencée par l'émotion. Souvent, c'est à elle que l'on recourt dans les rapports interpersonnels exigeant empathie et intuition. Quant à la pensée rationnelle, analogue au processus secondaire, elle intervient plus tard, pense-t-on ; il s'agit d'une pensée plus abstraite, plus analytique, qui obéit aux règles de la logique et de la démonstration. On l'utilise par exemple pour résoudre des problèmes mathématiques. La possibilité de conflit entre ces deux modes de pensée apparaît dans l'expérience suivante. Ayant devant eux deux bols, les participants devaient choisir celui qui leur offrait la meilleure chance de tirer un bonbon rouge : était-ce le bol contenant un bonbon rouge sur dix ou le bol contenant huit bonbons rouges sur cent (Denes-Raj et Epstein, 1994) ? Connaissant la proportion de bonbons rouges dans les deux bols, les participants *savaient* que, logiquement, ils devaient choisir le bol ayant la proportion de bonbons rouges la plus élevée, soit un sur dix. Malgré tout, plusieurs participants *sentaient* qu'ils auraient une meilleure chance de gagner s'ils choisissaient le bol contenant plus de bonbons rouges, en dépit de la moins forte probabilité d'obtenir le résultat désiré. Le conflit entre l'*intuition* et le *savoir* traduit le conflit entre la pensée fondée sur l'expérience et la pensée rationnelle. Selon Epstein (1994), les deux modes sont parallèles et ils peuvent agir conjointement ou en opposition. C'est probablement ce qui se passe dans la plupart des activités créatrices. Chacun des deux modes connaît également des niveaux de développement et d'utilisation différents selon les individus.

Le développement des pulsions

La partie la plus importante de la théorie psychanalytique du développement a trait à la formation des pulsions. Les états de tension corporelle constituent la source des pulsions ; ils ont tendance à se concentrer dans certaines régions du corps appelées **zones érogènes**. Selon la théorie, les principales zones érogènes du corps font l'objet d'un développement physiologique déterminé, ainsi que d'une transformation. La principale source d'excitation et d'énergie a toujours tendance à s'articuler autour d'une région particulière, dont l'emplacement change au cours des premières années du développement. La bouche est la première zone érogène, l'anus la deuxième et les organes génitaux la troisième. Le développement psychique et affectif de l'enfant repose sur ses interactions avec les autres, sur les angoisses et les satisfactions qu'elles engendrent.

Zones érogènes *(erogenous zones)*. Selon Freud, régions du corps qui sont des sources de tension ou d'excitation.

Les stades de développement ■ La bouche est la première zone importante d'excitation, de sensibilité et d'énergie ; c'est pourquoi nous parlons de **stade oral**. L'alimentation, la succion et d'autres mouvements buccaux caractéristiques des nourrissons sont à l'origine des premières satisfactions orales. Chez l'adulte, on observe des vestiges d'oralité dans des activités telles que mâcher de la gomme, manger, fumer et embrasser. Dans la première phase du stade oral, l'enfant est passif et réceptif. Dans la seconde phase, il peut y avoir une fusion des plaisirs sexuels et des plaisirs liés à l'agression, avec la poussée des dents. Chez les enfants, cette fusion de la satisfaction pulsionnelle se manifeste dans le fait de manger des craquelins en forme d'animaux. Plus tard, on trouve des traces d'oralité dans diverses sphères ; les études universitaires fournissent des exemples d'associations orales avec l'inconscient : on « alimente » l'étudiant en lui procurant des éléments de réflexion, on lui demande d'« ingérer » des lectures complémentaires et de « régurgiter » ce qu'il a appris lors des examens.

Stade oral *(oral stage)*. Concept freudien désignant la période de la vie pendant laquelle la bouche constitue le centre de l'excitation ou de la tension corporelle.

Dans le deuxième stade de développement, le **stade anal** (enfants de deux et trois ans), l'anus, la maîtrise des sphincters et la fonction de défécation deviennent la zone d'excitation. On croit que la défécation soulage la tension et procure du plaisir

Stade anal *(anal stage)*. Concept freudien désignant la période de la vie pendant laquelle l'anus constitue le centre de l'excitation ou de la tension corporelle.

en stimulant les muqueuses situées dans cette région. Le plaisir associé à cette zone érogène suscite un conflit dans l'organisme. Il y a conflit entre l'expulsion et la rétention, entre le plaisir libéré et le plaisir retenu, ainsi qu'entre le désir de trouver du plaisir dans l'évacuation et la rétention imposée par le monde extérieur. Il s'agit donc du premier grand conflit entre l'individu et la société. L'entourage exige que l'enfant enfreigne le principe de plaisir ou qu'il soit puni. L'enfant peut riposter et se souiller volontairement (diarrhée) ; associer la défécation à une perte importante, ce qui engendre la dépression ; ou associer la défécation à une récompense ou à un cadeau offert aux autres, ce qui peut correspondre à un sentiment de pouvoir et de maîtrise.

Stade phallique *(phallic stage).* Concept freudien désignant la période de la vie pendant laquelle l'excitation ou la tension commence à se concentrer sur les organes génitaux et au cours de laquelle l'enfant est attiré par le parent du sexe opposé.

Angoisse de castration *(castration anxiety).* Concept freudien désignant la peur qu'éprouve le garçon, durant le stade phallique, que son père lui coupe le pénis en raison de leur rivalité sexuelle à l'égard de la mère.

Complexe d'Œdipe *(Oedipus complex).* Concept freudien exprimant l'attrait sexuel du garçon pour sa mère et la peur d'être castré par son père, considéré comme un rival.

Au cours du **stade phallique** (enfants de quatre et cinq ans), l'excitation et la tension se concentrent sur les organes génitaux. La différence physiologique entre les sexes entraîne une différenciation psychologique. Le garçon connaît des érections, et les nouvelles excitations provenant de cette zone provoquent un intérêt accru pour les organes génitaux. Il se rend compte de l'absence de pénis chez les filles, ce qui engendre chez lui la crainte de perdre son pénis, autrement dit l'**angoisse de castration**. Il rivalise avec son père pour obtenir l'affection de sa mère. Il projette sur son père l'hostilité ressentie envers lui, ce qui entraîne la peur des représailles et nous amène au **complexe d'Œdipe**. En vertu de ce complexe, chaque garçon est voué à tuer symboliquement son père et à épouser sa mère. Le complexe peut être renforcé par la séduction présente chez la mère, et l'angoisse de castration peut être accentuée par les menaces vraiment proférées par le père de couper le pénis. Ces menaces surviennent dans un nombre surprenant de cas.

L'activation psychodynamique subliminale de l'inconscient, que nous avons vue plus haut, fournit un moyen intéressant de corroborer le complexe d'Œdipe. Dans cette technique, les participants reçoivent des stimuli présentés de manière subliminale grâce à un tachistoscope. Lorsqu'ils sont enregistrés de façon subliminale, les stimuli activent vraisemblablement des conflits inconscients en les intensifiant ou en les atténuant, selon la nature du conflit et le stimulus présenté. L'expérience que nous exposons ici consistait à jouer sur le degré de conflit œdipien chez les garçons et à observer les effets de ces manipulations sur leur rendement dans une activité compétitive (Silverman, Ross, Adler et Lustig, 1978). Les stimuli choisis pour intensifier ou atténuer le conflit œdipien étaient les suivants : « Battre papa est mal » et « Battre papa est bien ». On a aussi présenté d'autres stimuli, notamment un stimulus neutre : « Les gens marchent. » Ces stimuli furent montrés au moyen d'un tachistoscope à des étudiants de sexe masculin lors d'une compétition de fléchettes. On a vérifié de nouveau le rendement des participants au jeu de fléchettes après leur avoir montré chacun des stimuli, sur le mode subliminal. Comme prévu, les deux stimuli œdipiens ont eu des effets bien nets et de sens opposé. Le stimulus « Battre papa est bien » a donné lieu à des pointages beaucoup plus élevés que le stimulus neutre, alors que le stimulus « Battre papa est mal » s'est soldé par des pointages beaucoup plus bas que ceux qu'on avait obtenus après la présentation du stimulus neutre (tableau 3.2).

L'intérêt de cette étude vient de ce que la vérification expérimentale a été réalisée auprès d'étudiants de sexe masculin normaux, alors que la formulation théorique provenait de matériel clinique recueilli auprès de patients. Les expérimentateurs avaient émis l'hypothèse suivante : « Comme la plupart des gens sont susceptibles d'agir de façon plus ou moins névrosée et que, selon la conception psychanalytique, le conflit œdipien joue souvent un rôle pathogène crucial, nous avions prévu que la relation relevée en clinique s'appliquerait à la population universitaire "nor-

Tableau 3.2 Conflit œdipien et rendement compétitif

Pointage au jeu de fléchettes	« Battre papa est mal. »	« Battre papa est bien. »	« Les gens marchent. »
Présentation des trois stimuli au moyen d'un tachistoscope			
Moyenne avant présentation	443,7	444,3	439,0
Moyenne après présentation	349,0	533,3	442,3
Écart	- 94,7	+ 90,0	+ 3,3

Source : Silverman *et al.*, 1978, p. 346. © American Psychological Association, reproduction autorisée.

male" » (p. 342). Deux autres points, qui s'expliquent par la difficulté de reproduire ce type d'étude, valent la peine d'être mentionnés. D'abord, les expérimentateurs n'ont pas obtenu de résultats lorsque les stimuli étaient présentés au-dessus du seuil de la conscience, l'activation psychodynamique ne semblant fonctionner qu'au niveau inconscient. Ensuite, comme les stimuli expérimentaux devaient se rattacher aux motivations des participants et que les réponses obtenues devaient refléter les changements de motivations, les expérimentateurs ont d'abord « préparé » les participants en leur montrant des images et du matériel à contenu œdipien, pour ensuite les aviser qu'ils allaient effectuer une activité faisant appel à la compétition.

La fillette, quant à elle, connaît durant ce stade des processus de développement quelque peu différents. Elle se rend compte qu'elle n'a pas de pénis et elle en attribue la responsabilité à la mère, son premier objet d'amour. Comme l'**envie du pénis** est chez elle de plus en plus marquée, la fillette fait du père son objet d'amour et elle s'imagine qu'elle retrouvera l'organe perdu en ayant un enfant de lui[1]. S'il disparaît chez le garçon en raison de l'angoisse de castration, le complexe d'Œdipe apparaît chez la fille en raison de l'envie du pénis. Comme chez le garçon, la séduction exercée par le père sur la fillette renforce le conflit vécu durant cette période. Et, comme chez le garçon, la fillette résout le conflit en conservant le père comme objet d'amour et en s'identifiant pour cela avec la mère.

Envie du pénis *(penis envy)*.
Dans la théorie psychanalytique, l'envie qu'éprouve la fillette de posséder un pénis.

Les enfants ont-ils réellement des comportements œdipiens ou s'agit-il de souvenirs déformés entretenus par des adultes, notamment des patients en cure psychanalytique ? On s'est penché sur cette question et on a étudié les comptes rendus que faisaient les parents des interactions parent-enfant ; on a analysé les réactions des enfants quand les récits des parents leur étaient rapportés. On a constaté que les enfants de quatre ans environ témoignent d'une préférence accrue pour le parent du sexe opposé et d'un antagonisme accentué envers le parent du même sexe. Ces comportements s'atténuent vers l'âge de cinq ou six ans. Fait à noter, même s'ils appartenaient à un autre courant théorique, les chercheurs ont néanmoins conclu que les comportements œdipiens signalés coïncidaient avec la théorie psychanalytique des relations œdipiennes entre les mères et les fils, et entre les pères et les filles (Watson et Getz, 1990).

Dans le cadre de la résolution du complexe d'Œdipe, l'enfant ne rejette plus le parent du même sexe ; au contraire, il l'attire et s'identifie à lui. Ce processus d'**identification** avec le parent du même sexe au cours du stade phallique est essentiel

Identification *(identification)*.
L'acquisition, en tant que caractéristiques personnelles, de traits de personnalité perçus comme appartenant à d'autres (par exemple, les parents).

1. De nombreuses raisons ont amené les féministes à contester la théorie psychanalytique. Plus que tout autre concept, l'envie du pénis est considérée comme l'expression d'une conception machiste et hostile envers les femmes. Nous aborderons cette question au chapitre 4, en faisant l'évaluation critique de la théorie psychanalytique.

et il représente, de façon plus générale, un concept crucial de la psychologie du développement. L'identification permet d'assimiler les qualités d'une autre personne et de les intégrer dans son fonctionnement. En s'identifiant à leurs parents, les enfants adoptent bon nombre de leurs valeurs et leurs principes moraux. C'est pourquoi on dit du surmoi qu'il est l'héritier de la résolution du complexe d'Œdipe.

Selon Freud, tous les aspects importants de notre personnalité se forment au cours des stades de développement oral, anal et phallique. Il s'est peu intéressé aux éléments qui influent sur le développement une fois le complexe d'Œdipe résolu, mais il en a néanmoins reconnu l'existence. Après le stade phallique, l'enfant entre en **période de latence**, expression dont le sens n'a jamais été clair dans la théorie psychanalytique. Si l'hypothèse du déclin de la sexualité infantile entre six ans et treize ans pouvait convenir aux observations effectuées à l'époque victorienne, elle ne correspond pas aux constatations établies auprès d'enfants d'autres cultures. Plus plausible mais difficile à vérifier est l'hypothèse voulant que, durant ce stade, il n'y ait pas d'évolution concernant la façon dont les enfants satisfont leurs pulsions.

Période de latence *(latency stage)*. Dans la théorie psychanalytique, période venant après le stade phallique et pendant laquelle on assiste à une baisse des pulsions et de l'intérêt sexuels.

Stade génital *(genital stage)*. Dans la théorie psychanalytique, stade de développement associé à l'apparition de la puberté.

L'apparition de la puberté, qui se caractérise par le réveil des désirs sexuels et des sentiments œdipiens, marque le début du **stade génital**. Il existe dans de nombreuses cultures, comme la culture juive, des rites d'initiation qui soulignent l'importance de cette période pour l'individu et son intégration dans la société. Le sentiment de dépendance et les désirs œdipiens qui n'ont pas été résolus pleinement aux stades antérieurs de développement refont surface. Les bouleversements que vivent les adolescents sont en partie attribuables à ces facteurs. Selon Freud, c'est en réussissant à traverser ces stades de développement que l'être humain devient un individu sain sur le plan psychologique, capable d'aimer et de travailler.

Les stades du développement psychosocial selon Erikson ■ Manifestement, la théorie psychanalytique du développement accorde beaucoup d'attention aux cinq premières années de la vie ainsi qu'au développement des pulsions. Les psychologues du moi ont voulu, quant à eux, mettre davantage l'accent sur d'autres éléments qui se mettent en place au cours des premières années ainsi que sur les grands changements qui surviennent au cours de la période de latence et du stade génital. Erik Erikson (1902-1994), l'un des principaux psychanalystes du moi, décrit l'évolution de l'enfant en recourant à des notions psychosociales plutôt que simplement sexuelles (tableau 3.3). Ainsi, l'importance du premier stade ne vient pas seulement du fait que l'enfant retire du plaisir surtout de la région buccale ; c'est aussi par l'alimentation qu'une relation de confiance peut s'établir entre le nourrisson et sa mère. De même, le stade anal ne se réduit pas à un changement de zone érogène ; c'est aussi la période d'apprentissage de la propreté, situation cruciale qui peut permettre à l'enfant d'acquérir un certain sentiment d'autonomie ou de céder à la honte et au doute. Au stade phallique, l'enfant est aux prises avec deux sentiments contradictoires : peut-il prendre plaisir à s'affirmer, à rivaliser et à réussir, ou doit-il se sentir coupable ?

Selon Erikson (1950), durant la période de latence et le stade génital, l'enfant acquiert le sens du travail et de la réussite, ou encore un complexe d'infériorité ; c'est également durant cette période que naît un sentiment d'une plus grande portée que les autres, le sens de l'identité, ou au contraire l'incertitude quant à la diffusion des rôles. Pour l'adolescent, la tâche cruciale consiste à établir l'identité du moi, à envisager avec davantage de confiance l'idée que sa perception de lui-même et la perception que les autres ont de lui s'inscrivent dans une certaine continuité. Contrairement aux personnes qui jouissent d'un sentiment d'identité, celles qui

Tableau 3.3 Les huit stades du développement psychosocial selon Erikson et leurs répercussions sur la personnalité

Stade psychosocial	Période	Dénouement positif	Dénouement négatif
Confiance, ou méfiance fondamentale	Premier âge (1 an)	Bienveillance, confiance en soi et dans les autres, optimisme.	Malveillance, méfiance à l'égard de soi-même et des autres, pessimisme.
Autonomie, ou honte et doute	Petite enfance (2-3 ans)	Volonté, maîtrise de soi et capacité de faire des choix.	Rigidité, conscience trop scrupuleuse, doute et honte mêlés de gêne.
Initiative, ou culpabilité	Période préscolaire (4-5 ans)	Satisfaction procurée par les réalisations, les activités, leur orientation et leur but.	Culpabilité en rapport avec les buts et les réalisations.
Application au travail, ou sentiment d'infériorité	Période de latence	Capacité de se laisser absorber par le travail productif, fierté au sujet du résultat.	Sentiment d'inadéquation et d'infériorité, incapacité de remplir les tâches.
Sentiment de l'identité, ou diffusion des rôles	Adolescence	Confiance en son identité, en la persistance de cette identité, espoir d'entreprendre une carrière.	Gêne par rapport aux rôles, absence de norme de conduite, manque de naturel.
Sens de l'intimité, ou isolement	Début de l'âge adulte	Sens de la réciprocité, mise en commun des idées, du travail et des sentiments.	Fuite de l'intimité, relations superficielles.
Capacité de s'engager, ou stagnation	Âge adulte	Capacité de s'engager pleinement dans le travail et dans les relations avec les autres.	Perte d'intérêt pour le travail et appauvrissement des relations avec les autres.
Intégrité personnelle, ou désespoir	Vieillesse	Sentiment qu'il y a de l'ordre et du sens, satisfaction personnelle et professionnelle.	Peur de la mort, amertume au sujet de la vie et de son déroulement.

sont incertaines de leur rôle ont l'impression de ne pas se connaître, de ne pas savoir si leur identité correspond à ce que les autres ont en tête; de plus, elles ignorent les raisons de cet état de choses ou ce que l'avenir leur réserve. À la fin de l'adolescence et au cours des années d'études universitaires, ces difficultés à établir son identité peuvent amener l'individu à se joindre à divers groupes et engendrer une grande anxiété quant au choix d'une carrière. S'il ne réussit pas à résoudre ces conflits pendant cette période, il fera face à un sentiment de désespoir: la vie est trop courte et il est trop tard pour recommencer.

Dans sa recherche concernant la constitution de l'identité, Marcia (1994) a cerné quatre modalités de l'identité qui peuvent être liées à ce processus. Dans l'*identité achevée*, l'individu a mis en place un certain sentiment d'identité après s'être adonné à une série d'explorations. Ce stade se caractérise par un fonctionnement psychologique de haut niveau; la personne fait montre d'autonomie dans ses idées, d'intimité dans ses relations interpersonnelles, elle recourt à un raisonnement moral complexe et elle sait résister au groupe et à ses exigences de conformité ou aux manipulations de l'estime de soi. Dans l'*identité moratoire*, l'individu est au centre d'une crise d'identité. Il peut manifester un comportement psychologique de haut niveau, comme l'indiquent la pensée complexe et le raisonnement moral, et il valorise également l'intimité. Cependant, il se pose encore des questions sur son identité et il semble moins enclin à s'engager que ceux qui appartiennent au premier

Sentiment d'identité ou confusion à l'égard du rôle à jouer ?
À l'adolescence, le sentiment d'identité personnelle s'appuie en partie sur la corroboration fournie par les amis.

groupe. Dans l'*identité forclose*, l'individu s'engage dans une identité sans s'être livré au processus d'exploration. Il fait montre de rigidité et il cède aux pressions du groupe qui le force à se conformer et qui manipule son estime de soi. Il a tendance à adopter des valeurs très traditionnelles et à rejeter tout ce qui s'écarte des définitions courantes du bien et du mal. Enfin, dans l'*identité diffuse*, le sentiment d'identité et la capacité d'engagement sont faibles. C'est une personne dont l'estime de soi est très fragile, dont la pensée est souvent désorganisée et qui éprouve des difficultés à se rapprocher des autres. En somme, Marcia soutient que la formation de l'identité diffère selon les individus et que ces différences se répercutent sur l'identité, sur les processus cognitifs et sur les relations interpersonnelles. On considère que la formation de l'identité, même si elle n'établit pas forcément un modèle immuable, influe de manière importante sur le développement de la personnalité.

Poursuivant sa description des étapes de la vie et des questions psychologiques connexes, Erikson avance que certains parviennent à se rapprocher des autres, à accepter les succès et les déceptions de la vie, à déceler une continuité dans les cycles de la vie, alors que d'autres restent isolés de la famille et des amis, semblent survivre en adoptant une routine quotidienne immuable et se concentrent sur les déceptions du passé et sur la mort prochaine. Même si la façon dont l'adulte trouve des solutions aux crises renvoie aux événements de l'enfance, Erikson indique que ce n'est pas toujours le cas et que les solutions adoptées ont elles-mêmes leur propre signification (Erikson, 1982). En résumé, la contribution d'Erikson s'impose à nous pour trois raisons : (1) il a accordé autant d'attention aux fondements psychosociaux qu'aux fondements pulsionnels dans le développement de la personnalité ; (2) il a ajouté de nouveaux stades de développement, qui couvrent tous les cycles de la vie, et il a exposé clairement les problèmes psychologiques qui se posent au cours de ces derniers stades ; (3) il a soutenu que l'individu se tourne vers l'avenir tout autant que vers le passé et que sa façon d'entrevoir l'avenir peut occuper, dans sa personnalité, une place aussi importante que sa vision du passé.

L'importance des premières expériences

La théorie psychanalytique souligne l'importance des premières expériences de vie dans le développement de la personnalité. Les représentants des autres courants insistent au contraire sur les possibilités de changement au cours de tous les cycles de la vie. C'est une question complexe ; l'un ou l'autre camp l'a emporté selon les époques, sans qu'on puisse arriver à un consensus (Caspi et Bern, 1990).

Deux études illustrent la complexité du sujet. La première, entreprise par un psychanalyste (Gaensbauer, 1982), se penchait sur les pulsions affectives au cours de la petite enfance. On a examiné systématiquement le comportement de Julie, qui avait près de quatre mois. À l'âge de trois mois, elle avait été violentée physiquement par son père, qui lui avait fracturé le bras et le crâne. Les employés de l'hôpital la décrivaient comme un « bébé adorable », une enfant gaie, amusante et sociable, mais qui n'aimait pas se faire câliner lorsqu'on la prenait dans les bras et qui « s'agitait » à l'approche d'un homme. À la suite de ces mauvais traitements, on l'a placée dans une famille d'accueil où elle a reçu des soins physiques adéquats, mais a connu peu de contacts avec les autres. Elle avait vécu une situation très différente avec sa mère naturelle, qui passait beaucoup de temps auprès d'elle et l'allaitait à volonté. La première observation systématique a eu lieu un mois environ après son arrivée au foyer d'accueil. À l'époque, on considérait que son comportement était conforme au diagnostic de la dépression : léthargie, apathie, indifférence et posture affaissée. Une analyse systématique de ses expressions faciales a révélé cinq pulsions affectives distinctes, chacune associée clairement à ses antécédents. On a observé de la tristesse lorsqu'elle était en présence de sa mère, de la crainte et de la colère lorsqu'un inconnu de sexe masculin l'approchait, ce qui n'était pas le cas avec une inconnue. Elle manifestait brièvement de la joie pendant les périodes de jeu. Enfin, on constatait chez elle de l'intérêt et de la curiosité lorsqu'elle était en contact avec des inconnues.

Après ce séjour dans la première famille d'accueil, on transféra Julie dans une autre famille où elle reçut chaleur et attention. Deux semaines plus tard, elle revenait à l'hôpital pour une autre évaluation, amenée cette fois par la mère de la deuxième famille d'accueil. Dans l'ensemble, elle semblait réagir comme un bébé normal. Elle n'a montré aucun signe de détresse et a même souri à un inconnu. Un mois après cette évaluation, sa *mère naturelle* l'a ramenée à l'hôpital pour la troisième évaluation. Dans l'ensemble, elle était animée et joyeuse. Toutefois, elle a pleuré abondamment quand sa mère a quitté la pièce. Elle a continué à pleurer quand sa mère est revenue, malgré les nombreux efforts mis en œuvre pour la réconforter. Il semble que la séparation d'avec sa mère naturelle continuait de provoquer beaucoup de chagrin. En outre, on a constaté qu'elle manifestait souvent de la tristesse et de la colère. À huit mois, Julie est retournée vivre auprès de sa mère naturelle, qui avait quitté son mari et reçu de l'aide sur le plan psychologique. À vingt mois, elle paraissait avoir un comportement normal et entretenir une excellente relation avec sa mère. Cependant, il y avait toujours de la colère et de la détresse quand l'enfant se séparait de sa mère.

Ces observations nous permettent de conclure à l'existence tant d'une continuité que d'une discontinuité entre les premières expériences affectives de Julie et ses réactions émotives ultérieures. Dans l'ensemble, elle se portait bien et ses réactions émotionnelles correspondaient à la gamme habituelle des émotions que manifestent les bébés de son âge. En revanche, les réactions de colère occasionnées par les séparations et la frustration semblaient être associées à son passé. Le psychanalyste qui a réalisé l'étude affirme que les événements traumatisants isolés ont peut-être moins de poids que les petits faits peu dramatiques, mais souvent répétés. Autrement dit, s'il faut attacher de l'importance aux premières années, c'est davantage à cause des modèles de relations interpersonnelles qui se mettent alors en place que des événements isolés qui s'y produisent.

La deuxième étude, dirigée par un groupe de psychologues du développement, a évalué la relation entre les premiers rapports affectifs avec la mère et les problèmes psychopathologiques ultérieurs (Lewis, Feiring, McGuffog et Jaskir, 1984). On a observé le comportement d'attachement envers la mère chez les garçons et les filles d'un an. La méthode d'observation utilisée comprenait une période de jeu avec la mère dans une situation non structurée, suivie du départ de la mère et d'une période où l'enfant restait seul dans la salle de jeux, puis du retour de la mère et d'une deuxième période de jeu libre. On a classé le comportement des enfants selon l'une des trois catégories d'attachement suivantes : fuyant, sécurisant ou ambivalent.

L'appartenance aux catégories d'attachement fuyant ou ambivalent laissait supposer l'existence de difficultés dans ce domaine. Puis, à l'âge de six ans, on a évalué l'attitude de ces enfants en demandant aux mères d'esquisser le profil psychologique de l'enfant. Les résultats fournis par les mères furent comparés à ceux de l'enseignant. D'après l'évaluation, les enfants furent répartis en trois groupes : enfants normaux, enfants à risques et enfants perturbés.

Quel était le lien entre le premier comportement d'attachement et les pathologies décelées ultérieurement ? Il convient de noter particulièrement deux éléments. D'une part, les rapports entre comportement et pathologie différaient passablement selon qu'il s'agissait de garçons ou de filles. Chez les garçons, il existait des rapports étroits entre le classement de l'attachement à un an et l'apparition ultérieure d'une pathologie. Les garçons affichant un attachement fuyant ou ambivalent à l'âge de un an souffraient davantage de troubles psychologiques que les garçons affichant un attachement sécurisant. En revanche, on n'a observé chez les filles aucune relation entre l'attachement et les troubles psychologiques ultérieurs. D'autre part, les auteurs ont noté qu'on n'aboutissait pas aux mêmes résultats si on entreprenait de prédire l'apparition de troubles psychologiques en se basant sur les premières données (prospective) ou si on souhaitait interpréter les troubles psychologiques ultérieurs en fonction des difficultés d'attachement précoces (rétrospective). Dans le cas des garçons considérés à l'âge de six ans comme à risques ou perturbés, on a constaté que 80 % d'entre eux avaient appartenu, à l'âge d'un an, à la catégorie d'attachement fuyant ou ambivalent ; il existait donc un lien statistique étroit. Par contre, dans le cas de tous les garçons classés à un an dans les catégories de l'attachement fuyant et ambivalent et dont on prévoyait qu'ils seraient à risques ou perturbés à six ans, le rapport ne pouvait être établi que dans seulement 40 % des cas. Ce résultat s'explique par le fait que le nombre de garçons classés dans ces catégories était beaucoup plus élevé que le nombre de cas diagnostiqués plus tard comme à risques ou perturbés. Ainsi, le clinicien s'appuyant sur les troubles psychologiques apparus ultérieurement pouvait se fonder sur des faits précis pour postuler un lien étroit entre les troubles psychologiques et les premières difficultés d'attachement. En revanche, sous l'angle de la prévision, le lien est beaucoup plus ténu et il faut tenir compte d'autres variables. Comme l'admettait Freud lui-même, lorsque nous observons un trouble relevant de la psychopathologie, il est beaucoup plus facile de comprendre comment il a pu évoluer antérieurement. Par contre, lorsque nous examinons ces phénomènes d'une manière prospective, nous avons conscience de la diversité des évolutions possibles.

Comme nous l'avons noté précédemment, les questions relatives aux premières expériences et à leur rôle dans le développement de la personnalité sont complexes. Peut-être devrons-nous répondre à la question d'une façon nuancée, et non d'une façon tranchée. Par exemple, c'est le trait de personnalité à l'étude qui pourrait faire fluctuer le jugement qu'on porte sur l'importance des premières expériences. Une fois installés, certains traits de personnalité résistent peut-être davantage au changement que d'autres. Le rôle des premières expériences pourrait aussi varier en fonction de l'intensité des expériences particulières, de leur durée et du moment où elles ont lieu. Ainsi, les effets de la privation maternelle peuvent être plus ou moins importants selon la gravité et la durée de la privation, et selon qu'il y a eu, ou non, des expériences positives avant et après la privation. Enfin, signalons la nécessité de distinguer le possible de l'inévitable. Même si la théorie psychanalytique illustre avec exactitude les effets *possibles* des premières expériences, selon les diverses formes de perturbation psychologique qui s'ensuivent lorsqu'un modèle de rapports est établi tôt et perdure, il n'en découle pas que ces effets sont inévitables.

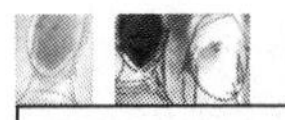

Résumé

1. La théorie psychanalytique représente un exemple d'approche psychodynamique et clinique de la personnalité. Le fait qu'on voit dans le comportement le résultat de l'interaction des motivations ou des pulsions traduit son caractère psychodynamique. Il s'agit d'une méthode clinique, car on accorde une grande importance aux observations effectuées lors du traitement intensif des patients.

2. Les événements vécus par Freud ont joué un rôle dans l'élaboration de sa théorie et ont contribué à modeler son attitude envers la science. Ainsi en est-il des pulsions de mort dont l'élaboration est liée à la Première Guerre mondiale, de la sexualité par rapport aux inhibitions concernant la sexualité à l'époque victorienne et du concept d'énergie emprunté à d'autres domaines scientifiques.

3. La théorie psychanalytique repose sur deux séries de concepts structuraux. La première se rapporte aux niveaux de conscience : conscience, préconscient et inconscient (topique I). La deuxième a trait aux aspects du fonctionnement psychique représentés par les concepts de ça, de moi et de surmoi (topique II) ; ceux-ci correspondent à peu près aux pulsions, à l'orientation vers la réalité et aux valeurs morales.

4. La recherche expérimentale concernant l'inconscient est illustrée par l'étude de la perception sans prise de conscience et par l'activation psychodynamique subliminale. Bien que la notion d'inconscient prête toujours à controverse, la plupart des psychologues admettent que, même hors du champ de la conscience, les stimuli peuvent avoir une influence sur l'individu.

5. Dans la théorie psychanalytique, la personne est considérée comme un système d'énergie, laquelle prend sa source dans les pulsions de vie et les pulsions de mort, ou dans les pulsions sexuelles et les pulsions agressives.

6. L'angoisse et les mécanismes de défense sont des concepts essentiels à la dynamique de l'appareil psychique. L'angoisse est une émotion pénible qui sert à signaler l'imminence d'une menace. Les mécanismes de défense représentent des moyens de déformer la réalité et d'exclure des émotions du champ de la conscience pour éviter l'angoisse. Le refoulement, qui consiste à repousser hors du champ de la conscience une pensée ou un désir, est particulièrement important à cet égard.

7. Selon la théorie psychanalytique, la personne évolue en franchissant des stades de développement. Le développement des pulsions est associé au changement de zone érogène et il se traduit par les concepts de stade oral, de stade anal et de stade phallique. On considère le complexe d'Œdipe, qui apparaît au stade phallique, comme un phénomène psychologique très important ; c'est pourquoi il a fait l'objet de nombreuses études.

8. Le psychanalyste Erik Erikson a essayé d'élargir et d'approfondir la théorie psychanalytique en élaborant des stades du développement psychosocial.

9. La théorie psychanalytique souligne l'importance des premières expériences, notamment au cours des cinq premières années de la vie, pour le développement de la personnalité, comme l'illustrent les études consacrées à la relation entre

les premières expériences et les troubles psychologiques ultérieurs. La portée des premières expériences varie sans doute selon la gravité des événements vécus durant cette période ; des événements plus tardifs peuvent également venir renforcer ces premières expériences, ou encore le développement de la personnalité peut s'engager dans de nouvelles voies.

Chapitre 4

L'approche psychodynamique : La théorie de Freud, applications et évaluation

Les applications cliniques

L'évaluation : les tests projectifs
La psychopathologie
Le changement de comportement

Les conceptions connexes et l'évolution de la théorie

Deux contestataires de la première heure
La place des facteurs culturels et interpersonnels
L'évolution de la théorie psychanalytique orthodoxe

L'évaluation critique

Les avantages
Les limites

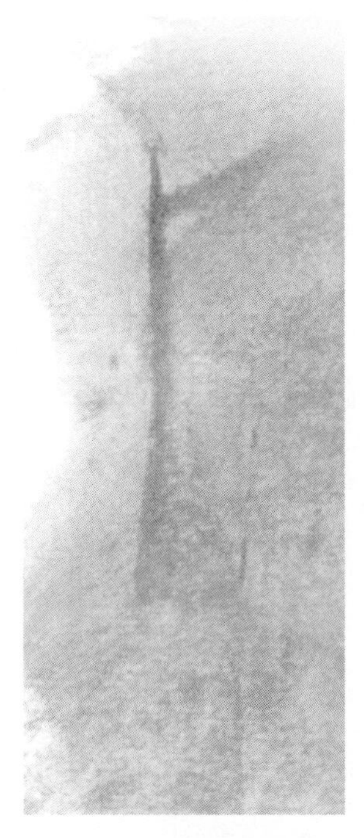

Lorsque vous étiez enfant, vous amusiez-vous à regarder les nuages? Il fallait pour cela un ciel bleu, rempli de gros nuages blancs et floconneux. Vous vous allongiez sur le gazon avec un ami et vous contempliez les nuages jusqu'à l'apparition d'une « forme ». À la longue, vous pouviez découvrir toutes sortes d'images intéressantes : des animaux, des dragons, le visage d'un vieil homme. Il vous était souvent impossible de faire part de vos découvertes à votre ami, car vous étiez le seul à les apercevoir. Pourquoi en était-il ainsi ? Vous deviez bien « projeter » quelque chose de vous-même dans le nuage...

C'est sur cette notion que se fondent les tests projectifs, comme le test de Rorschach et le test d'aperception thématique (TAT). Dans le présent chapitre, nous nous intéresserons tout particulièrement à ces tests qui sont des techniques d'évaluation de la personnalité associées à l'approche psychodynamique. Les tests projectifs se servent de stimuli ambigus pour obtenir des réponses très personnelles que le clinicien peut ensuite interpréter. Nous examinerons également les efforts déployés par Freud pour comprendre et expliquer les symptômes de ses patients, ainsi que pour élaborer un traitement systématique. Après avoir analysé l'évolution récente de la théorie psychanalytique, nous nous livrerons à une évaluation critique de l'approche psychodynamique et offrirons un résumé de la démarche.

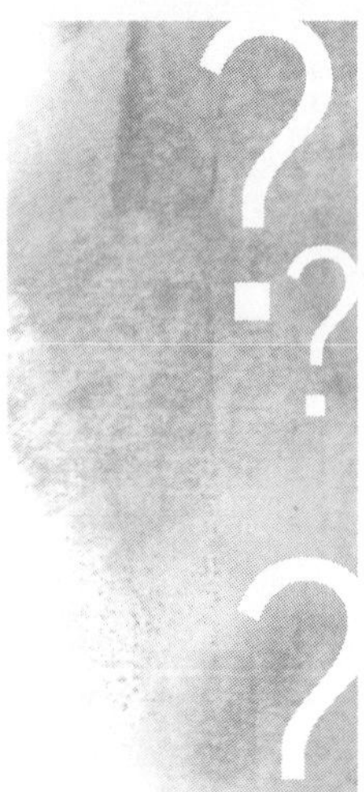

Le chapitre... *en questions*

1. Selon le point de vue psychanalytique, quels sont les tests de personnalité qui conviennent le mieux pour évaluer la personnalité de l'individu ?
2. Comment les diverses formes de psychopathologie s'expliquent-elles, d'après la théorie psychanalytique ?
3. À quels moyens la thérapie psychanalytique recourt-elle pour favoriser le développement et le fonctionnement psychologiques ?
4. Pourquoi les premiers disciples de Freud furent-ils si nombreux à rejeter la psychanalyse, lui préférant une autre théorie ?
5. Comment évalue-t-on la psychanalyse en tant que théorie de la personnalité ?

Les applications cliniques

La psychanalyse est une théorie clinique de la personnalité qui étudie l'individu de manière approfondie. Elle accorde une place centrale aux processus inconscients et au jeu des pulsions. Dans le présent ouvrage, nous avançons l'idée que la théorie de la personnalité ne représente pas une conception indépendante, mais plutôt une façon d'observer les individus. De plus, quand elle est liée à une approche de psychothérapie ou de changement, la théorie de la personnalité reflète des hypothèses de base communes. Examinons donc de quelle façon les concepts psychanalytiques fondamentaux se répercutent dans les méthodes d'évaluation de l'individu, de même que dans la compréhension et le traitement des troubles mentaux.

Test projectif *(projective test)*.
Test qui comprend généralement des stimuli flous et ambigus permettant aux participants de dévoiler leur personnalité en fonction de leurs réponses individuelles (test de Rorschach, test d'aperception thématique).

L'ÉVALUATION : LES TESTS PROJECTIFS

Même si de nombreux tests de personnalité peuvent être employés dans le cadre de la théorie psychanalytique, les **tests projectifs** sont les plus étroitement associés à la théorie. Ces tests projectifs recourent à des stimuli passablement ambigus ; le participant est libre d'y répondre d'une manière très personnelle sans pouvoir déterminer de quelle manière l'examinateur interprétera la réponse. Le terme de *projection*, en rapport avec les méthodes d'évaluation, a d'abord été utilisé par Henry A. Murray en 1938, mais c'est grâce à L.K. Frank que l'importance des tests projectifs a été mise en évidence pour la première fois en 1939. Celui-ci s'opposait aux tests standardisés qui, selon lui, classaient les gens, mais révélaient bien peu de choses sur un individu en particulier. Il plaidait en faveur de tests qui dévoileraient l'univers intime de l'individu, qui feraient entrevoir les significations et les émotions qui l'habitent. Ces tests permettraient à l'individu d'imposer aux stimuli sa structure et son organisation personnelles ; ils traduiraient par conséquent une conception dynamique de la personnalité.

Dans la présente section, nous analyserons deux tests projectifs : le test de Rorschach et le test d'aperception thématique. Ce sont deux tests non structurés, dans la mesure où les participants ont la possibilité de répondre comme bon leur semble. Il s'agit également de tests camouflés car, dans l'ensemble, les participants ignorent l'objectif des tests tout autant que l'interprétation qui sera donnée à chacune des réponses. La théorie psychanalytique est associée aux tests projectifs de la manière suivante :

1. La théorie psychanalytique met en évidence les différences individuelles et la complexité du fonctionnement de la personnalité. On considère la personnalité comme un ensemble de processus par lesquels l'individu structure les stimuli externes de l'environnement. Dans les tests projectifs, les participants organisent leur réponse comme ils l'entendent, ils en sélectionnent les éléments comme bon leur semble.
2. La théorie psychanalytique souligne l'importance de l'inconscient et des mécanismes de défense. Dans les tests projectifs, les directives et les stimuli offrent peu d'indications sur la façon de répondre ; de plus, les objectifs du test et l'interprétation des réponses sont dissimulés.
3. La théorie psychanalytique s'appuie sur une conception holistique de la personnalité et met en rapport ses diverses parties, au lieu de considérer le comportement comme l'expression d'éléments singuliers ou de caractéristiques de la personnalité. Les tests projectifs produisent habituellement des interprétations qui reposent sur la classification et l'organisation des réponses au test plutôt que sur l'interprétation d'une seule réponse reflétant un trait particulier.

Après avoir examiné les rapports généraux entre la théorie psychanalytique et les tests projectifs, passons maintenant à l'étude plus approfondie de deux tests projectifs.

Le test de Rorschach

Le test de Rorschach a été créé par Hermann Rorschach, psychiatre suisse. Même si d'autres chercheurs avaient analysé les taches d'encre, il fut le premier à comprendre comment utiliser les réponses des participants pour évaluer la personnalité. Il déposait de l'encre sur du papier et pliait la feuille pour produire des formes symétriques, mais mal définies. Il montrait ensuite ces taches d'encre à des patients hospitalisés. En procédant par tâtonnements, il en vint à conserver les taches d'encre qui suscitaient des réponses différentes dans divers groupes psychiatriques et à éliminer celles qui amenaient des réponses semblables. Rorschach a fait l'essai de milliers de taches d'encre pour finalement en garder dix.

Rorschach connaissait bien l'œuvre de Freud, le concept d'inconscient et la conception dynamique de la personnalité. Son test semble avoir été élaboré sous l'influence de cette conception. Rorschach croyait que les données recueillies grâce au test des taches d'encre amélioreraient la compréhension de l'inconscient et éclaireraient la théorie psychanalytique. C'est d'ailleurs sur cette théorie qu'il se basait pour interpréter les réponses des participants.

Le test de Rorschach comprend dix cartes représentant des taches d'encre. Lorsqu'il présente les cartes, l'expérimentateur essaie de mettre à l'aise les participants, il les rassure et leur fournit les renseignements nécessaires pour accomplir la tâche. Ainsi le test est-il présenté comme « l'une des nombreuses façons utilisées de nos jours pour tenter de comprendre l'être humain » ; l'expérimentateur procure aussi peu de renseignements que possible et déclare qu'« il vaut mieux ne pas trop connaître la méthode avant d'effectuer le test ». On demande aux participants de regarder les cartes une par une et de faire part à l'examinateur de ce qu'ils voient, de dire tout ce que la carte peut représenter. Chacun jouit d'une entière liberté pour le choix des formes, de leur emplacement, et de ce qui détermine sa perception. Toutes les réponses sont consignées sur la feuille prévue à cet effet.

Lorsqu'on interprète le test de Rorschach, on s'intéresse à la façon dont se manifeste la réponse ou l'image mentale, aux raisons sous-jacentes. On émet l'hypothèse suivante : l'individu forme ses perceptions selon un processus semblable à celui dont il se sert habituellement pour organiser et structurer les stimuli de son environnement. Les perceptions qui correspondent à la structure de la tache d'encre révèlent un fonctionnement psychologique satisfaisant et axé sur la réalité. En revanche, les réponses mal formées et qui ne correspondent pas à la structure de la tache d'encre indiquent des fantasmes irréalistes ou un comportement bizarre. Les réponses du participant (qu'il mentionne des objets animés ou inanimés, des êtres humains ou des animaux, un contenu exprimant l'affection ou l'hostilité) ont beaucoup d'importance dans l'interprétation de la personnalité. Il est possible de comparer par exemple deux séries de réponses, l'une comportant des animaux qui s'affrontent sans cesse et l'autre des êtres humains qui s'adonnent à des activités fondées sur le partage et la collaboration.

On peut en outre interpréter symboliquement le contenu et considérer que le fait de percevoir une explosion représente une vive hostilité ; un cochon, une tendance à la gloutonnerie ; un renard, une propension à la ruse et à l'agressivité ; des araignées, des sorcières et des pieuvres, des images négatives d'une mère dominatrice ; des gorilles et des géants, des sentiments négatifs envers un père dominateur ; et une autruche, la volonté de se soustraire aux conflits (Schafer, 1954). La figure 4.1 offre deux exemples de stimuli et de réponses.

Il est important de signaler que le test de Rorschach n'est pas interprété en fonction d'une seule réponse, mais en rapport avec l'ensemble des réponses. Cependant, chaque réponse peut suggérer des hypothèses ou des interprétations concernant la personnalité de l'individu. Ces hypothèses font l'objet de comparaisons avec des interprétations fondées sur d'autres réponses, sur le schéma de réponse global et sur le comportement du participant pendant qu'il passe le test. L'examinateur prend note de tout comportement inhabituel et se sert de ces observations pour l'interprétation ultérieure. Par exemple, le participant qui ne cesse de demander des conseils sera peut-être considéré comme un individu dépendant ; celui qui semble tendu, qui pose des questions d'une manière subtile et qui examine le verso des cartes sera peut-être perçu comme une personne méfiante et même paranoïaque.

Réponse Il s'agit de deux ours dont les pattes se touchent en jouant, ou peut-être qu'ils se battent et que le rouge représente le sang qui coule lors de cette bataille.

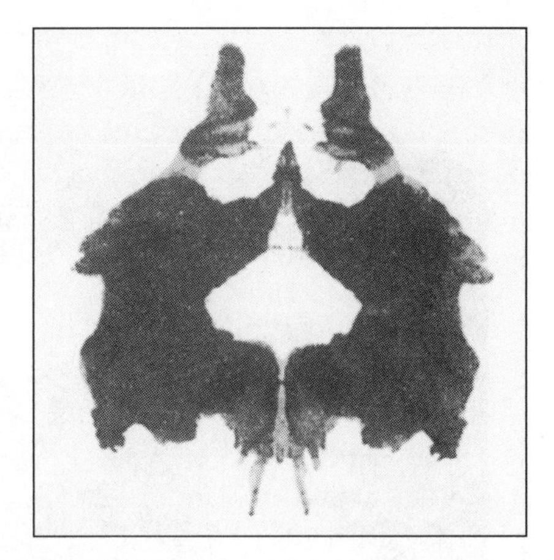

Réponse Ce sont deux cannibales. On est censé voir quelque chose dans ces taches ? Des Africains penchés au-dessus d'un chaudron. En train de cuisiner… j'espère qu'ils ne sont pas cannibales ! Je ne devrais pas blaguer… toujours porté à faire de l'humour. (S'agit-il d'hommes ou de femmes ?) Ça pourrait être un homme ou une femme. Plutôt une femme à cause des seins, là. Mais au premier coup d'œil je n'arrive pas à déterminer le sexe.

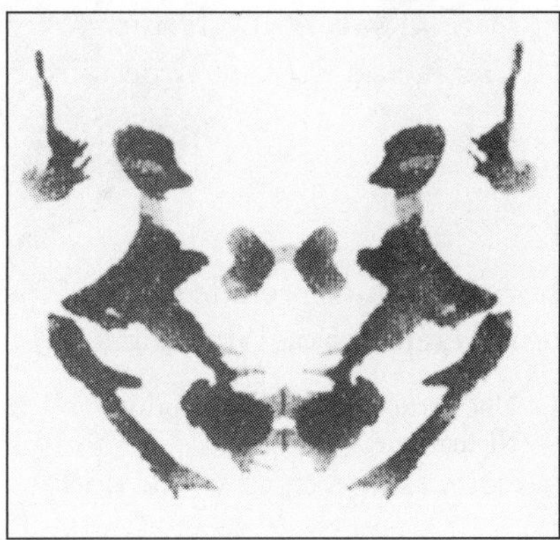

Figure 4.1 Deux cartes tirées du test de Rorschach. Précisons que les taches d'encre sont normalement en couleurs. (Hans Huber, éditeurs.)

Le test d'aperception thématique

Le test d'aperception thématique (TAT), qu'on doit à Henry Murray et à Christina Morgan, figure parmi les tests projectifs les plus couramment employés. Le test comprend des cartes représentant pour la plupart des événements importants de la vie ; elles mettent en scène une ou deux personnes, mais certaines sont plus abstraites. On demande au participant d'inventer une histoire en fonction de la scène illustrée sur la carte, de raconter notamment ce que les individus font, pensent et ressentent, ce qui est à l'origine de la scène et quel en est le dénouement. Comme les scènes sont souvent ambiguës, elles donnent à l'individu une grande latitude dans son récit : « Le test se fonde sur le fait bien établi que, lorsqu'un individu interprète une situation sociale ambiguë, il a tendance à dévoiler sa personnalité au même titre que le phénomène qui l'intéresse » (Murray, 1938, p. 530).

Certaines cartes du test sont présentées aux hommes et aux femmes ; d'autres sont montrées uniquement aux participants du même sexe. Vous trouverez à la figure 4.2 un exemple de carte et les réponses fournies par deux femmes. Murray décrit ainsi la carte proposée à des participantes : « Le portrait d'une jeune femme. Une vieille femme bizarre, portant un châle sur la tête, fait la grimace à l'arrière-plan. » Parmi les thèmes apparaissant le plus fréquemment en réponse à cette carte, notons les déceptions causées par les parents, les pressions qu'ils ont exercées et les idées tristes inspirées par le passé. De plus, certaines femmes pensent que la femme plus jeune entrevoit son côté obscur ou s'imagine en vieille femme (Holt, 1978).

Une carte du test d'aperception thématique.

Illustration 1 C'est la représentation d'une femme qui a été, sa vie durant, très méfiante et très manipulatrice. Elle se regarde dans le miroir et aperçoit à l'arrière-plan le reflet de ce qu'elle deviendra en vieillissant, une personne toujours aussi méfiante et manipulatrice. Cette vision lui est insupportable ; elle fracasse le miroir, sort de la maison en criant, devient folle et est enfermée jusqu'à la fin de ses jours.

Illustration 2 Cette femme a toujours accordé beaucoup d'importance à la beauté dans sa vie. Fillette, on la trouvait jolie et, jeune femme, elle exerçait un grand attrait sur les hommes grâce à sa beauté. Même si, la plupart du temps, elle se sentait au fond d'elle-même anxieuse et sans valeur, sa beauté lui permettait de dissimuler ses sentiments, aussi bien envers les autres que parfois à l'égard d'elle-même. Maintenant qu'elle vieillit et que les enfants quittent la maison, elle s'inquiète de l'avenir. Elle se regarde dans le miroir et se voit en vieille sorcière — la pire illustration de ce qu'elle pourrait devenir, laide et méchante — et se demande ce qu'il adviendra d'elle. C'est dans sa vie une période difficile et déprimante.

Figure 4.2 Une carte du test d'aperception thématique et les réponses qu'elle suscite. (Reproduction autorisée par Henry A. Murray, *Thematic apperception test, Plate 12F,* Cambridge, Mass.: Harvard University Press, Copyright © 1943 by the President and Fellows of Harvard College, © 1971 by Henry A. Murray.)

La réflexion qui sous-tend le test d'aperception thématique met en lumière ses rapports avec l'approche psychodynamique. Selon Murray (1938), le test révèle les tendances inconscientes et refoulées. On présume que les participants ne se rendent pas compte qu'ils parlent d'eux-mêmes et que leurs mécanismes de défense peuvent être ainsi déjoués : « Si la méthode avait simplement permis de dévoiler des fantasmes conscients et de se remémorer des événements, elle aurait démontré son utilité. Mais il y a plus : elle a fourni à l'expérimentateur d'excellents indices permettant d'entrevoir des thématiques inconscientes ! » (p. 534).

Il est possible de mesurer systématiquement les réponses des participants selon un procédé élaboré par Murray, ou en s'appuyant sur des interprétations plus impressionnistes (Cramer, 1996 ; Cramer et Block, 1998). On fait usage du test d'aperception thématique tant dans le travail clinique que dans les études expérimentales portant sur la motivation chez l'être humain. Le test suppose qu'il existe un lien étroit entre le fantasme exprimé (l'histoire imaginée à partir de la carte) et la motivation sous-jacente, de même qu'un rapport entre ce fantasme et le comportement. Les efforts entrepris pour vérifier ces hypothèses ont abouti à des résultats mitigés. On peut associer le fantasme à l'expression de ce qui motive le comportement, ou encore s'y substituer. Ainsi, l'individu animé d'une intense agressivité envers les autres peut exprimer cette impulsion dans le fantasme (test) et dans le comportement ; il peut se contenter de la représenter dans le fantasme et ainsi empêcher qu'elle s'extériorise.

Les tests projectifs et la recherche

On a utilisé les tests projectifs dans de nombreux types de recherche, qui s'appuient aussi bien sur la théorie psychanalytique que sur d'autres approches. Une étude portant sur les humoristes, les clowns et les acteurs permet d'illustrer l'emploi des tests projectifs et de l'approche psychodynamique (Fisher et Fisher, 1981). Dans cette étude, on souhaitait éclairer l'origine, la motivation et la personnalité des individus qui font rire les gens par opposition à ceux qui les divertissent au moyen du jeu théâtral. On a interviewé des clowns, des humoristes et des acteurs professionnels, et on leur a demandé de passer des tests projectifs comme le test de Rorschach et le test d'aperception thématique.

En quoi une telle recherche aide-t-elle à mieux comprendre les humoristes et les clowns ? On a d'abord constaté qu'ils avaient commencé à faire de l'esprit tôt dans la vie, notamment à l'école, même si leurs parents leur donnaient peu d'encouragement à cet égard. Ensuite, plusieurs raisons semblent contribuer à leur décision de devenir humoristes. En voici quelques-unes, suggérées par les données recueillies :

1. **Pouvoir.** La capacité d'exercer une emprise sur un auditoire et de faire rire les gens.
2. **Vif intérêt pour le bien et le mal et volonté d'offrir une image positive de soi.** « Nous supposons que l'une des motivations importantes des humoristes pour jongler avec l'humour est de faire la preuve qu'ils ne sont ni méchants ni répugnants. Ils tiennent absolument à démontrer qu'ils sont foncièrement bons » (p. 69).
3. **Dissimulation et déni.** L'humour sert à fuir les difficultés et agit comme un écran pour se protéger lorsque l'individu se sent intimidé ou inférieur.
4. **Anarchie.** Les humoristes déprécient les normes établies, ne respectent rien et tournent tout en ridicule.

Examinons les résultats du test de Rorschach qui illustrent deux de ces motivations, en commençant par le vif intérêt pour le bien et le mal. On a conçu un système de pointage pour évaluer la fréquence d'apparition de ces thèmes dans les feuilles de réponses du test de Rorschach. Les réponses les plus courantes avaient un rapport direct avec le bien et le mal (par exemple, une personne méchante d'apparence vertueuse), avec les questions religieuses (église, ange, démon, paradis, purgatoire) ou avec les personnes souvent liées au bien et au mal (policier, criminel, juge, pécheur). Les réponses au test de Rorschach fournies par trente-cinq humoristes et clowns comportaient un nombre considérablement plus élevé de références au bien et au mal que celles de trente-cinq acteurs qui n'étaient pas humoristes. On s'est ensuite penché sur la dissimulation et le déni. De nombreuses réponses au test de Rorschach semblaient nier que les choses soient aussi mauvaises ou menaçantes qu'elles le paraissent. En voici quelques exemples : « Visages, d'aspect méchant... Le méchant n'est pas très méchant. Une mascarade » ; « Méphisto... personnage charmant » ; « Tigre, adorable tigre » ; « Monstre... Il est gentil » ; « Loup-garou... Il est incompris... Les gens ont peur. Si on s'approche et on lui parle, il est bien » ; « Deux démons. Démons amusants. Ne pas les prendre au sérieux ». Lorsqu'on analyse les réponses des humoristes, on constate qu'elles contiennent un nombre beaucoup plus élevé de ces personnages « pas méchants » que chez les acteurs. En outre, les réponses des humoristes comportent beaucoup plus de thèmes liés à la dissimulation (cachette, masque, déguisement, magie, tours) que celles des acteurs.

Le dernier thème relevé dans cette étude est le malaise que de nombreux humoristes et clowns éprouvent à propos d'une partie de leur corps ou de leur personne en général. Pensons aux blagues de Cyrano de Bergerac au sujet de son nez, ou encore à l'humoriste Marty Feldman et à ses yeux globuleux. Il aurait déclaré ce qui suit au sujet de son apparence : « C'est la somme des catastrophes de ma vie. Si j'avais voulu ressembler à Robert Redford, si je m'étais fait corriger les yeux et le nez, ma carrière aurait été celle de bien d'autres acteurs et j'aurais obtenu un rôle de figurant dans Kojak. Mais en conservant mon apparence je me distingue des autres » (*The New York Times*, 4 décembre 1982). Bref, les humoristes considèrent la comédie comme un moyen qui leur permet de surmonter un certain sentiment d'infériorité.

En évaluant cette étude, nous avons la possibilité d'analyser brièvement les avantages et les inconvénients aussi bien de ce type de recherche que des tests projectifs. Le test de Rorschach, ainsi que les tests projectifs en général, constitue un outil extraordinaire pour discerner les fantasmes personnels et la complexité de la perception individuelle. Il est toutefois extrêmement difficile de corroborer les hypothèses théoriques ou d'établir la fidélité et la validité du test proprement dit. Ceux qui utilisent les techniques projectives soulignent que ce sont les seuls tests qui permettent de saisir la richesse de la personnalité. Les stimuli ambigus suscitent des réponses personnelles et originales par lesquelles l'individu exprime ce qui lui est propre. Le psychologue considère le test de Rorschach comme un microscope ou une radiographie capable d'atteindre les profondeurs de la personnalité de l'individu. Les données recueillies au moyen d'autres tests passent pour insignifiantes et fragmentées. En revanche, les efforts visant à procurer une représentation multidimensionnelle de la personnalité globale engendrent des problèmes dans la recherche empirique. C'est pourquoi on éprouve tant de difficultés à établir la fidélité et la validité du test de Rorschach ou des autres tests projectifs.

Nous devons faire face, une fois de plus, à la tension entre la richesse des données psychodynamiques cliniques et les exigences scientifiques de la recherche systématique. Nous rencontrerons de nouveau cette tension lorsque nous verrons comment la théorie psychanalytique définit la psychopathologie et la modification de la personnalité.

LA PSYCHOPATHOLOGIE

Il est difficile d'évaluer la théorie psychanalytique si on ne comprend pas la nature des comportements souvent bizarres et curieux qui furent portés à la connaissance de Freud. Au cours de sa carrière, il a surtout travaillé auprès de patients atteints de troubles névrotiques. En fait, les éléments les plus importants de sa théorie reposent sur les observations provenant de son travail. Au cours de ses recherches, Freud a établi que les processus psychologiques détectés chez ses patients n'étaient pas particuliers à ceux qui souffrent de troubles névrotiques, mais qu'ils étaient présents sous des formes et à des degrés divers chez tous les individus. Ainsi peut-on affirmer que sa théorie, même si elle repose sur les observations effectuées auprès de ses patients, représente une théorie générale du fonctionnement de la personnalité plutôt qu'une théorie du comportement anormal.

Les types de personnalité

Comme nous l'avons mentionné, Freud croyait que les cinq premières années étaient cruciales pour l'individu ; au cours de cette période, bien des ratés peuvent entraver le développement des pulsions. Ces échecs constituent des **fixations**. Il y aura fixation si l'individu obtient trop peu de satisfaction au cours d'un stade de développement et s'il craint de passer au stade suivant, ou s'il obtient trop de satisfaction et n'a pas d'incitation à poursuivre son développement. Si une fixation apparaît, l'individu cherche à obtenir à des stades ultérieurs le type de satisfaction qu'il était opportun d'obtenir à un stade antérieur. Par exemple, la personne qui présente une fixation au stade oral peut continuer de rechercher une satisfaction orale en mangeant, en fumant ou en buvant. La fixation est généralement liée à la **régression**, par laquelle l'individu cherche à retourner à un état où il avait obtenu la satisfaction, à un point de fixation antérieur. La régression apparaît souvent en situation de stress, de sorte que de nombreux individus s'empiffrent, fument ou boivent trop d'alcool uniquement lors des périodes de frustration ou d'angoisse.

Fixation *(fixation).*
Concept freudien qui exprime l'arrêt ou l'interruption du développement psychosexuel de l'individu à un moment donné.

Régression *(regression).*
Concept freudien qui exprime le retour à un stade antérieur de développement dans la façon dont l'individu se comporte envers autrui et envers lui-même.

Le caractère oral ▪ Les concepts de stades de développement, de fixation et de régression sont d'une importance considérable dans la théorie psychanalytique du développement. La façon dont les caractéristiques de la personnalité se mettent en place dans l'enfance et se maintiennent par la suite constitue l'un de ses aspects les plus intéressants. Pour chacun des premiers stades de développement, il y a un type de caractère qui s'élabore en raison de fixations partielles à ce stade (tableau 4.1). Les caractéristiques du **caractère oral**, par exemple, correspondent aux processus en cours pendant le stade oral de développement et que l'individu conserve ultérieurement. On reconnaît une personne au caractère oral à son égocentrisme et à la difficulté qu'elle éprouve à considérer autrui comme un être distinct. Elle ne perçoit les autres qu'en fonction de ce qu'ils peuvent lui offrir (nourriture). Elle demande toujours quelque chose, sous la forme d'une prière ou d'une revendication.

Caractère oral *(oral personality).*
Concept freudien désignant un type de personnalité qui exprime une fixation au stade oral du développement et qui entretient un rapport au monde en fonction du désir d'être nourri ou englouti.

Le caractère anal ▪ Le **caractère anal** dérive du stade de développement correspondant. Contrairement à la satisfaction reliée à la bouche et à l'activité orale, qu'il est possible à l'âge adulte d'exprimer sous une forme très peu inhibée, les désirs relevant de l'analité doivent subir d'importantes modifications. En général, les attributs du caractère anal correspondent aux processus en cours au stade anal de développement et qui n'ont pas été complètement abandonnés. Il s'agit principalement des processus corporels (accumulation et relâchement des fèces) et des relations interpersonnelles (la lutte de pouvoir au sujet de l'apprentissage de la propreté). Associant les deux processus, l'individu ayant une personnalité de type anal

Caractère anal *(anal personality).*
Concept freudien désignant un type de personnalité qui exprime une fixation au stade anal du développement et qui entretient un rapport au monde en fonction du désir de contrôle ou de pouvoir.

Tableau 4.1 Attributs de la personnalité associés aux types de caractère psychanalytiques

Type de caractère	Attributs de la personnalité
Oral	Exigeant, impatient, envieux, avide, jaloux, furieux, déprimé (sentiment de vide intérieur), méfiant, pessimiste
Anal	Rigide, en quête de pouvoir et de contrôle, préoccupé par les obligations et les devoirs, le plaisir et les possessions, angoissé au sujet de l'absence ou de la perte de contrôle, inquiet d'avoir à choisir entre la soumission ou la rébellion
Phallique	Homme : exhibitionniste, compétitif, en quête de réussite, mise en évidence de la masculinité, du machisme et de la virilité Femme : naïve, séductrice, exhibitionniste, qui aime flirter

accorde aux excrétions un pouvoir symbolique considérable. La persistance de ce point de vue apparaît dans de nombreuses expressions d'usage courant, par exemple dans le fait de donner aux toilettes le nom de « trône ». Le passage du caractère oral au caractère anal se traduit de la façon suivante : « Donnez-moi » devient « Fais ce que je dis » ou « Je dois te donner » devient « Je dois t'obéir ».

Le caractère anal se reconnaît par un ensemble de trois traits, qu'on appelle *triade anale* : ordre et propreté, parcimonie et avarice, obstination. Les personnes au caractère anal compulsif éprouvent le besoin de faire régner partout l'ordre et la propreté, ce qui représente une formation réactionnelle à l'intérêt porté au désordonné et au sale. Le deuxième trait de la triade, la parcimonie et l'avarice, correspond à l'intérêt anal compulsif qui pousse à collectionner les choses ; cet intérêt remonte au désir de retenir les si puissantes et si importantes fèces. Le troisième trait, l'obstination, renvoie au refus infantile de se départir de ses fèces, notamment sur l'ordre d'autrui. Selon une tendance évoquant l'apprentissage de la propreté et la lutte de pouvoir auquel il avait donné lieu, les personnes au caractère anal cherchent souvent à être maîtres des événements, à avoir une emprise sur les autres ou à les dominer.

Caractère phallique *(phallic character).* Concept freudien désignant un type de personnalité qui exprime une fixation au stade phallique du développement et qui s'efforce de réussir en rivalisant avec autrui.

Le caractère phallique ■ Si les personnalités de type oral et anal correspondent à des fixations partielles aux deux premiers stades de développement, le **caractère phallique** représente quant à lui le résultat d'une fixation partielle au stade du complexe d'Œdipe. La fixation a des répercussions différentes chez l'homme et la femme, et on s'est notamment attardé aux effets d'une fixation partielle chez les hommes. Alors que pour la personne au caractère oral, le succès signifie « J'obtiens », pour la personne au caractère anal il évoque « Je contrôle » et pour la personne au caractère phallique masculin il se rend par « Je suis un homme ». L'individu doté d'un caractère phallique masculin doit nier toute suggestion de castration. Pour lui, réussir veut dire démontrer son « immensité » aux yeux des autres. Il doit en tout temps affirmer sa masculinité et sa puissance, comme l'illustrent ces propos de Theodore Roosevelt : « Parlez doucement, mais ayez avec vous un gros bâton ! » Le caractère excessif, exhibitionniste, du comportement de ces individus fait écho à l'angoisse de la castration qui les habite.

Chez la femme, le caractère phallique masculin reçoit le nom de *caractère hystérique*. Pour se protéger de ses désirs œdipiens, la fillette s'identifie d'une manière excessive à sa mère et à la féminité. Elle emploie la séduction et le flirt pour retenir l'intérêt de son père, mais nie tout dessein de nature sexuelle. Ce mode de comportement est ensuite repris à l'âge adulte ; elle attirera alors les hommes par le flirt tout en refusant d'admettre qu'elle entretient des visées sexuelles et paraîtra en général quelque peu naïve. Les personnes de type hystérique féminin idéalisent la vie, leurs partenaires et l'amour ; les moments plus sombres de la vie les bouleversent souvent.

Le conflit et les mécanismes de défense

Selon Freud, toutes les formes de psychopathologie constituent des tentatives pour satisfaire des pulsions qui ont fait l'objet d'une fixation à un stade antérieur de développement. Ainsi l'individu cherchera-t-il à satisfaire ses pulsions sexuelles et ses pulsions agressives sous des formes infantiles qui relèvent de la psychopathologie. Toutefois, en raison de son association avec un traumatisme passé, l'expression de ce désir peut être interprétée comme une menace pour le moi et engendrer de l'angoisse. Il en résulte une situation conflictuelle dans laquelle les mêmes comportements évoquent à la fois le plaisir et la douleur. Par exemple, un individu cherchera à être dépendant d'autrui, mais craindra que la réalisation de ce souhait ne l'expose à la frustration et à la perte (douleur). Le désir de céder à un comportement sexuel neutralisé par la culpabilité et la crainte d'être puni ou blessé représente un autre exemple de situation conflictuelle. Citons en troisième lieu le conflit entre le désir d'exercer des représailles contre des personnes puissantes, représentant les parents, et la crainte que celles-ci ne ripostent d'une manière violente et destructrice. Le désir et l'angoisse se trouvent chaque fois en conflit. La plupart du temps, l'individu ne peut pas dire « non », il ne peut pas s'affirmer, ou bien il se sent neutralisé et malheureux (tableau 4.2).

Comme nous l'avons mentionné, l'angoisse représente un aspect crucial du conflit. Pour atténuer la douloureuse expérience de l'angoisse, les mécanismes de défense dont il a été question au chapitre 3 entrent en jeu. Ainsi, l'individu peut nier son agressivité ou la projeter sur autrui ; dans les deux cas, il n'a plus à la redouter. La psychopathologie s'occupe donc des conflits surgissant entre, d'une part, une pulsion ou un désir et, d'autre part, le sentiment entretenu par le moi (angoisse) qu'une menace s'ensuivra si le désir est exprimé (libéré). Pour se protéger contre cette éventualité et éviter l'angoisse, la personne recourt à des mécanismes de défense. Sur le plan structurel, la névrose résulte d'un conflit entre le ça et le moi ; sur le plan fonctionnel, une pulsion qui cherche à se libérer provoque de l'angoisse et le mécanisme de défense s'enclenche.

Dans de nombreux cas, le conflit entre le ça et le moi, entre la pulsion et le mécanisme de défense, provoque l'apparition d'un **symptôme**. Qu'il se manifeste sous la forme d'un tic, d'une paralysie d'origine psychologique ou d'une compulsion, le symptôme représente l'expression déguisée d'une pulsion refoulée. La signification du symptôme, la nature de la pulsion menaçante et du mécanisme de défense demeurent inconscientes. Par exemple, une mère sera fortement obsédée par l'idée qu'il pourrait

Symptôme *(symptom).*
En psychopathologie, expression d'un conflit psychologique ou d'un fonctionnement psychologique perturbé. Selon Freud, c'est l'expression déguisée d'une pulsion refoulée.

Tableau 4.2 Théorie psychanalytique de la psychopathologie

Exemples de conflits		**Mécanismes de défense et comportement**
DÉSIR	ANGOISSE	MÉCANISMES DE DÉFENSE
J'aimerais avoir des rapports sexuels avec cette personne.	Ces désirs sont mauvais et seront punis.	Déni de tous les comportements sexuels, obsession du comportement sexuel d'autrui.
J'aimerais éliminer tous ceux qui me donnent le sentiment d'être inférieur.	Si je suis hostile, ils riposteront et me blesseront vraiment.	Déni de tout sentiment de désir ou de peur : « Je ne me sens jamais en colère » ; « Je n'ai peur de rien ni de personne ».
J'aimerais me rapprocher des autres et les laisser me nourrir ou prendre soin de moi.	Si je fais cela, ils m'étoufferont ou m'abandonneront.	Indépendance excessive et refus de la proximité, ou ambivalence des désirs de rapprochement et de fuite ; besoin excessif de s'occuper des autres.

APPLICATIONS ACTUELLES

Santé et répression des émotions

Voilà plus de cinquante ans, les psychanalystes ont proposé d'établir des rapports entre la dynamique de la personnalité et la santé, notamment entre certains types de conflits et certains types de problèmes somatiques. Les spécialistes de la médecine psychosomatique croyaient alors que chaque trouble émergeait d'une constellation affective particulière. Selon eux, l'ulcère gastroduodénal, par exemple, résultait d'une insatiable, mais inconsciente, soif d'amour et de dépendance, dont on se protégeait en adoptant un mode de vie actif, productif et intense. L'hypertension affectait les personnes d'apparence aimable, mais qui tremblaient de rage à l'intérieur.

Ces idées sont aujourd'hui discréditées parce que les rapports entre les facteurs psychologiques et la maladie physique semblent plus complexes qu'on ne l'avait imaginé. Sous une forme différente, on assiste à l'heure actuelle à un renouvellement de l'intérêt pour quelques-unes de ces premières idées de la théorie psychanalytique. On dispose de données montrant qu'il est néfaste pour la santé de réprimer constamment ses émotions. Pareille attitude peut avoir des effets négatifs sur l'évolution du cancer, des ulcères et des maladies cardiaques. Par ailleurs, le fait d'exprimer ses émotions, ou d'éviter de les réprimer, représenterait une forme d'adaptation active qui réduirait les risques d'être atteint de maladie et améliorerait le prognostic.

Sources: Jensen, 1987; Levy, 1984; Pennebaker, 1985, 1990; Petrie, Booth et Pennebaker, 1998; Temoshok, 1985, 1991.

arriver un accident à son enfant. Au fond, la mère est peut-être furieuse contre l'enfant et angoissée par le mal qu'elle est susceptible de lui faire. Le symptôme de l'obsession exprime à la fois la crainte éprouvée par la mère en pensant qu'elle pourrait blesser son enfant et le mécanisme de défense contre cette éventualité qui s'exprime par le biais d'une préoccupation excessive pour le bien-être de l'enfant. Dans un autre exemple, une personne se sent obligée de se laver constamment les mains, de façon compulsive; ce symptôme représente à la fois le désir d'être sale, ou de faire des choses « sales », et le mécanisme de défense contre ce désir, qui se traduit par une propreté excessive. Dans les deux cas, ni le désir ni le mécanisme de défense n'affleure à la conscience; seul le symptôme se manifeste. Certes, nombre de gens échappent à cette sorte de difficultés ou de symptômes, mais les psychanalystes affirment néanmoins que ces concepts rendent compte de tous les problèmes psychologiques.

Résumons-nous: selon la théorie psychanalytique, les troubles mentaux représentent des fixations dans le développement de l'individu; ils sont liés à des conflits entre les désirs et les peurs qui, appartenant à une période déterminée de l'enfance, ont été reportés à l'adolescence et à l'âge adulte. L'individu essaie de contrer l'angoisse qui constitue l'aspect douloureux de ce conflit en recourant à des mécanismes de défense. Cependant, si le conflit devient trop intense, ces mécanismes de défense peuvent engendrer des symptômes névrotiques ou déboucher sur le retrait psychotique de la réalité. Les symptômes représentent le conflit inconscient entre le désir ou la pulsion et l'angoisse. Dans tous les cas de comportement anormal, il existe un conflit inconscient, qui remonte à l'enfance, entre un désir, ou une pulsion, et une peur. Les adultes conservent en eux des éléments enfantins qui, sous l'effet du stress ou pour d'autres raisons, se réactiveront et deviendront difficiles à supporter.

LE CHANGEMENT DE COMPORTEMENT

Comment le changement de comportement se produit-il ? Une fois qu'un modèle de comportement, une manière de penser et de réagir aux situations se sont établis chez l'individu, par quel processus la modification de la personnalité survient-elle ? Selon la théorie psychanalytique, la personnalité humaine se développe lorsqu'un niveau optimal de frustration est maintenu. En présence d'une frustration trop faible, ou bien trop forte, à un stade de développement déterminé, la personnalité ne se développe pas normalement et on assiste à l'apparition d'une fixation. Lorsque cela se produit, l'individu reproduit le modèle de comportement sans se soucier du fait que la situation a changé. Lorsqu'un modèle névrotique s'est formé, est-il possible d'interrompre le cycle répétitif et de poursuivre le développement ?

L'exploration de l'inconscient : l'association libre et l'interprétation des rêves

Dans ses premières tentatives pour changer le comportement, Freud a utilisé l'*hypnose cathartique*. On croyait alors que les symptômes névrotiques seraient soulagés si on laissait se décharger les émotions paralysées. Freud n'aimait pas utiliser l'hypnose ; en effet, cette méthode ne s'appliquait pas à tous les patients, elle ne procurait que des résultats transitoires et il n'avait pas l'impression d'en apprendre beaucoup sur le mode de fonctionnement psychique. La deuxième technique psychanalytique fut celle de la suggestion effectuée à l'état de veille. Freud plaçait sa main sur la tête du patient et l'assurait qu'il pouvait se remémorer des expériences affectives refoulées et les regarder en face. Parce qu'on s'intéresse davantage à l'interprétation des rêves, il se concentre sur la méthode de l'**association libre** et il en fait un procédé constitutif de la psychanalyse. Dans l'association libre, on demande au patient de faire part à l'analyste de toutes les pensées qui lui viennent à l'esprit, de façon spontanée et sans en rejeter aucune.

Association libre *(free association).* En psychanalyse, méthode par laquelle le patient rend compte à l'analyste de tout ce qui lui vient à l'esprit.

Le rêve est la « voie royale » de l'inconscient. Grâce à la méthode de l'association libre, l'analyste et le patient sont en mesure de dépasser le contenu manifeste du rêve pour atteindre le contenu latent, c'est-à-dire la signification cachée qu'exprime le désir inconscient. Les rêves, comme les symptômes, sont des déguisements et ils représentent des désirs partiellement satisfaits. Dans le rêve, l'individu peut satisfaire un désir hostile ou sexuel d'une manière déguisée, et par conséquent sans danger. Par exemple, au lieu de tuer quelqu'un, on peut en rêve imaginer une bataille au cours de laquelle un personnage donné trouvera la mort. Ici, le désir demeure d'une certaine manière manifeste, mais dans d'autres cas il sera nettement plus camouflé. L'association libre permet de dévoiler le déguisement.

Au départ, Freud croyait qu'il suffisait de rendre l'inconscient conscient pour que s'opèrent le changement et la guérison. La théorie voyait alors dans le refoulement des souvenirs le fondement de la pathologie. Freud s'est ensuite rendu compte qu'on ne pouvait se contenter de mettre au jour les souvenirs enfouis. L'exploration des désirs et des conflits qui étaient demeurés cachés devait s'accompagner des émotions correspondantes.

Selon la théorie psychanalytique, pour effectuer un changement thérapeutique, il faut s'attaquer aux émotions et aux désirs auparavant inconscients et faire face à ces expériences douloureuses dans un cadre où le patient se sent en sécurité. Si on définit les troubles mentaux comme des fixations à un stade antérieur de développement, le patient qui a suivi une cure psychanalytique est libre de poursuivre son développement psychologique normal. Ceux qui connaissent ce genre de troubles tendent à endiguer leurs pulsions et à utiliser l'énergie à des fins défensives. La psychanalyse vise à redistribuer l'énergie afin d'accroître l'énergie disponible pour des activités empreintes de maturité, dépourvues de culpabilité, moins rigides et plus satisfaisantes. Là où il y avait conflit et mécanismes de défense, la psychanalyse veut atténuer le conflit et libérer le patient des restrictions imposées par les processus défensifs. Face au patient dominé par l'inconscient et la tyrannie du ça, la psychanalyse rend conscient ce qui était inconscient et place sous le contrôle du moi ce qui se trouvait auparavant sous la domination du ça ou du surmoi.

Le processus thérapeutique : le transfert

En somme, on peut considérer la psychanalyse comme un processus d'apprentissage par lequel le patient reprend le processus de développement interrompu lors de l'apparition de la névrose et le mène à terme. Il s'agit de remettre le patient en contact, dans des conditions plus favorables, avec les situations affectives auxquelles il n'a pu faire face par le passé. La relation de transfert et le développement d'une névrose de transfert interviennent dans ce processus. Le **transfert** désigne le processus par lequel le patient reporte sur l'analyste des sentiments éprouvés dans le passé à l'égard d'autres figures parentales. Puisqu'il se rapporte à la déformation de la réalité en fonction des expériences du passé, le transfert survient dans la vie quotidienne de tout un chacun et dans toutes les formes de psychothérapie. Par exemple, la recherche a démontré que les individus ont en tête des images mentales associées à des émotions qui reposent sur les premières relations interpersonnelles. Ces représentations mentales à forte charge affective influent sur notre manière de percevoir autrui, sur notre comportement envers lui ainsi que sur nos sentiments envers nous-mêmes. Ce transfert s'opère souvent d'une manière automatique et inconsciente (Andersen et Berk, 1998 ; Glassman et Andersen, 1999).

Transfert *(transference).* En psychanalyse, processus par lequel le patient manifeste envers l'analyste des attitudes et des sentiments enracinés dans les expériences qu'il a connues antérieurement auprès de figures parentales.

Par le transfert, le patient reproduit en thérapie ses interactions quotidiennes avec autrui et ses interactions avec des figures importantes du passé. Le patient qui voit dans la prise de notes une forme d'exploitation de la part de l'analyste exprime ainsi l'attitude qu'il adopte envers les individus qu'il rencontre dans son existence quotidienne et celle qu'il a eue envers les figures importantes de son passé. Dans l'association libre, l'individu de caractère oral s'inquiète de ce qu'il « apporte » à l'analyste et de ce que l'analyste lui donne en retour ; l'individu de caractère anal veut savoir qui exerce le pouvoir pendant les séances ; et l'individu de caractère phallique cherche à deviner qui remportera la compétition. Ces attitudes, qui appartiennent à l'existence quotidienne inconsciente du patient, sont révélées au cours de l'analyse.

Même si le transfert est une partie intégrante de toutes les relations et de toutes les formes de thérapie, dans la psychanalyse il devient une force dynamique servant à changer le comportement. De nombreux éléments structurels de la situation analytique sont organisés de manière à favoriser la mise en œuvre du transfert. La position du patient, allongé sur le divan, invite au développement d'une relation de dépendance. La fréquence des rencontres (jusqu'à cinq ou six par semaine) renforce l'importance affective de la relation analytique dans l'existence quotidienne du patient. Enfin, comme le patient entretient des rapports étroits avec l'analyste, alors qu'il le connaît très peu sur le plan personnel, ses réactions sont presque totalement déterminées par son conflit névrotique. L'analyste demeure un miroir ou un écran vierge sur lequel le patient projette ses désirs et ses angoisses.

L'incitation au transfert, ou la mise en place des conditions de son développement, provoque l'apparition de la névrose de transfert. C'est dans ce cadre que le patient laisse libre cours à ses conflits antérieurs. Le patient inscrit alors dans les aspects importants de sa relation avec l'analyste les désirs et les angoisses du passé. Le but n'est plus de guérir, mais d'obtenir de l'analyste ce dont il a été privé dans l'enfance. Au lieu de chercher le moyen de dépasser les rivalités, il se contentera peut-être de vouloir castrer l'analyste ; plutôt que d'essayer d'être moins dépendant d'autrui, il cherchera à obtenir de l'analyste qu'il satisfasse entièrement son besoin de dépendance. Le fait que ces attitudes se mettent en scène dans le cadre de l'analyse permet au patient ainsi qu'à l'analyste de découvrir les aspects pulsionnels et défensifs du conflit infantile original et de les comprendre. Il s'agit d'une démarche chargée de sens sur le plan affectif, en raison de l'investissement émotif considérable du patient dans la thérapie. Le changement survient lorsque, grâce à cette introspection touchant tant le plan intellectuel que le plan affectif, le patient se rend compte de la nature de ses conflits ; parce qu'il a une nouvelle perception de lui-même et du monde, il se sent libre de satisfaire ses pulsions d'une manière empreinte de maturité et exempte de conflits.

Alors que par le passé la culpabilité et l'angoisse avaient entravé son développement, dans la situation analytique le patient se retrouve face à ses conflits d'autrefois. Pourquoi la réponse serait-elle alors différente ? En fait, le changement qui survient dans l'analyse est attribuable à trois facteurs : le conflit revêt moins d'intensité dans l'analyse qu'il n'en avait dans la situation première ; l'analyste adopte une attitude différente de celle des parents ; le patient est plus âgé et plus mature au moment de l'analyse, autrement dit il est en mesure d'utiliser des éléments de son moi pour faire face aux aspects de son fonctionnement qui sont restés en friche. Ces trois facteurs permettent d'effectuer un réapprentissage sur lequel s'appuiera ce qu'Alexander et French (1946) nomment une « expérience affective correctrice ». La théorie psychanalytique soutient que les patients peuvent arriver à satisfaire leurs pulsions autant que faire se peut en respectant les limites qu'impose la réalité de même que leurs propres convictions morales. Il faut pour cela explorer les conflits anciens, mieux comprendre la nécessité de satisfaire les besoins infantiles et reconnaître la possibilité d'obtenir des satisfactions convenant davantage à l'âge adulte ; on admettra l'existence des angoisses du passé et on reconnaîtra qu'elles sont sans rapport avec les réalités actuelles.

Étude de cas : le petit Hans

Même si de nombreux psychiatres et psychologues ont consacré beaucoup de temps au traitement des patients, Freud est l'un des rares qui ait présenté des cas en détail ; ces descriptions remontent pour la plupart au début de sa carrière. Bien que ces présentations de cas aident le lecteur à saisir de nombreux aspects de la théorie psychanalytique, il faut rappeler qu'elles ont précédé l'élaboration des concepts de pulsions sexuelles et de pulsions agressives, la mise au point de la structure de la personnalité, ainsi que de la théorie de l'angoisse et des mécanismes de défense.

La description du problème

Le cas du petit Hans, publié en 1909, a trait à l'analyse d'une phobie chez un garçon de cinq ans, qui avait peur d'être mordu par un cheval et refusait de quitter la maison. Le texte expose le traitement appliqué par le père du garçon. Celui-ci rédigeait un compte rendu détaillé de son traitement et discutait souvent de son évolution avec Freud. Même si le « patient » n'a pas été traité par Freud, le cas du petit Hans est important parce qu'il illustre la théorie de la sexualité infantile, le fonctionnement du complexe d'Œdipe et de l'angoisse de castration, la dynamique de l'apparition des symptômes ainsi que le processus de changement du comportement.

L'origine de la phobie

Le compte rendu de la vie du petit Hans débute au moment où l'enfant a trois ans. À cette époque, il manifeste un vif intérêt pour son pénis qu'il appelle son « fait-pipi ». Ce qui frappe alors est le plaisir qu'éprouve Hans à toucher son pénis et son intérêt pour le pénis ou le fait-pipi des autres. Il veut savoir, par exemple, si sa mère a un fait-pipi et il est fasciné par la traite des vaches. Les attouchements de son pénis entraînent toutefois des menaces de la part de sa mère : « Si tu fais ça, je ferai venir le Dr A... qui te coupera ton fait-pipi ! Alors, avec quoi feras-tu pipi ? » Ainsi, il y a une menace directe de castration énoncée par l'un des parents, en l'occurrence la mère. Freud voit dans cet événement le début du complexe de castration de Hans.

L'intérêt de Hans envers les fait-pipi s'étend à la taille du fait-pipi du lion au zoo et à l'analyse des différences entre les objets animés et inanimés : un chien et un cheval ont un fait-pipi ; une table et une chaise n'en ont pas. La curiosité de Hans s'applique à de nombreux objets, mais Freud rattache cette soif de connaissances à la curiosité sexuelle. Hans continue à se demander si sa mère possède un fait-pipi : « Je pense que, puisque que tu es si grande, tu dois avoir un fait-pipi comme un cheval. » À trois ans et demi, c'est la naissance de sa sœur qui devient également un point de mire de son intérêt pour le fait-pipi. « Son fait-pipi est encore petit, mais elle grandira et son fait-pipi grossira. » Selon Freud, Hans ne peut pas admettre ce qu'il a vraiment vu, à savoir l'absence de fait-pipi. Admettre ce fait aurait signifié qu'il doit faire face à ses propres angoisses de castration. Ces angoisses surgissent au moment où il éprouve du plaisir à caresser l'organe, comme en font foi les commentaires à sa mère qui le sèche et le poudre après son bain.

HANS : Pourquoi tu n'y touches pas ?

MAMAN : Parce que c'est une cochonnerie.

HANS : Qu'est-ce que c'est ? Une cochonnerie ? Pourquoi ?

(*Il rit.*) Mais c'est très amusant !

Ainsi Hans, maintenant âgé de plus de quatre ans, s'intéresse à son pénis, éprouve du plaisir à le toucher et s'inquiète de le perdre, et il commence à essayer de séduire sa mère. C'est à ce moment-là que ses troubles nerveux deviennent manifestes. Le père, attribuant les difficultés du petit Hans à une trop grande excitation sexuelle due à la tendresse de sa mère, écrit à Freud que Hans a « peur d'être mordu dans la rue par un cheval » et que cette crainte semble être en rapport d'une façon quelconque avec le fait d'être effrayé par un grand pénis. Comme nous l'avons indiqué plus haut, il a très tôt remarqué le grand pénis des chevaux et il en a tiré la conclusion que sa mère, parce qu'elle était si grande, devait « avoir un fait-pipi comme un cheval ». Hans a peur d'aller dans la rue et est déprimé le soir. Il a des cauchemars et se retrouve souvent dans le lit de sa mère. Alors qu'il marche dans la rue avec sa nourrice, il devient très effrayé et demande à retourner à la maison près de sa mère. La peur d'être mordu par un cheval se transforme en crainte que le cheval n'entre dans sa chambre. Il finit par souffrir d'une véritable phobie, la crainte ou la peur irrationnelle d'un objet. Que pouvons-nous savoir d'autre au sujet de cette phobie ? De quelle façon expliquerons-nous son développement ? Comme le souligne Freud, l'enjeu dépasse largement les craintes ridicules d'un petit garçon.

L'interprétation du symptôme

Le père essaye de rassurer son fils en lui proposant une interprétation de la peur des chevaux. Il dit à Hans que toute cette histoire de chevaux est une bêtise et rien de plus. La vérité, c'est que Hans aime énormément sa mère et que le fait-pipi des chevaux l'intéresse tellement qu'il a maintenant peur des chevaux. À la suggestion de Freud, le père explique à Hans que les femmes n'ont pas de fait-pipi. Cette explication, semble-t-il, procure un certain soulagement, mais Hans continuera d'être tourmenté par le désir obsessif de regarder les chevaux, malgré la crainte qu'ils suscitent chez lui. Après qu'il a subi l'ablation des amygdales, sa phobie reprend de la vigueur. Il craint qu'un cheval ne le morde. Il continue de s'intéresser au fait-pipi chez les femmes. Au zoo, il a peur de tous les grands animaux, alors que les petits l'amusent. Chez les oiseaux, il a peur du pélican. En dépit de l'explication procurée par son père, Hans cherche à se rassurer. « Et tout le monde a un fait-pipi, et mon fait-pipi grandira avec moi quand je grandirai, car il est enraciné. » Selon Freud, Hans compare la taille des fait-pipi et il n'est pas satisfait du sien. Les grands animaux lui rappellent cette vérité désagréable. L'explication du père renforce son angoisse de castration qui s'exprime par les mots « car il est enraciné », comme s'il pouvait être coupé. C'est ce qui explique qu'il rejette l'information fournie et que la thérapie ne donne pas de résultats. « Existe-t-il donc vraiment des créatures qui ne possèdent pas de fait-pipi ? Alors, ce ne serait plus si incroyable que l'on pût lui enlever le sien et faire de lui, pour ainsi dire, une femme. »

À cette époque, Hans mentionne le rêve suivant. « Il y avait dans la chambre une grande girafe et une girafe toute chiffonnée, et la grande a crié que je lui avais enlevé la chiffonnée. Alors elle a cessé de crier, et alors je me suis assis sur la girafe toute chiffonnée. » Le père interprète le rêve de la façon suivante : lui, le père, était la grande girafe, avec le gros pénis, et la mère était la girafe toute chiffonnée, qui n'avait pas de pénis. Le rêve était la reproduction d'une scène matinale dans laquelle la mère prenait Hans dans son lit avec elle. Le père la met en garde contre cette pratique (« La grande a crié parce que je lui avais enlevé la girafe chiffonnée »), mais la mère continue de s'y adonner. La mère encourage l'enfant et renforce ses désirs œdipiens. Hans reste avec elle et, dans la satisfaction souhaitée du rêve, il prend possession d'elle (« alors la grande girafe a cessé de crier et alors je me suis assis sur la girafe toute chiffonnée »).

La méthode qu'adopta Freud pour analyser la phobie de Hans consistait à suspendre son jugement et à accorder une attention impartiale à tous les faits observables. Il apprit que, avant l'apparition de la phobie, Hans avait passé quelque temps seul avec sa mère dans une maison de vacances. Deux événements chargés de sens s'étaient alors produits. Hans avait d'abord entendu le père d'une amie lui dire qu'un cheval blanc mordait les gens et qu'elle ne devait pas mettre le doigt dans sa bouche. Puis, alors qu'ils s'amusaient à imiter les chevaux, un ami qui rivalisait avec Hans pour l'affection des petites filles était tombé et s'était blessé au pied et il avait saigné. Lors d'une rencontre avec Hans, Freud apprit que Hans s'inquiétait des œillères que portent les chevaux et de la pièce de cuir entourant leur museau. La phobie s'étendit et alla jusqu'à englober la peur que les chevaux ne ruent en tirant une lourde voiture de déménagement et ne chutent. On a ensuite découvert l'événement qui avait excité sa phobie, prenant appui sur sa disponibilité psychologique à cet égard : lors d'une promenade avec sa mère, Hans avait été témoin de la chute d'un cheval qui, couché sur le flanc, s'était mis à donner des coups de pied.

Ce cas porte sur la phobie des chevaux. On notera la fréquence des références au cheval en relation avec le père, la mère et avec Hans lui-même. Nous avons déjà souligné l'intérêt de Hans pour le fait-pipi de sa mère en relation avec celui du cheval. À son père, il déclare : « Papa, ne t'éloigne pas de moi au trot. » Se pourrait-il que le père, qui porte une moustache et des lunettes, soit le cheval dont Hans a peur, le cheval qui entrera dans sa chambre la nuit pour le mordre ? Ou se pourrait-il que Hans lui-même soit le cheval ? Nous savons que Hans jouait au cheval dans sa chambre, qu'il trottait, qu'il ruait et hennissait comme un cheval. Il courait sans cesse vers son père et le mordait, comme il craignait de se faire mordre par le cheval. Hans était suralimenté. Cela était-il lié à son obsession des grands chevaux gras ? Enfin, on sait que Hans se référait à lui-même comme à un jeune cheval et qu'il avait tendance à taper du pied lorsqu'il était en colère, comme le cheval lorsqu'il a chuté. En ce qui concerne la mère, se pourrait-il que les lourdes voitures de déménagement symbolisent la mère enceinte et la chute du cheval la naissance ou l'accouchement d'un enfant ? Ces associations sont-elles fortuites ou peuvent-elles jouer un rôle important dans notre compréhension de la phobie ?

Selon Freud, la phobie de Hans s'explique surtout par un conflit œdipien. Hans éprouvait pour sa mère une affection considérable, trop difficile à gérer pendant le stade phallique de son développement. Même s'il avait une affection profonde à l'égard de son père, il le considérait également comme un rival pour la conquête de sa mère. Lors des vacances qu'il avait passées seul avec sa mère, il a pu se mettre au lit avec elle et la garder pour lui seul. Cette situation a intensifié son attirance envers sa mère et son hostilité à l'égard de son père. Selon Freud, « Hans est vraiment un petit Œdipe, qui voudrait écarter son père, s'en débarrasser, afin d'être seul avec sa jolie maman, afin de dormir avec elle. Ce souhait avait pris naissance pendant les vacances d'été, alors que la présence et l'absence alternées du père avaient attiré l'attention de Hans sur les conditions auxquelles était liée cette intimité avec sa mère, qu'il désirait tellement. » La chute et la blessure de son ami et rival au cours de ces vacances avaient revêtu une grande importance, car elles avaient symbolisé pour Hans la défaite de ce rival.

La résolution du conflit œdipien

Au retour des vacances d'été, le ressentiment de Hans envers son père augmente. Il essaye de réprimer ce sentiment en faisant preuve d'une affection excessive. Il trouve une manière ingénieuse de résoudre le conflit œdipien. Sa mère et lui seraient les parents des enfants, et le père pourrait être le grand-père. Ainsi, comme le souligne Freud, « le petit Œdipe a trouvé une solution plus satisfaisante que celle qu'avait prescrite le destin. Au lieu d'écarter son père, il lui octroie le même sort heureux que celui qu'il désire pour lui-même : il fait de lui un grand-père et lui permet aussi d'épouser sa propre mère. » Cependant, un tel fantasme ne pouvait pas le combler et Hans conserve une hostilité considérable envers son père. La phobie avait été occasionnée par la chute du cheval. À ce moment-là, Hans s'était mis à souhaiter que son père tombe et meure. L'hostilité qu'il éprouve envers son père et qu'il projette sur lui est symbolisée par ce qui arrive au cheval, l'enfant nourrissant à son égard des souhaits inspirés par la jalousie et l'hostilité. Il a peur que le cheval ne le morde parce qu'il souhaite voir tomber son père et les craintes que le cheval n'entre dans sa chambre surviennent la nuit lorsque culminent les fantasmes œdipiens. En jouant au cheval et en mordant son père, il s'identifie avec lui. La phobie exprime le désir et l'angoisse, et accessoirement permet à Hans d'arriver à ses fins et de rester à la maison en compagnie de sa mère.

En somme, sa peur d'être mordu par un cheval et sa crainte que les chevaux ne chutent représentaient toutes deux le père qui punirait Hans des souhaits malveillants qu'il nourrissait à son égard. Hans réussit à surmonter la phobie et, selon le compte rendu qu'en fit plus tard Freud, il semblait bien se porter. À quoi ce changement fut-il attribuable ? D'abord, il y eut les éclaircissements fournis par son père à propos de la sexualité. Même s'il les a acceptées avec réticence au début et même si elles ont provoqué en lui un renforcement de l'angoisse de castration, ces explications ont offert à Hans l'occasion de se cramponner à la réalité. Ensuite, grâce à l'analyse élaborée tant par son père que par Freud, Hans est devenu conscient de ce qui auparavant était inconscient. Enfin, comme le père a laissé son fils exprimer ses sentiments et qu'il s'y est intéressé, la résolution du conflit œdipien s'en est trouvée facilitée ; Hans s'est identifié avec le père, ce qui a eu pour effet d'atténuer son désir de rivaliser avec lui et son angoisse de castration, et par conséquent de diminuer le risque d'apparition de nouveaux symptômes.

L'évaluation globale

Le cas du petit Hans comporte de nombreux problèmes du point de vue de la recherche scientifique. C'est le père lui-même qui interroge son fils et il le fait d'une manière non systématique ; adepte de la théorie psychanalytique, ses observations et interprétations sont peut-être biaisées. Quant à Freud, il doit se contenter d'une information de deuxième main ; il connaît les limites des données, mais celles-ci l'ont tout de même frappé. Alors qu'auparavant sa théorie ne reposait que sur les souvenirs d'enfance de patients adultes, avec le cas du petit Hans la vie sexuelle des enfants entre dans son champ d'observation.

On peut difficilement tirer des conclusions au sujet de la théorie en se fondant uniquement sur ce cas. Les observations de Freud à propos de Hans n'apparaissent pas toutes dans le compte rendu présenté ci-dessus. En outre, comme nous l'avons mentionné précédemment, il s'agit d'un cas qui se rapporte aux premiers travaux (1909) du théoricien. Par ailleurs, nous avons une idée de la profusion de l'information qui s'offre à l'analyste et nous entrevoyons les problèmes qui se rattachent à l'évaluation et à l'interprétation de ces données. Nous sommes à même d'apprécier le travail de Freud, son aptitude à observer et à décrire les phénomènes ainsi que ses efforts pour saisir la complexité du comportement humain. Ce cas décrit des phénomènes qui se rapportent aux aspects suivants : sexualité infantile, fantasmes d'enfants, fonctionnement de l'inconscient, apparition et résolution des conflits, développement des symptômes, élaboration des symboles du rêve. En lisant cette étude de cas, nous ne pouvons qu'admirer le courage de Freud de même que ses efforts pour découvrir les secrets de l'être humain ; il ne recule pas devant la tâche à accomplir, tout en acceptant les limites de ses observations et en reconnaissant pleinement la complexité des phénomènes qu'il essaye de comprendre.

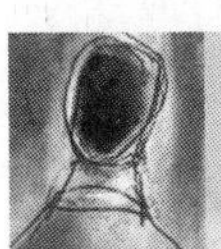

L'histoire de Jacques

Le test de Rorschach et le test d'aperception thématique

Un psychologue clinicien s'est chargé de faire passer à Jacques deux tests projectifs, le test de Rorschach et le test d'aperception thématique. Dans le test de Rorschach, Jacques a fourni relativement peu de réponses, vingt-deux au total. Ce constat étonne en raison de ce que l'on sait de son intelligence et de son potentiel créateur. Voyons comment il a réagi aux deux premières cartes et examinons les interprétations formulées par le psychologue clinicien, qui est également psychanalyste.

Première carte

JACQUES : La première chose qui me vient à l'esprit, c'est un papillon.

INTERPRÉTATION : D'abord prudent, il agit de manière conventionnelle dans une situation nouvelle.

JACQUES : Cela me rappelle une grenouille. Pas une grenouille complète, les yeux d'une grenouille. Ça me rappelle vraiment juste une grenouille.

INTERPRÉTATION : Il devient plus circonspect, presque difficile, et pourtant il a tendance à généraliser de manière excessive, alors qu'il se sent incompétent.

JACQUES : Ça pourrait être une chauve-souris. Plus sinistre que le papillon parce qu'il n'y a pas de couleur. Obscur et de mauvais augure.

INTERPRÉTATION : Phobique, inquiet, déprimé et pessimiste.

Deuxième carte

JACQUES : Ça pourrait être deux personnes sans tête dont les bras se touchent. Semblent porter des robes épaisses. Pourrait être une personne touchant sa main dans un miroir. Si ce sont des femmes, elles ne sont pas bien faites. Semblent lourdes.

INTERPRÉTATION : Conscient d'autrui. Inquiet ou confus au sujet des rôles sexuels. Caractéristiques anales compulsives. Méprisant et hostile envers les femmes : sans tête et mal faites. Narcissisme qui s'exprime dans l'image du miroir.

JACQUES : Ça ressemble à deux visages face à face. Masques, profils — plutôt des masques que des visages — incomplets, plutôt une façade, l'une avec le sourire et l'autre un froncement de sourcils.

INTERPRÉTATION : Il présente une façade, souriante ou fronçant les sourcils, mais il ne se sent pas authentique. En dépit d'une façade d'assurance, se sent tendu au contact des autres. A répété à plusieurs reprises qu'il n'avait pas d'imagination. Est-il inquiet au sujet de son rendement et de son importance ?

D'autres cartes donnent lieu à des réponses intéressantes. Sur la troisième carte, Jacques perçoit des femmes tentant de soulever des poids. Encore une fois, cela suggère l'existence d'un conflit au sujet de son rôle sexuel et de son orientation ; serait-elle passive, ou bien active ? Sur la carte suivante, il mentionne qu'« ils ont à peu près tous l'apparence des animaux sinistres d'Alfred Hitchcock », ce qui donne à penser qu'il pourrait y avoir encore une fois un élément phobique dans sa conduite et une tendance à projeter les menaces sur l'environnement. Ses références occasionnelles à la symétrie et aux détails indiquent qu'il recourt à des mécanismes de défense compulsifs et à l'intellectualisation en cas de menace. Des allusions à des femmes apparaissent à plusieurs reprises, dans un contexte d'agitation et de conflit. Sur la septième carte, il perçoit deux femmes appartenant à la mythologie ; elles seraient qualifiées de bonnes si elles étaient issues de la mythologie, mais de mauvaises si elles étaient grosses. Sur l'avant-dernière carte, il perçoit « une sorte de comte, le comte Dracula. Des yeux, des oreilles, une cape. Prêt à saisir quelqu'un, à sucer le sang. S'apprêtant à aller étrangler des femmes ». L'évocation de la succion du sang dévoile des tendances au sadisme oral, aspect qui figure également dans une image mentale de vampires qui sucent le sang. Jacques a fait suivre l'image mentale du comte Dracula d'une image de barbe à papa rose. Le vérificateur estime que sa réponse indique un ardent désir d'affection et de contact, dissimulé par le sadisme oral ; autrement dit, le participant utilise ses tendances orales agressives (sarcasme, attaques verbales) pour se protéger de ses désirs oraux plus passifs (être nourri, materné et dépendant).

L'examinateur conclut que le test de Rorschach révèle qu'il y a chez Jacques une structure névrotique dans laquelle l'intellectualisation, la compulsion et les réactions hystériques (peurs irrationnelles, préoccupations corporelles) servent à se protéger contre l'angoisse. Cependant, on pense que Jacques continue de se sentir angoissé et mal à l'aise au contact des autres, notamment de ceux qui représentent l'autorité. Le compte rendu du test de Rorschach conclut : « Il est en conflit avec son rôle sexuel. Alors qu'il désire ardemment obtenir de l'affection et entrer en contact avec une femme maternelle, il se sent très coupable de ces besoins et de sa vive hostilité envers les femmes. Il endosse une orientation passive, joue constamment un rôle et, derrière un tact de façade, il continue d'entretenir sa rage, sa tristesse et son ambition. »

Quelles sortes de récits Jacques a-t-il inventés dans le test d'aperception thématique ? Ce qui frappe le plus dans ces histoires, c'est la tristesse et l'hostilité qui imprègnent toutes les relations interpersonnelles. L'un de ces récits fait voir un garçon dominé par sa mère, un autre met en scène un gangster insensible et capable d'une grande cruauté, le troisième un mari bouleversé d'apprendre que sa femme n'est pas vierge. Dans les relations entre les hommes et les femmes, en particulier, l'un des deux est toujours méprisé par l'autre. Voici l'un de ces récits :

> On dirait deux personnes âgées. La femme est sincère, sensible et dépendante de l'homme. Il y a quelque chose dans l'expression de l'homme — la façon dont il la regarde, comme s'il l'avait conquise — qui témoigne d'une insensibilité. Lorsqu'ils sont ensemble, l'homme et la femme n'éprouvent pas les mêmes sentiments de compassion et de sécurité. À la fin, la femme est profondément blessée et doit se débrouiller seule. Normalement, j'aurais tendance à les imaginer mariés, mais pas dans ce cas, car deux personnes âgées seraient heureuses ensemble si elles étaient mariées.

Dans ce récit, nous sommes en présence d'un homme ayant une attitude sadique envers une femme. Nous voyons également à l'œuvre un mécanisme de défense, de déni, quand Jacques suggère que ces deux personnes ne peuvent être mariées puisque les couples âgés sont toujours heureux. Dans le récit qui suit, on trouve une fois de plus le thème du mauvais traitement infligé à une femme. Le thème de la sexualité y apparaît plus ouvertement, de même que des éléments évoquant une certaine confusion des rôles sexuels.

> Cette image suscite en moi une pensée grossière. Je pense à Candy. C'est le gars qui a profité de Candy. Il prie auprès d'elle. Ce ne sont pas les derniers sacrements, mais il l'a convaincue qu'il est quelqu'un de puissant et elle cherche à obtenir ses bonnes grâces. Son genou est sur le lit, il échoue, elle est naïve. Il couche avec elle pour des raisons mystiques. [*Il rougit.*] Elle reste naïve et continue de se laisser impressionner par ce genre de choses. Elle a un regard très très doux et compatissant. Se pourrait-il qu'il s'agisse du gars qui porte une cravate ? Je resterai fidèle à ma première interprétation.

Le psychologue qui interprète ces récits souligne que Jacques semble manifester un comportement immature, naïf, qui se caractérise par un déni flagrant de tout ce qui est désagréable ou sale, le sale englobant selon lui la sexualité et les querelles conjugales. Le rapport poursuit ainsi : « Il hésite entre l'expression d'un désir sadique et l'expérience d'un sentiment de persécution. Il fusionne probablement les deux, souvent en exprimant indirectement son hostilité lorsqu'il se sent injustement traité ou accusé. Il ne sait que penser des rapports chargés de sens que peuvent entretenir deux personnes. Il est à la fois ambivalent, idéaliste et pessimiste au sujet de ses chances de vivre une relation stable. Il a peur de l'engagement parce qu'il considère les activités sexuelles comme sales et qu'elles sont pour lui une façon d'utiliser son partenaire ou d'être utilisé par lui. Simultanément, il a soif d'attention, de reconnaissance et il ressent fréquemment des pulsions sexuelles. »

Plusieurs thèmes importants se retrouvent dans l'un et l'autre des deux tests. Le premier met en cause le manque de chaleur dans les rapports interpersonnels en général ; notons particulièrement la propension à se montrer désobligeant et par moments sadique envers les femmes. Il existe chez Jacques un conflit entre son intérêt pour la sexualité et le sentiment que les activités sexuelles sont sales et marquées par de l'hostilité. Le deuxième thème est la tension et l'angoisse camouflées derrière des apparences de sang-froid. Le troisième thème porte sur son identité sexuelle, source de conflit et de confusion. Bien que Jacques présente des signes d'intelligence et un potentiel créateur, le caractère non structuré des tests projectifs a également révélé une certaine rigidité et du refoulement. Les mécanismes de défense compulsifs, l'intellectualisation et le déni ne lui permettent pas de venir à bout de ses angoisses.

Commentaires

Que peut-on ajouter au sujet des données obtenues à partir des tests projectifs, sachant que ceux-ci sont liés à la théorie psychanalytique et à ses limites? Les tests projectifs n'étant pas structurés, ils donnent lieu à des réponses personnelles qui renvoient à des aspects propres à la personnalité de Jacques. De plus, parce leurs objectifs et la clé de leur interprétation sont dissimulés, nous pouvons pénétrer derrière la façade de sa personnalité (derrière ses mécanismes de défense, comme disent les psychanalystes) et discerner ses besoins, ses motivations ou ses désirs. Nous avons ainsi sous les yeux un test qui autorise le patient à répondre d'une manière très personnelle et une théorie de la personnalité qui se distingue, sur le plan clinique, par la prépondérance accordée à l'individu. Il s'agit d'un test qui masque ses véritables objectifs et d'une théorie de la personnalité qu'on qualifie de dynamique, car elle fait du comportement le résultat du jeu des forces, des pulsions, des conflits et des niveaux de personnalité.

Le test de Rorschach et le test d'aperception thématique dressent un portrait de Jacques plutôt différent de celui qu'il avait lui-même proposé. Jacques écrivait alors qu'il avait reçu de ses parents une affection sans bornes, qu'il jouissait d'une grande popularité et avait connu beaucoup de succès à l'école secondaire. Il indiquait aussi que les gens l'avaient en haute estime parce qu'ils n'utilisaient que des critères superficiels, mais qu'en son for intérieur il était anxieux. On trouve donc ici une confirmation de l'interprétation donnée au test de Rorschach voulant qu'il dissimule la tension et l'angoisse derrière une façade de sang-froid. Son autobiographie témoigne également d'un rapport conflictuel avec les femmes.

> Mes rapports avec les femmes étaient meilleurs à l'école secondaire qu'ils ne le sont maintenant, même si à l'époque ils n'étaient pas vraiment satisfaisants non plus. J'évoluais alors dans une petite sous-culture et j'étais très respecté par les autres, ce qui explique probablement la popularité dont je jouissais. Je n'ai jamais eu de véritable relation intime à long terme avec une fille et je pense que c'est le seul type de rapports interpersonnels qui ait du sens. J'ai eu plusieurs relations superficielles, mais il y avait toujours un obstacle qui m'empêchait de m'engager davantage et cet obstacle n'a fait que se renforcer au cours des quatre dernières années. Dès qu'une fille se met à m'aimer beaucoup, je commence à l'aimer moins; cela se répercute de manière évidente sur mon estime de soi. C'est un cercle vicieux qui va à l'encontre du but recherché: j'aime une fille jusqu'à ce qu'elle se mette à m'aimer. C'est pourquoi j'étais très populaire auprès de la gent féminine à l'école secondaire, mais je m'arrangeais pour ne jamais m'engager véritablement.

Les réactions de Jacques

Jacques n'a pas apprécié le test de Rorschach. Il avait l'impression qu'il devait voir quelque chose et que tout ce qu'il percevrait serait interprété comme un signe de névrose. Il ne se défend pas d'avoir des difficultés, ajoute-t-il, puisqu'il est prêt à les accepter, mais il ne voudrait pas qu'on en exagère l'importance. À la lecture de certains commentaires du psychologue, il fait remarquer que lui-même estimait qu'il y avait chez lui un problème sexuel et que, s'il entreprenait une thérapie, cette question serait centrale. Jacques déclare qu'il redoute l'éjaculation précoce, et qu'il s'inquiète de sa virilité et de sa capacité de satisfaire une femme sur le plan sexuel. Il est intéressant de constater que la peur de perdre la maîtrise de soi, ou d'avoir une éjaculation précoce, apparaît chez un individu qui recourt à des mécanismes de défense compulsifs et qui s'efforce de dominer la plupart des situations.

Les tests projectifs et la théorie psychanalytique

Que peut-on affirmer au sujet du rapport entre les données projectives et la théorie psychanalytique? Manifestement, les données recueillies grâce au test de Rorschach et au test d'aperception thématique sont importantes en raison des interprétations théoriques qu'elles suscitent, notamment quant au symbolisme psychanalytique. Néanmoins, il est difficile d'établir dans quelle mesure les autres théories de la personnalité pourraient se servir des données au même titre que la théorie psychanalytique. Comme nous aurons l'occasion de le constater dans les chapitres suivants, les données des tests projectifs sont qualitativement différentes de celles recueillies au cours d'autres tests. C'est seulement dans le test de Rorschach que nous obtenons des éléments tels que « des femmes essayant de soulever des poids », « comte Dracula... prêt à saisir quelqu'un, à sucer le sang. S'apprêtant à aller étrangler une femme » et « barbe à papa rose ». Et ce n'est que dans le test d'aperception thématique que l'on trouve des allusions répétées à la tristesse et à l'hostilité qui imprègnent les rapports interpersonnels. C'est le contenu des réponses et la façon de présenter les tests qui permettent d'effectuer des interprétations psychodynamiques.

Bien sûr, Jacques n'est pas le comte Dracula et rien ne permet d'affirmer qu'il est sadique. Toutefois, le contenu des tests projectifs révèle qu'une part importante du fonctionnement de sa personnalité s'explique par la mise en œuvre d'un mécanisme de défense contre des pulsions sadiques. Manifestement, Jacques ne se sert plus du biberon, mais ses allusions à la succion du sang et à la barbe à papa, ainsi que le reste de ses réponses, conduisent à penser qu'il a une fixation partielle au stade oral. Là-dessus, il est intéressant de noter que Jacques souffre d'un ulcère d'estomac et qu'il doit boire du lait pour soulager la douleur.

Si nous laissons vagabonder notre imagination, celle-ci nous entraîne dans le monde de l'irrationnel. Non seulement Freud autorisait-il ses patients à emprunter cette voie, mais il les y encourageait en les incitant à rêver, à fantasmer et à faire des associations libres. Sous son impulsion, les patients de Freud mettent au jour des émotions et des souvenirs dont ils étaient inconscients auparavant. De même, les tests de Rorschach et d'aperception thématique révèlent chez Jacques des contenus et des thèmes qui ne semblent pas correspondre aux réponses qui figurent dans d'autres tests de personnalité. Freud était en mesure d'établir des liens entre les émotions et les souvenirs auxquels il avait accès et les problèmes qui avaient incité le patient à suivre une thérapie. Dans le cas de Jacques, nous pouvons supposer que la confusion quant à sa propre sexualité et l'hostilité latente envers les femmes engendrent chez lui un sentiment d'angoisse ou d'insécurité et l'empêchent de s'engager davantage. Parce qu'il avait effectué un certain nombre de découvertes dans le domaine de l'irrationnel et parce qu'il avait fondé sa théorie sur ses observations auprès des patients, Freud a fini par surestimer l'importance de l'inconscient et des tendances pathologiques chez l'être humain. Les résultats obtenus par Jacques dans les tests projectifs ne nous renseignent guère sur les attitudes, les talents et les ressources grâce auxquels il a pu effectuer certaines réalisations importantes.

Les conceptions connexes et l'évolution de la théorie

Au cours de son histoire, la théorie psychanalytique a donné naissance à de nombreuses écoles et à de nombreux groupes, aux conceptions divergentes et souvent antagonistes. Freud a modifié bien des aspects de la théorie psychanalytique au cours de sa vie, ce qui ne l'a pas empêché d'entrer en conflit avec ses disciples à plusieurs reprises. Dans une certaine mesure, la psychanalyse avait un caractère religieux ou politique (Fromm, 1959) ; ceux qui continuaient à adhérer à la théorie étaient classés parmi les fidèles et ceux qui s'écartaient des principes fondamentaux étaient chassés du mouvement. Ce modèle a été instauré du vivant de Freud et il s'est perpétué par la suite. Erik Erikson, par exemple, est encore très respecté par la plupart des psychanalystes de stricte obédience, alors que d'autres, moins réputés, ne le sont pas. Il est souvent difficile d'établir sur quoi se fonde la réaction envers l'un ou l'autre des théoriciens. En règle générale, toutefois, il faut accepter la validité des concepts suivants pour être considéré comme un psychanalyste freudien : les pulsions sexuelles et les pulsions agressives, l'inconscient et les stades de développement. Comme nous aurons l'occasion de le constater, les théoriciens que nous avons retenus mettent en doute l'un ou l'autre de ces concepts et ils abordent la compréhension de l'être humain d'une manière quelque peu différente.

DEUX CONTESTATAIRES DE LA PREMIÈRE HEURE

Alfred Adler et Carl G. Jung figurent parmi les nombreux analystes de la première heure qui ont rompu avec Freud et créé leur propre école de pensée. Tous deux avaient dès les débuts joué un rôle important auprès de Freud, Adler ayant occupé le poste de président de la Société psychanalytique de Vienne et Jung le poste de président de l'Association psychanalytique internationale. L'un et l'autre se sont éloignés de Freud en raison de l'importance selon eux démesurée que celui-ci accordait aux pulsions sexuelles. La rupture avec Jung, considéré à l'époque comme son « dauphin », fut particulièrement douloureuse pour Freud. D'autres tenants de la psychanalyse rompirent avec Freud et ont élaboré leur propre école de pensée, mais Adler et Jung furent parmi les premiers et sont les plus connus.

Alfred Adler

Alfred Adler (1870-1937) appartint pendant près d'une décennie à la Société psychanalytique de Vienne et y joua un rôle actif. Cependant, en 1911, lorsqu'il présenta ses théories aux autres membres du groupe, la réaction fut à ce point hostile qu'il démissionna pour former sa propre école, fondée sur la *psychologie individuelle*. Pourquoi les conceptions qu'il élabora furent-elles jugées inacceptables par les psychanalystes ? Nous ne sommes pas en mesure d'analyser la théorie d'Adler dans son ensemble mais, en examinant quelques-unes des idées qu'il défendit, tant au début de sa carrière que dans les phases plus tardives, nous aurons un aperçu des différences importantes entre ces théories et la psychanalyse.

L'insistance sur les motivations sociales et les pensées conscientes plutôt que les pulsions sexuelles et les processus inconscients a été sans doute l'aspect le plus significatif de sa rupture avec Freud. Au début de sa carrière, Adler s'est intéressé aux infériorités physiques et à la façon dont on les compense. La personne qui ne dispose que d'un organe faible peut essayer de compenser cette faiblesse en déployant des efforts particuliers pour renforcer cet organe ou pour en développer d'autres. L'enfant qui bégaie essayera peut-être à l'âge adulte de devenir un grand conférencier ; celui dont la vision est défectueuse tentera de développer une sensibilité auditive particulière. À l'origine, Adler se préoccupait des faiblesses corporelles ; par la suite, il s'intéressa de plus en plus au *sentiment d'infériorité* psychologique et aux *efforts compensateurs* mis en œuvre pour dissimuler ou atténuer ces sentiments douloureux. Ainsi, les tenants de la théorie freudienne pouvaient considérer l'importance accordée par Theodore Roosevelt à la force de caractère et à l'attitude du « gros bâton » comme une manière de se protéger contre l'angoisse de castration, tandis que les tenants de la théorie d'Adler pouvaient y voir une attitude visant à compenser le sentiment d'infériorité associé à l'enfance et à l'adolescence. Pour les disciples de Freud, le comportement très agressif d'une femme serait interprété comme l'expression de l'envie du pénis et pour ceux d'Adler comme une *revendication masculine* ou comme le rejet des stéréotypes féminins de faiblesse et d'infériorité. Selon Adler, les efforts de l'individu pour prendre en compte ces sentiments s'inscrivent dans son *style de vie* ; ils constituent un aspect caractéristique du mode de fonctionnement de sa personnalité.

Ces concepts révèlent que, dans la théorie adlérienne, on se préoccupe davantage de l'aspect social que des besoins biologiques. L'orientation sociale a pris de plus en plus de place dans la conception d'Adler. À l'origine, la *volonté de puissance* était présentée comme l'expression des efforts de l'individu pour compenser le sentiment d'impuissance remontant à la petite enfance. Petit à petit, l'importance accordée à la *tendance à la supériorité* a pris le pas. Sous sa forme névrotique, cette tendance peut s'exprimer par le désir de puissance et de domination sur autrui; sous sa forme plus saine, elle peut prendre la forme d'un « vif désir » d'unité et de perfection. Chez l'individu sain, la tendance à la supériorité se manifeste par la propension à la sociabilité et à la collaboration avec les autres ainsi que par l'affirmation de soi et la compétition. Depuis les origines, on constate chez les êtres humains une tendance innée à se lier aux autres et à collaborer avec eux.

Notons également que la théorie d'Adler s'intéresse tout particulièrement à la façon dont l'individu réagit aux sentiments qu'il éprouve à l'égard de lui-même, aux objectifs qui orientent son comportement; elle accorde aussi une grande importance à l'influence du rang de naissance sur le développement psychologique. Relativement au rang de naissance, de nombreux psychologues ont constaté que, dans une famille, les fils uniques ou les premiers-nés réussissent mieux, en général, que les fils cadets. Sur les vingt-trois premiers astronautes américains, il y avait vingt et un premiers-nés ou fils uniques. Sulloway (1996) a inscrit la question du rang de naissance dans un contexte évolutif en suggérant que les premiers-nés ont tendance à être consciencieux et conservateurs pour préserver leur statut d'aîné dans la famille, alors que les fils cadets, qui cherchent à établir leur statut et à réussir par d'autres moyens, sont des « rebelles nés ». Même si cette opinion soulève encore la controverse, remarquons que la démonstration de Sulloway au sujet des « premiers-nés conservateurs » et des « cadets rebelles » s'appuie tant sur sa propre recherche que sur celle d'autres théoriciens (Paulhus, Trapnell et Chen, 1999). Nombre de conceptions avancées par Adler se sont fait un chemin dans le grand public et ont été associées par la suite à des idées élaborées par d'autres théoriciens. Cependant, sa théorie de la psychologie individuelle n'a pas beaucoup influé sur la théorie de la personnalité et la recherche.

Carl G. Jung

Jung (1875-1961) se sépare de Freud en 1914, quelques années après Adler, et il fonde sa propre école de pensée, l'école de la *psychologie analytique*. Comme Adler, il estime que Freud prête à la sexualité une importance excessive. Jung considère plutôt la libido comme l'expression psychique d'une énergie vitale entendue au sens large. Si la sexualité relève de cette énergie vitale, la libido comprend également d'autres dispositions au plaisir et à la créativité.

Jung accepte la notion d'inconscient, mais il y ajoute un nouvel élément qui le prolonge, le concept d'*inconscient collectif*. Selon lui, les êtres humains entreposent dans l'inconscient collectif les expériences accumulées par les générations antérieures. L'inconscient collectif, contrairement à l'inconscient personnel, appartient à tous les êtres humains en raison de leurs ancêtres communs. Il fait partie de notre patrimoine animal, des rapports que nous entretenons avec des expériences remontant à des milliers d'années: « Cette vie psychique représente l'esprit de nos ancêtres primitifs, leur manière de penser et de ressentir, la façon dont ils concevaient la vie et l'univers, les dieux et les êtres humains. C'est de l'existence de ces strates historiques que proviennent sans doute la croyance en la réincarnation et aux souvenirs des vies antérieures » (Jung, 1939, p. 24).

Les *archétypes*, qui sont des images ou des symboles universels, constituent une part importante de l'inconscient collectif. On rencontre des archétypes, notamment celui de la mère, dans les contes de fées, les rêves, les mythes et dans certaines idéations psychotiques. Jung a été frappé par les images similaires qui apparaissent sous des formes légèrement différentes dans des cultures très éloignées les unes des autres. L'archétype de la mère, par exemple, revêt de multiples formes, positives ou négatives : la mère, fertile et maternante, la sorcière ou celle qui menace de punir (« Ne touchez pas à mère nature ! ») et la séductrice. Les archétypes peuvent prendre l'allure de personnes, de démons, d'animaux, de forces naturelles ou d'objets. Ils font indubitablement partie de l'inconscient collectif, comme l'atteste leur présence au sein de diverses cultures appartenant aussi bien au passé qu'à l'époque contemporaine.

La théorie de Jung met aussi en évidence les luttes menées par l'individu pour résoudre les conflits entre les forces antagonistes qui sont en lui. Citons par exemple la lutte qui se déroule entre le masque que nous présentons aux autres (*persona*) et le moi intime, ou personnel. Si l'individu met trop en avant la *persona*, il peut y avoir une perte du sentiment de soi et un doute au sujet de son identité. En revanche, la *persona*, qui s'exprime dans les rôles sociaux et les coutumes, est un élément indispensable à la vie en société. De même, il existe une lutte entre les aspects masculins et féminins présents en chacun de nous. Tout homme possède une part féminine (*anima*) et toute femme possède une part masculine (*animus*) dans sa personnalité. S'il rejette sa part féminine, l'homme peut surestimer la maîtrise et la force, et paraître froid et insensible à l'égard d'autrui. Si elle rejette sa part masculine, la femme peut s'absorber d'une manière excessive dans la maternité. Les psychologues qui s'intéressent présentement aux stéréotypes sexuels applaudiraient à cette mise en évidence de la dualité de chacun, mais ils s'inscriraient en faux contre cette façon de qualifier certains traits de typiquement masculins ou féminins.

On trouve également chez Jung l'opposition entre *introversion* et *extraversion*, deux concepts qui définissent notre rapport au monde. L'individu s'oriente principalement dans l'une ou l'autre de ces deux directions, même si l'autre pôle est toujours présent. Dans l'introversion, l'individu se tourne fondamentalement vers l'intérieur, vers le soi. L'introverti est hésitant, réfléchi et prudent. Dans le cas de l'extraversion, au contraire, l'individu se tourne vers l'extérieur, vers les autres. L'extraverti est attachant, actif et aventureux. Chacun de nous cherche à atteindre l'unité du *soi*, à harmoniser ou à intégrer ces deux pôles ainsi que d'autres forces opposées. Arriver à incorporer dans le soi les nombreux aspects dualistes de notre personnalité représente, selon Jung, le combat de toute une vie : « La personnalité en tant que parfaite réalisation de la plénitude de l'être constitue un idéal inaccessible. L'inaccessibilité n'est toutefois pas un contre-argument, car les idéaux ne sont que des points de repère, jamais des buts » (Jung, 1939, p. 287). Cette lutte peut prendre beaucoup d'importance dans la vie lorsque l'individu atteint la quarantaine et se définit face aux autres d'une multitude de façons.

Comme nous l'avons fait pour Adler, nous nous sommes bornés à présenter quelques-uns des points saillants de la théorie jungienne. Beaucoup considèrent Jung comme l'un des penseurs les plus féconds du XXe siècle et sa théorie a exercé une influence dans bien d'autres domaines que la psychologie. Même si les signes de résurgence d'un intérêt marqué pour Jung se manifestent périodiquement en psychologie, ses théories n'y ont pas encore joué de rôle important.

LA PLACE DES FACTEURS CULTURELS ET INTERPERSONNELS

Lorsque le courant psychodynamique passa de l'Europe aux États-Unis, les théoriciens se mirent à se concentrer sur les facteurs sociaux du comportement plutôt que sur les facteurs biologiques. On pourrait affirmer que, collectivement, ces théoriciens sont des *néofreudiens*: d'une part ils reconnaissent qu'ils ont une dette envers Freud sur le plan théorique, et d'autre part eux-mêmes conçoivent de nouvelles positions théoriques. Certains de ces théoriciens, par exemple Karen Horney, ont émigré aux États-Unis avant la Deuxième Guerre mondiale, alors que d'autres, notamment Harry Stack Sullivan, sont nés et ont été formés aux États-Unis.

Karen Horney

Karen Horney (1885-1952) a reçu une formation d'analyste classique en Allemagne et a émigré aux États-Unis en 1932. Peu après son arrivée, elle rompt avec la pensée psychanalytique orthodoxe et elle élabore sa propre orientation théorique de même qu'un programme de formation psychanalytique. Contrairement à Adler et à Jung, elle croit que ses théories se fondent sur l'immense œuvre de Freud et qu'elles ne la remplacent pas. Ses divergences avec lui portent peut-être principalement sur la question de l'universalité des facteurs biologiques par opposition aux facteurs culturels et environnementaux: « Si nous concevons toute l'importance des conditions culturelles dans les névroses, les conditions biologiques et physiologiques qui, selon Freud, en constituent la source, reculent à l'horizon » (1953, p. 8). Trois considérations importantes l'amènent à insister sur les facteurs culturels. D'abord, les énoncés de Freud concernant les femmes ont amené Karen Horney à réfléchir au rôle des facteurs culturels: « Leur influence sur nos idées de la masculinité et de la féminité est évidente, et il m'est apparu tout aussi évident que Freud en était arrivé à certaines erreurs dans la mesure où il avait négligé ces facteurs » (1955, p. 9-10). Ensuite, elle était associée à un autre psychanalyste, Erick Fromm, qui l'a aidée à prendre davantage conscience des facteurs sociaux et culturels. Enfin, Karen Horney put observer elle-même les différences dans la structure de la personnalité chez les patients traités en Europe et aux États-Unis, ce qui a confirmé l'importance des facteurs culturels. De plus, ces observations l'ont amenée à conclure que les rapports interpersonnels sont au cœur du fonctionnement de la personnalité, qu'il soit sain ou perturbé.

Horney se préoccupe de savoir comment, dans le fonctionnement névrotique, l'individu s'y prend pour venir à bout de l'*angoisse fondamentale*, ce sentiment d'isolement et d'impuissance qu'éprouve l'enfant dans un monde potentiellement hostile. Selon sa théorie de la névrose, il existe chez l'individu névrotique un conflit entre les trois façons de réagir à cette angoisse fondamentale, c'est-à-dire trois modèles ou tendances névrotiques: *le mouvement vers autrui, le mouvement contre autrui* et *le mouvement de fuite devant autrui*. On retrouve dans ces trois tendances la rigidité et l'absence d'épanouissement du potentiel individuel qui constituent l'essence de toute névrose. Celui qui va vers les autres tente de venir à bout de l'angoisse en faisant tout pour être accepté, désiré et approuvé. Il accepte de dépendre d'autrui et, hormis la quête d'une affection sans bornes, il se montre généreux, peu exigeant et porté à se sacrifier. Celui qui va contre les autres suppose qu'ils sont hostiles et que la vie est une lutte de tous contre tous. Dans l'ensemble, son comportement vise à démontrer qu'il n'a aucunement besoin des autres et qu'il peut passer pour un dur. Celui qui s'éloigne des autres se retire des interactions sociales en manifestant un détachement névrotique. Il adopte souvent un comportement détaché envers lui-même et envers les autres, ce qui représente une façon de ne pas

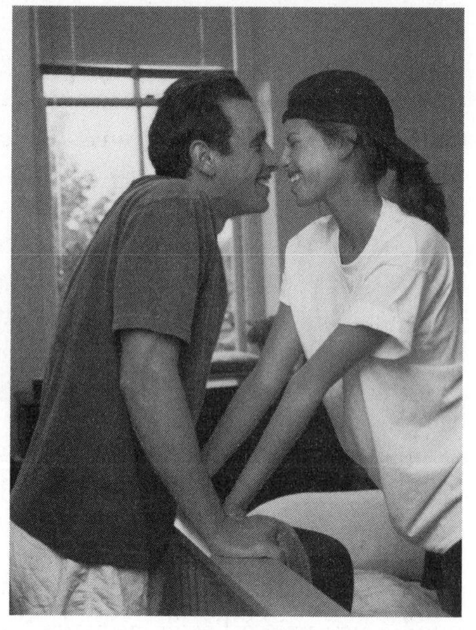

Les tendances névrotiques Karen Horney souligne l'importance des tendances névrotiques – mouvement vers autrui, mouvement contre autrui, mouvement de fuite devant autrui – mises en œuvre lorsqu'on tente de venir à bout de l'angoisse fondamentale (voir les trois photos). Sous des formes atténuées, ces tendances se retrouvent chez la plupart des gens.

s'engager sur le plan affectif dans ses rapports avec autrui. Si chaque névrosé manifeste l'une de ces tendances à titre de composante particulière de sa personnalité, le vrai problème vient de ce que ces trois tendances se trouvent en conflit lorsqu'il s'agit de maîtriser l'angoisse fondamentale.

Avant de quitter Karen Horney, analysons ses idées sur les femmes. Remontant à ses premiers travaux, réalisés dans le cadre de l'orthodoxie psychanalytique, celles-ci ont fait l'objet d'une série d'articles regroupés dans *La psychologie de la femme* (1973). Horney n'a jamais été d'accord avec les idées de Freud au sujet des femmes. Elle croyait que le concept d'envie du pénis venait peut-être d'un préjugé masculin entretenu par les psychanalystes qui soignaient des femmes névrosées dans un contexte social particulier : « Malheureusement, on en sait peu ou rien sur les femmes psychologiquement saines, ou sur les femmes vivant dans différents contextes culturels... » (1973, p. 226). Elle affirmait qu'il n'y avait pas chez les femmes de prédisposition biologique à l'adoption d'attitudes masochistes de faiblesse, de dépendance, de soumission et de dévouement. Ces attitudes témoignaient plutôt de la force des facteurs sociaux.

En somme, Horney refuse de mettre l'accent, comme le faisait Freud, sur les déterminants biologiques; elle adopte plutôt une approche sociale et interpersonnelle, aussi bien dans ses idées sur les femmes que dans son orientation théorique en général. C'est pour cette raison, entre autres, qu'elle envisageait avec beaucoup plus d'optimisme que ses collègues la capacité de changement et d'accomplissement de soi de l'individu.

Harry Stack Sullivan

Parmi tous les théoriciens mentionnés dans la présente section, Sullivan (1892-1949) est le seul qui soit né et ait été formé aux États-Unis, le seul qui n'ait jamais eu de contact direct avec Freud; c'est aussi celui qui a le plus insisté sur le rôle des forces sociales et interpersonnelles dans le développement humain. Les tenants de sa théorie, présentée dans son *Interpersonal Theory of Psychiatry* (1953), considèrent qu'ils appartiennent à l'école des relations interpersonnelles de Sullivan.

Pour Sullivan, les premiers rapports entre le nourrisson et sa mère jouent un rôle important dans le développement de l'anxiété ainsi que dans la formation du sentiment de soi. L'anxiété peut être transmise par la mère lors de sa première interaction avec le nourrisson. Ainsi, dès le début, l'anxiété est de nature interpersonnelle. Le *soi*, concept crucial dans la théorie de Sullivan, est de la même façon d'origine sociale. Le soi se forme à travers les sentiments éprouvés lors des contacts avec autrui et à partir de l'évaluation de soi en fonction des réactions des pairs. Les éléments importants du soi, liés notamment à l'expérience de l'angoisse par rapport au sentiment de sécurité, sont le *bon moi* associé aux expériences agréables, le *mauvais moi* associé à la douleur et aux menaces à la sécurité, et le *non moi*, ou la partie du soi qui est rejetée en raison de son rapport avec une angoisse insupportable.

Sullivan, on le constate, accorde beaucoup d'importance aux déterminants sociaux dans sa conception du développement de la personne; un peu comme le fait Erikson, il s'attache tout particulièrement aux influences interpersonnelles et aux stades de développement postérieurs au complexe d'Œdipe. Il s'intéresse surtout à l'*enfance* (*juvenile era*) et à la *préadolescence*. Au cours de la première période, qui correspond à peu près à l'école primaire, l'enfant connaît auprès de ses amis et de ses enseignants des expériences qui entrent en concurrence avec l'influence de ses parents. L'acceptation sociale devient cruciale et la réputation dont l'enfant bénéficie auprès des autres devient une grande source d'estime de soi ou d'angoisse. Au cours de la préadolescence, la relation avec un ami proche, du même sexe, devient très importante. Cette relation de grande amitié servira de base au développement d'une relation amoureuse avec une personne de l'autre sexe au cours de l'adolescence. Aujourd'hui, de nombreux psychologues de l'enfant soutiennent que les premiers rapports qu'on entretient avec des pairs pourraient être aussi importants que la première relation avec la mère (Lewis *et al.*, 1975).

Comme dans le cas des autres théoriciens présentés dans cette section, nous avons abordé quelques-uns seulement des principaux concepts de la théorie interpersonnelle de Sullivan. Ses travaux se distinguent par l'importance accordée aux facteurs sociaux et au développement du soi, ainsi que par leur apport exceptionnel au traitement des personnes souffrant de schizophrénie.

L'ÉVOLUTION DE LA THÉORIE PSYCHANALYTIQUE ORTHODOXE

Examinons les progrès des études cliniques et de la recherche systématique réalisés dans le cadre de la théorie psychanalytique traditionnelle. Depuis ses débuts avec Freud et jusqu'à maintenant, les avancées au sein de la théorie psychanalytique ont généralement reposé sur la recherche clinique, c'est-à-dire sur les études de cas. Parmi les faits nouveaux importants, notons l'application de la recherche psychanalytique à des groupes d'âge et à des troubles mentaux rarement traités par Freud ou par ses disciples. Comme nous l'avons mentionné, le petit Hans a été soigné par son père. La plupart des données psychanalytiques sur l'enfance et l'adolescence dont nous disposons reposent sur les souvenirs que rapportent les parents adultes. La situation a considérablement évolué grâce aux efforts de théoriciennes telles que Anna Freud et Mélanie Klein, qui ont eu recours aux concepts psychanalytiques pour traiter les enfants; aujourd'hui, la psychothérapie pratiquée auprès des enfants et des adolescents dans les pays francophones s'appuie pour une bonne part sur la théorie psychanalytique. La méthode thérapeutique change selon le groupe d'âge traité (par exemple, chez les enfants on utilise la thérapie par le jeu au lieu de l'analyse des rêves pour accéder à l'inconscient), mais les principaux concepts théoriques sont les mêmes.

Non seulement les enfants ont-ils pu bénéficier de la thérapie clinique, mais les psychanalystes se sont de plus en plus intéressés à d'autres types de problèmes que ceux traités par Freud. Selon un analyste, les patients d'aujourd'hui ne sont pas issus du même milieu social et culturel que les patients du temps de Freud et ils souffrent de problèmes différents. Au lieu de présenter des « névroses typiques », ils veulent qu'on remédie à une dépression, au vide intérieur qu'ils éprouvent ou à leur « manque d'entrain et de joie de vivre » (Wolf, 1977). En somme, puisque les analystes ont dû se tourner vers de nouveaux problèmes cliniques, ces changements ont donné lieu à des avancées théoriques engendrées non pas par l'insatisfaction à l'égard de la théorie freudienne elle-même, mais par la nécessité de comprendre et de résoudre ces problèmes cliniques d'un genre différent.

La théorie de la relation d'objet

Les préoccupations cliniques à l'égard des problèmes liés à la définition de soi et à une estime de soi trop fragile ont amené les analystes à s'intéresser de plus en plus à la façon dont ce sentiment de soi se développe au cours des premières années et comment par la suite l'individu tente d'en protéger l'intégrité. On appelle *théoriciens de la relation d'objet* ceux qui se penchent sur ces questions (Greenberg et Mitchell, 1983; Westen et Gabbard, 1999). Le terme *objet* désigne des personnes plutôt que des choses. Ainsi, on étudie de quelle façon les expériences que l'individu a connues dans le passé auprès de personnes importantes à ses yeux figurent à titre d'éléments ou d'aspects du soi et influent ensuite sur les rapports qu'il entretient aujourd'hui avec les autres. Bien qu'il y ait des divergences entre les théoriciens de la relation d'objet et bien que certains d'entre eux s'écartent davantage que les autres de la théorie psychanalytique traditionnelle, la quête de relations avec autrui attire en général plus leur attention que l'expression des pulsions sexuelles et des pulsions agressives. Par exemple, une relation significative avec une grand-mère qui procure affection et attention peut être représentée dans le soi à titre d'élément nourricier. Par contre, une relation significative avec une grand-mère perçue comme égoïste peut se traduire par une représentation égoïste du soi.

Le narcissisme et la personnalité narcissique ■ Examinant les perturbations du sentiment de soi, les psychanalystes se sont penchés notamment sur les concepts de narcissisme et de *personnalité narcissique*. Heinz Kohut et Otto Kernberg sont les deux théoriciens les plus notables à ce chapitre. L'individu qui a connu un développement sain manifeste un sentiment de soi bien net ainsi qu'une estime de soi satisfaisante et relativement stable; il est fier de ses réalisations et il se montre sensible et réceptif aux besoins des autres tout en répondant à ses propres besoins. Chez la personnalité narcissique, on observe une perturbation du sentiment de soi, de la fragilité quand l'estime de soi est atteinte, une aspiration à l'admiration d'autrui et un manque d'empathie à l'égard des sentiments et des besoins des autres. Malgré sa vulnérabilité à l'égard des sentiments de dévalorisation et d'impuissance intensément ressentis (honte et humiliation), le narcissique affiche un sentiment exagéré de son importance et il est obsédé par des fantasmes de réussite et de pouvoir illimités. Ces individus ont tendance à penser, et cela de manière outrée, qu'ils sont *habilités* à ce qu'on leur donne des choses, qu'ils *méritent* l'admiration et l'amour des autres, et qu'ils ont une personnalité *hors du commun* ou exceptionnelle. Ils peuvent se montrer très généreux envers les autres, sans toutefois faire preuve d'émotion ou d'empathie en général, mais ils se montrent également très exigeants. Par moments, ils idéalisent ceux qui les entourent, ainsi qu'eux-mêmes, et à d'autres, ils les dévalorisent complètement. En thérapie, il arrive souvent que le narcissique encense un instant le thérapeute pour sa perspicacité et qu'il le bafoue l'instant d'après pour sa stupidité et son incompétence.

Henry Murray, qui a conçu le test d'aperception thématique, a également élaboré un questionnaire visant à mesurer le narcissisme (figure 4.3). Plus récemment, on a construit un *inventaire de la personnalité narcissique* (IPN; Raskin et Hall, 1979, 1981) que l'on commence à utiliser dans la recherche (Emmons, 1987; voir la figure 4.3). Une étude a montré que les personnes qui ont obtenu un score élevé à l'inventaire de la personnalité narcissique utilisent beaucoup plus de références personnelles (je, me, mien) que ceux dont le score est faible (Raskin et Shaw, 1987); une autre étude a permis d'établir un lien entre le score élevé obtenu à l'inventaire de la personnalité narcissique et le fait d'être décrit par les autres comme un individu exhibitionniste, péremptoire, dominant, prompt à critiquer et à évaluer (Raskin et Terry, 1987). On a constaté que ceux qui ont obtenu un score élevé à l'échelle du narcissisme évaluent leur rendement d'une manière plus positive que ne le font leurs pairs ou les collègues de travail, ce qui révèle une forte tendance à se surévaluer par rapport aux personnes dont le score est faible (John et Robins, 1994a; Robins et John, 1997). De plus, alors que la plupart des gens se sentent mal à l'aise et embarrassés lorsqu'ils se voient dans un miroir ou sur une bande vidéo, les individus narcissiques éprouvent du contentement. Comme Narcisse qui dans le mythe contemplait son image dans l'eau de l'étang, les personnes narcissiques passent une bonne partie du temps à s'admirer dans le miroir et préfèrent se regarder eux-mêmes plutôt que de regarder les autres sur une bande vidéo; le fait de se contempler sur une bande vidéo redonne effectivement du tonus à leur ego (Robins et John, 1997). Enfin, outre qu'ils arborent une tendance à se magnifier, les narcissiques ont un concept de soi plutôt simpliste et manifestent une méfiance plutôt cynique à l'égard des autres (Rhodewalt et Morf, 1995). Ces résultats concordent avec la représentation du narcissique en tant qu'individu occupé à maintenir une estime de soi excessive. Il n'est donc pas étonnant de constater que le narcissique cherche des partenaires amoureux qui l'admireront, contrairement à la personne non narcissique qui cherche des partenaires affectueux (Campbell, 1999).

L'échelle de narcissisme de Murray (1938, p. 181)

Je pense souvent à mon apparence et à l'impression que je produis chez les autres.

Je suis facilement blessé lorsqu'on me ridiculise ou qu'on exprime des remarques offensantes.

Je parle beaucoup de moi, de mes expériences, de mes sentiments et de mes idées.

L'inventaire de la personnalité narcissique (Raskin et Hall, 1979)

J'aime vraiment être le centre d'attention.

Je pense que je suis une personne hors du commun.

J'attends beaucoup des autres.

Je suis envieux de la chance des autres.

Je ne serai pas satisfait tant que je n'aurai pas obtenu ce que je mérite.

Figure 4.3 Énoncés figurant dans le questionnaire d'évaluation du narcissisme.

La plupart des études portant sur le narcissisme mettent en corrélation les scores de l'inventaire de la personnalité narcissique et ceux obtenus dans d'autres questionnaires ou provenant de l'observation du comportement (par exemple, les références à soi, se regarder dans le miroir). Plus récemment, la recherche s'est tournée vers les méthodes expérimentales. Par exemple, en s'appuyant sur des observations cliniques selon lesquelles les personnes narcissiques dont l'estime de soi a fait l'objet de critiques ou de menaces réagissent par la rage, la honte ou l'humiliation, Rhodewalt et Morf (1998) ont exposé des individus dont les scores de narcissisme étaient élevés ou faibles à des expériences de succès et d'échec dans deux tests présentés comme une évaluation de l'intelligence. Puisque les éléments d'évaluation étaient de difficulté moyenne, les participants ne pouvaient être sûrs d'avoir fourni des réponses exactes, ce qui donnait aux expérimentateurs la possibilité de moduler les commentaires au sujet de l'exactitude des réponses. Dans le but d'observer les effets de l'échec venant *après* la réussite par opposition à l'échec venant *avant* la réussite, on déclara à la moitié des participants qu'ils avaient réussi le premier test et échoué au second, tandis qu'on donna à l'autre moitié des résultats inverses. Après chacun des tests, les participants devaient répondre à des questions portant sur les émotions qu'ils ressentaient et évaluer leur rendement. Comme prévu, les individus au score de narcissisme élevé ont réagi à l'échec avec davantage de colère que les individus dont le score était faible, notamment quand l'échec venait après le succès (tableau 4.3). Ce résultat concorde avec la théorie voulant que la colère narcissique soit une réaction aux menaces qu'on perçoit à l'égard d'une image de soi grandiose. De plus, on a constaté que les individus ayant un score de narcissisme élevé se montraient d'une grande vulnérabilité lorsque les commentaires, tantôt positifs, tantôt négatifs, déclenchaient des fluctuations de l'estime de soi. Ces commentaires avaient aussi des répercussions considérables sur le sentiment de bonheur (tableau 4.3). Enfin, on a remarqué que les narcissiques exagéraient plus que les autres en attribuant leur succès à leurs propres capacités et qu'ils rejetaient davantage le blâme sur les autres pour leurs échecs. Bref, les résultats expérimentaux confirment les observations cliniques quant à la vulnérabilité des individus narcissiques face aux atteintes à l'estime de soi et quant à leur réaction de colère à l'égard de ces atteintes.

Tableau 4.3 Scores de l'estime de soi, de la colère et du bonheur obtenus par les participants très narcissiques ou peu narcissiques quand l'échec vient après le succès (à gauche) et quand l'échec précède le succès (à droite)

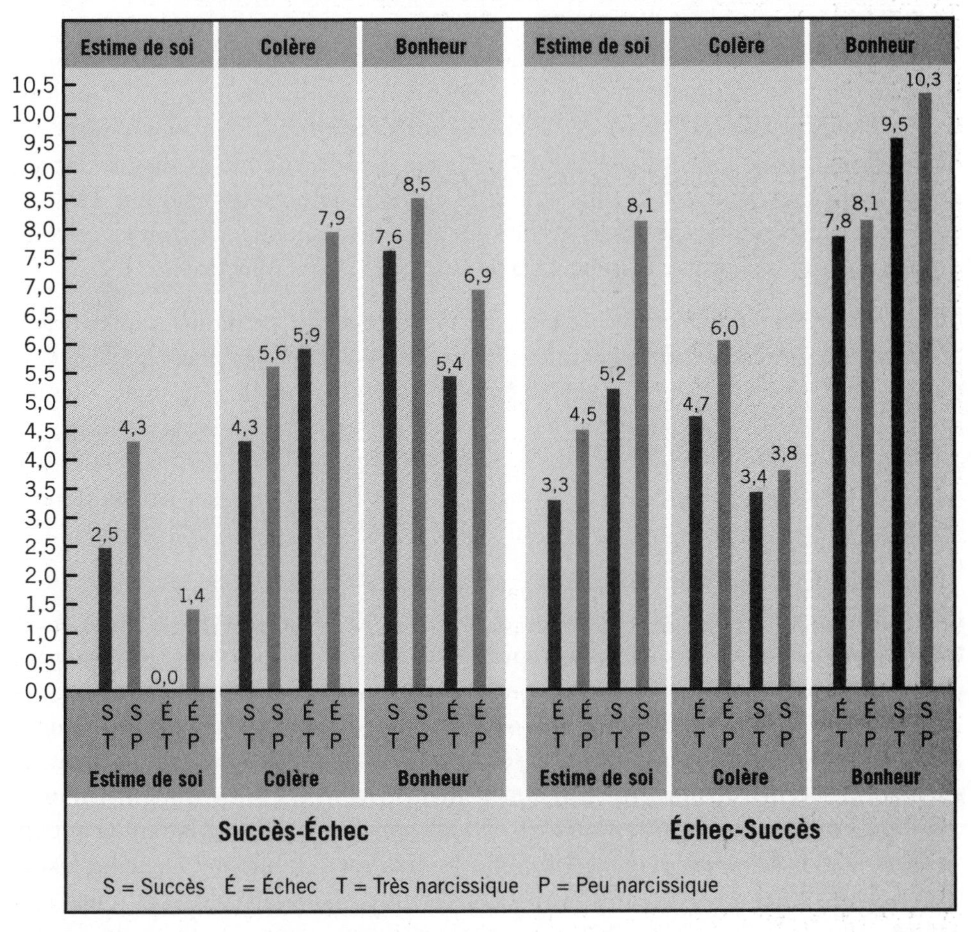

Source : Rhodewalt et Morf, 1998.

La théorie de l'attachement et les relations personnelles chez les adultes

Cette théorie traite de l'effet des premières expériences sur le développement de la personnalité et de leurs rapports avec son fonctionnement ultérieur. Même si elle ne fait pas spécifiquement partie de la théorie psychanalytique ou de la théorie de la relation d'objet, la théorie de l'attachement a de nombreux points communs avec elles.

La théorie de l'attachement telle que nous la connaissons aujourd'hui repose en grande partie sur les premiers travaux théoriques du psychanalyste britannique John Bowlby et sur les recherches empiriques de la psychologue du développement Mary Ainsworth (Ainsworth et Bowlby, 1991 ; Bretherton, 1992 ; Rothbard et Shaver, 1994). Psychanalyste de formation, Bowlby s'est intéressé aux répercussions que la séparation précoce d'avec les parents pouvait avoir sur le développement de la personnalité. Ce problème prit beaucoup d'importance en Angleterre au cours de la Deuxième Guerre mondiale lorsque, pour les protéger des bombardements ennemis, de nombreux enfants des villes furent envoyés à la campagne, loin de leurs parents. Dans ses travaux théoriques, Bowlby fut grandement influencé par les progrès de l'éthologie, cette partie de la biologie qui s'occupe de l'étude des animaux dans leur milieu naturel, et par ceux de la théorie générale des systèmes, cette

Système comportemental d'attachement *(attachment behavioral system).*

Concept de Bowlby soulignant l'importance du lien qui s'établit entre le nourrisson et la figure maternelle, généralement la mère.

Modèles intériorisés opérants *(internal working models).*

Concept de Bowlby désignant les représentations mentales (images) du soi et d'autrui, associées à l'émotion, qui se développent au cours des premières années de la vie de l'enfant.

partie de la biologie qui est axée sur les principes généraux de fonctionnement de tous les systèmes biologiques. Ses observations cliniques et ses nombreuses lectures ont permis à Bowlby de formuler une théorie du développement qu'il appelle **système comportemental d'attachement** (SCA). Selon cette théorie, le nourrisson traverse une série de phases au cours desquelles se développe l'attachement à une figure maternelle, habituellement la mère, et au cours desquelles il apprend à utiliser cet attachement comme « base de sécurité » pour l'exploration et les séparations. Le système comportemental d'attachement est considéré comme un dispositif programmé chez les nourrissons ; il s'agit d'un élément de notre patrimoine évolutif doté de propriétés adaptatives. Il permet à la fois de maintenir des contacts étroits avec la mère et d'explorer le milieu à partir de cette base de sécurité.

On assiste également à la mise en place, chez le nourrisson, de **modèles intériorisés opérants**, ou représentations mentales (images) de soi et de ses figures maternelles, qui s'ajoutent au système comportemental d'attachement. Ils s'appuient sur les interactions du nourrisson au cours de la petite enfance et ils servent de base aux attentes concernant les relations à venir. Parce qu'elle met l'accent sur les premières relations affectives dans le développement de la personnalité et sur les relations à venir, la théorie de l'attachement est similaire à la théorie psychanalytique et à la théorie de la relation d'objet.

L'élaboration par Ainsworth de la *technique de la situation insolite* a marqué un tournant décisif dans la recherche empirique. Cette technique consiste à observer de façon systématique la réaction des nourrissons au moment du départ (séparation) et du retour (réunion) de la mère ou d'une autre figure maternelle. On a ainsi pu classer les enfants en trois catégories selon le modèle d'attachement : l'attachement sécurisé (70 % environ des enfants), l'attachement évitant (20 % environ des enfants) et l'attachement anxieux/ambivalent (10 % environ des enfants). L'enfant ayant un attachement sécurisé est sensible au départ de sa mère, mais il l'accueille à son retour, il est facilement réconforté et il peut ensuite retourner explorer et jouer. Par contre, l'enfant ayant un attachement évitant proteste peu au moment du départ de sa mère, mais il adopte un comportement fuyant à son retour en évitant son regard ou en s'éloignant. Enfin, l'enfant ayant un attachement anxieux/ambivalent trouve difficile la séparation d'avec sa mère de même que les retrouvailles. Le comportement de ces enfants se distingue en ce que d'une part ils supplient leur mère de les prendre dans ses bras et que d'autre part ils se débattent et insistent pour être déposés par terre.

Il y aurait beaucoup à dire à propos de cette théorie et de cette technique d'observation, mais il convient d'abord d'établir si les différences entre les individus en matière d'attachement correspondent aux différences concernant les relations interpersonnelles qu'on retrouve chez les adultes, notamment dans les relations amoureuses. Dans l'étude que nous avons retenue, les psychologues cherchaient à explorer les rapports entre les liens affectifs noués au cours de l'enfance et ceux qui s'établissent à l'âge adulte dans une relation amoureuse (Hazan et Shaver, 1987). Plus précisément, on a émis l'hypothèse qu'il existerait des rapports entre les premiers modèles d'attachement (sécurisé, évitant, anxieux/ambivalent) et ceux qu'adopteraient les adultes dans leurs relations amoureuses ; on reconnaîtra ici la continuité des modèles d'attachement et de comportements suggérés par la théorie psychanalytique.

Les participants à l'étude avaient répondu à un sondage ou à des questionnaires sur l'amour publiés dans un journal. Pour qu'on puisse déterminer leur modèle d'attachement, les lecteurs devaient s'inscrire dans l'une des trois catégories décrivant leurs rapports avec les autres. Ces trois catégories correspondaient aux trois modèles d'attachement définis plus haut (figure 4.4). Pour savoir quel était leur modèle de relations amoureuses, on demandait aux participants de répondre aux questions énumérées dans le journal, sous un titre accrocheur : « Parlez-nous de l'amour de votre vie ! » Les réponses aux questions concernant la plus importante relation amoureuse qu'ils aient connue au cours de leur vie fournissaient les résultats figurant sur douze échelles de l'expérience amoureuse (figure 4.4). On leur posait aussi

Parmi les énoncés suivants, lequel décrit le mieux vos sentiments ?

- **Attachement sécurisé** (N = 319, 56 %) Je m'attache aux autres sans difficulté ; cela ne m'ennuie pas de dépendre d'eux et qu'ils dépendent de moi. Il ne m'arrive pas souvent de craindre d'être abandonné ou qu'on s'attache trop à moi.
- **Attachement évitant** (N = 145, 25 %) Cela m'ennuie un peu de m'attacher aux autres ; il m'est difficile de leur faire entièrement confiance et de dépendre d'eux. Je suis nerveux quand une personne devient trop proche et mes partenaires amoureux désirent souvent avoir avec moi une plus grande intimité que celle dont je suis capable.
- **Attachement anxieux/ambivalent** (N = 110, 19 %) Je trouve que les autres hésitent à s'attacher autant que je le voudrais. Je me demande souvent si mon partenaire m'aime vraiment ou s'il souhaite me quitter. Je désire fusionner complètement avec l'autre personne, ce qui fait souvent fuir les gens.

Échelle	**Élément**	**Moyenne des résultats (modèles d'attachement)**		
		Évitant	**Anxieux/ ambivalent**	**Sécurisé**
Bonheur	Ma relation avec ________ me rendait (rend) très heureux.	3,19	3,31	3,51
Amitié	Je considérais (considère) ________ comme l'un de mes meilleurs amis.	3,18	3,19	3,50
Confiance	J'avais (j'ai) entièrement confiance en ________.	3,11	3,13	3,43
Peur de l'intimité	Je sentais (sens) parfois qu'une trop grande intimité avec ________ pouvait (peut) engendrer des problèmes.	2,30	2,15	1,88
Acceptation	J'étais (je suis) très conscient des défauts de ________, mais cela ne diminuait (diminue) pas mon amour pour lui (elle).	2,86	3,03	3,01
Émotions extrêmes	Ma relation avec ________ m'apportait (m'apporte) autant de souffrance que de joie.	2,75	3,05	2,36
Jalousie	J'aimais (j'aime) tant ________ que je me sentais(sens) souvent jaloux.	2,57	2,88	2,17
Obsession	Parfois, je n'arrivais (n'arrive) pas à contrôler mes pensées au sujet de ________.	3,01	3,29	3,01
Attirance sexuelle	J'étais (je suis) très attiré physiquement par ________.	3,27	3,43	3,27
Désir d'union	Parfois, je souhaitais (souhaite) que ________ et moi formions une seule entité, un « nous » sans frontières bien délimitées.	2,81	3,25	2,69
Désir d'échange	Plus que tout, je désirais (désire) que ________ ait les mêmes sentiments que moi.	3,24	3,55	3,22
Coup de foudre	Dès que j'ai vu ________, j'ai été accroché.	2,91	3,17	2,97

Figure 4.4 Éléments et moyennes relevant des trois modèles d'attachement évalués en fonction des douze échelles de l'expérience amoureuse. (Hazan et Shaver, 1987. © 1987, American Psychological Association, reproduction autorisée.)

d'autres questions : Comment concevaient-ils l'évolution des rapports amoureux au fil du temps ? Quels souvenirs d'enfance avaient-ils de leurs rapports avec leurs parents et des rapports entre leurs parents ?

Selon leur type (attachement sécurisé, évitant, anxieux/ambivalent), les répondants se distinguaient-ils dans leur façon de vivre leur plus importante relation amoureuse ? D'après les moyennes indiquées sur les échelles de l'expérience amoureuse, cela semble être le cas. Le modèle de l'attachement sécurisé est associé à des expériences de bonheur, d'amitié et de confiance ; le modèle de l'attachement évitant à la crainte de l'intimité, à des fluctuations émotives et à la jalousie ; et le modèle de l'attachement anxieux/ambivalent à une obsession à l'égard de la personne aimée, au désir d'union, à une attirance sexuelle extrême, à des fluctuations émotives et à la jalousie. De plus, les trois groupes différaient quant à leur conception de la relation amoureuse, quant aux modèles psychiques qu'ils en avaient formé. Les amoureux qui bénéficiaient d'un attachement sécurisé considéraient que les sentiments amoureux, même relativement stables, pouvaient augmenter ou diminuer et ils écartaient l'amour fou souvent dépeint dans les romans et les films ; les amoureux ayant un attachement évitant doutaient que l'amour puisse durer et ils pensaient qu'il était rare de trouver une personne dont on pouvait vraiment devenir amoureux ; quant à ceux qui avaient un attachement anxieux/ambivalent, ils estimaient qu'il était facile de devenir amoureux, mais que l'amour véritable était rare. Enfin, les participants jouissant d'un attachement sécurisé avaient plus que les autres le souvenir de relations plus chaleureuses avec leurs deux parents, ainsi qu'entre les deux parents.

Les psychologues menèrent par la suite une étude auprès d'un groupe d'étudiants qui corrobora ces résultats. Ils relevèrent également des différences dans la description que les membres des trois groupes donnaient d'eux-mêmes : les participants ayant un attachement sécurisé se décrivaient comme des personnes d'un abord facile et appréciés de la plupart des gens ; quant aux participants ayant un attachement évitant, ils se présentaient comme des gens qui doutent d'eux-mêmes, qui sont incompris et peu appréciés. Les réponses des participants ayant un attachement anxieux/ambivalent se situaient entre ces deux groupes, mais elles se rapprochaient du deuxième.

Dans une étude subséquente, ces corrélations furent reproduites, leur portée amplifiée, et cela de deux façons. Premièrement, les données semblent indiquer que le modèle d'attachement exerce une influence prégnante sur les relations interpersonnelles et sur l'estime de soi (Feeney et Noller, 1990). Deuxièmement, il semble y avoir des rapports entre le modèle d'attachement et l'attitude à l'égard du travail : les participants dotés d'un attachement sécurisé abordent leur travail avec assurance, sont peu troublés par la crainte de l'échec et ne laissent pas leur travail influer sur leurs relations personnelles ; les participants ayant un attachement anxieux/ambivalent se laissent facilement influencer par les éloges et les blâmes concernant leur travail et chez eux les soucis amoureux influent sur le rendement au travail ; les participants ayant un attachement évitant évitent les interactions sociales en se réfugiant dans le travail et, malgré leur réussite financière, sont moins satisfaits sur le plan professionnel que ceux qui ont un attachement sécurisé (Hazan et Shaver, 1990).

Un grand nombre de ces études consacrées aux modèles d'attachement se fondent sur les données de l'observation de soi ; une étude astucieuse de Fraley et Shaver (1998) s'appuie sur des observations effectuées sur le vif. On y examine les rapports entre le modèle d'attachement et le comportement des couples au moment où, dans un aéroport, ils se séparent provisoirement. Un membre de l'équipe de recherche a d'abord demandé à des couples qui se trouvaient dans une salle d'attente de l'aéroport de bien vouloir remplir un questionnaire portant sur « Les effets du voyage sur les rapports entre les proches à l'ère moderne » et correspondant à un projet de cours. La plupart (95 %) des couples ont accepté de participer à l'étude. Chacun des deux partenaires remplissait séparément le questionnaire comportant une évaluation du modèle d'attachement. Pendant qu'ils se livraient à cette activité, un membre de l'équipe de recherche s'asseyait à proximité pour les observer et ensuite prendre des notes sur leurs interactions pendant qu'ils attendaient le départ de l'avion. Ces comportements étaient répartis en catégories de comportement d'attachement, entre autres la *recherche de contact* (embrassades, regard qui suit le partenaire), le *maintien du contact* (étreinte, réticence à se détacher), l'*évitement* (dérobade visuelle, rupture du contact) et la *résistance* (désir d'étreinte, mais également résistance au contact, signes de colère ou de contrariété). L'étude visait à déterminer si les personnes qui différaient quant au modèle d'attachement différaient également quant au comportement de séparation ; on a constaté que cette corrélation existait chez les femmes, mais non chez les hommes. Les femmes manifestant un attachement évitant étaient moins portées à chercher et à maintenir le contact avec leur partenaire, moins enclines à offrir du soutien affectif à leur partenaire et plus susceptibles d'adopter un comportement de retrait, par exemple s'écarter ou refuser le contact visuel, que les femmes qui n'avaient pas ce type d'attachement. Fait à noter, le comportement des femmes ayant un attachement de type fuyant n'était pas exactement le même lorsqu'elles accompagnaient leur partenaire en voyage que lorsqu'elles le regardaient partir. Dans ce cas, il n'existait pas de menaces d'abandon, et les femmes ayant un attachement de type fuyant étaient plus portées à rechercher l'attention de leur partenaire et le contact avec lui. Les données révèlent donc que, du moins chez les femmes, la dynamique du comportement d'attachement décrite chez les enfants s'applique également aux adultes dans le contexte des relations amoureuses.

Il est important de rappeler que, selon Bowlby, ces modèles d'attachement se forment au cours des premières expériences que connaît le nourrisson au contact de la figure maternelle et qu'ils se rapportent aux modèles intériorisés opérants du soi et d'autrui ; récemment, on a tenté de relier les modèles d'attachement à la manière dont l'individu conceptualise le fonctionnement du soi et le fonctionnement d'autrui (Bartholomew et Horowitz, 1991 ; Griffin et Bartholomew, 1994). D'après Bowlby, on peut définir les comportements d'attachement en fonction de deux dimensions, qui reflètent la conceptualisation interne du fonctionnement du soi et la conceptualisation du fonctionnement d'autrui (figure 4.5). Chaque dimension comporte un aspect positif et un aspect négatif. Le côté positif du soi pourrait être illustré par le sentiment de confiance en soi et par l'espoir que les autres réagiront positivement. On pourrait illustrer le côté positif d'autrui par la perspective que les autres seront disponibles et réceptifs, ce qui permettrait de s'en rapprocher. Comme nous pouvons le constater à la figure 4.5, un quatrième modèle d'attachement, celui du *rejet*, a été ajouté. Les personnes auxquelles on attribue ce modèle d'attachement ne se sentent pas à l'aise dans les relations d'intimité et elles préfèrent ne pas dépendre des autres, mais elles conservent une image de soi positive. Dans l'état actuel de la recherche, il semble que ce quatrième modèle d'attachement présente une certaine utilité, mais on s'interroge toujours sur ce qui pourrait constituer le nombre idéal de modèles d'attachement.

Les études présentées ici ne font qu'effleurer cet important domaine de recherche. Les modèles d'attachement ont été associés au choix du partenaire et à la stabilité des relations amoureuses (Kirkpatrick et Davis, 1994), à l'apparition de la dépression

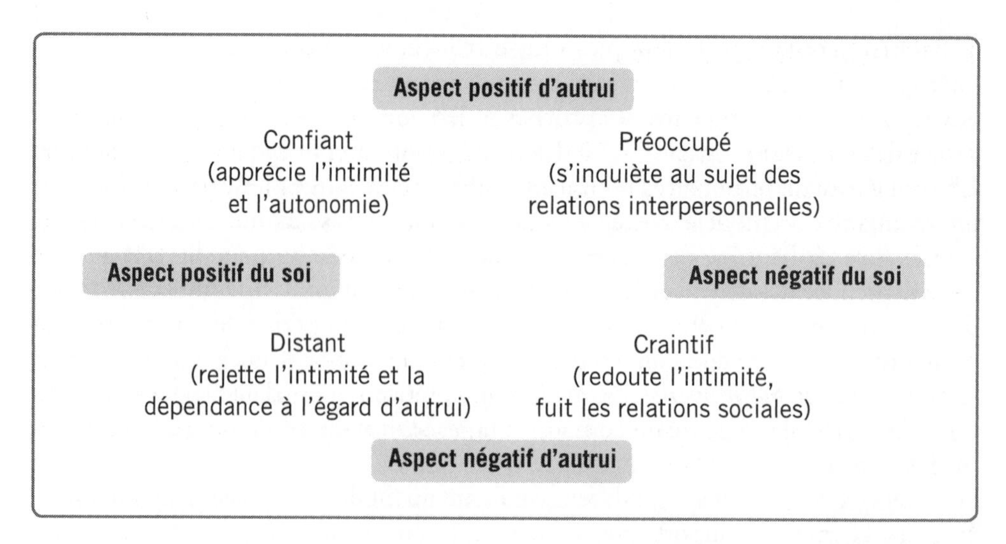

Figure 4.5 Les dimensions du soi ainsi que les autres modèles de conceptualisation interne et de comportements d'attachement connexes, selon Bartholomew. (Bartholomew et Horowitz, 1991 ; Griffin et Bartholomew, 1994. © 1994, American Psychological Association, reproduction autorisée.)

chez l'adulte et aux difficultés qu'on éprouve dans les relations interpersonnelles (Bartholomew et Horowitz, 1991 ; Carnelley, Pietromonaco et Jaffe, 1994 ; Roberts, Gotlib et Kassel, 1996), à la montée du sentiment religieux (Kirkpatrick, 1998), de même qu'à la façon dont l'individu résout les crises (Mikulciner, Florain et Weller, 1993). En outre, une étude récente révèle que le modèle d'attachement se met en place à la suite des expériences familiales communes aux frères et sœurs, au lieu d'être fortement déterminé par les facteurs génétiques (Waller et Shaver, 1994). C'est ainsi qu'une impressionnante documentation commence à se constituer (Cassidy et Shaver, 1999 ; Simpson et Rholes, 1998).

Néanmoins, certains faits doivent être gardés en mémoire. D'abord, bien que les données permettent de supposer qu'il existe une continuité du type d'attachement, il existe aussi des preuves que ces modèles ne sont pas immuables. La persistance du modèle d'attachement au fil du temps et les raisons qui rendent compte de sa stabilité représentent à l'heure actuelle des questions très controversées (Fraley, 1999 ; Thompson, 1998). Ensuite, on tend à considérer dans ces études que l'individu n'a qu'un seul type d'attachement. Pourtant, il a été démontré que le même individu peut présenter plusieurs modèles d'attachement, un qui vaut pour ses rapports avec les hommes, un autre pour ses rapports avec les femmes, ou encore un modèle sera employé dans certains contextes et un autre le sera ailleurs (Sperling et Berman, 1994). Enfin, il est important de signaler que la plupart des études font appel à l'observation de soi et au souvenir qu'on conserve des expériences vécues pendant l'enfance. Autrement dit, il faudra recueillir d'autres données concernant le véritable comportement des individus ayant des modèles d'attachement adulte différents et mener d'autres études permettant d'observer les gens de l'enfance à l'âge adulte. Des études de ce genre, qualifiées de *longitudinales*, sont en cours (Sroufe, Carlson et Shulman, 1993). En somme, la recherche corrobore la théorie de Bowlby : les premières expériences de la vie sont primordiales pour la mise en place de modèles de fonctionnement interne qui ont, à leur tour, des répercussions considérables sur les relations personnelles. Par ailleurs, il sera nécessaire d'effectuer d'autres études pour cerner les expériences de l'enfance qui déterminent ces modèles, pour expliquer leur stabilité relative et pour savoir quelle est leur rôle à l'âge adulte.

L'évaluation critique

Lorsque nous évaluons la psychanalyse en tant que théorie de la personnalité, il faut garder à l'esprit qu'il s'agit d'une théorie complexe et qui comporte de nombreux éléments, certains concepts étant plus incontournables que d'autres. Par exemple, le concept de période de latence a moins de poids que le fait de mettre l'accent sur les premières expériences de la vie dans le développement de la personnalité. De plus, il importe de ne pas confondre la psychanalyse en tant que théorie avec la psychanalyse comme méthode de traitement. Si nous n'avons pas abordé la question du succès thérapeutique de la psychanalyse dans le présent ouvrage, c'est qu'il ne s'agissait pas d'un élément essentiel pour comprendre la théorie ou pour l'évaluer. L'efficacité de la thérapie est un sujet très complexe, encore peu compris, et assez éloigné de la théorie de la personnalité.

LES AVANTAGES

Quel est l'intérêt de la psychanalyse pour la théorie de la personnalité ? Manifestement, Freud a apporté une contribution majeure à la psychologie. La psychanalyse a permis d'utiliser de nouvelles techniques, l'association libre et l'interprétation des rêves notamment ; elle a aussi contribué grandement à la conception et à la mise au point de tests particuliers employés pour évaluer la personnalité. Deux apports remarquables méritent en outre d'être signalés. D'abord, la psychanalyse a participé étroitement à la recherche et à la découverte de nouvelles données. Ce qui frappe dans les observations de Freud, c'est qu'elles vont au-delà du caractère superficiel de certains comportements humains, comme le montre le travail clinique accompli auprès des patients. Que nous choisissions de considérer ces phénomènes comme des éléments caractéristiques du fonctionnement humain en général, comme l'a fait Freud, ou simplement comme des aspects propres aux névrosés, nous devons en tenir compte.

La première contribution importante de Freud tient donc à la richesse de ses observations concernant le comportement humain. En deuxième lieu, il s'intéresse à la complexité du comportement humain et élabore une théorie qui tient compte de tous ses aspects. Dans la théorie psychanalytique, on met en évidence le fait que des comportements d'apparence similaire renvoient parfois à des antécédents très divers et que des motivations très voisines peuvent engendrer des comportements passablement différents. La générosité peut exprimer une affection véritable ou un effort pour contrer un sentiment d'hostilité ; l'avocat et le criminel qu'il défend ou poursuit peuvent être, dans certains cas, plus proches l'un de l'autre sur le plan psychologique que la plupart d'entre nous peuvent le soupçonner. Cette complexité engendre une théorie qui embrasse presque tous les aspects du comportement humain. Aucune autre théorie de la personnalité ne se compare à la théorie psychanalytique quand il s'agit d'expliquer un éventail aussi vaste de comportements. Il en existe peu qui accordent une attention comparable à l'être humain dans sa totalité.

LES LIMITES

Du fait de ces contributions, Freud est reconnu comme un génie et un chercheur d'un courage remarquable. Quelles sont alors les limites de la psychanalyse en tant que théorie ? La critique porte surtout sur deux points : le statut scientifique de la psychanalyse et la conception psychanalytique de l'être humain.

Le statut scientifique de la théorie psychanalytique

On peut soulever une série de questions au sujet du bien-fondé de la psychanalyse en tant que théorie de la personnalité, aussi bien en rapport avec des éléments particuliers qu'avec l'ensemble de la démarche. Dans le premier cas, examinons par exemple le problème associé au système d'énergie figurant dans la théorie psychanalytique. Ce système, qui comme nous l'avons mentionné repose sur des théories antérieures à celles de Freud, est aujourd'hui dépassé; la recherche démontre clairement son insuffisance. L'individu ne cherche pas toujours à réduire la tension; en fait, il désire souvent qu'il y ait de la stimulation et de la tension. Ainsi, ce système qui fait reposer la motivation sur les pulsions physiologiques laisse beaucoup à désirer. Le système d'énergie présente peut-être une certaine utilité comme métaphore du fonctionnement de la personnalité, mais il ne rend pas justice à la complexité du fonctionnement de l'être humain.

Cependant, l'ensemble de la démarche psychanalytique comporte des failles peut-être encore plus importantes. Les termes employés en psychanalyse sont ambigus. On y trouve de nombreuses métaphores et analogies qui peuvent être prises au pied de la lettre: citons par exemple la période de latence, la pulsion de mort, le complexe d'Œdipe et l'angoisse de castration. L'angoisse de castration s'applique-t-elle à la crainte de perdre le pénis ou à la peur d'une blessure corporelle au moment où l'image corporelle de l'enfant devient plus importante pour l'estime de soi? Le langage de la théorie est si flou que les chercheurs ont souvent de la difficulté à s'entendre sur la signification précise des termes. Comment faut-il définir la libido? Même lorsque les concepts sont bien définis, ils sont souvent *trop éloignés du comportement observable et mesurable* pour être d'une quelconque utilité empirique. Des concepts tels que le ça, le moi et le surmoi possèdent un grand pouvoir évocateur, mais il est souvent difficile de les transformer en observations comportementales.

Et quelle est l'utilité scientifique des données cliniques? D'après de nombreuses critiques, les psychanalystes recourent à des observations influencées par la théorie pour corroborer la théorie; ils glissent sur l'hypothèse que des observateurs convaincus (les analystes) pourraient déformer les réponses de leurs patients de même que leur perception des données. Alors que certains soutiennent que les observations effectuées auprès des patients au cours de l'analyse permettent de vérifier adéquatement les concepts psychanalytiques (Edelson, 1984), d'autres affirment que les données cliniques demeurent suspectes et insuffisantes (Grunbaum, 1984, 1993). Au lieu d'observer de façon impartiale les expériences et les souvenirs des patients, de nombreux critiques laissent entendre que Freud a souvent déformé les observations en utilisant des méthodes fondées sur la suggestion et en insinuant que les souvenirs existent au niveau de l'inconscient (Crews, 1993; Esterson, 1993; Powell et Boer, 1994). Eysenck, qui a émis sur la psychanalyse des critiques fréquentes et véhémentes et dont nous étudierons les théories ultérieurement dans le présent ouvrage, déclare: « Il est tout aussi impossible de vérifier les hypothèses freudiennes "sur le divan" que de juger des hypothèses rivales de Newton et d'Einstein en s'endormant sous un pommier » (1953, p. 166).

Nous sommes donc en présence d'une théorie qui est par moments confuse et souvent difficile à vérifier. Ce problème se complique davantage: les psychanalystes peuvent expliquer la plupart des résultats qu'ils obtiennent, et même leur contraire. Si tel comportement se manifeste, c'est l'expression de la pulsion; si son contraire apparaît, c'est l'expression des mécanismes de défense; si une autre forme de comportement surgit, c'est un compromis entre la pulsion et le mécanisme de défense. Le problème ne vient pas de la place accordée à ce type de complexité, mais de l'incapacité de la théorie à prédire le comportement qui se manifestera en fonction d'un ensemble bien précis de circonstances. En l'absence de tels énoncés, il est impossible de réfuter ou de démontrer la fausseté de la théorie psychanalytique.

Enfin, la façon dont les psychanalystes défendent la théorie pose problème. Lorsque la théorie fait l'objet de critiques, les analystes réagissent souvent en laissant entendre que les détracteurs adoptent une attitude défensive, qu'ils refusent d'admettre l'importance de phénomènes comme la sexualité infantile. Lorsque les psychanalystes émettent des propos de ce genre, nous nous souvenons que, dans les premiers temps, la psychanalyse ressemblait plus à un mouvement religieux qu'à une théorie scientifique. Kohut, dont les travaux influents sur le narcissisme ont été signalés plus haut, a décrit le dilemme auquel il a fait face lorsqu'il a désavoué certains aspects bien connus de la psychanalyse. En plus des difficultés que posait l'abandon de concepts qui lui étaient chers auparavant, il a dû également affronter la condamnation des analystes de stricte obédience (Kohut, 1984).

En rendant compte des critiques concernant le statut de la psychanalyse en tant que théorie scientifique, il est important de rappeler que Freud était au courant de la plupart de ces objections. Il n'était pas un scientifique naïf; il pensait plutôt que, dans ses débuts, l'activité scientifique consiste à décrire des phénomènes et que l'imprécision est inévitable lors des premières étapes. En outre, Freud était pleinement conscient des difficultés qui se présentent quand on veut utiliser les idées psychanalytiques à des fins prédictives. Il a constaté que l'analyste était sur un terrain sûr lorsqu'il retraçait le comportement en commençant par le dernier stade, mais qu'il l'était beaucoup moins lorsqu'il procédait à l'inverse, car les événements ne semblaient alors plus se dérouler de manière inéluctable. Il conclut que la psychanalyse est plus apte à expliquer les comportements qu'à les prédire. Lorsqu'il conçut sa théorie, Freud ne put s'appuyer sur une discipline psychologique déjà constituée pour élaborer une théorie de nature scientifique. Malheureusement, il dépendait trop du milieu médical et thérapeutique dont il était issu lorsqu'il s'engagea dans l'élaboration d'un système d'une pertinence plus vaste.

La conception psychanalytique de la personne

Outre les questions soulevées sur le plan scientifique, la psychanalyse a également fait l'objet de critiques émises par les humanistes et par ceux qui défendent des conceptions existentialistes au sein de la psychologie et de la psychiatrie. Selon cette approche, la théorie qui fait de la personne un système d'énergie axé sur la réduction de la tension ne rend certainement pas justice à ses efforts créatifs et à ses efforts de réalisation de soi. On soutient également que la psychanalyse insiste sur les forces internes de l'individu et néglige dans l'ensemble les forces qui s'expriment dans la famille et dans la société. La critique féministe de la théorie psychanalytique est pertinente dans ce cas. Même s'il est souvent mal interprété, Freud considérait effectivement la réceptivité, la dépendance envers autrui, la sensibilité, la vanité et la soumission comme des caractéristiques féminines. Il les associait à la femme en raison de facteurs biologiques et y voyait une réaction à la prise de conscience de l'absence du pénis, selon le concept freudien de l'envie du pénis. Ce concept symbolise pour de nombreuses femmes la conception « biologique du destin » propre à Freud, laquelle témoigne d'une mauvaise évaluation des facteurs culturels. Karen Horney, entre autres, remet en question de nombreux concepts freudiens au sujet des femmes et de la sexualité féminine; elle propose, comme nous l'avons mentionné plus haut, une conception du développement féminin qui souligne l'importance des facteurs culturels. Notons que, malgré les attaques des féministes, la psychanalyse, plus que toute autre théorie peut-être, a presque toujours compté de grandes théoriciennes dans ses rangs, notamment Anna Freud, Hélène Deutch, Greta Bibring, Margaret Malher, Clara Thompson et Frieda Fromm-Reichman.

En bref

De nos jours, les opinions concernant l'œuvre et la contribution de Freud varient grandement : pour certains, il s'agit de littérature et non de psychologie ; pour d'autres, « bien qu'on annonce périodiquement la mort de Freud, les enterrements répétés reposent sur des arguments boiteux » (Westen, 1998). Alors que certains critiquent les erreurs inspirées par l'application de la théorie psychanalytique au traitement de certaines maladies — la schizophrénie entre autres — (Dolnick, 1998) et la corroboration limitée qu'ont reçue les principales hypothèses de la psychanalyse, d'autres sont plus favorables à ses méthodes de traitement et citent en exemple ses contributions durables à la recherche empirique (Westen et Gabbard, 1999). Comment pouvons-nous alors résumer notre évaluation de Freud et de la théorie psychanalytique (tableau 4.4) ? En tant qu'observateur du comportement humain et en tant que personne douée d'une imagination créative, Freud était certainement un génie exceptionnel. La théorie qu'il a élaborée a sans contredit l'avantage d'être systématique. Aucune autre théorie de la personnalité ne peut être comparée à la psychanalyse quant à l'ampleur du champ d'observation et à la diversité des interprétations. Compte tenu de sa portée, la théorie est économique. En matière de structure et de processus, elle utilise un petit nombre de concepts. De plus, la théorie a ouvert bien des domaines de recherche et elle a inspiré de multiples études. Malgré leur pertinence théorique, la plupart de ces études n'offrent toutefois pas la possibilité de vérifier les hypothèses découlant de la théorie, et peu d'entre elles ont servi à approfondir et à développer la théorie. Le problème majeur de la théorie psychanalytique réside dans la formulation des concepts ; autrement dit, l'ambiguïté des concepts et des liens suggérés entre les concepts rend difficile la vérification de la théorie. Il reste à se demander si la théorie psychanalytique pourra à l'avenir être vérifiée ou si elle sera un jour remplacée par une théorie aussi globale et économique, mais plus ouverte à la recherche empirique systématique.

Tableau 4.4 Avantages et limites de la théorie psychanalytique

Avantages	Limites
1. Facilite la découverte et l'exploration de nombreux phénomènes psychiques.	**1.** Ne réussit pas à définir tous ses concepts de façon claire et nette.
2. Met au point des techniques destinées à la recherche et à la thérapie (association libre, interprétation des rêves, transfert).	**2.** Rend la vérification empirique difficile, voire impossible.
3. Reconnaît la complexité du comportement humain.	**3.** Souscrit au concept controversé de l'individu en tant que système d'énergie.
4. Embrasse un large éventail de phénomènes.	**4.** Alimente la résistance d'une partie de la profession à l'égard de la recherche empirique et des changements à la théorie.

FREUD EN UN COUP D'ŒIL

Structure	Processus	Croissance et développement	Pathologie	Changement	Étude de cas
Ça, moi, surmoi ; inconscient, préconscient, conscient	Pulsions sexuelles et pulsions agressives ; angoisse et mécanismes de défense	Zones érogènes ; stades de développement oral, anal et phallique ; complexe d'Œdipe	Sexualité infantile ; fixation et régression ; conflit ; symptômes	Transfert ; résolution des conflits intrapsychiques ; « le moi doit être à la place du ça »	Le petit Hans

Résumé

1. Les tests projectifs, comme le test de Rorschach et le test d'aperception thématique, sont associés à la théorie psychanalytique. Il s'agit de tests non structurés, aux objectifs masqués, qui permettent de répondre d'une manière distincte et de dissimuler l'interprétation des réponses au participant.
2. Les tests projectifs offrent la possibilité d'étudier les fantasmes et la complexité de l'organisation des perceptions individuelles. Cependant, ils présentent aussi des problèmes de fidélité et de validité d'interprétation.
3. La théorie psychanalytique de la psychopathologie souligne l'importance des fixations, ou interruptions du développement, et de la régression, ou retour à un stade antérieur de satisfaction. Les caractères oral, anal et phallique expriment des modèles de personnalité qui découlent de fixations partielles à un stade antérieur de développement.
4. Selon la théorie psychanalytique, les troubles psychiques résultent de conflits entre la satisfaction des désirs pulsionnels et l'angoisse liée à ces désirs. Les mécanismes de défense représentent des moyens de réduire l'angoisse, mais ils peuvent engendrer l'apparition de symptômes.
5. La psychanalyse est un processus thérapeutique qui permet à l'individu de faire preuve d'une plus grande perspicacité et de résoudre des conflits remontant à l'enfance. On utilise les méthodes de l'association libre et de l'interprétation des rêves pour explorer les conflits inconscients. Dans la thérapie, on se sert également du transfert, dans lequel le patient manifeste envers le thérapeute des attitudes et des sentiments qui se rapportent à des expériences vécues antérieurement auprès de figures parentales.
6. Le cas du petit Hans illustre comment un symptôme, par exemple une phobie, peut découler de conflits associés au complexe d'Œdipe.
7. Plusieurs analystes de la première heure se sont écartés de Freud et ont mis sur pied leur propre école de pensée. Alfred Adler insistait davantage sur les concepts sociaux, tandis que Carl Jung accordait plus d'importance à l'énergie vitale en général qu'à l'énergie sexuelle en particulier.
8. Des analystes comme Karen Horney et Harry Stack Sullivan soulignent l'importance des facteurs culturels et des relations interpersonnelles ; ils font partie du groupe des néofreudiens.

9. Les dernières études cliniques en psychanalyse sont axées sur les problèmes de conscience de soi et d'estime de soi. Les psychanalystes de ce groupe, appelés théoriciens de la relation d'objet, soulignent l'importance de la recherche de rapports interpersonnels par opposition à l'expression de pulsions sexuelles et de pulsions agressives. Les concepts de narcissisme et de personnalité narcissique ont soulevé un intérêt particulier. Les modèles d'attachement de Bowlby, ainsi que les études connexes récentes, illustrent l'importance des premières expériences, celles-ci façonnant les relations personnelles ultérieures, de même que d'autres aspects du fonctionnement de la personnalité.

10. L'évaluation de la psychanalyse révèle qu'elle a contribué de façon remarquable à délimiter de nombreux phénomènes importants et à mettre en œuvre des techniques destinées à la recherche et à la thérapie. Par ailleurs, la théorie présente des concepts ambigus et mal définis et des problèmes quant à la vérification d'hypothèses spécifiques.

Chapitre 5

L'approche phénoménologique :
La théorie de la personnalité élaborée par Carl Rogers

Carl R. Rogers : aperçu biographique

La conception de la personne, selon Rogers

La science, la théorie et la recherche, selon Rogers

La théorie de la personnalité, selon Rogers

La structure

Les processus

La croissance et le développement

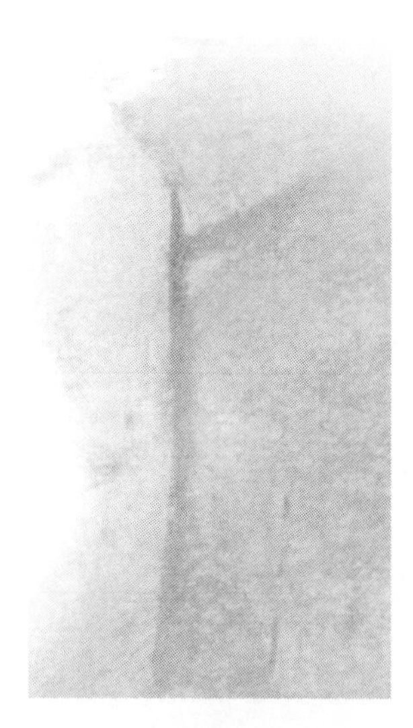

Vous êtes très nerveux avant votre premier rendez-vous amoureux et votre mère vous conseille d'être tout simplement vous-même, ce qui ne vous paraît pas très utile ; après tout, vous souhaitez impressionner l'élue de votre cœur et être aimé en retour. Cette tension entre la volonté d'être soi-même et le désir d'être aimé représente un élément clé de la théorie de la personnalité élaborée par Carl Rogers. S'appuyant sur son expérience de thérapeute, celui-ci adopte une approche clinique qui tient compte de la personne dans sa totalité. On qualifie de phénoménologique cette façon de voir parce qu'elle s'intéresse au monde dont l'individu fait l'expérience : elle examine comment celui-ci se perçoit et comment il perçoit les autres, quelle est son expérience de soi et du monde. Le recours à l'observation de soi verbalisée dans l'évaluation et la recherche souligne l'importance de l'expérience subjective et du soi dans la théorie rogérienne. Cette approche relève de la perspective humaniste, qui met l'accent sur la réalisation du potentiel de l'individu.

Le chapitre... *en questions*

1. Quel rôle le concept de soi joue-t-il dans la personnalité ? Comment mesure-t-on ce concept ?
2. Pour Freud, la réduction de la tension et la recherche du plaisir représentent les deux moteurs de l'action chez l'être humain. Est-il possible de concevoir les choses autrement, de penser par exemple que l'être humain cherche avant tout à se développer, à s'épanouir et à se réaliser ?
3. Est-il important d'avoir un concept de soi stable ? Pourquoi vaut-il mieux que ce concept de soi corresponde à ce que l'on ressent ? Comment réagissons-nous lorsqu'il y a conflit entre ce que nous ressentons et l'idée que nous nous faisons de nous-mêmes ?
4. Dans quelles conditions l'enfant acquiert-il le sentiment de sa valeur personnelle ?

Au chapitre précédent, nous avons examiné les points saillants de la théorie psychanalytique de Freud : il analyse la personne dans sa totalité, accorde à l'inconscient un rôle significatif et voit dans le comportement humain le résultat de l'interaction de diverses forces, ce qui en fait un modèle dynamique.

Dans ce chapitre, nous étudierons la théorie phénoménologique de Carl Rogers. À l'origine, il ne s'agissait pas à proprement parler d'une théorie de la personnalité, mais plutôt d'une conception de la psychothérapie et du processus de changement qui, par la suite, donna naissance à une théorie de la personnalité. Trois raisons nous amènent à présenter les idées de Rogers. D'abord, sa façon de voir illustre parfaitement l'**approche phénoménologique**, dans la mesure où il analyse l'être humain en se fondant sur la manière dont il se perçoit lui-même et dont il perçoit le monde qui l'entoure. Ensuite, la théorie de Rogers prête une grande attention au *soi* en tant que concept et aux expériences se rapportant au soi. Enfin, elle fait appel tout autant à l'intuition clinique qu'à la recherche objective. Bref, la théorie que nous examinerons met en évidence les rapports entre la personne et son monde, elle se penche sur l'expérience du soi et elle conjugue travail clinique et recherche empirique.

Approche phénoménologique *(phenomenological approach)*. Courant appartenant au champ de la psychologie qui s'intéresse aux perceptions de l'individu et à son expérience de soi et du monde.

Carl R. Rogers : aperçu biographique

« Je parle en tant que personne, dans un contexte d'expérience et d'apprentissage personnels. » C'est ainsi que Rogers (1902-1987) présente, dans *Le développement de la personne*, paru en 1968, le chapitre intitulé « Qui je suis », dans lequel il donne un compte rendu personnel et très émouvant de l'évolution de sa réflexion, aussi bien sur le plan professionnel que sur le plan personnel. Il explique en quoi consiste son travail et expose ce qu'il en pense.

> Ce livre décrit la souffrance et l'espoir, l'anxiété et la satisfaction dont est rempli le cabinet de consultation de tout psychothérapeute. C'est l'histoire unique de la relation particulière qui se forme entre chaque thérapeute et son client, ainsi que la description des éléments communs à toutes ces relations. Ce livre décrira l'expérience extrêmement personnelle de chacun de nous. Il s'agit d'un client qui, assis à côté de mon bureau, dans mon cabinet, s'efforce d'être lui-même, tout en ayant une peur mortelle de se laisser aller à l'être... Il s'agira de moi-même alors que je m'efforce de percevoir son expérience ainsi que la signification, le sentiment, la sensation et la « saveur » qu'elle a pour lui... Il s'agira de moi quand je me réjouis d'avoir le privilège de faire naître une personnalité nouvelle, assistant avec un sentiment de terreur mystérieuse à l'émergence d'un être, d'une « personne », ce processus de naissance dans lequel j'ai joué un rôle important et facilitant... Ce livre décrira, à ce que je crois, la vie même, telle qu'elle se révèle de façon éclatante au cours du processus thérapeutique — avec sa force aveugle et son immense potentiel de destruction, mais aussi avec sa tendance inéluctable vers la maturation si les conditions d'une telle maturation se trouvent réunies.
>
> Rogers, 1968, p. 4-5.

Carl R. Rogers est né le 8 janvier 1902 à Oak Park, en Illinois, aux États-Unis. Il a grandi dans une famille très unie où régnait une atmosphère religieuse et morale très stricte. Ses parents se souciaient sans cesse du bien-être de leurs enfants, à qui ils ont inculqué le sens du travail. D'après la description qu'il donne de son enfance, nous pouvons déceler deux grandes orientations qui se refléteront plus tard dans ses activités professionnelles : premièrement, l'intérêt pour les questions morales et éthiques ; deuxièmement, le respect des méthodes scientifiques, inspiré sans doute par les efforts de son père pour exploiter sa ferme d'une manière rationnelle et par ses propres lectures d'ouvrages traitant d'agriculture.

Rogers entame ses études universitaires en agriculture à l'Université du Wisconsin, mais deux ans plus tard il change d'orientation professionnelle et décide de devenir pasteur. Au cours d'un voyage en Asie effectué en 1922, il a l'occasion d'observer des gens qui ont adhéré à d'autres doctrines religieuses ainsi que des Français et des Allemands qui se haïssent âprement tout en passant par ailleurs pour des gens très aimables. Ces expériences conduisent Rogers à s'inscrire à l'Union Theological Seminary de New York, qui offre des cours de théologie, mais de tendance libérale. Il s'interroge sur le sens de la vie et il entretient des doutes au sujet des doctrines religieuses. C'est pourquoi il décide de quitter le séminaire pour travailler dans le domaine de l'orientation auprès des enfants ; il se considérera désormais comme un psychologue clinicien.

Rogers reçoit sa formation de 3e cycle au Teachers College de l'Université Columbia et il obtient son doctorat en 1931. Il s'est imprégné, écrit-il, aussi bien de l'approche dynamique de Freud que des conceptions « rigoureuses, scientifiques, objectives, statistiques » qui prévalaient alors au Teachers College. Encore une fois, on constate qu'il est attiré par deux pôles, qu'en lui deux tendances plutôt divergentes se donnent libre cours. Vers la fin de sa vie, Rogers tentera d'harmoniser ces deux tendances. En fait, il tentera au cours de ces dernières années d'harmoniser les volets complémentaires de sa pensée, les aspects religieux et scientifique, subjectif et objectif, clinique et statistique. Tout au long de sa carrière, il s'est efforcé d'appliquer les méthodes objectives de la science à ce qu'il y a de plus fondamental dans l'homme.

> La thérapie est l'expérience qui me permet d'une certaine manière de me laisser aller subjectivement. Au moyen de la recherche, je puis prendre du recul et examiner objectivement toute cette riche expérience subjective en me servant d'élégantes méthodes scientifiques pour m'assurer que je n'ai pas tenté de me tromper moi-même. Je suis de plus en plus convaincu que nous finirons par découvrir, en ce qui concerne la personnalité et le comportement, des lois aussi significatives pour la compréhension humaine ou le progrès humain que celles de la gravité et de la thermodynamique.
>
> Rogers, 1968, p. 13-14.

En 1968, Rogers et quelques collègues à l'orientation plutôt humaniste fondent un centre de psychopédagogie indépendant. L'évolution du centre traduit plusieurs changements dans l'organisation des activités de Rogers : il délaisse la structure universitaire rigoureuse pour réunir des professionnels qui ont en commun la même orientation, il cesse de travailler auprès de personnes perturbées pour s'occuper d'individus normaux, il abandonne la thérapie individuelle pour les séances de groupe intensives et la recherche empirique classique pour l'étude phénoménologique de l'individu. Rogers croyait que la psychologie était en grande partie futile et il ressentait un certain détachement à l'égard de cette discipline, qui pourtant a continué d'accorder de la valeur à sa contribution. En 1946-1947, il occupa le poste de président de l'American Psychological Association ; en 1956, il fut l'un des trois premiers psychologues qui obtinrent la Distinguished Scientific Contribution Award ; et, en 1972, on lui décerna la Distinguished Professional Contribution Award.

Chez Rogers, la théorie, l'être humain et la vie s'entrelacent. Dans le chapitre intitulé « Qui je suis » de l'ouvrage mentionné plus haut, il énumère les quatorze maximes qu'il a formulées au bout de milliers d'heures de thérapie et de recherche. En voici quelques-unes :

> 1. Dans mes relations avec autrui, j'ai appris qu'il ne sert à rien, à long terme, d'agir comme si je n'étais pas ce que je suis.
>
> 2. J'attache une valeur énorme au fait de pouvoir me permettre de comprendre une autre personne.
>
> 3. À mes yeux, l'expérience est l'autorité suprême... C'est à elle que je dois revenir sans cesse pour m'approcher de plus en plus de la vérité qui se développe graduellement en moi.
>
> 4. J'ai fini par conclure que ce qu'il y a d'unique et de plus personnel en chacun de nous est probablement le sentiment même qui, s'il était partagé ou exprimé, toucherait le plus profondément les autres.
>
> 5. Mon expérience m'a montré que, fondamentalement, tous les hommes ont une disposition positive.
>
> 6. La vie, dans ce qu'elle a de meilleur, est un flux, un processus de changement, où rien n'est fixe.
>
> Rogers, 1968, p. 15, 17, 22, 24, 25.

La conception de la personne, selon Rogers

Selon Rogers, nous sommes par nature foncièrement bons et fondamentalement orientés vers l'autoactualisation; mais la religion, notamment la religion chrétienne, nous a enseigné que nous sommes des pécheurs. Freud et les adeptes de la psychanalyse, poursuit Rogers, ont décrit la personne comme un être pourvu d'un ça et d'un inconscient qui se manifesteraient par l'inceste, le meurtre et d'autres crimes si on les laissait s'exprimer. Selon cette conception, nous sommes des êtres foncièrement irrationnels, insociables et destructeurs, tant à l'égard de nous-mêmes qu'à l'égard des autres. D'après Rogers, il se peut que nous ayons par moments ce genre de comportements, mais il s'agit alors de comportements névrotiques qui s'expliquent par le manque de maturité. Lorsque nous agissons sans contrainte, nous sommes aptes à vivre et à nous épanouir conformément à notre nature d'animaux foncièrement bons et disposés à vivre en bonne intelligence avec les autres.

Sachant qu'on peut dresser un parallèle entre le comportement des autres animaux et celui des êtres humains, Rogers établit ses propres comparaisons. Par exemple, bien que les lions soient souvent présentés comme des bêtes féroces, ne possèdent-ils pas de nombreuses qualités enviables ? Ils ne tuent pas par plaisir, mais uniquement lorsqu'ils ont faim. D'abord impuissants et dépendants, ils deviennent autonomes; l'égocentrisme des lionceaux se transforme à l'âge adulte en une attitude de coopération et de protection.

À ceux qui le considèrent comme un optimiste naïf Rogers réplique que ses conclusions reposent sur une expérience de plus de vingt-cinq ans en psychothérapie:

> Je ne crois pas avoir une vue naïvement optimiste de la nature humaine. Je suis tout à fait conscient du fait que, par besoin de se défendre contre des peurs internes, l'individu peut en arriver à se comporter de façon incroyablement cruelle, horriblement destructive, immature, régressive, antisociale et nuisible. Il n'en reste pas moins que le travail que je fais avec de tels individus, la recherche et la découverte des tendances très positivement orientées qui existent chez eux comme chez nous tous, au niveau le plus profond, constituent un des aspects les plus réconfortants et les plus vivifiants de mon expérience.
>
> Rogers, 1968, p. 25.

On constate chez lui un respect profond pour les êtres humains, respect qui transparaît dans sa théorie et dans sa conception de la psychothérapie centrée sur la personne.

La science, la théorie et la recherche, selon Rogers

Bien qu'il ait apporté des changements à sa théorie et à ses outils de recherche, Rogers a continué à se considérer comme un phénoménologue. Selon cette approche (1951), chacun perçoit le monde d'une manière qui lui est propre. Ces perceptions constituent le **champ phénoménal** de l'individu. Ce champ phénoménal comprend les perceptions conscientes et inconscientes. Cependant, les déterminants les plus importants du comportement, notamment chez les individus sains sur le plan psychologique, sont ceux qui sont conscients ou susceptibles de l'être. Ainsi, l'approche rogérienne se distingue de l'approche psychanalytique, axée sur l'inconscient. Même si, par champ phénoménal, on entend essentiellement le monde intime, nous pouvons essayer de percevoir le monde tel qu'il apparaît à l'individu, d'envisager le comportement avec ses yeux et de lui donner la signification psychologique qu'il lui accorde.

Champ phénoménal *(phenomenal field).* Perception et expérience subjectives du monde.

Rogers faisait de la phénoménologie le fondement de la science de la personne. Selon lui, si l'on veut mener des recherches en psychologie, il faut s'efforcer de comprendre l'expérience subjective, et cela en faisant preuve de persévérance et de discipline. La démarche scientifique n'a pas comme point de départ obligé le laboratoire ou l'ordinateur; les données cliniques recueillies lors de la psychothérapie offrent une source précieuse de données phénoménologiques.

Pour comprendre le comportement, Rogers commençait toujours par se livrer à des observations cliniques, sur lesquelles il s'appuyait ensuite pour formuler des hypothèses pouvant faire l'objet de vérifications rigoureuses. Il considérait la psychothérapie comme une expérience subjective permettant de « lâcher prise » et la recherche comme un effort objectif ayant son élégance propre; il tenait aussi bien à l'une comme source d'hypothèses qu'à l'autre comme instrument de corroboration.

Au cours de sa carrière, Rogers s'est efforcé de combler le fossé entre le subjectif et l'objectif, de la même manière qu'il avait senti le besoin dans sa jeunesse de combler le fossé entre la religion et la science. Dans ce contexte, il se préoccupait des progrès de la psychologie en tant que science et de la préservation des êtres humains en tant qu'individus qui ne sont pas simplement des pions sur le grand échiquier de la science.

La théorie de la personnalité, selon Rogers

La théorie rogérienne de la personnalité a été élaborée à partir de l'expérience thérapeutique. Elle ne se base pas, comme celle de Freud, sur les pulsions, l'inconscient, la réduction de la tension et le développement de la personnalité dans les premières années de la vie; l'approche phénoménologique met l'accent sur les perceptions, les sentiments, l'observation de soi, l'autoactualisation et le processus de changement.

LA STRUCTURE

Le soi

Le concept structural clé de la théorie rogérienne de la personnalité est le soi. Selon Rogers, l'individu perçoit des objets extérieurs à lui, en fait l'expérience et leur attache des valeurs. L'ensemble de ces perceptions et de ces valeurs forme le champ phénoménal de l'individu. Les parties du champ phénoménal considérées par l'individu comme le « soi », le « moi » ou le « je » constituent le soi. Le **concept de soi** représente la configuration organisée et cohérente des perceptions. Bien qu'il connaisse des changements, le soi conserve ce caractère configuré, intégré et organisé.

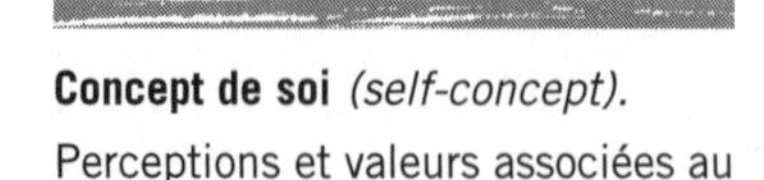

Concept de soi *(self-concept).* Perceptions et valeurs associées au soi, au moi ou au je.

Il convient de noter deux autres aspects en rapport avec le concept de soi élaboré par Rogers. D'abord, le soi n'est pas une petite personne qui prendrait place à l'intérieur de nous. Le soi n'« agit » pas. L'individu ne « possède » pas de soi réglant le comportement. Le soi représente plutôt un ensemble organisé de perceptions. Ensuite, la configuration d'expériences et de perceptions appelée soi est en général accessible à la conscience; autrement dit, on peut la rendre consciente. Les individus ont effectivement des expériences dont ils ne sont pas conscients, mais le concept de soi est essentiellement conscient. Rogers croit que cette définition du soi est juste

DÉBATS ACTUELS

Le sentiment de soi est-il propre à l'être humain ?

La plupart des propriétaires de chiens ont fait l'expérience consistant à placer l'animal devant un miroir. L'animal se reconnaît-il ? Les études sur les animaux révèlent que les espèces inférieures aux primates ne se reconnaissent pas dans le miroir. Les chimpanzés en sont capables, à condition d'avoir une certaine expérience du miroir ! Ils utiliseront alors le miroir pour s'examiner et s'épouiller (comportement autonome), au lieu de faire comme si l'image n'existait pas ou de réagir comme s'ils avaient aperçu un congénère (par exemple, le poisson qui se montre agressif à l'égard de son image reflétée dans le miroir).

Les études portant sur le comportement autonome chez les nourrissons placés devant un miroir révèlent que la capacité de se reconnaître est un processus qui évolue de façon continue à partir de l'âge de quatre mois. À ce stade, les nourrissons réagissent lorsqu'ils découvrent l'existence de relations entre leurs mouvements et les changements de leur image dans un miroir. Et qu'en est-il de l'identification de traits personnels précis ? Si un enfant se regarde dans le miroir, qu'on lui mette du rouge sur le nez et qu'ensuite il se regarde de nouveau dans le miroir, réagira-t-il à la marque rouge d'une manière exprimant qu'il s'est reconnu ? L'identification de traits personnels précis, liée au comportement autonome devant le miroir, semble débuter à environ un an.

Le fait de se reconnaître, dans le miroir ou autrement, peut être associé à l'émergence de la conscience et au développement de l'intelligence. Il s'agit évidemment d'une question d'une grande importance sur le plan psychologique. Nous pouvons non seulement être conscients de nous-mêmes et de nos propres sentiments, mais aussi reconnaître chez autrui les mêmes sentiments et faire preuve d'empathie. Il serait effectivement ironique que les processus qui provoquent chez nous les malaises les plus vifs ne nous amènent pas à ressentir de l'empathie envers les autres.

Miroir, miroir, dis-moi, est-ce bien moi ? Voilà une question que seuls les membres de quelques espèces peuvent se poser. Chez les êtres humains, une certaine maturation est nécessaire, mais l'identification de soi commence à se mettre en place assez tôt et elle jouera un rôle important dans la vie.

SOURCES : Lewis et Brooks-Gunn, 1979 ; Robins, Norem et Cheek, 1999.

La reconnaissance de soi Alors que la plupart des espèces sont indifférentes à leur image se reflétant dans le miroir, ou qu'elles y réagissent comme s'il s'agissait d'un autre animal, les êtres humains sont fascinés par leur image, et cela dès leur plus jeune âge.

et que, sans elle, on ne peut entreprendre des recherches. Selon lui, il serait impossible d'étudier objectivement un soi qui abriterait du matériel inconscient.

Le **soi idéal** est un concept structural connexe qui désigne ce qu'une personne souhaiterait être. Il comprend les perceptions et les significations susceptibles de s'appliquer au soi et auxquelles l'individu accorde une grande valeur.

Soi idéal *(ideal self)*.
Image de soi que l'individu aimerait posséder ; concept clé de la théorie de Rogers.

Reproduction autorisée par King Features Syndicate.

Comment évaluer le concept de soi

Rogers affirme que, lorsqu'il a commencé à travailler, il n'utilisait pas la notion de concept de soi. En fait, quand il a effectué ses premières recherches, il était convaincu que le soi n'était qu'un terme vague et dépourvu d'intérêt scientifique. Cependant, au fil des entretiens thérapeutiques, il se rend compte que ses clients ont tendance à beaucoup parler du soi. Ce constat fait une forte impression sur Rogers, mais il croit nécessaire de définir le concept de façon objective, de trouver le moyen de le mesurer et de créer un instrument de recherche.

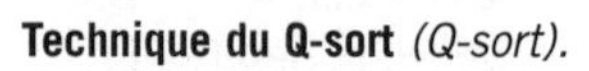

Technique du Q-sort *(Q-sort).* Instrument d'évaluation qui permet de classer des propositions en catégories selon la distribution normale ; utilisé par Rogers pour mesurer les énoncés concernant le soi et le soi idéal.

La technique du « Q-sort » ■ Rogers a commencé sa recherche en enregistrant les séances de thérapie et en classant par catégories tous les mots qui se rapportaient au soi. Puis, il a utilisé la **technique du Q-sort** (classement des qualités) créée par Stephenson (1953) et dont on se servira beaucoup par la suite pour évaluer le concept de soi. Dans cette méthode, l'expérimentateur donne aux participants un ensemble de cartes, chacune d'entre elles comportant une proposition qui se rapporte à un trait de personnalité. Une carte affiche par exemple cet énoncé : « Se fait facilement des amis » ; une autre : « A des difficultés à exprimer sa colère » ; et ainsi de suite. On demande aux participants de lire ces propositions (en général une centaine) et ensuite de classer les cartes d'après la pertinence des énoncés. On leur demande de ranger les cartes selon une distribution donnée, dont une extrémité représente « ce qui me ressemble le plus » et l'autre « ce qui me ressemble le moins ». On indique aux participants combien de piles de cartes ils doivent constituer et combien de cartes ils doivent placer dans chaque pile. Par exemple, pour 100 cartes, on pourrait leur demander de classer les cartes en 11 piles, comme suit : 2-4-8-11-16-18-16-11-8-4-2. Il s'agit de la distribution normale, qui représente les estimations comparées de la pertinence des caractéristiques selon les individus.

Ainsi, la technique du Q-sort consiste à ranger, selon leur degré de pertinence, des propositions qui portent sur le soi. De plus, les termes identiques peuvent être répartis dans le même nombre de catégories en fonction du soi idéal : de « ce qui ressemble le plus » au soi idéal à « ce qui ressemble le moins » au soi idéal. Cette méthode permet de mesurer quantitativement la différence ou l'écart entre le soi et le soi idéal. Comme nous le verrons au chapitre 6, ces mesures et ces concepts sont d'une grande importance pour la psychopathologie et pour l'efficacité thérapeutique. La technique du Q-sort permet d'obtenir des données qui représentent de

DÉBATS ACTUELS

La congruence entre le concept de soi et le soi idéal : voit-on apparaître au fil des ans des différences entre les hommes et les femmes ?

La notion rogérienne du soi idéal et la technique du Q-sort qu'il a adoptée marquent encore aujourd'hui la recherche consacrée au concept de soi. L'étude de Block et Robins (1993) portant sur l'évolution de l'estime de soi, de l'adolescence à l'âge adulte, en est un exemple. Votre estime de soi a-t-elle changé du début de l'adolescence au début de la vingtaine ? Selon Block et Robins, la réponse à cette question peut dépendre de votre sexe ; la plupart du temps, l'estime de soi augmente chez les hommes et diminue chez les femmes au cours de ces années de formation.

On avait défini l'estime de soi comme la similarité entre le concept de soi et le soi idéal. Ces deux concepts ont été mesurés au moyen d'une liste d'adjectifs empruntés à la technique du Q-sort et comprenant des adjectifs descriptifs tels que « compétitif », « affectueux », « sérieux » et « créatif ». Les participants dont le concept de soi était très semblable au soi idéal affichaient une forte estime de soi. En revanche, ceux dont le concept de soi était très différent du soi idéal présentaient une faible estime de soi.

De l'âge de 14 ans à l'âge de 23 ans, les hommes gagnaient de l'assurance et les femmes en perdaient. Alors qu'à 14 ans l'estime de soi était au même niveau chez les représentants des deux sexes, à 23 ans elle était beaucoup plus élevée chez les hommes. Apparemment, les hommes et les femmes ne vivent pas l'adolescence de la même manière, pas plus que la transition à l'âge adulte. Chez les hommes, les choses se passent bien : ils se rapprochent du soi idéal durant cette période de leur vie. Malheureusement, il en va tout autrement des femmes : elles s'éloignent de leur soi idéal au moment d'entrer dans l'âge adulte.

Quels attributs de la personnalité associe-t-on aux hommes et aux femmes ayant une forte estime de soi ? Block et Robins ont utilisé les entrevues recueillies alors que les participants avaient 23 ans et ils ont constaté que les femmes ayant une forte estime de soi valorisaient l'intimité dans leurs rapports avec autrui ; les hommes, en revanche, étaient plus distants sur le plan affectif et plus réservés dans leurs rapports avec les autres. Ces différences entre les sexes reflètent les attentes sociales concernant le modèle féminin et le modèle masculin. Comme on pouvait s'y attendre, les jeunes adultes dont la personnalité s'adapte bien à ces attentes culturelles sont plus susceptibles d'afficher une bonne estime de soi et d'entretenir un concept de soi proche du soi idéal.

Cette étude ne répond pas à une question phénoménologique qui aurait intéressé Rogers : comment le soi idéal se définit-il ? Les hommes et les femmes diffèrent-ils dans leur perception de ce qui constitue l'idéal ? Le soi idéal semble particulièrement exposé aux influences externes, autrement dit aux valeurs de la société. La définition du soi idéal nous renseigne au sujet des attributs que l'individu valorise et au sujet de ce qui renforce son estime de soi. Voici un thème intéressant pour la recherche : en quoi la façon de définir le soi idéal influe-t-elle sur l'adaptation psychologique ? Le soi idéal d'une personne reproduit-il les caractéristiques de l'être humain autoactualisé, ou bien plutôt la définition sociétale de ce que représente la femme ou l'homme idéal ?

manière systématique les perceptions de l'individu, ou du moins une partie de son champ phénoménal. Cependant, elle ne constitue pas un compte rendu phénoménologique complet, puisque les participants doivent utiliser les propositions fournies par l'expérimentateur, au lieu des leurs, et qu'ils doivent répartir ces propositions comme on le leur recommande, selon la distribution normale, plutôt que selon la distribution de leur choix.

La liste d'adjectifs et le différenciateur sémantique ■ Dans d'autres études visant à recueillir des données subjectives au sujet du soi, on s'est servi d'une *liste d'adjectifs*, dans laquelle les participants cochent les adjectifs qui les qualifient, et du *différenciateur sémantique* (Osgood, Suci et Tannenbaum, 1957). Bien que ce dernier ne constitue pas à proprement parler un test de personnalité et qu'il ait été conçu pour évaluer les attitudes ainsi que pour déterminer la signification des concepts, il présente une certaine utilité pour l'évaluation de la personnalité. Quand il remplit le questionnaire du différenciateur sémantique, le participant évalue un concept en l'inscrivant sur un certain nombre d'échelles comportant sept degrés définis par des adjectifs bipolaires tels que *bon/mauvais*, *fort/faible* ou *actif/passif*. Ainsi, on demande au participant d'évaluer des notions comme « mon moi » ou « mon moi idéal » à partir d'une série d'adjectifs bipolaires. Lorsqu'on mesure les résultats, on peut savoir si, d'après lui, les adjectifs s'appliquaient au concept proposé *un peu*, *beaucoup* ou *pas du tout*. L'évaluation s'effectue en fonction de ce que le concept signifie pour l'individu.

Comme le classement des qualités, le différenciateur sémantique est un test structuré puisque le participant doit évaluer des concepts déterminés et utiliser les listes d'adjectifs bipolaires fournies par l'expérimentateur. Cette structure permet d'obtenir des données convenant à l'analyse statistique mais, comme pour la technique du Q-sort, elle autorise à faire preuve de flexibilité dans le choix des échelles et des concepts. Il n'existe pas de différenciateur sémantique standardisé. Diverses échelles peuvent être utilisées par rapport à des concepts tels que *père, mère* et *médecin* pour déterminer ce qu'ils signifient pour les individus. Examinons par exemple comment des concepts comme « mon moi » et « mon université » s'inscrivent sur des échelles où figurent les oppositions libéral/conservateur, sérieux/fantaisiste, cérémonieux/décontracté. Quel degré de similitude y a-t-il entre vous et l'université que vous fréquentez ? Quel rapport y a-t-il avec la satisfaction que vous éprouvez parce que vous étudiez à cette université ? Dans bien des études très semblables à celle-ci, on a observé que plus les étudiants s'estimaient différents de leur milieu universitaire, plus ils se sentaient insatisfaits et plus ils risquaient d'abandonner leurs études (Pervin, 1967a ; 1967b).

Le cas de la personnalité multiple illustre comment on peut utiliser le différenciateur sémantique pour évaluer la personnalité. Dans les années 1950, deux psychiatres, Corbett Thigpen et Harvey Cleckley, ont rendu célèbres « les trois visages d'Eve ». Il s'agissait d'une femme qui possédait trois personnalités, chacune occupant le haut du pavé pendant un certain laps de temps, avec de fréquentes alternances. Les trois personnalités avaient chacune un nom : Eve White, Eve Black et Jane. Au cours de la recherche qu'ils avaient entreprise, les psychiatres purent obtenir que les trois personnalités évaluent une série de concepts à l'aide du différenciateur sémantique. Les résultats ont ensuite été analysés, tant sur le plan quantitatif que sur le plan qualitatif, par deux psychologues — C. Osgood et Z. Luria — qui ne connaissaient pas la patiente ; ils formulèrent des commentaires descriptifs et des interprétations allant plus loin que les données objectives. Par exemple, on décrivait Eve White comme une personnalité en contact avec la réalité sociale, mais soumise à un grand stress émotionnel ; Eve Black avait une personnalité sans contact avec la réalité sociale, mais elle était assez sûre d'elle ; quant à Jane, elle affichait une personnalité apparemment très équilibrée, mais plutôt limitée et manquant de complexité. Nous présentons à la figure 5.1 une description plus détaillée, quoique incomplète, des trois personnalités selon les évaluations du différenciateur sémantique. L'analyse reposant sur ces mesures correspondait passablement bien aux descriptions fournies par les deux psychiatres (Osgood et Luria, 1954).

DÉBATS ACTUELS

Existe-t-il un ou plusieurs soi ?

Rogers voit dans le concept de soi la configuration organisée des perceptions associées au soi. Le soi représente une entité configurée qui peut être mesurée par des instruments comme la technique du Q-sort ou le différenciateur sémantique. À l'heure actuelle, cependant, de nombreux psychologues soutiennent que l'individu peut avoir plusieurs soi, bons ou mauvais, certains d'entre eux s'actualisant dans le présent et d'autres qui seraient potentiels.

Prenons le cas des deux personnalités suivantes : Ivan Boesky et Hector Camacho. Ivan Boesky était une grande vedette du monde de la finance ; il avait fait fortune, pour ensuite perdre toute crédibilité en raison de ses activités illégales. À Wall Street, il affichait un désir féroce d'accumuler des richesses ; par ailleurs, il faisait bénéficier de ses largesses aussi bien des œuvres de charité, des universités que des fondations, et cela sans faire de tapage publicitaire ni exprimer le désir de recevoir de traitement particulier. En 1984, il se décrivait ainsi : « Je suis une personne à multiples facettes. Il y a bien sûr mon intérêt personnel, mais il y a aussi une facette de moi qui détermine bon nombre de mes gestes : le service public, la philanthropie... »

Hector « Macho » Camacho, l'autre personnalité que nous étudions ici, était un champion de boxe offrant deux facettes « aussi différentes que Clark Kent et Superman » ; plutôt effacé, il avait sa part de doutes et de craintes. Ce macho aimait rouler à toute vitesse dans des voitures luxueuses, poser pour le magazine *Playgirl* et se vanter d'être un boxeur magnifique et terrifiant. « Hector n'est pas aussi mauvais que le macho qui est en lui, confiait-il ; l'artiste, le boxeur, c'est ce macho. Hector, lui, est le gars simple et gentil qui distribue son argent dans les rues du quartier portoricain de Harlem. »

Par ailleurs, selon un article paru en avril 2000 dans la revue *Monitor* de l'American Psychological Association, nombreux sont ceux qui utilisent Internet pour explorer d'autres soi. Le psychologue John Suler aurait déclaré : « Le Web est un moyen sûr d'explorer des voix, des identités et des rôles différents. Ce sont comme les roues stabilisatrices du soi que vous voulez actualiser » (p. 17).

Y a-t-il un seul soi ou les psychologues doivent-ils se soucier des liens entre plusieurs soi ?

SOURCE : *The New York Times*, 13 juin et 22 décembre 1986.

Eve White	Elle perçoit le monde d'une manière fondamentalement normale ; elle a des amis, mais est insatisfaite d'elle-même. Ce qui dénote un trouble de la personnalité, c'est surtout le fait que le *moi* (le concept de soi) est considéré comme un peu méchant, un peu passif et, à coup sûr, faible.
Eve Black	Eve Black a effectué une adaptation assez violente, qui l'a amenée à se percevoir comme une personne littéralement parfaite mais, une fois cette rupture accomplie, sa perception du monde s'écarte complètement de la norme. Pour se considérer comme bonne, Eve Black doit faire de la *haine* et de l'*imposture* des valeurs positives.
Jane	Jane présente la configuration de personnalité la plus « saine » : elle accepte les évaluations des concepts qui sont courantes dans la société, tout en conservant une évaluation d'elle-même qui la satisfait. Le concept de soi, le *moi*, bien qu'il ne soit pas très solide (sans être faible non plus) se rapproche des qualificatifs « bon » et « actif » dans le champ sémantique.

Figure 5.1 Descriptions succinctes des trois aspects d'une personnalité multiple ; celles-ci reposent sur les résultats fournis par le différenciateur sémantique. (Osgood et Luria, 1954.)

La technique du Q-sort, la liste d'adjectifs et le différenciateur sémantique relèvent tous de l'idéal rogérien de l'observation de soi phénoménologique ; ils procurent des données fidèles sur le plan statistique et pertinentes sur le plan théorique. On peut soutenir que les individus disposent de plusieurs concepts de soi au lieu d'un seul, que ces tests ne tiennent pas compte des facteurs inconscients et qu'ils sont sujets à des déformations induites par les mécanismes de défense. Rogers croyait toutefois qu'ils fournissaient des moyens utiles pour évaluer le concept de soi et le soi idéal.

LES PROCESSUS

L'autoactualisation

Freud pensait que les composantes essentielles de la personnalité étaient relativement constantes et stables, et sa théorie de la structure de la personnalité est assez complexe. L'approche rogérienne de la personnalité met l'accent sur le changement et sa théorie ne recourt qu'à un petit nombre de concepts structuraux. Freud considérait la personne comme un système d'énergie. Il a donc conçu une théorie dynamique visant à expliquer comment cette énergie est libérée, transformée ou réprimée. Rogers estime que l'individu tend à aller de l'avant. Par conséquent, il insiste moins sur les facteurs qui, dans le comportement, ont pour but de réduire la tension ; il met au contraire l'accent sur l'**autoactualisation** de l'individu, c'est-à-dire sur la réalisation de tout son potentiel. Alors que Freud accorde une grande importance aux pulsions, Rogers n'envisage pas de motivations s'appuyant sur les pulsions en tant que telles. Fondamentalement, les individus aspirent à s'autoactualiser : « L'organisme manifeste une tendance inhérente à développer toutes ses potentialités, et cela de manière à se réaliser, à se maintenir et à s'épanouir » (Rogers, 1951, p. 487).

Autoactualisation *(self-actualisation).* Tendance fondamentale de l'organisme à s'actualiser, à se maintenir, à s'épanouir et à réaliser son potentiel ; concept mis en évidence par Rogers et par d'autres membres du mouvement humaniste.

L'autoactualisation Rogers met l'accent sur la tendance fondamentale de l'organisme à s'autoactualiser.

Rogers a choisi de postuler que la vie s'explique par une seule motivation et il préfère s'en tenir à cette idée plutôt que de se sentir lié par des conceptualisations abstraites faisant appel à de nombreuses motivations. Dans un passage empreint de poésie, il décrit la vie comme un processus incessant, la comparant à un arbre érigé sur la rive d'un océan, debout, solide et résistant, cherchant à se maintenir et à s'épanouir grâce à la maturation : « Dans cette algue en forme de palme se trouvent la ténacité et l'élan vital, la capacité d'évoluer dans un milieu incroyablement hostile et de non seulement se maintenir, mais aussi de s'adapter, de se développer, de devenir soi-même » (Rogers, 1963, p. 2).

Le concept d'actualisation désigne la tendance de l'organisme à passer de la simplicité à la complexité, de la dépendance à l'autonomie, de la fixité et de la rigidité à un processus débouchant sur le changement et la liberté d'expression. Le concept comprend la tendance à la réduction des besoins ou de la tension, mais il met en évidence les plaisirs et les satisfactions découlant des activités qui enrichissent l'organisme.

Rogers s'intéressait habituellement aux moyens utilisés pour évaluer les concepts qu'il élaborait, mais il n'a jamais conçu d'instrument destiné à mesurer la tendance à l'autoactualisation. Au cours des années, bon nombre d'échelles ont été mises au point afin de mesurer l'autoactualisation ; citons entre autres une échelle comprenant quinze énoncés, qui mesure la capacité d'agir de manière autonome, la capacité de s'accepter, qu'on appelle aussi l'**estime de soi**, la capacité d'accepter sa vie affective et la capacité de faire confiance aux autres (figure 5.2). Les résultats de ce questionnaire mesurant l'autoactualisation correspondaient aux résultats fournis par des questionnaires portant sur l'estime de soi et sur l'équilibre psychologique ; ils s'accordaient aussi avec des évaluations, effectuées de façon indépendante, qui visaient elles aussi à déterminer la capacité d'autoactualisation (Jones et Crandall, 1986).

Estime de soi *(self-esteem).* Évaluation du soi par l'individu ou jugement personnel qu'il porte sur son mérite.

Plus récemment, Ryff (1995 ; Ryff et Singer, 1998, 2000) a énoncé une conception axée sur les aspects positifs de la santé mentale ; celle-ci comprendrait la capacité de s'accepter et d'avoir de bons rapports avec les autres, l'autonomie, la maîtrise de son environnement, le fait d'avoir un but dans la vie et la croissance personnelle. Le concept de *croissance personnelle* se rapproche de la théorie rogérienne du processus de croissance et d'autoactualisation. Le questionnaire mis au point par Ryff, appelé *échelle de la croissance personnelle*, définit celui qui obtient un score élevé sur l'échelle de la croissance personnelle comme quelqu'un qui a le sentiment de se développer continuellement, de réaliser ses potentialités, qui est ouvert aux expériences nouvelles et dont l'évolution reflète une meilleure connaissance de soi et une plus grande efficacité. De plus, il a été démontré que c'est quand ils poursuivent des buts en accord avec le soi que les gens sont le plus heureux (Little, 1999 ; McGregor et Little, 1998).

Les autres doivent toujours approuver ce que je fais. (F)

Je crains d'être incompétent. (F)

Je n'ai pas honte de mes émotions. (V)

Je crois que les gens sont foncièrement bons et qu'on peut leur faire confiance. (V)

Figure 5.2 Énoncés tirés d'un répertoire des éléments liés à l'autoactualisation. (Jones et Crandall, 1986.)

Cohérence *(self-consistency).*
Concept rogérien exprimant l'absence de conflit dans les perceptions du soi.

Congruence *(congruence).*
Concept rogérien exprimant l'absence de conflit entre le concept de soi et l'expérience; c'est également l'une des trois conditions jugées essentielles pour la croissance et le progrès thérapeutique.

La cohérence du soi et la congruence

La tendance de l'organisme à l'autoactualisation n'a pas fait l'objet d'une recherche empirique, car la **cohérence** et la **congruence** entre le soi et l'expérience étaient des concepts beaucoup plus cruciaux pour les aspects de la théorie et de la recherche se rapportant aux processus. Selon Rogers, l'organisme s'efforce de maintenir la cohérence (c'est-à-dire l'absence de conflit) entre les perceptions de soi et d'assurer la congruence entre les perceptions de soi et les expériences: « La plupart des conduites adoptées par l'organisme sont cohérentes avec le concept de soi » (Rogers, 1951, p. 507).

DÉBATS ACTUELS

Qu'est-ce qui est préférable: un soi cohérent, ou bien un soi changeant?

Dans la vie quotidienne, les gens assument de nombreux rôles sociaux. Nous sommes à la fois enfants, amis, amants, étudiants, travailleurs, et nous nous acquittons parfois de tous ces rôles au cours de la même journée. Pour chacun des rôles importants que nous jouons dans la vie, nous élaborons une image de nous-mêmes qui nous représente en train de remplir ce rôle. Quelle image de soi entretenez-vous dans les rôles importants de votre vie? L'exercice suivant vous permettra d'explorer cette question.

Pensez à vous quand vous vous glissez dans les rôles d'étudiant, d'ami, de fils ou de fille. Décrivez ensuite de quelle façon vous vous percevez dans chacun de ces rôles; évaluez-vous en fonction des cinq énoncés descriptifs énumérés ci-dessous:

PAS D'ACCORD			D'ACCORD	
Beaucoup	Un peu	Ni l'un ni l'autre	Un peu	Beaucoup
1	2	3	4	5

COMMENT JE ME PERÇOIS DANS CHACUN DES RÔLES	Le fils ou la fille	L'ami	L'étudiant	Écart maximum
S'affirme.	_____	_____	_____	_____
Essaie d'être utile.	_____	_____	_____	_____
Est ponctuel.	_____	_____	_____	_____
S'inquiète beaucoup.	_____	_____	_____	_____
Est intelligent, a l'esprit vif.	_____	_____	_____	_____

Une fois les scores établis, vous êtes en mesure d'évaluer la stabilité ou la variabilité de votre concept de soi dans ces rôles. Pour chacun des cinq énoncés, soustrayez le score le plus bas du plus élevé dans les trois rôles. À titre d'exemple, examinons le premier énoncé: « S'affirme ».

Si vous avez inscrit 5 pour le rôle de fils ou de fille, 3 pour le rôle d'ami et 1 pour le rôle d'étudiant, l'écart maximum serait alors de 5 moins 1, soit 4. Vous vous demandez sans doute ce que signifie cet écart et d'où il provient. Vous pouvez également calculer les cinq écarts et les additionner pour arriver au score global indiquant la variabilité du concept de soi. Votre score devrait se situer entre 0 et 20, le zéro représentant une image de soi très stable pour tous les rôles, et 20 une image de soi très variable. Quelle est la variabilité de votre concept de soi dans l'ensemble?

Comme Donahue, Robins, Roberts et John (1993) l'ont montré dans deux études, certaines personnes ont d'elles-mêmes une image inchangée quel que soit le rôle dont elles s'acquittent, tandis que d'autres ont des perceptions différentes selon les rôles. Une femme se considérait comme une personne facile à vivre et aimant s'amuser dans tous ses rôles. Par contre, une autre se percevait comme facile à vivre et aimant s'amuser lorsqu'elle se trouvait avec ses amis, mais elle s'estimait plutôt sérieuse en compagnie de ses parents. Laquelle de ces deux personnes est la mieux adaptée psychologiquement: la première, qui présente une image de soi plus stable dans tous ses rôles, ou la deuxième, dont le concept de soi est plus susceptible de changer?

Qu'en penserait Rogers ? Rappelez-vous que, selon sa théorie, la personne bien adaptée sur le plan psychologique affiche un soi cohérent et intégré. Ainsi, on pourrait supposer qu'une grande variabilité du concept de soi serait nocive pour la santé mentale parce qu'elle indiquerait une fragmentation et un manque d'intégration du soi « fondamental ». D'après une autre interprétation, la variabilité serait positive parce que, fournissant à la personne des identités dont la diversité s'accorde avec la multiplicité de ses rôles sociaux, elle lui permettrait de réagir avec souplesse et d'une manière adaptée aux exigences de ces différents rôles (voir par exemple Gergen, 1971).

Les résultats dont font état Donahue et ses collègues vont nettement dans le sens de la position de Rogers. Les personnes dont l'identité varie considérablement en fonction des rôles qu'elles assument sont plus susceptibles que les autres d'être angoissées et déprimées, et d'avoir une faible estime de soi. Les individus étudiés avaient eu avec leurs parents des rapports anormalement difficiles pendant qu'ils grandissaient et, arrivés à l'âge adulte, ils étaient moins satisfaits de leurs relations et de leur carrière. Comme on pouvait s'y attendre, ils avaient également changé d'emploi et de partenaire plus souvent que les personnes jouissant d'un concept de soi plus stable.

Ces résultats indiquent que diverses formes de problèmes psychologiques et d'instabilité sont liées aux incohérences du concept de soi dans les différents rôles. Autrement dit, le soi instable est fragmenté au lieu d'être spécialisé. Lorsque vous pensez à la variabilité de votre concept de soi, ne croyez pas toutefois qu'un score élevé révèle forcément que vous souffrez de problèmes psychologiques ! Le plus important, c'est que vous puissiez moduler votre concept de soi dans vos divers rôles sociaux d'une manière qui vous convienne. Si vous n'êtes pas à l'aise, vous pourriez envisager des façons d'avoir un concept de soi plus unifié dans les divers rôles sociaux que vous jouez dans la vie quotidienne. Un ouvrage récent de Harary et Donahue (1994) offre de nombreux exercices utiles et des renseignements précis à ce sujet.

SOURCES : Donahue, Robins, Roberts et John, 1993 ; Harary et Donahue, 1994.

Le concept de cohérence a été élaboré par Lecky (1945). L'organisme, écrit-il, ne cherche pas à obtenir du plaisir et à éviter la douleur, mais plutôt à maintenir la structure du moi. L'individu édifie une échelle des valeurs dont le centre est l'évaluation de soi ; ses valeurs et ses rôles sont organisés de manière à conserver sa structure interne. Il agit d'une façon qui s'accorde avec son concept de soi, même si ce comportement est par ailleurs peu gratifiant. Ainsi, si vous vous décrivez comme une personne qui ne maîtrise pas l'orthographe, vous essaierez d'agir d'une manière qui s'accorde avec cette perception.

Outre la cohérence, Rogers s'intéresse tout particulièrement à la congruence entre le soi et l'expérience. Il entend par là que l'individu tentera d'établir un accord ou d'assurer la congruence entre ses sentiments et le concept de soi. Prenons par exemple le cas d'une personne qui se perçoit comme gentille et qui, par ailleurs, éprouve de l'affection et de l'empathie envers les autres ; elle aura un sentiment de congruence. En revanche, l'individu qui se considère comme un être gentil et qui ressent de la cruauté envers les autres se trouve dans un état d'incongruence.

Les états d'incongruence et les mécanismes de défense ■ Se pourrait-il que l'individu manifeste de l'incohérence ou un manque de congruence entre le soi et l'expérience ? Quand cela se produit, comment fait-il pour maintenir la cohérence et la congruence ? Selon Rogers, nous sommes dans un état d'**incongruence** lorsqu'il existe un désaccord entre le concept de soi et notre expérience. Si vous vous considérez comme un individu bienveillant et que vous éprouvez de la haine, vous êtes dans un état d'incongruence, c'est-à-dire dans un état de tension et de confusion. Lorsque l'individu se trouve dans cet état et qu'il en est inconscient, il peut souffrir

Incongruence *(incongruence)*. Concept rogérien désignant l'existence d'un désaccord ou d'un conflit entre le concept de soi et l'expérience.

d'angoisse. Ce malaise résulte de la divergence entre l'expérience et la perception de soi. Ainsi, l'individu dont le concept de soi est empreint de bonté ressentira de l'angoisse chaque fois qu'il éprouvera des sentiments haineux, quelle qu'en soit l'intensité.

La plupart du temps, nous sommes conscients de nos expériences et nous leur permettons d'accéder à la conscience. Cependant, il arrive aussi que nous percevions une expérience comme menaçante, en conflit avec le concept de soi, et qu'alors nous ne lui permettions pas de devenir consciente. En effet, grâce au **processus de perception infraliminaire**, nous percevons qu'une expérience contredit le concept de soi avant même d'en avoir une représentation consciente. En réaction à la menace que représentent les expériences qui sont en conflit avec le soi, nous adoptons un comportement défensif. Ainsi, nous nous tenons sur la défensive et nous tentons d'éviter de prendre conscience des expériences qui nous semblent, ne serait-ce qu'à travers une perception vague, en désaccord avec la structure du soi.

Processus de perception infraliminaire *(subception)*.
Processus mis en évidence par Rogers et selon lequel l'individu perçoit le stimulus sans qu'il y ait de représentation consciente.

Déni *(denial)*.
Mécanisme de défense mis en évidence par Freud et Rogers, par lequel la prise de conscience des sentiments menaçants se trouve bloquée.

Déformation *(distortion)*.
Selon Rogers, mécanisme de défense qui consiste à modifier l'expérience pour la rendre conforme au moi.

Rogers a analysé deux mécanismes de défense : le **déni** de l'existence de l'expérience et la **déformation** de la signification de l'expérience. Le *déni* sert à protéger la structure du moi de la menace en empêchant qu'elle s'exprime consciemment. Dans la *déformation*, qui est un phénomène plus courant, l'expérience fait l'objet d'une représentation consciente, mais sous une forme qui la rend compatible avec le concept de soi : « Par exemple, si la structure du moi d'un étudiant comporte l'élément "Je ne suis pas très intelligent" et si cet étudiant réussit brillamment ses examens, il déformera cette expérience en disant "J'ai eu de la chance" ou "Le professeur n'est pas bien malin" » (Rogers, 1956, p. 205). Cet exemple souligne donc l'importance accordée à la cohérence. Ce qui autrement serait une expérience valorisante — réussir brillamment ses examens — devient dans ce cas une source d'angoisse qui déclenche les mécanismes de défense. Autrement dit, ce sont les rapports entre l'expérience et le concept de soi qui importent.

La recherche en matière de cohérence du soi et de congruence ■ Une des premières études effectuées dans ce domaine (Chodorkoff, 1954) a révélé que les participants mettaient plus de temps à percevoir les mots menaçants sur le plan personnel que les mots neutres. Cette tendance était particulièrement nette chez les personnes mésadaptées ou qui se tenaient sur la défensive ; celles-ci s'efforçaient, plus encore que les autres, d'éviter de prendre conscience des stimuli menaçants.

Dans une autre recherche, Cartwright (1956) a examiné le rôle de la cohérence en tant que facteur influant sur la remémoration immédiate des souvenirs. S'inspirant de la théorie rogérienne, Cartwright a émis l'hypothèse que les stimuli en harmonie avec le soi reviendraient plus facilement à la mémoire. Il ajoute aussi que cette tendance serait plus marquée chez les individus inadaptés. Dans l'ensemble, les participants étaient davantage en mesure de se souvenir des attributs qu'ils jugeaient pertinents que de ceux qui, selon eux, ne les décrivaient pas adéquatement. De plus, on constatait une déformation considérable des souvenirs dans le cas des adjectifs qui ne concordaient pas avec le moi. Par exemple, un participant qui se percevait comme optimiste a utilisé le mot « optimiste » à la place du mot « pessimiste » et un autre qui se considérait comme aimable a utilisé le mot « hospitalier » à la place du mot « hostile ». Comme prévu, les inadaptés (c'est-à-dire ceux qui avaient fait une demande de thérapie et ceux dont la psychothérapie avait échoué) présentaient une remémoration plus inégale que les personnes adaptées (celles qui ne prévoyaient pas entreprendre de thérapie ou dont la psychothérapie avait réussi). Il convient d'attribuer ces résultats au fait qu'on trouvait chez les participants inadaptés des stimuli incohérents donnant lieu à des remémorations médiocres.

Dans une étude connexe, on a tenté de déterminer quelle était la capacité des participants à se rappeler les adjectifs utilisés par d'autres pour les décrire (Suinn, Osborne et Winfree, 1962). L'exactitude des souvenirs était plus élevée si les adjectifs s'accordaient avec le concept de soi, et moins bonne s'ils en divergeaient. En somme, l'exactitude des souvenirs relatifs au moi semble varier en fonction de la concordance entre les stimuli et le concept de soi.

Les études dont nous venons de rendre compte ont trait à la perception et à la remémoration. Qu'en est-il du comportement manifeste ? Aronson et Mettee (1968) ont constaté que les résultats étaient conformes à la théorie de Rogers voulant que les individus se comportent d'une manière congruente avec leur image de soi. Dans une recherche portant sur la malhonnêteté, ils soutiennent que, si les individus sont tentés de tricher, ils seront plus enclins à le faire lorsqu'ils ont une faible estime de soi ; autrement dit, la tricherie n'est pas incompatible avec une estime de soi généralement faible, mais elle ne s'accorde pas avec une estime de soi élevée dans l'ensemble. Les données recueillies révèlent qu'effectivement la malhonnêteté est liée au concept de soi. Les gens qui ont une haute opinion d'eux-mêmes sont plus portés à adopter une conduite digne de respect ; ceux qui ont une piètre opinion d'eux-mêmes sont plus enclins à se comporter de façon douteuse, conformément à leur image de soi.

Des études plus récentes confirment la théorie voulant que le concept de soi influe sur le comportement, et cela de multiples façons (Markus, 1983). Accordons une attention particulière à l'idée selon laquelle les gens se comportent souvent d'une manière qui amène les autres à corroborer la perception qu'ils ont d'eux-mêmes ; c'est en quelque sorte une prédiction qui se réalise (Darley et Fazzio, 1980 ; Swann, 1992). Par exemple, les gens qui se croient aimables agiront de manière à se faire aimer d'autrui, alors que ceux qui se croient peu sympathiques se comporteront de façon à se faire détester des autres (Curtis et Miller, 1986). Pour le meilleur et pour le pire, le concept de soi peut être renforcé par le comportement d'autrui... lequel réagissait au concept de soi !

Le besoin de considération positive

Nous comptons donc de nombreuses études corroborant la théorie selon laquelle l'individu s'efforce d'agir conformément au concept de soi ; souvent, il ne tient pas compte des expériences qui s'en écartent, ou encore il les rejette. Dans ses premiers écrits, Rogers n'indique pas pour quelles raisons il se produit une divergence entre l'expérience et le moi ni, par conséquent, pourquoi il est nécessaire de se défendre. En 1959, il présente la notion de **besoin de considération positive**. Ce concept désigne le besoin de chaleur, de respect, de sympathie et d'acceptation qui, chez le nourrisson, s'exprime par le besoin d'amour et d'affection. S'il reçoit de ses parents une considération positive *inconditionnelle*, s'il se sent apprécié, l'enfant n'aura pas à nier certaines expériences. Cependant, s'il reçoit une considération positive *conditionnelle*, il lui faudra faire peu de cas de ses propres expériences lorsqu'elles entrent en conflit avec le concept de soi. Par exemple, s'il sent que pour recevoir de l'amour (considération positive) il doit lui-même se montrer affectueux, il rejettera tout sentiment de haine et s'efforcera de continuer à se considérer comme affectueux. Dans ce cas, le sentiment de haine est non seulement incompatible avec le concept de soi, mais sa présence entraîne pour l'enfant le risque de perdre la considération

Besoin de considération positive *(need for positive regard).* Concept rogérien exprimant le besoin de chaleur, d'affection, de respect et d'acceptation que ressent l'enfant.

La considération positive Quand on procure à l'enfant une considération positive inconditionnelle, on l'aide à se développer d'une manière équilibrée.

positive offerte par les parents. Ainsi, le fait d'imposer *certaines conditions* à l'enfant aboutit au déni des expériences, au désaccord entre l'organisme et le soi. L'incongruence du concept de soi, le conflit entre l'expérience et le concept de soi ont leur origine dans les efforts déployés pour conserver l'amour.

En somme, pour Rogers, l'activité de l'organisme et sa tendance inhérente à réaliser ses potentialités s'expliquent sans qu'il soit nécessaire de faire appel aux motivations inconscientes et aux pulsions. L'individu est donc pour lui foncièrement actif et désireux de se réaliser. Dans le cadre du processus d'autoactualisation, nous cherchons à maintenir la congruence entre le soi et l'expérience. Cependant, en raison des expériences de considération positive conditionnelle que nous avons connues dans le passé, nous pouvons rejeter ou déformer les expériences qui menacent la structure du soi.

LA CROISSANCE ET LE DÉVELOPPEMENT

On ne trouve pas chez Rogers de théorie de la croissance et du développement, pas plus que des recherches portant sur l'interaction parents-enfants ou encore des études longitudinales consacrées au développement. En fait, Rogers était persuadé que tous les individus avaient en eux un potentiel naturel de croissance. Le processus de croissance naturelle de l'organisme débouche sur une complexité plus grande, sur une expansion plus importante, sur une autonomie accrue, sur une socialisation plus forte, bref sur l'autoactualisation. Le soi se distingue du champ phénoménal et se développe d'une manière de plus en plus complexe. Lorsque le soi émerge, le besoin de considération positive se fait jour. S'il devient plus important de satisfaire ce besoin que de rester en contact avec ses propres émotions, la prise de conscience de diverses expériences s'en trouvera bloquée et la personne sera dans un état d'incongruence.

L'autoactualisation et le développement psychologique sain

Au fond, ce qui préoccupe Rogers au sujet du développement, c'est de savoir si l'enfant est libre de se développer dans un état de congruence, de s'autoactualiser, ou s'il se tiendra sur la défensive et vivra dans un état d'incongruence. Le soi ne s'épanouit que dans un climat qui permet à l'enfant de vivre pleinement, de s'accepter et d'être accepté par ses parents, même s'ils n'approuvent pas tous les comportements. La majorité des pédopsychiatres et des psychologues de l'enfance sont d'accord sur ce point. C'est ce qui différencie le parent qui dit à l'enfant « Je n'aime pas ce que tu fais » de celui qui dit « Je ne t'aime pas ». Lorsqu'il dit « Je n'aime pas ce que tu fais », le parent accepte l'enfant, mais n'approuve pas son comportement. Cette situation contraste fortement avec celle du parent qui fait savoir à l'enfant, verbalement ou autrement, que son comportement est mauvais et qu'il est mauvais lui aussi. L'enfant sentira alors que certains sentiments ne peuvent être admis, car ils s'opposeraient au concept de soi le représentant comme une personne aimée ou aimable, ce qui entraînerait le déni et la déformation de ces sentiments.

Les études sur les relations entre les parents et les enfants

Une série d'études révèlent que les enfants se développent mieux lorsqu'ils se sentent acceptés par leurs parents et quand ceux-ci font preuve d'une attitude « démocratique » à leur égard. On observe chez ces enfants les caractéristiques suivantes : développement intellectuel plus rapide, originalité, sécurité affective et maîtrise de soi ; par contre, les enfants de parents autoritaires et adoptant une attitude de rejet sont instables, rebelles, agressifs et querelleurs (Baldwin, 1949). L'idée que se fait l'enfant de l'opinion de ses parents à son sujet constitue l'aspect le plus crucial. S'il croit que leur évaluation est positive, il appréciera son corps et son moi. S'il sent que l'évaluation est négative, il manquera d'assurance et aura une opinion peu flatteuse de son corps (Jourard et Remy, 1955). Il semble que le regard que les parents posent sur leurs enfants reflète pour une bonne part le jugement qu'ils portent sur eux-mêmes. Les mères qui s'acceptent ont tendance à accepter leurs enfants (Medinnus et Curtis, 1963).

Une recherche approfondie portant sur les sources de l'estime de soi confirme une fois de plus l'intérêt des facteurs mis en évidence par Rogers. Coopersmith (1967) a réalisé une étude consacrée à l'estime de soi, définie comme l'évaluation qu'une personne fait d'elle-même et qu'elle tend à conserver. L'estime de soi représente le jugement personnel que l'on porte sur son mérite. Elle appartient intrinsèquement à la personnalité ; il ne s'agit pas d'une attitude passagère ni d'une attitude liée à une circonstance donnée. On a mesuré l'estime de soi au moyen d'une liste comprenant cinquante éléments, dont la plupart provenaient des échelles utilisées par Rogers. Les enfants ont rempli le questionnaire et les résultats ont servi à constituer des groupes ayant une estime de soi élevée, moyenne ou faible. On a constaté que les enfants jouissant d'une forte estime de soi étaient plus sûrs d'eux, plus autonomes et plus créatifs que les enfants ne disposant que d'une faible estime de soi. Ils étaient également moins enclins à accepter les définitions de la réalité proposées par la société, sauf si elles concordaient avec leurs observations personnelles ; ils étaient également plus souples et plus imaginatifs, de même que plus susceptibles de trouver des solutions originales aux problèmes. Autrement dit, les mesures subjectives de l'estime de soi étaient associées à tout un éventail de comportements.

Où l'estime de soi prend-elle sa source ? Coopersmith a recueilli des données sur la façon dont les enfants perçoivent leurs parents. Il a également compilé les évaluations des personnes qui ont interviewé les mères, de même que les réponses des mères à un questionnaire portant sur leurs attitudes à l'égard de leurs enfants et sur leurs méthodes d'éducation. Les résultats révèlent que les indicateurs de prestige, tels que la richesse, le niveau de scolarité et la profession, n'avaient pas d'effet notable sur l'estime de soi, comme on le croit souvent. C'est en fait le milieu familial, ainsi que l'environnement interpersonnel immédiat, qui joue le plus sur l'estime de soi. Il semble que les enfants sont influencés dans leur jugement par l'*évaluation des autres*; on nomme ainsi le processus par lequel ils adoptent les opinions exprimées par les personnes importantes à leurs yeux et s'en servent ensuite pour former leurs propres jugements.

D'après les résultats de cette étude, quels sont les attitudes et comportements parentaux qui jouent réellement un rôle dans la formation de l'estime de soi ? Trois aspects de l'interaction parents-enfants ressortent tout particulièrement. Le premier a trait à la *capacité d'accepter* l'enfant, de lui manifester de l'intérêt, de l'affection et de la chaleur. Les données révèlent que les mères d'enfants possédant une forte estime de soi étaient plus affectueuses et entretenaient des rapports plus étroits avec leurs enfants que les mères d'enfants ayant une faible estime de soi. Les enfants semblent voir dans l'intérêt que leur porte la mère le signe de leur importance, attestant du fait qu'ils méritent que les figures centrales de leur vie s'inquiètent pour eux, leur consacrent de l'attention et du temps.

Le deuxième domaine crucial de l'interaction parents-enfants est celui de la *discipline*. Les données révèlent que les parents d'enfants ayant une forte estime de soi ont des exigences claires qui sont rigoureusement respectées. On utilise habituellement les récompenses pour changer le comportement. À l'inverse, les parents d'enfants ayant une faible estime de soi offrent peu de conseils à leurs enfants, les traitent d'une manière sévère et peu respectueuse. Ces parents ne proposent aucune ligne directrice; ils ont tendance à recourir aux punitions plutôt qu'aux récompenses, à insister sur la force et à menacer de retirer leur amour.

Enfin, on a observé des différences dans les interactions parents-enfants au sujet des pratiques « démocratiques ». Les parents des enfants ayant une forte estime de soi fixent un grand nombre de règles qu'ils appliquent avec zèle, mais sans exercer de contrainte, en laissant place à l'expression des droits et opinions de l'enfant. Les parents d'enfants ayant une faible estime de soi fixent des limites assez floues; ils sont autocratiques, tyranniques, intransigeants et inflexibles lorsqu'ils appliquent la discipline. Coopersmith résume ainsi les résultats de son étude: « Disons que, de manière générale, trois facteurs président à la mise en place de l'estime de soi: 1) les parents acceptent totalement ou presque totalement leur enfant; 2) les règles sont définies avec clarté et appliquées avec fermeté; 3) les parents font preuve de respect et de souplesse lorsque les actes se conforment aux règles établies » (1967, p. 236). Coopersmith soutient par ailleurs que, ce qui importe, c'est la façon dont l'enfant perçoit ses parents, et non pas forcément chacune des mesures particulières prises par ces derniers. En outre, le climat familial en général influe sur la façon dont l'enfant perçoit ses parents et leurs intentions.

Une autre étude indique que les conditions entourant l'éducation influent également sur le développement du potentiel créatif. Selon Rogers, les enfants éduqués par des parents qui offrent sécurité et liberté sur le plan psychologique ont plus de chances que les autres de développer leur potentiel créatif. La sécurité psychologique provient de la considération positive et inconditionnelle offerte par les parents, de leur empathie et de leur compréhension; quant à la liberté psychologique, elle consiste à pouvoir exprimer ses opinions en toute liberté. Dans un test à cet effet, on a mesuré les méthodes éducatives et les modèles d'interaction parents-enfants chez des enfants âgés de trois à cinq ans (figure 5.3). Par ailleurs, on a recueilli des données mesurant le potentiel créatif chez les enfants avant leur entrée à l'école et à l'adolescence. La sécurité et la liberté psychologiques dans le milieu familial (préscolaire) étaient nettement associées au potentiel créatif chez les enfants d'âge préscolaire et chez les adolescents, ce qui confirme la théorie rogérienne (Harrington, Block et Block, 1987).

Les milieux favorisant la créativité
Les parents respectent les opinions de l'enfant et l'encouragent à les exprimer.
Les parents et l'enfant passent ensemble des moments empreints de chaleur et d'intimité.
On laisse les enfants passer du temps avec d'autres enfants ou avec des familles qui ont des idées ou des valeurs différentes.
Les parents encouragent l'enfant et le soutiennent.
Les parents favorisent l'autonomie de l'enfant.
Les personnes créatives
Sont enclines à être fières de leurs réalisations.
Font preuve de débrouillardise dans leurs entreprises.
S'engagent à fond dans leurs activités.
S'intéressent à un grand nombre de sujets.
Persévèrent dans l'adversité.

Figure 5.3 Caractéristiques des personnes créatives et des milieux favorisant la créativité. (Harrington, Block et Block, 1987.)

Certains psychologues ont soutenu que le concept d'estime de soi est trop vaste et que, en fait, il devrait plutôt se rapporter à des éléments particuliers de la personnalité. Ainsi, on peut entretenir une forte estime de soi sur le plan social, mais non sur le plan intellectuel, ou une grande estime de soi comme travailleur, mais pas comme parent. Bien qu'on ne puisse nier ce phénomène, on a clairement démontré qu'il peut être utile d'envisager l'estime de soi dans son ensemble; l'opinion que les gens ont d'eux-mêmes a des répercussions sur de nombreux aspects du fonctionnement psychologique (Dutton et Brown, 1997).

Le « bon soi » et le « mauvais soi », aux yeux des enfants

Nous abordons une recherche qui n'a pas été effectuée dans le cadre de la théorie rogérienne, mais que l'on peut envisager dans cette perspective puisqu'elle traite du concept de soi des enfants. L'étude débute par l'affirmation suivante : les enfants ont, tout autant que les adultes, des théories implicites au sujet des attributs de l'être humain et celles-ci ont des répercussions sur leurs sentiments et sur leur comportement. Nous avons examiné cette question au chapitre 1. Dans une série d'études, Dweck et ses collègues ont analysé ce qu'implique pour les enfants le fait d'avoir

DÉBATS ACTUELS

La motivation intrinsèque : l'augmentation de salaire entraîne-t-elle une baisse d'intérêt pour le travail ?

Selon vous, les enfants qu'on encourage à dessiner s'intéresseront-ils plus à cette activité que les enfants qui n'ont reçu aucun encouragement ? Les étudiants qui reçoivent une récompense lorsqu'ils s'efforcent de résoudre un casse-tête seront-ils plus désireux de continuer de s'adonner à cette activité que ceux à qui on n'a pas proposé de récompense ? Dans ces deux cas, on a constaté une baisse de la motivation intrinsèque et de l'intérêt pour l'activité quand le rendement était récompensé. Ces résultats sont sans doute surprenants, mais conformes aux idées de Rogers concernant l'autoactualisation ; toutefois, elles infirment la théorie du renforcement.

Les récompenses et les autres types d'intervention peuvent, semble-t-il, faire baisser la motivation intrinsèque ou le désir de participer à une activité en raison de l'intérêt qu'elle suscite. Ainsi, le style parental axé sur l'autonomie plutôt que sur les récompenses et punitions favorise le développement de la motivation intrinsèque.

On a constaté que les personnes qui agissent en fonction de la motivation intrinsèque préfèrent les tâches exigeantes, qu'elles réagissent à l'échec en multipliant les efforts et en faisant preuve de ténacité, qu'elles sont créatives et qu'elles s'expriment, et enfin qu'elles présentent une forte estime de soi. On a remarqué que les athlètes, les employés et les étudiants réussissent mieux dans des situations qui stimulent la motivation intrinsèque, par opposition à des situations où on fait appel aux récompenses extrinsèques ou à l'autorité exercée de l'extérieur.

Des études récentes montrent toutefois que les aspects négatifs des récompenses apparaissent uniquement dans certaines circonstances. Ainsi, le fait de toucher un meilleur salaire ne débouche pas forcément sur une baisse d'intérêt dans le travail, mais notons que l'argent n'explique pas tout.

SOURCES : Deci et Ryan, 1985, 1991 ; Deci, Koestner et Ryan, 1999 ; Eisenberger, Pierce et Cameron, 1999 ; Kasser et Ryan, 1996 ; Koestner et McClelland, 1990 ; Lepper, Greene et Nisbett, 1973.

Théorie de l'entité *(entity theory)*. Concept de Dweck désignant la croyance que le trait de personnalité est stable et non malléable.

Théorie incrémentielle *(incremental theory)*. Concept de Dweck désignant la croyance que le trait de personnalité est malléable ou susceptible de changer.

adopté, à propos d'un trait de personnalité regardé comme stable ou susceptible de changer, l'un ou l'autre des deux ensembles de croyances suivants : la **théorie de l'entité** et la **théorie incrémentielle** (Dweck, 1991, 1999 ; Dweck, Chiu et Hong, 1995). Selon le premier ensemble, on considère la caractéristique ou le trait particulier comme stable ; selon le second, on croit que la caractéristique ou le trait particulier est malléable, ou susceptible de changer. Par exemple, selon la théorie de l'entité, l'intelligence représente un trait stable ; en revanche, selon la théorie incrémentielle, c'est un trait qui peut être amélioré. Les différences d'opinion concernant la nature de traits comme l'intelligence ont des répercussions sur les objectifs et les réactions devant l'échec. Ainsi, les enfants qui voient dans l'intelligence une caractéristique immuable ont tendance à se fixer des *objectifs de rendement* et ils abandonnent souvent leurs activités devant l'échec, car ils croient que leur rendement constitue un reflet d'eux-mêmes et de leurs capacités. Par contre, les enfants qui considèrent l'intelligence comme malléable ont tendance à se fixer des *objectifs d'apprentissage* et à recommencer après un échec, car ils s'efforcent d'améliorer leur compétence.

Apparemment, les enfants entretiennent au sujet du soi des théories et des objectifs pouvant faire l'objet de comparaisons, d'où l'intérêt d'établir des liens avec la théorie de Rogers. Selon Dweck, les enfants portent des jugements en fonction de l'opposition bon/mauvais à propos, entre autres, de la nature du soi. Les enfants qui ont adopté la théorie de l'entité du soi ont tendance à porter des jugements globaux au sujet de la bonté essentielle du soi si on les compare aux enfants qui ont adopté la théorie incrémentielle. De plus, les enfants appartenant au premier

Comment favoriser le potentiel créatif Offrir aux enfants la sécurité et la liberté psychologiques qui leur permettent de développer leur potentiel créatif.

groupe interprètent toute critique formulée à leur endroit comme le reflet de ce qu'ils sont, alors que les enfants appartenant au deuxième groupe considèrent les critiques comme un élément d'information dont ils peuvent faire un usage constructif. Bien entendu, les critiques toucheront bien davantage les enfants du premier groupe que ceux du second. Alors qu'il peut être rassurant de penser qu'on possède un soi immuablement bon, le contraire n'est pas vrai. Si l'immuabilité s'applique à un soi foncièrement mauvais, l'enfant se voit placé dans une situation de grande vulnérabilité devant les atteintes incessantes à son estime de soi. Chaque échec ou critique renvoie à sa méchanceté foncière, devant laquelle il est impuissant. Par contre, la théorie incrémentielle du soi permet à l'enfant d'accepter la critique comme un élément particulier d'une situation et constitue pour lui une occasion de s'améliorer. En somme, la situation est la même que dans le cas de l'intelligence ; la théorie de l'entité de la bonté/méchanceté est associée à une réaction d'impuissance devant l'échec, alors que la croyance en la malléabilité de la bonté/méchanceté est liée aux efforts qu'on déploie et à la maîtrise de soi devant l'échec.

Dweck et ses collègues n'ont pas encore étudié les modèles parentaux qui engendrent l'un ou l'autre ensemble de croyances, mais nous pouvons supposer que les modèles mentionnés plus haut s'appliqueront ici aussi. Même si elle affirme que la plupart des croyances sont *particulières* à la caractéristique ou au trait en cause — de sorte que les enfants peuvent considérer par exemple l'intelligence comme stable, mais les aptitudes sociales comme malléables —, Dweck soutient que les enfants ont des opinions concernant la bonté/méchanceté et la stabilité/malléabilité du soi *en général*. C'est pourquoi nous pouvons examiner sa recherche en la plaçant dans le contexte de l'importance attribuée par Rogers à l'évolution du soi et à la confiance en soi.

En bref

Les conceptions de Rogers concernant les caractéristiques et les pratiques parentales qui ont des répercussions sur le développement de l'estime de soi chez l'enfant ont influé sur la pensée des chercheurs et des experts en puériculture. Même s'ils ne se réfèrent pas toujours à Rogers, leur volonté de respecter l'enfant et de protéger son estime de soi illustre l'influence de Rogers et des autres membres du mouvement humaniste. Les facteurs qui favorisent l'autoactualisation, ou qui lui nuisent, seront traités plus à fond au chapitre suivant, qui porte sur les applications cliniques de la théorie.

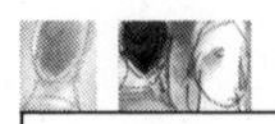

Résumé

1. L'approche phénoménologique met l'accent sur la façon dont l'individu se perçoit et perçoit le monde qui l'entoure. La théorie centrée sur la personne, de Carl Rogers, illustre cette approche.
2. Toute sa vie, Rogers s'est efforcé d'intégrer le subjectif et l'objectif, en conjuguant la sensibilité aux nuances de l'expérience et la mise en valeur de la rigueur de la science.
3. Rogers met l'accent sur les tendances positives qui s'expriment chez l'être humain, de même que sur son désir d'autoactualisation. Dans ses recherches, il s'efforce tout particulièrement de comprendre l'expérience subjective ou le champ phénoménal de l'individu.
4. Le concept structural clé de Rogers est le concept de soi, autrement dit l'organisation des perceptions et des expériences associées au « soi », au « moi » ou au « je ». Le soi idéal représente également un concept important ; c'est le concept de soi que l'individu aimerait atteindre. La technique du Q-sort est une des méthodes utilisées pour étudier ces concepts et les rapports qu'ils entretiennent.
5. Rogers s'est éloigné des interprétations qui voient dans la réduction de la tension le moteur du comportement pour insister plutôt sur l'autoactualisation ; cette orientation permet de s'ouvrir aux expériences et de les intégrer dans une image de soi plus large et plus différenciée.
6. Rogers soutient également que les individus cherchent à maintenir leur cohérence et à conserver un état de congruence entre les perceptions du soi et l'expérience. Les expériences perçues comme menaçantes pour le concept de soi peuvent néanmoins demeurer hors du champ de la conscience, au moyen de mécanismes de défense tels que la déformation et le déni. Une série d'études corrobore la théorie selon laquelle les individus se comportent toujours de manière à conserver et à confirmer la perception qu'ils ont d'eux-mêmes.
7. Les gens ont besoin de considération positive. Dans la considération positive inconditionnelle, les enfants et les adultes sont en mesure de se développer dans un état de congruence et de s'autoactualiser. En revanche, lorsque la considération positive est conditionnelle, l'individu peut bloquer la prise de conscience de certaines expériences et restreindre son potentiel d'autoactualisation.

8. Les réactions des autres à leur égard influent sur les jugements que les enfants portent sur eux. Les parents d'enfants ayant une forte estime de soi font preuve d'affection et d'acceptation, mais ils expriment également les exigences et les règles d'une manière claire et uniforme.
9. Les enfants ont des croyances concernant la malléabilité des caractéristiques psychologiques qui reposent sur deux théories différentes, la théorie de l'entité et la théorie incrémentielle. L'évaluation qu'ils font concernant la bonté/méchanceté du soi est d'une importance particulière à cet égard.

Chapitre 6

L'approche phénoménologique :

La théorie de Rogers, applications et évaluation

Les applications cliniques

La psychopathologie

Le changement

L'évolution de la théorie

Le changement de cap chez Rogers : de l'individu au groupe et à la société

L'intérêt pour le soi et pour les motivations intrinsèques

Les conceptions voisines : le courant humaniste

Kurt Goldstein

Abraham H. Maslow

L'existentialisme

L'évaluation critique

La phénoménologie

Le soi en tant que concept

Les conflits, l'angoisse et les mécanismes de défense

La psychopathologie et le changement

Parmi vos amis, y en a-t-il un à qui vous vous confiez lorsque vous êtes triste, bouleversé ou en colère ? Dans les moments difficiles, vous avez l'impression que cet ami est la seule personne au monde qui puisse vous écouter. Qu'y a-t-il donc chez lui de particulier ? Peut-être possède-t-il des dispositions qui font qu'auprès de lui vous vous sentez à l'aise et en sécurité, libre d'exprimer ce que vous ressentez.

C'était là le but que s'était assigné Rogers dans sa thérapie centrée sur le client, sur laquelle il fonde sa théorie de la personnalité. En travaillant auprès des clients, il a découvert pourquoi l'individu en vient à nier et à déformer ses expériences ; il s'est alors penché sur les conditions qui lui permettent de changer et de se développer. Dans ce chapitre, nous nous intéresserons également à d'autres grands théoriciens appartenant au courant humaniste (Kurt Goldstein, Abraham H. Maslow), nous exposerons les principes de l'existentialisme et nous effectuerons une évaluation globale de la théorie de la personnalité proposée par Rogers.

Le chapitre... *en questions*

1. Comment l'absence de congruence entre le soi et l'expérience se répercute-t-elle sur le plan psychologique ?
2. Quels types de changements touchant le fonctionnement de la personnalité regarde-t-on comme des améliorations de la santé psychologique en général ? Quels sont les facteurs qui décident de ces changements ?
3. Quelles différences relève-t-on entre l'évaluation reposant sur l'observation de soi et l'évaluation effectuée à partir des tests projectifs ?
4. Pourquoi dit-on que l'approche rogérienne de l'individu permet de corriger les conceptions freudienne et béhavioriste de l'être humain ?

Les applications cliniques

Dans ce chapitre, nous examinerons les idées de Rogers concernant la psychopathologie, la psychothérapie et les changements dans la personnalité, qui constituent l'essentiel de sa théorie ; en fait, Rogers a consacré la plus grande partie de sa vie professionnelle à ces applications cliniques. L'approche centrée sur la personne a d'abord été une forme de counseling appelée **thérapie centrée sur le client,** « ce qui signifiait que les gens qui demandaient de l'aide n'étaient pas traités en malades dépendants, mais en clients responsables » (Rogers, 1997, p. 4 et 5). Au lieu de faire sien le modèle pathologique du comportement anormal et de se présenter en médecin traitant un patient, Rogers souligne plutôt la motivation de l'individu à être en bonne santé ; il met en lumière les facteurs susceptibles de gêner cette croissance ainsi que les conditions thérapeutiques qui permettent de surmonter les obstacles.

Thérapie centrée sur le client *(client-centered therapy).*
Expression utilisée par Rogers au début de sa carrière ; elle désigne l'approche selon laquelle le thérapeute s'intéresse à l'expérience du soi et du monde telle que la vit le client.

LA PSYCHOPATHOLOGIE

Le désaccord entre le soi et l'expérience

Nous avons exposé au chapitre précédent les principaux éléments de la conception rogérienne de la psychopathologie. Selon Rogers, l'individu en bonne santé peut incorporer les expériences à la structure du soi. On observe chez la personne saine une congruence entre le soi et l'expérience, une ouverture à l'expérience ; il n'existe pas chez elle d'attitude de défense. Chez l'individu névrosé, en revanche, l'image de soi s'organise d'une manière qui ne cadre pas avec l'expérience ; l'individu inadapté sur le plan psychologique doit interdire à certaines expériences sensorielles et affectives significatives d'accéder à la conscience. Les expériences qui ne cadrent pas avec la structure du soi sont perçues inconsciemment comme menaçantes et elles sont par conséquent niées ou déformées. On parle alors de **désaccord entre le soi et l'expérience**. Le soi adopte une attitude rigide afin de se défendre contre les expériences qui menacent l'unité du soi et nuisent à l'estime de soi.

Désaccord entre le soi et l'expérience *(self-experience discrepancy).* Source de conflits entre le concept de soi et l'expérience, qui donnent naissance aux troubles psychologiques.

Rationalisation *(rationalization).* Mécanisme de défense par lequel l'individu déforme la perception d'un comportement pour le rendre congruent avec le soi.

Rogers ne fait pas la différence entre les troubles du comportement, mais il distingue plusieurs types de mécanismes de défense. Dans la **rationalisation**, par exemple, l'individu déforme la perception d'un comportement pour le rendre congruent avec le soi. Si vous vous considérez comme une personne qui ne commet pas d'erreurs, vous attribuerez sans doute à d'autres facteurs les erreurs que vous commettez. Le *fantasme* représente aussi un mécanisme de défense. L'homme qui, à travers le fantasme, se trouve irrésistible, s'imaginera qu'il est un prince et que toutes les femmes le vénèrent, et il niera les expériences qui ne cadrent pas avec cette image. La *projection* constitue le troisième type de mécanisme de défense. Dans ce cas, la personne qui exprime un besoin le fera sous une forme qui lui interdit de prendre conscience de ce besoin, de sorte qu'elle pourra considérer que le comportement est congruent avec le soi. Les individus dont le concept de soi exclut toute pensée sexuelle « perverse » peuvent sentir que les autres leur imposent leurs pensées.

Ces descriptions de mécanismes de défense ressemblent à celles que Freud avait formulées. Pour Rogers toutefois, ce qui importe dans ces mécanismes, c'est le fait que pour faire face à l'incongruence entre le soi et l'expérience on emploie la négation ou la déformation : « Il convient de noter que les perceptions sont écartées parce qu'elles s'opposent [à l'image du soi] et non parce qu'elles sont peu flatteuses » (Rogers, 1951, p. 506). En outre, la classification des mécanismes de défense n'occupe pas dans la théorie rogérienne la même place décisive que dans la théorie freudienne.

Les divergences entre les éléments du soi

Selon Rogers, les troubles psychologiques proviennent donc d'une perturbation de la relation entre l'image de soi et l'expérience concrète. La plupart des études entreprises dans ce domaine ont pourtant porté sur les rapports entre le soi et le soi idéal. Dans ces recherches, l'écart entre l'évaluation du soi et l'évaluation du soi idéal sert souvent à mesurer l'adaptation : plus cet écart est faible, meilleure est l'adaptation. De nombreuses études ont démontré que l'équilibre et l'estime de soi sont associés à la relation entre le soi et le soi idéal. Ainsi, selon Higgins, Bond, Klein et Strauman (1986), les personnes dont le soi et le soi idéal divergent considérablement sont plus enclines à la dépression. Une autre étude révèle que le fait de se sentir proche du soi redouté (ou non désiré) constitue peut-être même un facteur plus décisif en ce qui concerne l'adaptation (Ogilvie, 1987). Autrement dit, l'estime de soi et la satisfaction personnelle sont peut-être davantage fonction de la différence avec le soi que l'on ne veut pas être que de la ressemblance avec le soi que l'on souhaite, c'est-à-dire le soi idéal.

DÉBATS ACTUELS

Le soi idéal et le soi redouté : des facettes motivantes du soi ?

Vous êtes à la veille d'un examen important et vous essayez d'imaginer votre état d'esprit si vous aviez un *A*, puis vous vous voyez n'obtenant qu'un *E*. Ces deux possibilités existent vraiment. La note *A* semble si parfaite et la note *E* si inquiétante que vous décidez d'étudier une heure de plus !

Comment définissez-vous votre soi idéal et votre soi redouté ? Des chercheurs (par exemple, Harary et Donahue, 1994) ont récemment analysé le soi idéal et le soi redouté et ils les ont comparés avec le soi tel qu'il est perçu. Voici un exercice qui pourrait vous aider à réfléchir à l'image que vous avez de vous-même, à ce que vous souhaitez y trouver ou craignez d'y découvrir.

Pensez d'abord à la façon dont vous vous percevez en général et évaluez l'*image que vous avez de vous actuellement*, selon votre perception du moment, en utilisant les cinq énoncés énumérés ci-dessous. Examinez ensuite votre *soi idéal* — la personnalité que vous aimeriez avoir — et évaluez-le au moyen de ces cinq énoncés. Enfin, examinez votre *soi redouté* — la personnalité que vous craignez de devenir — et évaluez-le en conséquence. Pour les trois types d'évaluation, utilisez la grille suivante et inscrivez votre score dans la colonne appropriée.

Une fois les évaluations effectuées, vous pouvez calculer deux sortes d'écart, premièrement l'écart entre le soi *actuel* et le soi *idéal*, deuxièmement l'écart entre le soi *actuel* et le soi *redouté*. Prenons le cas d'une étudiante qui aime bien s'amuser (elle a inscrit 5 en regard de l'énoncé « extravertie »), mais qui croit qu'elle devrait idéalement être plus réservée et consacrer plus de temps à ses études (le soi idéal a reçu un 3) ; l'écart entre le soi actuel et le soi idéal (- 2) indique qu'elle doit réduire ses activités sociales pour se rapprocher du soi idéal. Une autre personne peut considérer qu'elle a surmonté sa timidité (le soi actuel a été évalué à 3 pour l'énoncé « extraverti »), mais craindre de revenir à son ancien soi solitaire (le soi redouté reçoit la note 1). L'écart entre son soi actuel et son soi redouté (+ 2) est positif et indique qu'elle réussit pour l'instant à se soustraire au soi redouté.

Il pourrait être intéressant de calculer les deux sortes d'écart pour chacun des cinq éléments évalués et de comparer votre soi actuel avec votre soi idéal et avec votre soi redouté. Votre soi actuel peut être plus éloigné de votre soi idéal (et plus près de votre soi redouté) en ce qui concerne certains de ses aspects. S'agit-il d'aspects trop éloignés de votre personnalité et que vous aimeriez modifier ? L'important, c'est de savoir ce que vous désirez pour vous-même (vos idéaux), ce que vous ne souhaitez pas (vos craintes) et ce qui vous motive. Pour certains, c'est la représentation de leur soi idéal qui sert d'inspiration, alors que c'est l'image du soi redouté qui en pousse d'autres à agir. À qui ressemblez-vous le plus ? Si vous désirez changer, commencez par imaginer le vaste champ de possibilités dont vous disposez dans votre vie.

PAS D'ACCORD			D'ACCORD	
Nettement	Un peu	Ni l'un ni l'autre	Un peu	Nettement
1	2	3	4	5

COMMENT JE PERÇOIS MES DIFFÉRENTS SOI	Soi actuel	Soi idéal	Soi redouté	Soi actuel, moins soi idéal	Soi actuel, moins soi redouté
Extraverti, peu réservé	______	______	______	______	______
Indulgent, pas rancunier	______	______	______	______	______
Paresseux	______	______	______	______	______
Tendu, facilement stressé	______	______	______	______	______
Intéressé par l'art, la musique et la littérature	______	______	______	______	______

Higgins (1987, 1999) a proposé une théorie de portée générale, qui met en rapport le soi et les affects, prolongeant ainsi, de manière fascinante, l'idée rogérienne selon laquelle les incongruences du soi engendrent des difficultés affectives. Au concept de soi idéal avancé par Rogers, Higgins ajoute la notion de « soi imposé ». Alors que le concept de soi idéal comprend les espoirs, les ambitions et les désirs, celui de soi imposé abrite les croyances de l'individu concernant ses devoirs, ses responsabilités et ses obligations.

Selon la théorie de Higgins, les écarts entre le soi et le soi idéal engendrent des réactions témoignant d'un sentiment de découragement. Par exemple, si l'étudiant se perçoit dans son soi idéal comme digne d'avoir un *A* et qu'il n'obtient qu'une note C à un examen, il sera certainement déçu, triste, ou même déprimé. En revanche, les écarts entre le soi et le soi imposé devraient engendrer de l'agitation. Par exemple, si un étudiant s'impose d'avoir un *A* et qu'il obtient un *C*, il se sentira sûrement craintif, menacé ou anxieux. Ainsi, la distinction entre le soi idéal et le soi imposé a une certaine importance, car elle permet de séparer deux types d'émotions liées au soi : celles qui sont associées au découragement (déception, tristesse, dépression) et celles qui sont associées à l'agitation (crainte, sentiment d'être menacé, anxiété).

Higgins soutient que le soi idéal et le soi imposé servent de guides en vue d'orienter et de structurer le comportement social. Cependant, bien qu'ils collaborent à l'occasion, ces guides peuvent également entrer en conflit. Les comportements qui constituent notre idéal ne correspondent pas toujours à ceux que nous nous croyons obligés d'emprunter. Certaines femmes, par exemple, sont tiraillées entre la volonté de réussir leur carrière (le soi idéal) et les pressions sociales les obligeant à avoir des enfants (le soi imposé). Rogers croit que les clients doivent prendre conscience de ce type de conflits et les résoudre pour arriver à changer grâce à la thérapie.

LE CHANGEMENT

L'expérience thérapeutique de Rogers a donné naissance à sa théorie de la personnalité, cependant c'est sur le processus thérapeutique proprement dit que ses efforts se sont concentrés, tout particulièrement sur la façon dont s'effectue le changement dans la personnalité. Il s'est consacré à l'étude du processus de changement, tant sur le plan subjectif que sur le plan objectif. C'est ce processus d'actualisation qui l'a intéressé par-dessus tout.

Les conditions du changement en thérapie

Dans ces premiers travaux, Rogers accorde beaucoup d'attention à la technique dite de « reflet du sentiment » utilisée en thérapie. Dans cette approche *non directive*, on ne réagit aux propos du client que par un petit nombre de gestes et de conseils. Comme certains thérapeutes non directifs sont perçus comme passifs et peu intéressés, Rogers modifie sa technique et propose une thérapie centrée sur le client. Au fur et à mesure qu'il élaborera son approche thérapeutique, il insistera de plus en plus pour que le thérapeute s'efforce de comprendre les expériences du client.

En fin de compte, Rogers croit que le facteur décisif en matière de thérapie est le climat dans lequel elle se déroule (Rogers, 1966). Le changement ne peut avoir lieu que si la relation entre le thérapeute et le client satisfait à trois conditions significatives sur le plan phénoménologique. Voici quelles sont les trois conditions essentielles

Congruence *(congruence).*
Concept rogérien exprimant l'absence de conflit entre le concept de soi et l'expérience ; c'est également l'une des trois conditions jugées essentielles pour la croissance et le progrès thérapeutique.

Considération positive inconditionnelle *(unconditional positive regard).*
Expression employée par Rogers pour indiquer qu'on accepte la personne dans sa totalité et sans conditions. C'est également l'une des trois conditions que doit remplir le thérapeute pour assurer le développement de la personne et le progrès au cours de la thérapie.

Empathie *(empathic understanding).*
Expression utilisée par Rogers pour désigner la capacité de percevoir et de comprendre les expériences et les sentiments d'autrui. C'est également l'une des trois conditions que doit remplir le thérapeute pour assurer le développement de la personne et le progrès au cours de la thérapie.

au bon déroulement du processus thérapeutique : la **congruence**, ou authenticité, la **considération positive inconditionnelle** et l'**empathie**. Le thérapeute authentique reste lui-même. Il n'offre pas de façade, mais il adopte plutôt une attitude ouverte et transparente. Par conséquent, le client peut lui faire confiance. Le thérapeute congruent, ou authentique, se sent libre d'être lui-même, d'accepter l'expérience thérapeutique telle qu'elle se présente et d'établir une relation personnelle avec le client. Dans une relation authentique, le thérapeute est libre de communiquer ses sentiments au client, y compris les sentiments négatifs : « Même concernant de pareilles attitudes négatives qui semblent potentiellement préjudiciables, mais que tous les thérapeutes présentent de temps en temps, je suggère qu'il est préférable pour le thérapeute d'être vrai plutôt que d'adopter une fausse attitude d'intérêt, de sollicitude et de sympathie que le client est susceptible de ressentir comme fausse » (Rogers, 1966, p. 188).

La deuxième condition essentielle est la considération positive inconditionnelle. Celle-ci se trouve remplie lorsque le thérapeute estime et apprécie le client en tant que personne, dans sa totalité et d'une manière inconditionnelle. La considération positive inconditionnelle offerte par le thérapeute procure un cadre non menaçant dans lequel le client peut explorer son soi intime.

Enfin, la troisième condition se rapporte à l'empathie transmise par le thérapeute, autrement dit à la capacité dont il fait preuve, à tout moment au cours de la séance de psychothérapie, de comprendre les expériences de son client et le sens qu'elles recèlent pour lui. Il n'est pas question de formuler un diagnostic concernant les expériences du client ni de refléter machinalement ce qu'il dit, mais il s'agit de participer à ses expériences tout en restant soi-même. On s'adonne à l'écoute active, on déchiffre les sentiments du client et le sens qu'ils ont pour lui.

Rogers traite essentiellement des facteurs qui ne dépendent pas de l'orientation théorique du thérapeute. Dans une étude marquante, Fiedler (1950) a demandé à des évaluateurs d'écouter les enregistrements d'entretiens menés tant par des personnes expérimentées que par d'autres qui ne l'étaient pas, appartenant à trois courants différents, soit l'école psychanalytique, l'école rogérienne et l'école adlérienne. Les spécialistes ont ensuite classé selon leur pertinence un certain nombre d'éléments descriptifs. Fiedler a constaté que les personnes expérimentées réussissaient davantage que les autres à instaurer une relation thérapeutique idéale. Quelle qu'ait été leur orientation, les personnes expérimentées avaient un point commun : elles étaient toutes capables de comprendre l'expérience subjective du client, de communiquer avec lui et de maintenir la relation. Dans une étude connexe, Heine (1950) s'est intéressé aux rapports entre l'orientation théorique du thérapeute et les progrès accomplis au cours de la thérapie, selon ce qu'en pensaient les clients. Ceux-ci devaient classer un certain nombre d'énoncés décrivant les changements qui selon eux s'étaient produits au cours de la thérapie ; il leur fallait se livrer à la même opération avec des énoncés décrivant les facteurs thérapeutiques auxquels ils attribuaient les changements. Heine a constaté que, selon leurs dires, les patients qui s'étaient adressés à des thérapeutes de l'une ou l'autre des trois écoles — psychanalytique, rogérienne et adlérienne — signalaient les mêmes types de changements. En outre, ceux qui faisaient état des plus grands changements les attribuaient à des facteurs similaires. Dans une étude ultérieure, Halkides (1958) indique que la congruence, la considération positive et l'empathie sont associées au succès de la thérapie, ce qui corrobore la thèse de Rogers selon laquelle ces conditions sont indispensables au changement.

APPLICATIONS ACTUELLES

Les mécanismes de défense On recourt parfois à l'alcool pour atténuer les sentiments pénibles.

Consommation d'alcool, conscience de soi et sentiments pénibles

Pourquoi consomme-t-on de l'alcool et des drogues ? Pourquoi y a-t-il autant de rechutes après le traitement ? Au chapitre 3, nous avons exposé l'hypothèse selon laquelle de nombreux alcooliques et toxicomanes recourent au déni, ce mécanisme de défense qui leur permet de faire face aux sentiments pénibles. Cependant, ce lien n'a pas été corroboré et l'expérience du soi chez les toxicomanes n'a pas non plus été évaluée. Il s'agit d'une constatation importante, puisque les toxicomanes déclarent la plupart du temps qu'ils consomment des drogues pour venir à bout des sentiments pénibles qu'ils éprouvent et que les alcooliques mentionnent souvent qu'ils boivent pour que les aspects douloureux de la vie s'estompent.

On peut mettre en rapport avec l'approche rogérienne — même si elle n'en relève pas — une étude effectuée récemment, qui se fonde sur l'hypothèse suivante : l'alcool affaiblit la conscience de soi et les alcooliques dotés d'une forte conscience de soi boivent pour ne plus ressentir aussi vivement les expériences négatives. On dira de quelqu'un qu'il a une conscience de soi élevée et qu'il ressent fortement ses expériences intérieures lorsqu'il juge que les énoncés suivants lui conviennent : je médite beaucoup sur moi-même ; je suis généralement attentif à mes sentiments intimes ; j'ai conscience de mes changements d'humeur.

Une recherche en laboratoire entreprise auprès de buveurs mondains a permis d'établir que les personnes ayant une forte conscience de soi consomment plus d'alcool après avoir connu une expérience d'échec que les membres de trois autres groupes, soit les personnes à la forte conscience de soi ayant connu une expérience de réussite et les personnes à la faible conscience de soi ayant ou non connu une expérience de réussite ou d'échec. Par ailleurs, une étude portant sur la consommation d'alcool chez les adolescents révèle que la consommation augmente chez les étudiants à la forte conscience de soi qui obtiennent des résultats scolaires médiocres, ce qui n'est pas le cas chez ceux qui ont une faible conscience de soi.

Qu'en est-il des alcooliques ? de leurs rechutes ? Cette dernière question revêt une importance toute particulière, puisque la moitié des alcooliques traités, sinon les trois quarts, font une rechute au cours des six mois qui suivent la fin de la cure. Une étude consacrée aux rechutes des alcooliques qui avaient bénéficié d'une cure de désintoxication est arrivée à des résultats semblables : la rechute semble être liée conjointement aux événements négatifs et à une forte conscience de soi.

Plusieurs types d'études, menées auprès de populations bien différentes les unes des autres, ont démontré à de nombreuses reprises qu'il existe des rapports entre la consommation d'alcool, la conscience de soi élevée et l'expérience de l'échec sur le plan personnel. Selon ces recherches, nombre de gens consomment de l'alcool pour ressentir moins vivement la douleur associée aux expériences négatives.

SOURCES : Baumeister, 1991 ; Hull, Young et Jouriles, 1986 ; Pervin, 1988.

Les résultats de la thérapie centrée sur le client

L'un des plus grands mérites de Rogers est d'avoir ouvert le champ de la psychothérapie à la recherche scientifique. Au cours des années 1940 et 1950, Rogers et quelques-uns de ses collègues ont effectué nombre d'études visant à déterminer les changements associés à la thérapie centrée sur le client. Parmi les changements observés, on note que les clients sont plus ouverts et moins enclins à se tenir sur la défensive ; leur soi est plus positif et plus congruent ; ils sont mieux disposés envers les autres ; et ils ont cessé de faire appel aux valeurs d'autrui pour se fier à leur évaluation personnelle.

Outre le travail qu'il accomplit auprès de clients névrosés, Rogers entreprend une série de travaux et de thérapies auprès des schizophrènes (Rogers, 1967). Au cours de ces recherches, il élabore des grilles servant, d'une part, à mesurer les trois facteurs essentiels au succès de la thérapie (empathie, congruence, considération positive) et, d'autre part, à évaluer l'expérience vécue par le patient. Rogers constate une fois de plus que l'instauration d'un bon climat en thérapie est liée à un changement positif dans la personnalité ; cette observation vaut pour les schizophrènes encore plus que pour les névrosés. Cependant, la mise en place du climat thérapeutique ne dépend pas uniquement du thérapeute et du patient, mais elle tient surtout à la complexité de l'interaction qui s'établit entre les deux partenaires de la relation thérapeutique. En outre, on a démontré que si les thérapeutes, même compétents et consciencieux, ne parvenaient pas à instaurer un climat favorable, l'état des patients pouvait parfois s'aggraver.

Les traits distinctifs de la thérapie centrée sur le client

Bien que des changements aient été apportés à la thérapie centrée sur le client, celle-ci conserve les traits distinctifs qu'elle avait à ses débuts (Rogers, 1942, 1977). En premier lieu, relevons la confiance en l'aptitude du client à changer et à se réaliser. En raison du fait que l'organisme s'oriente fondamentalement vers le développement, l'actualisation et la congruence, le thérapeute n'a pas à diriger le processus thérapeutique ni à le manipuler. En deuxième lieu, rappelons la place accordée à la relation thérapeutique. Ce qui importe, en effet, c'est la volonté du thérapeute de comprendre le client et de lui transmettre cette intention. À la différence du psychanalyste, qui cherche des significations cachées et enfouies dans l'inconscient, le thérapeute rogérien croit que la personnalité se dévoile dans les confidences du client. Les diagnostics n'ont guère d'importance, puisqu'ils renseignent très peu sur ce que les gens pensent d'eux-mêmes et qu'ils ne permettent pas de mettre en place la relation thérapeutique souhaitée. En troisième lieu, mentionnons cette idée : la thérapie centrée sur le client constitue un processus dont le déroulement est prévisible. Le thérapeute établit une relation d'aide qui lui permet de libérer chez l'individu l'énergie le poussant à devenir mature, autonome et productif, et en fin de compte à s'épanouir. Enfin, parce qu'il s'intéresse à la recherche, Rogers veut maintenir les rapports entre la théorie, la thérapie et la recherche. La thérapie centrée sur le client représente une théorie conditionnelle ; si certaines *conditions* sont présentes, suppose-t-elle, un *processus* se déclenchera, entraînant un changement de personnalité et de comportement.

Étude de cas : Mme Oak

Comme nous l'avons mentionné, l'un des plus grands mérites de Rogers est d'avoir ouvert le champ de la psychothérapie à la recherche scientifique. Il a mis à la disposition des chercheurs les comptes rendus textuels des séances de thérapie, ainsi que des films et des enregistrements. Dans l'ouvrage (1954) qu'il consacre à la psychothérapie et au changement qui s'effectue dans la personnalité, Rogers présente l'analyse approfondie d'un cas, celui de Mme Oak. Selon lui, ce sont les études de cas qui donnent vie à la recherche ; ainsi peut-on réunir des éléments qui s'entrelacent dans la réalité. Nous vous présentons le cas de Mme Oak afin de montrer comment on analyse la personnalité dans l'approche rogérienne.

La cliente et son problème

Lorsqu'elle s'est présentée au centre de counseling de l'Université de Chicago, Mme Oak était femme au foyer, à la fin de la trentaine. À l'époque, elle éprouvait de graves problèmes dans ses rapports avec son époux et avec sa fille adolescente. Mme Oak s'attribuait la responsabilité de la maladie psychosomatique dont souffrait sa fille. Le thérapeute la décrivait comme une personne sensible, très désireuse d'être honnête avec elle-même et de résoudre ses problèmes. Peu instruite, elle était néanmoins intelligente et lisait beaucoup. Mme Oak a participé à quarante entretiens pendant une période de cinq mois et demi, à la suite de quoi elle a décidé de mettre fin à la thérapie.

La thérapie

Au cours des premiers entretiens, Mme Oak a surtout parlé des problèmes qu'elle éprouvait dans ses rapports avec sa fille et avec son époux. Progressivement, elle a délaissé ses problèmes pour parler de ses émotions :

> Et puis j'ai compris que, lors du dernier entretien, j'avais vécu une émotion que je n'avais jamais ressentie auparavant, ce qui m'a surprise et un peu bouleversée. Pourtant, ai-je pensé, je crois que c'est une sorte de... — un seul mot me vient à l'esprit pour le décrire et l'exprimer —, c'est une sorte de nettoyage. Je... je me sentais horriblement triste à propos de quelque chose, une sorte de chagrin.
>
> p. 311

Le thérapeute a d'abord cru que Mme Oak était une personne timide, quelconque presque, et il a adopté une attitude neutre envers elle. Toutefois, il s'est aperçu rapidement qu'elle était sensible et intéressante. Son estime pour elle s'est accrue ; il a indiqué que la capacité de Mme Oak de faire face aux bouleversements et à la douleur suscitait chez lui respect et admiration. Il n'a pas essayé de la diriger ni de l'orienter ; il a éprouvé de la satisfaction à essayer de la comprendre, à tenter d'être sensible à son univers, à lui montrer qu'il l'acceptait.

> **Mme Oak :** Et néanmoins le... le fait que... j'aime vraiment ça, je ne sais pas, appelons ça une vive émotion. Ce que je veux dire... j'ai ressenti des choses que je n'avais jamais éprouvées auparavant. J'aime ça, aussi. Euh... peut-être que c'est comme ça qu'il faut faire. Je... je ne sais tout simplement pas aujourd'hui.
>
> **Le thérapeute :** Mmm. Vous n'êtes pas sûre, mais vous savez que vous éprouvez une vraie tendresse pour le poème que vous êtes. Si c'est bien comme cela qu'il faut s'y prendre, vous n'en savez rien.
>
> p. 314

Dans ce climat thérapeutique favorable, Mme Oak a pris peu à peu conscience de sentiments qu'elle refusait d'admettre auparavant. Lors du vingt-quatrième entretien, elle est devenue consciente du fait qu'elle avait avec sa fille des conflits liés à sa propre adolescence. Elle a été stupéfaite de découvrir son propre esprit de compétition. Lors d'un entretien qui eut lieu par la suite, elle s'est rendu compte qu'elle ressentait une blessure intime au fond d'elle-même.

Mme Oak : Et ensuite, bien sûr, j'ai fini par comprendre... que j'avais enfoui ça. (*Elle pleure.*) Mais... et... je l'ai enfoui sous beaucoup d'amertume, que j'ai dû ensuite dissimuler. (*Elle pleure.*) Et je veux m'en débarrasser ! À la limite, ça m'est égal d'avoir mal !

Le thérapeute : (*Avec douceur*) Vous sentez que fondamentalement vous éprouvez vraiment du chagrin pour vous-même. Mais vous ne pouvez pas, vous ne devez pas le montrer, alors vous le dissimulez sous une amertume que vous n'aimez pas, dont vous aimeriez vous débarrasser. Vous préférez presque absorber la douleur plutôt que... de ressentir l'amertume. (*Une pause*) Et ce que vous semblez vouloir affirmer avec force, c'est « J'ai mal et j'essaie de le cacher ».

Mme Oak : Je ne le savais pas.

Le thérapeute : Mmm. C'est comme une nouvelle découverte, vraiment.

Mme Oak : (*Parlant en même temps que le thérapeute*) Je ne m'en suis jamais rendu compte. Mais c'est... vous savez, c'est presque physique. C'est... comme si je voyais à l'intérieur de moi toutes sortes de... terminaisons nerveuses et... des miettes de... choses qui ont été en quelque sorte broyées. (*Elle pleure.*)

p. 326

Cette prise de conscience a d'abord entraîné un sentiment de désorganisation. Mme Oak est devenue plus troublée et plus névrosée, comme si elle s'effondrait. Elle disait qu'elle se sentait comme un élément de structure ou d'architecture dont certaines parties auraient été enlevées. Mme Oak a commencé alors à entrevoir la dynamique de l'angoisse qui opérait en elle et à découvrir de quelle façon elle avait abandonné son soi afin de faire disparaître l'angoisse. Elle décrivit l'incapacité dont elle avait souffert dans le passé d'admettre et « en quelque sorte d'accueillir » la peur. Elle estimait que le problème, chez elle comme chez beaucoup d'autres, venait de ce qu'on tentait d'échapper à soi-même.

À l'occasion, Mme Oak exprimait les sentiments qu'elle ressentait à l'égard du thérapeute. Au début, elle lui en voulait parce qu'il ne l'aidait pas beaucoup et qu'il refusait de diriger les entretiens. Il lui arrivait également d'être fermement convaincue que le thérapeute n'apportait rien. Cependant, au fil des séances, elle a eu le sentiment qu'une relation s'était établie avec le thérapeute et elle a pu la comparer avec les descriptions de la relation en psychanalyse fournies par ses amis. Elle en a conclu que sa relation avec le thérapeute était différente, qu'elle ne la traiterait jamais à la légère, qu'elle constituait le fondement de la thérapie. Ce que Rogers commente ainsi :

> Je suis certain — et peut-être que cela vient encore une fois de mes lectures — que la thérapie ne peut aller en profondeur que s'il y a cette combinaison, cette relation, si l'intensité du besoin ressenti par le client correspond à la volonté du thérapeute de mettre en œuvre la relation avec le client.
>
> p. 309

Le résultat

Il n'y a pas eu de progrès sur tous les plans. Au moment où s'est terminée la thérapie, Mme Oak souffrait encore de conflits sexuels. Cependant, des progrès notables avaient été réalisés dans bien des domaines. Elle avait commencé à se sentir libre d'être elle-même, d'être à l'écoute de soi et de se livrer à des évaluations indépendantes. Mme Oak avait cessé de rejeter le rôle féminin et, de manière plus générale, elle s'était mise à se regarder comme un être humain digne d'intérêt. Elle a décidé ensuite de mettre fin à son mariage et elle s'est entendue avec son mari pour divorcer. Enfin, elle s'est trouvé un emploi stimulant. Grâce aux conditions régnant dans le milieu thérapeutique, elle a pu faire céder les mécanismes de défense qui avaient entretenu une incongruence prononcée entre le soi et l'expérience. Cette prise de conscience lui a permis d'effectuer des changements positifs dans sa vie et de devenir un être plus autoactualisé.

L'histoire de Jacques

Le différenciateur sémantique

Jacques a rempli le questionnaire appelé différenciateur sémantique ; il a évalué les concepts de soi, de soi idéal, de père et de mère sur une série de 104 échelles. Parmi les paires d'adjectifs proposés, on trouvait : autoritaire/démocratique, conservateur/libéral, affectueux/réservé, chaleureux/froid et fort/faible. Afin d'établir des comparaisons concernant la signification donnée par Jacques à ces concepts, on devait évaluer chacun des quatre concepts selon la même gradation. Ce test diffère nettement du test de Rorschach, car ses objectifs ne sont pas dissimulés. Le différenciateur sémantique ne descend pas en droite ligne de la théorie rogérienne. Cependant, nous pouvons interpréter les données recueillies en nous référant à la théorie rogérienne, puisqu'elles ont un caractère phénoménologique et que nous cherchons à savoir comment sont perçus le soi et le soi idéal.

Examinons d'abord de quelle façon Jacques perçoit son soi. Il se considère comme intelligent, amical, sincère, aimable et foncièrement bon. Les résultats indiquent qu'il voit en lui une personne sage et bienveillante, qui s'intéresse à autrui. Par ailleurs, d'autres résultats révèlent qu'il n'arrive pas à s'exprimer librement et sans inhibitions. C'est pourquoi il s'estime réservé, introverti, inhibé, tendu, moralisateur et conformiste. On note chez lui un curieux mélange, puisqu'il est d'une part engagé, intense, sensible et aimable, et d'autre part compétitif, égoïste et enclin à la désapprobation. On trouve également en lui une intéressante combinaison : il se considère comme foncièrement bon et viril, mais aussi comme faible et inquiet. En fait, l'observateur a l'impression d'être en présence de quelqu'un qui se voudrait foncièrement bon et capable de relations interpersonnelles authentiques, alors qu'il souffre de graves inhibitions et de la rigidité des normes qu'il s'impose et impose aux autres.

Cette impression se renforce lorsque nous comparons les évaluations du soi à celles du soi idéal. Dans l'ensemble, Jacques n'observe pas d'écart très prononcé entre le soi et le soi idéal. Cependant, on aperçoit des écarts prononcés sur bon nombre d'échelles importantes. D'une manière arbitraire, on peut décider qu'un écart de 3 points, ou plus, sur une échelle qui en comprend 7 est considérable et significatif. Ainsi, Jacques accorde à son soi un 2 dans l'échelle faible/fort, et 7 à son soi idéal sur la même échelle, soit une différence de 5 points. Autrement dit, Jacques souhaiterait être beaucoup plus fort qu'il croit l'être. En soumettant au même type d'examen les résultats figurant dans d'autres échelles, nous constatons que Jacques aimerait obtenir un pointage plus élevé qu'aujourd'hui à propos des qualificatifs suivants : chaleureux, actif, égalitaire, souple, sensuel, approbateur, assidu, détendu, amical, intrépide. Au fond, deux thèmes apparaissent. L'un se rapporte à la *chaleur* : Jacques aimerait être plus chaleureux, plus détendu et plus amical. L'autre a trait à la *force*. Il aimerait se montrer plus fort, plus actif et plus assidu qu'il ne l'est présentement.

L'évaluation que Jacques effectue à propos de ses parents donne une idée de la place qu'ils occupent à ses yeux et de l'importance qu'il assigne à ces qualités. D'abord, si nous comparons la façon dont il perçoit son soi avec la façon dont il perçoit sa mère et son père, il pense qu'il ressemble beaucoup plus à son père qu'à sa mère.

Il estime également que son père se trouve plus près de son soi idéal que ne l'est sa mère ; néanmoins, il se considère comme plus près de son soi idéal que ne le sont sa mère ou son père. Cependant, en ce qui regarde la chaleur et la force, qui représentent des aspects cruciaux, ses parents seraient plus proches du soi idéal que ne le serait Jacques. Ainsi, il estime que sa mère est plus chaleureuse, approbatrice, détendue et amicale que lui, et son père plus fort, assidu et actif. Il considère que sa mère possède un ensemble intéressant de traits de personnalité. D'une part, il voit en elle une personne affectueuse, amicale, spontanée, sensible et bonne. D'autre part, il la considère aussi comme autoritaire, superficielle, égoïste, inintelligente, intolérante et dépourvue de créativité.

Commentaires

Grâce à l'autobiographie et au différenciateur sémantique, nous commençons à discerner une autre image de Jacques. Nous savons qu'il a connu une certaine popularité à l'école secondaire et qu'il y a remporté des succès ; nous savons aussi qu'il entretient de bons rapports avec son père. Dans les tests projectifs, nous avons décelé de l'angoisse et des difficultés dans les relations avec les femmes. En effet, nous avons appris que Jacques craignait d'éjaculer trop rapidement et de ne pas être en mesure de satisfaire sexuellement les femmes. Cependant, nous découvrons à présent en lui un être qui se croit foncièrement bon et qui songe à faire le bien. Son soi et son soi idéal ne concordent pas, ce qui provoque chez lui un certain sentiment de frustration.

Quand il nous parle de lui-même et de ce qu'il voudrait être, Jacques mentionne son désir d'être plus chaleureux, plus détendu et plus fort. Il n'est pas nécessaire de dissimuler nos intentions, car ce sont les perceptions, les valeurs et les expériences de Jacques qui nous intéressent. Nous voulons savoir ce qui est vrai pour lui, de quelle façon il interprète les phénomènes en fonction de son propre cadre de référence. Nous désirons tout connaître de Jacques, tout ce qui concerne sa perception de lui-même et du monde qui l'entoure.

Pour effectuer l'analyse des données recueillies par le différenciateur sémantique, il n'est pas indispensable de concentrer son attention sur les pulsions, ni de maîtriser le monde de l'irrationnel. Selon Rogers, nous avons sous les yeux un être qui s'efforce de se rapprocher de l'autoactualisation : de passer de la dépendance à l'autonomie, de la fixité et de la rigidité à la liberté et à la spontanéité. Nous apercevons chez cette personne un écart entre l'évaluation intellectuelle et l'évaluation affective. Comme dirait Rogers, il y a trop peu de cohérence et de congruence entre le soi et l'expérience.

L'évolution de la théorie

LE CHANGEMENT DE CAP CHEZ ROGERS : DE L'INDIVIDU AU GROUPE ET À LA SOCIÉTÉ

Rogers n'a jamais cessé de mettre l'accent sur l'approche phénoménologique, le soi et le processus de changement. Au début de sa carrière, il s'est efforcé de marier sensibilité clinique et rigueur scientifique ; plus tard, il semblera ne plus se référer qu'aux travaux consacrés à la personne et à la phénoménologie : « Dans ma manière de penser, ce type d'études, phénoménologique, personnelle — surtout lorsqu'on lit toutes les réponses — est de loin plus valable que la “sérieuse” approche expérimentale traditionnelle. Ce type d’études, souvent méprisé par les psychologues parce que fondé sur des “rapports purement subjectifs”, donne en fait la vision la plus profonde de ce que l’expérience a signifié » (Rogers, 1979, p. 135). Rogers croyait que les études scientifiques orthodoxes ne fournissaient que des résultats infimes par rapport à ce que le travail clinique permettait de récolter.

Notons également que Rogers prêtera de plus en plus d’attention à la thérapie de groupe plutôt qu’à la thérapie individuelle. Dans *Les groupes de rencontre* (Rogers, 1973), il affirme que les changements ont lieu plus rapidement et plus nettement dans les petits groupes intensifs. Il s’intéresse tout particulièrement aux rapports entre les époux et aux liens autres que ceux du mariage (Rogers, 1974). Son regard porte sur le degré d’ouverture, d’honnêteté, d’échange et de prise de conscience des sentiments profonds dans le couple. Enfin, Rogers applique son approche centrée sur la personne à l’administration, aux rapports avec les groupes minoritaires et aux relations interethniques, interculturelles et internationales. Il fait preuve d’un esprit révolutionnaire en imaginant que l’approche centrée sur la personne pourrait engendrer des changements dans les concepts, les valeurs et les façons de faire de notre culture :

> C’est la *preuve* de l’*efficacité* de l’approche centrée sur la personne qui transformera peut-être une très petite révolution paisible en un changement beaucoup plus considérable dans la façon dont l’être humain perçoit le possible. Je suis trop près de la situation pour déterminer s’il s’agira d’un événement mineur ou majeur, mais je crois qu’il représente un changement radical (p. 286).

L’INTÉRÊT POUR LE SOI ET POUR LES MOTIVATIONS INTRINSÈQUES

Pendant quelques années, l’intérêt pour le soi en tant que concept a connu un certain déclin. Au cours des deux dernières décennies, toutefois, le soi a sans doute été le thème le plus étudié dans le domaine de la personnalité et de la psychologie sociale (Pervin, 1996, 1999 ; Robins, Norem et Cheek, 1999). Cependant, bien peu de ces travaux se réfèrent aux idées de Rogers. C’est que l’intérêt qui se manifeste actuellement pour le soi se rapporte à l’approche cognitive et met en évidence plusieurs soi spécifiques plutôt que le soi global proposé par Rogers (voir les chapitres 13 à 15). Les psychologues de la personnalité qui adoptent l’approche cognitive font valoir, par exemple, que l’estime de soi est élaborée à partir de sources multiples plutôt qu’à partir d’une évaluation globale. Dans une étude effectuée récemment, on a comparé les deux conceptions de l’estime de soi — s’abreuve-t-elle à plusieurs sources ou à une seule ? — afin de déterminer leur capacité respective de prédire les réactions au succès ou à l’échec. L’estime de soi globale, a-t-on constaté, offre davantage de fiabilité que l’estime de soi spécifique quand il s’agit de prédire les réactions émotionnelles engendrées par les résultats en matière de rendement, ce qui donne à penser que les effets de l’estime de soi globale ne se ramènent pas aux évaluations des qualités particulières. Les chercheurs sont d’accord avec Rogers lorsqu’ils soutiennent qu’« une forte estime de soi représente un sentiment inconditionnel d’affection envers soi-même qui ne dépend pas d’une ou de plusieurs des qualités particulières qu’on peut avoir » (Dutton et Brown, 1997, p. 146).

L’intérêt pour le soi s’exprime également d’une autre façon, elle aussi conforme à l’approche rogérienne. Depuis quelque temps, on se penche sur la notion d’*authenticité*, qui désigne les comportements qui concordent avec le soi, par opposition aux comportements qui s’inscrivent dans des rôles factices (Ryan, 1993 ; Sheldon, Ryan, Rawsthorne et Llardi, 1997). Selon cette approche humaniste, la cohérence du comportement dans toutes les situations n'est pas garante de l'authenticité, celle-ci caractérisant plutôt les comportements dont le soi est l'auteur : l'individu se sent fidèle à lui-même, il sait qu'il n'agit pas selon un soi factice ou mensonger. Certes, nous avons tous vécu des moments où nous avions l'impression d'être plus « authentiques » et d'autres où nous nous sentions « faux » ou « imposteurs ». Existe-t-il des rapports entre l'authenticité ressentie dans la vie quotidienne, d'une part, et la satisfaction et le bien-être, d'autre part ? C'est effectivement le cas. Les théories élaborées par les psychologues qui appartiennent au courant humaniste et phénoménologique ont permis d'établir que l'authenticité est associée à un plus grand développement personnel. Outre ces rapports qu'on peut constater avec le bien-être psychologique en général, on a observé que, dans une situation donnée, plus les gens se sentent authentiques et libres de s'exprimer, plus ils sont extravertis, aimables, consciencieux et ouverts (Sheldon, Ryan, Rawsthorne et Llardi, 1997). Autrement dit, le comportement peut varier selon les situations, mais l'important c'est que les gens se sentent authentiques et fidèles à eux-mêmes aussi bien de manière générale que dans les situations particulières.

La question des types de buts que l'on cherche à atteindre est elle aussi liée à la notion d'authenticité. Vise-t-on des buts qui correspondent à des intérêts à long terme et à des valeurs stables, ou bien poursuit-on des objectifs dictés de l'extérieur ou suscités par ses conflits, sa culpabilité et son angoisse (Deci et Ryan, 1991 ; Sheldon et Elliot, 1999) ? Au chapitre précédent, nous avons traité de la motivation intrinsèque, qui consiste à pratiquer une activité pour le simple plaisir qu'elle procure plutôt qu'en raison des récompenses associées au rendement (motivation extrinsèque). Selon la *théorie de l'autodétermination* de Deci et Ryan (1985, 1991 ; Ryan et Deci, 2000), les êtres humains ressentent naturellement le besoin d'agir d'une manière autonome et autodéterminée, de se livrer à des activités chargées de sens au lieu d'agir sous l'effet de la contrainte et de la force, qu'elles soient d'origine interne ou externe. Cette différence tient à au moins deux éléments cruciaux : d'une part, il faut déterminer si l'action est autonome et autodéterminée, ou bien si elle s'effectue sous l'emprise d'autrui et si elle est réglée de l'extérieur ; d'autre part, il faut établir si l'action est librement choisie, ou bien imposée. Une action engendrée par des sentiments de culpabilité et d'angoisse émanerait de la personne elle-même, mais elle serait imposée plutôt que librement choisie, ce qui n'autoriserait pas à la considérer comme une action autodéterminée. Bref, l'action autodéterminée est une action qui a lieu en raison de l'intérêt qu'elle présente pour l'individu ; elle est librement choisie.

Le fait que l'action soit engendrée par une motivation autodéterminée influe-t-il sur le comportement ? Des études effectuées récemment révèlent justement que les buts déterminés en toute autonomie incitent davantage aux efforts et à la persévérance que ceux qui font appel uniquement à des impulsions venant de l'extérieur ou à des sanctions d'origine interne telles que l'angoisse ou la culpabilité (Sheldon et Elliot, 1999). De plus, les buts autodéterminés et intrinsèques sont associés à la santé physique et au bien-être psychologique, à ce qu'on a démontré, alors que les buts forcés, extrinsèques et d'évitement n'entraînent que des effets nuisibles (Dykman, 1998 ; Elliot et Sheldon, 1998 ; Elliot, Sheldon et Church, 1997 ; Kasser et Ryan, 1996). Ainsi, on soutient que « si l'image de soi liée à ces objectifs ne représente pas le soi véritable ni ne concorde avec lui, l'individu peut être incapable de satisfaire ses besoins psychologiques » (Sheldon et Elliot, 1999, p. 485). Selon la perspective humaniste, ces résultats se comprennent très bien. Sur le plan phénoménologique, le lecteur en comprendra aussi les raisons. Mais il convient de faire deux mises en garde.

Premièrement, souvenons-nous que ce n'est pas le but en soi qui importe, mais ce qui *motive* la recherche de ce but. Par exemple, selon certaines études, la réussite financière représente un but extrinsèquement déterminé, obéissant à une impulsion extérieure, alors que l'engagement communautaire (contribuer à l'amélioration de son milieu) représente un but intrinsèquement déterminé, indiquant autonomie, autodétermination et autoactualisation (Kasser et Ryan, 1996). Cependant, d'autres études révèlent qu'on peut souhaiter atteindre un objectif pour des raisons intrinsèques ou extrinsèques, ce qui permet de supposer que la réussite financière et l'engagement communautaire peuvent s'expliquer par l'une ou l'autre de ces motivations. Se fondant sur ce raisonnement, Carver et Baird (1998) ont avancé et démontré que l'adhésion à un but en fonction de raisons intrinsèques, qu'il s'agisse de la réussite financière ou de l'engagement communautaire, est associée à l'autoactualisation, ce qui n'est pas le cas lorsque l'adhésion à ce but répond à des raisons extrinsèques. Autrement dit, selon la théorie de l'autodétermination, c'est la motivation qui importe et il serait présomptueux de croire que le fait de connaître la nature d'un but suffit à nous éclairer sur les motivations de celui qui veut l'atteindre.

Deuxièmement, il faut se garder de supposer que ces rapports, que saisissent probablement la plupart des lecteurs, s'appliquent à tous. En effet, une étude récente vient ajouter une composante culturelle indispensable à notre analyse et suggérer que ces rapports ne reflètent peut-être pas des motivations « inhérentes » aux êtres humains. Dans cette étude, on comparait des enfants américains de culture anglo-saxonne avec des enfants américains de culture asiatique en fonction de leur motivation intrinsèque relative lorsque les choix étaient effectués par eux, ou encore par des personnes représentant l'autorité ou par des pairs. Les enfants américains de culture anglo-saxonne faisaient preuve d'une plus grande motivation intrinsèque lorsqu'ils effectuaient leurs propres choix, alors que les enfants américains de culture asiatique affichaient une plus grande motivation intrinsèque lorsque les choix émanaient de personnes représentant l'autorité ou de pairs qui leur inspiraient confiance (Lyengar et Lepper, 1999). Il reste donc à déterminer dans quelle mesure l'autodétermination représente un besoin fondamental pour l'être humain. On pourrait en dire autant de l'autoactualisation et de la place attribuée au soi.

Les conceptions voisines : le courant humaniste

Nous avons noté au chapitre précédent que l'approche rogérienne s'apparente par le ton et l'esprit à d'autres théories de la personnalité, notamment en raison de l'importance accordée aux efforts incessants effectués par l'organisme afin de réaliser ses potentialités. Tout autant que les autres théories abordant des thèmes similaires, l'approche de Rogers relève du **courant humaniste,** que l'on a qualifié de « troisième force » en psychologie, puisqu'il propose une orientation qui se distingue de la psychanalyse et du béhaviorisme. Bien qu'il existe entre elles certaines divergences théoriques, nombre de théories humanistes de la personnalité se rejoignent, justement, dans leur appartenance commune à l'école humaniste. Ces théories répondent aux préoccupations actuelles (par exemple aux questions concernant l'angoisse, l'ennui et la perte du sens) en mettant l'accent sur l'autoactualisation, la réalisation des potentialités et l'ouverture à l'expérience. Kurt Goldstein et Abraham H. Maslow représentent deux figures importantes de cette tradition.

Courant humaniste *(human potential movement).* Groupe de psychologues, représenté par Rogers et Maslow, qui mettent en avant l'actualisation ou la réalisation du potentiel de chacun, ainsi que l'ouverture à l'expérience.

KURT GOLDSTEIN

Kurt Goldstein (1878-1965) s'installe aux États-Unis en 1935, à l'âge de cinquante-sept ans, après avoir connu en Allemagne une brillante carrière de neurologue et de psychiatre. Au cours de la Première Guerre mondiale, il soigne beaucoup de grands blessés souffrant de lésions cérébrales, et ce travail constitue le fondement des conceptions qu'il élaborera par la suite. Chez les patients atteints de lésions cérébrales, il se produit souvent une séparation des fonctions qui l'impressionne, car on est alors bien loin du fonctionnement cérébral harmonieux et coordonné des individus normaux. Goldstein a étendu à d'autres aspects du fonctionnement de la personnalité les différences qu'il a observées dans le fonctionnement du cerveau et dans les perturbations causées par les lésions cérébrales. Ainsi, la personne en bonne santé se caractérise par un fonctionnement souple, planifié et organisé, alors que l'individu perturbé obéit à un fonctionnement rigide et mécanique. La personne en bonne santé peut planifier et organiser, tandis que l'individu perturbé se limite au passé et à l'immédiateté du présent. Pourtant, Goldstein était impressionné par les grandes capacités d'adaptation déployées par ses patients atteints de lésions cérébrales, capacités qui selon lui s'appliquaient également au fonctionnement des êtres humains en général.

Comme Freud, Goldstein (1939) voyait dans l'organisme un système d'énergie. Cependant, il concevait l'orientation et la circulation de l'énergie d'une manière qui différait passablement de celle de Freud : « Freud n'est jamais parvenu à montrer le côté positif de la vie à sa juste valeur ni à admettre que le phénomène fondamental de la vie est un processus incessant d'acceptation de l'environnement. Il ne voit que la fuite et le besoin de se libérer ; il ne connaît que le plaisir associé à la libération et ignore celui qui est suscité par la tension » (1939, p. 333). Selon Goldstein, ce n'est pas la réduction de la tension, mais l'autoactualisation qui constitue la principale motivation des individus. Tous les aspects du fonctionnement humain visent fondamentalement à exprimer cette motivation unique : actualiser le soi. Elle peut se manifester d'une manière très simple, comme par le fait de manger, ou d'une manière plus noble, comme par nos productions les plus créatives ; cependant, en dernière analyse, c'est cette motivation qui oriente notre comportement. Chacun dispose de potentialités à réaliser au cours du processus de croissance. C'est la mise en avant de cette idée qui lie Goldstein aux autres théoriciens du courant humaniste.

Le travail de Goldstein auprès des patients atteints de lésions cérébrales a été très utile aux personnes qui interviennent dans ce domaine. De plus, ses conceptions concernant le fonctionnement de l'être humain en général ont eu des répercussions considérables sur les théories humanistes dans le champ de la psychologie.

ABRAHAM H. MASLOW

Abraham Maslow (1968, 1971) a sans doute été le principal théoricien de l'école humaniste. C'est lui qui a décrit le courant humaniste comme la troisième force de la psychologie américaine. Il a critiqué la conception pessimiste, négative et limitée proposée par la psychanalyse et le béhaviorisme. Selon lui, l'être humain est foncièrement bon ou neutre, plutôt que mauvais, et chacun tend à s'épanouir ou à réaliser ses potentialités ; les troubles psychopathologiques représentent le résultat des déformations et des frustrations subies par l'organisme humain. C'est à la société qu'il faut attribuer ces déformations et ces frustrations ; supposer qu'elles relèvent de l'essence même de l'organisme pourrait poser problème. Nous devrions plutôt comprendre ce qui se passerait si on éliminait ces obstacles. C'est l'une des raisons qui expliquent la popularité de la perspective humaniste chez ceux qui se sentent trop entravés et inhibés dans leur environnement. Maslow répond à ces préoccupations et soutient l'idée que les choses peuvent s'améliorer quand les gens sont libres de s'exprimer et d'être eux-mêmes.

En plus de sa vision générale des choses, Maslow s'est distingué pour deux raisons. D'abord, il a proposé une conception de la motivation humaine qui différencie les besoins biologiques, tels que la faim, le sommeil et la soif, des besoins psychologiques, tels que l'estime de soi, l'affection et l'appartenance. Personne ne peut survivre en tant qu'organisme biologique sans nourriture et sans eau; de même, personne ne peut se développer pleinement en tant qu'organisme psychologique s'il lui est impossible de satisfaire également ses autres besoins. On peut donc classer ces besoins selon une hiérarchie s'échelonnant des besoins physiologiques fondamentaux jusqu'aux principaux besoins psychologiques. Cette hiérarchie est communément appelée la pyramide de Maslow (figure 6.1).

Selon Maslow, les psychologues se sont trop inquiétés des besoins biologiques; ils ont conçu des théories de la motivation suggérant que les gens ne réagissent qu'aux insuffisances et ne cherchent qu'à réduire la tension. Même s'il reconnaît l'existence de ce type de motivation, Maslow nous demande de reconnaître l'existence d'un autre type de motivation, qui ne repose pas sur l'insuffisance et qui comporte souvent une augmentation de la tension: c'est la motivation qui s'exprime lorsque l'individu fait preuve de créativité et réalise son potentiel.

La deuxième contribution notable de Maslow (1954) vient de ce qu'il s'est livré à une étude approfondie de personnes en bonne santé, qui réalisent leur potentiel et s'épanouissent. Il s'agissait de figures appartenant au passé ainsi que de contemporains du théoricien. Maslow conclut de ces recherches que les individus qui s'actualisent présentent les caractéristiques suivantes: ils s'acceptent et acceptent les autres pour ce qu'ils sont; ils peuvent se préoccuper d'eux-mêmes, mais ils sont également aptes à reconnaître les besoins et les désirs d'autrui; ils sont capables de réagir en fonction de la singularité des individus et des situations au lieu d'adopter un comportement mécanique ou stéréotypé; ils peuvent former des relations intimes avec au moins quelques personnes; ils peuvent être spontanés et créatifs; et ils peuvent résister au conformisme et s'affirmer tout en s'adaptant aux exigences de la réalité. Qui sont

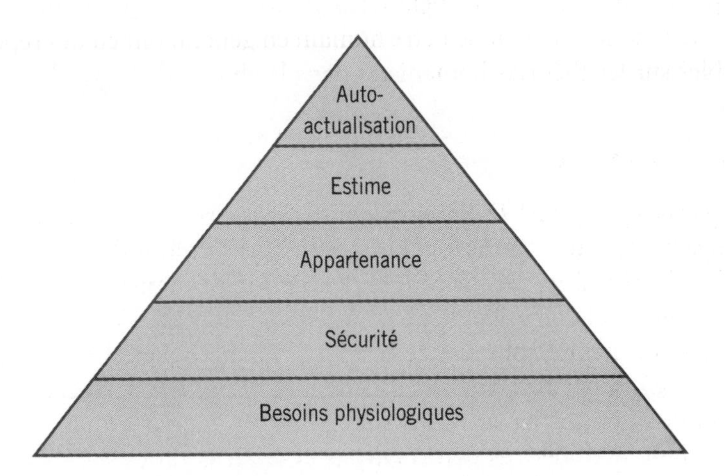

Figure 6.1 La hiérarchie des besoins selon Maslow (classés selon une pyramide ascendante). (Lester *et al.*, 1983.)

APPLICATIONS ACTUELLES

Une femme devenue elle-même Maya Angelou a surmonté l'adversité et s'est réalisée pleinement.

Vaincre l'adversité et s'épanouir : la vie de Maya Angelou

Le 20 janvier 1993, lorsque le président Clinton a été assermenté sur les marches du Capitole, une femme a ravi le cœur des Américains. C'était Maya Angelou, auteure, interprète, éducatrice et militante, qui a récité son poème *On the Pulse of Morning*. Aucun discours livré à cette occasion n'avait été la source d'autant d'inspiration ni n'avait suscité autant d'émotion et de compassion.

Maya Angelou est née en 1928 à Saint Louis au Missouri et elle a grandi dans le Sud pendant la crise économique de 1929, elle a surmonté les épreuves et l'adversité pour mener une vie productive d'une richesse remarquable. Enceinte à l'âge de seize ans, elle déménage à San Francisco en 1944 pour étudier la musique, la danse et le théâtre, tout en s'occupant seule de son fils à une époque où l'opinion publique n'était pas tendre envers les mères célibataires. Voici ce qu'elle écrit à ce propos, avec l'énergie, le cran, l'humour et la chaleur qui la caractérisent :

> À vingt et un ans, j'étais l'unique parent de mon fils, alors à la maternelle. J'occupais deux emplois, ce qui me permettait de payer le loyer, la nourriture et la garderie. Il restait peu d'argent pour se vêtir, mais je réussissais à nous habiller joliment à l'Armée du Salut et dans d'autres boutiques de vêtements d'occasion. J'adorais les couleurs et je m'achetais des vêtements aux teintes magnifiques de rouge et d'orangé, de vert et de rose, de sarcelle et de turquoise… et souvent je mélangeais les couleurs, ce qui ne manquait pas de m'attirer beaucoup de regards… J'avais vingt-deux ans et mon fils six ans quand, sur un ton grave, il m'a déclaré que nous devions parler : « Maman, est-ce que tu as des vêtements assortis ? » D'abord perplexe… j'ai fini par comprendre que ces vêtements, que j'adorais et qui alimentaient sûrement ma créativité, l'embarrassaient… J'ai appris à être plus discrète pour éviter de lui déplaire. Lorsqu'il est devenu plus sûr de lui en grandissant, je suis revenue progressivement à des tenues que mes amis qualifiaient d'excentriques. J'étais plus heureuse lorsque je choisissais et créais moi-même ma tenue vestimentaire… Choisissez des vêtements qui vous conviennent vraiment. Vous serez toujours à la mode si vous êtes véritablement vous-même et seulement si vous l'êtes.
>
> Angelou, 1993, p. 53-57.

En dépit de ses origines modestes, Angelou a d'abord chanté dans la comédie musicale *Porgy and Bess;* elle a fait partie de la distribution internationale pour ensuite la présenter à Broadway. Compositrice et metteure en scène, elle a aussi joué un rôle de leader dans le Mouvement pour la défense des droits civiques, travaillé en Afrique, enseigné dans plusieurs universités et publié de nombreux récits, poèmes et articles.

Dans son premier ouvrage autobiographique, *Je sais pourquoi chante l'oiseau en cage* (1990), elle raconte son parcours personnel, de la jeune femme noire qui réussit peu à peu à sortir de la pauvreté et de la violence, à l'écrivaine, l'artiste et la militante de renom. Sa vie est exemplaire : elle a satisfait aux exigences de la réalité, résisté aux pressions du conformisme, appris à s'accepter et à s'apprécier, et développé ses extraordinaires talents. À bien des égards, sa vie et son œuvre rendent dans son essence le concept d'autoactualisation élaboré par Maslow :

> Il est sage de prendre le temps de développer ce qui constitue sa propre manière d'exister, d'accroître ses talents et de faire disparaître de sa personnalité les éléments qui peuvent atténuer et amoindrir les aspects positifs.
>
> Angelou, 1993, p. 28

Ce passage exprime de manière éclatante le principe de base de la théorie de la personnalité conçue par Maslow, et plus généralement celui du courant humaniste : l'être humain doit toujours viser à réaliser pleinement son potentiel dans ce qui le définit comme singulier. Maya Angelou y est certainement parvenue.

SOURCES : Angelou, 1993 ; McPherson, 1990 ; Winter et Stewart, 1995.

ces personnes ? Parmi les gens connus, citons Lincoln, Thoreau, Einstein et Eleonor Roosevelt. Évidemment, ce sont des êtres exceptionnels et peu de gens possèdent à ce degré tous ces traits distinctifs ni même la plupart d'entre eux. Cela donne à penser, néanmoins, que nous avons tous en nous le potentiel grâce auquel nous pouvons nous rapprocher de ces qualités.

Parfois, on croirait presque que les conceptions de Maslow et d'autres grands théoriciens humanistes revêtent des connotations religieuses et messianiques. Par ailleurs, elles répondent aux préoccupations de bien des gens et elles exercent un effet compensateur par rapport à d'autres théories qui considèrent l'organisme humain comme une structure passive, fragmentée et entièrement déterminée, soit par des mobiles d'origine interne, de réduction de la tension, soit par la recherche des gratifications offertes par le milieu. Plus récemment, Csikszentmihalyi (1990, 1997, 1999 ; Csikszentmihalyi et Csikszentmihalyi, 1988 ; Massimini et Delle Dave, 2000) a bien rendu l'esprit de la perspective humaniste dans son concept d'*expérience optimale,* ou « flux » (*flow*). Le concept d'expérience optimale désigne les états agréables de la conscience, ayant les caractéristiques suivantes : sentiment de concordance entre les attitudes personnelles et les défis posés par l'environnement ; concentration élevée ; participation à une activité si absorbante qu'on n'a pas le temps de penser à quoi que ce soit d'autre ; sentiment de plaisir procuré par l'activité ; mise en veilleuse de la conscience de soi, qui fait oublier temporairement le fonctionnement du soi ou la gestion de l'activité. L'expérience optimale peut se produire dans des activités très diverses, par exemple dans le travail, les passe-temps, les sports, la danse et les interactions avec les autres. Voici la description qu'on en donne : « Quand je participe à une activité, tout s'agence naturellement. Je me laisse simplement flotter, à la fois excité et calme, et je veux que ça continue sans jamais s'arrêter. Ce qui compte, ce n'est pas ce que je peux en retirer, mais le simple plaisir de participer à l'activité. »

Csikszentmihalyi a commencé à s'intéresser aux aspects positifs du fonctionnement au moment de la Deuxième Guerre mondiale ; il a observé que nombreux étaient ceux qui avaient perdu tout sens des valeurs, alors que ce qu'il y a de meilleur dans l'être humain se manifestait chez d'autres. Par la suite, sous l'influence de Carl Rogers et d'Abraham Maslow, il s'est mis à faire l'analyse des points forts et des bonnes dispositions qu'on trouve chez les individus, par opposition aux lacunes et aux pathologies. Les travaux de Csikszentmihalyi contribuent aujourd'hui à alimenter l'intérêt, dont l'importance ne cesse de croître, pour l'expérience subjective positive et pour le fonctionnement sain et adapté (Seligman et Csikszentmihalyi, 2000).

L'EXISTENTIALISME

L'**existentialisme** n'est pas nouveau en psychologie, mais on ne peut pas affirmer qu'il occupe une place reconnue ou assurée dans le courant universitaire dominant. Bien qu'il ait marqué beaucoup de gens, l'existentialisme ne compte aucune figure représentative et on ne s'entend pas au sujet de ses concepts théoriques fondamentaux. Parmi les existentialistes, certains sont croyants, d'autres athées, et d'autres antireligieux. Il y en a qui mettent l'accent sur l'espoir et l'optimisme, et d'autres qui ne voient que désespoir et néant. Certains analysent les racines philosophiques de l'existentialisme et certains s'efforcent de comprendre les cas cliniques.

Existentialisme *(existentialism).* Approche permettant de comprendre l'individu et d'orienter la thérapie ; on l'associe au courant humaniste, qui souligne l'importance de la phénoménologie et des préoccupations inhérentes à l'existence humaine. Il a sa source dans un courant philosophique plus général.

À la lumière de cette grande diversité, qu'est-ce qui établit un terrain d'entente chez ceux qui se définissent comme existentialistes ? Pourquoi cette approche fascine-t-elle certaines personnes, alors que d'autres la rejettent ? Peut-être l'existentialisme se définit-il surtout par son intérêt pour l'*existence,* pour la personne vivant la condition humaine. L'existentialiste s'occupe des phénomènes inhérents aux êtres vivants, humains et existants. On ne s'entend pas, chez les existentialistes, sur l'essence de l'existence ; cependant, tous sont d'avis que certaines inquiétudes fondamentales nous concernent en propre et que nous ne pouvons pas les passer sous silence, les écarter, leur trouver des justifications ou les considérer comme sans importance. On insiste plus que tout peut-être sur la nécessité de prendre au sérieux la personne et son expérience (Pervin, 1960b).

La définition qu'on donne de l'individu représente également un aspect majeur de cette théorie. L'existentialisme considère l'individu comme une personne singulière, unique et irremplaçable. Selon le philosophe Kierkegaard, le principal problème de l'existence consiste à exister en tant qu'individu. D'autres thèmes importants sont liés à cette valorisation de l'individu. D'abord, mentionnons la liberté ; pour les existentialistes, la liberté, la lucidité et la capacité de réfléchir sur soi-même distinguent l'être humain des autres animaux. Ensuite, il y a la responsabilité, indissociable de la liberté. Chacun est responsable de ses choix et de ses actes ; chacun peut décider d'être authentique ou d'agir de « mauvaise foi ». En définitive, chacun est l'auteur de son existence. Finalement, notons l'inquiétude existentielle à propos de la mort, car à nul autre moment l'être humain n'est aussi seul et si absolument irremplaçable. En fin de compte, dans l'existentialisme, on met l'accent sur la phénoménologie et on tente d'arriver à comprendre l'expérience singulière de chacun. Les événements sont analysés en fonction de ce qu'ils signifient pour l'individu plutôt que sous l'angle d'une quelconque définition normalisée ou de la confirmation d'une hypothèse. C'est ainsi qu'on essaie de savoir comment un phénomène intrinsèquement humain — qu'il s'agisse du temps, de l'espace, de la vie, de la mort, du soi, etc. — peut être expérimenté et quel sens peut lui être attribué.

Pour mieux évaluer ce courant de pensée, examinons quelques exemples. Prenons le cas de la solitude, thème traité par Rogers (1980). En quoi l'expérience existentielle de la solitude consiste-t-elle ? Rogers propose de tenir compte d'un certain nombre de facteurs contributifs : le caractère impersonnel de notre culture, le fait qu'elle soit transitoire et anomique, la peur des relations intimes. Cependant, le terme de solitude désigne surtout la situation engendrée par l'absence d'acceptation ou le rejet des pensées intimes que l'on a confiées à autrui : « Le moment de la plus grande solitude se vit lorsque l'individu a laissé tomber une partie de sa coquille ou de sa façade — la facette qu'il présente au monde — et qu'il est sûr que personne ne peut comprendre, accepter ou s'occuper de la partie de son soi intime ainsi révélée » (cité par Kirschenbaum, 1979, p. 351). Par ailleurs, il peut aussi éprouver le sentiment d'être compris (Van Kaam, 1966). Dans ce cas, l'individu a l'impression qu'une autre personne peut lui témoigner de l'empathie en faisant preuve de compréhension et d'acceptation. Le sentiment d'être compris est associé à la sécurité et permet de soulager la solitude existentielle.

La quête du sens de l'existence humaine constitue également un exemple intéressant (Frankl, 1955, 1958). Le psychiatre existentialiste Viktor Frankl s'est efforcé de trouver un sens à l'existence lors de son internement dans un camp de concentration pendant la Deuxième Guerre mondiale. Il soutient que la quête de sens représente le plus humain de tous les phénomènes, car les autres animaux ne se préoccupent jamais du sens de leur existence. En cas de frustration et de difficulté à trouver un sens à sa vie, on parlera de névrose existentielle. Cette « névrose » ne relève pas des pulsions ni des besoins biologiques ; elle s'explique par la fuite devant la liberté et la responsabilité. L'individu rejette alors la responsabilité de sa vie sur le destin, l'enfance, le milieu ou la malchance. On peut traiter ce trouble en recourant à la *logothérapie*, qui aide les patients à devenir ce qu'ils sont capables d'être, en leur permettant de comprendre et d'accepter les défis et les possibilités qui s'offrent à eux.

Ces brèves esquisses de préoccupations existentielles caractéristiques peuvent-elles nous permettre de comprendre pourquoi l'existentialisme présente de tels attraits pour les uns et fait l'objet d'un tel rejet par les autres ? Pour beaucoup, l'existentialisme constitue une façon profondément humaine d'aborder des sujets qui les préoccupent. Par contre, d'autres psychologues contestent sa pertinence. Ils lui reprochent, entre autres, de renoncer à prévoir le comportement d'une manière rigoureuse et de ne pas avoir encore démontré son utilité thérapeutique.

L'évaluation critique

À part quelques questions et commentaires glissés çà et là, il n'a pas été beaucoup question, dans les deux chapitres consacrés à l'approche phénoménologique, des avantages et des inconvénients qu'on peut déceler dans la théorie de la personnalité formulée par Rogers. Il est temps, toutefois, de jeter un regard plus critique sur la théorie. La présente évaluation tente de répondre à trois questions, d'ailleurs liées : (1) Dans quelle mesure la conception philosophique de la personne énoncée par Rogers entraîne-t-elle des omissions ou aboutit-elle à un examen trop bref des principaux facteurs en matière de comportement ? (2) Rogers ayant décidé de définir le soi (aux fins de recherche) en fonction des perceptions conscientes, quelles sont les conséquences de ce choix ? (3) En quoi Rogers se distingue-t-il de Freud dans l'élaboration de sa théorie en général, et dans sa conception de l'angoisse et des mécanismes de défense en particulier ?

LA PHÉNOMÉNOLOGIE

L'approche phénoménologique se rapporte à la tendance marquée chez de nombreux psychologues à accepter l'expérience humaine telle qu'elle est. On cherche à étudier la vie telle que l'expérimente l'individu, sans en négliger les aspects les plus humains, sans la fragmenter ni la réduire à des principes physiologiques. On peut soulever deux questions en rapport avec cette façon de voir : Quelles sont les limites de l'approche phénoménologique en psychologie ? Dans quelle mesure le thérapeute rogérien peut-il se fier à l'approche phénoménologique ?

L'approche phénoménologique en psychologie comporte manifestement un certain nombre d'inconvénients. Premièrement, il peut arriver que des variables décisives soient exclues, notamment celles qui se trouvent hors du champ de la conscience. Si on s'en tient à ce qui fait l'objet de comptes rendus, des aspects importants du fonctionnement peuvent être laissés de côté. Deuxièmement, pour établir la psychologie en tant que science, on doit dépasser le monde des phénomènes et élaborer des concepts liés à des mesures objectives. L'étude du soi phénoménal représente un objet d'étude légitime en psychologie, à condition qu'il s'agisse d'une recherche empirique entretenue par une curiosité insatiable et tempérée par la rigueur scientifique. Si l'empathie constitue un mode d'observation valable, nous devons néanmoins nous assurer que nous nous livrons à des observations fidèles et vérifiables en les comparant aux données recueillies au moyen d'autres méthodes. Conscient de ces problèmes, Rogers rétorquait que l'approche phénoménologique représente pour la psychologie une approche valable, voire nécessaire, mais qu'on ne doit pas s'en contenter (Rogers, 1964).

Passons maintenant à la deuxième question : dans quelle mesure peut-on soutenir que la théorie repose sur une étude phénoménologique impartiale ? MacLeod (1964, p. 138) a bien formulé la question en réponse à un exposé de Rogers : « Sur quoi se fonde votre conviction d'avoir mieux compris votre client que Freud ne l'avait fait ? » Rogers a répliqué que la thérapie centrée sur le client incorpore dans la théorie moins d'idées préconçues et de parti pris, car « ses bagages sont plus légers ». Le thérapeute qui appartient à ce courant est plus susceptible de comprendre le monde phénoménal de l'individu que l'analyste freudien. Dans un article rédigé au début de sa carrière, Rogers (1947) affirme que, en lisant les transcriptions des séances de thérapie centrée sur le client, on constate qu'il est impossible de savoir ce que pense le thérapeute au sujet de la dynamique de la personnalité. Cependant, nous ignorons si cette affirmation est juste. En outre, elle a été formulée à une époque où la théorie n'était pas très avancée et où les thérapeutes adoptaient une approche non directive. Mais est-ce encore le cas, alors que la théorie a progressé et qu'on met davantage l'accent sur la participation active du thérapeute ? Nous savons que certaines interventions du thérapeute, qui semblent anodines, notamment des interjections comme « mmm », peuvent avoir de grandes répercussions sur les paroles et les gestes de la personne en thérapie (Greenspoon, 1962). Lorsqu'on lit les transcriptions des séances de thérapie, les commentaires sur le contenu qu'émet le thérapeute ne paraissent ni aléatoires ni insignifiants. Le thérapeute a l'air de réagir avec une vivacité toute particulière quand le client aborde la question du soi ou des sentiments, qui lui inspire des énoncés liés à la théorie :

> **LE THÉRAPEUTE DE Mme OAK :** J'aimerais vérifier si je comprends un peu ce que cela signifie pour vous. On dirait que, au fil des expériences, vous avez appris à vous connaître d'une manière de plus en plus approfondie, c'est-à-dire que vous vous êtes davantage intéressée à vous-même… En pénétrant dans ce noyau distinct de tous les autres aspects, vous vous êtes rendu compte, et il s'agit d'une découverte très grave et assez saisissante, que le noyau du soi est non seulement exempt de haine, mais qu'il ressemblerait plutôt à un saint, à quelque chose de très pur, c'est le mot que j'utiliserais.
>
> Rogers, 1954, p. 239.

Cet élément (l'influence du thérapeute sur le client) est essentiel, car les données recueillies par Rogers proviennent en bonne partie des entretiens cliniques.

En somme, l'approche phénoménologique comporte des mérites appréciables de même que certains dangers. Rogers reconnaissait qu'il ne s'agissait pas de la seule approche valable en psychologie et qu'il fallait l'associer à la recherche empirique. Cependant, le théoricien ne tenait pas suffisamment compte du rôle des forces inconscientes dans le comportement. En outre, on ignore toujours si, dans cette approche, le comportement du client échappe effectivement aux parti pris et aux idées préconçues du thérapeute.

LE SOI EN TANT QUE CONCEPT

L'étude du soi en tant que concept représente un champ important en psychologie ; nous y reviendrons plus loin dans cet ouvrage. Le statut du concept et l'évaluation qu'on en donne soulèvent bon nombre de questions. Parler du soi en tant que concept, comme le fait Rogers, suppose une certaine stabilité, indépendante des situations et des époques; ainsi, la façon dont l'individu se perçoit à un moment donné et dans une situation particulière est liée à sa perception de lui-même à d'autres moments et dans d'autres circonstances. De plus, le soi rogérien constitue une entité globale plutôt qu'un agglomérat de parties disparates.

Ces hypothèses peuvent-elles être démontrées ? La recherche corrobore la théorie selon laquelle le concept de soi bénéficie d'une certaine stabilité dans l'ensemble des situations et au fil du temps (Coopersmith, 1967; Robins, Norem et Cheek, 1999). Les résultats des recherches effectuées par Donahue, Robins, Roberts et John (1993; voir, au chapitre 5, p. 152, la rubrique « Débats actuels ») confirment les théories de Rogers; la stabilité, plutôt que la variabilité, du concept de soi dans l'ensemble des rôles sociaux est associée à une bonne adaptation psychologique. De même, on relie la forte estime de soi à la stabilité dans le temps et à la cohérence du concept de soi (Campbell et Lavallee, 1993). D'autres études révèlent toutefois que l'individu peut avoir une conception polyvalente du soi (Markus et Nurius, 1986). Cette vision polyvalente du soi contredit-elle la conception rogérienne d'un soi fondamentalement un ? Pas nécessairement. La conception de Rogers met en relief la *cohérence*, et non la simplicité; un soi présentant des composantes multiples intégrées les unes aux autres est compatible avec cette idée.

Enfin, la structure fondamentale du soi ainsi que l'importance du besoin de considération positive peuvent varier selon la culture (Heine, Lehman, Markus et Kitayama, 1999). Par exemple, les cultures orientales et les cultures occidentales se distinguent les unes des autres entre autres par l'étroitesse des liens qu'on y entretient avec autrui (Markus et Cross, 1990). Dans les cultures orientales, les liens avec autrui font partie intégrante du concept de soi et il est impossible de comprendre l'individu si on le sépare du « soi collectif ». Cette façon de comprendre le soi dans d'autres cultures se démarque de la conception qui domine au sein de la civilisation occidentale, selon laquelle le soi est singulier et distinct des autres. Les notions rogériennes de soi, de soi idéal, de cohérence et d'autoactualisation, nées dans la culture occidentale, valent-elles pour d'autres cultures ? Il serait intéressant de se poser la question.

Puisque nous accordons au soi en tant que concept autant de poids que le font les psychologues de la personnalité, nous devons tenir compte des risques liés à cette décision. Bon nombre de tests servant à évaluer le soi présentent entre autres le problème suivant: les énoncés ne s'appliquent pas à certaines populations ou négligent des aspects importants de la personnalité de certains individus. Nos concepts de soi sont si divers qu'il est difficile de construire des tests standardisés qui saisiraient le caractère singulier de chaque individu. La volonté ou la capacité des participants de fournir des données honnêtes dans les comptes rendus d'observation de soi constitue également un problème. Il a été souvent démontré que les tentatives conscientes pour se présenter d'une manière socialement désirable de même que les mécanismes de défense inconscients peuvent influer sur les données fournies par l'observation de soi (John et Robins, 1994a; Paulhus, 1990). Bien des chercheurs ont connu des déceptions à cause de ces problèmes d'évaluation et de nombreuses questions sont restées sans réponse (Wylie, 1974).

L'intérêt pour le soi en tant que concept ne date pas d'hier en psychologie; s'il a occupé une place importante à certains moments, à d'autres il a pratiquement disparu des ouvrages de psychologie (Pervin, 1996). Parce qu'il s'agit de notions difficiles à conceptualiser et à évaluer, certains psychologues ont conclu que la recherche entreprise dans ce domaine avait débouché sur un fiasco intellectuel. En dépit des nombreux problèmes conceptuels et méthodologiques qu'il pose, ce concept conserve toute son importance aussi bien pour le profane que pour la psychologie en tant que discipline. Rogers, plus que tout autre théoricien, lui a accordé l'attention qu'il mérite sur le plan de la théorie, de la recherche et du travail clinique.

LES CONFLITS, L'ANGOISSE ET LES MÉCANISMES DE DÉFENSE

Nous avons soumis à la critique les concepts rogériens de congruence, d'angoisse et de mécanismes de défense, et nous les avons comparés aux concepts freudiens d'angoisse et de mécanismes de défense. Il convient de rappeler que, selon la théorie, l'individu peut bloquer (au moyen du déni ou de la déformation) toute prise de conscience des expériences susceptibles d'être perçues comme menaçantes à l'égard de la structure actuelle du moi. L'organisme réagit par de l'angoisse à la perception qu'une expérience non congruente avec la structure du moi peut devenir consciente, ce qui l'obligerait à modifier l'image de soi. L'incongruence entre le soi et l'expérience représente une source perpétuelle de tension et de menace. Le fait de devoir constamment faire appel aux mécanismes de défense restreint le champ de la conscience et la liberté de réagir.

Nous avons donc affaire à un modèle qui comporte comme éléments essentiels le conflit (l'incongruence), l'angoisse et les mécanismes de défense. Les théories freudienne et rogérienne reposent toutes deux sur les notions de conflit, d'angoisse et de mécanismes de défense ; ceux-ci servent à réduire l'angoisse. Cependant, les sources de l'angoisse, et par conséquent les processus de réduction de l'angoisse, ne sont pas les mêmes dans l'une ou l'autre des deux théories. Pour Freud, le conflit qui engendre l'angoisse met aux prises, d'une part, les pulsions et, d'autre part, une autre instance de la personnalité — le moi ou le surmoi — soumise à la médiation du moi. Selon lui, les mécanismes de défense servent à faire face aux pulsions menaçantes. Cette lutte peut donner lieu à l'apparition de symptômes, qui en partie réalisent les objectifs instinctuels et en partie les réduisent. Rogers rejette l'hypothèse selon laquelle les mécanismes de défense sont en relation avec des désirs interdits ou tabous, comme ceux qui pour Freud provenaient du ça ; il insiste plutôt sur la cohérence des perceptions. On écarte les expériences qui ne s'accordent pas avec le principe de congruence ni avec le concept de soi, quel que soit leur caractère social.

Comme nous l'avons mentionné plus haut, même les aspects positifs du moi peuvent être rejetés lorsqu'ils ne s'harmonisent pas avec le concept de soi. Alors que Freud souligne l'importance des pulsions et de la réduction de la tension, Rogers insiste sur les expériences et leur possible incohérence avec le concept de soi. Freud avait pour objectif ultime de canaliser adéquatement les pulsions. Rogers, lui, vise la congruence entre l'organisme et le soi. On trouve chez Rogers une description des modes de défense similaire à celle de Freud ; il a sans doute été influencé en cela par la théorie psychanalytique. Dans l'ensemble, toutefois, Rogers prête beaucoup moins d'attention à l'analyse des divers mécanismes de défense et il ne tente pas de mettre en rapport le mécanisme de défense utilisé avec les autres variables de la personnalité, comme on le fait dans la théorie psychanalytique.

Ces distinctions ne manquent pas de clarté. On ne peut en dire autant des explications proposées par Rogers concernant le désaccord qui surgit entre l'expérience organismique et le soi ou lorsqu'il présente la notion de besoin de considération positive. Selon Rogers, si les parents n'offrent à leurs enfants qu'une considération positive conditionnelle, ceux-ci ne pourront s'approprier certaines valeurs ou expériences. Autrement dit, toute prise de conscience d'expériences qui pourraient entraîner une perte d'amour si on les acceptait se trouvera bloquée chez les enfants. Chez l'être humain, c'est entre le soi et l'expérience que se mettent en œuvre les désaccords les plus fondamentaux ; ils viennent, d'après Rogers, de ce que l'individu dénature ses valeurs pour sauvegarder la considération positive qu'il reçoit d'autrui (Rogers, 1959, p. 226). Cet énoncé rend plus complexe la position de Rogers, puisqu'il soutient que l'individu ne tient aucun compte des expériences qui étaient auparavant associées à la douleur (perte d'amour). Cette conception ne diffère pas de celle que Freud a élaborée au sujet du traumatisme et du surgissement de l'angoisse. Au fond, il s'agit encore d'un modèle conflictuel, dans lequel les expériences associées autrefois à la douleur occasionnent par la suite de l'angoisse et déclenchent les mécanismes de défense.

Aussi bien chez Freud que chez Rogers, les concepts de conflit, d'angoisse et de mécanismes de défense jouent un rôle important dans la dynamique du comportement. Les deux théoriciens estiment que les personnes adaptées se préoccupent moins de ces processus que les personnes névrosées. Selon Freud, les aspects du comportement liés aux processus se rapportent à l'interaction des pulsions et au rôle des mécanismes de défense dans l'atténuation de l'angoisse et la réduction de la tension. Chez Rogers, ils désignent les tendances à l'actualisation et à la cohérence. Même si Rogers paraît par moments insister sur la douleur associée à la perte de considération positive, sa priorité est toujours le maintien de la congruence, ce qui suppose qu'on ne tiendra pas compte des traits positifs qui ne s'harmonisent pas avec un concept de soi négatif et qu'on acceptera les traits négatifs qui s'accordent avec le concept de soi.

LA PSYCHOPATHOLOGIE ET LE CHANGEMENT

La théorie rogérienne de la psychopathologie traite de l'absence de congruence entre l'expérience et le soi ; l'étude des relations entre le soi et le soi idéal n'est pas essentielle à la théorie. Par ailleurs, les rogériens ont sans cesse évalué l'adaptation à partir des écarts entre le soi et le soi idéal. Une série d'études a permis d'établir un lien entre, d'une part, les divergences marquant le soi et le soi idéal et, d'autre part, des caractéristiques telles que les troubles psychologiques, l'autodévalorisation, l'angoisse et l'insécurité. D'autres études ont en revanche révélé l'existence d'un lien entre la forte congruence marquant le soi et le soi idéal et l'attitude de défense. Havener et Izard (1962), par exemple, ont décelé des rapports entre une forte congruence et une estime de soi excessive chez des personnes souffrant de schizophrénie paranoïaque. Ceux-ci semblaient vouloir se protéger contre la perte complète d'estime de soi. Ainsi, le lien entre le soi et le soi idéal est, semble-t-il, beaucoup trop complexe pour qu'on le considère comme une façon satisfaisante de mesurer l'adaptation.

En bref

Comment peut-on alors évaluer la théorie de Rogers ? S'agit-il d'une théorie à portée générale, est-elle économique et peut-elle servir de base à la recherche ? La théorie paraît s'appliquer de manière assez générale, même si de nombreux aspects sont négligés. Il y est peu question du processus de développement ou de croissance de la personnalité, ou encore des facteurs particuliers qui influent sur les modèles de comportement. On constate que chez Rogers, à la différence de chez Freud, il est rarement fait mention de la sexualité et de l'agression, ou bien de sentiments tels que la culpabilité et la dépression, qui occupent pourtant une grande place dans notre vie.

La théorie semble pouvoir être qualifiée d'économique, notamment quand elle traite du processus de changement. Au milieu de toutes les complexités de la psychothérapie, Rogers s'efforce de déterminer un certain nombre de conditions nécessaires et suffisantes qui permettent de changer la personnalité de manière positive.

Sur le plan de la pertinence scientifique, la théorie relève en grande partie d'une conception philosophique, voire religieuse, de la personne. Les hypothèses les plus étroitement liées à cette conception, telles que la tendance à l'actualisation, ont conservé leur statut d'hypothèses et n'ont pas jusqu'à présent fondé la recherche. En outre, la méthode n'offre pas encore de mesure de la congruence entre le soi et l'expérience. Néanmoins, il est évident que la théorie a fourni un terrain très fertile pour la recherche. Rogers a toujours tenu à ce qu'il y ait des rapports étroits entre le travail clinique, la théorie et la recherche. On sent dans la plupart de ses travaux sa réticence à sacrifier la rigueur scientifique aux aspects intuitifs du travail clinique ; toute son œuvre fait état de son hésitation à renoncer aux riches complexités du comportement au bénéfice des exigences empiriques de la science. L'élaboration de sa théorie constitue le résultat d'une interaction constante entre les observations brutes, les formulations théoriques et la volonté d'effectuer des études systématiques.

ROGERS EN UN COUP D'ŒIL

Structure	Processus	Croissance et développement	Pathologie	Changement	Étude de cas
Soi, soi idéal	Autoactualisation ; congruence entre le soi et l'expérience ; incongruence, déformation et déni défensifs	Congruence et autoactualisation, par opposition à incongruence et attitude de défense	Maintien défensif du soi ; incongruence	Climat thérapeutique : congruence, considération positive inconditionnelle et compréhension empathique	Mme Oak

Nous concluons ce chapitre en présentant les quatre grandes contributions de Rogers (tableau 6.1). Débordant le champ de la psychologie proprement dite, Rogers a élaboré une conception et une approche du counseling qui ont influé sur l'enseignement, sur la religion et sur le monde des affaires. Dans le cadre de la psychologie, il a ouvert la psychothérapie à la recherche. En enregistrant les entretiens, en en proposant les transcriptions aux chercheurs, en construisant des techniques d'évaluation de la personnalité sur le plan clinique et en montrant quel en est l'intérêt pour la discipline, Rogers a été l'un des premiers à donner sa légitimité à la recherche en psychothérapie.

Enfin, plus que tout autre théoricien de la personnalité, Rogers s'est consacré à l'étude du soi aussi bien sur le plan théorique que sur le plan empirique. L'analyse du soi a toujours fait partie de la psychologie, mais elle a failli par moments être rejetée en tant que « simple notion philosophique ». Comme le souligne MacLeod (1964), vous ne trouverez peut-être pas beaucoup de communications sur le soi dans les rencontres portant sur la psychologie expérimentale, mais le problème saute aux yeux des cliniciens. Plus que tout autre, Rogers s'est efforcé d'être objectif quand il traite de ce qui autrement appartient aux artistes :

> Abîmé dans ses pensées, il marchait lentement en se demandant : « Qu'est-ce donc que tu aurais voulu apprendre à l'aide des doctrines et des maîtres qu'eux-mêmes, qui t'ont beaucoup appris, ne pouvaient cependant pas t'enseigner ? » Et il trouva cette réponse : « C'était le moi dont je voulais savoir le sens et l'essence. C'était le moi dont je voulais me défaire, que je voulais anéantir. Mais je ne l'ai pu. J'ai pu le tromper seulement, le fuir, je n'ai pu que me dissimuler à lui. Ah ! vraiment, rien au monde n'a tant occupé mes pensées que mon moi, rien, autant que cette énigme que je vis, que je suis un, séparé de tous les autres, isolé, en un mot que je suis Siddhartha. Et il est n'est pas une chose au monde que je connaisse si peu que moi-même, que Siddhartha ! »
>
> Hesse, 1946, p. 100.

Tableau 6.1 Avantages et limites de la théorie de Rogers et de la phénoménologie

Avantages	Limites
1. Porte sur les aspects importants de l'existence humaine.	**1.** Peut exclure certains phénomènes (processus inconscients, mécanismes de défense, etc.) de la recherche et de l'étude clinique.
2. S'efforce de reconnaître l'aspect holistique et structuré de la personnalité.	**2.** N'offre pas de mesures objectives du comportement autres que l'observation de soi.
3. Tente d'intégrer humanisme et empirisme.	**3.** Ne tient pas compte du fait qu'il est impossible de s'en tenir à la phénoménologie pure, c'est-à-dire d'effectuer des observations totalement exemptes de parti pris et d'idées préconçues.
4. Aspire à une étude systématique des conditions nécessaires et suffisantes pour réaliser un changement thérapeutique.	

Résumé

1. Selon Rogers, la personne névrosée est un individu qui se trouve dans un état d'incongruence entre le soi et l'expérience. Les expériences qui sont en désaccord avec la structure du soi sont perçues inconsciemment comme menaçantes et peuvent être rejetées ou déformées.
2. La recherche dans le domaine de la psychopathologie s'est penchée sur l'écart entre les notions de soi et de soi idéal ; elle s'est demandé dans quelle mesure l'individu désavoue ses sentiments ou reste imprécis à leur sujet.
3. Rogers s'intéresse au processus thérapeutique. Le climat thérapeutique est considéré comme la variable cruciale de la thérapie. On estime que la congruence (authenticité), la considération positive inconditionnelle et la compréhension empathique sont des conditions essentielles au changement en thérapie.
4. Le cas de Mme Oak, que Rogers publie au début de sa carrière, illustre l'intérêt des entretiens enregistrés à des fins d'étude.
5. Les conceptions rogériennes relèvent de la perspective humaniste, qui met en évidence l'autoactualisation et la réalisation des potentialités de chacun. Kurt Goldstein, Abraham H. Maslow et des existentialistes tels que Viktor Frankl appartiennent également au courant humaniste.

6. Bien qu'il y ait des différences importantes dans les formulations théoriques de Freud et de Rogers, les concepts de conflit, d'angoisse et de mécanisme de défense occupent une place prépondérante dans leur analyse de la dynamique du comportement.
7. La contribution de Rogers est capitale à cause de la place accordée au soi en tant qu'important domaine d'étude psychologique et dans l'ouverture du champ de la psychothérapie à la recherche. Son travail porte sur des aspects cruciaux de l'expérience humaine, met en évidence les tendances positives de l'individu et affirme l'existence de conditions indispensables au changement en thérapie. En revanche, on peut s'interroger au sujet de l'approche phénoménologique comme méthode de recherche et de l'absence de mesures adéquates pour évaluer des concepts tels que la tendance à l'autoactualisation.

Chapitre 7

La théorie des traits de personnalité : Les conceptions d'Allport, d'Eysenck et de Cattell

Le concept de trait de personnalité

Qu'est-ce qu'un trait de personnalité ?

Les hypothèses de base

La théorie des traits de personnalité : Gordon W. Allport

Les traits de personnalité, l'état d'esprit et les activités

Les types de traits de personnalité

L'autonomie fonctionnelle

La recherche idiographique

La théorie des trois facteurs : Hans J. Eysenck

L'analyse factorielle et l'évaluation des traits de personnalité

Les dimensions fondamentales de la personnalité

La psychopathologie et le changement de comportement

L'analyse factorielle des traits de personnalité : Raymond B. Cattell

La conception de la science

La théorie de la personnalité

Les trois théoriciens : Allport, Eysenck et Cattell

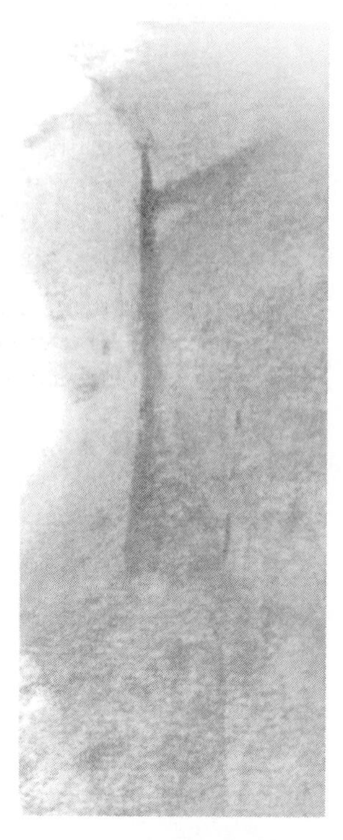

Michel vient tout juste de terminer ses études et de commencer à travailler dans une ville qui lui est inconnue. Il se sent seul et désire rencontrer des gens. Après avoir un peu hésité, il décide de publier une petite annonce ; comment doit-il la rédiger ? Quels traits de personnalité emploieriez-vous pour vous décrire ? Que pensez-vous de l'énumération suivante : « *Non conformiste, sensible, aimant s'amuser, heureux, ayant le sens de l'humour, aimable, mince, diplômé, 22 ans, cherche âme sœur sensée et dotée de qualités similaires* » ? La personne correspondant à cette liste de *traits* serait certes une perle rare !

Les traits représentent des caractéristiques de la personnalité qui restent *constantes quels que soient le moment ou la situation* ; on peut donc supposer que la personne qui se montre sensible et aimable aujourd'hui le sera également dans un mois. Ce chapitre porte sur les traits de personnalité, que l'on définit comme des dispositions à se comporter d'une manière particulière. Nous examinerons trois théories et trois programmes de recherche qui s'efforcent de cerner les dimensions fondamentales des traits de personnalité. De nombreux chercheurs à l'œuvre dans ce domaine utilisent une méthode statistique, l'*analyse factorielle*, pour déterminer quels sont les traits fondamentaux qui caractérisent la personnalité humaine. Ce courant, qui prend sa source dans la psychologie populaire, ou psychologie du simple « bon sens », a connu son heure de gloire aux États-Unis.

Le chapitre... *en questions*

1. Comment peut-on qualifier les caractéristiques durables par lesquelles les individus se différencient les uns des autres quant à leurs sentiments, à leurs pensées et à leurs comportements ? Combien faut-il de traits distincts pour décrire adéquatement ces différences de personnalité ?
2. Dans quelle mesure les différences entre les individus sont-elles génétiques et héritées ?
3. S'il est possible de définir l'individu en fonction de ses traits de personnalité, comment pouvons-nous expliquer la variabilité du comportement selon le moment et la situation ?

Dans les chapitres précédents, nous avons étudié particulièrement de grandes figures représentant tout un courant théorique. Cependant, il serait plus difficile de procéder ainsi dans le présent chapitre, qui porte sur la théorie des traits de personnalité, et c'est pourquoi nous examinerons les conceptions de plusieurs théoriciens.

Le concept de trait de personnalité

Les gens adorent parler de la personnalité des uns et des autres. Nous pouvons passer des heures à discuter des caractéristiques de chacun, par exemple du mauvais caractère du patron, de la bonne humeur du plombier et même de la fidélité de notre chien. On se sert souvent des traits pour parler de la personnalité. Par exemple, quand on demande à des étudiants de rédiger la description de la personnalité d'un ami, nombre d'entre eux proposent une liste de traits tels que *amical, aimable, heureux, paresseux, timide* ou *maussade* (John, 1990). Apparemment, les gens pensent que ces traits distinctifs sont essentiels. Il en est de même des théoriciens qui appartiennent au courant que nous étudions, car ils estiment que les traits sont les éléments de base de la personnalité. De toute évidence, la personnalité ne se limite pas aux traits, mais ceux-ci occupent une place de premier plan dans l'histoire de la psychologie de la personnalité.

QU'EST-CE QU'UN TRAIT DE PERSONNALITÉ?

Trait de personnalité *(trait).* Disposition à agir d'une certaine manière, illustrée par le comportement de l'individu dans un éventail de situations.

Généralement parlant, les **traits de personnalité** se rapportent aux modes stables du comportement, des affects et de la pensée. Par exemple, dire de quelqu'un qu'il est « gentil », c'est dire qu'il a tendance à se comporter d'une manière aimable, peu importe le moment (la semaine dernière tout autant que cette semaine) et peu importe la situation (il prodiguera sa gentillesse au voisin âgé ainsi qu'au chien boiteux). Cette définition, assez large, implique que les traits remplissent principalement trois fonctions : on peut s'en servir pour résumer la conduite de quelqu'un, pour la prévoir et pour l'expliquer. Ainsi, la popularité du concept de trait de personnalité tient, entre autres, au fait qu'il s'agit là d'une façon parcimonieuse de décrire ce qui différencie les individus ; l'attribution du trait « gentil » à une personne synthétise de nombreux gestes de gentillesse. Les traits de personnalité nous permettent de prévoir le comportement : la future mariée s'attend à ce que son fiancé aimable devienne un mari charmant. Enfin, l'importance attribuée aux traits de personnalité indique que le comportement s'explique par des raisons qui relèvent de l'individu plutôt que de la situation ; la personne aimable agira avec gentillesse même en l'absence de pression ou de gratification extérieure, ce qui donne à penser que le comportement s'explique par un processus ou un mécanisme interne.

Cette définition de portée assez large donne une idée de la façon dont on conceptualise habituellement les traits de personnalité en psychologie aujourd'hui. Cependant, parce qu'il s'agit d'une définition de caractère général, bien des débats qui ont cours parmi les tenants de ce courant se trouvent passés sous silence. Autrement dit, même si les théoriciens des traits de personnalité ont en commun certaines opinions, on constate qu'il existe également entre eux des divergences. Ce domaine est donc marqué par une certaine diversité. Ainsi, mise à part la définition large et générale fournie ci-dessus, il serait difficile de citer une définition du concept de trait de personnalité qui serait acceptée par la majorité des théoriciens : « Autant de théoriciens, autant de définitions » (Wiggins, 1997, p. 98). La revue *Psychological Inquiry* a d'ailleurs récemment consacré un numéro au concept de trait de personnalité (Pervin, 1994) ; on s'y livrait à un examen critique de ce que devraient en être la définition, le statut conceptuel et le fondement empirique. Ce débat témoigne de la diversité des points de vue mis en avant dans ce domaine ainsi que du dynamisme dont il fait preuve à l'heure actuelle. Nous reparlerons de ces questions au chapitre 8 lorsque nous analyserons les avantages et les limites des diverses conceptions qui se fondent sur les traits de personnalité. Pour le moment, examinons deux hypothèses de base communes à la plupart des théoriciens.

LES HYPOTHÈSES DE BASE

Selon les tenants du courant qui se fonde sur les traits, celui-ci s'appuie sur le principe suivant : l'individu possède des dispositions générales, appelées traits de personnalité, à se comporter d'une certaine manière. On peut donc décrire l'individu en fonction de la probabilité qu'il *agisse*, *pense* ou *éprouve des sentiments* d'une manière déterminée, c'est-à-dire de la probabilité qu'il soit extraverti et amical, nerveux et inquiet, ou qu'il entretienne un projet artistique ou une idée. On peut dire de celui qui manifeste une grande tendance à se comporter ainsi qu'il est fortement pourvu de ces traits, par exemple qu'il présente un niveau d'« extraversion » ou de « nervosité » élevé, alors que celui qui a moins tendance à se comporter ainsi serait décrit comme faiblement pourvu de ces traits. Malgré leurs divergences concernant la façon de déterminer les traits qui forment la personnalité humaine, les théoriciens conviennent tous que les traits en sont les composantes de base.

Les théoriciens sont tous d'avis aussi que l'on peut organiser ces divers éléments en une hiérarchie. Cette façon de voir est illustrée dans les travaux d'Eysenck (figure 7.1). Celui-ci soutient qu'à son niveau le plus simple le comportement se ramène à des réactions spécifiques. Cependant, certaines de ces réactions sont liées et elles forment des habitudes, notion plus générale. On constate alors que des habitudes se présentent souvent de manière concomitante et constituent ainsi des traits. Par exemple, les personnes qui préfèrent les rencontres à la lecture sont généralement les mêmes que celles qui s'amusent lors des fêtes animées; on peut donc rattacher ces deux habitudes au trait de la sociabilité. Les personnes qui agissent sans réfléchir ont également tendance à invectiver les autres, ce qui permet de rattacher ces deux habitudes au trait de l'impulsivité. À un niveau d'organisation encore plus élevé, on peut relier divers traits pour former ce que Eysenck appelle des facteurs de deuxième niveau, génériques, ou encore des **superfacteurs**. Nous verrons plus loin comment on s'y prend pour déterminer quels sont ces traits et pour établir l'organisation hiérarchique de la personnalité. Ce qu'il importe de souligner à ce stade, c'est que la personnalité est conçue comme une entité organisée en divers niveaux hiérarchiques.

Superfacteur *(superfacteur)*. Facteur générique, ou de deuxième niveau, représentant un niveau d'organisation des traits plus élevé que les facteurs issus de l'analyse factorielle.

En somme, selon la théorie des traits de personnalité, l'individu possède des dispositions à réagir en général d'une certaine manière et la personnalité se caractérise par une organisation hiérarchique.

La théorie des traits de personnalité : Gordon W. Allport

On se souviendra de Gordon W. Allport (1897-1967) en raison des questions qu'il a soulevées et des principes qu'il a mis de l'avant bien plus qu'à cause d'une conception en particulier. Au cours de sa longue et influente carrière, il s'est intéressé

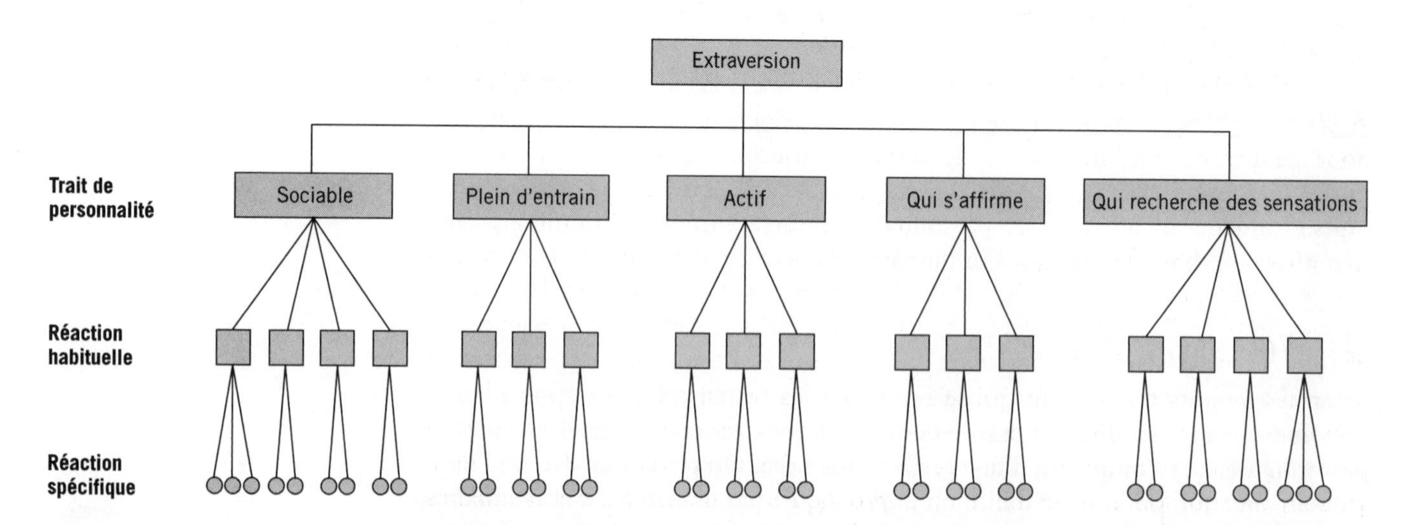

Figure 7.1 Représentation schématique de l'organisation hiérarchique de la personnalité : extraversion-introversion. Remarquons que, des deux pôles de la dimension extraversion-introversion, seul le pôle *extraversion* est illustré. (Eysenck, 1970, 1990).

à ce que le comportement a d'humain, de sain et de structuré. Il se démarque en cela d'autres courants qui mettent en évidence son aspect animal, névrosé, réducteur de tension et mécanique. À cet égard, Allport critiquait la psychanalyse et se plaisait à raconter l'histoire suivante. Alors qu'âgé de vingt-deux ans il voyage en Europe, il décide de rendre visite à Freud. Quand il pénètre dans le cabinet du fondateur de la psychanalyse, celui-ci reste silencieux en attendant de connaître le but de sa visite. Désarçonné par ce silence, Allport choisit de lancer la conversation en décrivant tout simplement le garçonnet de quatre ans qu'il a rencontré dans le train et qui semblait être aux prises avec une phobie de la saleté. Une fois terminée sa description du petit garçon et de sa mère compulsive, Freud lui demande : « Et ce petit garçon, c'était vous ? » Voici comment Allport décrit sa réaction :

> Bien que sidéré et me sentant un peu coupable, j'ai trouvé le moyen de changer de sujet. Même si je trouvais amusante la méprise de Freud au sujet de ma motivation, j'ai commencé à réfléchir davantage. Je me suis rendu compte qu'il avait l'habitude de se trouver devant des mécanismes de défense névrotiques et que ce qui à l'évidence me motivait (une sorte de curiosité impolie mêlée d'ambition juvénile) lui avait échappé. Pour faire des progrès sur le plan thérapeutique, il lui aurait fallu venir à bout de mes mécanismes de défense, mais cela n'avait rien à voir avec la situation. Cette expérience m'a enseigné que la psychologie qui explore les profondeurs, malgré tous ses mérites, peut s'enfoncer trop profondément et qu'il vaudrait mieux que les psychologues exposent clairement les motifs manifestes avant de sonder l'inconscient.
>
> Allport, 1967, p. 8.

Un des aspects amusants de cette anecdote, c'est qu'Allport était en fait un homme méticuleux, ponctuel, soigné et ordonné ; il présentait donc de nombreuses caractéristiques associées, selon Freud, à la personnalité compulsive. En fait, la question que Freud avait posée n'était peut-être pas si hors de propos que le prétendait Allport !

Le premier texte d'Allport, rédigé en collaboration avec son frère aîné Floyd, porte sur le concept de trait en tant qu'aspect important de la théorie de la personnalité (Allport et Allport, 1921). Allport croit que les traits constituent les éléments fondamentaux de la personnalité. Selon lui, les traits ont leur origine dans le système nerveux et leur existence ne fait aucun doute. Ils représentent des dispositions générales de la personnalité qui rendent compte de la régularité du fonctionnement, sans égard au moment ou au contexte. Le concept de trait comporte trois propriétés : *fréquence*, *intensité* et *éventail des situations*. Une personne très soumise, par exemple, se comportera souvent avec une grande soumission dans toute une gamme de situations.

LES TRAITS DE PERSONNALITÉ, L'ÉTAT D'ESPRIT ET LES ACTIVITÉS

Dans une analyse des caractéristiques de la personnalité aujourd'hui considérée comme classique, Allport et Odbert (1936) ont fait la distinction entre les traits de personnalité et d'autres éléments importants qui servent à étudier la personnalité. Ils ont défini les traits de personnalité comme « des tendances déterminantes, générales et personnalisées, des modes cohérents et stables d'adaptation à l'environnement » (1936, p. 26). Les traits de personnalité diffèrent donc d'une part de l'état d'esprit et d'autre part des activités ; tous deux décrivent des aspects de la personnalité qui sont transitoires, brefs et provoqués par des circonstances externes. Chaplin, John et Goldberg (1988) ont repris les classifications d'Allport et d'Odbert et les ont réparties en trois catégories : les traits, l'état d'esprit et les activités. Vous trouverez au tableau 7.1 des exemples pour chacune des trois catégories : ainsi, on

Tableau 7.1 Traits, état d'esprit et activités particulièrement représentatifs

Traits	État d'esprit	Activités
Gentil	Passionné	Faire la fête
Autoritaire	Satisfait	Tempêter
Confiant	En colère	Fureter
Timide	Plein de vivacité	Lorgner
Astucieux	Excité	S'amuser

SOURCE : Chaplin *et al.*, 1988.

peut être *gentil* toute sa vie, mais on n'est *excité* (état interne) habituellement que durant une période limitée et on sait que la plus agréable des *fêtes* à laquelle on participe aura une fin.

LES TYPES DE TRAITS DE PERSONNALITÉ

Trait cardinal *(cardinal trait).*
Concept élaboré par Allport et désignant une disposition si marquée et si envahissante dans la vie d'un individu qu'elle imprègne presque tous ses actes.

Trait central *(central trait).*
Concept élaboré par Allport et désignant une disposition à se comporter d'une manière donnée dans un éventail de situations.

Trait secondaire *(secondary disposition).*
Concept élaboré par Allport et désignant une disposition à se comporter d'une manière donnée dans un certain nombre de situations.

Allport distingue les **traits cardinaux**, les **traits centraux** et les **traits secondaires**. Le trait cardinal exprime une disposition si marquée et si envahissante dans la vie d'un individu qu'elle influence presque tous ses actes. C'est pourquoi nous parlons d'une personne machiavélique en souvenir du Prince si bien décrit par Machiavel à l'époque de la Renaissance, d'un individu sadique en souvenir du marquis de Sade et que nous qualifions d'autoritaire la personne qui voit pratiquement tout en noir et blanc, d'une manière stéréotypée. La plupart des gens ne se différencient pas par des traits cardinaux. Quant aux traits centraux (par exemple l'honnêteté, la gentillesse, l'assurance), ils expriment des dispositions qui s'appliquent à un éventail plus restreint de situations que les traits cardinaux. Les traits secondaires représentent les dispositions les moins manifestes, les moins généralisées et qui s'expriment le moins souvent. Autrement dit, les traits de personnalité varient en importance et en généralité.

Soulignons, et c'est important, qu'Allport n'a pas affirmé que le trait de personnalité se manifeste dans toutes les situations, quelles qu'elles soient. En fait, Allport reconnaît que le contexte a son importance et il explique pourquoi l'individu n'agit pas tout le temps de la même façon : « Certains traits, écrit-il, apparaissent souvent dans une situation et non dans une autre » (Allport, 1937, p. 331). On peut s'attendre à ce que même l'individu le plus agressif modifie son comportement si la situation exige qu'il se conduise d'une manière dénuée d'agressivité ; même la personne la plus introvertie peut adopter un comportement extraverti dans certaines circonstances. Le trait s'applique au comportement *habituel* de l'individu dans la plupart des situations, et non à ce qu'il fera dans toutes les situations. Selon Allport, il faut tenir compte à la fois du trait et de la situation pour comprendre le comportement. Le concept de trait est indispensable pour rendre compte de la constance du comportement, tandis qu'il faut se référer à la situation pour expliquer la variabilité du comportement.

L'AUTONOMIE FONCTIONNELLE

Autonomie fonctionnelle *(functional autonomy).*
Concept élaboré par Allport, selon lequel la motivation peut se détacher de ses origines infantiles ; chez les adultes, notamment, la motivation peut s'affranchir de son premier objectif, qui était de réduire la tension.

Le nom d'Allport est connu non seulement parce qu'il s'est consacré à l'analyse des traits de personnalité, mais également pour avoir élaboré la notion d'**autonomie fonctionnelle**. Selon lui, même s'il vise à réduire la tension qu'il avait ressentie

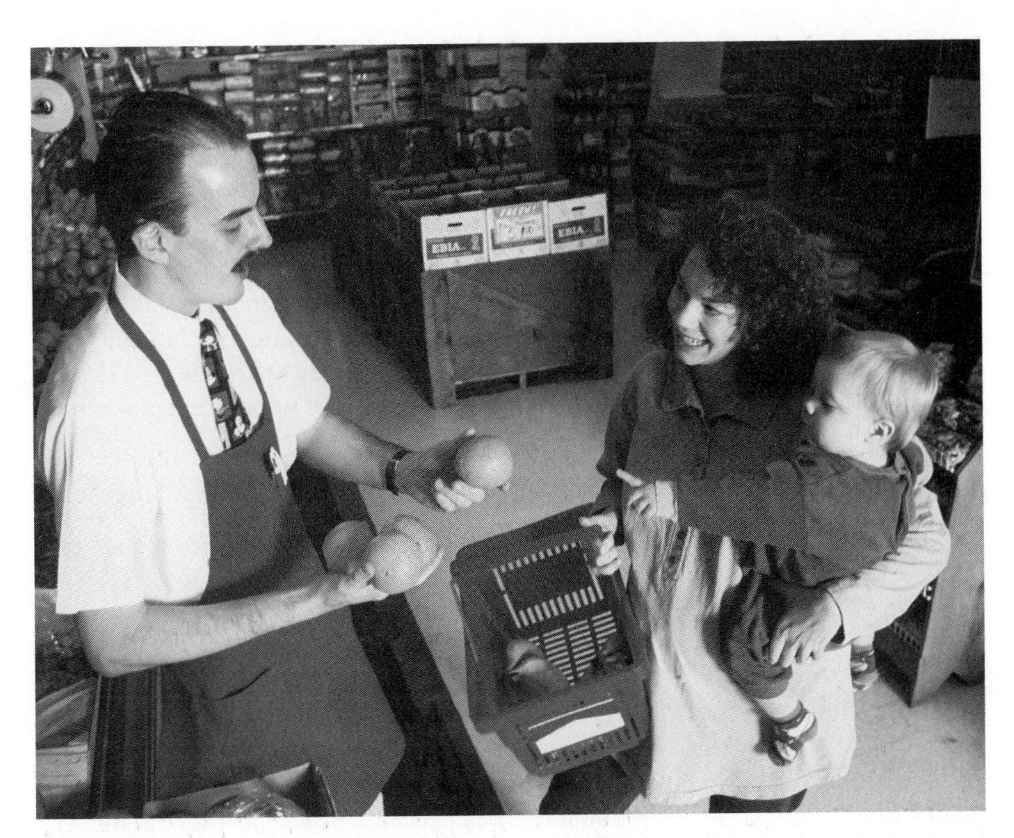

L'autonomie fonctionnelle
Il arrive parfois que l'on choisisse un type de travail pour une certaine raison, par exemple à cause de la sécurité d'emploi qu'il offre, et qu'ensuite on le conserve pour d'autres raisons, comme le plaisir que procure l'activité proprement dite.

durant son enfance, l'adulte dépasse ensuite cette motivation et s'en affranchit. Ce qui était à l'origine une tentative mise en œuvre afin d'atténuer la faim ou l'angoisse peut se transformer en une source de plaisir et de motivation nouvelle, indépendante de ce qu'elle était au début. L'activité conçue au départ comme un gagne-pain peut devenir agréable et constituer une fin en soi. Le travail acharné et la quête d'excellence, nés du désir de recevoir l'approbation des parents et d'autres adultes, peuvent devenir des objectifs prisés indépendamment de la valeur que leur accorde autrui. Ainsi, « ce qui était à l'origine extrinsèque et déterminant devient intrinsèque et incitateur. L'activité était auparavant au service d'une pulsion ou d'un besoin quelconque ; elle est maintenant à son propre service ou, pour s'exprimer d'une manière plus large, elle est au service de l'image de soi (le soi idéal) de l'individu. Ce n'est plus l'enfance qui tient les rênes, c'est la maturité » (Allport, 1961, p. 229).

LA RECHERCHE IDIOGRAPHIQUE

Enfin, Allport est bien connu pour avoir mis l'accent sur la singularité individuelle. Il souligne l'utilité de la **recherche idiographique**, c'est-à-dire de l'étude approfondie des individus, effectuée dans le but d'accroître les connaissances dont nous disposons au sujet de l'être humain. Cette recherche est étayée en partie par du matériel provenant de personnes bien déterminées. Par exemple, Allport a publié cent soixante-douze lettres rédigées par une femme, correspondance dont il s'est ensuite servi pour se livrer à une interprétation clinique de sa personnalité ainsi qu'à une analyse quantitative. Par ailleurs, la recherche idiographique emploie les mêmes mesures pour tous les participants, mais on compare les résultats qu'obtient un participant sur une échelle donnée aux résultats figurant sur d'autres échelles, plutôt

Recherche idiographique *(idiographic approach).* Méthode privilégiée par Allport, selon laquelle on s'intéresse tout particulièrement à l'étude des individus et à l'organisation des variables de la personnalité individuelle.

qu'avec les résultats d'autres participants apparaissant sur la même échelle. Par exemple, on peut vouloir savoir si un individu apprécie davantage la compagnie des autres que l'acquisition des biens matériels; dans ce cas il s'agit d'une comparaison entre deux traits qui se rapportent à la même personne. Cette donnée peut présenter plus d'intérêt que celle qui consiste à savoir si l'individu apprécie plus la compagnie d'autrui ou l'acquisition de biens matériels qu'une autre personne; il s'agirait dans ce cas-là d'une comparaison entre deux participants. La méthode idiographique s'attache alors à l'organisation des traits chez un individu donné bien davantage qu'aux différences entre les participants. Enfin, la valorisation de la singularité individuelle a amené Allport à soutenir qu'il existe des traits particuliers à chaque individu, traits que la science ne peut déceler. Le regain de popularité que connaît aujourd'hui l'œuvre d'Allport est attribuable en partie au fait que la recherche idiographique occupe chez lui une grande place (Pervin, 1983). Cependant, on a estimé que le fait de se concentrer sur les traits singuliers, comme il le faisait, rendait impossible l'élaboration d'une science de la personnalité, idée qui a provoqué beaucoup de controverses et n'a pas favorisé les avancées dans le domaine.

En bref

En 1924, Allport dispense le premier cours sur la personnalité donné aux États-Unis et, en 1937, il publie son grand ouvrage, intitulé *Personality: A Psychological Interpretation*, qui pendant vingt-cinq ans sera considéré comme un texte fondamental dans ce domaine. Il s'est intéressé à la psychologie sociale tout autant qu'à la théorie de la personnalité. Grâce à lui, de nombreuses questions importantes ont été débattues; sa façon prudente et équilibrée d'aborder le concept de trait de personnalité fait de lui une référence incontournable (John et Robins, 1993). Ainsi, Allport (1961) affirme que de nombreux traits s'expriment dans le comportement, qu'il peut exister des dispositions contradictoires chez l'individu et que les traits se manifestent en partie par la manière dont la personne *sélectionne* les situations au lieu de simplement y *réagir*. Si Allport a beaucoup insisté sur le concept de trait et tenté d'éclairer ses rapports avec les situations, il s'est peu préoccupé d'établir l'existence et l'utilité des traits singuliers. De même, il croyait que de nombreux traits étaient héréditaires, mais il n'a pas tenté de corroborer cette hypothèse. Tournons-nous à présent vers Hans J. Eysenck et Raymond B. Cattell, qui se sont adonnés à des travaux conceptuels et empiriques.

La théorie des trois facteurs: Hans J. Eysenck

Hans J. Eysenck (1916-1997) est né en Allemagne, en 1916, et il s'est ensuite établi en Angleterre afin d'échapper à la persécution nazie. De nombreux facteurs ont influé sur ses travaux: les progrès méthodologiques réalisés dans la technique statistique de l'analyse factorielle; les typologies européennes de Jung et de Kretschmer; la recherche sur l'hérédité de Cyril Burt; la recherche expérimentale sur le conditionnement, classique, du physiologiste russe Pavlov; et la théorie de l'apprentissage de l'Américain Clark Hull. Ses travaux, qui portent sur des échantillons de populations normales et de populations souffrant de troubles pathologiques, ont pour la plupart été effectués à l'institut de psychiatrie de l'Hôpital Maudsley, à Londres, en Angleterre.

Sa vie témoigne d'une énergie et d'une productivité considérables ; il figure parmi les psychologues les plus influents et les plus souvent cités du XXe siècle. Même après avoir pris sa retraite, il a continué de publier et de participer à des conférences. Dans les années 1980, il a fondé la revue *Personality and Individual Differences*, qu'il a ensuite dirigée ; il s'agit d'une revue internationale consacrée principalement à la recherche concernant les traits de personnalité, le tempérament et les fondements biologiques de la personnalité, sujets qui préoccupaient grandement Eysenck. Il meurt en 1997, non sans avoir veillé à la réédition de trois de ses premiers ouvrages et peu après avoir terminé la rédaction de son dernier livre, *Intelligence: A New Look* (Eysenck, 1998).

L'ANALYSE FACTORIELLE ET L'ÉVALUATION DES TRAITS DE PERSONNALITÉ

Eysenck faisait preuve de rigueur en matière de recherche scientifique ; la clarté des concepts et des mesures revêtait à ses yeux une grande importance. C'est pourquoi il a été l'un de ceux qui ont le plus durement critiqué la théorie psychanalytique. Partisan de la théorie des traits, il insiste sur la nécessité de mesurer adéquatement les traits de personnalité, d'élaborer une conception susceptible d'être vérifiée ou infirmée, et d'établir les fondements biologiques de chaque trait. Selon lui, ces efforts permettent d'éviter de s'engager dans des raisonnements circulaires et dépourvus de sens, le trait servant à expliquer le comportement, qui lui-même fonde le concept de trait. Par exemple, si Jacques parle beaucoup avec les autres, c'est que chez lui la sociabilité est forte, toutefois nous savons qu'il est très sociable parce que nous avons observé qu'il passe beaucoup de temps à parler avec les autres !

Eysenck s'appuie sur l'**analyse factorielle** pour mesurer les traits de personnalité et les classer. Dans l'analyse factorielle, on demande aux participants, qui sont nombreux, d'évaluer de multiples énoncés. Quels rapports peut-on établir entre ces réponses ? La personne qui est d'accord avec l'énoncé « Je participe souvent à de grandes fêtes bruyantes » a souvent tendance à être également d'accord avec l'énoncé « J'aime passer du temps avec les autres » et à être en désaccord avec l'énoncé « Si j'ai le choix, je préfère rester à la maison plutôt que de sortir le soir ». L'analyse factorielle est une méthode statistique qui permet de délimiter des groupes, des agrégats ou des facteurs liés à des énoncés connexes. Par exemple, le facteur constitué par ces trois énoncés comprend d'une part deux énoncés dénotant la sociabilité et d'autre part un énoncé dénotant la solitude, ce qui indique qu'une dimension apparentée à la sociabilité est commune à ces trois énoncés. Selon la théorie des traits, il existe dans la personnalité des structures naturelles que l'analyse factorielle nous permet de découvrir. Si des éléments (variables, réponses aux tests) sont covariants, c'est-à-dire s'ils se manifestent et disparaissent en même temps, on peut en déduire qu'ils ont en commun une caractéristique, qu'ils appartiennent au même aspect du fonctionnement de la personnalité. L'analyse factorielle repose sur l'idée que les comportements qui covarient chez un grand nombre de participants sont liés. Il s'agit donc d'un procédé statistique utilisé pour déterminer quels sont les comportements liés entre eux, mais indépendants d'autres comportements, et qui de ce fait délimitent les unités ou éléments naturels de la structure de la personnalité.

Analyse factorielle *(factor analysis)*. Méthode statistique utilisée pour déterminer quelles sont les variables ou les réponses aux questionnaires qui sont en corrélation. Elle sert à élaborer les tests de personnalité et elle est employée dans la théorie des traits (par exemple chez Cattell, Eysenck).

On peut donc interpréter, et nommer, les facteurs qui en résultent (par exemple, la sociabilité) en repérant la caractéristique qui semble commune aux énoncés ou aux comportements interdépendants. En recourant à de nouvelles analyses factorielles, dites de deuxième niveau, Eysenck détermine les dimensions qui se trouvent à la base des facteurs de trait mis au jour par la première série d'analyses. Ces dimensions représentent des facteurs de deuxième niveau, ou superfacteurs. Par exemple, on peut réunir les traits de personnalité *sociable, actif, plein d'entrain* et *excité* sous la notion générique d'extraversion (figure 7.1). Le terme de *superfacteur* indique clairement qu'il s'agit d'une dimension comportant une extrémité où le trait est faible (introversion) et une extrémité où il est marqué (extraversion) ; les individus peuvent se situer n'importe où entre les deux pôles.

LES DIMENSIONS FONDAMENTALES DE LA PERSONNALITÉ

Introversion *(introversion).*
Dans la théorie d'Eysenck, l'un des pôles de la dimension introversion-extraversion de la personnalité ; l'introverti tend à être placide, réservé, réfléchi et prudent.

Extraversion *(extraversion).*
Dans la théorie d'Eysenck, l'un des pôles de la dimension introversion-extraversion de la personnalité ; l'extraverti a tendance à être sociable, amical, impulsif et intrépide.

Névrosisme *(neuroticism).*
Dans la théorie d'Eysenck, dimension de la personnalité qui se définit par deux pôles : stabilité et faible angoisse d'une part, instabilité et grande anxiété d'autre part.

Dans ses premières études, Eysenck cerne deux dimensions fondamentales de la personnalité, l'**introversion-extraversion** et le **névrosisme** (stabilité/instabilité émotionnelle). Dans la figure 7.2, ces deux dimensions fondamentales de la personnalité sont mises en rapport avec les quatre tempéraments fondamentaux définis par Hippocrate et par Galien, deux médecins grecs de l'Antiquité, ainsi qu'avec d'autres traits de personnalité. La figure 7.1 illustrait l'organisation hiérarchique des traits associés à l'extraversion. Le névrosisme se caractérise par des traits de personnalité tels que *tendu*, *maussade* et *marqué par une faible estime de soi*. Vous trouverez à la figure 7.3 l'organisation hiérarchique des traits associés à ce facteur.

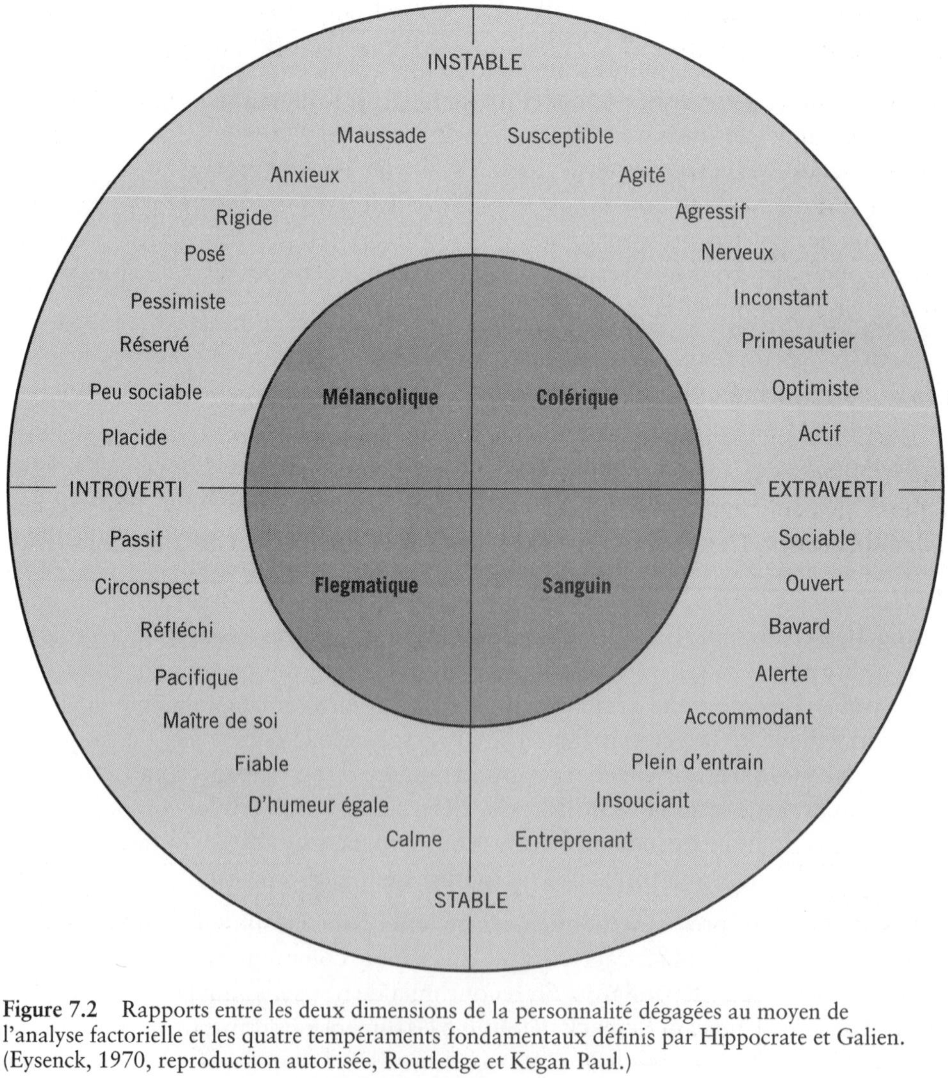

Figure 7.2 Rapports entre les deux dimensions de la personnalité dégagées au moyen de l'analyse factorielle et les quatre tempéraments fondamentaux définis par Hippocrate et Galien. (Eysenck, 1970, reproduction autorisée, Routledge et Kegan Paul.)

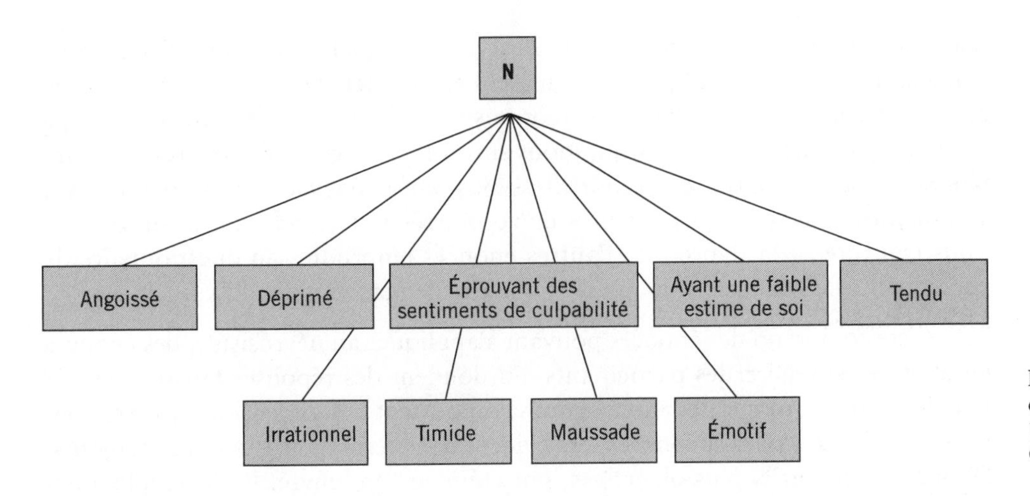

Figure 7.3 La structure hiérarchique du névrosisme (N). (Eysenck, 1990, reproduction autorisée, Guilford Press.)

Psychotisme *(psychoticism).*
Dans la théorie d'Eysenck, dimension de la personnalité qui se définit par une propension à être solitaire et insensible d'une part, à l'acceptation des normes sociales et à une attitude empathique d'autre part.

Alors qu'au début Eysenck n'avait employé que deux dimensions, il en ajoute ensuite une troisième, le **psychotisme**. Ceux qui ont un score élevé de psychotisme ont tendance à être solitaires, insensibles, sans empathie et non conformistes. La figure 7.4 illustre l'organisation hiérarchique des traits associés au psychotisme. La théorie des trois facteurs de la personnalité élaborée par Eysenck s'appuie sur ces trois dimensions, extraversion-introversion, névrosisme et psychotisme, dont l'existence est amplement démontrée (Eysenck et Long, 1986). On les a retrouvées dans plus d'une culture ; chaque dimension comporte un facteur génétique.

On peut se livrer à une évaluation plus approfondie du système théorique d'Eysenck en examinant de plus près l'une de ces trois dimensions : l'introversion-extraversion. Selon Eysenck, l'extraverti type est sociable, il aime les fêtes, compte de nombreux amis, a soif d'émotions fortes, agit sous l'impulsion du moment et est spontané. En revanche, l'introverti a tendance à être placide, replié sur lui-même, réservé, réfléchi, méfiant envers les décisions impulsives et il préfère une vie ordonnée plutôt qu'une vie abandonnée au hasard et au risque.

Les questionnaires d'évaluation

Eysenck a construit de nombreux questionnaires visant à mesurer la dimension de l'introversion-extraversion : le questionnaire de personnalité de Maudsley, l'inventaire de personnalité d'Eysenck et, plus récemment, le questionnaire de personnalité d'Eysenck. L'extraverti type répondra par l'affirmative à des questions telles

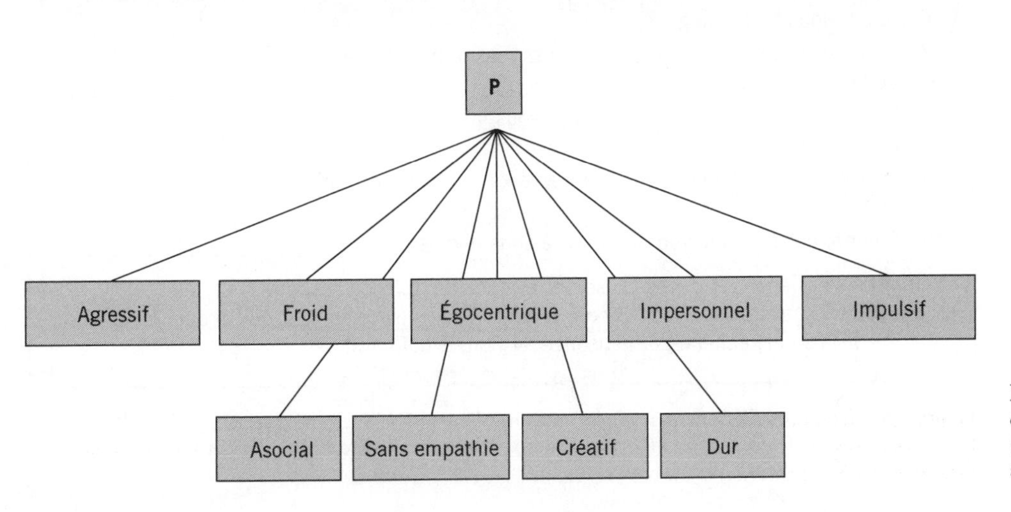

Figure 7.4 La structure hiérarchique du psychotisme (P). (Eysenck, 1990, reproduction autorisée, Guilford Press.)

que : Les autres pensent-ils que vous êtes vraiment plein d'entrain ? Seriez-vous malheureux si vous n'étiez pas fréquemment en contact avec un grand nombre de gens ? Recherchez-vous souvent les émotions fortes ? En revanche, l'introverti type répondra par l'affirmative aux questions suivantes : En général, préférez-vous lire plutôt que de rencontrer des gens ? Êtes-vous plutôt silencieux lorsque vous êtes avec d'autres ? Prenez-vous le temps de vous arrêter et de réfléchir avant d'agir ? Vous trouverez à la figure 7.5 d'autres énoncés empruntés au questionnaire de personnalité de Maudsley ou au questionnaire de personnalité d'Eysenck.

Cette liste comprend des énoncés pouvant s'appliquer au névrosisme, des énoncés permettant de repérer les participants qui donnent des réponses fausses pour se faire bien voir, ainsi que des énoncés qui se rapportent à la dimension extraversion-introversion. Le sens des réponses sera évident dans certains cas, mais pas toujours. D'autres techniques, plus objectives, ont été mises en œuvre. Par exemple, on a suggéré d'utiliser le « test de la goutte de jus de citron » pour différencier les introvertis des extravertis. Dans ce test, on place une quantité déterminée de jus de citron sur la langue du participant. La quantité de salive produite diffère selon qu'il s'agit d'un introverti ou d'un extraverti.

Les résultats de la recherche

Peut-on relever d'autres différences significatives et intéressantes sur le plan théorique dans le comportement associé à des scores variant en fonction de la dimension extraversion-introversion ? L'extraversion est sans doute le plus étudié de tous les traits, ce qui vient du fait que les comportements qui en relèvent sont relativement faciles à observer (Gosling *et al.*, 1998). Quand on dresse le bilan des résultats, on

	Oui	Non
1. Est-ce vous qui d'habitude prenez l'initiative de vous faire de nouveaux amis ?	_______	_______
2. Y a-t-il des idées qui vous trottent dans la tête et vous empêchent de dormir ?	_______	_______
3. Avez-vous tendance à vous effacer lors des réunions mondaines ?	_______	_______
4. Les blagues grivoises vous font-elles parfois rire ?	_______	_______
5. Êtes-vous enclin à la tristesse ?	_______	_______
6. Aimez-vous bien manger ?	_______	_______
7. Lorsque vous êtes contrarié, ressentez-vous le besoin d'en parler à un ami ?	_______	_______
8. Lorsque vous étiez enfant, obéissiez-vous immédiatement et sans rouspéter ?	_______	_______
9. Êtes-vous habituellement « très réservé », sauf avec vos amis intimes ?	_______	_______
10. Prenez-vous souvent trop de temps à vous décider ?	_______	_______

Remarque : Les énoncés ci-dessus seront évalués de la façon suivante.
Extraversion : 1 oui, 3 non, 6 oui, 9 non ; névrosisme : 2 oui, 5 oui, 7 oui, 10 oui ; échelle du mensonge : 4 non, 8 oui.

Figure 7.5 Exemples d'énoncés destinés à mesurer l'extraversion, le névrosisme et l'échelle du mensonge ; ils ont été empruntés au questionnaire de personnalité de Maudsley et au questionnaire de personnalité d'Eysenck.

obtient un tableau impressionnant (Watson et Clark, 1997). Par exemple, les introvertis sont plus sensibles à la douleur que les extravertis ; ils se lassent plus facilement ; ils ont tendance à être plus prudents et moins rapides que les extravertis ; l'excitation perturbe leur rendement, alors qu'elle améliore celui des extravertis. On a aussi constaté les différences suivantes :

1. Les introvertis obtiennent de meilleurs résultats scolaires que les extravertis, notamment lorsqu'il s'agit d'études poussées. De plus, les étudiants qui quittent l'université pour des raisons qui tiennent aux résultats sont le plus souvent des extravertis, alors que ceux qui abandonnent pour des raisons psychiatriques seront plutôt des introvertis.
2. Les extravertis préfèrent les professions qui les mettent en contact avec autrui, tandis que les introvertis préfèrent souvent les métiers solitaires. Les extravertis cherchent à se distraire de la routine du travail, alors que les introvertis ont moins besoin de changement.
3. Les extravertis aiment bien les blagues à contenu explicitement sexuel ou agressif, tandis que les introvertis préfèrent un humour plus subtil ou plus intellectuel, les jeux de mots par exemple.
4. Les extravertis ont davantage d'activités sexuelles que les introvertis, tant sur le plan de la fréquence que du nombre de partenaires.
5. Les extravertis sont plus influençables que les introvertis.

Une étude consacrée à une épidémie d'hyperventilation qui s'est déclenchée en Angleterre illustre parfaitement ce dernier point (Moss et McEvedy, 1966). Un rapport faisant état de cas d'évanouissement et d'étourdissement chez des jeunes filles fut suivi par une flambée de plaintes du même genre ; on dut transporter à l'hôpital en ambulance quatre-vingt-cinq jeunes filles qui « tombaient comme des mouches ». On compara les jeunes filles affectées avec celles qui ne l'étaient pas et, comme prévu, les jeunes filles affectées présentaient un niveau plus élevé de névrosisme et d'extraversion. Autrement dit, il a été démontré que celles dont la personnalité était prédisposée à la suggestion furent plus susceptibles de se laisser influencer quand une épidémie se profila vraiment à l'horizon.

Enfin, les résultats d'une enquête concernant les habitudes d'étude chez les introvertis et les extravertis peuvent intéresser particulièrement les étudiants. On s'est demandé si, comme la théorie d'Eysenck le donnait à penser, les préférences des uns et des autres à propos du lieu où on étudie et de la manière d'étudier pouvaient être liées à la dimension extraversion-introversion. Conformément à la théorie d'Eysenck concernant les différences entre les individus, on a abouti aux résultats suivants : (1) les extravertis choisissent plus souvent que les introvertis d'étudier dans des lieux publics, comme la bibliothèque, qui offrent une stimulation externe ; (2) ils s'octroient plus de pauses que les introvertis ; (3) plus que les introvertis, ils disent préférer étudier dans des contextes présentant un niveau de bruit plus élevé et dans des lieux offrant plus d'occasions de bavarder (Campbell et Hawley, 1982). Les extravertis et les introvertis diffèrent dans leurs réactions physiologiques à un niveau de bruit donné (les introvertis réagissent davantage) ; dans les deux groupes, on travaille mieux lorsque le niveau de bruit est celui qu'on préfère (Geen, 1984). D'après les résultats de cette étude, il vaudrait peut-être mieux personnaliser la conception des bibliothèques et des résidences étudiantes pour les adapter aux besoins différents des introvertis et des extravertis. Le tableau 7.2 présente d'autres caractéristiques des étudiants extravertis.

Tableau 7.2 Données empiriques relatives à la dimension extraversion-introversion chez les étudiants

Lorsqu'on les compare aux introvertis, les extravertis...
Connaissent au jour le jour plus d'émotions agréables, par exemple la joie, l'excitation et l'amusement
Se divertissent davantage quand ils regardent la même comédie que les introvertis
Disent vivre des émotions plus agréables et manifestent plus ouvertement leur assurance
Affirment jouir de plus de bonheur et de bien-être, ont le sentiment que leur vie a plus de sens
Considèrent les événements stressants comme des défis
S'expriment davantage dans les séminaires
S'octroient plus de pauses pendant l'étude
Étudient dans des lieux publics, par exemple les bibliothèques, qui offrent une plus grande stimulation externe
Sont moins gênés par la musique lorsqu'ils étudient
Présentent moins de réactions physiologiques pour le même niveau de bruit
Se retrouvent plus souvent dans des rôles de chef
Préfèrent les emplois comportant des contacts avec autrui
Cherchent à se distraire de la routine du travail et préfèrent la nouveauté
Comptent un plus grand nombre d'amis
Réussissent mieux à interpréter les expressions du visage et le langage corporel
Affirment ressentir moins d'anxiété quand ils s'expriment
Font plus souvent la fête
Apprécient les blagues au contenu sexuel ou agressif explicite
Comptent un plus grand nombre de partenaires amoureux
Passent moins de soirées seuls le week-end
Ont plus d'activités sexuelles, sur le plan de la fréquence et du nombre de partenaires
Consomment davantage d'alcool
Fument davantage et éprouvent plus de difficulté à cesser de fumer (peut-être parce que la nicotine est un stimulant)

SOURCES : Watson et Clark, 1997 ; Gross, 1999.

Le fondement biologique

Quel est le fondement théorique de la dimension extraversion-introversion ? Eysenck a été l'un des premiers psychologues de la personnalité à s'intéresser au fondement biologique des traits de personnalité, thème qui sera traité en profondeur au chapitre 9. Il soutient que les variations entre les individus que l'on peut observer dans la dimension introversion-extraversion reflètent des différences dans le fonctionnement neurophysiologique. En fait, les introvertis sont plus facilement stimulés par les événements et apprennent à respecter les interdits sociaux plus aisément que les extravertis. Par conséquent, les introvertis se restreignent davantage et ils sont plus sujets aux inhibitions. On a également démontré que les introvertis apprennent mieux lorsqu'on menace de les punir, alors que les extravertis réagissent mieux quand on leur offre des récompenses. Eysenck émet l'hypothèse que les différences entre les individus qu'on observe en rapport avec cette dimension tiennent tant à l'hérédité qu'au milieu. En effet, selon nombre d'études portant sur les vrais et faux jumeaux, l'hérédité représente un facteur très important quand il s'agit d'expliquer les différences de résultats (Loehlin, 1992; Plomin, 1994; Plomin et Caspi, 1999). Le fait que la dimension introversion-extraversion ressort invariablement dans les études interculturelles, que les différences entre les individus se maintiennent au fil du temps et que les facteurs héréditaires contribuent grandement à ces différences entre les individus, tous ces éléments renforcent la thèse du fondement biologique. En fait, on peut citer de nombreuses études portant sur divers indices du fonctionnement biologique (par exemple l'activité cérébrale, le rythme cardiaque, le taux hormonal, l'activité sudoripare) qui vont dans le sens de cette conclusion (Eysenck, 1990).

En somme, la dimension de l'introversion-extraversion représente une façon d'organiser les différences de comportement entre les individus qui prend racine dans des différences d'origine biologique. L'analyse factorielle permet de mettre en évidence ces différences et de les mesurer au moyen de questionnaires ainsi que de la recherche en laboratoire.

Passons maintenant aux deux autres dimensions et examinons brièvement de quelle façon la théorie s'applique aux autres domaines. Selon Eysenck, la personne au score de névrosisme élevé a tendance à être instable émotionnellement et à se plaindre souvent d'avoir des soucis et d'éprouver de l'angoisse, ainsi que de souffrir de douleurs physiques (maux de tête, problèmes digestifs, vertiges). Dans ce cas également, on pense que des différences biologiques dans le fonctionnement du système nerveux se trouvent à la base des différences entre les individus. Ainsi, la personne qui a un score élevé de névrosisme réagit rapidement au stress et sa réaction, une fois la menace disparue, s'atténue plus lentement que celle de l'individu plus stable (faible névrosisme). Même si nous ne disposons que de connaissances rudimentaires concernant les fondements du psychotisme, on estime qu'il pourrait exister un lien génétique dans ces cas également, notamment un rapport avec la masculinité. De manière générale, les facteurs génétiques jouent donc un rôle important dans la structure de la personnalité et dans le comportement social. En fait, selon Eysenck, « les facteurs génétiques rendent compte des deux tiers environ de la variance enregistrée dans les dimensions importantes de la personnalité » (1982, p. 28). Dans des études plus récentes, on soutient qu'il s'agit probablement d'une surestimation et que les facteurs génétiques rendent compte d'environ 40 % de la variance (Loehlin, 1992; Plomin, 1994).

LA PSYCHOPATHOLOGIE ET LE CHANGEMENT DE COMPORTEMENT

La théorie de la personnalité d'Eysenck est étroitement liée à sa théorie de la psychologie de la personnalité anormale et de la modification du comportement. Le type de symptômes ou de problèmes psychologiques que l'individu est susceptible de connaître est lié aux traits fondamentaux de la personnalité et aux principes de fonctionnement du système nerveux. Selon Eysenck, les symptômes névrotiques sont dus à l'action conjointe du système biologique et des expériences qui contribuent à l'apprentissage de fortes réactions émotionnelles aux stimuli engendrant la crainte. Ainsi, la majorité des patients névrosés ont tendance à présenter un score élevé de névrosisme et un faible score d'extraversion (Eysenck, 1982, p. 25). En revanche, les criminels et les personnes antisociales ont souvent des scores élevés de névrosisme, d'extraversion et de psychotisme; ils se conforment peu aux normes sociales.

Bien que Eysenck estime que ces troubles comportent une forte composante génétique tant du point de vue de leur origine que de leur persistance, il affirme que le pessimisme n'est pas de mise en ce qui regarde les possibilités de traitement : « Le fait que pour une bonne part les troubles névrotiques, ainsi que les activités criminelles, s'amorcent et se maintiennent en raison de facteurs génétiques est très mal accueilli par de nombreuses personnes qui croient que cette situation doit inévitablement aboutir au pessimisme en matière de traitement. Si l'hérédité revêt une telle importance, disent-ils, il va de soi que toute modification du comportement est impossible. Cette interprétation des faits est totalement fausse. Ce qui est génétiquement déterminé, ce sont les prédispositions à agir et à se comporter d'une certaine manière, dans une situation donnée » (1982, p. 29). Par conséquent, l'individu peut éviter de se trouver dans des situations potentiellement traumatisantes, il peut désapprendre les réactions de crainte qu'il avait acquises ou apprendre à se conduire en société (acquérir de nouveaux comportements). Ainsi, même si les facteurs génétiques avaient à ses yeux un grand poids, Eysenck s'est fait le champion de la thérapie comportementale, c'est-à-dire du traitement systématique du comportement anormal selon les principes de la théorie de l'apprentissage.

Nous nous en tiendrons là en ce qui regarde cette présentation de la thérapie comportementale, puisque nous en analyserons les principes fondamentaux dans le chapitre consacré aux fondements de l'apprentissage de la personnalité (chapitre 10). Cependant, nous pouvons conclure notre exposé en constatant qu'Eysenck a souvent critiqué avec véhémence la théorie et la thérapie psychanalytiques. Il en a dénoncé notamment les aspects suivants : (1) la psychanalyse ne constitue pas une théorie scientifique, puisqu'on ne peut pas la réfuter ; (2) les troubles névrotiques et psychotiques représentent des dimensions distinctes plutôt que des points s'inscrivant dans un continuum ; (3) il faut voir dans le comportement anormal des réactions acquises, mais mésadaptées, plutôt que l'expression déguisée de conflits inconscients sous-jacents ; (4) toutes les thérapies font appel, volontairement ou non, aux principes d'apprentissage. En particulier, la thérapie qui s'applique aux comportements névrosés comprend le désapprentissage de réactions acquises, c'est-à-dire leur disparition (Eysenck, 1979). Pour Eysenck, la psychanalyse ne constitue pas en général une méthode de traitement efficace et elle n'obtient du succès que dans la mesure où l'analyste, involontairement ou fortuitement, recourt aux principes de la thérapie comportementale.

Plus récemment, Eysenck (1991) s'est efforcé d'établir des rapports entre les traits de personnalité et la probabilité de souffrir de maladie de cœur ou de cancer ; il a décrit des formes de thérapie comportementale qui augmentent la longévité lorsque ces maladies se déclarent. Ces études ne sont pas exposées en détail dans le cadre du présent ouvrage parce que les résultats en demeurent controversés et qu'ils ne sont pas directement liés à la théorie.

En bref

Comme il convient à un théoricien des traits de personnalité, le dossier scientifique d'Eysenck est solide à bien des égards. Parmi les aspects positifs, notons les points suivants : (1) Eysenck a été un collaborateur prolifique dans divers domaines. Tout en continuant de s'intéresser aux différences entre les individus et aux principes régissant le changement de comportement, il a contribué à l'étude de la criminologie, de l'éducation, de l'esthétique, de la créativité, de la génétique, de la psychopathologie et de l'idéologie politique. Ses tests de personnalité ont été traduits en plusieurs langues et sont utilisés dans la recherche à l'échelle mondiale. (2) Eysenck a sans cesse souligné l'importance des questionnaires et de la recherche expérimentale. Se reportant aux propos de Cronbach au sujet des deux disciplines de la psychologie scientifique (voir le chapitre 2), Eysenck soutient qu'il a « toujours considéré ces deux disciplines comme des compléments et en aucune façon comme des rivales, chacune étant essentielle au succès de l'autre » (1982, p. 4). (3) Eysenck a lié les variables de la personnalité qu'il avait dégagées à des méthodes d'évaluation, à une théorie du fonctionnement du système nerveux et de l'apprentissage ainsi qu'à une théorie connexe de la psychopathologie et de la modification du comportement. Sa théorie ne s'en tient pas à une simple description et elle peut être vérifiée. (4) Eysenck était toujours prêt à nager à contre-courant et à défendre des conceptions impopulaires : « Je prenais parti habituellement contre l'*establishment* et en faveur des rebelles. Ceux qui désirent voir dans cela l'expression d'une tendance oppositionnelle héréditaire, d'une haine de type freudien envers les substituts paternels, ou qui voudraient l'interpréter de toute autre façon sont bien sûr parfaitement libres de le faire. Je préfère penser que sur ces questions la majorité avait tort, et que j'avais raison. Évidemment, seul l'avenir nous le dira » (1982, p. 298).

Puisque ses travaux sont à ce point dignes d'attention, on peut se demander, comme l'a fait récemment un critique, pourquoi Eysenck ne jouit pas « d'une renommée universelle auprès des psychologues » (Loehlin, 1982, p. 623). Parmi les raisons qui expliquent ce silence relatif, notons la tendance d'Eysenck à rejeter les apports des autres théoriciens et à exagérer la solidité empirique de son propre point de vue (Buss, 1982 ; Loehlin, 1982). La plupart des psychologues qui connaissent bien le travail d'Eysenck croient à l'importance de cet aspect ; selon eux, Eysenck négligeait souvent les résultats contradictoires et il exagérait la portée des résultats positifs. Ajoutons encore deux éléments. D'abord, on a proposé d'autres modèles qui rendent mieux compte des données disponibles. Dans l'un de ces modèles, on soutient que les différences entre les individus concernant les dimensions de l'impulsivité et de l'angoisse ont un caractère décisif (Gray, 1990). Dans ce cas, on accepte de s'appuyer sur les données mises en évidence par Eysenck et de lier les variables de la personnalité aux fonctions biologiques, mais on privilégie d'autres dimensions de la personnalité. Ensuite, de nombreux psychologues croient qu'il est impossible d'expliquer les différences entre les individus en ne faisant appel qu'à deux ou trois dimensions. Comme nous le constaterons dans la section suivante, le théoricien Raymond B. Cattell propose de tenir compte d'un grand nombre de traits de personnalité et de s'en tenir aux seuls traits de personnalité, plutôt que de passer aux superfacteurs décrivant la personnalité. Enfin, il y a des psychologues qui sont en désaccord avec la théorie des traits de personnalité, sujet dont nous reparlerons au chapitre suivant.

L'analyse factorielle des traits de personnalité : Raymond B. Cattell

Raymond B. Cattell (1905-1998) est né dans le Devonshire, en Angleterre. Il obtient un baccalauréat en chimie de l'Université de Londres, en 1924, et il se tourne ensuite vers la psychologie et se voit décerner un doctorat par la même université en 1929. Avant de s'établir aux États-Unis en 1937, Cattell a réalisé plusieurs études portant sur la personnalité et il a acquis une expérience clinique alors qu'il dirigeait une clinique psychopédagogique. Il a occupé des postes aux universités Colombia,

Harvard, Clark et Duke. Pendant vingt ans, il a été professeur et chercheur en psychologie ainsi que directeur du laboratoire d'évaluation de la personnalité de l'Université de l'Illinois. Au cours de sa carrière, il a rédigé quinze ouvrages et plus de deux cents articles.

Bien que nous en sachions trop peu au sujet des expériences qui ont façonné la vie et l'œuvre de Cattell, le rôle de certains facteurs apparaît clairement. On peut d'abord établir des rapports entre, d'une part, l'intérêt dont fait preuve Cattell pour les méthodes d'analyse factorielle dans l'étude de la personnalité ainsi que les efforts qu'il déploie afin d'élaborer une théorie hiérarchique de l'organisation de la personnalité et, d'autre part, son association avec deux des psychologues britanniques qui ont exercé une influence sur Eysenck : Spearman et Burt. De plus, William McDougall, un autre psychologue britannique, a influencé la conception de la motivation de Cattell.

Les années consacrées conjointement à l'étude de la personnalité et à l'expérience clinique représentent le troisième facteur qui a contribué à modeler les idées de Cattell. Il a été sensibilisé durant cette période aux avantages et aux inconvénients de la recherche clinique et expérimentale. Enfin, l'expérience de Cattell en chimie a eu plus tard des effets importants sur l'élaboration de ses conceptions psychologiques. Dans le domaine de la chimie, la mise au point du tableau périodique des éléments par Dmitri Mendeleïev en 1869 a entraîné un regain de l'activité expérimentale. Comme ce fut le cas en chimie, on peut voir dans l'œuvre de Cattell une tentative d'établir une classification des variables susceptible d'être utilisée pour la recherche expérimentale portant sur la personnalité. Cattell espérait que l'analyse factorielle offrirait à la psychologie son propre tableau périodique des éléments.

LA CONCEPTION DE LA SCIENCE

Cattell décrivait trois méthodes pour l'étude de la personnalité : la **méthode bivariée**, la **méthode multivariée** et la **méthode clinique**. La méthode *bivariée*, qui est la méthode classique des sciences naturelles, comporte deux variables, une variable indépendante déterminée par l'expérimentateur et une variable dépendante que l'on mesure pour observer les effets des choix expérimentaux. À la différence de la *méthode bivariée*, la *méthode multivariée* étudie les rapports entre plusieurs variables. De plus, le chercheur ne détermine pas les variables dans l'expérience multivariée. Il les étudie plutôt telles qu'elles se présentent à lui ; grâce aux méthodes statistiques, il dégage des dimensions chargées de sens et des liens de causalité. L'analyse factorielle constitue un exemple de méthode multivariée. Le recours à l'une ou l'autre des deux méthodes témoigne d'un souci de rigueur scientifique ; dans la méthode bivariée, l'expérimentateur ne tient compte que du petit nombre de variables avec lesquelles il peut travailler, tandis que dans la méthode multivariée il examine de nombreuses variables qui n'ont pas fait l'objet d'une intervention.

Méthode bivariée *(bivariate method).* Chez Cattell, technique permettant d'étudier la personnalité et respectant la conception expérimentale classique : on fait fluctuer une variable indépendante et on observe les effets de ce jeu sur une variable dépendante.

Méthode multivariée *(multivariate method).* Chez Cattell, technique privilégiée dans l'étude de la personnalité, qui consiste à analyser les corrélations entre plusieurs variables.

Méthode clinique *(clinical method).* Chez Cattell, technique permettant d'étudier la personnalité et s'intéressant aux modèles complexes de comportement en situation naturelle, mais dont les variables ne sont pas évaluées d'une manière systématique.

Cattell se montrait assez critique à l'égard de la méthode bivariée. Bon nombre de ses observations rejoignent celles qui concernent la recherche en laboratoire et qui ont été mentionnées au chapitre 2. D'abord, il soutient qu'on ne peut s'en tenir à l'étude des rapports entre deux variables, car il s'agit là d'une approche simpliste et fragmentaire de la personnalité. Le comportement humain est complexe et pour l'expliquer il faut examiner les rapports entre des variables multiples. Une fois qu'on a analysé les rapports entre deux variables, il faut s'efforcer de comprendre de quelle façon ces variables sont liées aux nombreuses autres variables qui influent sur le comportement. Cattell poursuit en disant que, les expérimentateurs prêtant une grande attention au choix de la variable indépendante, il leur arrive de négliger d'autres sujets d'étude qui sont pourtant d'une importance cruciale en psychologie. Comme il est impossible de jouer sur les situations émotionnelles les plus révélatrices chez les êtres humains et de s'en servir dans des études expérimentales, le chercheur en est réduit à s'occuper de bagatelles, à chercher des réponses à ses questions dans le comportement des rats ou dans des recherches en physiologie.

Contrairement à la méthode bivariée, la *méthode clinique* permet au chercheur d'étudier les comportements révélateurs au moment où ils se produisent et d'essayer de découvrir quels sont les principes régissant le fonctionnement de l'organisme tout entier. Ainsi, sur le plan des objectifs scientifiques et des hypothèses philosophiques, les méthodes clinique et multivariée se rejoignent tout en se distinguant de la méthode bivariée. Dans les méthodes clinique et multivariée, le chercheur s'intéresse à la situation dans son ensemble, aux modèles complexes de comportement en situation naturelle, à la vie proprement dite comme source de données expérimentales ; il veut analyser toute la personnalité au lieu de simplement saisir des processus isolés ou fragmentaires. Les deux méthodes se différencient en ce que la méthode clinique se sert de l'intuition pour évaluer les variables et de la mémoire pour suivre les événements, alors que la méthode multivariée recourt à des méthodes de recherche systématiques et à des analyses statistiques. Ainsi, selon Cattell, « le clinicien a le cœur à la bonne place, mais il reste peut-être un peu désorienté » (1959c, p. 45).

Ayant examiné ces similitudes et ces différences, Cattell en conclut que la méthode clinique rejoint la méthode multivariée, sans toutefois offrir la même rigueur scientifique. Bref, Cattell croit que la méthode multivariée cumule les aspects les plus attrayants des méthodes bivariée et clinique (tableau 7.3). C'est selon lui l'analyse factorielle, décrite dans la section portant sur Hans Eysenck, qui représente la technique statistique la plus adéquate de la méthode multivariée. La différence principale entre les deux théoriciens tient à ce que Cattell préfère fonder la détermination des traits sur un plus grand nombre de facteurs, définis de manière plus restreinte, mais qui sont souvent en corrélation. Eysenck, par contre, utilise l'analyse factorielle de deuxième niveau pour combiner les traits en un plus petit nombre de superfacteurs, qui couvrent une gamme plus vaste de comportements et ne se trouvent pas souvent en corrélation. La figure 7.1 illustre bien les différences de méthode entre Eysenck et Cattell.

Tableau 7.3 Les méthodes de recherche bivariée, clinique et multivariée, selon Cattell

Méthode bivariée	Méthode clinique	Multivariée
Est fondée sur la rigueur scientifique et les expériences de contrôle	Est fondée sur l'intuition	Est fondée sur la rigueur scientifique, l'analyse objective et quantitative
Ne tient compte que d'un petit nombre de variables	Prend en considération de nombreuses variables	Prend en considération de nombreuses variables
Passe à côté de phénomènes importants	Tient compte des phénomènes importants	Tient compte des phénomènes importants
Est simpliste et fragmentaire	S'intéresse à la situation dans son ensemble et aux modèles complexes de comportement (s'appliquant à toute la personnalité)	S'intéresse à la situation dans son ensemble et aux modes complexes de comportement (s'appliquant à toute la personnalité)

SOURCES : Watson et Clark, 1997 ; Gross, 1999.

LA THÉORIE DE LA PERSONNALITÉ

Les types de traits

Selon Cattell, l'unité structurale de base est le trait de personnalité, défini plus tôt comme une disposition. La définition qu'on donne au concept de trait suppose que le comportement obéit à une certaine cohérence et à une certaine stabilité au travers du temps et des situations. Il est possible d'opérer bien des distinctions entre les traits, cependant deux d'entre elles revêtent une importance particulière. La première permet de différencier les **traits d'aptitude**, les **traits de tempérament** et les **traits dynamiques**, et la deuxième de différencier les **traits de surface** et les **traits de source**.

Traits d'aptitude, traits de tempérament et traits dynamiques *(ability, temperament, and dynamic traits).* Dans la théorie des traits de Cattell, ces trois catégories englobent les principaux aspects de la personnalité.

Traits de surface *(surface traits).* Dans la théorie de Cattell, comportements qui semblent aller de pair sans toutefois se trouver en corrélation.

Traits de source *(source traits).* Dans la théorie de Cattell, comportements qui varient de façon concomitante, qui forment une dimension indépendante de la personnalité et que l'analyse factorielle permet de découvrir.

Les traits d'aptitude désignent les capacités et les aptitudes qui permettent à l'individu d'agir avec efficacité. L'intelligence constitue un exemple de trait d'aptitude. Les traits de tempérament renvoient à la vie affective et au style de comportement. La tendance à travailler rapidement ou lentement, à se montrer en général calme ou émotif, à agir après avoir réfléchi ou impulsivement, est liée aux traits de tempérament, qui varient selon les individus. Les traits dynamiques se rapportent aux motivations qui poussent l'individu à agir, aux types de buts qui lui importent. On considère que les traits d'aptitude, les traits de tempérament et les traits dynamiques sont associés aux éléments stables les plus importants pour la personnalité.

La distinction entre les traits de surface et les traits de source concerne le niveau des comportements. Les traits de surface expriment des comportements qui à un niveau superficiel semblent aller de pair, mais qui dans les faits peuvent ne pas varier simultanément et n'ont pas forcément la même cause. Le trait de source, en revanche, révèle que certains comportements sont associés ; ils varient simultanément et forment une dimension de la personnalité unitaire et indépendante. On peut mettre au jour les traits de surface en faisant appel à des méthodes subjectives : par exemple, on peut demander aux individus de nommer les caractéristiques de la personnalité qui selon eux vont de pair. Cependant, pour repérer les traits de source, qui représentent les composantes de base de la personnalité, il est indispensable d'utiliser les méthodes statistiques perfectionnées de l'analyse factorielle.

L'origine des données : biographies, questionnaires et tests objectifs

Données biographiques *(L-data).* Dans la théorie de Cattell, données se rapportant au comportement dans la vie quotidienne ou à l'évaluation d'un tel comportement.

Données provenant des questionnaires *(Q-data).* Dans la théorie de Cattell, données au sujet de la personnalité qui sont tirées des questionnaires.

Données fournies par les tests objectifs *(OT-data).* Dans la théorie de Cattell, données provenant des tests objectifs ou renseignements au sujet de la personnalité fournis par l'observation du comportement dans des situations en miniature.

Comment délimiter des traits de source susceptibles de s'appliquer à un grand éventail de réactions et de situations ? Où se trouvent les composantes de base ? Cattell répertorie trois types de données, selon une classification qui se rapproche de celle qu'on avait établie au début du chapitre 2 : les **données biographiques** (*L-data*), qui comprennent d'une part les données objectives rendant compte des événements de la vie, et d'autre part les évaluations effectuées par des observateurs et des pairs ; les **données provenant des questionnaires** (*Q-data*), qui reposent sur l'observation de soi ; et les **données fournies par les tests objectifs** (*OT-data*). Les données biographiques se rapportent au comportement tel qu'il s'exprime par exemple dans le rendement scolaire ou dans les contacts avec les pairs. Il peut s'agir de scores ou d'évaluations des comportements effectuées en fonction de ces observations. Les données provenant de questionnaires comprennent les données de l'observation de soi et les réponses à des questionnaires comme les questionnaires de personnalité de Maudsley ou d'Eysenck mentionnés plus haut. Les données fournies par les tests objectifs ont trait à des situations comportementales en miniature dans lesquelles le participant n'est pas au fait de l'association postulée par le psychologue entre la réponse qu'il fournit et le trait de personnalité. Selon Cattell, s'il est possible grâce à l'analyse factorielle multivariée de déterminer les composantes fondamentales de la personnalité, on devrait pouvoir dégager les mêmes facteurs et les mêmes traits de personnalité des trois types de données énumérés précédemment.

Cattell a d'abord réalisé une analyse factorielle des données biographiques et il a ainsi abouti à quinze facteurs qui semblaient pour une bonne part rendre compte de la personnalité. Il a ensuite tenté de déterminer s'il était possible de déceler des facteurs du même genre dans les données provenant des questionnaires. Des milliers d'énoncés ont donc été inscrits dans des questionnaires que l'on a ensuite soumis à un grand nombre de participants normaux. On a effectué des analyses factorielles afin de vérifier si les énoncés allaient de pair. C'est ainsi que fut créé le *questionnaire 16 PF* (Sixteen Personality Factor Questionnaire). Au départ, Cattell a inventé des néologismes tels que *surgence* pour désigner ces facteurs de personnalité, en espérant éviter les interprétations erronées. Néanmoins, les termes énumérés au tableau 7.4 tentent de rendre la signification de ces facteurs de trait de personnalité. Comme nous pouvons le constater, ils s'appliquent à des aspects très divers de la personnalité, notamment au tempérament (par exemple, l'émotivité) et aux attitudes (par exemple, conservateur). Dans l'ensemble, les facteurs observés grâce aux données provenant des questionnaires paraissaient similaires à ceux que fournissent les données biographiques, mais certains n'étaient liés qu'à un seul type de données. Nous présentons à la figure 7.6 des exemples d'évaluation des données biographiques et des énoncés du questionnaire relatifs à un trait en particulier.

Cattell tenait aux questionnaires, notamment à ceux qu'on construit et valide au moyen de l'analyse factorielle, comme le questionnaire 16 PF. Il s'inquiétait par ailleurs des erreurs de mesure provoquées par les participants désirant préserver une image positive d'eux-mêmes en déformant leurs réponses aux questionnaires. De plus, il croyait que les questionnaires étaient d'une utilité particulièrement discutable dans le cas de patients atteints de troubles mentaux. En raison des difficultés que soulèvent les données biographiques et les données provenant des questionnaires et parce que la méthode de recherche choisie au départ exige qu'on s'appuie sur les données fournies par les tests objectifs, Cattell en viendra par la suite à s'intéresser davantage à la structure de la personnalité qui correspond aux

Tableau 7.4 Les seize facteurs de personnalité de Cattell extraits des données fournies par les questionnaires

Réservé	Chaleureux
À l'intelligence plus faible	À l'intelligence plus marquée
Émotionnellement stable, doté d'un moi fort	Émotivité et tendance au névrosisme
Modeste	Dominateur
Réfléchi	Insouciant
Expéditif	Consciencieux
Timide	Audacieux
Dur	Sensible
Confiant	Méfiant
D'esprit pratique	Imaginatif
Direct	Rusé
Calme	Craintif
Conservateur	Innovateur
Grégaire	Indépendant
Indiscipliné	Discipliné
Décontracté	Tendu

COMPARAISON ENTRE LA FORCE DU MOI (TRAIT DE SOURCE) ET LE FACTEUR ÉMOTIVITÉ-NÉVROSISME (DONNÉES BIOGRAPHIQUES ET DONNÉES PROVENANT DES QUESTIONNAIRES)

Évaluation du comportement par l'observateur

Force du moi		**Émotivité-névrosisme**
Maturité émotionnelle	ou bien	Supporte mal la frustration
Stable, persévérant	ou bien	Versatile
Calme, flegmatique	ou bien	Primesautier et émotif
Réaliste dans la vie	ou bien	Fuyant, évite de prendre des décisions
Absence de fatigue d'origine nerveuse	ou bien	Fatigue d'origine nerveuse (sans véritable dépense d'énergie)

Réponses au questionnaire*

Vous est-il difficile d'accepter une réponse négative, même si ce que vous désirez faire est manifestement impossible ?

(a) oui (b) *non*

Si vous pouviez recommencer votre vie, que feriez-vous ?

(a) *je referais essentiellement la même chose* (b) je planifierais les choses très différemment

Faites-vous souvent des rêves très troublants ?

(a) oui (b) *non*

Vos états d'âme vous semblent-ils parfois trop intenses ?

(a) *oui* (b) non

Vous sentez-vous parfois fatigué sans raison ?

(a) *rarement* (b) souvent

Pouvez-vous changer des habitudes de longue date lorsque vous le souhaitez, et cela sans faire de rechute ?

(a) *oui* (b) non

*Les réponses en italique dénotent une force du moi élevée.

Figure 7.6 Correspondances entre des données d'origine différente : les données biographiques et les réponses à un questionnaire. (Cattell, 1965.)

données fournies par les tests objectifs. Les traits de source tels qu'ils sont énoncés dans les tests objectifs représenteront en fin de compte le véritable « étalon » dans l'étude de la personnalité.

Les données biographiques et les données provenant des questionnaires aidèrent à mettre en place des tests en miniature ; autrement dit, il s'agissait de concevoir des tests objectifs qui mesureraient les traits de source repérés précédemment. Ainsi, la propension à s'affirmer peut s'exprimer dans les comportements suivants : longue distance réservée à l'exploration dans les épreuves de labyrinthe sur papier, tempo rapide dans le mouvement bras-épaule et grande vitesse dans les tests de comparaison de lettres. On a élaboré plus de cinq cents tests s'appliquant aux dimensions hypothétiques de la personnalité. Ces tests furent administrés à des groupes importants et, en soumettant à des analyses factorielles répétées les données provenant de différentes situations expérimentales, on obtint vingt et un traits de source.

Comme nous l'avons indiqué plus haut, les traits de source ou les facteurs décelés dans les données biographiques et dans les données provenant des questionnaires pourraient bien être en grande partie les mêmes. Les facteurs relevés dans les données des tests objectifs correspondent-ils à ceux qui proviennent des données biographiques et des questionnaires ? Bien qu'on ait consacré de nombreuses années à ces recherches, les résultats sont décevants ; on a établi l'existence de liens entre les trois types de données, mais il n'a pas été possible de détecter des correspondances directes de facteur à facteur.

En bref

La démarche de Cattell que nous avons décrite dans cette section peut se résumer ainsi. (1) Cattell cherche à définir la structure de la personnalité en recourant à trois types d'observation : les données biographiques, les données provenant des questionnaires et les données fournies par les tests objectifs. (2) Au départ, il se sert des données biographiques et, en soumettant les évaluations à une analyse factorielle, il détermine quinze traits de source. (3) Guidé dans sa recherche sur les données des questionnaires par les résultats des données biographiques, Cattell élabore le questionnaire 16 PF, comportant douze traits qui correspondent aux traits repérés grâce à l'analyse des données biographiques et quatre traits que seul le questionnaire permet de déceler. (4) S'inspirant de ces résultats pour s'orienter dans l'élaboration de tests objectifs, Cattell discerne vingt et un traits de source dans les données issues des tests objectifs qui semblent avoir des rapports complexes et peu corrélés avec les traits découverts au moyen de l'analyse d'autres données.

Les traits de source décelés dans les trois types d'observation n'éclairent pas toute la structure de la personnalité telle que Cattell l'a élaborée. Cependant, les traits énumérés dans la présente section décrivent ce qu'est la structure de la personnalité. Autrement dit, nous disposons de ce qui constitue la base du tableau des éléments en psychologie, de son système classificatoire. Sur quoi se fonde-t-on pour affirmer l'existence de ces traits ? Cattell (1979) cite les arguments suivants : (1) les résultats des analyses factorielles effectuées sur les différents types de données ; (2) les résultats similaires obtenus dans d'autres cultures ; (3) les résultats similaires disponibles dans tous les groupes d'âge ; (4) leur utilité quand il s'agit de prévoir le comportement dans le milieu naturel ; (5) l'importante composante héréditaire présente dans de nombreux traits.

La stabilité et la variabilité du comportement

Cattell s'intéressait à la cohérence du comportement et à la structure de la personnalité, mais également aux processus et à la motivation. Comme dans le cas des traits, Cattell mise sur l'analyse factorielle pour déterminer quels sont les traits dynamiques, ceux qui motivent le comportement (Cattell, 1985). Son analyse de la façon d'agir dans les situations particulières et des modèles de comportement qui vont de pair l'a amené à conclure que la motivation comprend des tendances innées, appelées **ergs**, et des motifs déterminés par le milieu, appelés **sentiments**. La recherche de sécurité, la sexualité et l'affirmation de soi sont des exemples d'ergs. La religion (« Je souhaite vénérer Dieu »), la carrière (« Je désire acquérir les compétences nécessaires pour cet emploi ») et le sentiment que l'on entretient à l'égard de soi (« Je ne veux jamais porter atteinte à ma dignité personnelle ») sont des exemples de sentiments. Habituellement, nos activités répondent à plus d'une motivation ; on s'efforce de satisfaire des sentiments qui correspondent à des ergs ou à des objectifs biologiques plus fondamentaux.

Erg *(erg).*
Concept de Cattell désignant les tendances biologiques qui donnent au comportement ses motivations fondamentales.

Sentiment *(sentiment).*
Concept de Cattell désignant des modes de comportement déterminés par l'environnement, qui s'expriment dans des attitudes (volonté d'agir dans un certain sens) et qui sont liés aux ergs sous-jacents (tendances biologiques innées).

APPLICATIONS ACTUELLES

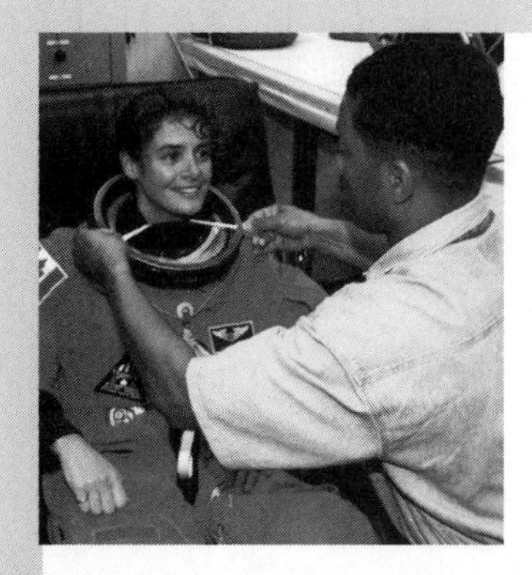

Avoir « ce qu'il faut » Pour réussir dans bien des postes, il est indispensable de posséder certains traits. Julie Payette fut la première femme astronaute canadienne à monter à bord de la station spatiale internationale pour participer à son montage.

Avoir « ce qu'il faut » : les caractéristiques des dirigeants d'entreprise qui ont du succès

Il y a quelque temps, Tom Wolfe a écrit un livre au sujet de la première équipe d'astronautes américains. Formant un groupe entièrement masculin, ces hommes croyaient qu'ils avaient « ce qu'il fallait », c'est-à-dire le courage viril requis pour devenir pilotes d'essai et astronautes. D'autres qu'eux possédaient les compétences nécessaires, mais pour réussir ils devaient avoir « ce qu'il fallait ».

Les postes les plus difficiles exigent également qu'on soit doté de « ce qu'il faut », c'est-à-dire des caractéristiques ou des traits de personnalité qui, s'ajoutant aux compétences, assurent la réussite. Quelles sont, par exemple, les caractéristiques d'un grand dirigeant d'entreprise ? Selon des études récentes, les cadres supérieurs qui deviennent PDG et ceux qui n'y parviennent pas ne diffèrent que d'une manière ténue. Dans les deux groupes, on possède un talent considérable et des forces remarquables, de même qu'un certain nombre de faiblesses. Même si les membres des deux groupes ne se distinguent pas par un trait de personnalité en particulier, on observe que ceux qui ne réussissent pas en fin de compte à atteindre leur but ont souvent les caractéristiques suivantes : insensibles envers les autres, méfiants, froids (distants), arrogants, trop ambitieux, maussades, peu stables en situation de stress et sur la défensive. Par contre, les cadres qui réussissent font preuve d'une grande intégrité personnelle et d'une grande capacité à comprendre autrui.

À vrai dire, les études visant à déterminer les attitudes et les qualités personnelles des chefs de file ne se comptent plus. À un certain moment, les chercheurs se sont mis à désespérer de trouver des qualités susceptibles de s'appliquer à tous les types de dirigeants. À l'origine, on pensait que le leadership se définissait par rapport au contexte où il s'exerçait, que les exigences quant aux qualités personnelles et aux aptitudes variaient en fonction des situations. Cependant, selon une analyse de la documentation disponible effectuée récemment, il semble qu'on ait abandonné trop tôt l'idée d'utiliser l'approche par les traits pour étudier le leadership. En effet, certaines qualités, telles que le courage, la force d'âme et la conviction, se retrouvent en général chez les chefs de file. Ceux-ci présentent souvent les traits de personnalité suivants : ils sont énergiques, résolus, ils savent s'adapter et s'affirmer, ils se démarquent par leur sociabilité, leur compétitivité et leur capacité à gérer le stress.

Les tenants de l'approche par les traits de personnalité, notamment ceux qui travaillent dans le domaine de la psychologie industrielle, s'efforcent encore aujourd'hui de déterminer les traits de personnalité qui sont essentiels à la réussite dans divers domaines. Plusieurs tests de personnalité, dont le questionnaire 16 PF, servent à évaluer de nombreux aspects importants dans la sélection du personnel.

État d'esprit *(state)*.
Changement émotionnel et changement d'humeur (par exemple angoisse, dépression, épuisement) qui, selon Cattell, peut influer sur le comportement d'un individu à un moment donné. On suggère d'évaluer les traits de personnalité et l'état d'esprit pour prévoir le comportement.

Manifestement, Cattell ne considère pas la personne comme une entité statique, qui se comporterait de la même façon dans toutes les situations. La façon d'agir de quelqu'un dans une situation donnée dépend des traits de personnalité et des variables motivationnelles applicables à la situation. De plus, lorsqu'on analyse la variabilité du comportement, on doit prendre en compte deux autres concepts essentiels : l'état d'esprit et le rôle. La distinction posée par Cattell entre l'état d'esprit et les traits ressemble à celle d'Allport (voir le tableau 7.1). Le concept d'**état d'esprit** désigne chez lui les changements émotionnels et les changements d'humeur qui sont en partie provoqués par des situations déterminées. L'angoisse, la dépression, l'épuisement, l'excitation sexuelle et la curiosité constituent des exemples d'état d'esprit. Si les traits décrivent des modèles de conduite stables et généraux, Cattell fait valoir que, pour décrire *exactement* un individu à un moment donné, il faut évaluer ses traits de personnalité et son état d'esprit : « Tout psychologue praticien — et d'ailleurs tout observateur intelligent de la nature et de l'histoire des êtres humains — se rend compte que l'état d'esprit d'un individu à un moment donné détermine tout autant son comportement que le feraient ses traits de personnalité » (1979, p. 169). Autrement dit, on ne peut pas prévoir le comportement d'une personne dans une situation donnée en ne considérant que ses traits de personnalité ; il faut aussi se demander si elle est en colère, fatiguée, effrayée, etc.

La deuxième influence transitoire importante se rapporte au concept de **rôle**. Selon Cattell, certains comportements sont plus étroitement liés aux situations environnementales qu'à la tendance générale induite par les facteurs de personnalité. Ainsi, les coutumes et les mœurs peuvent jouer sur les traits de personnalité, si bien qu'un « individu peut s'exprimer bruyamment à un match de football, parler moins fort à table et ne rien dire du tout à l'église » (1979, p. 250). De plus, le concept de rôle exprime le fait qu'un stimulus est perçu d'une façon différente selon le rôle qu'on joue dans une situation. Ainsi, un enseignant peut réagir différemment au comportement de l'enfant selon qu'il se manifeste en classe ou dans un autre contexte.

Rôle *(role)*.
Comportement de l'individu considéré comme approprié selon la place ou la position qu'il occupe dans la société. Selon Cattell, l'une des variables qui réduit l'influence exercée sur le comportement par les variables de la personnalité au bénéfice de l'influence des situations.

En somme, même si Cattell croit que les facteurs de personnalité engendrent une certaine stabilité du comportement dans l'ensemble des situations, il pense également que l'humeur (état d'esprit) de l'individu et la façon dont il se présente dans une situation donnée (rôle) influent sur son comportement : « La vigueur avec laquelle Smith attaque son repas dépend non seulement de son appétit, mais aussi de son tempérament et du fait qu'il mange avec son patron ou seul à la maison » (Nesselroade et Delhees, 1966, p. 583). D'après la théorie de Cattell, le comportement exprime les traits de personnalité de l'individu qui se manifestent dans une situation donnée, les ergs et les sentiments associés aux attitudes ayant trait à la situation ainsi que l'état d'esprit et le rôle qui peuvent varier selon le moment ou la situation.

En plus de s'intéresser à la structure de la personnalité et à la dynamique du fonctionnement, Cattell a effectué des recherches portant sur le développement de la personnalité et sur les troubles mentaux. Dans le premier cas, il s'est penché sur l'influence relative des gènes et du milieu en rapport avec chacun des traits, et dans le deuxième cas sur les liens entre les divers traits de personnalité et les types d'affections. À la différence d'Eysenck, qui s'est demandé comment appliquer la thérapie comportementale au comportement anormal, le nom de Cattell n'est associé à aucune forme particulière de psychothérapie.

En bref

On ne peut qu'être impressionné par l'ampleur des travaux de Cattell. Ses recherches touchent presque toutes les dimensions de la théorie de la personnalité que nous avons mentionnées. Il a contribué pour beaucoup à l'élaboration de nouvelles méthodes multivariées, ainsi que de techniques servant à déterminer la part réservée à l'influence génétique sur la personnalité. Pour aller plus loin en matière de recherche multivariée, Cattell fonde dans les années 1960 la Society for Multivariate Experimental Research. La plupart des chercheurs de la personnalité utilisant l'analyse factorielle aux États-Unis appartiennent à cette société prestigieuse. En outre, Cattell s'est efforcé de situer sa recherche dans une perspective interculturelle. Selon un de ses admirateurs : « La théorie de Cattell s'est avérée beaucoup

Le rôle Cattell soutient que le comportement d'un individu peut varier selon le rôle qu'il joue dans diverses situations.

plus impressionnante qu'on ne le reconnaît généralement… Il semble juste d'affirmer que le projet envisagé au départ par Cattell pour l'étude de la personnalité a abouti à une structure théorique extraordinairement riche qui a engendré plus de recherches empiriques que toute autre théorie de la personnalité » (Wiggins, 1984, p. 177, 190).

De même, de nombreux psychologues de la personnalité n'ont pas prêté attention au travail de Cattell, en partie parce qu'ils se posaient des questions sur la validité des tests qu'il utilisait, sur sa trop grande confiance en l'analyse factorielle et sur le fait que ses hypothèses théoriques dépassaient largement les données. De plus, comme Eysenck, Cattell exagérait souvent la portée de ses données. Malheureusement, il avait tellement confiance en ses idées que par moments il surestimait la valeur de ses travaux par rapport à ceux des autres. Par exemple, il a minimisé les avantages des approches clinique et bivariée et grossi ceux de l'approche multivariée.

Les trois théoriciens : Allport, Eysenck et Cattell

Dans l'introduction du présent chapitre, nous avons indiqué que le courant de la théorie des traits ne propose pas de grande figure et nous avons décidé d'étudier les traits de personnalité en les inscrivant dans une perspective générale. Cette approche se fonde sur l'hypothèse suivante : les traits de personnalité représentent des dispositions à réagir en général d'une certaine manière, ils diffèrent grandement selon les individus.

On peut considérer Allport, Eysenck et Cattell comme des théoriciens représentatifs de la théorie des traits parce qu'ils mettent en avant ces différences entre les individus. En revanche, ils se distinguent dans leur façon d'envisager l'étude des traits et dans les rapports qu'ils établissent entre la théorie des traits et les autres théories de la personnalité. L'utilisation de l'analyse factorielle pour déterminer le nombre et la nature des traits de personnalité est d'une importance considérable à cet égard. Allport critiquait le recours à cette méthode, alors qu'Eysenck et Cattell le prônaient. De même, si Eysenck n'a dégagé que trois grands traits de personnalité, Cattell en a pour sa part décelé au moins vingt et Allport, quant à lui, s'aventure bien plus avant que Cattell lorsqu'il affirme que chacun d'entre nous possède des traits qui lui sont propres, ouvrant ainsi la voie à l'analyse d'un nombre de traits illimité.

Outre les questions relatives à la méthodologie et au nombre de traits de personnalité, ces trois théoriciens envisagent également l'étude de la motivation d'une manière différente. Eysenck n'emploie pas le concept de motivation, tandis qu'Allport et Cattell lui font une place dans leurs théories et suggèrent que la recherche explore les rapports entre motivation et traits de personnalité. Enfin, Allport et Eysenck ont adopté une attitude très critique à l'égard de la théorie psychanalytique, tandis que Cattell était plus nuancé.

Ainsi, bien qu'ils appartiennent au même courant, ces trois théoriciens présentent des différences appréciables. Malgré tout, la théorie et l'étude des traits ont tenu une grande place dans le domaine de la personnalité pendant plus de cinquante ans. Comme nous le constaterons au chapitre suivant, on assiste présentement à l'émergence d'une conception plus unifiée de l'approche par les traits. Et, malgré les attaques dont ont fait l'objet ses hypothèses fondamentales, la théorie des traits joue toujours un grand rôle dans l'étude de la personnalité.

Résumé

1. Le concept de trait représente une disposition générale à se comporter d'une certaine manière. On considère que les traits sont organisés en une hiérarchie allant des réactions spécifiques aux modèles généraux de fonctionnement psychologique.
2. Allport établit une distinction entre les traits de personnalité de l'individu et les concepts de traits cardinaux, centraux et secondaires. Le concept d'autonomie fonctionnelle, selon lequel les motivations des adultes peuvent s'affranchir de leur origine, et l'importance accordée à l'étude approfondie des individus (recherche idiographique) sont également associés à Allport.
3. Bien des adeptes de la théorie des traits recourent à l'analyse factorielle pour élaborer une classification des traits. Grâce à cette technique, on classe des groupes d'énoncés ou de réponses (facteurs), les énoncés d'un groupe (facteur) étant étroitement liés les uns aux autres et séparés de ceux d'un autre groupe (facteur).
4. Selon Eysenck, les dimensions fondamentales de la personnalité sont l'introversion-extraversion, le névrosisme et le psychotisme. On a conçu des questionnaires pour évaluer les individus selon ces dimensions. La recherche s'est notamment penchée sur la dimension introversion-extraversion, dans laquelle on a constaté des différences quant au niveau et aux types d'activité. Eysenck soutient que les différences de traits entre les individus ont un fondement biologique et génétique (hérité). Cependant, il suggère aussi qu'il est possible d'effectuer des modifications importantes dans le fonctionnement de la personnalité grâce à la thérapie comportementale.

5. Cattell distingue les méthodes bivariée, multivariée et clinique dans l'étude de la personnalité et il préfère l'étude multivariée qui permet d'établir des corrélations entre de nombreuses variables. Il établit également une distinction entre les traits d'aptitude, les traits de tempérament et les traits dynamiques, ainsi qu'entre les traits de surface et les traits de source. Les traits de source représentent l'association de plusieurs comportements mise au jour grâce à l'analyse factorielle. Ce sont les composantes de base de la personnalité. Même si dans sa recherche il s'appuie surtout sur les questionnaires (voir, par exemple, le questionnaire 16 PF), il s'efforce de démontrer l'existence de ces facteurs en utilisant les évaluations et les tests objectifs. Enfin, Cattell soutient que le comportement dans une situation donnée reflète des variables motivationnelles, comme les ergs et les sentiments, ainsi que des éléments plus transitoires, tels que l'état d'esprit et le rôle.

6. Les théoriciens des traits, comme Allport, Eysenck et Cattell, considèrent que les dispositions constituent des éléments essentiels de la personnalité. Cependant, ils adoptent des approches différentes à bien des égards, notamment au sujet de l'utilisation de l'analyse factorielle pour définir les traits de personnalité et du nombre de traits qui seront utilisés dans la description de la personnalité.

Chapitre 8

La théorie des traits de personnalité :

Le modèle à cinq facteurs et ses applications – l'évaluation critique de la théorie

Le modèle à cinq facteurs

Les termes utilisés pour désigner les traits de personnalité

Les facteurs d'Eysenck et de Cattell : leur intégration aux « Cinq Grands »

Le modèle théorique des « Cinq Grands »

La croissance et le développement

Les applications du modèle

Le débat personne-situation

La stabilité longitudinale

La stabilité intersituationnelle

L'évaluation critique de la théorie des traits

Les avantages

Les limites

Vous voulez vous inscrire aux études supérieures et vous joignez à votre demande des lettres de recommandation rédigées par Allport, par Eysenck et par Cattell. Quel sera le contenu de ces trois lettres ? Elles seront sûrement très différentes. Eysenck parlera de votre comportement et de vos réalisations en fonction de ses trois superfacteurs ; Cattell examinera une vingtaine de traits spécifiques, au moins ; et peut-être Allport élaborera-t-il une interprétation idiographique très détaillée et comportant de nombreuses configurations de traits singuliers. Même si certains thèmes communs se retrouvaient dans les lettres, aucun des théoriciens n'abandonnerait ses positions théoriques les plus chères. Ce qui nous amène à poser la question suivante : comment obtiendrons-nous un consensus au sujet des traits fondamentaux si nous n'arrivons pas à sortir de cette impasse ?

Nous pourrions procéder de la façon suivante. Demandons à mille individus de décrire la personnalité de mille autres individus. Ensuite, compilons tous les adjectifs qui désignent un trait employé dans ces descriptions. On obtiendrait ainsi une liste de descripteurs de la personnalité qui ne serait pas déformée par des idées théoriques préconçues, une liste qui énumérerait fidèlement tous les attributs que les individus considèrent comme importants dans leur vie. Il y aurait certainement de nombreuses redondances (par exemple, *parfait* et *sans défaut* signifient à peu près la même chose), ce qui nous permettrait de réduire la taille de la liste. Si nous effectuions ensuite l'évaluation de ces traits grâce à l'analyse factorielle, nous trouverions les principales dimensions de ces traits de personnalité. Nous aboutirions à un compromis qui ne plairait sans doute pas à tout le monde, mais nous l'aurions néanmoins obtenu grâce à des méthodes reconnues ; le caractère pratique et l'utilité de ces résultats détermineraient s'ils seraient ou non largement admis dans le domaine.

Dans le présent chapitre, nous poursuivrons notre analyse de la théorie des traits et examinerons les efforts entrepris par les chercheurs pour arriver à un consensus en utilisant les méthodes mentionnées ci-dessus. Nous nous concentrerons sur l'accord qui est en train de s'ébaucher au sujet des cinq dimensions fondamentales et nous étudierons la démonstration corroborant ce modèle à cinq facteurs, ainsi que son application à l'individu. Le chapitre se termine sur l'évaluation globale de la théorie des traits de personnalité.

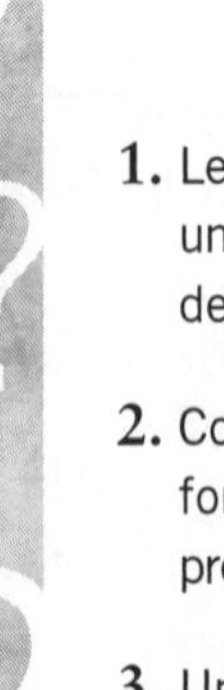

Le chapitre... *en questions*

1. Les chercheurs peuvent-ils s'entendre sur un modèle unique d'organisation des traits de personnalité ?
2. Combien de dimensions la description fondamentale de la personnalité comprend-elle ? Quelles sont ces dimensions ?
3. Un modèle de traits issu de l'analyse factorielle peut-il être lié aux termes de personnalité que nous employons dans le langage courant ? S'agirait-il d'un modèle universel, présent dans toutes les cultures ? Correspondrait-il à notre patrimoine évolutif ?
4. Comment les différences de traits de personnalité entre les individus se répercutent-elles sur l'orientation professionnelle, la santé physique et le bien-être psychologique ?
5. Quelle est la stabilité ou la variabilité des traits en fonction du moment et de la situation ? Autrement dit, jusqu'à quel point la personnalité change-t-elle au fil du temps et des situations ?

FoxTrot de Bill Amend

Au chapitre précédent, nous avons étudié les conceptions d'Allport, d'Eysenck et de Cattell. Nous avons indiqué que ces théoriciens étaient tous d'avis que les traits constituent les composantes fondamentales de la personnalité, qu'ils représentent des dispositions générales à réagir d'une certaine manière. Par ailleurs, ces trois théoriciens divergent d'opinion sur la question de l'utilisation de l'analyse factorielle, du nombre et de la nature des dimensions indispensables pour décrire adéquatement la personnalité.

Comme dans tout autre champ scientifique, la recherche portant sur les traits de personnalité s'appuie sur un modèle qui fait l'objet d'un accord général. Les chercheurs peuvent alors se pencher sur des secteurs spécifiques, plutôt que de passer leur temps à examiner séparément les milliers de traits particuliers qui donnent à l'être humain son caractère singulier et unique. Au cours des quarante dernières années, le nombre de concepts touchant la personnalité ainsi que le nombre de questionnaires conçus pour les mesurer n'ont cessé d'augmenter. Les chercheurs, de même que ceux qui s'occupent de l'évaluation de la personnalité, doivent jongler avec une ahurissante batterie de mesures des traits. La langue anglaise, par exemple, comporte plus de cinq mille mots servant à désigner les traits de personnalité. Selon Cattell, « le problème qui se pose quand on veut mesurer les traits, c'est qu'il y en a trop! » (1965, p. 55). Au cours des années 1980 et au début des années 1990, les chercheurs à l'œuvre dans ce domaine ont surtout cherché à organiser tous les traits de manière à en faire une structure cohérente.

Pendant des années, les débats ont fait rage parmi les chercheurs, Eysenck, Cattell et autres, concernant le nombre et la nature des aspects fondamentaux des traits de personnalité; l'éclatement et le désordre régnaient alors dans ce domaine. Depuis les années 1980, les méthodes, notamment l'analyse factorielle, se sont peu à peu perfectionnées et améliorées, ce qui a donné lieu à un début de consensus. De nombreux chercheurs, appartenant surtout à la nouvelle génération, sont aujourd'hui d'avis qu'il est utile d'organiser les traits en fonction de cinq grandes dimensions bipolaires (John, 1990; Costa et McCrae, 1992); on les appelle en anglais les « Big Five », ce qui signifie littéralement les « Cinq Grands » en raison de leur très haut niveau d'abstraction, qui fait en sorte que chacune de ces dimensions regroupe les traits les plus importants.

Le modèle à cinq facteurs

> La dernière décennie a connu une vague d'intérêt galvanisante à l'égard du problème le plus fondamental dans le domaine des traits de personnalité, c'est-à-dire de la recherche d'une taxinomie scientifiquement irréfutable. Plus important encore, on commence à se mettre d'accord sur ce qui devrait constituer le cadre général d'une telle représentation taxinomique.
>
> Goldberg, 1993, p. 26.

> Aujourd'hui, nous croyons qu'il est plus avantageux d'adopter l'hypothèse que le modèle à cinq facteurs est essentiellement correct dans sa représentation de la structure des traits... Si cette hypothèse est juste, si nous avons vraiment repéré les dimensions fondamentales de la personnalité, il s'agit d'un tournant décisif dans le domaine de la psychologie de la personnalité.
>
> McCrae et John, 1992 p. 176.

La corroboration du modèle à cinq facteurs provient surtout de trois éléments: l'analyse factorielle de grands ensembles de traits en fonction de la langue, la recherche interculturelle confirmant l'universalité des dimensions et la mise en rapport des questionnaires visant à évaluer les traits avec d'autres questionnaires et évaluations. Dans le présent chapitre, nous étudierons chacun de ces aspects, ainsi que les diverses applications possibles du modèle.

LES TERMES UTILISÉS POUR DÉSIGNER LES TRAITS DE PERSONNALITÉ

L'une des techniques employées pour mettre au jour les composantes de base de la personnalité consiste à étudier les termes que nous utilisons pour décrire la personnalité. Voici la façon de faire: on demande aux participants de s'autoévaluer ou d'évaluer des personnes en fonction d'un grand nombre de traits puisés dans le dictionnaire (John, Angleitner et Ostendorf, 1988). Les résultats font ensuite l'objet d'une analyse factorielle ayant pour but de déceler les rapports de concomitance entre les traits. Par exemple, en se fondant sur des travaux d'Allport, de Cattell et d'autres, Norman (1963) a effectué une analyse factorielle de l'évaluation effectuée par les pairs et délimité cinq facteurs fondamentaux de la personnalité. On a relevé à plusieurs reprises cinq facteurs du même genre dans des études nombreuses, menées par des chercheurs différents et faisant appel à un large éventail de données, d'échantillons et d'instruments d'évaluation (John, 1990). En outre, on a constaté que ces cinq facteurs présentaient une fidélité et une validité considérables et qu'ils demeuraient relativement stables au cours de la vie adulte (McCrae et Costa, 1990, 1994).

En 1981, Lewis R. Goldberg analyse les travaux d'autres chercheurs, ainsi que les siens propres. Impressionné par la constance des résultats, il affirme qu'« il devrait être possible de soutenir que tout modèle élaboré afin de structurer les différences entre les individus devra englober — à un certain niveau — quelque chose qui ressemble à ces cinq grandes dimensions » (p. 159). C'est ainsi qu'on a commencé à parler des facteurs comme des «**Cinq Grands**». Le terme « grand » se rapporte au fait que chaque facteur comprend de nombreux traits particuliers. Les « Cinq Grands » sont presque aussi généraux et abstraits que les « superfacteurs » d'Eysenck. Plusieurs termes légèrement différents ont été employés pour désigner les cinq

« Cinq Grands » *(Big Five).*
Dans la théorie des facteurs de trait, les cinq principales catégories de traits, notamment l'émotivité, l'activité et la sociabilité.

grands facteurs (voir le tableau 8.1)[1]; nous avons choisi d'adopter les termes de névrosisme (*neuroticism*), d'extraversion (*extraversion*), d'ouverture (*openness*), d'amabilité (*agreeableness*) et d'esprit consciencieux (*conscientiousness*).

Pour illustrer la signification des facteurs, nous énumérons dans le tableau 8.1 un certain nombre d'adjectifs qui décrivent les caractéristiques des individus selon qu'ils obtiennent un score élevé ou peu élevé pour l'un ou l'autre des facteurs. Le névrosisme oppose la stabilité émotionnelle à une large gamme de sentiments négatifs, notamment l'angoisse, la tristesse, l'irritabilité et la tension nerveuse. L'ouverture évoque l'ampleur, la profondeur et la complexité de la vie expérientielle et psychique. L'extraversion et l'amabilité rassemblent des traits interpersonnels,

Tableau 8.1 Les cinq grands facteurs et quelques exemples de traits

Caractéristiques de l'individu obtenant un score élevé	Grands facteurs	Caractéristiques de l'individu obtenant un score peu élevé
	NÉVROSISME (N)	
Inquiet, nerveux, émotif, anxieux, inadapté, hypocondriaque	Évalue l'adaptation par rapport à l'instabilité émotionnelle. Permet de repérer les personnes sujettes à la détresse psychologique, aux idées irréalistes, aux besoins ou aux désirs excessifs, et aux stratégies d'adaptation (*coping*) inappropriées.	Calme, détendu, flegmatique, robuste, tranquille, satisfait
	EXTRAVERSION (E)	
Sociable, actif, volubile, ouvert aux autres, optimiste, aimant s'amuser, affectueux	Évalue la quantité et l'intensité de l'interaction interpersonnelle, du niveau d'activité, du besoin de stimulation et de la capacité de s'amuser.	Réservé, sobre, peu démonstratif, distant, centré sur la tâche, discret, tranquille
	OUVERTURE (O)	
Curieux, éclectique, créatif, original, imaginatif, non conformiste	Évalue la recherche proactive et la capacité d'apprécier les expériences pour elles-mêmes, de tolérer l'inconnu et de l'explorer.	Conformiste, réaliste, exclusif, sens artistique et esprit d'analyse peu développés
	AMABILITÉ (A)	
Compatissant, facile à vivre, confiant, serviable, indulgent, crédule, franc	Évalue la qualité de l'orientation interpersonnelle de l'individu le long d'un continuum, de la compassion à l'antagonisme dans les idées, les sentiments et les actes.	Cynique, impoli, méfiant, peu coopératif, vindicatif, impitoyable, irritable, manipulateur
	ESPRIT CONSCIENCIEUX (E)	
Organisé, fiable, travailleur, discipliné, ponctuel, méticuleux, soigneux, ambitieux, persévérant	Évalue le degré d'organisation, de persévérance et de motivation dans le comportement de l'individu orienté vers un but. Compare l'individu fiable et minutieux à celui qui fait preuve de nonchalance et de négligence.	Sans but, peu fiable, paresseux, insouciant, relâché, négligent, velléitaire, hédoniste

SOURCE : Costa et McCrae, 1992, p. 2.

1. Note des adaptateurs : L'interprétation sémantique des dimensions des « Cinq Grands » se base sur les textes scientifiques et diffère donc de l'usage courant. De plus, les noms des cinq dimensions ne font pas l'unanimité à l'heure actuelle chez les chercheurs francophones. Nous proposons d'utiliser dans cet ouvrage les cinq termes suivants, dont la valeur sémantique se rapproche de celle des termes anglais ; signalons cependant qu'il nous a été particulièrement difficile de rendre le sens du mot *conscientiousness*.

autrement dit l'un et l'autre facteur désignent le mode d'interaction avec autrui. Enfin, l'esprit consciencieux se rapporte surtout au comportement centré sur des tâches et des buts précis, ainsi qu'à la maîtrise des impulsions qu'exige la société.

Les définitions qui figurent au tableau 8.1 reposent sur les travaux de Costa et McCrae (1985; 1990; 1992). Les définitions proposées par d'autres chercheurs s'en rapprochent beaucoup. Ainsi, Goldberg (1992) a conçu une liste de traits bipolaires (par exemple: silencieux/volubile) que l'on peut utiliser pour évaluer son score personnel à l'égard des « Cinq Grands ». La figure 8.1 présente une version abrégée de cet inventaire.

L'hypothèse lexicale fondamentale

Hypothèse lexicale fondamentale *(fundamental lexical hypothesis).* Hypothèse selon laquelle les différences les plus importantes entre les individus à propos des rapports humains ont été encodées dans la langue au fil du temps, sous forme de termes uniques.

Les « Cinq Grands » ont été conçus pour dégager les traits de personnalité que les individus jugent les plus importants dans leur vie. Goldberg a expliqué bien clairement les raisons de cette approche en fonction de l'**hypothèse lexicale fondamentale** (la langue):

> Les différences entre les individus s'inscrivent dans un éventail pratiquement illimité; pourtant, ces différences sont pour la plupart dénuées de signification dans les contacts quotidiens qu'on entretient avec autrui et elles passent pour l'essentiel inaperçues. M. Francis Galton a été sans doute parmi les premiers scientifiques à énoncer explicitement l'hypothèse lexicale fondamentale, à savoir que les différences les plus importantes entre les individus dans les rapports humains sont encodées par des mots uniques, dans bon nombre, sinon toutes, les langues du monde.
>
> Goldberg, 1990, p. 1216.

Ainsi Goldberg soutient-il qu'au fil du temps les êtres humains ont détecté qu'il y avait dans les interactions entre les individus des différences particulièrement importantes et qu'ils ont inventé des mots pour s'y référer facilement. Ces termes fournissent des renseignements au sujet des différences entre les individus qui sont essentielles pour assurer notre bien-être personnel, celui de notre groupe ou clan. Ils servent à prévoir les événements et à exercer sur eux une certaine emprise; ils nous permettent de nous représenter le comportement d'autrui et ainsi d'influer sur le déroulement de notre vie (Chaplin *et al.*, 1988). Ils permettent donc de répondre aux questions concernant le comportement probable de l'individu dans un large éventail de situations.

La recherche interculturelle: les « Cinq Grands » sont-ils universels?

Si des questions universelles se posent au sujet des différences entre les individus concernant les rapports qu'ils entretiennent, on pourrait s'attendre à ce que les mêmes traits fondamentaux apparaissent dans nombre de langues. Est-ce le cas? La recherche interculturelle consacrée aux traits de personnalité a véritablement explosé au cours des années 1990 en raison de l'intérêt accru des psychologues américains à l'égard de la recherche interculturelle; de plus, le courrier électronique facilite les communications entre les équipes de recherche à l'œuvre dans de nombreux pays et leur permet de se pencher sur la question des cinq grands facteurs. Des équipes d'Europe de l'Est, travaillant notamment en Pologne, dans l'ancienne Tchécoslovaquie, en Hongrie et en Russie, ont lancé des études lexicales des traits de personnalité, en commençant par leurs langues respectives. Les données n'ont pas toutes été recueillies et on se rend compte que des problèmes méthodologiques peuvent avoir influé sur certains résultats.

Prière de remplir ce questionnaire en tenant compte des directives suivantes :

Essayez de vous décrire le plus exactement possible. Décrivez-vous tel que vous êtes maintenant, et non tel que vous souhaiteriez être. Décrivez-vous tel que vous êtes habituellement, en vous comparant à des gens que vous connaissez, du même sexe et à peu près du même âge. Pour chacun des traits énumérés, encerclez le chiffre qui vous décrit le mieux.

Quel score avez-vous obtenu ? N'oubliez pas que cette liste ne constitue pas un test en bonne et due forme, mais bien un exercice servant à vous familiariser avec les cinq grands facteurs et à la façon dont ils pourraient s'appliquer à votre cas. Néanmoins, si vous voulez connaître votre score dans chaque dimension, calculez vos résultats pour chaque facteur. Additionnez simplement les cinq chiffres que vous avez encerclés pour l'extraversion (E) et divisez la somme obtenue par cinq. Effectuez la même opération pour les autres facteurs. Dans quel facteur avez-vous obtenu le score le plus élevé ? et le score le plus bas ? Les cinq scores obtenus correspondent-ils à ce que vous aviez prévu ? Y a-t-il des écarts surprenants avec votre façon de vous percevoir en général ?

	Beaucoup		Modérément		Ni l'un ni l'autre		Modérément		Beaucoup	
	INTROVERSION OU EXTRAVERSION									
Silencieux	1	2	3	4	5	6	7	8	9	Volubile
Réservé	1	2	3	4	5	6	7	8	9	Qui s'affirme
Prudent	1	2	3	4	5	6	7	8	9	Audacieux
Sans énergie	1	2	3	4	5	6	7	8	9	Énergique
Timoré	1	2	3	4	5	6	7	8	9	Intrépide
	ANTAGONISME OU AMABILITÉ									
Désagréable	1	2	3	4	5	6	7	8	9	Aimable
Peu coopératif	1	2	3	4	5	6	7	8	9	Coopératif
Égoïste	1	2	3	4	5	6	7	8	9	Désintéressé
Méfiant	1	2	3	4	5	6	7	8	9	Confiant
Mesquin	1	2	3	4	5	6	7	8	9	Généreux
	DÉSORGANISATION OU ESPRIT CONSCIENCIEUX									
Désorganisé	1	2	3	4	5	6	7	8	9	Organisé
Irresponsable	1	2	3	4	5	6	7	8	9	Responsable
Dépourvu d'esprit pratique	1	2	3	4	5	6	7	8	9	Doté d'esprit pratique
Négligent	1	2	3	4	5	6	7	8	9	Soigneux
Paresseux	1	2	3	4	5	6	7	8	9	Travailleur
	STABILITÉ ÉMOTIONNELLE OU NÉVROSISME									
Détendu	1	2	3	4	5	6	7	8	9	Tendu
À l'aise	1	2	3	4	5	6	7	8	9	Nerveux
Stable	1	2	3	4	5	6	7	8	9	Instable
Satisfait	1	2	3	4	5	6	7	8	9	Insatisfait
Peu émotif	1	2	3	4	5	6	7	8	9	Émotif
	FERMETURE AUX EXPÉRIENCES NOUVELLES OU OUVERTURE									
Peu imaginatif	1	2	3	4	5	6	7	8	9	Imaginatif
Peu créatif	1	2	3	4	5	6	7	8	9	Créatif
Peu curieux	1	2	3	4	5	6	7	8	9	Curieux
Peu réfléchi	1	2	3	4	5	6	7	8	9	Réfléchi
Peu sophistiqué	1	2	3	4	5	6	7	8	9	Raffiné
	Beaucoup		Modérément		Ni l'un ni l'autre		Modérément		Beaucoup	

Figure 8.1 Version abrégée de l'inventaire des caractéristiques individuelles selon Goldberg.

La traduction constitue l'un des plus grands problèmes ; on trouve peu de traductions bijectives d'une langue à l'autre et même les mots apparentés (par exemple, le mot *aggressive* en anglais et *agressif* en français) ne signifient pas nécessairement la même chose (en français, il signifie *hostile*, alors qu'en anglais il signifie plutôt *énergique, sûr de soi*). Ainsi, un terme comme *outgoing* (trait de l'extraversion), mais mal traduit en français par *affectueux* (trait relevant de l'amabilité), peut amener les chercheurs à se demander s'ils ont trouvé le même facteur dans les deux langues. Hofstee et ses collègues (1997) ont donc repéré cent vingt-six mots qu'ils pouvaient traduire directement en anglais, en néerlandais et en allemand, à partir des études lexicales qu'ils avaient réalisées, et utiliser pour comparer la signification des facteurs dans les trois langues. Ces résultats révèlent une congruence considérable dans ces trois langues apparentées, à une exception près : l'ouverture. Le facteur présentait une grande similitude en allemand et en anglais ; en néerlandais, cependant, il comprenait non seulement les traits associés à l'intelligence et à l'imagination (par exemple inventif, original, imaginatif), comme on s'y attendait, mais également des traits liés au non-conformisme et à l'esprit de rébellion. On a observé une variante similaire à l'ouverture dans des études de traits entreprises en italien et en hongrois (Caprara et Perugini, 1994).

Dans une analyse quantitative récente (De Raad *et al.*, 1998), on a comparé les résultats de nombreuses études européennes et on a conclu que des facteurs similaires aux « Cinq Grands » ont été décelés dans la plupart des langues, mais que la démonstration est moins convaincante concernant l'ouverture, qui apparaît sous diverses formes. Les langues et les cultures non occidentales (chinois, japonais, philippin) n'ont suscité qu'un petit nombre d'études et, là encore, l'ouverture présente la reproductibilité la plus faible.

Il importe de ne pas surestimer la valeur des preuves de l'universalité. McCrae et Costa (1997) ont soutenu, avec beaucoup de conviction, que la structure de la personnalité obéissant aux « Cinq Grands » est universelle chez l'être humain. Ils font reposer leur démonstration détaillée sur l'instrument dont ils disposent pour mesurer les « Cinq Grands » (l'inventaire de personnalité NEO-PI-R ; voir plus loin), dont nous reparlerons sous peu ; cette liste a été traduite dans un grand nombre de langues et, de fait, les cinq facteurs que nous connaissons reviennent avec une grande régularité. Cependant, lorsque les chercheurs ajoutent des termes indigènes, c'est-à-dire des mots issus de la langue maternelle à l'étude, les résultats sont plus complexes (Saucier et Goldberg, 1996). En effet, les résultats peuvent différer selon que les termes sont « imposés » aux membres de la culture ou qu'ils proviennent de la langue employée par ceux-ci.

Certains chercheurs ont soutenu en effet qu'il existe peut-être d'autres facteurs relevant de cultures particulières. Mentionnons par exemple la « tradition chinoise » (Cheung *et al.*, 1996), qui semble receler des valeurs et des attitudes considérées comme importantes dans la société chinoise traditionnelle. Ces facteurs culturels spécifiques existent peut-être, mais il faudra d'autres confirmations et de nouvelles études pour leur accorder le statut de faits empiriques. Par exemple, il est possible que ces facteurs ne reflètent pas à proprement parler des traits de personnalité propres, mais plutôt d'autres types de différences entre les individus, telles que les attitudes et les croyances (par exemple, conservateur ou libéral). Bref, il est de plus en plus manifeste (quoique de façon encore limitée) que des individus appartenant à diverses cultures, utilisant des langues très différentes, interprètent la personnalité d'une manière semblable aux « Cinq Grands ». Comme l'indiquent De Raad,

Perugini et leurs collègues (1998), les résultats révèlent que « le profil général du modèle des « Cinq Grands » est l'hypothèse qui rend le mieux compte de l'universalité de la structure des traits » (p. 214).

Les « Cinq Grands » dans les questionnaires de personnalité

Vous savez sans doute déjà qu'il existe de nombreux questionnaires dans le domaine de la personnalité. Ils ont été élaborés en rapport avec presque tous les concepts et presque toutes les théories de la personnalité. Au chapitre précédent, nous avons mentionné les questionnaires de personnalité d'Eysenck et le questionnaire de personnalité 16 PF de Cattell. D'autres chercheurs appartenant à ce courant ont conçu une série de questionnaires, par exemple la version abrégée de l'inventaire bipolaire de Goldberg (1992), qui vise à mesurer les « Cinq Grands » en recourant aux adjectifs décrits plus haut. Outre ces mesures fondées sur les adjectifs, on se sert beaucoup d'un questionnaire très précis pour mesurer les « Cinq Grands ».

L'inventaire de personnalité NEO-PI-R et sa structure hiérarchique : les facettes ■ En trois étapes de conception et de révision, Costa et McCrae (1985, 1989, 1992) ont mis au point un questionnaire, l'*inventaire de personnalité NEO révisé* (NEO se rapportant à *neuroticism*, *extraversion* et *openness*, et PI-R à Personality Inventory Revised), afin d'évaluer les cinq grands facteurs de la personnalité. À l'origine, cet instrument mesurait trois facteurs : le névrosisme, l'extraversion et l'ouverture. Peu après vinrent s'ajouter deux autres facteurs, l'amabilité et l'esprit consciencieux, pour se conformer au **modèle à cinq facteurs**. De plus, chacun des cinq grands facteurs (ou domaines) comporte six **facettes** ; les facettes représentent les traits ou éléments plus particuliers qui constituent chacun des cinq grands facteurs généraux.

Modèle à cinq facteurs *(five-factor model)*.
Consensus naissant parmi les théoriciens des traits au sujet des cinq facteurs fondamentaux de la personnalité humaine : névrosisme, extraversion, ouverture, amabilité et esprit consciencieux.

Facettes *(facets)*.
Traits plus spécifiques (ou composantes) qui relèvent des cinq grands facteurs. Par exemple, les facettes de l'extraversion sont : *activité, affirmation de soi, recherche d'émotions fortes, affects positifs, sociabilité* et *chaleur*.

Les six facettes définissant chacun des cinq grands facteurs figurent au tableau 8.2 ; elles sont représentées par un personnage célèbre, réel ou imaginaire, ayant obtenu un score particulièrement élevé pour chacun des facteurs. Par exemple, dans l'inventaire de personnalité NEO-PI-R conçu par Costa et McCrae, l'extraversion se définit par les six facettes suivantes : *activité, affirmation de soi, recherche d'émotions fortes, affects positifs, sociabilité* et *chaleur*. Ces six facettes n'expriment-elles pas certains traits qui décrivent l'ancien président américain Bill Clinton ? On mesure chaque facette selon 8 éléments, de sorte que le plus récent inventaire de personnalité NEO-PI-R comprend au total 240 éléments (c'est-à-dire 5 facteurs × 6 facettes × 8 éléments). Par exemple, les deux éléments suivants appartiennent à la facette *activité* : « Ma vie se déroule à un rythme rapide» et « Quand je fais quelque chose, je ne le fais pas à moitié» (Costa et McCrae, 1992, p. 70). Effectivement, la plupart des observateurs conviennent que la vie du président Clinton à la Maison-Blanche se déroulait *à un rythme rapide* et qu'il ne faisait certainement pas les choses *à moitié*, comme le rapporte l'article de journal à la page suivante.

Lorsque l'inventaire de personnalité NEO-PI-R est administré dans un cadre expérimental ou clinique, les participants indiquent s'ils sont d'accord ou non avec chaque élément, en utilisant une échelle comportant cinq points. Les résultats obtenus sont tous relativement fidèles et leur validité s'applique à divers types de données, notamment à l'évaluation par les pairs ou par les conjoints. McCrae et Costa (1990) plaident énergiquement pour qu'on emploie des questionnaires structurés en vue d'évaluer la personnalité ; ils contestent le recours aux tests projectifs et aux entrevues

L'énergie du président

Entre les fêtes, le golf et la lecture, il lui reste peu de temps pour se reposer.

À peine une semaine s'est écoulée depuis qu'il est arrivé à Martha's Vineyard pour les vacances, et depuis lors le président n'est jamais rentré chez lui avant 23 h ; il a joué du saxophone avec un orchestre de jazz, discuté brièvement avec un coursier à vélo, participé à au moins quatre collectes de fonds et à plusieurs fêtes, et n'oublions pas ses deux parcours de golf et la douzaine de gros livres qu'il a apportés avec lui.

Les vacances présidentielles nous en apprennent peut-être davantage au sujet de la personnalité et des penchants de notre président qu'une foule de discours politiques. Ronald Reagan aimait l'équitation et la vie de ranch, et ne lisait pas beaucoup pendant l'été. George Bush pilotait de bruyants hors-bord. Richard Nixon se promenait sur la plage. Bill Clinton, bien connu pour son amour de la bonne chère, de la conversation et des idées, croit apparemment qu'il ne faut pas passer ses vacances à des choses aussi frivoles que le sommeil, mais plutôt faire le plein de fêtes, de golf et de lecture.

Charles Babington, *San Francisco Chronicle*, 25 août 1999, p. A-4.

Tableau 8.2 Les six facettes de chacun des cinq grands facteurs

Facteur	Facettes	Exemple
Extraversion	Sociabilité Activité Affirmation de soi Recherche des émotions fortes Affects positifs Chaleur	Bill Clinton, président des États-Unis, 1993-2001
Amabilité	Franchise Confiance Altruisme Modestie Compassion Caractère accommodant	Radar, personnage du film *M.A.S.H.*
Esprit consciencieux	Discipline Sens du devoir Compétence Ordre Réflexion Quête de la réussite	Spock, personnage de *Star Trek*
Névrosisme	Angoisse Conscience de soi Dépression Vulnérabilité Impulsivité Hostilité	Woody Allen, réalisateur
Ouverture	Imagination Sens esthétique Sentiments Idées Actions Valeurs	Lewis Carroll, auteur d'*Alice au pays des merveilles*

cliniques, qu'ils jugent peu rigoureux et susceptibles d'être imprégnés d'idées préconçues. On a également démontré que les échelles de l'inventaire de personnalité NEO-PI-R concordent avec d'autres instruments de mesure des « Cinq Grands », par exemple avec les inventaires d'adjectifs de Goldberg (1992; voir également John et Srivastava, 1999; Benet-Martinez et John, 1998). Néanmoins, il est important de signaler que les instruments ne mettent pas toujours en évidence les mêmes facettes. Par exemple, Goldberg valorise les aspects intellectuel et créatif dans ses mesures du cinquième facteur, l'ouverture, et préfère donc le désigner par les termes « intellect » ou « imagination » ; McCrae (1996) critique cette définition qu'il trouve trop étroite (tableau 8.2). De plus, Costa et McCrae inscrivent la chaleur dans la dimension de l'extraversion, tandis que d'autres chercheurs trouvent que la chaleur est plus étroitement liée à l'amabilité (John et Srivastava, 1999). Ainsi, il subsiste entre les chercheurs des divergences qui devront un jour être aplanies.

LES FACTEURS D'EYSENCK ET DE CATTELL : LEUR INTÉGRATION AUX « CINQ GRANDS »

En supposant que l'inventaire de personnalité NEO-PI-R constitue une mesure adéquate du modèle à cinq facteurs, quelle corrélation peut-on établir avec les mesures effectuées précédemment par d'autres chercheurs ? Costa et McCrae voient dans ces considérations une mise en cause de la validité du test, ainsi que de l'utilité du modèle à cinq facteurs, et ils démontrent amplement que les scores de l'inventaire de personnalité NEO-PI-R sont, comme prévu, en corrélation avec les scores d'autres questionnaires de personnalité. Il en est notamment ainsi des scores d'autres questionnaires reposant sur l'analyse factorielle (chapitre 7), par exemple les questionnaires d'Eysenck et le questionnaire de personnalité 16 PF de Cattell (Costa et McCrae, 1992, 1994b).

Ces résultats sont importants parce qu'ils permettent enfin d'intégrer les anciens modèles d'analyse factorielle aussi bien aux « Cinq Grands » qu'entre eux. On a constaté notamment que les superfacteurs de l'extraversion et du névrosisme d'Eysenck étaient pratiquement identiques aux facteurs du même nom dans les « Cinq Grands » et que son superfacteur du psychotisme correspondait à un degré peu élevé d'amabilité et d'esprit consciencieux : les personnes qui obtiennent un score élevé de psychotisme, tels que les criminels, sont à la fois désagréables et irresponsables (Clark et Watson, 1999; Costa et McCrae, 1995; Goldberg et Rosolack, 1994).

De même, les échelles du questionnaire 16 PF de Cattell (voir le tableau 7.4 au chapitre précédent) établissent une correspondance cohérente sur le plan théorique avec les cinq grands facteurs généraux (McCrae et Costa, 1990). Par exemple, on observe une corrélation entre les éléments chaleureux, dominateur et audacieux et le facteur de l'extraversion appartenant à l'inventaire de personnalité NEO-PI; confiant et sensible correspondent à l'amabilité; consciencieux, discipliné et pondéré, à l'esprit consciencieux; facilement troublé, tendu et craintif, au névrosisme; imaginatif et innovateur, à l'ouverture. En consultant la figure 7.1, nous saisissons bien que les trois facteurs d'Eysenck s'appliquent de manière aussi générale que les « Cinq Grands », et même davantage dans le cas du psychotisme, alors que les seize facteurs de Cattell présentent à peu près le même niveau hiérarchique que les facettes des « Cinq Grands ». Ainsi, les « Cinq Grands » nous offrent un cadre global auquel nous pouvons intégrer les deux concepts d'Eysenck et de Cattell, et ainsi mieux les comprendre.

En outre, l'inventaire de personnalité NEO-PI-R révèle qu'il existe des rapports cohérents sur le plan théorique avec des mesures de la personnalité recueillies par d'autres moyens (par exemple, avec les résultats du Q-sort) et avec des questionnaires issus d'approches théoriques assez différentes (le modèle des motivations de la personnalité élaboré par Murray). Le modèle de Murray revêt une importance particulière puisqu'il offre la possibilité d'établir des liens entre les traits et les motivations (Pervin, 1999). Se fondant sur ces études, McCrae et Costa affirment que les cinq grands facteurs, tels qu'ils sont mesurés par l'inventaire de personnalité NEO-PI-R, sont nécessaires et suffisants pour décrire les dimensions fondamentales de la personnalité. Ils soutiennent même qu'« aucun autre système n'est aussi complet et néanmoins aussi parcimonieux » (1990, p. 51).

La possibilité de comparer les résultats de l'autoévaluation et de l'évaluation effectuée par d'autres représente également un aspect intéressant de l'inventaire de personnalité NEO-PI-R. Nombre d'études comparent les résultats de l'autoévaluation effectuée par les participants aux résultats de l'évaluation effectuée par les pairs et les conjoints. Selon McCrae et Costa (1990), les résultats de l'autoévaluation correspondent en grande partie à ceux de l'évaluation par les pairs et les conjoints, pour chacun des cinq facteurs. L'accord entre l'autoévaluation et l'évaluation effectuée par le conjoint est plus substantiel que celui qu'on peut noter entre l'évaluation réalisée par soi et par les pairs, peut-être parce que les conjoints se connaissent habituellement mieux que les amis ou qu'ils discutent beaucoup de leur personnalité respective (voir Kenny, 1994). Cette recherche a fait apparaître deux résultats importants : (1) selon la distinction établie au chapitre 2 entre les données fournies par l'observation de soi et celles qui proviennent de l'observation par autrui, on constate la présence des cinq mêmes facteurs dans les autoévaluations et les évaluations par autrui ; et (2) il existe un accord acceptable entre les observateurs en ce qui concerne la place de l'individu pour chacun des cinq grands facteurs. Ces résultats démontrent encore davantage l'utilité tant des mesures reposant sur l'autoévaluation que de celles du modèle à cinq facteurs.

LE MODÈLE THÉORIQUE DES « CINQ GRANDS »

Pour rendre compte des « Cinq Grands », McCrae et Costa (1999) ont proposé un modèle théorique qu'ils ont appelé la théorie des cinq facteurs (« Five-Factor Theory » ; voir la figure 8.2). En gros, ils considèrent les « Cinq Grands » comme des tendances fondamentales ayant un fondement biologique, ce qui signifie que les différences de comportement liées aux « Cinq Grands » sont représentées dans le corps en fonction des gènes, de la structure cérébrale, etc. Ces tendances fondamentales — dispositions à agir et à ressentir d'une certaine manière — ne subissent pas directement les effets de l'environnement. Soulevant encore une fois le débat qui oppose la nature et la culture, ils déclarent : « L'essentiel de notre argumentation est facile à énoncer ; les traits de personnalité, comme les tempéraments, constituent des dispositions endogènes qui empruntent les voies du développement endogène, indépendant des facteurs environnementaux » (McCrae *et al.*, 2000, p. 173). Citant à l'appui de leur thèse le caractère héréditaire de ces tendances fondamentales, les limites de l'apport parental et le fait qu'on les retrouve chez d'autres cultures et d'autres espèces, McCrae et Costa soutiennent que la personnalité subit une **maturation intrinsèque**. Selon cette façon de penser, les traits de personnalité relèvent davantage de la biologie humaine que de l'expérience et le milieu n'influe pas, ou presque pas, sur le développement des tendances fondamentales. Celles-ci

Maturation intrinsèque *(intrinsic maturation).*
Concept de McCrae et Costa selon lequel le développement des traits de personnalité est déterminé par la biologie et est relativement indépendant de l'influence du milieu.

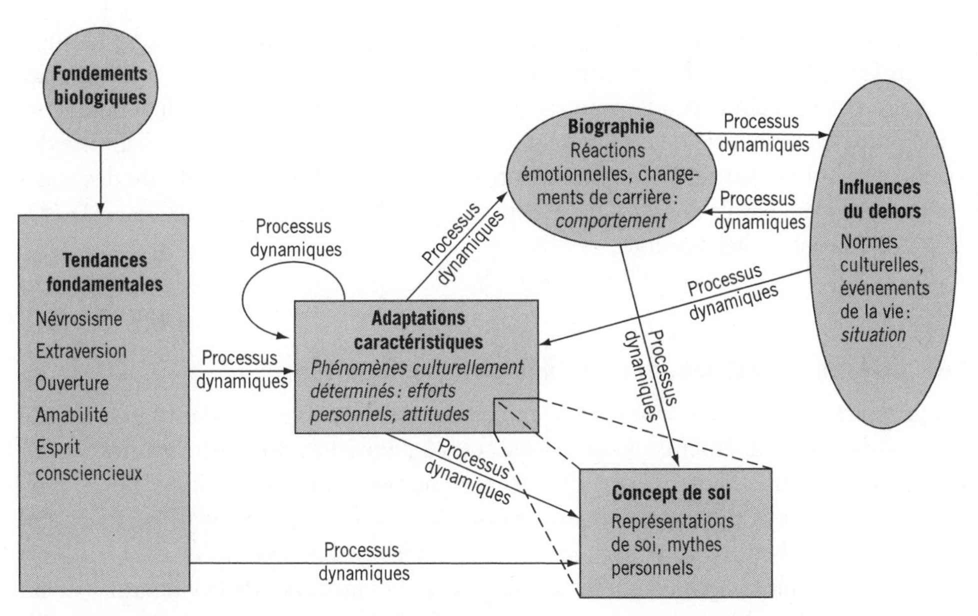

Figure 8.2 Représentation de la théorie des cinq facteurs Les constituants essentiels se trouvent dans les rectangles; les éléments qui assurent la liaison se trouvent dans les ellipses. (Costa et McCrae, 1999, reproduction autorisée, Guilford Press.)

ont plutôt des répercussions sur la vie de l'individu, tant sur son concept de soi (voir les chapitres 5 et 6) que sur sa façon particulière de s'adapter, entre autres sur les attitudes, les objectifs personnels, la croyance en son efficacité et sur d'autres variables que nous aborderons dans les chapitres qui suivent. La façon particulière de s'adapter et l'influence du dehors (par exemple les conditions favorables, les normes, les privations) déterminent les choix de l'individu et les décisions qu'il prend au fil du temps. Ces décisions s'expriment dans la biographie (similaire à l'histoire de vie étudiée aux chapitres 2 et 7) et également dans le concept de soi, par lesquels l'individu élabore son récit de vie, son mythe personnel, et ainsi de suite.

Globalement, ce modèle présente un grand potentiel d'intégration, parce qu'il met en rapport, d'une part, l'approche biologique des traits et des facteurs environnementaux et, d'autre part, les variables observables de la personnalité qui sont d'une si grande importance pour les autres courants théoriques présentés dans cet ouvrage. Néanmoins, le modèle donne lieu à plus de questions que de réponses. Notez le nombre de flèches indiquant « processus dynamiques ». La théorie des traits a peu à dire au sujet de ces processus; selon McCrae et Costa (1999), il s'agit là de détails qui seront fournis par d'autres approches théoriques de la personnalité. L'existence d'un modèle explicitement formulé, même s'il n'est pas encore bien élaboré, éclaire deux points importants: (1) les traits ne sont pas les seules composantes de la personnalité; et (2) les traits occupent effectivement une place importante dans une théorie globale de la personnalité.

LA CROISSANCE ET LE DÉVELOPPEMENT

Dans l'ensemble, les chercheurs qui appartiennent au courant des cinq grands facteurs se sont concentrés sur l'étude de la personnalité *chez les adultes,* en étudiant la stabilité et la variabilité de la personnalité durant la maturité et la vieillesse; ils laissent cependant aux psychologues du développement le soin de résoudre la question de savoir comment la personnalité évolue depuis l'enfance jusqu'à une maturité structurée par les cinq grands facteurs que nous connaissons. Bien que les chercheurs s'inspirant de la théorie des traits de personnalité divergent quant à la stabilité des traits pendant l'enfance, la plupart d'entre eux admettent que la stabilité des traits est passablement élevée durant l'âge adulte (Caspi et Roberts, 1999 ; McCrae et Costa, 1997 ; Roberts et Del Vecchio, 2000).

Les différences attribuables à l'âge chez les adultes

En gros, les niveaux des cinq grands facteurs sont-ils stables pendant la vie adulte ou y a-t-il des changements généraux associés à l'âge ? Les premières études américaines révèlent que l'âge n'a que des effets minimes, quoique significatifs. En particulier, les adultes plus âgés obtiennent des scores de *névrosisme*, d'*extraversion* et d'*ouverture* beaucoup plus faibles, et des scores d'*amabilité* et d'*esprit consciencieux* plus élevés que les adolescents et les adultes au début de la vingtaine (Costa et McCrae, 1994). En un sens, certains de ces résultats sont encourageants puisqu'ils montrent que le vieillissement comporte des effets désirables. On comprend ces résultats lorsque l'on compare les élèves des niveaux secondaire, collégial et universitaire avec leurs parents (adultes plus âgés). Les adolescents semblent en moyenne ressentir une plus grande anxiété et s'inquiéter davantage de l'approbation des autres et de l'estime de soi (névrosisme plus élevé), ils passent plus de temps au téléphone et dans les contacts avec leurs amis (extraversion plus élevée), ils sont plus disponibles pour se livrer à diverses expériences et expérimentations (ouverture plus marquée) ; toutefois, ils sont également plus critiques et plus exigeants envers certaines personnes en particulier et envers la société en général (amabilité plus faible), et moins consciencieux et responsables que ce que les autres (parents, enseignants, policiers) attendent d'eux (esprit consciencieux plus faible).

Par exemple, il n'est pas surprenant d'entendre parler chez certains anglophones de «*jeunes gens* en colère », et non pas d'« hommes d'âge mûr en colère » ou de « grands-pères en colère ». L'adolescence et le début de la vingtaine sont effectivement les périodes où l'insatisfaction, l'agitation et la révolte se manifestent le plus. La baisse de l'amabilité et de l'esprit consciencieux correspond également aux résultats des recherches portant sur la délinquance (associée à des scores d'amabilité et d'esprit consciencieux peu élevés, ainsi qu'au psychotisme d'Eysenck), qui diminue sensiblement après l'adolescence. De manière plus générale, on a estimé que les changements observés dans les cinq grands facteurs au cours de la vingtaine témoignent d'une plus grande maturité lorsqu'on atteint trente ans ; le fait d'endosser des rôles d'adultes sur le plan de la carrière et de l'éducation des enfants procure une assurance et un équilibre affectif accrus ainsi qu'une socialisation et une compétence améliorées.

Ces résultats demeurent toutefois ambigus parce que les différences observées peuvent s'expliquer non pas par l'âge, mais par la cohorte — la génération — à laquelle on appartient et être ainsi associées au fait de grandir à une époque donnée. Autrement dit, les différences pourraient être attribuables à des facteurs historiques (par exemple, au fait de grandir pendant la crise économique de 1929, et non durant la Deuxième Guerre mondiale ou pendant les tumultueuses années 1960) plutôt qu'à des facteurs d'âge. Les étudiants d'aujourd'hui sont peut-être moins consciencieux que ceux de la génération de leurs parents. McCrae et Costa, ainsi que

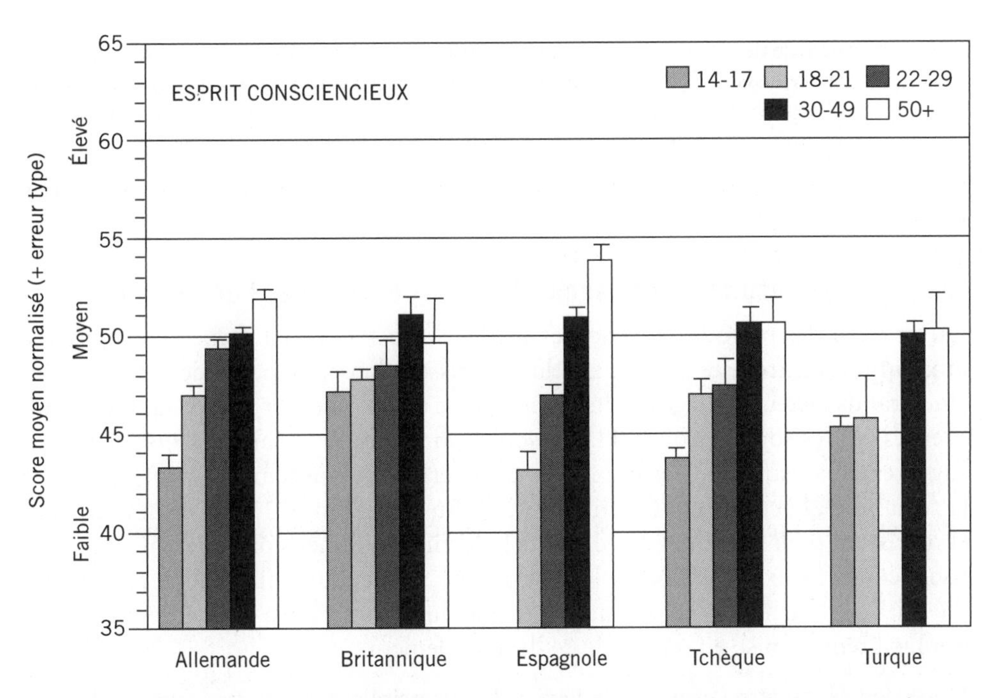

Figure 8.3 Niveaux moyens de l'esprit consciencieux dans cinq cultures Les scores normalisés reposent sur la moyenne et l'erreur type de tous les répondants ayant plus de 21 ans au sein de chaque culture. Les intervalles de confiance représentent les erreurs types de la moyenne. (McCrae *et al.*, 2000. © 2000, American Psychological Association, reproduction autorisée.)

leurs collaborateurs (McCrae *et al.*, 2000), tentent de corriger cette lacune en étudiant les différences d'âge dans un grand nombre de cultures. La figure 8.3, ci-dessus, montre les résultats obtenus pour la dimension de l'« esprit consciencieux » dans cinq cultures. On présente des valeurs moyennes pour cinq groupes d'âge : les 14-17 ans ; les 18-21 ans ; les 22-29 ans ; les 30-49 ans ; les 50 ans et plus ; l'absence de résultats indique que ce groupe d'âge ne comprenait pas un nombre suffisant de participants. On note que les tendances selon l'âge sont généralement similaires chez les hommes et les femmes ; comme on s'y attendait, dans toutes les cultures, les individus deviennent plus consciencieux avec l'âge.

En général, McCrae et ses collaborateurs (2000) ont été en mesure de reproduire les résultats obtenus plus tôt aux États-Unis, mais ils ont dû atténuer quelque peu la position très tranchée qu'ils avaient adoptée antérieurement selon laquelle la personnalité ne se modifie pas après l'âge de trente ans ; les nouvelles données interculturelles indiquent que certaines tendances liées à l'âge se maintiennent après l'âge de trente ans, mais de façon réduite. Notez que les résultats offrent dans l'ensemble un caractère assez stupéfiant : on a observé le même modèle régissant les modifications des traits de personnalité dans des cultures très diverses, dont les conditions politiques, culturelles et économiques diffèrent considérablement. Ces résultats ont amené McCrae et ses collaborateurs à affirmer que les changements intervenant dans les traits de personnalité ne sont pas étroitement liés aux diverses expériences de la vie ; d'après eux, ces écarts selon l'âge reflètent une maturation intrinsèque, semblable à celle qu'on trouve dans d'autres systèmes biologiques :

> Il y a dans le développement de la personnalité des éléments qui évoluent naturellement, sans rapport avec le contexte culturel et historique. À la manière des enfants qui apprennent à parler, à compter et à raisonner selon un ordre donné et à une

> période déterminée, les adultes peuvent devenir plus aimables et moins extravertis en vieillissant. Cette notion de maturation intrinsèque se trouve corroborée indirectement par des résultats provenant d'autres sources — l'héritabilité, la stabilité et l'universalité — qui font des traits des tendances endogènes fondamentales.
>
> McCrae *et al.*, 2000, p. 182.

Les premiers résultats des recherches sur l'enfance et l'adolescence

Qu'en est-il des périodes antérieures de développement ? La recherche consacrée aux rapports entre le tempérament du nourrisson, la personnalité de l'enfant et les cinq grands facteurs à l'âge adulte vient à peine de commencer ; cependant, de nombreuses études sont en cours (Halverson, Kohnstamm et Martin, 1994). On peut suggérer sans risque que les premières caractéristiques du tempérament, telles que la sociabilité, l'activité et l'émotivité (A. H. Buss et Plomin, 1984), se développent et mûrissent pour prendre à l'âge adulte la forme des dimensions que nous connaissons, comme l'extraversion et le névrosisme. Cependant, il n'existe pas encore d'études portant sur les liens exacts entre ces dimensions ainsi que sur les processus qui facilitent la mise en œuvre de ce développement.

L'une des découvertes qui éveille le plus la curiosité est que la structure de la personnalité semble plus complexe et moins intégrée durant l'enfance qu'à l'âge adulte. Comme on l'a constaté aux États-Unis, la personnalité de l'enfant comprend sept facteurs, au lieu des cinq facteurs habituels (John, Caspi, Robins, Moffitt et Stouthamer-Loeber, 1994) ; des recherches effectuées aux Pays-Bas ont abouti aux mêmes résultats (Van Lieshout et Haselager, 1994). Au lieu d'un seul facteur s'appliquant à l'extraversion en général, les chercheurs ont trouvé deux facteurs distincts, la sociabilité et l'activité, et au lieu d'un seul facteur de névrosisme, ils ont découvert deux facteurs distincts, l'appréhension et l'irritabilité. Ces résultats indiquent que la personnalité peut s'exprimer sous des formes différentes au cours du développement ; pendant l'adolescence, ces dimensions, distinctes à l'origine, fusionnent pour former les dimensions de la personnalité plus générales et pleinement intégrées qui se manifestent à l'âge adulte. Nous notons une certaine cohérence entre, d'une part, l'idée que le facteur de l'extraversion à l'âge adulte est annoncé par deux facteurs distincts dans l'enfance et, d'autre part, que ces deux attributs sont distincts, qu'ils apparaissent tôt et qu'il s'agit de traits de personnalité en grande partie hérités (Buss et Plomin, 1984 ; nous reparlerons du tempérament et de l'héritabilité au chapitre 9). C'est ainsi que les auteurs affirment :

> Au début de l'adolescence, lorsque l'activité physique et les sports jouent un rôle central dans les rapports avec les pairs et qu'ils contribuent à déterminer le statut social, l'extraversion peut s'exprimer en partie par les contacts avec les autres ainsi que par l'énergie déployée sur le plan physique et social. À l'âge adulte, lorsque la plupart des contextes sociaux constituent des arènes où on rivalise pour améliorer sa situation et se faire accepter, l'extraversion peut s'exprimer principalement dans les rapports avec les autres, dans l'affirmation de soi et dans la sociabilité.
>
> John *et al.*, 1994, p. 174.

La stabilité et le changement

Les tendances fondamentales de la personnalité restent-elles stables durant toute la vie ? Dans la mesure où les traits de personnalité sont assimilables au tempérament, obéissent-ils à la trajectoire déterminée par la biologie que proposent Costa et McCrae ? Le classement obtenu en fonction des cinq grands facteurs se maintient-il durant toute la vie, même si les moyennes se modifient un peu ? Nous nous étendrons davantage sur cette question au chapitre suivant, mais nous pouvons déjà signaler que les opinions diffèrent à ce sujet. Par exemple, certains soutiennent que le développement de la personnalité est en grande partie déterminé biologiquement et continu, que « l'enfant est le père de l'homme » (Caspi, 2000, p. 158). Selon d'autres auteurs, le fait qu'on ait démontré la stabilité des traits de personnalité au cours de la vie ne garantit pas qu'il n'y ait pas de changement (Roberts et Del Vecchio, 2000). D'après une troisième conception, même si la structure générale et les niveaux de traits demeurent relativement stables, on constate parfois des changements en ce qui concerne l'intensité des traits chez les individus (Asendorpf et Van Allen, 1999) ; il convient de souligner que les pratiques parentales peuvent avoir des effets sur le développement de la personnalité et que les expériences de travail peuvent influer sur le développement de la personnalité chez le jeune adulte (Roberts, 1997 ; Suomi, 1999). Voici ce que les données dont nous disposons à l'heure actuelle laissent entrevoir : (1) la personnalité est plus stable sur de courtes périodes ; (2) la personnalité est plus stable à l'âge adulte ; (3) bien qu'on puisse démonstrer qu'il existe une stabilité générale des traits, on note des différences entre les individus au cours du développement ; (4) bien qu'on puisse démontrer qu'il existe une stabilité générale des traits, on n'a pas encore déterminé les limites de l'influence du milieu sur le changement qui a lieu au cours de l'enfance et de l'âge adulte.

LES APPLICATIONS DU MODÈLE

Comme nous l'avons mentionné plus haut, beaucoup de théoriciens des traits de personnalité considèrent aujourd'hui le modèle à cinq facteurs comme le fondement d'une représentation adéquate de la structure de la personnalité. De plus, on estime que l'inventaire de personnalité NEO-PI-R mesure adéquatement ces traits. Il y aurait donc de nombreuses applications possibles du modèle et de l'inventaire de personnalité, notamment en ce qui regarde l'orientation professionnelle, les diagnostics concernant la personnalité ou les troubles mentaux, ainsi que les décisions au sujet de la thérapie. Les progrès accomplis dans ces domaines sont très récents et il faudra du temps pour les évaluer. Entre-temps, rien n'empêche d'examiner quelques-unes des applications suggérées.

L'orientation professionnelle

Les psychologues qui s'intéressent au domaine de l'orientation professionnelle soutiennent que la personnalité est associée aux types de carrières choisies et à la façon de se comporter sur le plan professionnel (Hogan et Ones, 1997). Les personnes possédant certaines caractéristiques choisiront des professions bien déterminées, qui leur conviennent mieux que d'autres. Par exemple, selon le modèle à cinq facteurs, la personne très extravertie devrait préférer un travail qui la mettrait en contact avec les autres et l'obligerait à faire preuve d'initiative ; ces emplois lui conviennent davantage qu'à la personne très introvertie. De même, celui est ouvert aux expériences nouvelles devrait préférer un travail artistique ou un travail d'enquête (journaliste, rédacteur à la pige). Comme ces professions exigent de la curiosité, de la créativité et la capacité de réfléchir de manière autonome, elles conviennent plus aux personnes ayant un score élevé d'ouverture.

Certains psychologues affirment que le modèle à cinq facteurs aide à prévoir quel sera le rendement au travail (Hogan et Ones, 1997) ; d'autres sont plus prudents dans leur évaluation, et ils avancent que bien des caractéristiques importantes de la personnalité servant à effectuer ce type de prévision n'appartiennent pas au modèle (Hough et Oswald, 2000 ; Matthews, 1997).

La santé et la longévité

L'idée que la personnalité est liée à la santé remonte au moins jusqu'à l'Antiquité grecque, alors que l'on croyait qu'il existait des rapports entre la maladie et le tempérament. Des études récentes révèlent que cette opinion recèle peut-être une part de vérité. Une étude à long terme souligne l'importance du facteur de l'esprit consciencieux dans la prévision au sujet de la longévité (Friedman *et al.*, 1995a, 1995b). Pendant soixante-dix ans, plusieurs générations de chercheurs ont ainsi étudié un échantillon considérable d'enfants afin de savoir lesquels mouraient et pour quelle raison. Les adultes qui avaient un caractère consciencieux lorsqu'ils étaient enfants (selon l'évaluation effectuée à onze ans par les parents et par l'enseignant) vivaient beaucoup plus longtemps que les autres et leur probabilité de mourir au cours d'une année donnée était d'environ 30 % moins élevée.

Pourquoi les personnes dotées d'un caractère consciencieux vivent-elles plus longtemps ? Quels sont les mécanismes qui engendrent ces écarts de longévité ? Les chercheurs ont d'abord éliminé la possibilité que des variables environnementales, par exemple le divorce des parents, expliquent les effets du caractère consciencieux. Ensuite, les individus consciencieux étaient moins susceptibles de décéder d'une mort violente, tandis que les personnes moins consciencieuses prenaient des risques qui entraînaient des accidents et des bagarres. Enfin, les gens consciencieux étaient moins portés à fumer et à consommer de l'alcool en abondance. Les chercheurs estiment que le fait d'être doté d'un caractère consciencieux a probablement des répercussions sur tout un système de comportements relatifs à la santé. Ainsi, en plus d'être moins portés à fumer et à boire en abondance, les gens consciencieux sont plus enclins à adopter les comportements suivants : faire de l'exercice régulièrement, se nourrir de façon équilibrée, subir des examens médicaux à intervalles réguliers, respecter la posologie des médicaments et éviter les toxines issues de l'environnement.

En somme, les effets de la négligence ou de l'insouciance s'additionnent au cours de la vie et peuvent finalement se révéler plutôt nocifs. De manière plus générale, l'exemple fourni par le caractère consciencieux illustre que l'individu contribue pour beaucoup à la constitution d'un milieu sain ou malsain. Friedman et ses collaborateurs (1995a) concluent que « même si, selon l'adage, le malotru qui ne se refuse rien peut prospérer aux dépens des autres, cela ne semble pas le cas dans la situation présente. Nous n'assistons pas non plus au triomphe du marginal paresseux et dorloté. Il est peut-être encourageant de constater que, dans la course qui nous précipite tous vers la mort, les gens vertueux arrivent bons derniers » (p. 76).

Les troubles de la personnalité

On suppose que le modèle à cinq facteurs et l'inventaire de personnalité NEO-PI-R mesurent le style émotionnel, interpersonnel et motivationnel de l'individu. Des chercheurs utilisant le modèle des « Cinq Grands » ont soutenu récemment qu'il est possible de considérer de nombreux types de comportements anormaux comme des formes accentuées des traits de personnalité normaux (Costa et Widiger, 1994 ; Widiger, Verheul et Van den Brink, 1999). Autrement dit, bien des troubles mentaux s'inscriraient dans le continuum de la personnalité normale au lieu de représenter un écart par rapport à la norme (Widiger, 1993). Par exemple, on pourrait considérer que la personnalité compulsive aura un score très élevé quant à l'esprit consciencieux et au névrosisme et que la personnalité antisociale aura un score d'amabilité et d'esprit consciencieux très bas. Peut-être est-ce donc l'organisation, pour chaque individu, des scores des cinq facteurs qui importe le plus.

La thérapie

On s'intéresse de plus en plus au modèle à cinq facteurs pour choisir et planifier les thérapies (Harkness et Lilienfeld, 1997). Parce qu'il comprend la personnalité de l'individu, le clinicien sera plus à même de prévoir les problèmes qui peuvent se poser et de les régler en cours de route (MacKenzie, 1994 ; Sanderson et Clarkin, 1994). Il s'en servira également pour choisir la meilleure thérapie possible (Costa et Widiger, 1994 ; Costa et McCrae, 1992 ; Miller, 1991). De la même façon que les diverses professions conviennent plus ou moins aux individus ayant des personnalités différentes, les différentes formes de thérapies peuvent plus ou moins leur convenir. Ainsi, la personne ouverte aux expériences nouvelles tirera davantage profit des thérapies qui poussent à explorer et à imaginer, tandis que l'individu peu désireux de vivre de nouvelles expériences bénéficiera plutôt des formes plus directives de traitement, notamment des médicaments. Un clinicien mentionne qu'il a souvent entendu le patient peu ouvert aux expériences nouvelles s'exprimer en ces termes : « Certaines personnes ont besoin de s'allonger sur un divan et de parler de leur mère. Ma “thérapie” se déroule au gymnase » (Miller, 1991, p. 426). En revanche, la personne très ouverte aux expériences nouvelles préfère l'exploration des rêves en psychanalyse ou l'autoactualisation accompagnant la démarche humaniste et existentielle.

Le modèle à cinq facteurs s'applique aussi aux consultations matrimoniales. Rappelez-vous que l'inventaire de personnalité NEO-PI comporte un formulaire qui permet à l'individu de s'autoévaluer et un autre lui servant à évaluer quelqu'un d'autre. L'utilisation de ces formulaires lors des consultations matrimoniales peut aider à mieux comprendre les personnes qui demandent conseil, les rapports entre leurs personnalités et la perception qu'en a chaque partenaire. Dans les consultations matrimoniales, le problème provient fréquemment de ce que la personne a d'elle-même une perception très différente de celle qu'entretient le partenaire. Souvent, les conjoints n'ont pas conscience de ces écarts et ils essaient de comprendre pourquoi ils ont tant de difficultés à communiquer. Quelqu'un peut, par exemple, se considérer comme une personne très extravertie et très consciencieuse, alors que son partenaire lui octroie un faible score d'extraversion et d'esprit consciencieux. Le conseiller pourra peut-être se servir de ces renseignements pour donner son avis aux conjoints concernant ces différences de perception et les aider ensuite à composer avec ces différences d'une manière constructive.

En bref

En somme, les tenants du modèle à cinq facteurs affirment que, parce qu'il dresse le portrait complet de l'individu, le modèle se prête à de nombreuses applications fort utiles dans les domaines de l'orientation professionnelle, du diagnostic et de la thérapie. Il reste à déceler toutes les possibilités du modèle à cet égard, ainsi que celles de l'inventaire de personnalité NEO-PI-R comme instrument de mesure. Soulignons néanmoins quelques éléments. D'abord, il s'agit d'une recherche récente et toujours en cours ; nous ignorons dans quelle mesure les cinq facteurs s'avéreront utiles pour déterminer les types de personnalité qui peuvent réussir dans la plupart des emplois ou les divers troubles mentaux qui intéressent les cliniciens. Ensuite, le modèle se révèle aujourd'hui plus prometteur pour effectuer la description des divers troubles mentaux que pour les expliquer (Miller, 1991). Alors que d'autres théories de la personnalité tentent d'expliquer un certain nombre de troubles (par exemple, la théorie psychanalytique portant sur les stades du développement et sur les troubles de la personnalité), le modèle à cinq facteurs n'a pas grand-chose à proposer dans ce domaine. Enfin, il faut souligner que le modèle ne présente pas d'approche thérapeutique. À la différence des théories analysées précédemment, toutes associées à une forme de traitement des personnes souffrant de difficultés psychologiques, le modèle à cinq facteurs reste silencieux en ce qui regarde le changement psychologique.

Étude de cas : un homme de 69 ans

Bien que la théorie des traits attribue une grande importance aux différences entre les individus, le corpus de la discipline ne comporte pas beaucoup d'exemples. Grâce à la publication de l'inventaire de personnalité NEO-PI-R, nous possédons maintenant des descriptions correspondant à la théorie des traits. Comme nous l'avons expliqué précédemment, l'inventaire de personnalité NEO-PI-R est un questionnaire comprenant deux cent quarante énoncés qui permettent à la personne d'indiquer jusqu'à quel point elle est d'accord avec chacun des éléments notés sur cinq points. Le questionnaire comporte un score pour chacun des cinq facteurs. On évalue six traits spécifiques supplémentaires, ou *échelles des facettes*. Les facettes représentent des aspects plus particuliers des cinq facteurs généraux.

Le cas présenté ici est celui d'un homme de 69 ans souffrant de douleurs thoraciques et d'hypertension ; il a été envoyé à une clinique médicale spécialisée en science du comportement. Il s'agit d'un homme d'affaires établi à son compte, qui a subi un pontage coronarien il y a deux ans et qui a peur de mourir en laissant sa femme et son entreprise en situation de faiblesse. Lors de l'entrevue d'évaluation, il mentionne qu'il a toujours éprouvé de l'angoisse, notamment dans ses rapports avec les autres et dans les contextes inconnus. Son intelligence est bien supérieure à la moyenne.

Vous trouverez à la figure 8.4 (p. 243) le score du patient pour chacun des cinq facteurs et les échelles des facettes pour chaque facteur. On y indique également les scores de l'évaluation du patient fournie par sa femme. Ainsi, les résultats de l'autoévaluation et de l'évaluation par l'observateur (dans ce cas, la femme du patient) figurent sur le même formulaire et peuvent donc être comparés. Dans l'ensemble, les résultats de l'autoévaluation et de l'évaluation par l'observateur sont relativement cohérents. Les deux dépeignent le patient comme une personne introvertie, ouverte aux expériences nouvelles et consciencieuse. Les écarts les plus prononcés ont trait aux facettes du névrosisme, notamment *N4* (conscience de soi) et *N6* (vulnérabilité). La femme du patient a nettement sousestimé la position de son mari sur ces échelles, et les conversations avec le couple révèlent que le patient se montrait réticent à faire part de sa détresse à sa femme. La thérapie a donc eu pour objet, entre autres, de l'amener à exposer plus ouvertement ses craintes et sa vulnérabilité.

La description de la personnalité dans son ensemble en fonction des cinq grands facteurs

Le fait le plus remarquable dans la personnalité du patient, c'est son score élevé sur l'échelle du névrosisme. Les individus obtenant ce type de score ont tendance à éprouver un degré élevé d'émotions négatives et à connaître de fréquents épisodes de détresse psychologique. Ils sont d'humeur changeante, d'une sensibilité exacerbée et de nombreux aspects de leur vie les laissent insatisfaits. Ils présentent habituellement une faible estime de soi et peuvent avoir des idées ou des attentes irréalistes. Ce sont des gens qui habituellement manquent d'assurance ; ils s'inquiètent à propos d'eux-mêmes et de leurs projets. Leurs amis et leurs voisins pourraient les décrire comme des êtres tendus, timides, très nerveux et plus vulnérables que la moyenne.

Les scores du *névrosisme* révèlent que le patient est anxieux, généralement plein d'appréhension et sujet à l'inquiétude. Il se met souvent en colère, mais ses périodes de tristesse ne sont pas plus fréquentes que celles de la moyenne des hommes. L'embarras ou la timidité à l'égard des inconnus constitue souvent un problème pour lui. Il signale qu'il réussit à maîtriser ses impulsions et ses désirs, mais qu'il supporte mal le stress.

Le patient obtient un score remarquable au facteur *esprit consciencieux*. Les hommes ayant des scores de ce niveau mènent une vie très ordonnée, en s'efforçant d'atteindre leurs buts d'une manière planifiée et réfléchie. Ils ont un grand besoin de se réaliser. Ce sont des personnes soignées, ponctuelles, bien organisées et sur lesquelles on peut compter. Elles s'acquittent de leurs obligations morales, civiques et personnelles avec beaucoup de sérieux ; elles valorisent davantage le travail que le plaisir. Elles font preuve de discipline et elles ont acquis de nombreuses compétences. Les observateurs les décrivent comme des gens prudents, fiables, travailleurs et persévérants.

Passons maintenant à l'*ouverture*. Les individus qui ont comme le patient que nous étudions un score très élevé s'intéressent de façon marquée au plaisir de l'expérience en elle-même. Ils recherchent la nouveauté et la variété ; ils ont un goût prononcé pour la complexité. Ils manifestent une conscience aiguë de leurs propres sentiments et font preuve de perspicacité pour déceler les émotions d'autrui. Ils apprécient beaucoup la beauté dans l'art et dans la nature. Leur attirance pour les idées nouvelles et pour les autres systèmes de valeurs peuvent les amener à se montrer particulièrement tolérants envers les autres et les inciter à adopter des attitudes non conformistes. Les pairs voient dans ces individus des personnes imaginatives, audacieuses, indépendantes et créatives.

Les scores d'*extraversion* sont très faibles. Passablement introvertis, ces individus préfèrent réaliser leurs activités de manière solitaire ou en petit groupe. Ils évitent les grandes fêtes bruyantes et n'aiment guère rencontrer des gens qu'ils ne connaissent pas ; habituellement calmes, ils s'affirment peu lorsqu'ils se trouvent en groupe. Ils éprouvent rarement des sentiments positifs intenses, comme la joie ou l'exaltation. Ceux qui connaissent ce type de gens les décriraient sans doute comme des êtres discrets, sérieux, réservés et solitaires. Le fait que ces personnes soient introverties ne signifie pas forcément qu'elles ne possèdent pas d'aptitudes sociales ; de nombreux introvertis se débrouillent très bien en société, même s'ils préféreraient éviter de s'y trouver. Signalons également que l'introversion ne sous-entend pas l'introspection ; ces individus auront tendance à être méditatifs et réfléchis seulement s'ils sont aussi très ouverts.

En ce qui concerne l'*extraversion*, les scores révèlent chez le patient un niveau moyen de chaleur dans les contacts avec les autres, mais il apprécie rarement les grandes foules ou les fêtes bruyantes. Il a de la difficulté à s'affirmer et préfère rester dans l'ombre dans les réunions et les groupes où l'on discute. Il présente un niveau modéré d'énergie personnelle et un niveau moyen d'activité. Les situations excitantes, stimulantes, les sensations fortes ne l'attirent guère, mais il éprouve autant de joie et de bonheur que la plupart des hommes.

Enfin, le patient obtient un score d'*amabilité* qui se situe dans la moyenne. Les individus présentant ce type de score sont aussi accommodants qu'on l'est en moyenne ; ils peuvent faire preuve de compréhension, mais également se montrer fermes. Ils sont confiants, sans être crédules ; ils sont prêts à rivaliser avec les autres, de même qu'à collaborer avec eux.

La personnalité et ses facteurs concomitants : conséquences possibles

Dans la gestion du stress de la vie quotidienne, le patient réagira probablement d'une manière inefficace, notamment par de l'hostilité envers les autres, en s'en prenant à lui-même ou en rêvant d'évasion. Face aux menaces, aux pertes et aux défis, il sera plus porté que la plupart des adultes à recourir à l'humour et moins enclin à compter sur la foi. De plus, il aura moins tendance à utiliser la pensée positive et l'action directe pour résoudre les problèmes.

En ce qui concerne les *symptômes somatiques*, le patient réagira avec hypersensibilité aux problèmes physiques et à la maladie. Lors des évaluations médicales, il importe de confirmer objectivement les symptômes subjectifs, dans la mesure du possible.

En ce qui concerne le *bien-être psychologique*, signalons que l'humeur du patient et sa satisfaction à l'égard de divers aspects de sa vie varieront selon les circonstances. Avec le temps, toutefois, les problèmes de l'existence l'affecteront plus que ce qu'il en retire et il se sentira plutôt malheureux. Parce qu'il est ouvert aux expériences nouvelles et introverti, ses humeurs peuvent être plus intenses et diverses que chez l'homme ordinaire. En raison de son esprit consciencieux, ses accomplissements et ses réalisations peuvent lui procurer de profondes satisfactions.

En ce qui concerne les *processus cognitifs*, le patient entretient des pensées, des valeurs et des jugements plus complexes et plus riches que ceux qui sont dotés d'une intelligence et d'une éducation égales aux siennes. Parce qu'il est ouvert, il réussira probablement mieux que la moyenne aux tests de capacité de raisonnement divergent ; ainsi peut-il trouver des solutions aisées, souples et originales à de nombreux problèmes. On peut le considérer comme une personne créative dans son travail ou dans ses passe-temps.

Enfin, le patient manifeste sans doute, à un niveau élevé, les motivations et les besoins suivants : accomplissement, structure cognitive, endurance (persévérance), prudence craintive (évitement du danger), ordre, sensibilité (goût pour les expériences sensuelles et esthétiques), empathie (soutien et sympathie) et compréhension (stimulation intellectuelle), de même que les tendances suivantes, à un niveau peu élevé : humiliation, domination et impulsivité.

Les résultats de la thérapie

En raison de sa grande disponibilité pour les expériences nouvelles, le patient a été en mesure de tirer profit de techniques d'imagerie et d'autohypnose conçues pour favoriser la relaxation et réduire la tension artérielle. Grâce à son esprit consciencieux, il a pratiqué régulièrement ces nouvelles techniques à la maison. À la fin de la dixième séance, sa tension artérielle avait considérablement diminué et il a pu mettre fin à la thérapie.

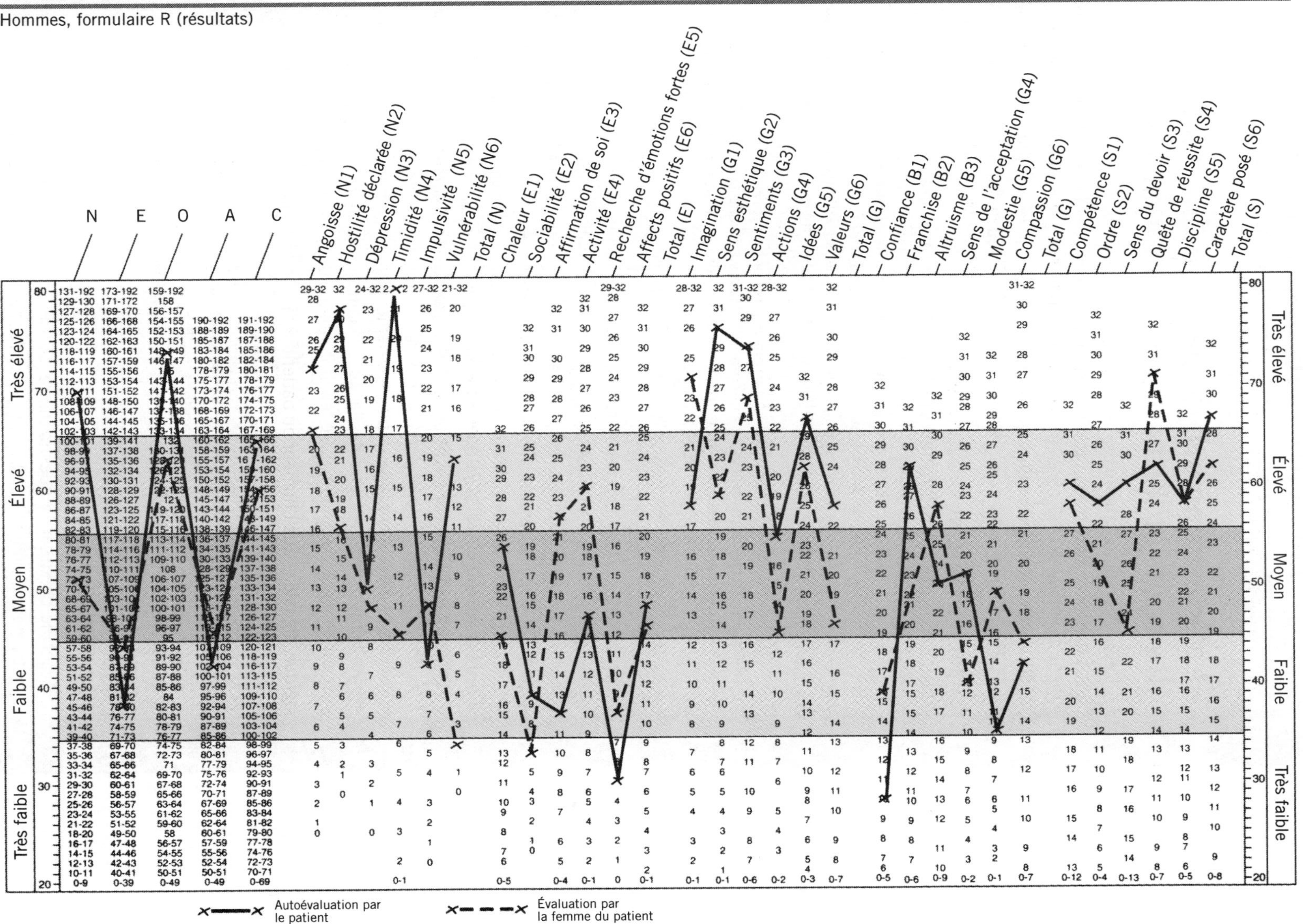

Figure 8.4 Autoévaluation par le patient (voir l'étude de cas précédente) et évaluation par sa femme selon l'inventaire de personnalité NEO révisé. (Costa et McCrae, 1992, p. 27, adaptation et reproduction autorisées par l'éditeur, Psychological Assessment Resources, Inc., 16204 North Florida Avenue, Lutz, Florida 33549, de NEO Personality Inventory-Revised, de Paul Costa et Robert McCrae. © 1978, 1985, 1989, 1992, PAR, Inc. Toute autre reproduction interdite sans l'autorisation de PAR, Inc.)

L'histoire de Jacques

Le questionnaire de personnalité 16 PF : les traits et la théorie de l'analyse factorielle

Revenons maintenant au cas de Jacques et examinons comment il est décrit dans les questionnaires d'évaluation des traits de personnalité. Nous verrons d'abord le *questionnaire 16 PF* conçu par Cattell. Voici une brève description de la personnalité de Jacques rédigée par un psychologue ayant évalué les résultats du questionnaire 16 PF qu'on lui avait administré, mais qui ne possédait aucune autre donnée à son sujet :

> Jacques a l'air d'un jeune homme très brillant et très sociable, bien qu'il soit inquiet, facilement contrarié et quelque peu dépendant. Moins sûr de lui, consciencieux et entreprenant qu'il peut paraître de prime abord, Jacques éprouve de la confusion et des sentiments conflictuels au sujet de son identité et de ses projets, il a tendance à s'adonner à l'introspection et il est assez angoissé. Son profil indique qu'il subit peut-être des sautes d'humeur périodiques et qu'il a peut-être des antécédents de maladies psychosomatiques. Comme des étudiants dans tout le pays ont rempli le questionnaire 16 PF, nous pouvons également comparer les résultats de Jacques à ceux de l'étudiant moyen. Par rapport aux autres étudiants, Jacques est plus sociable, plus intelligent et plus enclin à être touché ; il est facilement bouleversé, hypersensible, souvent déprimé et anxieux.

Rappelons que la méthode de l'analyse factorielle nous permet de réduire le nombre de traits spécifiques utilisés pour décrire la personnalité de Jacques. On a puisé quatre facteurs secondaires dans les seize facteurs premiers de Cattell : faible angoisse/angoisse élevée, introversion/extraversion, émotivité/sang-froid et soumission (dépendance à l'égard des autres, passivité)/indépendance. Jacques obtient des scores extrêmes dans deux de ces facteurs. D'abord, comme prévu, Jacques obtient un score très élevé sur l'échelle de l'angoisse. Ce résultat révèle son insatisfaction quant à sa capacité de répondre aux exigences de la vie et de réaliser ce qu'il désire. Le niveau élevé d'angoisse indique également la possibilité de perturbations et de symptômes physiques. Ensuite, Jacques manifeste très peu de sang-froid ou, inversement, une grande émotivité. Ce résultat indique que, loin de faire preuve d'initiative et d'esprit de décision, Jacques est gêné par son émotivité et qu'il cède souvent au découragement et à la frustration. Réagissant aux subtilités de la vie, cette sensibilité débouche parfois sur une propension à s'inquiéter et à trop réfléchir avant d'agir. Les deux autres scores de Jacques révèlent qu'il n'est pas particulièrement introverti ni extraverti, ni trop dépendant ou indépendant. En résumé, sa personnalité se caractérise surtout par l'angoisse, la sensibilité et l'émotivité.

Commentaires

Avant de délaisser le questionnaire 16 PF, soulignons que, plus que tout autre instrument d'évaluation, il a mis en évidence deux aspects importants. Le premier est la fréquence des sautes d'humeur de Jacques. À la lecture des résultats du questionnaire 16 PF, Jacques déclare qu'il a souvent des sautes d'humeur marquées, allant de l'extrême bonheur à l'extrême dépression. Au cours des derniers épisodes, il a eu tendance à se défouler sur les autres et à exprimer son agressivité d'une manière sarcastique, « mordante » ou « tranchante ». Le deuxième aspect d'importance a trait aux maladies psychosomatiques. Jacques a éprouvé beaucoup de difficultés à cause d'un ulcère et il doit souvent boire du lait pour soulager ses douleurs d'estomac. Bien qu'il s'agisse d'un problème grave qui l'affecte beaucoup, Jacques n'en fait pas mention dans son autobiographie.

Selon les données recueillies dans le questionnaire 16 PF, nous pouvons déceler des éléments clés dans la personnalité de Jacques. Le concept de trait, désignant la propension à réagir habituellement d'une certaine façon ainsi que des caractéristiques de comportement relativement stables, aide à décrire sa personnalité. Le questionnaire 16 PF nous apprend que, bien qu'il soit entreprenant, Jacques est foncièrement timide et inhibé. Ici aussi, l'angoisse, la frustration, le conflit se font jour. On se demande néanmoins si les 16 facteurs permettent de décrire adéquatement la personnalité, notamment lorsqu'on les ramène à 4 grandes dimensions. On s'interroge également sur le sens des scores inscrits au milieu de l'échelle : faut-il en conclure que le trait n'éclaire pas la personnalité de Jacques, ou tout simplement qu'il ne s'agit pas d'un trait extrême, comme cela semble être le cas ? Néanmoins, lorsqu'on rédige une description de la personnalité en s'appuyant sur les résultats du questionnaire 16 PF, on tend à mettre en évidence les scores extrêmes.

Plus grave encore peut-être, Cattell n'a pas réussi à rester clinicien, en dépit des efforts qu'il déploie en ce sens. Le questionnaire 16 PF ne représente qu'une description des traits de personnalité, avec leurs avantages et leurs inconvénients. On se sert des résultats pour dépeindre la personnalité, non pour l'interpréter ni pour décrire les processus concernés. Cattell s'est efforcé de considérer la personne dans sa globalité, mais le questionnaire 16 PF ne nous offre qu'un ensemble de scores. Même si la théorie tient compte du jeu des motivations, les résultats du questionnaire 16 PF ne semblent entretenir aucun rapport avec cet aspect de la théorie. On décrit Jacques comme un individu angoissé et frustré, mais à quoi tiennent cette angoisse et cette frustration ? Pourquoi Jacques est-il sociable et timide ? Pourquoi trouve-t-il si difficile d'être décidé et entreprenant ? La théorie reconnaît l'importance du conflit dans le fonctionnement de l'individu, mais les résultats du questionnaire 16 PF ne révèlent rien concernant les conflits que connaît Jacques et les moyens auxquels il recourt pour tenter de les résoudre. Les facteurs de trait semblent présenter un certain degré de validité mais, marqués par l'abstraction, ils laissent de côté la richesse de la personnalité que fournissent les données recueillies grâce à d'autres instruments d'évaluation.

La stabilité de la personnalité

Les informations au sujet de Jacques présentées jusqu'à présent datent à peu près du moment où il obtint son diplôme universitaire de premier cycle, à la fin des années 1960. Depuis lors, il s'est écoulé suffisamment de temps pour qu'il vaille la peine de se demander quels sont les changements survenus dans sa vie et si sa personnalité a connu des modifications. Il s'agit là de questions fondamentales, car la théorie des traits laisse supposer, comme on l'a constaté, une grande stabilité.

Cinq ans plus tard : autoévaluation des expériences de vie et des modifications de la personnalité

Cinq ans après que Jacques eut obtenu son baccalauréat, on lui demanda, en premier lieu, d'indiquer quelles avaient été dans sa vie les expériences les plus significatives et de décrire, le cas échéant, les effets de ces expériences, et, en deuxième lieu, de fournir une brève description de sa personnalité et d'exposer de quelle façon il avait changé depuis l'obtention de son diplôme. Voici quelle fut sa réponse.

Les expériences de vie

« Après avoir quitté l'université, je me suis inscrit dans une école de commerce. Je n'avais été admis que dans un seul programme de deuxième cycle en psychologie ; il ne s'agissait pas d'un établissement prestigieux, alors que plusieurs excellentes écoles de commerce m'avaient accepté. C'est pourquoi j'ai choisi d'étudier dans une école de commerce. Cette école ne m'a pas vraiment plu, mais ce n'était pas infect non plus ; il était évident que c'était la psychologie qui, au fond, m'intéressait vraiment et j'ai donc fait quelques demandes d'inscription au cours de l'année scolaire, mais on ne m'a pas accepté. J'ai trouvé un emploi d'été dans une entreprise d'import-export à Montréal, emploi que j'ai détesté suffisamment pour m'inscrire encore une fois à des programmes de deuxième cycle au cours de l'été. J'ai été accepté à deux endroits et j'ai eu ensuite beaucoup de difficulté à prendre une décision. Mes parents insistaient fortement pour que je retourne à l'école de commerce, mais j'ai fini par choisir un programme de deuxième cycle universitaire. Ma capacité de prendre une décision face à l'opposition de mes parents a joué un grand rôle ; j'ai affirmé ma force et mon indépendance comme jamais auparavant.

« Mes études de deuxième cycle en psychologie clinique en Ontario ont été très importantes pour moi. Sur le plan professionnel, je me sens profondément clinicien, ce qui est essentiel à mon concept de soi. Mon système de pensée a des assises solides, ce qui est d'une importance capitale dans ma façon de composer avec mon milieu. Je suis entièrement satisfait de la décision que j'ai prise, même si je caresse encore l'idée de retourner à l'école de commerce. Si j'y retourne, ce sera pour obtenir un diplôme complémentaire ; cela ne changera en rien au fait que je m'intéresse d'abord à la psychologie. Au cours de ma première année d'études de deuxième cycle, je suis également devenu amoureux pour la première fois, et la seule. La relation n'a pas duré, ce qui a été désastreux pour moi, et je n'en suis pas encore remis. Malgré la douleur, ce fut toutefois une expérience vivifiante.

« L'an dernier, j'ai vécu dans une commune et ce fut un moment crucial pour moi. Nous avons effectué beaucoup de travail sur soi et sur les autres au cours de l'année, dans nos rencontres hebdomadaires régulières de même qu'à d'autres moments ; c'était souvent douloureux, mais joyeux également, et dans tous les cas une expérience de croissance personnelle. Je suis convaincu que la commune est le mode de vie que je préférerais, mais il faut s'y adonner avec un groupe de personnes particulières, sinon je choisirais plutôt de vivre seul ou avec une ou deux personnes. Notre groupe réfléchit à la possibilité de revivre l'expérience de façon permanente et je peux très bien décider de vivre avec eux encore au début de l'année prochaine. Quoi qu'il en soit, l'expérience de l'an dernier a été très importante pour moi et thérapeutique à tous égards.

« Vers la fin de l'an dernier, j'ai entrepris une relation qui est aujourd'hui très importante. Je cohabite avec une femme, Cathy, qui fait présentement des études de deuxième cycle en travail social. Elle s'est mariée deux fois. C'est une relation sans fard et comportant son lot de problèmes ; en fait, il y a quelque chose chez elle qui me met mal à l'aise. Je ne me sens pas « amoureux » en ce moment, mais il y a chez elle beaucoup de choses que j'aime et que j'apprécie ; je poursuis donc cette relation pour voir comment elle se développera et comment évolueront mes sentiments à l'égard de Cathy. Je n'ai aucun projet de mariage et je ne suis pas désireux d'en avoir dans l'immédiat. La relation n'a pas le caractère passionné que j'ai connu dans mon autre relation importante. Je tente à l'heure actuelle de déterminer dans quelle mesure mes sentiments étaient idéalisés à l'époque et si les sentiments plus sobres que j'éprouve envers Cathy indiquent qu'elle n'est pas une partenaire qui me convient ou si je dois accepter le fait qu'aucune femme ne sera jamais « parfaite » à mes yeux. De toute façon, je crois également que ma relation avec Cathy est une magnifique source d'épanouissement et que c'est l'expérience la plus importante que je vis présentement.

« Je crois que ce sont là les expériences les plus précieuses que j'ai vécues depuis que j'ai terminé mes études universitaires de premier cycle. »

Les modifications de la personnalité

« Je ne pense pas avoir fondamentalement changé depuis que j'ai terminé mon baccalauréat. Depuis le début de mes études de psychologie, je pense avoir développé une plus grande conscience de soi, ce qui selon moi est utile. Selon votre interprétation des tests que j'ai passés à l'époque, vous me considériez principalement comme une personne dépressive. Actuellement, toutefois, j'estime que je suis surtout obsessif. Je pense que je suis sujet à la dépression, mais tout compte fait je me considère aujourd'hui comme plus heureux et moins souvent déprimé. Je vois dans mon obsession un comportement caractérologique profondément enraciné et je réfléchis depuis quelque temps à la possibilité d'entreprendre une analyse à ce sujet (entre autres, bien sûr). J'y pense sérieusement, mais je ne suis pas encore prêt à m'engager à l'heure actuelle. Comme je prévois quitter Ottawa à la fin de l'année scolaire, il serait absurde de commencer une psychanalyse entre-temps. Par ailleurs, c'est une proposition effrayante qui exige un engagement sérieux et, mise à part la situation géographique, je dois vaincre une certaine résistance de ma part. Néanmoins, je l'envisage comme une nette possibilité au cours des prochaines années.

« Je vais maintenant vous dire quelques mots au sujet de mon expérience de patient en psychothérapie. J'ai à plusieurs reprises fait des efforts pour m'y engager ; je n'y suis parvenu que dans un seul cas et avec un succès mitigé. J'ai consulté un psychologue à quelques reprises au cours de mes études de premier cycle, mais si je me rappelle bien, ce furent des rencontres superficielles à tous les égards. Je n'ai fait aucune tentative pendant mon année d'études à l'école de commerce. Au cours de ma première année de deuxième cycle, j'ai rencontré un psychiatre d'orientation analytique pour trois « séances d'évaluation », à la suite desquelles il m'a proposé d'entreprendre : (1) une analyse ; (2) une thérapie de groupe ; (3) une thérapie individuelle d'orientation analytique. Je n'étais pas prêt pour l'analyse ou la thérapie de groupe et je ne désirais pas poursuivre la thérapie individuelle. L'année suivante, j'ai pris part à environ six à huit consultations auprès d'un psychiatre d'orientation analytique, mais j'étais très insatisfait des échanges et, lorsqu'il m'a recommandé d'augmenter la fréquence à deux séances par semaine, j'ai cessé d'y aller. Je m'interrogeais beaucoup sur la compétence du thérapeute : je le considérais comme de compétence moyenne, alors que je voulais avoir affaire à un professionnel particulièrement compétent. Je sais qu'il s'agit là d'une forme de résistance, mais je pense que mon impression était en partie fondée. Au cours de ma troisième année, j'ai rencontré un psychiatre non traditionnel à dix reprises environ. Il utilisait à la fois plusieurs techniques, cathartique, gestaltiste, comportementale, et il se montrait en général amical et sans prétentions (très anti-analytique). À la fin de cette série de rencontres, qui m'avaient semblé utiles à l'époque, nous étions tombés d'accord tous les deux sur le fait que j'avais essayé suffisamment de thérapies et qu'il me fallait vivre des expériences « thérapeutiques » : par exemple, avoir une relation amoureuse avec une femme, du temps pour me divertir, etc. Depuis lors, j'ai vécu plus d'une expérience thérapeutique, dont la plus marquante fut l'expérience communale vécue l'an dernier. Par conséquent, je ressens moins dans l'immédiat la nécessité de demander de l'aide et je pense entreprendre une analyse pour résoudre certains problèmes caractérologiques (comme mon obsession). Autrement dit, la douleur que je ressens est moins aiguë actuellement.

« Comme je l'ai mentionné précédemment, j'estime que, par rapport à ce que j'étais il y a cinq ans, il y a en moi plus d'éléments semblables que d'éléments différents. Je me considère comme une personne spirituelle, consciente, intéressante et enjouée. Je continue d'être assez ombrageux, ce qui parfois voile tous ces traits. La relation sexuelle avec ma copine a dissipé les craintes que j'entretenais au sujet de mes capacités sexuelles (et surtout de l'éjaculation précoce).

« Je crois que j'ai encore un problème lié à l'« autorité », car je me sens dans un état de vulnérabilité et facilement blessé par le traitement que je reçois des personnes qui détiennent un pouvoir. Cependant, j'estime que je possède des aptitudes professionnelles solides et que je suis dans le domaine qui m'intéresse. J'ai encore des problèmes d'ordre financier ; je veux recevoir un salaire équitable pour ce que je fais, je n'apprécie pas que les psychiatres soient mieux rémunérés que moi et je veille à mes intérêts de peur d'être « exploité ». Je ne me suis pas vraiment attaqué au fait que mon père est un homme riche et qu'un jour j'hériterai d'une partie de cet argent ; par ailleurs, cela ne m'inquiète pas beaucoup, j'ai le sentiment qu'il s'agit plus d'une préoccupation intellectuelle et concernant l'avenir que d'une émotion liée au présent. Je suis une personne très compulsive ; j'effectue avec efficacité ce qui doit être fait et j'éprouve une angoisse considérable quand je ne maîtrise pas la situation. L'ordre doit régner dans ma vie pour que je puisse me détendre et m'amuser. Malheureusement, la compulsion obsessionnelle envahit ma vie privée, si bien que ma chambre doit être en ordre, mes livres bien rangés, ou alors c'est l'angoisse. J'ai encore une fois le sentiment qu'il s'agit d'un comportement profondément enraciné qu'il ne sera pas facile de modifier. »

Vingt ans plus tard

Jacques, maintenant âgé de quarante ans, travaille à titre de psychologue consultant à Québec. Son mariage, la naissance d'un enfant et la stabilisation de son statut professionnel représentent les événements les plus importants de sa vie au cours des dernières années.

Avant son mariage, il avait entretenu deux très longues relations amoureuses avec des femmes. Bien qu'il y ait eu d'importantes différences entre ces deux relations, il a constaté que dans les deux cas il avait trouvé à redire et s'était senti insatisfait. Il a rencontré son épouse actuelle voilà quatre ans. Il la dépeint comme une personne calme et paisible, sachant donner à la vie une certaine perspective. Même si elle ressemble un peu à l'une des deux femmes avec qui il a vécu, il croit avoir changé suffisamment pour que ses chances de poursuivre la relation se soient améliorées : « Je suis plus disposé à accepter l'autre et je vois mieux où passent les frontières entre moi et les autres ; elle est ce qu'elle est et je suis ce que je suis. Et elle m'accepte comme je suis. »

Jacques croit avoir fait des progrès dans ce qu'il appelle sa capacité « de sortir de lui-même », mais son narcissisme constitue toujours un problème important : « Je suis perfectionniste à l'occasion et impitoyable envers moi-même. Je me punis si je perds de l'argent. À l'adolescence, j'ai perdu vingt dollars et je me suis passé de déjeuner tout l'été. Je n'avais pas besoin d'argent, ma famille est à l'aise. Mais ce que j'avais fait était impardonnable. Suis-je perfectionniste ou compulsif ? Je me pousse tout le temps. Je dois lire le journal en entier tous les jours. Je me sens très souvent prisonnier. Pourrai-je abandonner ces rituels et ces manies à la naissance d'un enfant ? Il le faut. »

Le modèle à cinq facteurs : autoévaluation et évaluation par la conjointe dans le cadre de l'inventaire de personnalité NEO-PI

Au moment de la première évaluation, on ne disposait pas de l'inventaire de personnalité NEO-PI comme instrument de mesure du modèle à cinq facteurs. Il semblait donc approprié de demander à Jacques de passer le test. Outre l'autoévaluation de Jacques, il était possible d'obtenir l'évaluation effectuée par sa femme. On pouvait à cette occasion examiner si l'observation de soi s'accordait avec les autres résultats, comme s'y attendaient ceux qui avaient conçu l'inventaire de personnalité NEO-PI.

En ce qui concerne l'autoévaluation, la personnalité de Jacques se démarque par son très faible score d'amabilité. Les personnes qui obtiennent des scores de ce genre sont hostiles et ont tendance à être brusques ou même grossières dans leurs rapports avec les autres. De plus, elles préfèrent la compétition à la collaboration et expriment leur hostilité de manière directe, en hésitant très peu. Les autres les décrivent comme des gens plutôt têtus, critiques, manipulateurs ou égoïstes.

Jacques obtient également des scores d'extraversion et de névrosisme très élevés. En ce qui concerne l'extraversion, on signale que ces individus apprécient grandement la compagnie des autres, qui les dépeignent souvent comme des personnes sociables, volubiles et enjouées. Plus spécifiquement, les scores inscrits dans les échelles révèlent que Jacques se considère comme un individu énergique et dominant, et qu'il préfère être un meneur plutôt qu'un suiveur. En ce qui concerne le névrosisme, le score de Jacques caractérise les individus enclins à ressentir d'intenses émotions négatives et à connaître de fréquents épisodes de détresse psychologique.

Selon le compte rendu interprétatif, ces individus ont tendance à être maussades, trop sensibles, insatisfaits, inquiets, et à avoir peu d'estime de soi ; leurs amis les décrivent comme des personnes tendues, gauches et très nerveuses.

En ce qui concerne les deux autres facteurs, Jacques a obtenu un score élevé pour la dimension de l'esprit consciencieux, ce qui permet de déceler chez lui un grand besoin d'accomplissement et la capacité de travailler de manière organisée afin d'atteindre un objectif, ainsi qu'un score moyen quant à l'ouverture, ce qui indique qu'il accorde à peu près autant de valeur à ce qui est nouveau qu'à ce qui est familier. Les autres correspondances de personnalité donnent à penser qu'il recourt probablement à des formes d'adaptation inefficaces pour gérer le stress de la vie quotidienne et qu'il est trop attentif aux symptômes de problèmes physiques et de maladies.

La femme de Jacques offre-t-elle de lui une image semblable dans son évaluation ? On relève un accord très étroit entre les deux évaluations en ce qui regarde trois des cinq facteurs. La femme de Jacques estime comme lui qu'il est très extraverti, relativement ouvert et très peu aimable. Quant à la dimension de l'esprit consciencieux, on note une légère différence, Jacques se donnant un score légèrement plus élevé que ne le fait sa femme. La grande différence a trait à l'évaluation du névrosisme : Jacques s'octroie un score très élevé, alors que sa femme lui donne un faible score. On observe que, selon les échelles plus particulières, l'autoévaluation de Jacques le présente comme quelqu'un de beaucoup plus angoissé, de plus hostile et de plus déprimé que ce qu'on trouve dans l'évaluation effectuée par sa femme. De plus, il se perçoit comme un individu plus conscient de soi et plus vulnérable qu'aux yeux de sa femme, même si les deux sont d'avis qu'il se situe dans la moyenne ou au-dessous de la moyenne pour ce qui est de ces traits. Alors que l'autoévaluation fait de Jacques une personne angoissée et sujette à l'inquiétude, sa femme voit en lui un individu calme et habituellement sans inquiétude. En outre, alors que ses réponses le dépeignent comme un individu ne disposant que d'outils inefficaces pour gérer le stress et se préoccupant trop de ses problèmes physiques, l'évaluation effectuée par sa femme le présente comme quelqu'un qui possède des outils d'adaptation efficaces et a tendance à sous-estimer les problèmes physiques et médicaux.

De quelle façon devons-nous évaluer cette concordance ? D'une certaine façon, c'est comme se demander si le verre est à moitié plein ou à moitié vide. La concordance élevée que l'on y trouve ici corrobore l'hypothèse selon laquelle les autoévaluations tendent à être exactes. Par contre, on trouve une dimension où les deux évaluations divergent considérablement. Il se peut que la femme de Jacques le perçoive généralement d'une manière plus positive que lui, voire d'une manière plus juste, car Jacques se critique à l'occasion. Comme le révèlent les résultats du test de Rorschach réalisé quelques années auparavant, il se pourrait aussi que Jacques dissimule quelques-unes de ses émotions négatives derrière une façade de sang-froid et qu'il s'abstienne de faire part à sa femme des émotions négatives qu'il ressent. Bien sûr, nous ne savons pas si ces écarts entre les deux évaluations ont des effets sur leur vie conjugale, à savoir s'ils constituent pour eux des sources de friction ou s'ils sont plutôt acceptables, peut-être même désirables, dans leur relation.

Le débat personne-situation

Au cours des deux dernières décennies, la théorie des traits a fait l'objet d'un grand nombre de critiques en raison de son insistance sur les aspects stables et durables de la personnalité. En particulier, les critiques ont affirmé que le comportement varie beaucoup plus selon les situations que ne l'affirment les théoriciens des traits (Mischel, 1968, 1990). Ils soutiennent de plus que la théorie des traits ne permet guère de prévoir le comportement (Bandura, 1999; Pervin, 1994). Au lieu d'accorder autant d'importance aux prédispositions générales de la *personne*, beaucoup de critiques préfèrent s'intéresser aux *situations*, ou aux gratifications offertes par le milieu, comme facteurs permettant de maîtriser le comportement des êtres humains. Ainsi a-t-on débattu pendant quelque temps des facteurs qui pourraient rendre compte de la régularité du comportement, tels que les traits ou certains aspects de la situation; c'est ce qu'on appelle le **débat personne-situation**.

Débat personne-situation *(person-situation controversy).* Controverse qui oppose, d'une part, les psychologues qui insistent sur l'importance des variables personnelles (internes) pour déterminer le comportement et, d'autre part, ceux qui soulignent l'importance des influences situationnelles (externes).

Pour évaluer la stabilité des traits de personnalité, nous l'analyserons sous deux aspects: la stabilité longitudinale et la stabilité intersituationnelle. La stabilité longitudinale permet d'évaluer si le trait qui s'exprime avec force à un moment donné se manifeste avec autant de force à un autre moment. La stabilité intersituationnelle mesure si ce trait marqué qu'on relève dans certaines situations s'observe également dans d'autres situations. Les théoriciens des traits soutiennent que ces deux hypothèses sont exactes, que les traits de personnalité conservent leur stabilité au fil du temps et des situations. Bien sûr, c'est cette conception, et notamment les éléments concernant la stabilité intersituationnelle, qui est mise en question par les tenants d'une approche plus situationnelle.

LA STABILITÉ LONGITUDINALE

La stabilité longitudinale des traits, même sur de longues périodes (Block, 1981; Caspi, 2000; Conley, 1985), a été amplement démontrée. McCrae et Costa (1997) ont affirmé, avec beaucoup d'insistance, que les traits de personnalité changent peu chez la majorité des gens une fois qu'ils ont dépassé l'âge de trente ans: « Au cours des années, la plupart des gens auront connu des changements radicaux dans la façon dont est structurée leur vie. Ils se seront peut-être mariés, auront divorcé et se seront remariés. Ils auront probablement déménagé à plusieurs reprises… Et pourtant on ne constate chez la plupart d'entre eux aucun changement notable dans le degré des cinq dimensions » (McCrae et Costa, 1990, p. 87). Cette conclusion peut paraître surprenante si l'on songe aux débats concernant les « âges » de la vie et des périodes comme la crise de l'âge mûr (Caspi et Roberts, 1997; Levinson *et al.*, 1978). Bien que ces nombreux événements puissent revêtir une certaine importance, les auteurs soutiennent que les traits fondamentaux de la personnalité ne changent pas. De plus, d'autres observateurs corroborent cette image de stabilité fournie par les autoévaluations: « L'opinion qu'entretient l'époux ou l'épouse au sujet de la personnalité du conjoint confirme la stabilité fondamentale de la personnalité » (McCrae et Costa, 1990, p. 95). Comme nous l'avons constaté, il existe cependant des points de vue divergents et certains psychologues témoignent de l'existence des possibilités de changement au cours de l'enfance et de l'âge adulte.

Pourquoi y aurait-il une si grande stabilité longitudinale des traits de personnalité? On l'attribue en partie à l'aspect génétique des traits. De plus, l'individu choisit son environnement et le façonne afin de renforcer ses traits. L'extraverti ne se contente pas d'attendre que les situations se présentent, il recherche la compagnie des autres et les incite souvent à être eux aussi extravertis. Enfin, une fois mise en place la perception qu'ils ont de l'individu, les autres se comportent envers lui d'une manière qui perpétue les traits existants. Bien qu'il puisse y avoir des modifications de la personnalité, des forces puissantes agissent de manière à maintenir la stabilité au fil du temps.

LA STABILITÉ INTERSITUATIONNELLE

La stabilité intersituationnelle représente une question plus complexe que la stabilité longitudinale. Comment peut-on déterminer si un individu agit d'une manière cohérente au fil des situations ? Il serait insensé pour l'individu de se comporter de la même manière dans toutes les situations et aucun théoricien des traits ne s'attend à ce qu'il en soit ainsi. On ne peut guère imaginer qu'il fera preuve d'agressivité dans une cérémonie religieuse ou d'amabilité dans un match de football. Selon la théorie des traits, on prévoit qu'il y aura stabilité des traits dans un éventail de situations lorsqu'on estime que de nombreux comportements différents expriment le même trait.

En ce qui concerne l'éventail des situations, les tenants de la théorie des traits avancent qu'il est erroné de considérer que le comportement d'une personne dans une situation donnée suffit à définir sa position à l'égard d'un trait. L'analyse d'une seule situation manquera peut-être de pertinence et une erreur de mesure est toujours possible. Par ailleurs, en échantillonnant un large éventail de situations, on s'assure de la pertinence et de la fidélité des mesures obtenues (Epstein, 1983). Les tenants de la théorie des traits aiment utiliser les questionnaires parce qu'ils permettent d'évaluer le comportement dans un large éventail de situations, ce qui serait peut-être impossible à mesurer par d'autres moyens.

En outre, les comportements qui paraissent différents peuvent en réalité exprimer le même trait. Par exemple, le fait d'être volubile, de compter de nombreux amis et de rechercher les sensations fortes exprime le trait de l'extraversion. On s'attend à ce que ce trait se reflète dans des comportements différents et des situations diverses. Si l'on peut se livrer à ces observations et à ces évaluations, on note leur cohérence (Buss et Craik, 1983 ; Loevinger et Knoll, 1983).

Enfin, on peut analyser la méthode utilisée pour démontrer la stabilité du fonctionnement de la personnalité. Cette démonstration vaut davantage lorsqu'on recourt aux données de l'autoévaluation et de l'observation en milieu naturel plutôt qu'aux données provenant des tests de laboratoire (Block, 1977). Pourquoi en est-il ainsi ? Les situations de laboratoire ne permettent pas aux différences entre les individus de se manifester (Monson *et al.*, 1982). La plupart des étudiants qui ont participé à des expériences de laboratoire savent qu'elles laissent peu de place à la diversité des réponses. Ces conditions correspondent à la volonté de l'expérimentateur de jouer sur les variables et d'établir des liens de cause à effet. De plus, à la différence du monde réel, les tests de laboratoire n'offrent pas la possibilité de rechercher les situations qui conviennent, de les choisir et de les aménager. En milieu naturel, le comportement de l'individu ne varie pas, en partie parce que justement il choisit, et aménage, les situations qui influent sur son comportement (Caspi et Bern, 1990 ; Scarr, 1992).

En bref

Que penser du débat personne-situation ? Pouvons-nous à ce moment-ci en arriver à une conclusion ? En analysant les données présentées plus haut, on pourrait sans doute affirmer qu'elles corroborent l'hypothèse de la stabilité des traits, celle-ci ayant un caractère plus marqué dans des situations bien précises (par exemple à la maison, à l'école, dans le milieu de travail, auprès des amis, dans les activités récréatives) que dans l'ensemble des domaines. Puisque l'observation des individus se limite à un certain type de situations, la stabilité peut se trouver surévaluée. Par-delà ces considérations, les conclusions diffèrent en fonction des idées du psychologue. On a démontré qu'il existe à la fois une stabilité et une variabilité intersituationnelles. Dans une certaine mesure, la personne reste semblable à elle-même, quel que soit le contexte, et on pourrait dire également que jusqu'à un certain point elle diffère selon les contextes. Les théoriciens des traits adhèrent à la première partie de l'énoncé et présentent les faits qui corroborent cette opinion, tandis que les tenants de l'approche situationnelle préfèrent la dernière partie de l'énoncé et présentent les faits qui confortent leur position.

APPLICATIONS ACTUELLES

Stabilité intersituationnelle et ponctualité : pourquoi certaines personnes sont-elles toujours en retard ?

> Cinq personnes sont arrivées en retard au cours l'autre soir. Cela n'aurait aucune importance, si ce n'est que le cours en question portait justement sur la façon d'éviter les retards. Le cours, intitulé « Plus jamais en retard », est présenté une fois par mois dans un hôtel du centre-ville de San Francisco par l'organisme Learning Annex... Della, qui est camionneuse, raconte qu'elle a toujours été en retard à son travail. Si elle arrive encore en retard, ne serait-ce que d'une minute, elle risque de perdre son emploi. « Il faut m'aider », déclare-t-elle.
>
> John Carroll, *San Francisco Chronicle*, 3 mai 1991, p. E-10.

Est-il vrai qu'il existe une forte stabilité intersituationnelle regardant la propension au retard ? Dudycha (1936) a été le premier psychologue à étudier la ponctualité d'une manière empirique. Il a pris note de l'heure d'arrivée des enfants à diverses écoles et activités sociales et il a observé une modeste stabilité. Plus récemment, Mischel et Peake (1982) ont évalué diverses manifestations comportementales liées à la dimension de l'esprit consciencieux, dont la mesure de l'heure d'arrivée des participants. S'appuyant sur des indices corrélationnels, ils ont conclu que le comportement n'avait au mieux qu'une stabilité faible dans l'ensemble des situations.

Ware et John (1995) se sont posé une question légèrement différente : la dimension générale de l'esprit consciencieux empruntée au modèle à cinq facteurs nous permet-elle de prévoir les différences entre les individus en matière de ponctualité ? Les participants étaient des étudiants inscrits au programme de maîtrise en administration des affaires à Berkeley, aux États-Unis, dont on avait enregistré pendant plusieurs jours l'heure d'arrivée à un cours d'évaluation du personnel de direction. On avait mesuré l'esprit consciencieux des participants en utilisant l'échelle d'autoévaluation de l'inventaire de personnalité NEO-PI deux semaines avant l'expérience pour permettre aux chercheurs de diviser à l'avance l'échantillon en deux groupes : les individus très ponctuels et les individus peu ponctuels. On a relevé des écarts notables quant au retard ; l'heure d'arrivée allait de 30 minutes d'*avance* (score de −30) à 46 minutes de *retard* (score de +46 de retard).

Deux types de situations se présentaient : dans l'une d'entre elles, on avait choisi une heure de rendez-vous facile à respecter (17 h, en fin d'après-midi) et dans l'autre, une heure de rendez-vous difficile à respecter (8 h du matin). Les résultats sont présentés dans la figure ci-dessous. Comme l'approche situationnelle aurait pu le donner à penser, les participants avaient en moyenne 2 minutes d'avance pour le rendez-vous de l'après-midi, mais 6 minutes de retard pour celui du matin. Analysons maintenant l'effet du trait de personnalité : les étudiants dotés d'un esprit consciencieux élevé sont arrivés invariablement plus tôt, d'environ 5 minutes, que les étudiants à l'esprit moins consciencieux, et cet effet s'est fait sentir dans les deux situations. En général, les étudiants avaient un comportement cohérent dans leur ponctualité relative dans l'ensemble des situations et le score obtenu en matière d'esprit consciencieux annonçait le retard à un degré statistiquement significatif (voir la figure ci-dessous).

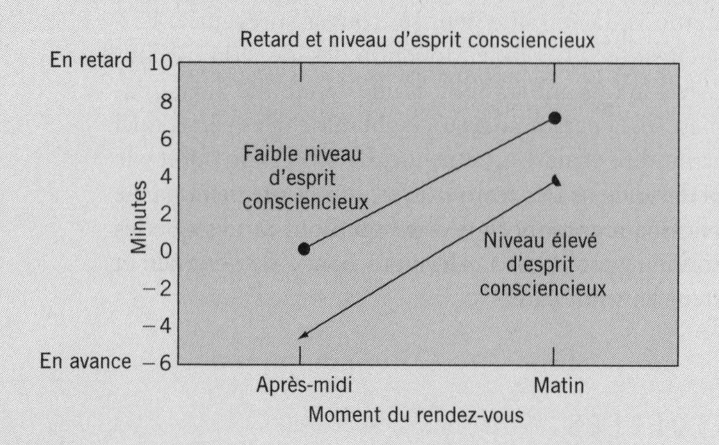

Quel est l'effet de la dimension de l'esprit consciencieux ? Le fait d'arriver une fois avec 5 minutes de retard peut ne pas signifier grand-chose. Mais supposons que 50 % des étudiants soient classés dans la catégorie des gens à l'esprit consciencieux relativement faible et qu'ils arrivent en moyenne avec 5 minutes de retard à *chacun* de leur rendez-vous. Cela aboutit à 1 heure de retard pour 12 rendez-vous. Au travail, cela se traduirait par presque une demi-heure de travail perdue par semaine, 2 heures par mois et 24 heures par année (soit 3 jours complets de travail). Ainsi, ce qui semble un petit effet peut rapidement faire boule de neige. Ce n'est pas étonnant que Della, la camionneuse, ait des ennuis au travail !

Ces résultats montrent bien qu'en tout temps aussi bien la situation que les traits de personnalité influent sur la façon de se comporter. Le fait d'arriver en retard comporte une *certaine* stabilité intersituationnelle, mais le trait de l'esprit consciencieux ne représente que l'une des nombreuses variables qui déterminent si nous nous présenterons en retard dans une situation donnée.

SOURCES : Dudycha, 1936 ; Mischel et Peake, 1982 ; Ware et John, 1995.

GEECH® de Jerry Bittle

GEECH, reproduction autorisée par United Feature Syndicate, Inc.

L'évaluation critique de la théorie des traits

Après avoir examiné diverses théories des traits et quelques-unes des démonstrations proposées, il est temps d'évaluer l'approche par les traits. Bien qu'il y ait des divergences parmi les tenants de ce courant, ils accordent tous une grande importance aux différences entre les individus en ce qui concerne la disposition à se comporter d'une certaine manière. Durant les années 1970 et 1980, on pensait que, en butte à la critique situationnelle et soumise aux effets de la révolution cognitive, la théorie des traits de personnalité finirait par disparaître. De nos jours, l'étude des traits est en plein essor, tant et si bien qu'un critique a déclaré qu'« après des décennies de doute et de discrimination les traits sont de nouveau en tête » (McAdams, 1992, p. 329).

S'il est vrai que la mort de la théorie des traits a été annoncée prématurément, on peut en dire autant des affirmations regardant la découverte de la structure fondamentale de la personnalité. Nous tenterons d'offrir une évaluation équilibrée des avantages et des limites de ce courant, qui constitue un élément majeur et controversé du champ que nous étudions.

LES AVANTAGES

Nous examinerons trois contributions importantes des psychologues de l'approche par les traits : la mise en œuvre d'une recherche dynamique, l'élaboration d'hypothèses intéressantes et l'établissement de liens avec le domaine de la biologie.

Le dynamisme de la recherche

Les tenants de la théorie des traits ont dans l'ensemble fait preuve d'un grand dynamisme dans leurs activités de recherche. Si le débat personne-situation n'a pas été tranché, on a du moins amplement démontré la stabilité du fonctionnement de la personnalité (Kenrick et Funder, 1988). Comme on a reconnu que le comportement humain est complexe et en général déterminé par de nombreux traits, l'utilité des traits en matière de prévision s'est trouvée corroborée (Brody, 1988 ; Hogan et Ones, 1997 ; McCrae et John, 1992). On a réalisé de belles avancées dans la recherche portant sur la part génétique dans la personnalité et sur les aspects physiologiques des caractéristiques de la personnalité qui se définissent comme des traits (Eysenck, 1990 ; Plomin *et al.*, 1990 ; Clark et Watson, 1999 ; Zuckerman, 1990). Enfin, d'importants programmes de recherche s'intéressent aux rapports entre, d'une part, les traits et, d'autre part, le comportement interpersonnel et la psychopathologie (Widiger, 1999 ; Widiger et Trull, 1991 ; Wiggins *et al.*, 1989 ; Wiggins et Pincus, 1989). Il y a plus d'une décennie, en réaction à la critique situationnelle, on a soutenu que la théorie des traits était bel et bien vivante (Epstein, 1977). Si cette affirmation était juste à l'époque, elle l'est encore bien davantage de nos jours.

Des hypothèses intéressantes

Les tenants de l'approche par les traits de personnalité ont proposé bien des hypothèses intéressantes. Nous en avons mentionné quelques-unes dans ce chapitre. Par exemple, selon l'hypothèse lexicale fondamentale, on soutient que les grandes différences entre les individus sont encodées dans la langue. Les premières études portant sur cette question ont fourni une démonstration interculturelle de cette hypothèse, même si on obtient des résultats moins précis lorsque des personnes qui s'expriment dans des langues non occidentales élaborent leurs propres descriptions de la personnalité (Yang et Bond, 1990). D'après une autre hypothèse, tout aussi intéressante, si le milieu a une grande influence sur le développement de la personnalité, c'est l'environnement que les membres d'une même famille n'ont pas en commun qui joue un rôle essentiel (Plomin et Daniels, 1987; Plomin *et al.*, 1990).

La possibilité d'établir des liens avec la biologie

Les conceptions théoriques et les travaux de recherche en rapport avec la génétique, le fonctionnement physiologique et la théorie de l'évolution laissent entrevoir l'existence de liens prometteurs entre la psychologie de la personnalité et la biologie (Pickering et Gray, 1999; Tellegen, 1991). Comme nous le verrons au chapitre 9, la biologie en tant que discipline a fait des progrès considérables au cours de la dernière décennie. Du moins, les concepts concernant la personnalité ne peuvent s'inscrire en faux contre ce que nous savons du fonctionnement biologique de l'être humain. Cela dit, les progrès de la biologie peuvent toutefois orienter certains de nos efforts de recherche. Le modèle des traits en particulier, par l'importance qu'il attribue à la structure de la personnalité et aux facteurs génétiques, permet d'incorporer les découvertes biologiques à un modèle intégré de la personnalité.

LES LIMITES

Parmi les limites de la théorie, nous retiendrons les suivantes: les problèmes de méthode liés à l'analyse factorielle, les problèmes liés au concept de trait et le peu d'intérêt envers un certain nombre de facettes essentielles de la personnalité.

Les problèmes de méthode liés à l'analyse factorielle

L'analyse factorielle joue un rôle essentiel dans la théorie des traits de personnalité, notamment dans l'élaboration du modèle à cinq facteurs. Comme le suggérait Cattell, on pourrait se servir de l'analyse factorielle pour découvrir un modèle de personnalité équivalant au tableau périodique des éléments en chimie; les tenants actuels de la théorie soutiennent qu'elle a permis de définir les dimensions fondamentales des traits de personnalité, les « Cinq Grands » (McCrae et John, 1992). Par ailleurs, la méthode donne lieu à certaines critiques. Allport, lui-même tenant de la théorie des traits, signale que les facteurs délimités grâce à cette méthode « ressemblent à de la chair à saucisse qui n'aurait pas passé le test d'inspection sanitaire » (1958, p. 251). D'autres affirment, de manière tout aussi critique, que la méthode équivaut à placer les individus dans une centrifugeuse et à s'attendre à ce que les « éléments fondamentaux » se trouvent ainsi extraits (Lykken, 1971; Tomkins, 1962). Bandura (1999, p. 165) renchérit: « Chercher à découvrir la structure de la personnalité en se livrant à l'analyse factorielle d'un ensemble limité de descripteurs du comportement revient pour l'essentiel à se servir d'une méthode psychométrique pour trouver une théorie... cela rappelle les débats d'antan au sujet du nombre exact de motivations ou de pulsions déterminantes. »

Si l'analyse factorielle est aussi efficace que l'assurent ses défenseurs, on devrait retrouver essentiellement les mêmes facteurs dans les différentes études. Même si on a déclaré que le modèle à cinq facteurs représentait une découverte fondamentale de la psychologie de la personnalité et que les cinq facteurs constituaient « exactement le nombre qu'il fallait » (McCrae et John, 1992), certains critiques ont soutenu qu'il en fallait moins (Eysenck, 1990; Tellegen, 1991; Zuckerman,

1990) et d'autres, qu'il en fallait plus (A.H. Buss, 1988; Cattell, 1990; Waller, 1999). Néanmoins, et bien qu'on ait avancé qu'on pourrait se mettre d'accord au sujet des « Cinq Grands », de nombreux critiques soutiennent que le degré de correspondance des résultats entre les études laisse beaucoup à désirer (Block, 1995). Comme le disait un adepte de la théorie des traits, « ils ressemblent plus à des faux jumeaux qu'à des vrais » (Briggs, 1989, p. 248). Bref, nous mettons en doute l'idée que l'analyse factorielle puisse véritablement aboutir aux composantes fondamentales de la personnalité. On devra sans doute faire appel à d'autres critères scientifiques.

Les problèmes liés au concept de trait

Le concept de trait désigne une disposition à réagir de la même façon dans un éventail de situations. Il semble que jusque-là les théoriciens des traits s'accordent sur la définition et le choix des traits. Pourtant, comme on l'avait constaté vingt ans auparavant, « ce qu'englobe la définition des traits ne va pas de soi » (Borgatta, 1968, p. 510). La stabilité du comportement témoigne de l'existence d'un trait; la notion de comportement s'applique généralement à un comportement *manifeste* tel qu'il s'exprime dans les situations. Depuis peu, néanmoins, on a étendu le concept de trait au comportement non observable, c'est-à-dire aux émotions, aux motivations et aux attitudes (A.H. Buss, 1989; McCrae et Costa, 1990; McCrae et John, 1992). En fait, de ce point de vue, Henry Murray (voir le chapitre 4) serait un théoricien des traits!

Les théoriciens des traits peuvent définir le concept comme ils le désirent et y placer tout ce qu'ils veulent, mais ils doivent se mettre d'accord (Pervin, 1994). Il faut notamment déterminer si la distinction entre le trait et la motivation présente une certaine utilité (Winter *et al.*, 1998). La conception de Murray (1938) est intéressante dans le cas qui nous occupe, puisqu'il oppose de façon toute particulière le concept de *besoin* et celui de *trait*. Selon Murray, à la différence des traits, les besoins peuvent avoir un caractère transitoire ou durable et être présents au sein de l'organisme sans se manifester dans le comportement. Ainsi, il déclare: « Il s'agit sans doute d'un préjugé, mais j'estime que la psychologie du trait s'intéresse trop aux récurrences, à l'uniformité, à ce qui se manifeste clairement (à la surface de la personnalité), au conscient, à l'ordonné et au rationnel » (1938, p. 715). Ces divergences ne sont pas insignifiantes; elles mettent en évidence le scepticisme de Murray au sujet de la capacité de s'autoévaluer correctement et son insistance sur la nécessité de concevoir la personnalité d'une façon dynamique.

On peut s'interroger également sur la valeur explicative du concept de trait. Les traits de personnalité représentent-ils des *descriptions* de la stabilité du comportement ou des *explications* de la stabilité observée (Briggs, 1989; Wiggins, 1973; Zuroff, 1986)? Posant la question sous sa forme la plus simple, on peut se demander si les traits sont « réels » ou si nous avons plutôt affaire à « des fictions commodes grâce auxquelles nous communiquons » (Briggs, 1989, p. 251). On se souvient qu'Eysenck s'intéressait beaucoup à ce problème et affirmait que, faute de théorie, on risque d'emprunter un raisonnement circulaire: le concept de trait sert à expliquer le comportement, qui fonde le concept de trait. Autrement dit, améliorons-nous notre compréhension de la personnalité lorsque nous rendons compte de nombreux comportements en les inscrivant sous la rubrique de l'extraversion et en affirmant ensuite que l'individu agit de cette façon parce qu'il est extraverti? Le modèle à cinq facteurs ne constitue pas en soi un modèle explicatif de la personnalité (McCrae, 1994; Pervin, 1994a).

Les aspects absents ou négligés

Le concept de trait et le modèle à cinq facteurs nous offrent-ils une représentation intégrée de la personnalité ? Cette question découle en partie des considérations concernant le contenu du concept de trait. Même si bien des théoriciens appartenant au courant des traits soutiennent (voir la figure 8.3 et l'exposé ci-dessus) que la personnalité ne se limite pas aux cinq grands facteurs, on pourrait mentionner d'autres éléments qui en relèvent : le concept de soi, l'identité, le schéma cognitif et l'inconscient (A.H. Buss, 1988 ; McAdams, 1992).

Un autre problème se pose : le modèle à cinq facteurs nous éclaire-t-il au sujet de l'organisation de la personnalité ? L'individu se définit-il seulement par une poignée de traits ou faut-il voir dans l'organisation de ces traits un aspect crucial de la personnalité ? Il est intéressant de souligner qu'Allport (1961) plaçait la structure et l'organisation au centre de la personnalité. Aujourd'hui, les théoriciens des traits semblent tous d'avis que l'« essence de la personnalité réside dans l'organisation de l'expérience et du comportement » (McCrae et Costa, 1990, p. 118). Pourtant, la recherche sur les traits comporte à cet égard des lacunes manifestes. Enfin, cette théorie consacrée aux différences entre les individus souffre d'une étonnante pénurie d'études portant sur l'individu. Ainsi, pour reprendre les mots d'un critique : « Le modèle à cinq facteurs est pour l'essentiel une psychologie de l'étranger : le portrait rapide et simple de quelqu'un » (McAdams, 1992, p. 333). Les étudiants peuvent se faire une opinion à ce sujet en examinant le cas présenté dans ce chapitre, de même qu'en comparant les diverses descriptions de la personnalité de Jacques proposées au chapitre 16.

Enfin, sauf dans le cas d'Eysenck, la théorie des traits ne tient guère compte des modifications de la personnalité. Certes, on peut décrire la stabilité de la personnalité et chercher à l'expliquer grâce aux facteurs génétiques (tempérament), au choix et au façonnage des situations, aux réponses stéréotypées (autoconfirmation) données par autrui, mais il ne s'ensuit pas nécessairement qu'on doive s'abstenir de prendre en considération le changement. McCrae et ses collaborateurs (2000) font un compte rendu des changements existentiels endogènes qui se modèle sur les processus biologiques, mais il n'est pas encore très précis.

Bien qu'ils insistent sur la stabilité, peu de théoriciens des traits attribuent à la plupart des aspects de la personnalité une stabilité et une durabilité semblables à celles de l'intelligence. Et, même si on doute de l'efficacité de la psychothérapie, ne serait-il pas raisonnable d'expliquer le changement qui survient à l'occasion en recourant à une théorie de la personnalité qui serait complète et détaillée (Brody, 1988) ? On voit enfin paraître des études à ce sujet ; par exemple, des chercheurs ont tenté de prévoir de quelle façon les expériences de vie seraient susceptibles d'entraîner des changements systématiques dans les traits de personnalité (Caspi et Roberts, 1999 ; Helson et Wink, 1987 ; Wink et Helson, 1992 ; Roberts, 1995).

En somme, la théorie des traits de personnalité est bel et bien vivante, malgré les lacunes qu'elle comporte. Il reste à déterminer sous quelle forme elle survivra.

Tableau 8.3 Avantages et limites de la théorie des traits

Avantages	Limites
1. Le dynamisme de la recherche	1. La méthode : l'analyse factorielle
2. Des hypothèses intéressantes	2. La définition du trait
3. La possibilité d'établir des liens avec la biologie	3. Les aspects absents ou négligés

LA THÉORIE DES TRAITS EN UN COUP D'ŒIL

Structure	Processus	Croissance et développement	Pathologie	Changement	Étude de cas
Traits	Traits dynamiques, motivations associées aux traits	Part de l'hérédité et de l'environnement dans les traits	Scores extrêmes dans les dimensions des traits (par exemple, névrosisme)	(Aucun modèle formel)	Un homme de 69 ans

Résumé

1. Les théoriciens des traits commencent à s'accorder au sujet des « Cinq Grands » ou modèle à cinq facteurs. La corroboration du modèle provient de l'analyse factorielle des termes de la langue utilisés pour délimiter les traits ; de l'analyse factorielle des données recueillies grâce aux évaluations et aux questionnaires (par exemple, l'inventaire de personnalité NEO-PI) ; et de l'analyse de la part génétique (héritée) dans la personnalité.
2. Selon l'hypothèse lexicale fondamentale, les différences les plus importantes entre les individus regardant les rapports humains ont été encodées dans la langue au fil du temps.
3. D'après le modèle théorique à cinq facteurs, les tendances fondamentales s'appuient sur des fondements biologiques et elles se développent d'une manière essentiellement indépendante des facteurs environnementaux (maturation intrinsèque). La stabilité de la structure générale des traits et leur maintien à un certain niveau ont été démontrés, de même qu'une plus grande stabilité des traits à l'âge adulte que pendant l'enfance et l'adolescence. Il en est ainsi également de la stabilité de la position relative de l'individu dans les mesures de trait au cours du développement, stabilité encore une fois plus grande à l'âge adulte que pendant l'enfance. On observe des différences entre les individus concernant cette stabilité et il reste à déterminer les limites de l'influence du milieu sur le développement et la modification de la personnalité.
4. Les tenants du modèle à cinq facteurs soutiennent qu'il comporte de nombreuses possibilités d'applications dans des domaines tels que l'orientation professionnelle, le diagnostic de la personnalité et la thérapie. On a souligné, toutefois, que les progrès dans ce domaine sont récents et qu'ils n'ont pas encore été évalués. De plus, le modèle n'offre aucune proposition particulière en matière de modification de la personnalité.
5. Les critiques de la théorie des traits affirment que le comportement des êtres humains comprend de fortes variations. Au lieu d'insister sur les dispositions générales des individus, on devrait reconnaître l'importance des influences situationnelles. Ces divergences ont engendré le débat personne-situation. On a démontré la stabilité longitudinale et intersituationnelle de la personnalité en présence d'un large éventail de situations et de comportements. De même, on sait qu'il existe une variabilité du comportement individuel, notamment dans des situations très différentes les unes des autres. On doit encore expliquer les raisons de la stabilité et de la variabilité du comportement.

6. Une évaluation globale de l'actuelle théorie des traits révèle qu'elle comporte un certain nombre d'avantages : dynamisme de la recherche, formulation d'hypothèses intéressantes ainsi que possibilité d'établir des liens avec la biologie en rapport avec l'évaluation de la part génétique dans la personnalité et dans le développement. Par ailleurs, on se pose des questions sur l'utilisation de l'analyse factorielle, sur ce que signifie vraiment le concept de trait, ainsi que sur l'absence d'aspects importants du fonctionnement psychologique, le soi par exemple, et d'une théorie de la modification de la personnalité.

Chapitre 9

Les fondements biologiques de la personnalité

Le tempérament : les conceptions de la relation corps-esprit, d'hier à aujourd'hui

La constitution et le tempérament : de l'Antiquité au milieu du XXe siècle

La constitution et le tempérament : les études longitudinales

La constitution et le tempérament : la recherche de Kagan sur les enfants inhibés et non inhibés

La théorie évolutionniste et la personnalité : synthèse moderne, 1re partie

Les différences hommes-femmes : le choix du partenaire

Les différences hommes-femmes : les causes de la jalousie

La théorie évolutionniste et les cinq grandes dimensions de la personnalité (le modèle des « Cinq Grands »)

Les gènes et la personnalité : synthèse moderne, 2e partie

La génétique comportementale

Les facteurs environnementaux et les interactions gènes-environnement

Les neurosciences et la personnalité

La localisation des fonctions du cerveau : l'amygdale

La prédominance hémisphérique cérébrale

Le fonctionnement des neurotransmetteurs : la dopamine et la sérotonine

La neurobiologie et les trois grandes dimensions du tempérament

La plasticité des processus biologiques

La biologie et les enjeux sociopolitiques

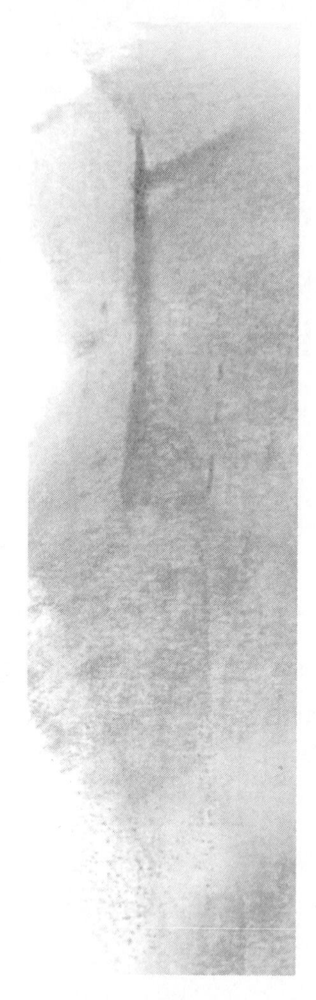

Pourquoi certaines personnes sont-elles généralement heureuses et d'autres tristes, certaines énergiques et d'autres léthargiques, certaines impulsives et d'autres réfléchies, certaines excitées et d'autres calmes, certaines optimistes et d'autres pessimistes ? On dit souvent qu'au premier enfant les parents sont convaincus de l'importance de l'environnement — de la *culture* —, tandis qu'au deuxième enfant ils sont convaincus de l'importance du tempérament — de la *nature*. Les différences entre les enfants d'une même famille sont souvent dès les premiers mois considérables. De même, les gens qui observent les nouveau-nés derrière la vitre d'une pouponnière sont frappés de voir à quel point ils sont différents, certains très actifs et d'autres bougeant à peine ; certains pleurant presque sans arrêt et d'autres presque toujours calmes.

Depuis des siècles, les êtres humains tentent de comprendre quelles sont les relations entre le corps et l'esprit, entre la constitution physique et la personnalité. Et depuis que sir Francis Galton a lancé dans les années 1880 le grand débat « nature/culture » (hérédité/environnement), les psychologues n'ont jamais cessé de s'intéresser aux rapports entre l'inné et l'acquis. Au cours des dernières décennies, notre compréhension des processus biologiques a grandement progressé. Les différences de tempérament et de personnalité entre les individus sont-elles déterminées par les processus biologiques ? Le cas échéant, lesquels jouent un rôle décisif ? Les connaissances acquises durant la dernière décennie du XXe siècle, qualifiée de « décennie du cerveau », nous éclairent-elles sur les rapports entre fonctionnement du cerveau et personnalité ?

L'étude des fondements biologiques de la personnalité évolue très rapidement. Dans ce chapitre, nous tenterons de faire état de ce que nous savons et de ce que nous ignorons encore à ce jour en la matière.

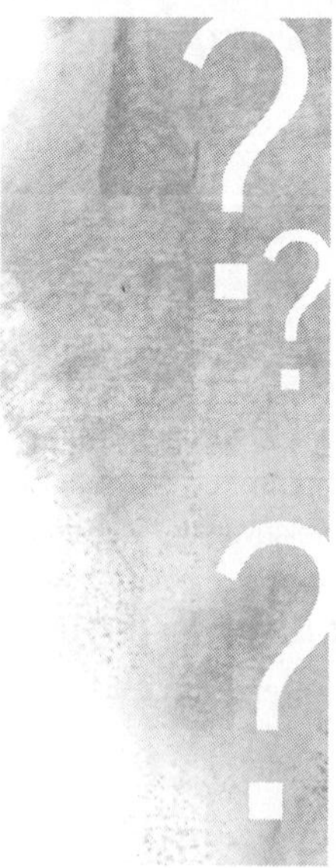

Le chapitre... *en questions*

1. Les différences de tempérament sont-elles innées ? Si oui, jusqu'à quel point sont-elles stables et quelles sont leurs bases biologiques ?
2. Certains aspects du fonctionnement de la personnalité ont-ils un caractère universel et, s'il en est ainsi, la théorie évolutionniste peut-elle nous éclairer sur les raisons d'être de tels processus ?
3. Quel est le rôle des gènes dans la formation de la personnalité ? Comment les gènes interagissent-ils avec l'environnement dans le développement de la personnalité ?
4. Peut-on établir des liens entre le fonctionnement de la personnalité et les processus cérébraux ? Par exemple, des traits comme ceux que nous avons étudiés dans les chapitres précédents peuvent-ils s'expliquer par des différences entre les individus en ce qui concerne le fonctionnement du cerveau ?

Dans sa fascinante exploration des rapports entre biologie et personnalité, l'éminent neurologue Antonio Damasio (1994) prend pour point de départ le cas de Phineas Gage, contremaître en construction qui en 1848 survécut à un terrible accident au cours duquel une tige de métal longue d'un mètre lui traversa la tête. Gage, qui travaillait à la construction d'une voie ferrée en tant que chef de chantier, entreprit de faire exploser un rocher pour y frayer un chemin. Il fora un trou dans le sol, le remplit de poudre explosive et y inséra une tige de métal pour tasser la poudre. Il fallait ensuite allumer la mèche pour déclencher l'explosion. Bien que décrit comme un virtuose des explosifs, Gage eut ce jour-là un moment de distraction et la charge lui sauta au visage ; la tige de métal pénétra dans sa joue gauche, transperça la base de son crâne, traversa la partie avant de son cerveau et ressortit complètement par le sommet de sa tête. Miraculeusement, Gage ne fut pas tué et, bien que sonné, continua à marcher et à parler ; il put même décrire en détail ce qui venait d'arriver et resta capable de communiquer de façon rationnelle. Cependant, comme le révèle la suite de l'histoire, dès lors « le caractère de Gage, ses goûts et ses dégoûts, ses rêves et ses aspirations ont changé du tout au tout. Son corps vit et se porte bien, mais c'est un autre esprit qui l'anime. Gage n'est plus Gage » (Damasio, 1994, p. 7). Jusque-là sérieux, travailleur et énergique, Gage était devenu irresponsable, indifférent aux autres et aussi peu soucieux de son avenir que des conséquences de ses actes. La tige de métal avait en grande partie détruit son cortex frontal.

Quel est l'intérêt de cette anecdote ? Selon Damasio, elle met en lumière le rôle du cerveau quant à certaines caractéristiques proprement humaines. La thèse voulant que le corps et l'esprit — la biologie et la personnalité — soient intimement liés ne date pas d'hier. Pour retracer son histoire, nous allons d'abord nous pencher sur le tempérament, cet aspect de notre personnalité souvent considéré comme fondamental et qui, de toute évidence, a changé chez Gage lorsqu'une tige de métal lui a traversé le cerveau.

Le tempérament : les conceptions de la relation corps-esprit, d'hier à aujourd'hui

> Pour certains aspects de votre personnalité, vous avez à peu près autant de choix que pour la forme de votre nez ou la taille de vos pieds. C'est ce que les psychologues appellent la dimension biologique, innée, du « tempérament ».
>
> Hammer et Copland, 1998, p. 7.

Les psychologues s'intéressent depuis longtemps au concept de **tempérament,** défini comme l'ensemble des caractéristiques individuelles de l'humeur générale ou de la qualité de la réaction émotionnelle. Comme le suggère la citation en exergue, ces caractéristiques semblent largement déterminées par la biologie et l'hérédité. Le concept de tempérament, précise Jerome Kagan (1994, p. XVII), désigne toute caractéristique émotionnelle ou comportementale distinctive et relativement stable qui apparaît dans l'enfance sous l'influence de l'héritage biologique, notamment de différences dans la neurochimie du cerveau. En somme, les éléments clés du concept de tempérament sont des caractéristiques individuelles distinctives qui apparaissent tôt, restent assez stables, sont héréditaires et ont des bases biologiques (Eisenberg, Fabes, Guthrie et Reiser, 2000 ; Rothbart, Ahadi et Evans, 2000).

Tempérament *(temperament).* Ensemble des caractéristiques individuelles de l'humeur en général ou de la qualité de la réaction émotionnelle, qui apparaissent tôt, restent relativement stables, sont héréditaires et s'inscrivent dans des processus biologiques.

LA CONSTITUTION ET LE TEMPÉRAMENT : DE L'ANTIQUITÉ AU MILIEU DU XXe SIÈCLE

Au chapitre 7, nous avons attiré l'attention sur la relation entre les deux dimensions fondamentales de la personnalité selon Eysenck et les quatre tempéraments de base décrits par les médecins grecs Hippocrate et Galien (figure 7.2). Pour les anciens Grecs, tout ce qui existe dans la nature est constitué de quatre éléments : la terre, l'air, le feu et l'eau. Partant de là, Hippocrate et Galien avancèrent que ces quatre éléments étaient représentés dans le corps humain par quatre humeurs — le sang, la bile noire, la bile jaune et le phlegme (la lymphe) —, correspondant chacune à un tempérament — le sanguin, le mélancolique, le colérique et le flegmatique. Selon eux, les différences de tempérament entre les individus s'expliquaient par la prédominance de l'une ou l'autre des quatre humeurs. De même, les maladies découlaient de l'excès de l'une ou l'autre des humeurs (par exemple, la dépression était attribuée à l'excès de bile noire). Autrement dit, on a proposé dès l'Antiquité une classification des tempéraments selon la constitution physique ou la chimie élémentaire du corps.

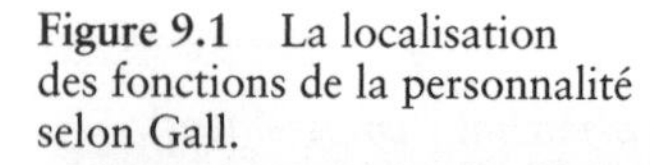

Phrénologie *(phrenology)*.
Discipline fondée par Gall au début du xixe siècle et qui avait pour objet la localisation des zones du cerveau auxquelles on attribuait divers aspects du fonctionnement émotionnel et comportemental. Bientôt considérée comme de la superstition et du charlatanisme, la phrénologie tomba rapidement dans le discrédit.

De là, on peut passer aux travaux du médecin allemand Franz Josef Gall (1758-1828), souvent considéré comme le fondateur de la **phrénologie**. Très populaire au début du XIXe siècle, cette discipline qui tentait de localiser d'après la forme du crâne les zones du cerveau dont relèvent divers aspects du fonctionnement émotionnel et comportemental ne tarda pas à être considérée comme de la superstition et du charlatanisme, et tomba rapidement dans le discrédit. En réalité, Gall, qui appelait son champ d'études *cranioscopie* ou physiologie du cerveau, était un scientifique sérieux et un excellent anatomiste. Il préleva sur des cadavres autant de cerveaux qu'il put en trouver et il les disséqua, tentant d'associer les différences de capacités, de dispositions et de traits que présentaient les patients de leur vivant aux différences observées dans leur cerveau après la mort. Bien qu'on se souvienne surtout du travail de Gall comme d'une entreprise hasardeuse, certains y voient l'une des premières tentatives sérieuses pour localiser divers aspects du fonctionnement de la personnalité dans les diverses parties du cerveau (voir la figure 9.1) ; il s'agit d'une recherche qui fait aujourd'hui partie du champ d'études des neurosciences.

Au milieu du XIXe siècle, on assiste à la publication des travaux des deux précurseurs de la synthèse moderne, *De l'origine des espèces au moyen de la sélection naturelle* de Charles Darwin (1859) et *Recherches sur les hybrides végétaux* de Gregor Johann Mendel (1865). Ce dernier ouvrage, qui décrit huit ans d'expériences sur le croisement des pois et la transmission de leurs caractères, posait les fondements de la génétique moderne. Après *De l'origine des espèces,* Darwin publia *L'expression des émotions chez l'homme et les animaux* (1872), traité consacré à la similarité des expressions émotionnelles chez les animaux et chez les êtres humains. À peu près à la même époque, Galton, qui était un cousin de Darwin, mena des recherches sur le caractère héréditaire du génie et lança le grand débat « nature/culture ». Toujours à la même époque, l'éminent psychiatre Émile Kraepelin, né la même année que Freud et son rival pour le titre de « père de la psychiatrie moderne », tenta d'établir une nosographie des troubles mentaux, que l'on croyait alors largement héréditaires. Notons que Kraepelin s'intéressa plus particulièrement aux troubles de l'humeur, par exemple à la maladie maniaco-dépressive, ou trouble bipolaire comme on l'appelle aujourd'hui (Barondes, 1998).

Figure 9.1 La localisation des fonctions de la personnalité selon Gall.

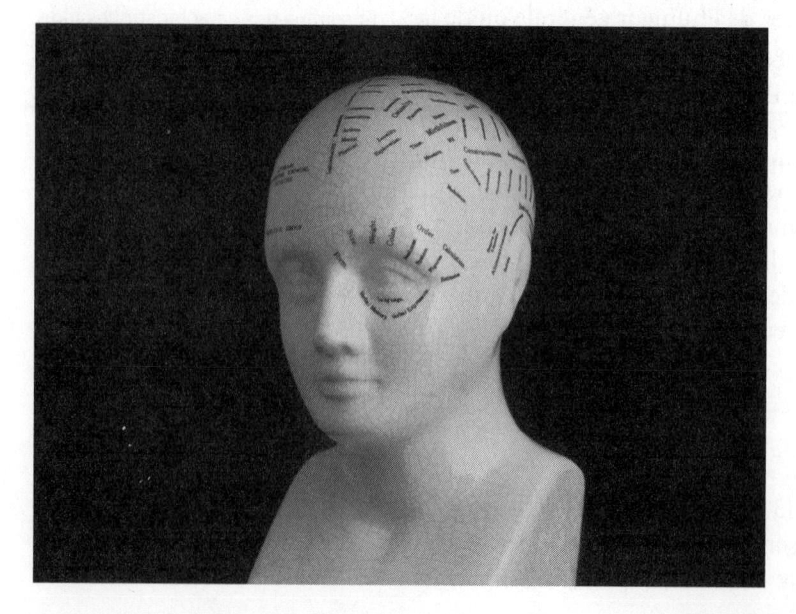

Au XXe siècle, le psychiatre allemand Ernst Kretschmer publia ses recherches sur la relation entre le type physique et la personnalité (*La structure du corps et le caractère*, 1921). Kretschmer mit au point une méthode de mesure du corps qui l'amena à établir une classification selon trois types physiques : le type *pycnique* (corps rond et potelé), le type *athlétique* (corps vigoureux et musculeux) et le type *asthénique* (corps linéaire et frêle). Puis, il découvrit que la fréquence des troubles psychiatriques variait pour chacun de ces types physiques, le type *pycnique* étant associé à la maladie maniaco-dépressive, et le type *asthénique* à la schizophrénie. Kretschmer croyait aussi en l'existence d'un lien entre le type physique et certains traits de la personnalité normale (par exemple, entre le type *pycnique* et l'extraversion, et entre le type *asthénique* et l'introversion), mais il ne fournit aucune preuve de l'existence de ce lien. Malgré les erreurs méthodologiques de Kretschmer — par exemple, il n'a pas pris en considération le fait que la maladie maniaco-dépressive tend à survenir à un âge plus avancé que la schizophrénie et que les gens prennent du poids et des rondeurs en vieillissant —, ses recherches n'en ont pas moins jeté les fondements des travaux ultérieurs de la psychologie constitutionnelle.

Les travaux de Kretschmer sur les types physiques et la personnalité furent suivis par ceux de William Sheldon, qui passa du temps avec Jung et rendit visite à Freud et à Kretschmer. Situant clairement son travail dans le champ de la psychologie constitutionnelle, Sheldon (1940, 1942) avança que chacun hérite d'une structure biologique fondamentale (physique organique, constitution) qui détermine son tempérament. Il décrivit trois dimensions primaires de la constitution physique correspondant largement aux types décrits par Kretschmer : l'*endomorphie* (type mou et rond), la *mésomorphie* (type dur, rectangulaire et musculeux) et l'*ectomorphie* (type linaire et fragile, mince, peu musclé). Il élabora ensuite une méthode objective permettant de noter toute personne sur une échelle allant de 1 à 7 pour chacune de ces dimensions, de manière à obtenir son **somatotype,** c'est-à-dire la configuration des trois dimensions primaires de sa constitution physique. Enfin, à partir de la notation des traits d'un groupe d'individus, Sheldon décrivit trois composantes primaires du tempérament : la *viscérotonie* (goût du confort, sociabilité, amour de la bonne chère), la *somatotonie* (goût de l'aventure et du risque, compétitivité) et la *cérébrotonie* (inhibition, crainte, introversion). En accord avec Kretschmer, il suggéra qu'il existait une relation entre les mesures de la constitution physique et les mesures du tempérament (figure 9.2).

Somatotype *(somatype).*
Désignation ou configuration des composantes primaires de la constitution physique d'un individu.

En effet, dans une étude portant sur 200 participants, Sheldon trouva des corrélations entre la constitution physique et le tempérament : corrélation de 0,79 entre le type *endomorphe* (mou, rond) et la *viscérotonie* (sociabilité) ; corrélation de 0,82 entre le type *mésomorphe* (musculeux) et la *somatotonie* (goût du risque, affirmation de soi, compétitivité) ; et corrélation de 0,83 entre le type *ectomorphe* (mince, peu musclé) et la *cérébrotonie* (inhibition, appréhension, introversion). Cette recherche comportait, entre autres, le problème suivant : les deux séries de notations étaient réalisées par le même évaluateur, de sorte que les corrélations relevées pouvaient refléter ses idées préconçues ou son parti pris théorique. De plus, les relations entre la constitution physique et le tempérament mises au jour par d'autres chercheurs sont beaucoup plus ténues. Enfin, il était difficile de déterminer la base physique de ces associations et on ne pouvait exclure la possibilité qu'elles soient fondées davantage sur l'expérience que sur la biologie, autrement dit que les gens dotés de types physiques différents se voient récompensés pour des activités différentes et réagissent aux stéréotypes projetés sur eux (par exemple, les gens enjoués et musculeux sont compétitifs ; les gens frêles sont craintifs, etc.) En somme, bien que se réclamant d'une psychologie fondée sur la biologie, Sheldon n'a pas pu établir les assises biologiques du lien entre la constitution physique et le tempérament.

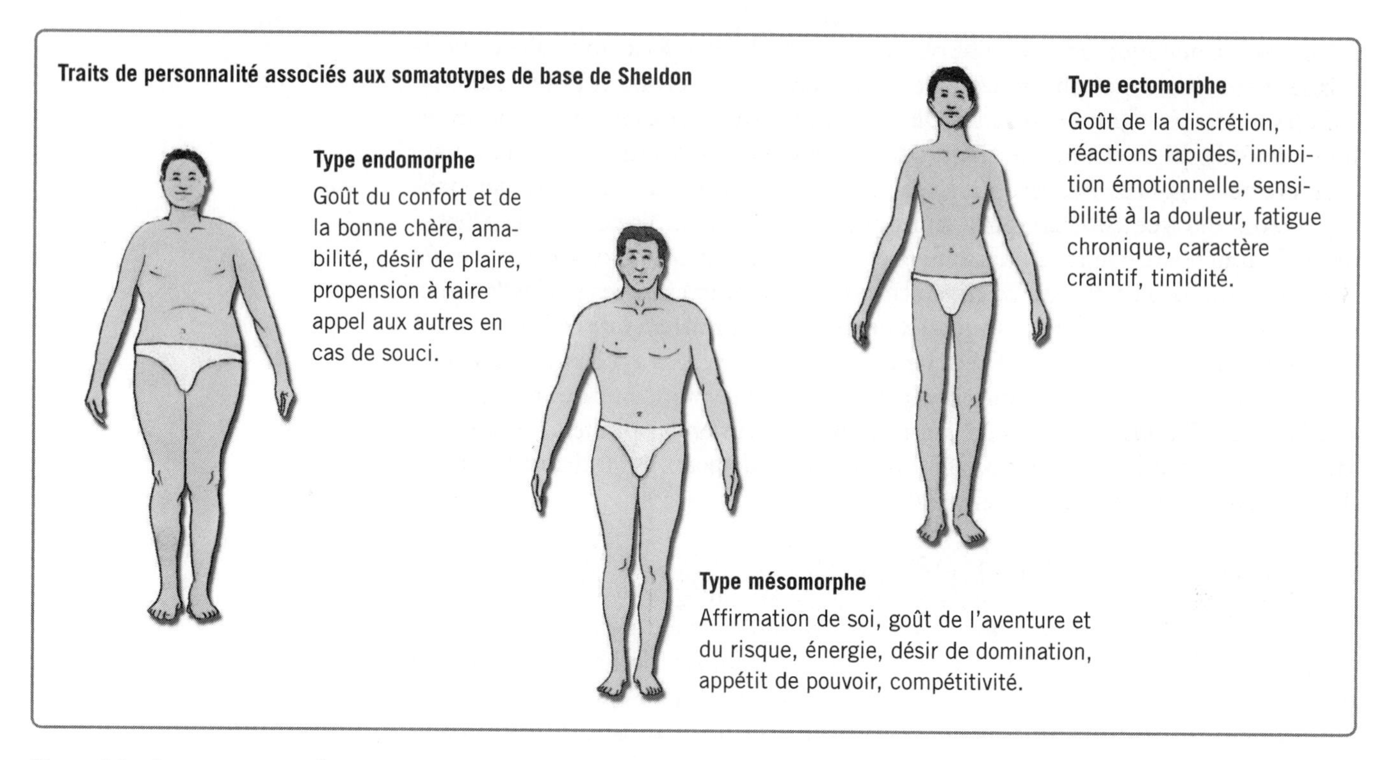

Figure 9.2 Les somatotypes de base selon Sheldon.

LA CONSTITUTION ET LE TEMPÉRAMENT: LES ÉTUDES LONGITUDINALES

Notons-le, bien que les recherches que nous venons de présenter aient supposé que le tempérament se manifeste dès la petite enfance et reste ensuite relativement stable, aucune ne portait sur des bébés et aucune ne constituait une étude longitudinale de l'évolution du tempérament. Cela allait changer à partir des années 1950, avec la *New York Longitudinal Study* (*NYLS*) d'Alexander Thomas et Stella Chess; ces deux chercheurs ont suivi plus d'une centaine d'enfants, de la naissance à l'adolescence (Thomas et Chess, 1977). À partir des comptes rendus parentaux des réactions de leur bébé dans diverses situations, Thomas et Chess ont mis en évidence des variations dans le tempérament infantile. En évaluant les bébés en fonction de caractéristiques comme le niveau d'activité, l'humeur générale, l'intensité des réactions, l'adaptabilité, la durée d'attention, etc., ils ont distingué trois types de tempérament infantile: le *bébé facile*, enjoué et qui s'adapte aisément; le *bébé difficile*, négatif et qui s'adapte difficilement; et le *bébé lent à démarrer*, qui a un faible degré de réactivité et des réactions lentes. Thomas et Chess, ainsi que d'autres chercheurs venant après eux, ont établi un lien entre ces différences précoces dans le tempérament des participants et certaines caractéristiques de leur personnalité ultérieure (Rothbart et Bates, 1998; Shiner, 1998). Ainsi, ils constatèrent que les *bébés difficiles* éprouvaient les plus grandes difficultés d'adaptation par la suite, alors que les bébés faciles étaient moins à risque sur ce plan. De plus, Thomas et Chess avancèrent que l'environnement parental qui convenait le mieux aux bébés ayant tel type de tempérament pouvait ne pas être le meilleur pour des bébés ayant tel autre type de tempérament, autrement dit l'adéquation entre le tempérament infantile et l'environnement parental pouvait être plus ou moins bonne.

Dans la foulée de la NYLS, Arnold Buss et Robert Plomin (1975, 1984) utilisèrent les évaluations effectuées par les parents concernant le comportement de leurs enfants pour dégager quatre dimensions du tempérament, résumées par le sigle

EASI : *émotivité* (excitabilité et désarroi dans des situations perturbatrices) ; *activité* (vigueur et rythme des mouvements moteurs, dynamisme et nervosité) ; *sociabilité* (ouverture vers les autres, capacité à se faire des amis) et *impulsivité* (capacité d'inhiber ou de maîtriser le comportement, spontanéité, propension à l'ennui). La dernière de ces dimensions (l'impulsivité) fut abandonnée par la suite, les analyses factorielles des questionnaires n'ayant pas permis d'établir clairement l'existence de cette dimension. Cependant, les données de recherche confirmèrent les vues de Buss et Plomin concernant la relative constance du tempérament et ses bases largement génétiques, cet aspect ayant été mis en évidence par la plus grande similarité, dans les évaluations maternelles, des jumeaux monozygotes (vrais jumeaux) que des jumeaux dizygotes (faux jumeaux). Cette recherche, pourtant remarquable par son recours à l'analyse factorielle pour cerner les dimensions du tempérament et aux études de jumeaux pour établir ses bases génétiques, avait cependant la faiblesse de reposer sur des observations parentales plutôt que sur des mesures plus objectives.

LA CONSTITUTION ET LE TEMPÉRAMENT : LA RECHERCHE DE KAGAN SUR LES ENFANTS INHIBÉS ET NON INHIBÉS

Spécialiste en psychologie développementale, Jerome Kagan était convaincu qu'il était nécessaire d'obtenir des mesures objectives du comportement (1994, 1999). Se réclamant de Galien, selon qui tout être humain hérite d'un tempérament découlant de sa constitution ou de sa physiologie, Kagan décida d'étudier le développement du tempérament durant l'enfance à l'aide de mesures de laboratoire destinées à analyser le fonctionnement biologique et comportemental. Ayant observé des centaines d'enfants, le chercheur avait été frappé par ce qui lui apparut comme deux profils comportementaux de tempérament nettement délimités, profils qu'il qualifia l'un d'**inhibé** et l'autre de **non inhibé**. Comparativement à l'enfant non inhibé, l'*enfant inhibé* réagit aux personnes ou aux événements qui ne lui sont pas familiers en manifestant de la réserve, de l'évitement et du désarroi ; il met plus de temps à se détendre dans des situations nouvelles, et il éprouve plus de peurs et de phobies inhabituelles. Ce genre d'enfant se montre timide et extrêmement prudent ; sa première réaction à la nouveauté consiste soit à se taire et à chercher du réconfort auprès de ses parents, soit à s'enfuir et à se cacher. Or, l'*enfant non inhibé,* lui, semble prendre plaisir à ces mêmes situations qui semblent si stressantes à l'enfant inhibé. Loin d'être timide et craintif, il réagit avec spontanéité à la nouveauté, et se montre facilement souriant et enjoué.

Tempéraments inhibés et non inhibés *(inhibited-unhibited temperaments).*
Comparativement à l'enfant non inhibé, l'enfant *inhibé* réagit aux personnes ou aux événements qui ne lui sont pas familiers par la réserve, l'évitement et le désarroi ; il met plus de temps à se détendre dans des situations nouvelles et il connaît plus de peurs et de phobies inhabituelles. L'enfant *non inhibé,* lui, semble prendre plaisir à ces mêmes situations qui paraissent si stressantes à l'enfant inhibé ; il réagit avec spontanéité aux situations nouvelles, et se montre facilement souriant et enjoué.

Intrigué par des différences aussi frappantes, Kagan formula plusieurs questions de recherche. À quel moment ces différences de tempérament apparaissent-elles ? Jusqu'à quel point résistent-elles au temps ? Peut-on penser qu'elles ont des bases biologiques et, si oui, lesquelles ? Kagan fondait son raisonnement sur l'hypothèse suivante : les nouveau-nés présentent des différences biologiques innées qui les rendent plus ou moins réactifs à la nouveauté, et ces différences innées ont tendance à rester stables au cours du développement de l'enfant. Selon cette hypothèse, les nouveau-nés très *réactifs à la nouveauté* deviendraient des enfants inhibés, et les nouveau-nés *peu réactifs* à la nouveauté deviendraient des enfants non inhibés.

Comment vérifier cette hypothèse ? Kagan se méfiait des comptes rendus parentaux, parce que les parents ont tendance à comparer les enfants les uns avec les autres et à interpréter de diverses manières un comportement donné. Il emmena donc des bébés de quatre mois dans son laboratoire et filma sur bande vidéo leur comportement en présence de stimuli tantôt familiers, tantôt nouveaux (visage de leur mère, voix d'une étrangère, mobiles colorés et en mouvement, éclatement d'un ballon gonflable, etc.). Ces bandes vidéo furent ensuite évaluées à l'aide de mesures de réactivité comme la courbure du dos, le fléchissement vigoureux des membres et les pleurs. Environ 20 % des bébés furent jugés *hautement réactifs:* en présence de stimuli nouveaux, ils arquaient le dos, pleuraient très fort et leur visage trahissait leur mécontentement. Ce profil comportemental donnait à penser que la surexcitation des bébés était provoquée par les nouveaux stimuli puisque, ceux-ci retirés, les bébés retrouvaient leur calme. Les bébés *faiblement réactifs*, eux, qui représentaient environ 40 % du groupe, restaient calmes et décontractés en présence des nouveaux stimuli. Les autres bébés, 40 % également, présentaient diverses combinaisons de réactions.

Pour déterminer si, comme il le pensait, les bébés hautement réactifs devenaient des enfants inhibés, et les bébés faiblement réactifs des enfants non inhibés, Kagan étudia de nouveau les mêmes enfants à l'âge de 14 mois, de 21 mois, de 4 ans et de 8 ans. Chaque fois, il ramena les enfants au laboratoire et les soumit à des situations nouvelles pour eux (lumières clignotantes, clown jouet frappant sur un tambour, étranger vêtu d'un costume insolite, bruit de balles de plastique tournant dans une roue pour ceux de moins de deux ans, et rencontres avec des enfants ou des adultes inconnus pour les plus âgés). En plus des observations comportementales, il a effectué des mesures physiologiques (fréquence cardiaque et pression artérielle) des réactions à la nouveauté.

L'hypothèse voulant que le profil comportemental précoce de réactivité à la nouveauté d'un bébé permette de prévoir si ce dernier deviendra un enfant inhibé ou non inhibé s'est-elle confirmée ? Oui, répond Kagan. À 14 et à 21 mois, les bébés hautement réactifs manifestaient davantage de crainte, une plus grande accélération des battements cardiaques et une plus grande élévation de la pression artérielle que les bébés faiblement réactifs. De plus, ces différences existaient toujours à l'âge de quatre ans et demi ; on découvrit alors que les bambins qui avaient été des bébés hautement réactifs souriaient moins et parlaient moins aux adultes qui ne leur étaient pas familiers, et qu'ils se montraient plus timides en présence d'enfants qui ne leur étaient pas familiers. Les tests effectués au cours de la huitième année des participants confirmèrent cette constante du tempérament, la majorité des enfants continuant à appartenir au groupe dans lequel on les avait classés à l'âge de quatre mois. En somme, il y avait de solides preuves de la stabilité du tempérament et des indices quant aux éventuelles assises biologiques des différences de tempérament. Comme nous le verrons plus loin dans ce chapitre, d'autres preuves de ces différences biologiques viendront par la suite.

Le spécialiste en psychologie développementale Jerome Kagan a décelé des différences comportementales précoces entre les bébés de type inhibé et les bébés de type non inhibé.

Bien qu'on ait mis l'accent sur la stabilité du tempérament, il faut reconnaître que les recherches de Kagan fournirent aussi des preuves indiquant que le tempérament peut changer. La plupart des bébés hautement réactifs n'étaient pas devenus aussi craintifs qu'on pouvait s'y attendre, et les changements observés chez ces enfants semblaient plus particulièrement liés au fait qu'ils avaient une mère qui ne les surprotégeait pas et dont les exigences étaient raisonnables (Kagan, Arcus et Snidman, 1993). Par ailleurs, certains bébés faiblement réactifs perdirent leur attitude détendue. Malgré le penchant tempéramental exprimé tout d'abord, l'environnement avait joué un rôle dans la personnalité en développement. Donc, selon Kagan, « une prédisposition conférée par notre capital génétique est loin d'être une sentence à vie ; le tempérament d'un bébé ne signifie rien d'inévitable pour l'adulte qu'il deviendra » (1999, p. 32). Cela dit, souligne Kagan, aucun des bébés hautement réactifs n'était devenu un enfant complètement non inhibé et seuls quelques rares bébés faiblement réactifs étaient devenus des enfants vraiment inhibés. Le changement était possible, mais le penchant tempéramental n'avait pas disparu et semblait infléchir le développement. Toujours selon Kagan, « il est très difficile de changer complètement une prédisposition innée » (1999, p. 41).

En bref

Nous venons de retracer l'évolution historique des conceptions reliant la constitution physique et le tempérament. Comme nous l'avons vu, l'idée selon laquelle les processus biologiques influent sur la personnalité est plusieurs fois centenaire, et l'idée selon laquelle les différences tempéramentales sont innées et relativement stables ne date pas non plus d'hier. Comme nous le verrons encore plus clairement dans la suite de ce chapitre, ce qui a changé, ce sont les mesures des variables pertinentes (par exemple, des processus biologiques et des traits de personnalité) et la compréhension des rapports entre la biologie et le tempérament. Depuis les quatre humeurs des anciens Grecs et les bosses crâniennes de Gall, nous avons appris à mieux connaître le fonctionnement biologique de l'organisme humain. Par rapport aux premières classifications des types de tempérament, nos mesures de la personnalité reposent sur des données plus objectives et bénéficient de techniques statistiques plus raffinées (l'analyse factorielle, par exemple). Nous avons dépassé les pures spéculations concernant la part de l'hérédité parce que nous avons maintenant les moyens de déterminer jusqu'à quel point tel ou tel trait est héréditaire.

À ce jour, les données dont nous disposons à propos du lien entre les processus biologiques et certains aspects de la personnalité comme le tempérament sont à ce point probantes que nier l'existence d'un tel lien paraît inconcevable. Cela dit, nous devons garder à l'esprit certaines choses. D'abord, le fait que le tempérament comporte une part d'hérédité ne veut pas dire que le tempérament n'est qu'héréditaire. Comme dans tous les aspects de la personnalité, l'environnement a son importance. Deuxièmement, comme le révèle la recherche de Kagan, le fait que le tempérament comporte une part d'hérédité ne veut pas dire que le tempérament ne peut être modifié. Cette section s'est ouverte sur une citation dans laquelle Hamer et Copeland affirment que nous ne choisissons pas notre tempérament à la naissance. Cependant, les mêmes auteurs précisent, quelques lignes plus loin :

> Le seul fait qu'on naisse avec un tempérament donné ne signifie pas qu'il s'agit d'un mode d'emploi ou d'une recette, ni que les gens sont prisonniers à vie de leur personnalité innée. Au contraire, l'une des merveilleuses propriétés du tempérament est sa flexibilité intrinsèque, qui nous permet de nous adapter aux obstacles et aux défis [...]. Nous avons tous la possibilité de croître et de changer à toutes les étapes de notre vie.
>
> Hamer et Copeland, 1998, p. 7.

Enfin, même si cette section traitait de l'influence des processus biologiques sur la personnalité telle qu'elle s'exprime dans la pensée, l'émotion et le comportement, il faut savoir que nos pensées, nos émotions et notre comportement influent sur d'autres processus biologiques. Par exemple, nos émotions peuvent influer sur nos défenses immunitaires, nous conférant une résistance plus ou moins grande à la maladie (Cohen, 1996; Mater, Watkins et Fleshner, 1994).

La théorie évolutionniste et la personnalité: synthèse moderne, 1re partie

> C'est la sélection naturelle: la reproduction différentielle et non aléatoire des gènes. La sélection naturelle nous a faits tels que nous sommes et c'est la sélection naturelle que nous devons comprendre si nous voulons appréhender notre propre identité.
>
> Trivers, 1976, p. v.

> Nous faisons partie de la nature, mais nous préférons nous voir autrement.
>
> Goldsmith, 1991, p. 104.

Causes fondamentales *(ultimate causes).* Explications relatives aux comportements associés à l'évolution.

Causes immédiates *(proximate causes).* Explications relatives aux comportements associés aux processus biologiques non liés à l'évolution.

Les biologistes et les psychologues distinguent deux types d'explications du comportement: les causes fondamentales et les causes immédiates. Les **causes fondamentales** sont des explications associées à l'évolution, c'est-à-dire aux raisons d'être et aux fonctions adaptatives de l'évolution d'un comportement donné; elles s'appuient sur la théorie de l'évolution de Darwin. Selon les formulations récentes de cette théorie, les organismes qui s'acquittent de leurs tâches adaptatives transmettent leurs gènes aux générations suivantes. Les **causes immédiates,** elles, ont trait aux processus biologiques qui ont cours dans l'organisme au moment où l'on observe le comportement. Autrement dit, le premier type d'explication (les causes fondamentales) adopte la perspective historique du développement des espèces, en l'occurrence la perspective évolutionniste, tandis que le deuxième type d'explication a trait aux processus à l'œuvre au moment où s'effectue l'observation. Dans cette section, nous nous pencherons sur les explications évolutionnistes relatives aux causes fondamentales du fonctionnement de la personnalité. Dans les sections suivantes, nous examinerons ses causes immédiates liées à l'action des gènes et aux fonctions du cerveau.

Les psychologues évolutionnistes tentent de comprendre divers aspects du fonctionnement humain en les envisageant comme des solutions évolutives aux problèmes d'adaptation qu'ont éprouvés les espèces depuis des millions d'années (D. M. Buss, 1991, 1995, 1999). Selon cette perspective, les mécanismes psychologiques fondamentaux résultent d'une évolution sélective; autrement dit, ils existent et perdurent parce qu'ils se sont révélés favorables à la survie et à la reproduction. En ce sens, on peut envisager les composantes fondamentales de la nature humaine comme des **mécanismes psychologiques évolués,** qui ont une valeur adaptative pour la survie et la reproduction. Certains aspects de la nature humaine, nos motivations et nos émotions fondamentales par exemple, peuvent donc s'expliquer par leur valeur adaptative.

Mécanismes psychologiques évolués *(evolved psychological mecanisms).* Mécanismes psychologiques fondamentaux qui, selon la perspective évolutionniste, résultent d'une évolution sélective, c'est-à-dire qu'ils existent et perdurent parce qu'ils se sont révélés favorables à la survie et à la reproduction.

Lorsqu'on fait état de valeur adaptative, trois points méritent d'être soulignés. D'abord, l'essentiel est la réussite de la reproduction, c'est-à-dire de la transmission des gènes. Deuxièmement, les mécanismes psychologiques évolués sont adaptatifs en fonction d'un mode de vie datant de plusieurs siècles — celui de nos ancêtres chasseurs et cueilleurs —, et non en fonction de notre mode de vie actuel (Tooby et Cosmides, 1992). Par exemple, explique Buss:

> [notre goût pour le gras] était clairement adaptatif dans l'histoire de notre évolution puisque cette excellente source de calories était jadis très rare. Aujourd'hui, on trouve des hamburgers et des pizzas à tous les coins de rue, et cette rareté a disparu. Notre goût prononcé pour les matières grasses nous amène maintenant à les surconsommer, ce qui bouche nos artères, endommage notre cœur et menace notre survie.
>
> D.M. Buss, 1999, p. 38.

Troisièmement, les mécanismes psychologiques évolués ont une valeur adaptative non pas de manière générale, mais par rapport à des tâches ou à des problèmes particuliers et dans des contextes précis. Certains aspects fondamentaux de la nature humaine, comme certaines motivations et certaines émotions, s'appliquent à des problèmes et à des contextes précis. Nous ne sommes pas jaloux en permanence, mais seulement dans certaines circonstances; de même, nous n'avons pas peur de tous les animaux, mais seulement de ceux qui menaçaient la survie de nos ancêtres (les serpents ou les araignées, par exemple). Là encore, ces motivations et ces émotions ont perduré dans la nature humaine parce que jadis, compte tenu des problèmes que posait notre environnement ancestral, elles ont facilité la survie et la reproduction.

La question fondamentale est donc la suivante: quels sont les mécanismes psychologiques qui ont évolué par la sélection et quels problèmes d'adaptation visaient-ils à résoudre ? Pour illustrer la façon dont les psychologues évolutionnistes s'attaquent à ce type de questions, nous allons étudier l'interprétation évolutionniste que donne David Buss (1939, 1999) de deux aspects importants des relations hommes-femmes: les différences entre les sexes quant au choix du partenaire et les différences entre les sexes quant aux causes de la jalousie.

LES DIFFÉRENCES HOMMES-FEMMES: LE CHOIX DU PARTENAIRE

Selon la théorie de l'évolution, qui remonte à Darwin, les hommes et les femmes ont évolué de manière différente quant au choix du partenaire à cause des exigences préalables de la sélection naturelle. Fondamentalement, la théorie tourne autour de deux différences fondamentales entre les hommes et les femmes.

D'abord, il y a la **théorie de l'investissement parental**, selon laquelle les femmes investissent davantage que les hommes dans leur progéniture parce qu'elles peuvent transmettre leurs gènes à un moins grand nombre de descendants qu'eux (en raison du nombre limité de leurs périodes de fertilité et parce qu'elles cessent plus tôt d'être fertiles). Autrement dit, l'investissement parental des femmes serait plus grand parce que les « coûts de remplacement » sont plus élevés. Pour la même raison, les femmes seraient plus sélectives dans le choix des hommes avec qui elles s'accouplent (Trivers, 1972). Les hommes et les femmes auraient également des critères de sélection sexuelle différents, les hommes s'intéressant davantage au potentiel reproductif de la partenaire (c'est-à-dire à sa jeunesse), et les femmes à la capacité du partenaire de lui fournir ressources et protection.

Théorie de l'investissement parental *(parental investment theory).* Théorie selon laquelle les femmes investissent davantage que les hommes dans leur progéniture parce qu'elles ne peuvent transmettre leurs gènes qu'à un moins grand nombre de descendants qu'eux.

Deuxièmement, il y a la question de la *probabilité de parentalité.* Comme ce sont les femmes qui portent l'ovule fécondé, elles ont toujours la certitude que les enfants sont bien les leurs. Les hommes, au contraire, ne peuvent pas être certains de leur paternité et doivent prendre des mesures pour s'assurer que leur investissement va à leurs enfants, et non à ceux d'un autre homme (Buss, 1989, p. 3). Par conséquent, comparativement aux femmes, les hommes se préoccuperaient davantage des rivaux sexuels et accorderaient une plus grande valeur à la chasteté de leur partenaire.

Voici quelques-unes des hypothèses de recherche puisées dans la théorie de l'investissement parental et dans la théorie de la probabilité de parentalité (Buss, 1989; Buss, Larsen, Westen et Semmelroth, 1992):

1. Pour l'homme, la « valeur de la femme en tant que partenaire » devrait être fonction du potentiel reproductif que dénotent sa jeunesse et sa beauté physique. Il devrait également valoriser chez elle la chasteté pour augmenter la probabilité de sa paternité.
2. Pour la femme, la « valeur de l'homme en tant que partenaire » devrait être fonction moins de sa valeur reproductive que des ressources qu'il pourra fournir, évaluées selon sa capacité à gagner de l'argent, son ambition et son ardeur au travail.
3. Les hommes et les femmes devraient différer en ce qui a trait aux événements qui suscitent leur jalousie. Les hommes devraient être plus touchés par l'infidélité sexuelle et par ce qui nuit à la probabilité de paternité; les femmes, par l'infidélité émotionnelle et par la menace de perdre des ressources.

Pour vérifier ces prédictions, Buss (1989) a soumis un questionnaire à 37 échantillons de population, soit à 10 000 individus vivant dans 33 pays, répartis entre 6 continents et 5 îles, représentant une formidable diversité géographique, culturelle, ethnique et religieuse. Qu'a-t-on découvert ? D'abord, dans chacun des 37 échantillons, les hommes ont accordé une plus grande importance que les femmes à la beauté physique et à la jeunesse relative des partenaires éventuels, ce qui confirmait l'hypothèse voulant que les hommes valorisent davantage que les femmes le potentiel reproductif des partenaires éventuels. La prévision selon laquelle les hommes devraient valoriser davantage que les femmes la chasteté des partenaires éventuels s'est réalisée dans 23 des 37 échantillons, confirmant jusqu'à un certain point cette hypothèse. Deuxièmement, les femmes ont accordé une plus grande valeur que les hommes à la capacité financière des partenaires éventuels (dans 36 échantillons sur 37), ainsi qu'à des traits comme l'ambition et l'ardeur au travail (dans 29 des 37 échantillons), ce qui confirmait l'hypothèse voulant que les femmes valorisent davantage que les hommes la capacité de fournir des ressources.

LES DIFFÉRENCES HOMMES-FEMMES: LES CAUSES DE LA JALOUSIE

Par la suite, Buss (D.M. Buss *et al.*, 1992) mena trois études afin de vérifier l'hypothèse selon laquelle il existe des différences entre les sexes en matière de jalousie. Dans la première, on demanda à des étudiants et étudiantes de premier cycle ce qui les ferait le plus souffrir chez leur partenaire: l'infidélité sexuelle ou l'infidélité émotionnelle. Résultat: 60 % des hommes interrogés ont répondu que ce serait l'infidélité sexuelle, et 83 % des femmes l'infidélité émotionnelle.

Dans la deuxième étude, on a relevé des mesures physiologiques de la douleur émotionnelle qu'éprouvaient des étudiants et étudiantes de premier cycle pendant qu'ils imaginaient deux scénarios. Dans le premier, leur partenaire s'engageait dans une relation sexuelle avec quelqu'un d'autre; dans le deuxième, leur partenaire s'engageait dans une relation émotionnelle avec quelqu'un d'autre. Là encore, les résultats des hommes et des femmes différèrent, les hommes souffrant davantage en imaginant l'infidélité sexuelle de leur partenaire, et les femmes souffrant davantage en imaginant son infidélité émotionnelle.

Dans la troisième étude, on explora l'hypothèse suivante: les hommes et les femmes qui avaient connu des relations sexuelles comportant un engagement réagiraient comme les hommes et les femmes de l'étude précédente, mais avec plus d'intensité que les hommes et les femmes qui n'avaient pas vécu ce type de relations. Autrement dit, on prévoyait que le fait de s'être engagé augmenterait l'effet différentiel. Ce fut le cas pour les hommes, dont la jalousie sexuelle était considérablement accrue lorsqu'ils avaient vécu une relation sexuelle accompagnée d'un engagement. Par contre, on n'observa aucune différence significative entre les femmes en réaction à l'infidélité émotionnelle, qu'elles se soient ou non engagées.

Selon les auteurs de ces recherches, ces résultats confirment l'hypothèse qu'il existe des différences entre les sexes quant aux déclencheurs de la jalousie. Bien qu'ils admettent qu'on puisse trouver d'autres explications à ces différences entre les résultats, ils affirment que seule la grille d'analyse de la psychologie évolutionniste a pu permettre d'effectuer ces prévisions.

LA THÉORIE ÉVOLUTIONNISTE ET LES CINQ GRANDES DIMENSIONS DE LA PERSONNALITÉ (LE MODÈLE DES « CINQ GRANDS »)

Peut-on lier perspective évolutionniste et théorie moderne des traits de personnalité ? Bien des théoriciens des traits inscrivent aujourd'hui dans une perspective évolutionniste le modèle de personnalité à cinq facteurs (les « Cinq Grands »), ainsi que les traits de personnalité en général ; le tableau qui en résulte comprend trois éléments majeurs.

D'abord, il contient l'hypothèse lexicale fondamentale de Goldberg (1990), selon laquelle les termes qui désignent les traits ont émergé pour faciliter la catégorisation des comportements de base de la condition humaine. Quels sont les aspects des interactions humaines qui semblent avoir une importance particulière ? Pour Goldberg (1981), les gens se posent cinq questions fondamentales et universelles lorsqu'ils entrent en relation avec autrui (X) :

1. Est-ce que X est une personne active et dominante (qui tentera de m'intimider), ou passive et soumise (que je pourrai intimider) ?
2. Est-ce que X est une personne agréable (chaleureuse et plaisante) ou désagréable (froide et distante) ?
3. Puis-je compter sur X (est-ce une personne sérieuse et consciencieuse, ou peu fiable et négligente) ?
4. Est-ce que X est une personne imprévisible ou stable ?
5. Est-ce que X est une personne intelligente ou peu intelligente (me sera-t-il facile de lui apprendre quelque chose) ?

On notera que ces cinq questions correspondent aux cinq aspects de la personnalité du modèle à cinq facteurs (le modèle des « Cinq Grands »), ce qui n'a rien d'étonnant.

Deuxièmement, selon la perspective évolutionniste, les différences importantes qu'on observe entre les individus s'expliqueraient par leur rôle dans le processus de l'évolution par sélection naturelle. Ainsi, des traits comme l'extraversion et la stabilité émotionnelle (par opposition au névrosisme) pourraient jouer un rôle important dans la sélection des partenaires (Kenrick *et al.*, 1990) ; de même, des traits comme le sérieux et la bienveillance pourraient contribuer largement à la survie du groupe. Par conséquent, les mots que nous employons tous les jours pour désigner les traits de personnalité refléteraient des différences importantes dans les tâches dont les humains ont eu à s'acquitter durant la longue histoire de leur évolution.

Troisièmement, il y a le point de vue voulant que les êtres humains soient similaires aux grands singes sur le plan biologique — plus de 98 % de nos gènes sont identiques aux leurs — et que les deux groupes aient certaines caractéristiques communes. Selon ce point de vue, les êtres humains et les autres primates ont en commun sept traits : le niveau d'activité, la peur, l'impulsivité, la sociabilité, la sympathie, l'agressivité et la dominance (A.H. Buss, 1997). Certains de ces traits se rattachent aux rapports avec les autres, d'autres aux moyens que nous prenons pour gérer les conflits avec autrui ou la lutte pour le pouvoir. Là encore, la concordance entre quelques-uns de ces traits et ceux du modèle à cinq facteurs est évidente.

En bref

Après avoir été discréditées et négligées pendant un certain temps, les thèses évolutionnistes, darwinistes, suscitent un regain d'intérêt en tant qu'explications de certains aspects fondamentaux du fonctionnement humain.

Selon des théoriciens comme Buss, les thèses évolutionnistes représentent en fait le seul espoir de procurer au champ de la psychologie un certain ordre théorique. Buss soutient que le comportement dépend de mécanismes psychologiques dont seule l'évolution par sélection naturelle peut rendre compte. Par conséquent, quiconque s'intéresse au comportement social des êtres humains devrait tenir compte de l'évolution du comportement au fil du temps. Selon ce point de vue, les assises biologiques de la nature humaine, telles qu'elles s'expriment dans les gènes, représentent le lien entre l'évolution et le comportement (Kenrick, 1994).

D'autres psychologues, par contre, s'interrogent sur ce que la théorie évolutionniste peut nous apprendre à propos du fonctionnement humain et ils mettent également en garde contre ce que sous-entend cette perspective. Sans nier que nous avons évolué au fil du temps, ils avancent que les êtres humains ont progressé au point de se sentir beaucoup plus libres à l'égard de ces réactions génétiquement programmées. Ils craignent également que l'on attribue des fondements biologiques, évolutionnistes, à des modèles sociaux dont les bases sont autres. Ainsi, selon Cantor (1990), en se polarisant sur les problèmes de la survie et de la reproduction, les psychologues évolutionnistes ont négligé pour une bonne part la diversité des interactions sociales et des efforts déployés par les êtres humains pour résoudre les problèmes contemporains. Eagly et Wood (1999) ajoutent que les différences en matière de comportement peuvent s'expliquer autant par les exigences différentes qui s'imposent aux hommes et aux femmes quant à leurs rôles sociaux que par des dispositions acquises au cours de l'évolution. De nombreuses féministes se disent fort inquiètes de l'interprétation des données proposée par Buss, affirmant qu'elle ne tient pas compte des facteurs culturels — c'est-à-dire des facteurs qui relèvent de l'acquis — et qu'elle peut donner à penser que ces différences entre les hommes et les femmes sont inévitables. À ceux et celles qui insistent sur l'importance des facteurs culturels, les psychologues évolutionnistes répondent que la culture découle des mécanismes psychologiques évolués (Tooby et Cosmides, 1992).

Nous avons donc une théorie biologique influente, qu'on a appliquée à nombre de phénomènes auxquels s'intéressent les psychologues, mais dont l'avenir reste incertain. Ce qui est certain, par contre, c'est que « les théories de la personnalité incompatibles avec les principes évolutionnistes n'ont que peu ou pas de chances d'être justes » (Buss, 1999, p. 52).

DÉBATS ACTUELS

Les émotions et les traits de personnalité : jusqu'où la similarité entre les humains et les animaux s'étend-elle ?

L'origine des espèces (1859), de Darwin, évoque la possibilité d'une continuité entre les humains et d'autres espèces. Dans *L'expression des émotions chez l'homme et les animaux* (1872), Darwin soutient qu'il y a continuité dans l'expression des émotions chez certains animaux et chez les êtres humains, c'est-à-dire qu'on retrouve chez les uns et les autres les mêmes émotions de base, s'accompagnant des mêmes expressions du visage. On a établi qu'il existe une similarité dans l'expression de ce qu'on appelle les émotions de base (la colère, la tristesse, la peur, la joie, par exemple) chez les primates non humains et chez les êtres humains, et ce indépendamment de l'âge et de la culture (Ekman, 1993, 1998). Les psychologues évolutionnistes sont d'avis qu'il y a une continuité de traits entre les êtres humains et d'autres espèces, hypothèse renforcée par le fait que les grands singes et les êtres humains ont en commun plus de 98 % de leurs gènes.

Cette continuité de traits peut-elle être prouvée ? Gosling et John (1998, 1999) ont tenté de savoir s'il existe des dimensions de la personnalité communes à une grande diversité d'espèces, en posant la question suivante : « Quelles sont les grandes dimensions de la personnalité animale ? » Une revue de la documentation relative à la description de douze espèces, allant des pieuvres, des guppys et des rats aux gorilles et aux chimpanzés, leur a fourni des données indiquant que trois des dimensions du modèle à cinq facteurs (E, N et A) se retrouvaient de manière générale chez toutes ces espèces. « Les études indiquent que les chimpanzés et d'autres primates, les chiens, les chats, les ânes, les cochons, et même les guppys et les pieuvres, présentent entre eux des différences qui peuvent s'organiser autour de dimensions similaires à E, N et (sauf pour les guppys et les pieuvres) A » (1999, p. 70). Cependant, ce n'est que chez les chimpanzés, les plus proches parents des êtres humains, qu'on a trouvé un facteur E distinct (King et Figueredo, 1997), ce qui pourrait s'expliquer ainsi : les traits liés à E, par exemple, respecter les règles et les normes, penser avant d'agir et maîtriser ses impulsions grâce à la cognition, constitueraient peut-être des avancées relativement récentes dans l'évolution.

Peut-on vraiment attribuer de tels traits aux animaux, ou ces similarités ne sont-elles que des projections anthropomorphiques de la part des êtres humains ? Dans une étude visant à évaluer certains traits chez les êtres humains, les chiens et les chats, Gosling et John ont de nouveau trouvé des données indiquant la présence de trois des cinq facteurs — E, N et A — chez les trois espèces, le facteur EC n'apparaissant distinctement que chez les chats et les chiens. Dans une étude réalisée par la suite, les deux chercheurs ont proposé une liste de « descripteurs de la personnalité canine » basée sur les traits que les humains attribuent le plus souvent aux chiens (affectueux, câlins, énergiques, heureux, intelligents, nerveux, paresseux, loyaux). Ils ont ensuite demandé à un groupe d'évaluer une personne de leur connaissance à partir d'un *Inventaire de la personnalité canine* et à un autre groupe d'évaluer un chien qu'ils connaissaient à partir de la même liste de descripteurs. Ils désiraient savoir si les deux évaluations déboucheraient sur les mêmes facteurs, ce qui suggérerait l'existence de dimensions de la personnalité similaires chez les êtres humains et chez les chiens. Lorsqu'on l'appliqua aux êtres humains, l'*Inventaire de la personnalité canine* a de nouveau indiqué la présence des cinq facteurs. Quand on appliqua l'inventaire aux chiens, les mêmes indicateurs ont de nouveau fait émerger trois facteurs similaires à E, N et A, mais on ne trouva pas de facteur EC distinct.

Dans l'ensemble, les études sur la personnalité animale permettent de tirer les conclusions suivantes :

1. La personnalité animale peut être évaluée de manière fiable.
2. La structure des traits de personnalité des êtres humains est assez semblable à celle des chimpanzés.
3. Les mammifères non primates, comme les chiens et les chats, semblent dotés d'une structure de personnalité moins différenciée, comportant chez de nombreuses espèces trois dimensions dont la généralité est considérable, mais non parfaite.
4. Les descriptions de la personnalité d'autres espèces ne constituent pas de simples projections anthropomorphiques ; elles reflètent bien les caractéristiques réelles des animaux évalués, et non les idées que s'en font les êtres humains.
5. Bien que les données de recherche soient encore rares, certaines d'entre elles confirment l'existence d'une continuité dans la structure des traits de personnalité tant des êtres humains que des êtres qui appartiennent à d'autres espèces.

SOURCES : Ekman, 1993, 1998 ; Gosling et John, 1998, 1999 ; King et Figueredo, 1997.

Les gènes et la personnalité : synthèse moderne, 2e partie

Ce qui fait de nous des êtres humains, c'est notre ADN.

Hamer, 1997, p. 111.

Tout ce qui dans notre héritage est commun à l'ensemble des êtres humains, comme tout ce qui dans notre héritage nous rend singuliers tient à l'action des *gènes.* Nous héritons de vingt-trois paires de chromosomes, chacun des deux éléments d'une paire venant de l'un de nos parents biologiques. Les chromosomes contiennent des milliers de gènes. Constitués d'une molécule appelée ADN, les gènes régissent la synthèse des protéines. On peut concevoir les gènes comme des sources d'information qui orientent la synthèse des molécules protéiniques dans des directions précises. C'est donc l'information contenue dans les gènes qui régit le développement biologique de l'organisme. C'est cette information qui permet à l'ovule fécondé de se développer sur le plan biologique, de devenir un fœtus, un nouveau-né entièrement formé, un adolescent doté de caractères sexuels secondaires propres et une personne âgée marquée par le passage des ans. La quantité d'information contenue dans les gènes est vraiment prodigieuse.

Lorsqu'on fait état de relation entre les gènes et le comportement, il importe de comprendre que les gènes ne gouvernent pas directement le comportement. Il n'y a pas de gène de l'extraversion ou de l'introversion, pas plus qu'il n'y a de gène du névrosisme. Dans la mesure où ils influent sur le développement des caractéristiques de la personnalité, comme les cinq facteurs décrits au chapitre 8, les gènes agissent sur le fonctionnement biologique du corps.

LA GÉNÉTIQUE COMPORTEMENTALE

Génétique comportementale *(behavioral genetics).* Discipline qui tente de déterminer quelle est la part génétique dans les comportements qui intéressent les psychologues, principalement en comparant le degré de similarité entre des individus présentant divers degrés de similarité biologique-génétique.

La **génétique comportementale** est une discipline qui tente de déterminer quelle est la part génétique dans les comportements qui intéressent les psychologues. Récemment, comme nous le verrons plus loin, on a aussi utilisé les méthodes de la génétique comportementale pour étudier les effets de l'environnement. Cependant, les efforts de recherche ont essentiellement visé à décrire les relations entre les gènes et le comportement. Pour ce faire, les généticiens comportementaux recourent principalement à trois méthodes : les *croisements sélectifs,* les *études de jumeaux* et les *études d'adoption.*

Vaste choix de tailles et de modèles Les techniques de croisements sélectifs ont permis de produire des animaux dont les caractéristiques répondent à la demande de divers types de consommateurs.

Les études de croisements sélectifs

Les études de **croisements sélectifs** se mènent sur des animaux. On choisit des animaux qui présentent un trait donné, on les accouple, puis on recommence le processus de sélection sur plusieurs générations de descendants jusqu'à l'obtention d'une lignée d'animaux stables quant à la caractéristique désirée. À ceci près qu'on l'emploie ici à des fins de recherche, le procédé est sensiblement le même que celui qu'on utilise dans le croisement des chevaux de course (ce qui explique pourquoi les chevaux gagnants atteignent des prix astronomiques aux enchères) ; il a aussi permis d'obtenir des races de chiens dont les caractéristiques répondent aux désirs de divers types de propriétaires.

Croisements sélectifs *(selective breeding).* Méthode de recherche utilisée pour établir des relations gènes-comportement par le croisement de générations successives d'animaux possédant une caractéristique particulière.

La recherche par croisements sélectifs permet également de soumettre diverses races d'animaux à un certain nombre d'expériences développementales pour pouvoir ensuite observer les effets que les facteurs génétiques et les facteurs environnementaux produisent sur le comportement. Par exemple, on peut étudier le rôle joué par les facteurs génétiques et les facteurs environnementaux dans le comportement de jappement et d'intrépidité (ou de crainte) en soumettant des lignées de chiens génétiquement différentes à des conditions d'élevage différentes (Scott et Fuller, 1965). On peut donc utiliser la méthode des croisements sélectifs et de la manipulation de l'environnement développemental pour découvrir les fondements génétiques des différences comportementales, pour établir dans quelle mesure l'environnement peut modifier le comportement et pour déterminer par quel processus surviennent ces modifications.

La méthode des croisements sélectifs a grandement contribué à améliorer notre compréhension du rôle des gènes dans divers types de troubles comportementaux dont on attribue souvent la responsabilité à l'individu. La recherche menée récemment par Ponomarev et Crabbe (1999) en constitue un bel exemple. Ces chercheurs ont croisé diverses lignées de souris qui présentaient des réactions *qualitativement* différentes à l'alcool. Cet élégant travail illustre le rôle des gènes dans la réceptivité à l'alcool, l'accoutumance et le sevrage, tant sur le plan neurologique que sur le plan comportemental. Hamer et Copeland (1998) fournissent de nombreux exemples qui montrent que les facteurs génétiques de l'alcoolisme peuvent façonner, voire ruiner, des vies.

Les études de jumeaux

Si la méthode des croisements sélectifs peut s'appliquer aux animaux, les principes éthiques de la recherche interdisent évidemment de s'en servir sur des êtres humains. Nous devons alors nous tourner vers les « expériences dans les conditions naturelles », pour lesquelles nous connaissons les variations dans le degré de similarité génétique ou de similarité environnementale, ou les deux. Si deux organismes sont génétiquement identiques, toute différence observable peut être attribuée à des différences dans l'environnement. D'autre part, si deux organismes sont génétiquement différents, mais soumis au même environnement, toute différence observable peut être attribuée aux facteurs génétiques. Chez les êtres humains, nous ne disposons jamais de la combinaison idéale de variations connues en matière de similarité génétique et environnementale ; cependant, l'existence des vrais jumeaux (monozygotes, ou MZ) et des faux jumeaux (dizygotes, ou DZ) permet de s'approcher de cet idéal de recherche. Les jumeaux monozygotes (MZ) se développent à partir d'un seul ovule fécondé et ils sont génétiquement identiques. Les jumeaux dizygotes (DZ) se développent à partir de deux ovules fécondés et leur similarité génétique est celle des frères et sœurs ; ils ont en commun environ 50 % des gènes qui déterminent leurs caractères propres.

Études de jumeaux *(twin studies).* Méthode de recherche utilisée pour établir des relations gènes-comportement en comparant le degré de similarité que présentent de vrais jumeaux, de faux jumeaux, ainsi que des frères et sœurs qui ne sont pas jumeaux. Ce type d'études est souvent combiné à des études d'adoption.

On peut résumer comme suit les raisons de recourir aux **études de jumeaux** pour démontrer l'importance des facteurs génétiques dans la personnalité :

1. Comme les jumeaux MZ ont un bagage génétique identique, toute différence entre eux devrait s'expliquer par des différences environnementales. Cela est particulièrement vrai dans le cas des jumeaux élevés séparément, comme ceux qui ont été adoptés par des familles différentes.
2. Bien qu'ils soient génétiquement différents, les jumeaux DZ ont en commun de nombreux facteurs environnementaux, ce qui donne aux chercheurs une certaine emprise sur l'environnement.
3. En étudiant à la fois des jumeaux MZ et des jumeaux DZ, il est possible d'évaluer les effets des environnements différents sur le même génotype, ainsi que les effets des génotypes différents s'exprimant dans le même environnement ou dans des environnements similaires.

En simplifiant, on pourrait dire que les différences entre les jumeaux MZ sont déterminées par l'environnement, et que les différences entre les jumeaux DZ sont déterminées par les gènes. Lorsqu'on compare la nature et la portée de ces effets par rapport à des caractéristiques données de la personnalité, il est possible d'estimer dans quelle mesure une caractéristique particulière est génétiquement déterminée et dans quelle mesure elle peut être modifiée par des facteurs environnementaux.

Les conditions nécessaires pour la vérification des arguments précédents se trouvent rarement réunies, voire jamais, et les résultats des études de jumeaux ne sont pas aussi concluantes qu'on pourrait l'espérer. Ainsi, les proches des vrais jumeaux font souvent des efforts pour les traiter différemment et on ne peut pas tenir pour acquis que les faux jumeaux, du seul fait qu'ils ont le même âge, sont soumis aux mêmes facteurs environnementaux. En effet, même les vrais jumeaux, bien qu'ils disposent d'un bagage génétique identique, peuvent avoir vécu des expériences différentes dans l'environnement intra-utérin et présenter des caractéristiques différentes à la naissance (Wright, 1997). En définitive, évaluer la similarité des environnements se révèle complexe parce que des individus aux configurations génétiques différentes expérimentent différemment le même environnement et parce qu'ils agissent de façon à créer des environnements différents. Cependant, on peut à tout le moins considérer que les résultats des études de jumeaux procurent des indices confirmant la contribution des gènes à la personnalité.

Les études de jumeaux comprennent également des recherches portant sur les ressemblances et les différences entre les jumeaux MZ élevés ensemble et ceux qui ont grandi dans des environnements différents. Les ressemblances observées chez des jumeaux élevés dans des environnements différents laissent entrevoir l'action des facteurs génétiques, tandis que les différences observées malgré la présence de gènes identiques laissent entrevoir l'action des facteurs environnementaux. La plupart du temps, les jumeaux MZ sont élevés dans des environnements différents parce qu'ils ont été tous les deux, ou seulement l'un d'entre eux, confiés en adoption, « expériences dans les conditions naturelles » rares, mais précieuses du point de vue scientifique.

Études d'adoption *(adoption studies).* Méthode de recherche utilisée pour établir des relations gènes-comportement en comparant des frères et sœurs biologiques élevés ensemble avec des frères et sœurs élevés séparément (adoptés). Ce type d'études est généralement combiné à des études de jumeaux.

Les études d'adoption

Les **études d'adoption,** qui portent sur des enfants élevés par des personnes autres que leurs parents biologiques, représentent elles aussi une méthode servant à étudier les effets respectifs des facteurs génétiques et environnementaux. Lorsqu'on tient ses dossiers de façon adéquate, il est possible de déterminer quelles sont les similarités entre les enfants adoptés et leurs parents biologiques, qui n'ont eu aucune influence environnementale sur eux, et de les comparer avec les similarités qu'on peut établir entre eux et leurs parents adoptifs, avec qui ils n'ont aucun gène en commun. Les ressemblances qu'ils présentent avec leurs parents biologiques dénotent l'influence des facteurs génétiques, tandis que les ressemblances qu'ils présentent avec leurs parents adoptifs dénotent l'influence des facteurs environnementaux.

Enfin, des comparaisons de ce genre peuvent s'étendre à des familles composées à la fois d'enfants biologiques et d'enfants adoptifs. Prenez, par exemple, une famille de quatre enfants, dont deux sont les enfants biologiques des parents et les deux autres des enfants adoptifs. Les deux enfants biologiques ont une similarité génétique l'un avec l'autre ainsi qu'avec leurs parents, ce qui n'est pas le cas des deux enfants adoptifs. Si les deux enfants adoptifs ne sont pas biologiquement apparentés, ils n'ont aucun gène en commun, mais chacun a une similarité génétique avec ses parents biologiques et, le cas échéant, avec ses frères et sœurs vivant dans d'autres milieux. Il devient ainsi possible de comparer diverses combinaisons parents-enfants, frères-frères ou sœurs-sœurs, biologiques ou génétiques, en regard des caractéristiques de leur personnalité. Par exemple, on peut chercher à savoir s'il y a une plus grande ressemblance entre les enfants biologiques qu'entre eux et les enfants adoptifs, si les enfants biologiques ressemblent davantage à leurs parents que les enfants adoptifs, et si ces derniers ressemblent davantage à leurs parents biologiques qu'à leurs parents adoptifs. Répondre positivement à ces questions indiquerait que les facteurs génétiques jouent un rôle important dans le développement de telle ou telle caractéristique de la personnalité.

On l'a compris, dans les études de jumeaux et dans les études d'adoption, nous avons des individus qui présentent divers degrés de similarité génétique et divers degrés de similarité environnementale. En mesurant telle ou telle caractéristique chez ces individus, on peut déterminer dans quelle mesure leur similarité génétique rend compte de résultats semblables pour la caractéristique étudiée. Par exemple, on peut comparer les QI de jumeaux MZ et de jumeaux DZ élevés ensemble et élevés séparément, les QI de frères et sœurs biologiques (mais pas jumeaux) élevés ensemble et élevés séparément, les QI d'enfants adoptifs et biologiques avec ceux de leurs parents, et les QI d'enfants adoptés avec ceux de leurs parents biologiques et ceux de leurs parents adoptifs. Le tableau 9.1 présente certaines corrélations révélatrices à cet égard. Les données indiquent clairement que, plus la similarité génétique est grande, plus la similarité du QI augmente.

Le coefficient d'héritabilité

Nous en arrivons à une statistique très importante, celle du coefficient d'héritabilité (H^2). Les généticiens comportementaux se servent de corrélations comme celles relatives au QI pour estimer dans quelle mesure les variations des résultats sont attribuables aux facteurs génétiques. Représenté par le symbole H^2, ce **coefficient d'héritabilité** se définit comme la part de variance des résultats observés susceptible d'être attribuée à des facteurs génétiques. La variance qui ne résulte pas de facteurs génétiques s'explique par les variations des facteurs environnementaux. Lorsqu'on cherche à déterminer l'importance relative des gènes et de l'environnement dans les variations d'une caractéristique donnée, le coefficient d'héritabilité permet d'établir l'importance relative des gènes dans ces variations.

Coefficient d'héritabilité *(heritability).*
Estimation de la part de variance qu'on peut attribuer à la variance génétique pour une caractéristique donnée, mesurée d'une façon particulière, dans une population déterminée.

Tableau 9.1 Corrélations du QI familial moyen (R)

Plus la similarité génétique est grande, plus les corrélations relatives au QI augmentent, ce qui indique l'importance du facteur génétique dans l'intelligence.

Relation	Moyenne R	Nombre de paires
LIEN DE PARENTÉ BIOLOGIQUE, PERSONNES ÉLEVÉES ENSEMBLE		
Jumeaux monozygotes	0,86	4 672
Jumeaux dizygotes	0,60	5 533
Frères et sœurs	0,47	26 473
Parents-enfants	0,42	8 433
Demi-frères/demi-sœurs	0,35	200
Cousins	0,15	1 176
LIEN DE PARENTÉ BIOLOGIQUE, PERSONNES ÉLEVÉES SÉPARÉMENT		
Jumeaux monozygotes	0,72	65
Frères et sœurs	0,24	203
Parents-enfants	0,24	720
SANS PARENTÉ BIOLOGIQUE, PERSONNES ÉLEVÉES ENSEMBLE		
Frères et sœurs	0,32	714
Parents-enfants	0,24	720

SOURCE : Bouchard, T.J., et M. McGue (1981). « Familial Studies of Intelligence : A Review », *Science*, n° 250, p. 1056. © American Association for the Advancement of Science, reproduction autorisée, extrait de McGue *et al.*, 1993, p. 60.

Avant d'examiner quelques-unes des preuves relatives à l'héritabilité de la personnalité, il importe de bien mémoriser cette définition et de bien saisir que les coefficients d'héritabilité concernent des populations données ; autrement dit, ils se rapportent à la variance attribuable à des facteurs génétiques *dans la population étudiée.* Si deux études distinctes aboutissaient à une configuration de relations différente, il en résulterait deux coefficients d'héritabilité différents ! L'écart entre ces deux coefficients serait plus ou moins important selon les mesures utilisées et les caractéristiques respectives des deux populations étudiées. Nous reparlerons du coefficient d'héritabilité plus loin, mais il importe d'exposer tout de suite ce qu'il est et ce qu'il n'est pas : c'est une estimation *de la variance* d'une caractéristique pouvant être attribuée à des facteurs génétiques dans une population donnée, *et non pas* la preuve qu'une caractéristique donnée résulte en partie de l'hérédité ! Ce qu'il faut retenir, c'est qu'il s'agit d'un coefficient associé à une population donnée, et non d'une mesure marquant catégoriquement l'action des gènes.

L'héritabilité de la personnalité : les résultats de recherche

Penchons-nous maintenant sur les conclusions des généticiens comportementaux en ce qui concerne le caractère héréditaire de la personnalité. À l'heure actuelle, leur position d'ensemble peut se résumer par les deux constats suivants :

1. « Il est difficile de trouver des traits psychologiques dont on puisse prouver de manière fiable qu'ils ne subissent aucune influence génétique » (Plomin et Neiderhiser, 1992).

2. « Pour presque tous les traits étudiés, du temps de réaction à la religiosité, une part importante des variations entre les individus est liée aux variations génétiques ; ce fait n'a plus à être démontré » (Bouchard, Lykkeri, McGue, Segal et Tellegen, 1990).

Les chercheurs ont mené de nombreuses études consacrées aux jumeaux ainsi que de nombreuses études d'adoption — dont certaines suivaient l'évolution des individus échantillonnés au fil du temps —, et ce pour un vaste éventail de variables de la personnalité. Ces recherches ont débouché sur des constats parfois saisissants : ainsi, on a observé de vrais jumeaux élevés séparément et réunis à l'âge adulte ; non seulement ils se ressemblaient dans leur apparence et leur façon de parler, mais ils affichaient les mêmes attitudes et les mêmes préférences en matière de passe-temps et d'animaux domestiques (Lykken, Bouchard, McGue et Tellegen, 1993). Au-delà de ces bizarreries, les résultats de ces études donnent à penser, et cela assez fortement, que l'hérédité joue un rôle important dans presque tous les aspects du fonctionnement de la personnalité (Plomin et Caspi, 1999). Des évaluations de l'héritabilité globale des traits de personnalité effectuées récemment permettent de l'estimer grossièrement à 40 %. Le tableau 9.2 présente les coefficients d'héritabilité d'un vaste éventail de caractéristiques de la personnalité. À des fins de comparaison, on y a inclus les coefficients d'héritabilité de la taille, du poids, ainsi que d'autres variables qui peuvent être intéressantes.

La plupart des études sur la part des gènes dans le comportement reposent — et c'est là l'une des critiques formulées à leur encontre — sur des questionnaires d'autoévaluation. Notons à cet égard l'importance d'une étude récente effectuée au moyen de l'inventaire de personnalité NEO, à cinq facteurs, auprès d'un échantillon de 660 jumeaux MZ et de 304 jumeaux DZ (200 paires étaient du même sexe et 104 de sexes opposés) ; l'étude reposait non seulement sur l'autoévaluation, mais aussi sur deux évaluations réalisées indépendamment par des pairs. Les auteurs sont arrivés à la conclusion que les évaluations des pairs confirment la fiabilité des autoévaluations ainsi que leur relative précision ; de plus, pour ce qui est de l'influence des gènes sur les cinq grands facteurs de la personnalité (les « Cinq Grands »), les résultats de l'étude confirment ceux des études antérieures, comme le montre le tableau 9.3 (Riemann, Angleitner et Strelau, 1997).

Mises en garde

Avant de poursuivre cet exposé, arrêtons-nous sur deux conclusions *erronées* auxquelles pourraient nous amener les données de recherche en génétique comportementale, *conclusions que tout généticien comportemental renierait.*

D'abord, on pourrait conclure à tort que le coefficient d'héritabilité indique dans quelle mesure l'hérédité détermine telle ou telle caractéristique. Or, si on admettait que le coefficient d'héritabilité global de la personnalité est de 40 %, cela ne signifierait pas qu'un individu donné a hérité de 40 % de sa personnalité, ni que 40 % d'un aspect de sa personnalité est héréditaire, ni que 40 % des différences de personnalité entre deux individus ou deux groupes d'individus sont héréditaires. De même, un coefficient d'héritabilité de 80 % pour le QI ne signifie pas que 80 % de l'intelligence est héréditaire, ni que 80 % de l'intelligence d'un individu donné est héréditaire, ni que 80 % des différences d'intelligence au sein d'un groupe sont attribuables à l'hérédité. Rappelons-le, le coefficient d'héritabilité est une statistique de population qui varie selon la caractéristique mesurée, la façon dont elle est mesurée, l'âge et les autres caractéristiques de la population étudiée, ainsi que

Tableau 9.2 Coefficients d'héritabilité

Les recherches confirment que les gènes contribuent à la personnalité de façon importante (coefficient d'héritabilité d'environ 40 %), moins cependant que pour la taille, le poids ou le QI, mais plus que pour les attitudes et pour des comportements comme l'écoute de la télévision.

Trait		Coefficient H^2
	Taille	0,80
	Poids	0,60
	QI	0,50
	Habiletés cognitives particulières	0,40
	Réussite scolaire	0,40
Les « Cinq Grands »	Extraversion	0,36
	Névrosisme	0,31
	Esprit consciencieux	0,28
	Amabilité	0,28
	Ouverture	0,46
EASI*	Émotivité	0,40
	Activité	0,25
	Sociabilité	0,25
	Impulsivité	0,45
Attitudes	Conservatisme	0,30
	Religiosité	0,16
	Intégration raciale	0,00
	Écoute de la télévision	0,20

*Les quatre dimensions du tempérament de Buss et Plomin (1984) : E = émotivité ; A = activité ; S = sociabilité ; I = impulsivité.

SOURCES : Bouchard *et al.*, 1990 ; Dunn et Plomin, 1990 ; Loehlin, 1992 ; McGue *et al.*, 1993 ; Pedersen *et al.*, 1998 ; Pedersen *et al.*, 1992 ; Plomin, 1990 ; Plomin *et al.*, 1990 ; Plornin et Rende, 1991 ; Tellegen *et al.*, 1998 ; Tesser, 1993 ; Zuckerman, 1991.

Tableau 9.3 Corrélations pour l'inventaire NEO à cinq facteurs : pair-pair, soi et les pairs, MZ et DZ (autoévaluation), et MZ et DZ (évaluation moyenne des pairs)

	Pair-Pair	Soi et les pairs	Auto-évaluation		Évaluation moyenne des pairs	
			MZ	*DZ*	*MZ*	*DZ*
N	0,63	0,55	0,53	0,13	0,40	0,01
E	0,65	0,60	0,56	0,28	0,38	0,22
O	0,59	0,57	0,54	0,34	0,49	0,30
A	0,59	0,49	0,42	0,19	0,32	0,21
ES	0,61	0,54	0,54	0,18	0,41	0,17
Moyenne	0,61	0,55	0,52	0,23	0,40	0,18

SOURCE : Riemann, Angleitner et Strelau, 1997, p. 460-462.

la méthode utilisée (étude de jumeaux ou étude d'adoption). Encore une fois, *le coefficient d'héritabilité est une estimation de la part de variance qu'on peut attribuer à la variance génétique pour une caractéristique donnée, mesurée d'une façon particulière, dans une population déterminée.*

Deuxièmement, lorsqu'on examine les coefficients d'héritabilité, on aurait tort de sauter à la conclusion qu'une caractéristique ayant une composante héréditaire ne peut être modifiée. Le préjugé voulant que tout ce qui est biologique et héréditaire soit immuable est extrêmement tenace, et même les esprits les plus subtils et les mieux informés de ce piège y tombent parfois. Or, le fait qu'une caractéristique est partiellement ou même entièrement déterminée par l'hérédité ne signifie nullement qu'elle soit inaltérable ou imperméable à l'environnement. Ainsi, on croise des chiens pour obtenir certaines caractéristiques, mais cela ne garantit pas que ces caractéristiques ne pourront pas être modifiées sous l'effet de l'environnement. Ainsi, comme nous l'avons vu, le fait qu'un individu naît en étant doté de tel ou tel tempérament ne signifie pas que ce tempérament soit fixé pour la vie (Kagan, 1999). Autre exemple, la taille d'un individu est en bonne partie déterminée par les gènes, mais elle n'en subit pas moins l'influence de facteurs environnementaux comme l'alimentation.

Conscients des limites des coefficients d'héritabilité, les généticiens comportementaux y voient néanmoins un premier pas vers la compréhension de la composante génétique du comportement. Certains d'entre eux, comme Plomin, vont plus loin en se livrant à des analyses génétiques moléculaires pour tenter de repérer les gènes liés à des traits de personnalité particuliers (Plomin et Caspi, 1999). Leurs travaux ont d'ailleurs commencé à porter des fruits. Ainsi, récemment, des scientifiques ont annoncé la découverte d'un gène lié à la recherche de la nouveauté ; il s'agit d'un trait similaire au facteur P d'Eysenck et à un EC peu élevé dans le modèle à cinq facteurs (Benjamin *et al.,* 1996 ; Ebstein *et al.,* 1996). Mais l'entreprise s'annonce difficile, car les traits de personnalité les plus complexes résulteraient de l'influence de plus d'un gène, chacun ayant un léger effet sur la personnalité et agissant en interaction avec l'environnement pour en arriver à l'expression finale de tel ou tel trait de personnalité.

LES FACTEURS ENVIRONNEMENTAUX ET LES INTERACTIONS GÈNES-ENVIRONNEMENT

Les généticiens ont vite compris que les facteurs génétiques et environnementaux sont inextricablement liés, et que les effets qu'ils peuvent exercer sur la personnalité et le comportement de l'adulte résultent de leur interaction. L'étude des croisements sélectifs réalisée par Cooper et Zubeck (1958), et désormais classique, illustre éloquemment ces interactions gènes-environnement. Dans une recherche antérieure, les chercheurs avaient croisé des lignées de rats capables de s'orienter dans un labyrinthe et des lignées qui ne l'étaient pas, de sorte que les descendants des plus compétents étaient beaucoup plus susceptibles d'apprendre à se diriger dans un labyrinthe que les descendants des moins compétents. Les chercheurs voulaient voir de quelle manière les premières expériences vécues dans un environnement donné influeraient sur la capacité de résoudre les problèmes à l'âge adulte dont faisaient preuve ces rats génétiquement différents. Ils ont donc élevé un groupe de rats appartenant à chaque lignée dans un environnement enrichi et stimulant et un autre groupe de rats appartenant à chaque lignée dans un environnement appauvri. Qu'arriva-t-il ? Par rapport à l'environnement de laboratoire normal, l'environnement enrichi améliora les habiletés d'apprentissage des rats peu doués, mais pas celles des rats doués. Inversement, l'environnement appauvri handicapa considérablement les rats doués, mais pas les rats peu doués. Même ces rats n'étaient donc pas captifs de leurs prédispositions génétiques ; l'interaction gènes-environnement avait eu un effet décisif en modifiant la façon dont ces prédispositions allaient s'exprimer.

Pour ce qui est de l'être humain, les données de recherche en génétique comportementale indiquent qu'en gros les facteurs génétiques déterminent de 40 % à 50 % de la variance tant des caractéristiques de la personnalité prises isolément que de la personnalité dans son ensemble, ce qui reste de la variance dans la population pouvant être attribué à une combinaison de facteurs environnementaux et d'erreurs de mesures. En effet, l'un des aspects les plus intéressants des progrès récents qu'a connus la génétique comportementale réside dans l'utilisation des résultats d'études de jumeaux et d'études d'adoption pour déterminer les effets des facteurs environnementaux sur les variables de la personnalité. Ainsi, Plomin (1990) écrit-il que « l'influence des gènes sur le comportement est si omniprésente et envahissante qu'un changement de perspective s'impose : ne vous demandez plus ce qui est héréditaire, mais ce qui ne l'est pas » (p. 112). Cependant, il ajoute, trois pages plus loin : « L'autre message est que les mêmes données de recherche en génétique comportementale constituent la meilleure preuve qui soit de l'importance qu'il faut attribuer à l'influence de l'environnement » (p. 115).

Les environnements partagés et les environnements non partagés

Dans son ouvrage *Nature and Nurture*, Plomin (1990) soutient que la génétique comportementale est porteuse de deux messages : la nature *et* la culture (l'environnement). Les recherches en génétique comportementale mettent en lumière aussi bien l'importance des gènes que celle de l'environnement. Les généticiens comportementaux ne se contentent pas d'estimer la variance attribuable aux facteurs génétiques dans la population étudiée ; ils estiment aussi celle qui est attribuable à divers types d'environnements. On distingue les *environnements partagés* et les *environnements non partagés*. On appelle **environnements partagés** ceux qu'ont en commun les frères et sœurs qui grandissent dans la même famille, et **environnements non partagés** ceux qui sont propres à chacun. Par exemple, les enfants d'une même fratrie peuvent être traités différemment par les parents en raison de leur sexe, de leur rang de naissance ou d'événements particuliers à l'un d'entre eux (maladie de l'enfant, difficultés financières durant son enfance, etc.). De plus, chaque enfant grandit habituellement dans un groupe de pairs qui lui est particulier et qui, selon certains chercheurs, peut avoir encore plus d'influence que la famille sur le développement de la personnalité adulte (Harris, 1998).

Environnements partagés et non partagés *(shared and non-shared environments).*
En génétique comportementale, comparaison à des fins de recherche des répercussions observées sur des frères et sœurs qui ont grandi dans le même environnement ou dans des environnements différents. Les chercheurs tentent plus particulièrement d'établir si les frères et sœurs élevés dans la même famille partagent ou non l'environnement familial.

En génétique comportementale, on étudie les effets respectifs des environnements partagés et non partagés en évaluant le degré de ressemblance de la personnalité en fonction à la fois de la similarité génétique et de l'environnement familial partagé. Si les environnements partagés sont importants, les frères et sœurs biologiques élevés ensemble se ressembleront beaucoup plus que les frères et sœurs biologiques élevés séparément ; ils devraient également ressembler beaucoup plus à leurs parents biologiques que ceux qui ont été élevés séparément. Essentiellement, la ressemblance des frères et sœurs biologiques élevés ensemble, entre eux et avec leurs parents, devrait être plus grande que la ressemblance attribuable aux seuls effets de leurs gènes communs. De plus, si les environnements partagés sont importants, alors les frères ou sœurs adoptés élevés ensemble devraient se ressembler davantage que les enfants qui se seraient trouvés dans la même situation, mais auraient été élevés séparément. D'autre part, si les environnements non partagés sont importants, ces relations ne devraient pas exister. Essentiellement, si les environnements non partagés sont importants, alors les frères et sœurs biologiques élevés ensemble ne devraient pas se ressembler davantage que les frères et sœurs biologiques élevés séparément.

Les différences entre les frères et sœurs sont connues — nous nous sommes tous demandé un jour comment deux enfants élevés dans la même famille pouvaient être aussi différents —, mais en général, on peut dire : « On voit qu'ils ont grandi dans le même foyer. » Pourtant, et c'est là l'une des découvertes les plus étonnantes de la génétique comportementale, tout indique que les effets des environnements partagés — les expériences communes aux membres de la même famille — sont loin d'être aussi importants que les effets des environnements non partagés. Autrement dit, les expériences particulières que chacun des membres d'une fratrie vit à l'intérieur et à l'extérieur de la famille semblent avoir beaucoup plus d'importance pour le développement de la personnalité que les expériences communes résultant du fait de vivre dans la même famille. Dans un article novateur, on posait la question suivante : « Pourquoi les enfants appartenant à la même famille sont-ils si différents ? » Plomin et Daniels (1987) répondirent : à cause des environnements non partagés ! Selon eux, outre les quelque 40 % de la personnalité attribuables à des facteurs génétiques, environ 35 % résulteraient des effets des environnements non partagés, et seulement 5 % proviendraient des environnements partagés, le reste étant attribuable à des erreurs de mesure (Dunn et Plomin, 1990).

Dans une étude effectuée récemment, Loehlin, McCrae, Costa et John (1998) examinèrent les effets respectifs des facteurs génétiques et des facteurs environnementaux sur trois mesures différentes du modèle des « Cinq Grands » et ils aboutirent à des résultats qui, de manière générale, confirmaient les conclusions précédentes. Trois constats s'imposaient. D'abord, ils notèrent qu'il y avait, dans les cinq dimensions des « Cinq Grands », des influences génétiques importantes et de même amplitude ; autrement dit, les différences entre les individus relevées pour A, EC et O étaient

Pourquoi les enfants appartenant à la même famille sont-ils si différents ? Chaque membre de la fratrie vit dans un environnement familial qui lui est propre.

tout aussi héréditaires que les différences entre les individus relevées pour E et N, deux superfacteurs largement étudiés à l'aide du questionnaire d'Eysenck (voir le chapitre 7). Deuxièmement, ces résultats étaient indépendants des effets de la capacité intellectuelle, qui avaient été eux aussi mesurés et contrôlés dans les analyses comportement-gènes; ainsi, la dimension O (ouverture) s'est révélée être une dimension de la personnalité indépendante de l'intelligence, ayant ses bases génétiques propres. Troisièmement, du point de vue méthodologique, le fait de disposer de trois mesures pour chacun des cinq facteurs du modèle des « Cinq Grands » permettait de vérifier si les résultats obtenus à partir de ces trois mesures étaient généralisables à tous les instruments et d'estimer la proportion de la variance non expliquée (marge d'erreur) séparément plutôt que de l'inclure dans l'estimation statistique de la part de l'environnement non partagé, comme on l'avait fait dans les études précédentes.

Dans une analyse des résultats de l'inventaire NEO (Riemann, Angleitner et Strelau, 1997) provenant tant des autoévaluations de jumeaux MZ et DZ que des évaluations effectuées par les pairs, Plomin a calculé pour les cinq grands facteurs le pourcentage de variance attribuable aux facteurs génétiques, aux environnements partagés et aux environnements non partagés, incluant la marge d'erreur (figure 9.3). Les pourcentages obtenus s'approchaient de ceux décrits précédemment, à ceci près que les pourcentages relatifs aux facteurs génétiques tendaient à être plus bas dans les évaluations effectuées par les pairs que dans les autoévaluations (Plomin et Caspi, 1999, p. 253).

Les effets des environnements non partagés

Ces résultats donnent à penser que les différences entre les familles comptent moins dans le développement des enfants que les différences à l'intérieur des familles. Récemment, les chercheurs se sont penchés sur les processus particuliers qui relient

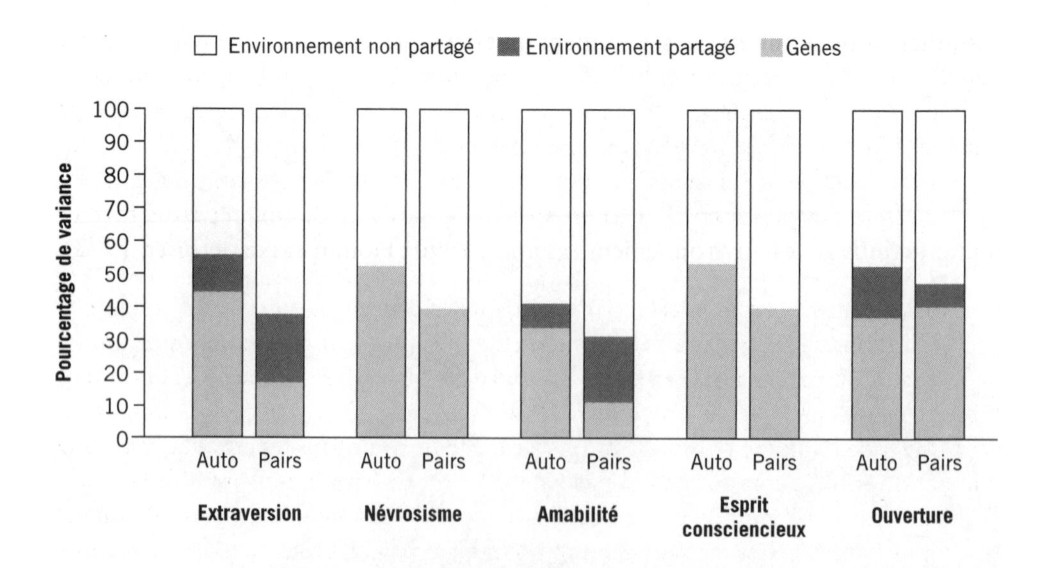

Figure 9.3 Pourcentage de variance des facteurs génétiques (en gris), de l'environnement partagé (en gris foncé) et de l'environnement non partagé (en blanc) dans les autoévaluations et dans les évaluations par les pairs pour les traits de personnalité du modèle des « Cinq Grands ». Les effets de l'environnement non partagé comprennent les erreurs de mesure (Plomin et Caspi, 1999, p. 253; © Guilford Press, reproduction autorisée.)

les influences génétiques, familiales et sociales s'exerçant sur le développement de la personnalité durant l'adolescence (Reiss, 1997; Reiss, Neiderhiser, Hetherington et Plomin, 1999). Ce travail se concentre sur la relation singulière que tisse le parent avec chacun de ses enfants à l'adolescence : conflit et négativité, chaleur et soutien, etc. Autrement dit, la recherche tente de distinguer les effets du traitement parental commun à tous les enfants d'une famille d'avec ceux du traitement parental particulier à chacun. Jusqu'ici, les résultats de ces recherches révèlent des différences substantielles dans la façon dont les parents traitent chacun de leurs enfants. Mais le plus frappant, c'est que le traitement parental particulier à chaque enfant semble lié pour une bonne part aux caractéristiques génétiques propres à cet enfant. Les différences dans la façon dont les parents traitent tel ou tel de leurs enfants semblent attribuables aux comportements que cet enfant suscite chez eux. Ce phénomène s'accorde avec les thèses voulant que les enfants appartenant à la même famille deviennent différents en vieillissant, en partie à cause des particularités génétiques qui amènent leurs parents à les traiter de manière différente. La plupart des gens qui ont des frères et sœurs peuvent témoigner de ces différences dans le traitement parental.

Suggérer que les différences entre les enfants d'une même famille tiennent aux effets des environnements non partagés revient-il à dire que les expériences familiales sont sans importance ? Les premières expériences de la vie n'auraient-elles aucun effet sur le développement de la personnalité, contrairement à ce qu'affirment les psychanalystes ? Bien que certains en soient venus à cette conclusion, ce n'est pas ce qui est suggéré ici. L'interprétation à donner serait plutôt la suivante : les influences familiales sont importantes tout comme les expériences extrafamiliales ; cependant, plutôt que les expériences familiales communes à tous les enfants appartenant à la même famille, ce sont les expériences propres à chacun qui importent et que l'on doit étudier.

Les trois types d'interactions nature-culture

Jusqu'ici, nous avons étudié séparément les effets que les gènes et l'environnement peuvent avoir sur la personnalité. Toutefois, la nature et la culture sont en interaction constante : « Dans tout cela, il faut retenir un élément essentiel, à savoir que dans la danse de la vie les gènes et l'environnement sont des partenaires absolument indissociables » (Hyman, 1999, p. 27). Les découvertes continuelles portant sur les effets des gènes et de l'expérience ont permis de distinguer trois formes d'interactions gènes-environnement (Plomin, 1990 ; Plomin et Neiderhiser, 1992).

D'abord, les mêmes expériences environnementales peuvent avoir des effets différents sur des individus au bagage génétique différent. Ainsi, un certain comportement de la part d'un parent anxieux pourra avoir des effets différents sur un enfant irritable et peu réceptif et sur un enfant calme et réceptif. On observe ici, non pas un effet direct de l'anxiété parentale qui serait le même pour tous les enfants, mais une interaction entre le comportement parental et les caractéristiques propres de l'enfant. Dans ce premier type d'interaction, l'individu subit passivement les événements environnementaux. Les facteurs génétiques interagissent avec les facteurs environnementaux, mais seulement d'une manière passive, *réactive*.

Le deuxième type d'interaction nature-culture tient au fait que des individus au bagage génétique différent peuvent susciter des réactions différentes dans un même environnement. Ainsi, un enfant irritable et renfermé ne suscitera probablement pas

APPLICATIONS ACTUELLES

Naît-on criminel ou le devient-on ?

Outre l'importance qu'elle revêt aux yeux des psychologues, la question de l'héritabilité des caractéristiques de la personnalité peut avoir des applications sociales. Ainsi, certains avancent qu'il existe une « personnalité agressive » et qu'on « naît criminel » ; d'autres affirment au contraire qu'on le devient.

De nombreuses données de recherche provenant d'études de jumeaux et d'études d'adoption indiquent que l'hérédité pourrait expliquer jusqu'à 40 % des différences entre les individus relatives à ce trait de personnalité qu'est l'agressivité. Qui plus est, des données de plus en plus abondantes confirment la présence d'une composante génétique dans la criminalité. Par exemple, les vrais jumeaux se ressemblent deux fois plus que les faux jumeaux en ce qui a trait à l'activité criminelle. On a également observé une relation étroite entre le comportement antisocial des enfants adoptés et ce même comportement chez leurs parents biologiques. Selon Sarnoff Mednick, un des principaux chercheurs dans le domaine : « Ces études indiquent toutes que nous devrions prendre au sérieux l'idée selon laquelle certaines caractéristiques biologiques transmises génétiquement pourraient amener une personne à se livrer à des activités criminelles. »

Cela signifie-t-il que le comportement de certaines personnes est inévitable ? Pas nécessairement. Ainsi, selon ce que révèle une étude, seule une minorité des enfants adoptés a un casier judiciaire lorsqu'un des parents biologiques en a un, mais que les parents adoptifs n'en ont pas. De plus, on sait que certains facteurs culturels et environnementaux favorisent la criminalité. Par conséquent, s'il est vrai que les facteurs génétiques jouent un rôle dans l'évolution du comportement criminel, le comportement parental et le milieu social influent également sur la probabilité que se manifeste ce type de comportement.

SOURCES : Lykken, 1995 ; *Psychology Today*, mars 1985.

la même réaction parentale qu'un enfant calme et réceptif. Au sein d'une même famille, ces deux enfants pourraient susciter des comportements parentaux différents, ce qui instaurerait deux modes distincts d'interaction parent-enfant. Ce sont de telles différences que mettait en lumière la recherche décrite précédemment consacrée à l'association entre les différences de traitement parental et les particularités génétiques chez les enfants. Mais, au-delà de la famille, les caractéristiques héréditaires suscitent aussi des réactions différentes chez les pairs et chez d'autres personnes. Les enfants séduisants et ceux qui sont moins choyés par la nature ne suscitent pas les mêmes réactions chez les pairs ; les gens ne traitent pas les enfants athlétiques de la même manière que les enfants malingres, et ainsi de suite. Dans tous ces cas, les caractéristiques déterminées par les gènes entraînent des réactions différentes dans l'environnement.

Dans le troisième type d'interaction gènes-environnement, les individus aux constitutions physiques différentes *choisissent* et *créent* des environnements différents. Dès que l'individu est capable d'interagir activement avec l'environnement, ce qui se produit assez tôt dans sa vie, les facteurs génétiques influent sur la sélection et la création des environnements. L'extraverti et l'introverti ne recherchent pas les mêmes environnements et il en va ainsi de l'individu athlétique par rapport à l'individu malingre, de l'individu doué pour le langage musical par rapport à l'individu doué pour le langage visuel, etc. Ces effets s'amplifient avec l'âge, l'individu étant de plus en plus à même de choisir ses propres environnements. À un moment donné, il devient impossible de déterminer dans quelle mesure un individu a été « soumis » à tel effet environnemental et dans quelle mesure il l'a « créé ».

Mises en garde

Les individus peuvent « accueillir » leur environnement de manière relativement passive ; ils peuvent, par les réactions que suscitent leurs caractéristiques héréditaires, influer sur ces environnements ; enfin, ils peuvent choisir leurs environnements et en quelque sorte les créer.

Dans chacun de ces cas, il y a interaction entre la nature et la culture, entre les gènes et l'environnement. Lorsqu'on cherche à savoir quelles sont la part d'inné et la part d'acquis dans la personnalité, on ne doit jamais oublier que le développement de la personnalité dépend toujours de l'interaction des facteurs génétiques et des facteurs environnementaux, qu'il n'y a pas d'inné sans acquis et pas d'acquis sans inné. On peut distinguer la nature et la culture à des fins d'analyse et de discussion, mais la nature et la culture n'agissent jamais indépendamment l'une de l'autre.

Les neurosciences et la personnalité

Comme nous l'avons vu, de formidables percées ont été réalisées au cours de la « décennie du cerveau » des années 1990 : elles ont amené une meilleure compréhension des fonctions des diverses parties du cerveau, du rôle joué dans les émotions par les **neurotransmetteurs** (substances chimiques qui transmettent l'information d'un neurone à l'autre, comme la dopamine et la sérotonine), du rôle des hormones dans le comportement et de l'interaction entre les processus physiologiques et psychologiques.

Neurotransmetteurs *(neurotransmitters).* Substances chimiques qui transmettent l'information d'un neurone à l'autre (comme la dopamine et la sérotonine).

LA LOCALISATION DES FONCTIONS DU CERVEAU : L'AMYGDALE

Nous connaissons maintenant beaucoup mieux les fonctions particulières des diverses parties du cerveau. Ainsi, le *système limbique,* et plus particulièrement l'*amygdale* (figure 9.4), joue un rôle majeur dans la motivation et l'émotion (Adolphs, Russell et Tranel, 1999 ; LeDoux, 1999). L'amygdale semble être importante dans

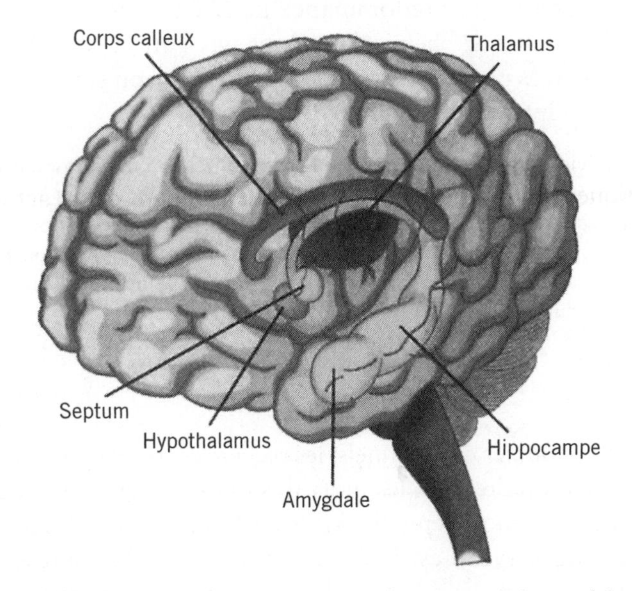

Figure 9.4 Le système limbique est constitué notamment du septum, de l'amygdale et de l'hippocampe.

le traitement de tous les stimuli émotionnels, et plus particulièrement des stimuli négatifs (comme la peur, l'évitement, etc.). Habituellement, l'amygdale joue un rôle central dans le conditionnement à la peur et dans les souvenirs émotionnels inconscients. Ainsi, il est difficile de conditionner aux stimuli de peur les gens dont l'amygdale est endommagée ; en outre, ceux-ci ont du mal à se souvenir des réactions de peur conditionnées qu'ils éprouvaient naguère (LeDoux, 1999). Parce que l'amygdale est liée à l'émotion, on peut penser qu'elle est aussi liée à des différences entre les individus sur le plan d'émotions comme la crainte. De fait, Kagan (1999) avance que l'enfant inhibé a un seuil d'excitabilité de l'amygdale plus bas, c'est-à-dire qu'il réagit à la nouveauté par l'évitement et le désarroi parce que son système limbique est trop facilement excité par tout ce qui n'est pas familier.

LA PRÉDOMINANCE HÉMISPHÉRIQUE CÉRÉBRALE

Le lobe antérieur des hémisphères gauche et droit du cerveau semble également jouer un rôle central dans l'émotion et la motivation. On notera que des recherches particulièrement intéressantes indiquent que la prédominance de l'un ou de l'autre de ces lobes frontaux joue un rôle dans l'émotion. Lorsque l'activité prédominante est dans le lobe frontal gauche, l'émotion qui y serait associée est de type approche (positive, en général), et lorsque l'activité prédominante est dans le lobe frontal droit, l'émotion serait de type évitement ou retrait (négative, en général). Autrement dit, il y a une association entre le fonctionnement du cerveau (c'est-à-dire la latéralisation hémisphérique) et le style émotionnel (Davidson, 1994, 1995, 1998).

Selon Davidson (1998), les différences entre les individus dans la latéralisation des hémisphères cérébraux sont associées à des différences dans l'humeur générale et dans la tendance à réagir aux stimuli par une émotion positive ou négative. Dans une étude qui met en lumière ce type de différences, on a mesuré l'activité hémisphérique avant et pendant la projection d'extraits de films conçus pour susciter des émotions positives et négatives. De plus, les participants évaluaient leur humeur avant de visionner les extraits de films, — cette mesure servant de référence —, ainsi que les expériences émotionnelles que déclenchait chaque extrait. On a ainsi découvert que les différences entre les individus dans l'asymétrie préfrontale étaient associées à l'humeur de référence (la prédominance de l'hémisphère gauche avec l'affect positif et la prédominance de l'hémisphère droit avec l'affect négatif) et aux réactions émotionnelles suscitées par les films, et ce même quand on soustrayait la contribution statistique de l'humeur de référence :

> Les individus qui présentaient une plus grande activation préfrontale gauche avant la projection ont déclaré ressentir un affect plus positif en réaction aux extraits de films positifs et ceux qui présentaient une plus grande activation préfrontale droite avant la projection ont déclaré éprouver un affect plus négatif en réaction aux extraits de films négatifs. Ces résultats confirment l'hypothèse selon laquelle les différences entre les individus dans les mesures électrophysiologiques de l'asymétrie de l'activation préfrontale révèlent une certaine vulnérabilité aux déclencheurs d'émotions positives et négatives.
>
> Davidson, 1998, p. 316.

Pour ce qui est des troubles émotionnels, les recherches révèlent une activité corticale antérieure gauche moindre chez les individus qui souffrent ou qui ont souffert de dépression (Allen, Lacono, Depue et Arbisi, 1993). De plus, les gens dont le lobe antérieur gauche du cerveau est lésé sont plus sujets à la dépression, tandis que ceux dont le lobe antérieur droit est lésé sont plus sujets au trouble bipolaire (Robinson et Downhill, 1995). Finalement, les recherches portant sur les bébés indiquent qu'il existe une relation entre les différences des mesures de l'activation préfrontale entre les individus et la réactivité de l'affect, les bébés qui semblent souffrir davantage d'être séparés de leur mère présentant une plus grande activation préfrontale droite et une activation préfrontale gauche moindre que ceux qui semblent peu souffrir de cette même situation (Davidson et Fox, 1989). De même, Kagan (1994) a démontré que les enfants inhibés présentaient une plus grande réactivité dans l'hémisphère droit, et les enfants non inhibés dans l'hémisphère gauche.

LE FONCTIONNEMENT DES NEUROTRANSMETTEURS : LA DOPAMINE ET LA SÉROTONINE

L'un des domaines des neurosciences qui suscite le plus l'intérêt est l'étude du fonctionnement des neurotransmetteurs, et en particulier de la dopamine et de la sérotonine. Nous savons que l'excès de *dopamine* est lié à la schizophrénie, et l'insuffisance de dopamine à la maladie de Parkinson. La dopamine est également associée au plaisir ; on en parle comme de la substance du bien-être (Hamer, 1997). Les animaux adoptent des comportements qui produisent une libération de dopamine (Wise, 1996). La dopamine semble donc jouer un rôle crucial dans le système de récompense : « On peut caractériser le travail de ce circuit dopaminergique en le décrivant comme un système de récompense. Il nous dit : "C'était agréable. Fais-le de nouveau et souviens-toi comment tu l'as fait" » (Hyman, 1999, p. 25). Les drogues qui entraînent une dépendance, comme la cocaïne, augmentent le niveau de dopamine, produisant une sensation de plaisir lorsqu'on les consomme, mais aussi une sensation de dépression lorsqu'on cesse de les consommer et que le niveau de dopamine retombe.

Le neurotransmetteur *sérotonine* joue un rôle dans la régulation de l'humeur. De nouveaux médicaments appelés ISRS — inhibiteurs sélectifs de la recapture de la sérotonine — semblent soulager la dépression en prolongeant l'action de la sérotonine dans les synapses des neurones. Administrées à des individus normaux, les ISRS réduisent les expériences affectives négatives et augmentent le comportement social d'affiliation (Knutson *et al.*, 1998). Finalement, nous savons que l'hormone *cortisol* est associée à la réaction au stress. Si nous revenons encore une fois à la recherche de Kagan (1994), à l'âge de cinq ans les enfants inhibés présentaient une forte réactivité à la menace, comme on pouvait le constater en mesurant le taux de cortisol ; ce phénomène s'était cependant atténué à l'âge de sept ans.

LA NEUROBIOLOGIE ET LES TROIS GRANDES DIMENSIONS DU TEMPÉRAMENT

Que savons-nous à l'heure actuelle des relations entre le fonctionnement neurobiologique et la personnalité (tableau 9.4) ? La question est complexe. Eysenck (1990) a fait œuvre de pionnier dans ce domaine. Par la suite, de nombreux psychologues de la personnalité ont tenté d'établir des modèles de traits de personnalité et de les relier à des processus biologiques particuliers (Cloninger, Svrakic et Przybeck, 1993 ; Depue, 1995, 1996 ; Depue et Collins, 1999 ; Eysenck, 1990 ; Gray, 1987 ; Pickering et Gray, 1999 ; Tellegen, 1985 ; Zuckerman, 1991, 1996). Bien que presque tous ces modèles présentent des similarités et que nombre d'entre eux ressemblent au modèle à cinq facteurs (les « Cinq Grands ») décrit au chapitre précédent, ils ne se superposent pas toujours parfaitement. Plutôt que d'explorer plusieurs de ces modèles, nous allons nous concentrer sur le modèle d'analyse du tempérament mis au point par Lee Anna Clark et David Watson (1999 ; Watson, 2000).

Modèle de tempérament à trois facteurs [les « Trois Grands »] *(three dimensional temperament model).*

Modèle selon lequel les différences de tempérament entre les individus peuvent se ramener à trois superfacteurs : *AN* (affectivité négative), *AP* (affectivité positive) et *DoI* (désinhibition ou inhibition).

Les trois grandes dimensions du tempérament : AN, AP et DoI

Selon le **modèle de tempérament à trois facteurs** (les « Trois Grands ») de Clark et Watson (1999), les différences de tempérament entre les individus peuvent se ramener à trois superfacteurs similaires à ceux qu'avait proposés Eysenck et qui correspondent en gros à trois des cinq dimensions du modèle des « Cinq Grands » : **AN** (affect négatif), **AP** (affect positif) et **DoI** (désinhibition ou inhibition).

Les individus qui ont un indice *AN* élevé éprouvent beaucoup d'émotions négatives, ils perçoivent le monde comme menaçant, problématique et pénible, tandis que ceux dont l'indice *AN* est faible sont calmes, émotionnellement stables et contents d'eux-mêmes.

La dimension *AP* est liée à la tendance de l'individu à interagir avec l'environnement. Ainsi, les gens qui ont un indice *AP* élevé (comme les extravertis) apprécient la compagnie d'autrui, sont actifs et abordent la vie avec énergie, gaieté et enthousiasme, tandis que ceux qui ont un indice *AP* faible (comme les introvertis) sont réservés, socialement distants, et ils manquent d'énergie et de confiance. Il importe de noter que, même si elles peuvent sembler en opposition en ce qui a trait aux qualités mesurées, les dimensions *AN* et *AP* sont indépendantes l'une de l'autre. Autrement dit, un individu donné peut avoir un indice élevé ou faible pour chacune d'entre elles (Watson et Tellegen, 1999 ; Watson, Wiese, Vaidya et Tellegen, 1999), et ce parce que ces deux superfacteurs subissent l'influence de systèmes biologiques internes qui sont différents.

Contrairement aux deux premières dimensions, la troisième, *DoI,* ne comporte pas de composante affective, mais se réfère plutôt au mode de régulation des émotions. Ainsi, les individus qui ont un indice *DoI* élevé sont impulsifs, téméraires, axés sur les émotions et les sensations du moment, tandis que ceux qui ont un indice *DoI* faible sont prudents, mesurent les répercussions à long terme de leur comportement, et fuient les risques et le danger.

Le style émotionnel, le mode de vie et les dimensions AN, AP et DoI

Peut-on établir des corrélations entre les dimensions *AN, AP* et *DoI* du tempérament — où l'on observe des différences aussi frappantes que celle que nous venons de décrire — et certaines variables émotionnelles, comportementales et biologiques ? Pour ce qui est de l'humeur, comme on pouvait s'y attendre, les individus qui ont un indice *AN* élevé disent éprouver des états émotionnels négatifs comme la peur, la tristesse, la colère, la culpabilité, le mépris et le dégoût, alors que les individus qui ont un indice *AP* élevé disent éprouver des sentiments positifs comme la joie, l'intérêt, la sollicitude, l'excitation, l'enthousiasme et la fierté. Ces deux dimensions étant indépendantes l'une de l'autre, comme on l'a vu, certains individus traversent des phases où l'humeur est soit très positive, soit très négative, tandis que d'autres n'éprouvent ni l'un ni l'autre. On n'observe aucune association significative entre la dimension *DoI*, qui a trait au mode de régulation de l'affect, et des humeurs positives ou négatives.

Pour ce qui est du mode de vie, les individus à l'indice *DoI* élevé tendent à avoir des notes scolaires et des évaluations de rendement professionnel plus faibles, sans égard à l'intelligence : « Ceux à qui la discipline fait défaut et qui préfèrent vivre au jour le jour plutôt que de planifier soigneusement leur vie en pensant à l'avenir sont plus susceptibles d'obtenir de mauvaises notes dès le début de leurs études secondaires » (Clark et Watson, 1999, p. 414). De plus, ceux qui ont un indice *DoI* élevé boivent plus d'alcool, fument plus de marijuana et sont même plus actifs sexuellement (tant pour la fréquence que pour la diversité des activités sexuelles) que ceux qui ont un faible indice *DoI*. Ces différences quant au mode de vie ne sont pas associées aux indices obtenus pour les deux autres facteurs. Aucun des trois facteurs n'influe sur le nombre d'heures de sommeil, mais les habitudes de sommeil, elles, diffèrent : ceux qui ont un indice *DoI* élevé sont enclins à se coucher tard et à se lever tard, tandis que ceux qui ont un indice *AP* élevé ont tendance à se lever tôt et à se coucher tôt. On imagine facilement les problèmes de cohabitation que peuvent entraîner de telles différences !

Les facteurs biologiques et les dimensions AN, AP et DoI

Peut-on établir des corrélations entre les dimensions *AN, AP* et *DoI*, où l'on observe des différences aussi frappantes que celles que nous venons de décrire, et certains facteurs biologiques ? Il semble que ce soit effectivement le cas, et que, comme nous l'avons mentionné, chacune de ces dimensions subisse l'influence de processus biologiques spécifiques. Selon ce modèle inspiré par la pensée de Depue (1996 ; Depue et Collins, 1999), *AP* est associé à l'action de la *dopamine,* qui est la substance du bien-être. Dans la recherche portant sur les animaux, le taux élevé de dopamine a été associé au comportement d'approche, et le déficit en dopamine au manque de motivation. En somme, Clark et Watson avancent que « les différences entre les individus en ce qui concerne la sensibilité de ce système biologique aux signaux de récompense, qui déclenchent aussi bien la motivation qu'un affect positif et un processus cognitif de soutien, sont à la base de la dimension *AP* du tempérament » (1999, p. 414). Des différences quant à la latéralisation hémisphérique peuvent également y contribuer, un indice *AP* élevé ayant été associé à la prédominance de l'hémisphère cérébral gauche (Davidson, 1992, 1994, 1998).

Pour ce qui est de la dimension *DoI*, Clark et Watson soutiennent que sa base biologique est la *sérotonine.* Selon eux, les êtres humains qui ont un faible taux de sérotonine sont enclins à l'agressivité et consomment davantage de stimulants dopaminergiques comme l'alcool. L'alcoolisme est également associé à une faible production de sérotonine. Hamer (1997) a aussi associé le neurotransmetteur dopamine à la recherche d'émotions fortes, à l'impulsivité et à la désinhibition. Enfin, un taux élevé de testostérone est associé à la compétitivité et à l'agressivité, deux traits liés à un indice *DoI* élevé.

Selon Clark et Watson, la neurobiologie de *AN* est la moins connue. On sait toutefois qu'il existe des rapports entre un faible taux de sérotonine dans les synapses et la dépression, l'anxiété et les symptômes obsessifs-compulsifs. Hamer et Copeland (1998) établissent un lien entre un faible taux de sérotonine et une sombre vision du monde, rappelant le tempérament mélancolique de Galien. Depue (1995) affirme que les animaux qui ont un faible taux de sérotonine sont excessivement irritables, et Hamer (1997) décrit la sérotonine comme la « substance du mal-être ». De plus, comme on l'a mentionné, il y a une relation entre la prédominance de l'hémisphère droit du cerveau et la tendance à ressentir des émotions négatives. Finalement, certaines données indiquent qu'une sensibilité excessive de l'amygdale joue probablement un rôle dans la tendance à éprouver beaucoup d'anxiété et de désarroi (LeDoux, 1995, 1999).

Mises en garde

Bien qu'on ait supposé l'existence de rapports entre les facteurs biologiques et la personnalité, on ne peut établir de correspondance directe et univoque entre tel ou tel processus et tel ou tel trait. Chaque composante biologique semble plutôt associée à l'expression de plus d'un trait, tout comme l'expression de chaque trait est influencée par plus d'un facteur biologique : « Il apparaît clairement que les modèles de personnalité basés sur un seul neurotransmetteur sont simplistes et qu'on devra prendre en considération d'autres facteurs » (Depue et Collins, 1999, p. 513). Il est donc difficile d'intégrer toutes ces découvertes neurobiologiques dans le modèle de tempérament à trois facteurs (les « Trois Grands ») sans simplifier à outrance par rapport à l'état actuel des connaissances en neurobiologie. En ce sens, les liens possibles entre la biologie et le tempérament présentés au tableau 9.4 constituent en réalité des hypothèses de travail visant à éclairer la façon dont les rapports pourraient être établis ; il faudra tester ces hypothèses et les revoir au fur et à mesure qu'on disposera de nouvelles données.

De plus, même si la localisation des fonctions cérébrales a beaucoup progressé, il importe de considérer le cerveau comme un système global. Selon Damasio (1994), Gall avait raison de penser que le cerveau n'est pas une grosse masse indifférenciée, mais qu'il se constitue plutôt de diverses parties aux fonctions spécialisées. Cependant, non seulement Gall fut incapable de repérer correctement ces parties et leurs fonctions, mais il ignorait comment fonctionne le cerveau en tant que système : « Je ne tombe pas dans le piège de la phrénologie, poursuit Damasio. En clair, l'esprit résulte de l'action distincte de chacune des composantes et de l'action concertée des multiples systèmes que constituent ces systèmes distincts » (1994, p. 15).

Tableau 9.4 Liens possibles entre biologie et personnalité

Amygdale Centre de la réaction émotionnelle du cerveau, cette partie du système limbique primitif joue un rôle particulièrement important dans l'apprentissage émotionnel aversif.

Latéralisation hémisphérique La prédominance de l'hémisphère frontal droit est associée à l'activation d'émotions négatives ainsi qu'à la timidité et à l'inhibition, alors que la prédominance de l'hémisphère frontal gauche est associée à l'activation d'émotions positives, ainsi qu'à la hardiesse et à la désinhibition.

Dopamine Ce neurotransmetteur est associé à la récompense, au renforcement et au plaisir. Un taux élevé de dopamine est associé aux émotions positives, à l'énergie, à la désinhibition et à l'impulsivité, alors qu'un faible taux de dopamine est associé à la léthargie, à l'anxiété et à l'inhibition. Les animaux tout autant que les êtres humains s'administrent des drogues qui déclenchent la libération de dopamine.

Sérotonine Ce neurotransmetteur influe sur l'humeur, l'irritabilité et l'impulsivité. Un faible taux de sérotonine est associé à la dépression, mais aussi à la violence et à l'impulsivité. Bien qu'on ne comprenne pas encore parfaitement le mécanisme d'action des médicaments ISRS (inhibiteurs sélectifs de la recapture de la sérotonine) vendus sous les marques de commerce comme Prozac, Zoloft ou Paxil, on sait qu'ils peuvent traiter la dépression, les phobies et les troubles obsessifs-compulsifs.

Cortisol Cette hormone sécrétée par la corticosurrénale est reliée au stress ; elle facilite les réactions en présence d'une menace ; ce sont des réactions adaptatives lorsqu'il s'agit de stress à court terme, mais elles peuvent être associées à la dépression et aux troubles de mémoire en cas de stress prolongé ou chronique.

Testostérone Cette hormone importante pour le développement des caractères sexuels secondaires est aussi associée au désir de domination, à la compétitivité et à l'agressivité.

SOURCES : Hamer et Copeland, 1998 ; Sapolsky, 1994 ; Zuckerman, 1995.

Il y a donc à la fois localisation différenciée et système organisé. En somme, les traits de personnalité sont liés au fonctionnement d'une configuration d'éléments du système biologique plutôt qu'aux éléments pris isolément : « La psychobiologie n'est pas destinée aux amateurs de simplicité » (Zuckerman, 1996, p. 128).

LA PLASTICITÉ DES PROCESSUS BIOLOGIQUES

On a souvent tendance à penser que les processus biologiques fixes déterminent la personnalité, les émotions et les comportements, comme si ceux-là étaient la cause et ceux-ci, l'effet, le tout étant relativement immuable. Il est vrai que les différences biologiques associées au tempérament ont tendance à être stables et qu'elles influent sur l'épanouissement de la personnalité. Cependant, la recherche nous a appris que le système neurobiologique est aussi doté de **plasticité**, ce qui signifie qu'il a la capacité de changer sous l'effet de l'expérience. Il nous reste beaucoup à apprendre sur la plasticité des divers aspects du fonctionnement neurobiologique, comme du tempérament d'ailleurs (Gould, Reeves, Graziano et Gross, 1999). Même s'il mettait l'accent sur la stabilité du tempérament, Kagan (1994) mentionne que bien des enfants inhibés se transforment en enfants non inhibés, et vice versa.

Plasticité [neurobiologique] *(plasticity).*
Capacité que possède le système neurobiologique de changer au fil des expériences, temporairement et pour de longues périodes, tout en restant à l'intérieur des paramètres génétiques, et cela afin de répondre aux exigences adaptatives.

La plasticité du fonctionnement neurobiologique apparaît clairement lorsqu'on s'intéresse aux neurotransmetteurs et aux hormones. On sait par exemple que, dans la hiérarchie observée chez les singes, le leadership est associé à un taux élevé de sérotonine ; cependant, si une réorganisation du groupe renverse l'échelle hiérarchique, le taux de sérotonine des nouveaux leaders augmente par rapport à celui qu'ils avaient quand ils se trouvaient au bas de l'échelle (Raleigh et McGuire, 1991). De même, la relation entre la testostérone et l'agressivité, ou la compétitivité, est bidirectionnelle : un taux élevé de testostérone favorise une plus grande agressivité et une plus grande compétitivité, mais l'agressivité et la compétitivité entraînent également une élévation du taux de testostérone (Dabbs, 2000). Ainsi, le fait de perdre un match sportif fait baisser le taux de testostérone non seulement chez les joueurs qui ont perdu, mais aussi chez leurs partisans (McCaul, Gladue et Joppe, 1992). Le seul fait de gagner à pile ou face peut produire une augmentation du taux de testostérone (Gladue, Boechler et McCaul, 1989). Ces effets sont si marqués que Hamer et Copeland (1998) en concluent que :

> [chez les animaux,] des oiseaux chanteurs aux écureuils, en passant par les souris et les singes, une rencontre agressive modifie le taux de testostérone. Les gagnants en reçoivent et les perdants en perdent. Il en va de même chez les êtres humains.
>
> Hamer et Copeland, 1998, p. 112.

En bref

Nous avons examiné les liens qui pourraient être établis entre les processus biologiques et les trois grandes dimensions de la personnalité du modèle à trois facteurs (les « Trois Grands »), tels que les révèlent les questionnaires de recherche et les observations comportementales. Les résultats des recherches portant sur l'héritabilité de ces traits ainsi que sur la délimitation des gènes qui y sont spécifiquement associés accréditent l'hypothèse voulant que ces trois facteurs aient des assises biologiques (Hamer et Copeland, 1998). Cela dit, des mises en garde s'imposent quant aux conclusions de ces recherches. D'abord, tout lien qu'on a pu poser, ou qu'on pourrait poser, entre un gène et un trait de personnalité n'explique qu'une petite partie de la variance observée dans l'expression de ce trait. Deuxièmement, les traits de personnalité représentent l'expression de nombreux gènes. Troisièmement, les traits de personnalité constituent toujours le reflet de l'interaction des facteurs génétiques et des facteurs environnementaux ; comme nous l'avons vu, cela est également vrai des processus biologiques. Quatrièmement, les relations entre les traits de personnalité et les processus biologiques sont complexes et il nous reste beaucoup à apprendre en la matière. Cinquièmement, il existe une relation bidirectionnelle entre les processus biologiques et l'expérience, et cette bidirectionnalité est inhérente à la plasticité générale qui caractérise le fonctionnement neurobiologique.

La biologie et les enjeux sociopolitiques

L'influence de la biologie sur la personnalité a toujours été extrêmement controversée. À la fin du XIXe siècle, Galton, se fondant sur ses études d'histoire familiale, en arriva à la conclusion que « la nature prédomin[ait] de beaucoup sur la culture ». En lançant le fameux débat « nature/culture » ou « hérédité/milieu », il donna le ton à une controverse qui allait se poursuivre durant tout le XXe siècle et dont les enjeux scientifiques, mais aussi politiques et sociaux, n'ont en rien perdu de leur actualité (Baumrind, 1993 ; Jackson, 1993 ; Pervin, 1984 ; Scarr, 1992, 1993).

Historiquement, les positions qui privilégiaient le déterminisme biologique (« La biologie, c'est le destin ») — et en particulier le déterminisme génétique — sont peu à peu tombées dans le discrédit, pour connaître ensuite un regain de popularité. À diverses époques, certains de ceux qui s'intéressaient tout particulièrement aux gènes ont été amenés à préconiser l'eugénisme, c'est-à-dire l'amélioration des populations humaines par des croisements sélectifs. Durant les années 1930 et 1940, les thèses qui insistaient sur l'importance des facteurs génétiques devinrent extrêmement impopulaires, en partie parce qu'on les associait aux thèses de l'Allemagne nazie (Degler, 1991). Même si Kraepelin est décédé en 1926, Barondes (1998) avance que ses thèses ont été entachées par les activités nazies d'Ernst Rudin, qui dirigea l'institut généalogique fondé par Kraepelin. Kagan (1994) raconte que, durant ses études universitaires au début des années 1950, peu de gens mettaient en doute l'idée qu'il était inutile de se tourner vers la biologie pour expliquer les variations humaines, le dogme voulant que l'expérience et l'égalité en soient les clés. Plus près de nous, le fait que l'American Psychological Association ait voulu décerner à Raymond Cattell une distinction honorifique pour l'ensemble de son œuvre a soulevé une immense controverse en 1997, à cause des thèses sur les gènes et sur l'eugénisme qu'il avait naguère défendues ; pourtant, nombreux sont ceux qui estiment que Cattell n'a jamais préconisé de recourir aux croisements sélectifs à l'égard des groupes raciaux ou des groupes ethniques.

Récemment, le rôle de l'évolution et des gènes dans le fonctionnement de la psychologie humaine a suscité un regain d'intérêt. En fait, l'importance accordée aux facteurs génétiques est devenue telle que Plomin lui-même a sonné l'alarme, en indiquant que le pendule risquait maintenant de pencher un peu trop du côté de la nature :

> Si les sciences comportementales se refusaient encore dans les années 1970 à admettre le rôle des gènes, celui-ci a fini par être reconnu de plus en plus largement dans les années 1980. L'étude de la personnalité a pris ses distances face à l'environnementalisme forcené, ce qui est une bonne chose. Mais le danger, maintenant, c'est qu'en voulant échapper à l'environnementalisme on aille trop loin, qu'on en vienne à penser que la personnalité est presque entièrement déterminée par la biologie.
>
> Plomin, Chipuer et Loehlin, 1990, p. 225.

Parce que l'être humain passe facilement du blanc au noir, parce que le pendule obéit à un mouvement oscillant, et parce que les points de vue se polarisent et se politisent, il est essentiel d'adopter une position équilibrée et nuancée. Pour ce faire, il faut comprendre exactement ce que les concepts veulent dire et ne veulent pas dire, ce que les données impliquent et n'impliquent pas, et quelles conclusions on peut ou non en tirer. En ce qui a trait à la personnalité, les êtres humains diffèrent et ces différences dépendent à divers degrés de facteurs biologiques. Nous ne devons pas avoir peur de prendre connaissance de ces facteurs ni de chercher à comprendre leur signification. Par contre, nous devons savoir, pour mieux nous en méfier, à quelles dérives certains points de vue ont donné lieu dans le passé.

Résumé

1. Ce n'est pas d'hier que les psychologues s'intéressent aux différences de tempérament entre les individus, ni qu'ils cherchent à associer ces différences aux facteurs biologiques. Les progrès de la recherche sur le tempérament reposent essentiellement sur les études longitudinales et sur des mesures plus objectives du comportement, ainsi que sur des variables physiques et biologiques. La recherche de Kagan sur les enfants inhibés et non inhibés en est un bon exemple.
2. La théorie évolutionniste se penche sur les causes fondamentales du comportement, c'est-à-dire sur les raisons qui rendent compte de l'évolution des comportements étudiés et de leurs fonctions adaptatives. Les travaux portant sur les différences hommes-femmes dans le choix du partenaire et dans les causes de la jalousie — différences qui renvoient à des différences concernant l'investissement parental et la probabilité de parentalité — sont de bons exemples de recherches associées aux interprétations évolutionnistes des caractéristiques comportementales de l'être humain.
3. Les trois méthodes auxquelles on a recours pour établir des rapports entre le comportement et les gènes sont les études de croisements sélectifs, les études de jumeaux et les études d'adoption. Les études de jumeaux et les études d'adoption ont révélé des coefficients d'héritabilité significatifs pour le QI et pour la plupart des caractéristiques de la personnalité. On estime que le coefficient d'héritabilité de l'ensemble de la personnalité est compris entre 0,4 et 0,5, ce qui signifie qu'environ 40 % à 50 % de la variance des caractéristiques de la personnalité s'explique par des facteurs génétiques. Cependant, les recherches indiquent que les coefficients d'héritabilité varient selon la population, la caractéristique de la personnalité étudiée et les mesures utilisées.
4. Les découvertes des neurosciences ont permis d'établir des liens entre : (1) la personnalité et le fonctionnement de neurotransmetteurs comme la dopamine et la sérotonine ; (2) les différences entre les individus dans la latéralisation hémisphérique et le style émotionnel (travaux de Davidson) ; et (3) le fonctionnement de certaines parties du cerveau comme l'amygdale et le traitement des stimuli et des souvenirs émotionnels. Le modèle de tempérament à trois facteurs (les « Trois Grands ») proposé par Clark et

Watson représente une tentative visant à systématiser les relations entre les découvertes des neurosciences et la personnalité. Plusieurs liens ont été suggérés, mais il n'existe encore à ce jour aucun modèle global des processus biologiques liés aux traits de personnalité.

5. Les nombreuses preuves de la plasticité neurobiologique — c'est-à-dire de la capacité du système neurobiologique à changer avec l'expérience — vont à l'encontre de notre tendance à envisager les processus biologiques comme des processus immuables.

6. Lorsqu'on se penche sur les questions traitées dans ce chapitre, et en particulier sur celles qui concernent les relations entre les gènes et la personnalité, il importe de garder à l'esprit les répercussions sociopolitiques éventuelles des divers points de vue en la matière, ainsi que le risque qu'un parti pris idéologique fausse l'interprétation des résultats de recherche.

7. Ce chapitre contient un certain nombre de mises en garde qu'il vaut la peine de répéter ici : (a) Tous les processus psychologiques ont une composante biologique. Ainsi, les gènes déterminent le fonctionnement de processus biologiques qui, en interaction avec les facteurs environnementaux, déterminent à leur tour le développement de la personnalité. Il n'y a pas de « nature » sans « culture », pas de personnalité sans biologie, pas d'esprit sans corps. (b) La plupart des caractéristiques de la personnalité, et probablement toutes, supposent l'action de plusieurs gènes (et non d'un seul). (c) La plupart des caractéristiques de la personnalité, et probablement toutes, supposent l'action de plusieurs processus biologiques (par exemple, des neurotransmetteurs, des hormones, etc.). En somme, les chances de trouver une relation simple, directe et univoque entre une variable biologique et un trait de personnalité sont quasi inexistantes.

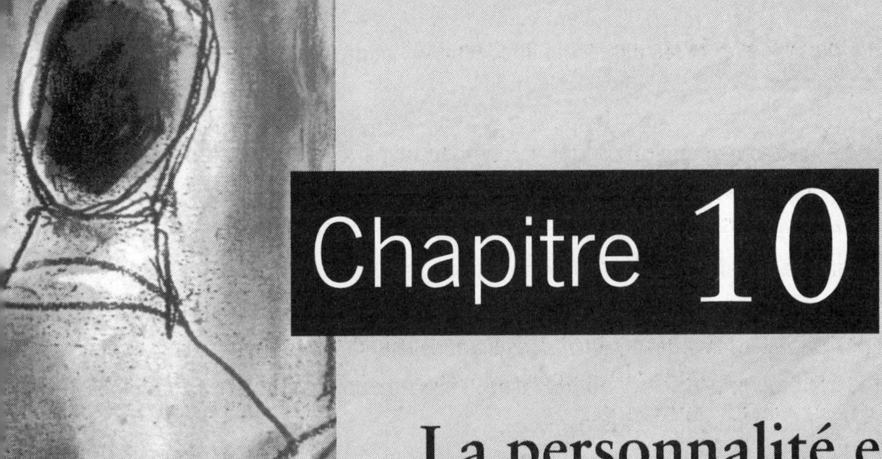

Chapitre 10

La personnalité et les approches fondées sur l'apprentissage

La science et la personne dans la perspective de l'apprentissage

Le béhaviorisme de Watson

La théorie du conditionnement classique de Pavlov

Aperçu biographique
Les principes du conditionnement classique
La psychopathologie et le changement
Une réinterprétation du cas du petit Hans
Les recherches subséquentes

La théorie du conditionnement opérant de Skinner

Aperçu biographique
La théorie skinnérienne de la personnalité

La théorie stimulus-réponse de Hull, Dollard et Miller

Aperçus biographiques
La théorie S-R de la personnalité

Les approches fondées sur l'apprentissage et les théories traditionnelles

L'évaluation critique

Les avantages
Les limites

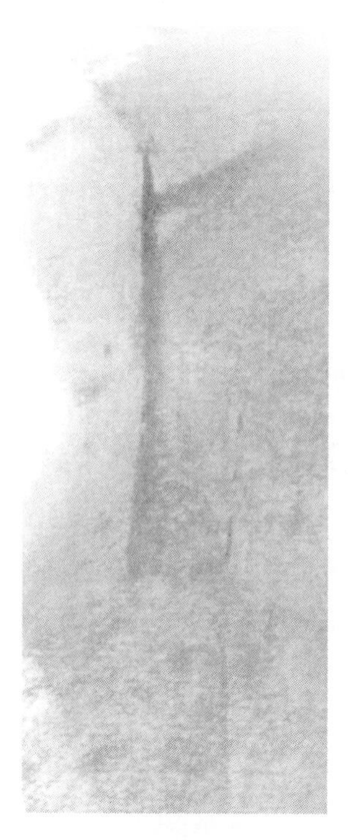

Vous est-il arrivé de fréquenter quelqu'un qui se comportait parfois d'une façon qui vous agaçait vraiment ? C'était le cas de cette jeune femme dont l'amoureux se plaignait constamment d'avoir trop de travail à l'école. Lassée de lui prodiguer sympathie et réconfort — après tout, elle avait autant de travail que lui ! —, elle décida de ne plus tenir compte de ses jérémiades. Or, à partir du moment où elle cessa de le dorloter quand il se plaignait — de lui donner du renforcement positif —, les lamentations disparurent graduellement. Sans s'en rendre compte, cette jeune femme avait modifié le comportement de son ami en appliquant certains principes fondamentaux de la théorie de l'apprentissage.

Ce chapitre traite des approches de la personnalité fondées sur l'apprentissage. Il existe plusieurs théories de l'apprentissage, qui visent toutes à expliquer comment les gens apprennent ou désapprennent tel ou tel comportement. Dans ce chapitre, nous allons nous concentrer sur trois de ces théories — le *conditionnement classique* de Pavlov, le *conditionnement opérant* de Skinner et la théorie *stimulus-réponse (S-R)* —, qui reposent sur la vérification expérimentale d'hypothèses clairement définies. Nous nous intéresserons ensuite à l'évaluation du comportement et à la modification du comportement, puis nous conclurons notre exposé par une évaluation critique de ces diverses approches de la personnalité.

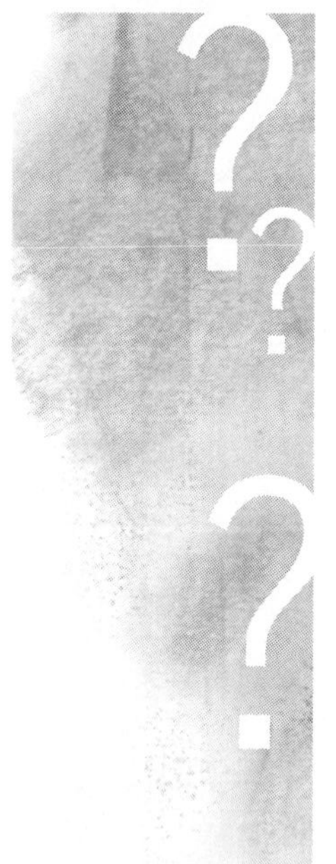

Le chapitre... *en questions*

1. Comment expliquer que la recherche expérimentale et les relations causales mènent à des observations et à des théories différentes de celles qui sont associées à la recherche clinique et corrélationnelle ?
2. Dans quelle mesure les principes de base de l'apprentissage, qui découlent souvent de l'étude de l'apprentissage chez les animaux, peuvent-ils fournir les fondements d'une théorie de la personnalité ?
3. Dans quelle mesure notre comportement est-il déterminé par des renforçateurs (récompenses et punitions, par exemple) ? Les principes de l'apprentissage peuvent-ils rendre compte des comportements anormaux ?
4. Si le comportement normal est appris ou acquis comme tout autre comportement, l'application des principes de l'apprentissage peut-elle entraîner une modification thérapeutique ? Le cas échéant, dans quelle mesure les troubles mentaux constituent-ils davantage des problèmes d'apprentissage que des affections ou des maladies ?

Les trois approches que nous verrons dans ce chapitre — le conditionnement classique de Pavlov, le conditionnement opérant de Skinner et l'apprentissage par stimulus-réponse de Hull — ont des caractéristiques communes, notamment l'importance accordée à l'apprentissage et le souci d'une méthodologie rigoureuse. Cependant, elles divergent sensiblement quant à l'interprétation des principes de l'apprentissage et à la compréhension du comportement.

Bien qu'elles aient été éclipsées par d'autres approches, en particulier par les approches cognitives, les approches fondées sur l'apprentissage restent importantes du point de vue historique à cause de l'influence considérable qu'elles ont exercée sur les conceptions de la personnalité et sur la psychologie clinique au cours des années 1950 à 1970.

La science et la personne dans la perspective de l'apprentissage

Pour comprendre la personnalité en l'inscrivant dans la perspective de l'apprentissage, on doit se préparer à énoncer de nouveaux postulats et à envisager de nouvelles stratégies de recherche. L'approche de la personnalité fondée sur l'apprentissage repose en effet sur deux postulats fondamentaux, dont découlent certains points cruciaux. Selon le premier de ces postulats, presque tout dans le comportement résulte d'un apprentissage ; selon le deuxième, il est essentiel de vérifier objectivement et rigoureusement des hypothèses clairement formulées (tableau 10.1).

Alors que, pour Eysenck et Cattell, l'apprentissage faisait partie du champ plus large de la personnalité, les approches théoriques dont nous traitons dans ce chapitre envisagent au contraire l'étude de la personnalité comme un des aspects du champ plus large de l'apprentissage. Ainsi, dans cette perspective, les troubles mentaux résulteraient soit d'un échec dans l'apprentissage de comportements adaptés, soit de l'apprentissage de comportements inadaptés. Au lieu de parler de psychothérapie, les tenants de la perspective béhavioriste font état de *modification du comportement* et de *thérapie comportementale*. Il s'agit ici de modifier ou de remplacer des comportements précis plutôt que de résoudre les conflits sous-jacents ou de réorganiser la personnalité : puisque la plupart des comportements problématiques ont été appris, il est possible de les désapprendre ou de les modifier en appliquant les méthodes et les techniques de l'apprentissage.

L'importance accordée à l'objectivité et à la rigueur, aux hypothèses vérifiables et au contrôle expérimental des variables est peut-être encore plus cruciale, puisque les chercheurs ont été amenés à travailler en laboratoire au lieu de se consacrer à l'étude du comportement, à s'intéresser aux comportements simples plutôt qu'aux comportements complexes et à prendre pour objets d'étude des animaux comme les rats et les pigeons. Enfin, l'accent mis sur la maîtrise des variables objectives les a poussés à se pencher davantage sur les forces *externes* plutôt que sur les forces internes qui sont à l'œuvre dans l'organisme.

Dans l'approche béhavioriste, on influe sur les variables environnementales et on observe les conséquences de ces modifications sur le comportement. Alors que les théories psychodynamiques mettent l'accent sur les causes internes du comportement (instincts, mécanismes de défense, concept de soi, etc.), les théories de l'apprentissage cherchent les causes externes, environnementales. Elles privilégient les

Tableau 10.1 Idées clés des approches de la personnalité fondées sur l'apprentissage

1. La recherche empirique est la pierre angulaire de la théorie et de la pratique.
2. La théorie de la personnalité et ses applications devraient s'appuyer sur les principes de l'apprentissage.
3. Le comportement répond aux renforçateurs de l'environnement et dépend davantage de la situation que ne le suggèrent les autres théories de la personnalité (théorie des traits de personnalité, théorie psychanalytique, etc.).
4. On rejette la conception médicale selon laquelle les troubles mentaux sont considérés comme des symptômes de maladies et on insiste sur les principes fondamentaux de l'apprentissage et de la modification du comportement.

stimuli environnementaux sur lesquels on peut jouer, comme les récompenses alimentaires, plutôt que les concepts sur lesquels on ne peut influer, comme le moi, l'ego ou l'inconscient.

Spécificité situationnelle *(situational specificity).* Dans la perspective béhavioriste, terme signifiant que le comportement varie en fonction de la situation, contrairement à la conception mise en avant par les théoriciens des traits de personnalité, qui insistent sur la constance du comportement dans diverses situations.

L'importance qu'attribue le béhaviorisme aux déterminants externes, environnementaux, a aussi été associée à l'importance de la **spécificité situationnelle** dans le comportement. Contrairement aux théories psychodynamiques et aux théories des traits de personnalité, dans lesquelles on s'attache aux caractéristiques qui s'expriment dans un large éventail de situations, la théorie béhavioriste avance que la constance observée dans les comportements résulte à coup sûr de la similarité des conditions environnementales qui donnent lieu à ces comportements.

Avant d'entamer notre exposé consacré aux approches du comportement fondées sur l'apprentissage, il nous faut dire quelques mots concernant le psychologue John Watson, dont les vues ont influé considérablement sur l'évolution de la psychologie américaine et sur certains aspects de l'étude de la personnalité.

LE BÉHAVIORISME DE WATSON

Béhaviorisme *(behaviorism).* Approche de la psychologie élaborée par Watson et dans laquelle on se contente d'étudier le comportement manifeste, observable.

C'est John B. Watson (1878-1958) qui a fondé ce courant de la psychologie qu'on appelle le **béhaviorisme.** Après avoir entrepris des études universitaires en philosophie à l'Université de Chicago, Watson s'est orienté vers la psychologie. Il prit des cours de neurologie et de physiologie, et se mit à faire énormément de recherche. Certains de ses travaux portaient sur la complexité croissante du comportement associée au développement du système nerveux central chez le rat. Au cours de l'année qui précéda l'obtention de son doctorat, Watson souffrit d'une dépression nerveuse et passa des nuits blanches durant quelques semaines; il dira plus tard de cette période qu'elle l'avait préparé à accepter une bonne partie des idées de Freud (Watson, 1936, p. 274). Son travail à Chicago culmina avec sa thèse de doctorat, qui portait sur l'éducation des animaux, et l'amena à prendre une importante décision quant à l'utilisation d'êtres humains.

> À Chicago, j'ai tenté pour la première fois de formuler ce qui allait devenir ma position. Je n'ai jamais voulu utiliser de sujets humains. Je détestais servir de sujet. Je n'ai jamais aimé les instructions rigides et artificielles qu'on donne aux sujets. Je me sentais toujours mal à l'aise et je n'agissais pas naturellement. Avec les animaux, au contraire, j'étais sur mon terrain. Je restais près de la biologie, les deux pieds sur terre. De plus en plus, cette pensée s'imposait : ne pouvais-je pas trouver en observant le comportement des animaux tout ce que les autres étudiants découvraient en utilisant des sujets humains ?
>
> Watson, 1936, p. 276.

Watson quitta Chicago en 1908 pour occuper un poste de professeur à l'Université Johns Hopkins, où il demeura jusqu'en 1919. C'est au cours de cette période, seulement interrompue par son service militaire durant la Première Guerre mondiale, que Watson élabora ses idées sur le béhaviorisme en tant qu'approche de la psychologie. D'abord dans les conférences qu'il donna en 1912, puis dans l'ouvrage intitulé *Behavior* qu'il publia en 1914, il exposa ses vues sur la nécessité de privilégier l'étude du comportement observable et d'exclure l'observation de soi et l'introspection. Le plaidoyer de Watson en faveur de l'utilisation de méthodes objectives et du rejet des spéculations concernant ce qui se passe à l'intérieur de la personne fut accueilli avec enthousiasme, et il fut élu président de l'American Psychological Association en 1915. Par la suite, il étoffa ses vues en y intégrant les travaux du physiologiste russe Pavlov; le résultat fut publié dans l'un de ses plus importants ouvrages, *Psychology from the Standpoint of a Behaviorist* (1919).

Watson divorça en 1919 pour se remarier immédiatement avec son élève Rosalie Rayner et il dut démissionner de Johns Hopkins. Les circonstances de son départ de la prestigieuse université le forcèrent à se tourner vers le monde des affaires pour gagner sa vie. Bien qu'il ait joui d'une réputation considérable en tant que psychologue, il en fut réduit à effectuer des études de marché. Pourtant, affirmera-t-il, cela lui permit de découvrir « qu'il [pouvait] être tout aussi palpitant d'observer la croissance d'une courbe de vente que la courbe d'apprentissage des animaux ou des êtres humains » (Watson, 1936, p. 280). Après 1920, Watson écrivit quelques articles destinés au grand public et il publia un livre intitulé *Behaviorism* (1924), mais sa carrière de théoricien et d'expérimentateur prolifique avait pris fin au moment où il avait quitté Johns Hopkins.

La théorie du conditionnement classique de Pavlov

APERÇU BIOGRAPHIQUE

C'est dans le cadre de ses recherches sur les fonctions digestives que le physiologiste russe Ivan Petrovich Pavlov (1849-1936) a élaboré un procédé servant à étudier le comportement et un principe d'apprentissage qui tous deux eurent de profondes répercussions sur la psychologie. Au tournant du XXe siècle, alors qu'il étudiait les sécrétions gastriques chez les chiens, Pavlov plaça de la nourriture en poudre dans la bouche d'un chien et mesura la quantité de salive produite. Après quelques essais de ce genre, il remarqua que le chien commençait à saliver avant même que la nourriture n'atteigne sa bouche, en réponse à certains stimuli comme la simple vue du plat contenant la nourriture ou l'arrivée de la personne qui l'apportait d'habitude. Autrement dit, des stimuli qui jusque-là ne déclenchaient pas cette réponse (des *stimuli neutres)* pouvaient maintenant déclencher la salivation à cause de leur association avec la nourriture en poudre, stimulus naturel qui faisait automatiquement saliver le chien. Bien qu'elle puisse paraître banale aux gens qui ont des animaux, cette observation amena Pavlov à effectuer d'importantes recherches sur ce processus qu'on connaît maintenant sous le nom de **conditionnement classique**.

Conditionnement classique *(classical conditioning).* Processus mis en lumière par Pavlov, dans lequel un stimulus jusque-là neutre acquiert la capacité de déclencher une réponse à cause de son association à un stimulus qui déclenche automatiquement la même réponse ou une réponse similaire.

Extrêmement productif, Pavlov étendit considérablement le champ de ses recherches. Outre les travaux qu'il effectua à propos du système nerveux, il étudia les différences entre les chiens, ouvrant ainsi un nouveau champ de recherche portant sur le tempérament (Strelau, 1997). Il contribua de façon notable à la compréhension du comportement anormal : les expériences qu'il mena sur les chiens afin d'étudier la désorganisation du comportement et sur les êtres humains en vue d'étudier les névroses et les psychoses ont jeté les bases de certaines formes de thérapies axées sur les principes du conditionnement classique. Pavlov a reçu le prix Nobel en 1904 pour ses travaux sur le processus de la digestion ; ses concepts comme ses méthodes sont encore aujourd'hui au cœur de la psychologie moderne. Comme le notait récemment Dewsbury (1997) alors qu'il faisait l'éloge de l'œuvre de Pavlov, ses travaux sont parmi les plus importants de l'histoire de la psychologie.

LES PRINCIPES DU CONDITIONNEMENT CLASSIQUE

La caractéristique essentielle du conditionnement classique est qu'un stimulus qui jusque-là était neutre peut déclencher une réponse une fois qu'il a été associé à un stimulus qui produit automatiquement la même réponse ou une réponse similaire.

Ainsi, dès qu'on lui présente la nourriture en poudre, le chien salive. Jusque-là, il n'y a pas de processus d'apprentissage ou de conditionnement. Comme la salivation est un réflexe automatique qui se déclenche en réponse à la présentation de la nourriture, la nourriture peut être considérée comme un *stimulus inconditionné* (*SI*) et la salivation comme une *réponse inconditionnée (RI)*. Un stimulus neutre, une cloche par exemple, ne provoquera aucune stimulation. Cependant, si on agite la cloche un certain nombre de fois, *juste avant* de donner la nourriture, le tintement de la cloche pourra à la longue suffire à déclencher la salivation, même en l'absence de nourriture. Il y a alors eu conditionnement, puisque la cloche déclenche la salivation. Dès lors, on pourra parler de la cloche comme d'un *stimulus conditionné (SC)* et de la salivation comme d'une *réponse conditionnée (RC)*.

Généralisation *(generalization)*.
Dans le conditionnement, association d'une réponse avec des stimuli similaires au stimulus par lequel cette réponse a d'abord été conditionnée ou à laquelle elle a été rattachée.

Discrimination *(discrimination)*.
Dans le conditionnement, réponse différentielle aux stimuli selon qu'ils ont été associés au plaisir, à la douleur ou à des événements neutres.

Extinction *(extinction)*.
Dans le conditionnement, affaiblissement progressif de l'association entre un stimulus et une réponse, dans le conditionnement classique parce que le stimulus conditionné n'est plus suivi du stimulus inconditionné, et dans le conditionnement opérant parce que la réponse n'est plus suivie d'un renforcement.

De même, on peut conditionner une réponse de retrait en utilisant un stimulus jusque-là neutre. Au début, dans les recherches sur le retrait conditionné, on attachait un harnais à un chien et on fixait des électrodes à sa patte. Comme on pouvait s'y attendre, l'administration d'une décharge électrique (SI) déclenchait chez le chien le réflexe de retirer la patte (RI). Puis, de manière répétée, on faisait sonner une cloche juste avant d'administrer la décharge électrique et à la longue le tintement de la cloche (SC) suffisait à déclencher le réflexe de retrait (RC).

Le protocole expérimental conçu par Pavlov afin d'étudier le conditionnement classique lui a permis d'explorer bon nombre de phénomènes importants. Par exemple, la réponse conditionnée était-elle associée au seul stimulus neutre utilisé ou s'étendait-elle à d'autres stimuli similaires ? Pavlov découvrit que la réponse conditionnée à un stimulus jusque-là neutre valait aussi pour les stimuli similaires, processus qu'on appelle **généralisation**. Autrement dit, la réponse de salivation déclenchée par la cloche s'applique également à d'autres sons. De même, le réflexe de retrait déclenché par la cloche s'applique aussi aux sons similaires.

Quelles sont les limites de cette généralisation ? Si des essais répétés lui indiquent que seuls certains stimuli sont suivis du stimulus inconditionné, l'animal en vient à différencier ces stimuli, processus qu'on appelle **discrimination**. Par exemple, si certains sons sont suivis de la décharge électrique et du retrait réflexe de la patte, alors qu'il n'en est pas ainsi pour d'autres sons, le chien apprendra à distinguer ces différents sons. Donc, alors que le processus de généralisation débouche sur une certaine constance dans les réponses à des stimuli similaires, le processus de discrimination conduit à des réponses plus spécifiques.

Illustration de Norm Rockwell, reproduction autorisée.

Finalement, si le stimulus qui était neutre avant le conditionnement est présenté à répétition sans être suivi au moins de temps à autre du stimulus inconditionné, on observe un affaiblissement progressif du conditionnement ou de l'association, processus qu'on appelle **extinction**. Alors que l'association du stimulus neutre avec le stimulus inconditionné entraîne une réponse conditionnée, la présentation répétée du stimulus conditionné sans le stimulus inconditionné entraîne l'extinction du conditionnement. Ainsi, pour que le chien de Pavlov continue à saliver lorsqu'il entendait la cloche, il fallait lui donner au moins de temps en temps de la nourriture en poudre après avoir fait sonner la cloche.

Même si ces exemples ont trait aux animaux, on peut considérer que les principes qu'ils mettent en lumière s'appliquent également aux êtres humains. Pensons par exemple à un enfant qui a été mordu ou agressé par un chien. Il se peut que la peur qu'il éprouve à l'égard de ce chien

APPLICATIONS ACTUELLES

Décès attribuable à une surdose d'héroïne : l'explication se fonde sur le conditionnement classique

Le 23 août 1995, Dwayne Goettel, claviériste et programmateur du groupe industriel Skinny Puppy, a été trouvé sans vie dans la salle de bain de ses parents, victime d'une surdose d'héroïne. Comment cela a-t-il pu arriver ? Un des membres du groupe a révélé au magazine *Rolling Stone* que Goettel venait tout juste de s'installer chez ses parents pour « décrocher de l'héroïne ».

Comme Goettel, des centaines d'héroïnomanes succombent chaque année à ce qu'on a l'habitude d'appeler une « surdose ». Pourtant, la raison exacte de ces décès reste obscure. Pourquoi des héroïnomanes de longue date meurent-ils après s'être injecté une dose qu'on n'aurait pas crue fatale pour eux ? Une recherche menée par Sheppard Siegel et ses collègues suggère que dans certains cas la surdose d'héroïne pourrait résulter d'une *défaillance de la tolérance à la drogue.* Comment des héroïnomanes qui ont mis des années pour en venir à tolérer de fortes doses de la drogue peuvent-ils être victimes d'une défaillance de cette tolérance ? La théorie pavlovienne du conditionnement classique fournit un début de réponse à cette question.

Selon Pavlov, la consommation de drogue constitue une expérience de conditionnement. Le stimulus inconditionné (SI) représente l'effet de la drogue sur le corps et la réponse inconditionnée (RI) la façon dont le corps compense ces effets. Le conditionnement survient quand le SI (l'effet de la drogue) se trouve associé à un stimulus conditionné (SC), comme cela se produit dans la consommation de drogue. Autrement dit, au fur et à mesure que l'accoutumance s'installe chez les consommateurs d'héroïne, ils apprennent à associer les effets de la drogue à l'environnement où ils la consomment habituellement. Bientôt, les signaux environnementaux peuvent suffire à déclencher des effets compensateurs avant même la prise de la drogue, avertissant le corps que les effets de la drogue sont sur le point de se manifester. En réponse à ces signaux, le corps se prépare en réagissant de manière à compenser les effets de la drogue. Cette réponse conditionnée (RC) construit la tolérance à la drogue en en atténuant les effets. Le modèle pavlovien de la tolérance à la drogue comporte d'importantes conséquences : les héroïnomanes sont sujets à une surdose lorsqu'ils consomment la drogue dans un environnement qui n'y a pas encore été associé. En l'absence des signaux environnementaux habituellement associés à la drogue, la réponse conditionnée ne peut pas se manifester, ce qui entraîne une défaillance de la tolérance. L'héroïnomane prend comme d'habitude une forte dose de drogue, mais le corps n'est pas préparé à ses effets.

Cette explication s'appuie-t-elle sur des preuves ? Dans une étude portant sur les animaux, on a injecté quotidiennement à des rats des doses de plus en plus fortes d'héroïne, dans un environnement donné. Au cours de la dernière phase de l'expérience, on a administré une dose d'héroïne à tous les rats, mais la moitié d'entre eux ont reçu l'injection en restant dans le même environnement que d'habitude (groupe du « même environnement »), tandis que l'autre moitié l'ont reçue dans un environnement où on ne leur avait jamais administré d'héroïne auparavant (groupe de l'« environnement différent »). Résultat : les rats du groupe de l'« environnement différent » étaient beaucoup plus enclins à succomber à l'injection que ceux du groupe du « même environnement ». Pourquoi ? La tolérance à l'héroïne des rats appartenant au groupe de l'« environnement différent » était plus faible parce qu'ils se trouvaient dans un environnement qui jusque-là n'avait pas été associé à la drogue. Contrairement aux rats appartenant au groupe du « même environnement », ils ne bénéficiaient pas de la réponse conditionnée stimulée par les signaux environnementaux destinés à les préparer à ressentir les effets de la drogue.

L'expérience menée auprès des rats confirme la validité du modèle, mais retrouve-t-on le même phénomène chez les êtres humains ? Pour des raisons évidentes, *il est hors de question de reproduire cette expérience auprès d'êtres humains,* de sorte que nous devons nous fier à ce que des héroïnomanes qui survivent à une surdose nous racontent à propos de leur expérience. Pour ajouter aux résultats de l'expérience sur les rats, Siegel a donc interviewé d'anciens héroïnomanes qui avaient été hospitalisés à la suite d'une surdose de drogue. La majorité d'entre eux ont déclaré que la surdose s'était produite dans un contexte *atypique.* Ainsi, une des personnes interrogées a raconté qu'exceptionnellement elle s'était injecté la drogue dans les toilettes d'un lave-auto. Ces déclarations confirment la pertinence du modèle pavlovien de la tolérance à la drogue, grâce auquel on peut comprendre des morts tragiques comme celle du musicien Dwayne Goettel survenue dans la salle de bain de ses parents.

SOURCES : *Rolling Stone Magazine,* oct. 1995, p. 25 ; Siegel, 1984 ; Siegel *et al.,* 1982.

en particulier s'étende à tous les chiens (processus de généralisation). Mais supposons qu'avec de l'aide l'enfant commence à différencier les chiens et à ne plus avoir peur que de certains d'entre eux (processus de discrimination). Avec le temps, il pourrait vivre des expériences positives avec tous les chiens, ce qui entraînerait l'extinction complète de la réponse de peur. Le modèle du conditionnement classique peut donc être d'un grand secours pour rendre compte de l'apparition, de la persistance et de l'extinction de bon nombre de nos réactions émotionnelles.

LA PSYCHOPATHOLOGIE ET LE CHANGEMENT

Mis à part ses travaux portant sur la généralisation, la discrimination et l'extinction — phénomènes cruciaux dans la théorie du conditionnement classique, mais aussi dans les autres théories de l'apprentissage —, Pavlov a mené d'importants travaux de recherche visant à expliquer d'autres phénomènes, notamment le conflit et l'apparition des névroses. Ainsi, c'est dans son laboratoire qu'a eu lieu l'une des premières démonstrations de ce qu'on allait appeler plus tard la névrose expérimentale chez l'animal. Après avoir provoqué chez un chien le réflexe consistant à saliver en voyant un cercle, on l'amena à faire la différence entre un cercle et une ellipse en ne renforçant pas la réponse à l'ellipse. Puis, on modifia progressivement l'ellipse de manière à ce qu'elle ressemble de plus en plus à un cercle. Au début, le chien réussissait à repérer des différences de plus en plus subtiles, mais lorsqu'il lui devint impossible de distinguer le cercle d'avec l'ellipse, son comportement se désorganisa. Voici la description qu'en donne Pavlov :

> Après trois semaines de travail sur cette discrimination, non seulement celle-ci ne s'était pas accrue, mais elle s'était considérablement détériorée et avait fini par disparaître complètement. Le chien, calme jusque-là, commença à gémir, à s'agiter sans arrêt, à essayer d'arracher avec ses dents l'appareil destiné à la stimulation mécanique de la peau et à mordre les tubes qui reliaient la pièce où il était à la pièce où se trouvait l'observateur, alors qu'il n'avait jamais eu ces comportements auparavant. Lorsqu'on l'emmenait à la salle d'expérience, il jappait violemment, ce qui était également contraire à ses habitudes. Bref, il présentait tous les symptômes d'une névrose aiguë.
>
> Pavlov, 1927, p. 291.

Les réactions émotionnelles conditionnées

Les travaux de Pavlov consacrés au processus de conditionnement définissent clairement les stimuli et les réponses, et ils fournissent une méthode objective pour étudier les phénomènes de l'apprentissage. Ils ont donc eu une grande influence sur la pensée des béhavioristes qui vinrent après lui, Watson par exemple. Ainsi, peu de temps après avoir publié *Psychology from the Standpoint of a Behaviorist* (1919), Watson rédigea le compte rendu d'une expérience de conditionnement des réactions émotionnelles réalisée chez un enfant. Cette recherche portant sur Albert, qui était âgé de onze mois, est devenue un classique de la psychologie. Dans cette expérience, les examinateurs, Watson et Rayner (1920), amenèrent ce bébé à avoir peur d'animaux et d'objets qu'il n'avait jamais redoutés jusque-là. Ils découvrirent que le bruit d'un marteau frappant une barre d'acier suspendue déclenchait une réaction de surprise et de frayeur chez le bébé. Puis ils constatèrent que s'ils frappaient sur la barre de métal juste derrière la tête du petit Albert chaque fois qu'il tendait la main vers un rat, l'enfant commençait à avoir peur du rat, alors qu'il n'avait jamais manifesté la moindre réaction de crainte à sa vue. Après avoir répété l'expérience un certain nombre de fois, les chercheurs constatèrent qu'Albert se mettait à pleurer à la seule vue du rat (sans émission de bruit). Il avait acquis ce qu'on appelle une **réaction émotionnelle conditionnée**.

Réaction émotionnelle conditionnée *(conditioned emotional reaction).* Terme de Watson et Rayner désignant l'apparition d'une réaction émotionnelle en réponse à un stimulus jusque-là neutre (comme la peur des rats manifestée par le petit Albert).

Albert avait maintenant peur du rat à cause d'une association émotionnelle avec le bruit terrifiant. Et ce n'est pas tout. Il commençait à donner des signes de peur dès qu'on lui présentait des objets ressemblant au rat d'une manière ou d'une autre. Bien que certains indices donnent à penser que la réaction émotionnelle d'Albert n'avait pas été aussi forte ni aussi généralisée que prévu (Harris, 1979), Watson et Rayner en conclurent que de nombreuses peurs étaient des réactions émotionnelles conditionnées, ce qui les amena à critiquer les interprétations beaucoup plus complexes que propose la psychanalyse.

> À moins qu'ils ne révisent leurs hypothèses, les freudiens qui, dans vingt ans, essayeront d'analyser la peur d'Albert à la vue d'un manteau de phoque lui extirperont probablement le récit d'un rêve qui, selon leur analyse, révélera qu'à l'âge de trois ans il avait essayé de jouer avec le poil pubien de sa mère et qu'il avait été violemment réprimandé pour ce geste. Si l'analyste a bien préparé Albert à accepter qu'un rêve de ce genre puisse expliquer ses tendances à l'évitement, et si l'analyste a assez de personnalité et d'autorité pour lui imposer cette explication, Albert finira peut-être par être persuadé que ce rêve a vraiment permis de découvrir d'où vient sa peur.
>
> Watson et Rayner, 1920, p. 14.

La peur « inconditionnée » à l'égard d'un lapin

Pour de nombreux psychologues, le conditionnement classique des réactions émotionnelles joue un rôle crucial dans l'apparition des troubles mentaux et, potentiellement, dans le changement de comportement. La thérapie du comportement fondée sur le conditionnement classique est axée sur l'extinction des réponses qui font problème, comme les peurs conditionnées, ou sur la mise en place de nouvelles réponses conditionnées aux stimuli qui déclenchent des réponses indésirables, comme l'anxiété.

Après l'expérience menée par Watson et Rayner (1920) sur le conditionnement d'une réponse émotionnelle de peur chez Albert, Jones (1924) fut l'une des premières à appliquer cette technique en essayant de faire disparaître une réaction de peur en laboratoire. Dans cette expérience — qui représente l'une des premières utilisations systématiques connues de la thérapie comportementale, sinon la première —, Jones tenta de traiter une réaction de peur exagérée chez Peter, un petit garçon âgé de deux ans et dix mois. Par ailleurs en bonne santé et bien adapté, Peter était terrifié par les rats blancs et cette peur s'étendait aux lapins blancs, à la fourrure blanche, aux plumes blanches et à la ouate. Après avoir soigneusement rassemblé suffisamment d'information sur la nature de la réaction de peur que manifestait l'enfant ainsi que sur les conditions qui déclenchaient la peur la plus vive, Jones voulut vérifier s'il lui serait possible de « déconditionner » la réponse de peur à l'égard d'un seul stimulus et, le cas échéant, si ce déconditionnement s'étendrait ensuite aux autres stimuli. Jones choisit de se concentrer sur la peur que Peter ressentait à l'égard du lapin, car cette peur semblait être plus vive que celle qu'il ressentait à l'égard du rat. Elle mit Peter en présence du lapin et l'amena à jouer avec trois enfants qui n'avaient aucunement peur du lapin. Graduellement, Peter passa de la terreur la plus complète en présence du lapin à une réaction entièrement positive. La figure 10.1 énumère les étapes de ce changement telles que Jones les a décrites.

Les progrès de Peter, décrits à la figure 10.1, n'ont pas été constants et ininterrompus. Fort heureusement, Jones a fourni un compte rendu rigoureux et détaillé de ce fascinant enchaînement d'événements. Peter avait franchi les neuf premières étapes lorsqu'il fut hospitalisé pour une scarlatine. Deux mois plus tard, quand on le ramena au laboratoire, sa réponse de peur était revenue au même niveau qu'au début, rechute que Jones commenta ainsi :

1. Montre des réactions de peur à la vue du lapin en cage, où qu'il soit dans la pièce.
2. Tolère le lapin en cage, à 4 mètres de distance.
3. Tolère le lapin en cage, à 1,3 mètre de distance.
4. Tolère le lapin en cage, à 1 mètre de distance.
5. Tolère le lapin en cage, tout près de lui.
6. Tolère le lapin en liberté dans la pièce.
7. Touche le lapin que tient l'expérimentateur.
8. Touche le lapin en liberté dans la pièce.
9. Défie le lapin en crachant sur lui, en lui lançant des objets et en l'imitant.
10. Laisse le lapin venir sur la tablette de sa chaise haute.
11. S'accroupit sans méfiance près du lapin.
12. Aide l'expérimentateur à porter le lapin dans sa cage.
13. Tient le lapin sur ses genoux.
14. Reste seul dans la pièce avec le lapin.
15. Laisse le lapin jouer avec lui dans son parc.
16. Caresse affectueusement le lapin.
17. Laisse le lapin lui mordiller les doigts.

Figure 10.1 Étapes du « déconditionnement » de la réponse de peur manifestée par Peter en présence du lapin. (M. C. Jones, 1924.)

> L'infirmière qui avait emmené Peter put facilement expliquer ce phénomène. Alors qu'ils montaient dans un taxi devant la porte de l'hôpital, un gros chien était arrivé en courant et avait sauté sur eux. Peter et l'infirmière avaient eu tous les deux très peur. Cela semblait suffisant pour avoir ramené la peur à son niveau initial. Le fait d'être menacé par un gros chien alors qu'on est malade, qu'on se trouve dans un endroit étrange et en présence d'une adulte qui ne cache pas sa peur représentait une situation terrifiante contre laquelle notre conditionnement n'avait pu le prémunir.

À partir de là, Jones recommença à zéro en employant une autre méthode de traitement, le « conditionnement direct ». Tandis que Peter était assis dans une chaise haute devant des aliments qu'il aimait, Jones approchait graduellement de lui le lapin enfermé dans une cage de métal : « Grâce à la présence d'un stimulus plaisant (nourriture) chaque fois qu'on lui montrait le lapin, la peur disparut progressivement et céda la place à une réponse positive. » Autrement dit, les sentiments positifs associés à la nourriture servirent de contre-conditionnement à la peur du lapin éprouvée jusque-là. Cependant, même dans les dernières séances, il semble que l'influence des autres enfants qui n'avaient pas peur du lapin eut de l'importance. Qu'arriva-t-il des autres craintes que ressentait Peter ? Jones constate que, après avoir été déconditionné de sa peur du lapin, l'enfant perdit du même coup sa peur des manteaux de fourrure, des plumes et de la ouate. Même si on ne disposait pas de la moindre information concernant les origines des peurs de Peter, le déconditionnement avait réussi et s'était appliqué aux autres stimuli.

Les autres applications du conditionnement classique

Parmi les premières applications du conditionnement classique, on trouve la méthode mise au point par Mowrer et Mowrer (1928) afin de traiter l'énurésie nocturne chez l'enfant. En général, l'énurésie nocturne résulte du fait que l'enfant ne répond pas aux stimuli de la vessie assez rapidement pour se réveiller et aller uriner aux toilettes.

APPLICATIONS ACTUELLES

Les réponses conditionnées aux aliments De nombreuses réactions fortes et persistantes aux aliments, comme le dégoût à l'égard des vers, s'acquièrent par un processus de conditionnement classique.

Pourquoi certains aliments sont-ils considérés comme délicieux et d'autres comme dégoûtants ?

En matière de nourriture, la plupart des gens aiment certaines senteurs et certaines saveurs, alors que d'autres leur répugnent. Souvent, ces réponses remontent à l'enfance et semblent presque impossibles à modifier. Le conditionnement classique peut-il nous aider à comprendre ces goûts et dégoûts, à savoir pourquoi ils ont une telle force ?

Examinons les données de recherche portant sur les goûts et dégoûts alimentaires. Qu'est-ce qui rend certains aliments si déplaisants, et même si dégoûtants, que la seule idée de les consommer — de manger des vers ou de boire du lait où flotte une mouche ou une coquerelle morte, par exemple — déclenche des réactions émotionnelles ? Fait intéressant, un aliment qui provoque le dégoût dans une culture peut être considéré comme un délice raffiné dans une autre ; une mouche ou une coquerelle morte flottant dans du lait peut dégoûter les gens même si on leur assure que l'insecte a été stérilisé ; après avoir vu un insecte mort flottant dans leur lait, bien des gens n'auront même plus envie de boire du lait dans un autre verre, la réaction de dégoût s'appliquant aussi au lait.

Selon les chercheurs qui s'y intéressent, pareils phénomènes pourraient s'expliquer par une forte réaction émotionnelle qui devient associée à un objet jusque-là neutre. Pour reprendre la terminologie du conditionnement classique, la réponse de dégoût devient associée à — ou conditionnée par — un stimulus auparavant neutre, comme le lait ou un autre aliment.

> Nous pensons que le conditionnement pavlovien est encore et toujours à l'œuvre dans les associations mettant en cause les saveurs des milliards d'aliments consommés tous les jours, dans l'expression des affects de milliards de mangeurs chaque fois qu'ils mangent, dans l'association des aliments avec des choses dangereuses et dans l'association des aliments avec certaines de leurs conséquences.

Si cela est juste, le fait que nous aimions certaines choses et que nous nous en sentions même dépendants résulterait du conditionnement classique. Le cas échéant, il pourrait être possible de modifier nos réactions émotionnelles envers certaines choses en recourant au conditionnement classique.

SOURCE : Rozin et Zellner, *Psychology Today*, juillet 1985.

Pour régler ce problème, Mowrer et Mowrer ont utilisé le modèle du conditionnement classique pour concevoir un dispositif électrique à installer dans le lit de l'enfant : dès que celui-ci urine, le dispositif active une cloche qui le réveille. Peu à peu, l'enfant apprend à associer les stimuli de sa vessie à la réponse du réveil et il finit par devancer la réponse et ne plus mouiller son lit.

Le conditionnement classique a également inspiré une méthode appelée conditionnement aversif et destinée à traiter l'alcoolisme ; elle consiste à se servir d'un stimulus aversif (choc électrique ou produit provoquant la nausée), immédiatement après la prise d'alcool. Le stimulus aversif agit comme un stimulus inconditionné et la réponse d'évitement de l'alcool est conditionnée (Nathan, 1985).

Désensibilisation systématique *(systematic desensitization).* Dans la thérapie comportementale, technique qui consiste à inhiber l'anxiété par le conditionnement d'une réponse concurrente (la relaxation, par exemple) aux stimuli anxiogènes.

La désensibilisation systématique

La méthode de la **désensibilisation systématique**, mise au point par Joseph Wolpe, a été de loin la percée la plus notable dans ce domaine. Il est intéressant de noter que cette méthode a été conçue non par un psychologue, mais par un psychiatre, et qui plus est par un psychiatre qui avait exercé pendant de nombreuses années dans le cadre de la psychanalyse. Wolpe lut les écrits de Pavlov et de Hull, et il en fut très impressionné. Il en vint à voir dans la névrose une réponse inadaptée, apprise, persistante et presque toujours associée à l'anxiété. La thérapie exige que l'anxiété soit freinée en contre-conditionnant une réponse concurrente. La thérapie recourt donc au conditionnement de réponses qui inhibent l'anxiété ou qui sont incompatibles avec celle-ci. Parmi toutes les réponses inhibitrices d'anxiété susceptibles d'être utilisées à des fins de contre-conditionnement, la relaxation musculaire profonde est celle qui a suscité le plus d'intérêt. Durant le processus de désensibilisation systématique, le patient apprend à réagir à des stimuli jusque-là anxiogènes par une réponse de relaxation conditionnée.

La désensibilisation systématique comporte plusieurs phases (Wolpe, 1961). D'abord, on procède à une évaluation rigoureuse des besoins thérapeutiques du patient. Après avoir cerné les problèmes qui peuvent se traiter au moyen de la désensibilisation systématique, le thérapeute entraîne le patient à la relaxation en lui décrivant en détail une technique qui l'aide à détendre d'abord une partie de son corps, puis tout le corps. Au début, les patients ont beaucoup de mal à se libérer de leur tension musculaire, mais au bout de six séances environ la plupart d'entre eux parviennent à détendre tout leur corps en quelques secondes. La phase suivante du traitement repose sur l'établissement d'une hiérarchie des stimuli anxiogènes. Le thérapeute essaie d'obtenir du patient la liste des stimuli qui déclenchent de l'anxiété chez lui. Ces stimuli anxiogènes sont ensuite regroupés par thèmes, comme la peur des hauteurs ou la peur du rejet, puis, à l'intérieur de chaque thème, classés du plus alarmant au moins alarmant. Par exemple, si le thème est la claustrophobie (ou peur des espaces clos), on pourra placer la peur de rester coincé dans un ascenseur en haut de la liste, la crainte de prendre le train au milieu de la liste et l'anxiété à la lecture d'un article sur des mineurs prisonniers sous terre au bas de la liste. Si le thème est la mort, assister à un enterrement pourra être le stimulus le plus anxiogène, le mot *mort* étant assez anxiogène, et le fait de passer devant un cimetière, légèrement anxiogène. Selon le cas, le patient aura de nombreux sujets d'anxiété, ou seulement un ou deux, chacun comportant de nombreux stimuli, ou seulement quelques-uns.

Une fois qu'il a appris à se calmer grâce à la relaxation et que son thérapeute a établi les hiérarchies de stimuli anxiogènes, le patient est prêt à entreprendre le traitement proprement dit. Le thérapeute l'encourage alors à se mettre en état de relaxation profonde, puis à se représenter le moins anxiogène des stimuli. Lorsque le patient parvient à s'imaginer ce stimulus sans ressentir d'anxiété, le thérapeute l'incite à se représenter le stimulus suivant dans la liste tout en maintenant sa relaxation. Les périodes de relaxation et de représentation de stimuli anxiogènes sont entrecoupées de périodes de relaxation pure. Si le patient ressent de l'anxiété en s'imaginant un stimulus donné, le thérapeute l'encourage à se détendre, puis à revenir à un stimulus moins anxiogène. Finalement, le patient parvient à rester détendu pendant qu'il se représente tous les stimuli des diverses hiérarchies. La relaxation ainsi obtenue en rapport avec les stimuli imaginés s'étend à ces mêmes stimuli lorsqu'ils se présentent dans la vie quotidienne. « Selon des données probantes, quelle que soit l'étape, le stimulus qui n'est pas anxiogène lorsqu'on l'imagine en état de relaxation ne le sera pas non plus dans la réalité » (Wolpe, 1961, p. 191).

De nombreuses recherches cliniques et de nombreuses recherches en laboratoire ont confirmé l'utilité thérapeutique de la désensibilisation systématique. Ces résultats encourageants amenèrent Wolpe et d'autres chercheurs à mettre en doute le concept psychanalytique de la substitution de symptômes, selon lequel le symptôme qu'on élimine risque d'être remplacé par un nouveau symptôme si les conflits sous-jacents n'ont pas été résolus (Lazarus, 1965). Du point de vue béhavioriste, on estime que les symptômes ne sont pas causés par des conflits inconscients ; seules existent les réponses inadaptées apprises et, une fois celles-ci éliminées, rien ne permet de croire que d'autres réponses inadaptées s'y substitueront.

« Laissez-nous tranquilles ! Je suis un thérapeute béhavioriste et je suis en train d'aider mon patient à surmonter sa peur des hauteurs ! »

La thérapie comportementale
La thérapie comportementale vise, entre autres, à faire disparaître les peurs ou les phobies apprises. (© Sidney Harris, reproduction autorisée.)

UNE RÉINTERPRÉTATION DU CAS DU PETIT HANS

Dans cette section, nous nous pencherons sur une application de la théorie de l'apprentissage présentée par Wolpe et Rachman (1960) qui nous fournit une excellente occasion de comparer l'approche béhavioriste à l'approche psychanalytique. En fait, il ne s'agit pas d'une étude de cas comme celles que nous avons examinées jusqu'ici, mais bien d'une critique et d'une reformulation du cas du petit Hans dont Freud avait fait état.

Comme nous l'avons vu au chapitre 4, le cas du petit Hans est un classique de la psychanalyse ; Freud souligne le rôle de la sexualité infantile et des conflits œdipiens dans l'acquisition de la peur ou de la phobie des chevaux. Wolpe et Rachman ont critiqué sévèrement tant la manière dont les données furent obtenues que les conclusions que Freud en a tirées, en soulevant notamment les points suivants :

1. Rien ne prouve que Hans souhaitait avoir plus d'intimité sexuelle avec sa mère.
2. Hans n'a jamais exprimé de peur ou de haine à l'égard de son père.
3. Hans a toujours nié qu'il y ait eu un quelconque rapport entre le cheval et son père.
4. Les phobies des enfants peuvent résulter d'un simple processus de conditionnement et il n'est pas nécessaire de les lier à une théorie portant sur les conflits, l'anxiété ou les mécanismes de défense. La thèse selon laquelle les névroses ont une fonction symbolique est très discutable.
5. Rien n'indique que la phobie de Hans ait disparu parce qu'il avait résolu son conflit œdipien, ni que les explications et la prise de conscience aient eu une valeur thérapeutique.

Bien qu'ils se disent mal outillés pour proposer leur propre interprétation de la phobie du petit Hans, du fait que les données ont été recueillies en fonction d'une grille psychanalytique, Wolpe et Rachman avancent tout de même une explication. Selon eux, la phobie est une *réaction d'anxiété conditionnée*. Enfant, Hans avait vu et entendu le père d'une camarade de jeu l'avertir de s'éloigner d'un cheval blanc : « Ne donne pas tes doigts au cheval, sinon il va te mordre ! » Cet incident l'avait sensibilisé à la peur des chevaux. De plus, un des amis de Hans s'était blessé au sang en jouant au cheval. Enfin, Hans était un enfant sensible et le fait de voir les chevaux du carrousel se faire battre le mettait mal à l'aise. Ces facteurs avaient préparé le terrain de sa phobie. La phobie elle-même était apparue à la suite de la peur qu'avait ressentie Hans en voyant un cheval faire une chute. Alors que pour Freud cet incident fut le déclencheur qui permit aux conflits sous-jacents de se manifester sous forme de phobie, Wolpe et Rachman y voient *la* cause de la phobie.

Wolpe et Rachman soulignent la similarité avec le conditionnement à la peur des lapins chez Albert. Hans fut effrayé par l'incident du cheval et sa peur s'étendit ensuite à tout ce qui était similaire aux chevaux ou avait un rapport avec les chevaux. La guérison de sa phobie ne résultait pas d'une prise de conscience, mais probablement de l'extinction du conditionnement ou de la mise en place d'un contre-conditionnement. En grandissant, Hans avait fait l'expérience d'autres réponses émotionnelles, lesquelles avaient inhibé la réaction de peur. Il était également possible que les références au cheval que faisait constamment le père dans des contextes non menaçants aient contribué à l'extinction de la réaction de peur. Sans entrer dans les détails, il semble que la phobie de Hans ait disparu progressivement, ce qui s'accorde avec cette interprétation liée à l'apprentissage, plutôt que soudainement comme le laisserait supposer l'interprétation psychanalytique. Les preuves à l'appui de la théorie de Freud sont loin d'être claires et, si on compare les interprétations, celle qui découle de la thérapie de l'apprentissage rend compte plus simplement des données.

LES RECHERCHES SUBSÉQUENTES

Les recherches consacrées au conditionnement classique ont porté pour l'essentiel sur des mécanismes réflexes relativement simples que les êtres humains ont en commun avec d'autres animaux. Cependant, Pavlov a également reconnu le rôle de la pensée et du langage dans ce qu'il appelle le « deuxième système de signalisation ». Ce concept permet de comprendre des schémas de stimuli-réponses plus complexes. La recherche consacrée par Razran (1939) au conditionnement sémantique en illustre l'importance. Dans cette étude qu'il réalisa auprès d'êtres humains, Razran associa la présentation visuelle des mots *style* (style), *urn* (urne), *freeze* (gel) et *surf* (vague) à un renforçateur (de la nourriture) jusqu'à ce que ces mots déclenchent une réponse de salivation ; il voulait vérifier si la réponse conditionnée s'étendrait à des mots qui ont une sonorité semblable, *stile* (montant), *earn* (gagner), *frieze* (frise) et *serf* (serf), ou à des mots qui n'ont pas la même sonorité, mais dont le sens est similaire, *fashion, vase, chill* et *wave*. La généralisation se ferait-elle par rapport au son ou au sens ? Razran constata qu'il existait une différence importante entre les deux séries de mots, au bénéfice de la deuxième série, ce qui donnait à penser que le sens, la sémantique, pouvait influer sur le conditionnement. Quant à Pavlov, il a consacré relativement peu de temps au deuxième système de signalisation, mais les psychologues russes en ont fait un important champ de recherche ; notamment, ils se sont livrés auprès d'enfants à des études portant sur les différents facteurs qui, au cours du développement, sont associés au processus de conditionnement.

Les concepts de réponses émotionnelles conditionnées et de deuxième système de signalisation ont amené les chercheurs à interpréter d'une manière beaucoup plus large le rôle joué par le conditionnement classique dans le comportement. Par exemple, on a avancé que les gens acquièrent des motivations et des buts en associant des affects positifs ou négatifs à divers stimuli, y compris à des symboles (Pervin, 1983 ; Staats et Burns, 1982).

Après s'en être désintéressés pendant un certain temps, les spécialistes de la personnalité reviennent maintenant aux concepts et aux méthodes du conditionnement classique, et reconnaissent de plus en plus largement leur utilité potentielle. L'un des champs de recherche qui en témoigne est celui du recours aux techniques du conditionnement classique en vue de démontrer que l'on peut inconsciemment acquérir certaines peurs et certaines attitudes à l'égard des autres (Krosnick, Betz, Jussim et Lynn, 1992; Ohman et Soares, 1993). On peut présenter de façon subliminale (c'est-à-dire en deçà du seuil de la conscience) un stimulus, une image par exemple, ayant une valeur affective positive ou négative en l'associant à un autre stimulus, qui pourrait être une autre image; la personne en vient ainsi à éprouver de l'aversion pour une photo associée inconsciemment à une émotion négative et à aimer une photo associée inconsciemment à une émotion positive. Sachant cela, on peut se demander jusqu'à quel point nos attitudes et nos préférences résultent d'un conditionnement classique subliminal ou inconscient. L'éminent spécialiste de la psychologie sociale Cacioppo déclare:

> Une fois créé, le préjugé aversif peut être difficile à éliminer consciemment. [...] Les gens peuvent avoir des croyances égalitaires et agir quand même en fonction de préjugés dans certaines situations. [...] Leur réaction spontanée, impulsive, à l'égard d'un membre d'un groupe minoritaire, peut être négative. Cela ne signifie pas que ces gens mentent sur leurs convictions et leurs attitudes égalitaires, mais plutôt que celles-ci coexistent avec une réaction aversive conditionnée, qui fut apprise tôt dans la petite enfance.
>
> Cacioppo, 1998, p. 10.

Soulignant encore l'importance de ce processus, de nouvelles données indiquent que, si les réponses conditionnées peuvent facilement être appliquées à d'autres contextes, leur extinction peut être très étroitement liée à un contexte spécifique (Bouton, 1994). Autrement dit, on peut apprendre une réponse de peur ou de dégoût et l'appliquer à de nombreux autres contextes, mais le fait que cette réponse ne se manifeste plus dans un contexte donné ne garantit pas qu'elle ne se manifestera pas dans d'autres contextes. Ainsi, l'individu qui a acquis la peur des symboles d'autorité dans un contexte donné peut voir cette peur s'étendre à d'autres contextes et, une fois que cette peur a cessé de se manifester dans tel ou tel contexte, il peut s'étonner de constater qu'elle persiste dans d'autres contextes. Faire disparaître les réponses problématiques fortement conditionnées et qui ont un grand champ d'application — objectif que vise souvent la psychothérapie — pourrait donc représenter une entreprise particulièrement difficile.

Le conditionnement de réponses associées à la santé représente aussi un champ de recherche lié au conditionnement classique (Acier et Cohen, 1993). Par exemple, les cancéreux qui subissent des chimiothérapies répétées acquièrent souvent une réponse conditionnée de nausées et de vomissements. Autrement dit, les nausées et les vomissements, qui constituent souvent des effets secondaires de la chimiothérapie, deviennent des réponses conditionnées aux stimuli qui précèdent la chimiothérapie. Les patients finissent donc par avoir des nausées et des vomissements par anticipation, exactement comme le chien de Pavlov salivait par anticipation en entendant la cloche qui annonçait le stimulus de la nourriture.

Autre exemple de recherche dans ce domaine, l'exploration du conditionnement classique du système immunitaire: on se demande si, comme semblent l'indiquer certaines données, les réponses inconditionnées de défense de l'organisme contre la maladie peuvent être conditionnées par d'autres stimuli. Le cas échéant, on pourrait utiliser des techniques de conditionnement classique pour améliorer les fonctions immunitaires de l'organisme.

Bref, la recherche sur le conditionnement classique permet d'explorer d'importants aspects du comportement social et de la santé.

La théorie du conditionnement opérant de Skinner

De tous les tenants du béhaviorisme radical, B. F. Skinner (1904-1990) est celui dont l'autorité est la plus grande. C'est probablement le plus célèbre des psychologues américains et ses opinions sur la psychologie et sur la société ont soulevé une énorme controverse.

APERÇU BIOGRAPHIQUE

> Comme tout organisme, le scientifique est le produit d'une histoire qui lui est propre. Les pratiques qu'il juge les plus appropriées dépendent en partie de son histoire.
>
> Skinner, 1959, p. 379.

Dans ce passage, Skinner reprend le point de vue défendu dans chacun des chapitres théoriques du présent ouvrage, à savoir que les orientations et les stratégies des psychologues sont en partie la conséquence de leur histoire et l'expression de leur personnalité.

Né à Susquehanna, en Pennsylvanie, aux États-Unis, fils d'un avocat qu'il décrivait comme désespérément assoiffé d'éloges et d'une femme aux idées très arrêtées concernant le bien et le mal, B. F. Skinner (1967) dit avoir grandi dans un foyer chaleureux et stable. Il raconte qu'il aimait l'école et qu'il a commencé très tôt à fabriquer des objets. Ce dernier point est particulièrement intéressant à cause de l'importance qu'accordent les béhavioristes à l'équipement de laboratoire destiné à la recherche expérimentale, mais aussi parce que cet intérêt est singulièrement absent de la vie et des recherches des théoriciens cliniciens de la personnalité.

À peu près au moment où Skinner entra au collège, son plus jeune frère mourut. Skinner se souviendra ne pas avoir été très ému par cette perte et dira en avoir probablement ressenti de la culpabilité. Il fit ses études de premier cycle en lettres anglaises au Collège Hamilton. Comme il voulait devenir écrivain, il fit parvenir trois nouvelles à Robert Frost, qui lui envoya une réponse encourageante. À sa sortie du collège, Skinner passa donc un an à essayer d'écrire et en arriva à la conclusion qu'il n'avait rien à dire. Il s'installa ensuite à Greenwich Village, à New York, et c'est à cette époque qu'il lut *Les réflexes conditionnés* de Pavlov ainsi qu'une série d'articles de Bertrand Russell consacrés au béhaviorisme de Watson. Ironiquement, alors que Russell pensait avoir démoli la théorie de Watson, ce sont ces articles qui ont éveillé l'intérêt de Skinner pour le béhaviorisme.

Skinner n'avait pas suivi de cours de psychologie au collège, mais il s'y intéressait de plus en plus et fut accepté au doctorat à Harvard. Il expliquera ce changement de cap de la façon suivante :

> Un écrivain peut décrire avec justesse le comportement humain, mais il ne le comprend pas pour autant. J'allais continuer à m'intéresser au comportement humain, mais la méthode littéraire ne m'ayant pas réussi, je me tournerais vers la méthode scientifique.
>
> Skinner, 1967, p. 395.

La psychologie lui semblait tout indiquée. Il s'intéressait déjà au comportement animal — il racontera sa fascination devant la complexité des comportements d'un groupe de pigeons dressés — et il aurait amplement l'occasion de mettre à profit son goût pour la fabrication de gadgets.

Tandis qu'il préparait son doctorat à Harvard, Skinner redoubla d'intérêt pour le comportement animal, tâchant de l'expliquer sans faire référence au fonctionnement du système nerveux. En désaccord avec Pavlov pour qui l'explication du comportement pouvait aller « des réflexes salivaires à l'important travail quotidien de l'organisme », Skinner n'en était pas moins convaincu que le physiologiste russe lui avait fourni la clé permettant de comprendre le comportement: « Maîtrisez vos conditions [l'environnement] et vous verrez l'ordre s'instaurer ! » Durant ces années et les suivantes, Skinner (1959) mit au point les principes de sa méthodologie scientifique: (1) quand vous découvrez quelque chose d'intéressant, laissez tomber tout le reste pour l'étudier; (2) certaines manières de faire de la recherche sont plus aisées que d'autres; les dispositifs mécaniques facilitent souvent la recherche; (3) certaines personnes ont de la chance; (4) une pièce d'équipement qui se brise, cela crée des problèmes, mais cela peut aussi mener à un heureux hasard: l'art de trouver une chose alors qu'on en cherchait une autre.

Après avoir quitté Harvard, Skinner déménagea au Minnesota, puis en Indiana, pour revenir à Harvard en 1948. Durant cette période, il devint en un sens un extraordinaire dresseur d'animaux, capable d'obtenir d'eux tel ou tel comportement à tel ou tel moment. Il cessa de travailler avec les rats pour travailler avec les pigeons. Constatant que le comportement d'un seul animal ne reflétait pas nécessairement le tableau général de l'apprentissage basé sur le comportement d'un grand nombre d'animaux, il se passionna pour l'étude du comportement de chacun des animaux en particulier. Si l'on pouvait jouer sur les variables de l'environnement de manière à produire un changement méthodique chez un animal en particulier, les théories de l'apprentissage et les explications du comportement tarabiscotées se révéleraient inutiles. Par ailleurs, nota Skinner, son propre comportement était conditionné par les résultats positifs qu'il obtenait des animaux qui se trouvaient « sous son emprise » (figure 10.2).

Figure 10.2 « Oh ! j'ai réussi à conditionner ce type... Chaque fois que j'appuie sur le levier, il me donne de la nourriture ! » (Skinner, 1956).

Le **conditionnement opérant** de Skinner repose sur la maîtrise du comportement par le jeu des récompenses et des punitions, surtout en laboratoire. Cependant, les idées qu'entretenait Skinner concernant les lois du comportement et sa passion pour la fabrication de gadgets l'ont amené à pousser sa réflexion et ses recherches bien au-delà du laboratoire. Ainsi, il fabriqua une « boîte à bébé » afin de mécaniser et d'améliorer les soins qu'on donne aux bébés, il conçut des « machines à enseigner » qui utilisaient les récompenses pour encourager les élèves à apprendre et il mit au point un procédé utilisant des pigeons dressés pour guider les missiles vers leur cible. Il insista sur la nécessité de mettre la science et la technologie du comportement au service de l'humanité. Son roman, *Walden Two,* décrit une utopie, une société idéale fondée sur la maîtrise du comportement humain grâce au renforcement positif (récompenses).

Conditionnement opérant *(operant conditioning).* Dans la théorie de Skinner, processus par lequel les caractéristiques d'une réponse sont déterminées par ses conséquences.

Pour beaucoup de ses contemporains, Skinner était le plus grand psychologue américain de son temps. Il reçut de nombreuses distinctions honorifiques, notamment le Distinguished Scientific Contribution Award de l'American Psychological Association, en 1958, et la National Medal of Science, en 1968. En 1990, peu de temps avant sa mort, il devient le premier récipiendaire de l'American Psychological Association's Citation for Outstanding Lifetime Contribution to Psychology.

LA THÉORIE SKINNÉRIENNE DE LA PERSONNALITÉ

Avant d'examiner la théorie de la personnalité de Skinner, il peut être utile d'en comparer les caractéristiques générales avec celles des théories étudiées dans les chapitres précédents. Chacune des théories dont nous avons traité jusqu'ici mettait l'accent sur des concepts structurels. Freud se servait de concepts structurels comme le ça, le moi et le surmoi ; Rogers utilisait des concepts comme le soi et le soi idéal ; quant à Allport, Eysenck et Cattell, ils recouraient au concept de trait de personnalité. Le concept de structure fait référence à des caractéristiques de l'organisation qui sont relativement constantes et il est important si l'on veut rendre compte des différences entre les individus. L'approche béhavioriste de la personnalité, elle, insiste sur la spécificité des situations ; elle s'intéresse beaucoup moins aux prédispositions générales des réponses qu'aux stimuli spécifiques de l'environnement externe. On ne se surprendra donc pas d'y trouver peu de concepts structurels. Accordant peu d'importance à la structure, l'approche béhavioriste privilégie les concepts liés aux processus, et plus particulièrement aux processus à l'œuvre chez tous les individus. Bref, comme la théorie béhavioriste s'appuie sur d'autres postulats que ceux que nous avons étudiés jusqu'ici, ses propriétés formelles sont différentes. En fait, Skinner lui-même rejetait l'idée que ses vues puissent constituer une théorie de la personnalité.

La structure

De manière générale et dans la théorie de Skinner en particulier, l'unité structurelle clé de la perspective béhavioriste est la *réponse*. Cette réponse peut aller du simple réflexe (salivation ou sursaut provoqué par un bruit soudain, par exemple) à un élément de comportement complexe (solution d'un problème mathématique ou formes subtiles d'agression). Ce qui est crucial dans la définition de la réponse, c'est qu'elle constitue un élément de comportement externe et observable, qu'on peut relier à des facteurs environnementaux. Le processus d'apprentissage suppose essentiellement qu'on associe des réponses à des événements environnementaux.

Dans sa conception de l'apprentissage, Skinner établit une distinction entre les réponses déclenchées par des stimuli connus, par exemple le clignement des paupières en réaction à une bouffée d'air, et les réponses qu'on ne peut associer à aucun stimulus. Émises par l'organisme, ces dernières sont qualifiées de **comportements opérants**. Selon Skinner, les stimuli de l'environnement n'incitent pas l'organisme à agir, pas plus qu'ils ne le forcent à le faire ; la première cause du comportement réside dans l'organisme lui-même.

Comportements opérants *(operants)*.
Dans la théorie du conditionnement opérant de Skinner, comportements qui apparaissent (sont émis) sans être spécifiquement associés à un stimulus antérieur (déclencheur) et qu'on étudie en les mettant en rapport avec les événements renforçateurs qui les suivent.

> Le comportement opérant ne dépend pas d'un stimulus environnemental déclencheur ; il survient, tout simplement. Dans la terminologie du conditionnement opérant, les comportements opérants sont émis par l'organisme. Le chien marche, court, s'ébat ; l'oiseau vole ; le singe saute d'un arbre à l'autre ; le petit de l'homme babille. Chacun de ces comportements a lieu sans qu'il y ait de stimulus spécifique. [...] Il est dans la nature biologique des organismes de produire des comportements opérants.
>
> Reynolds, 1968, p. 8.

Le processus : le conditionnement opérant

Avant d'aborder certains des processus que cette théorie décrit comme sous-jacents aux comportements, il faut s'arrêter au concept de renforçateur. Les skinnériens définissent le **renforçateur** comme un événement (stimulus) qui suit une réponse et qui augmente la probabilité qu'elle survienne. Si les coups de bec d'un pigeon sur un disque, qui constitue un élément de comportement opérant, sont suivis d'un renforçateur tel que de la nourriture, la probabilité que l'oiseau recommence à becqueter le disque augmente. De ce point de vue, le renforçateur consolide le comportement qu'il suit ; il est inutile de chercher des explications biologiques afin de déterminer pour quelles raisons tel ou tel stimulus renforce tel ou tel comportement.

Renforçateur *(reinforcer)*.
Événement (stimulus) qui suit une réponse et augmente la probabilité qu'elle survienne.

Des stimuli qui à l'origine ne servaient pas de renforçateurs peuvent le devenir à cause de leur association avec des éléments qui le sont. Certains stimuli, comme l'argent, sont devenus des **renforçateurs généralisés** parce qu'ils donnent accès à toutes sortes d'autres renforçateurs.

Renforçateur généralisé *(generalized reinforcer).* Dans la théorie du conditionnement opérant de Skinner, renforçateur qui permet d'obtenir d'autres avantages (de l'argent, par exemple).

Il importe de souligner ici que le renforçateur se définit par son effet sur le comportement : une plus forte probabilité qu'une réponse survienne. Il est souvent difficile de déterminer précisément ce qui servira de renforçateur pour un comportement donné, puisque cela peut varier d'un individu à l'autre ou d'un organisme à l'autre. Pour trouver le renforçateur, il faut souvent procéder par tâtonnement : on essaie divers stimuli jusqu'à ce qu'on en trouve un qui soit susceptible d'accroître de manière fiable la probabilité d'une réponse donnée.

Programme de renforcement *(schedule of reinforcement).* Dans la théorie du conditionnement opérant de Skinner, fréquence et intervalles des renforcements qui reçoivent les réponses (par exemple, intervalles de temps ou intervalles entre les réponses).

L'approche skinnérienne se concentre sur les caractéristiques des réponses en relation avec la fréquence et les intervalles des renforcements qu'elles reçoivent, c'est-à-dire sur les **programmes de renforcement**. Pour étudier ces relations, on recourt à un dispositif expérimental simple : la boîte de Skinner. Comportant peu de stimuli, cette boîte permet d'observer le participant tandis qu'il se livre à tel ou tel comportement : par exemple, elle permet d'observer un rat qui appuie sur un levier ou un pigeon qui donne des coups de bec à une clé. Selon Skinner, c'est ainsi qu'on peut le mieux observer les lois élémentaires du comportement, lois qu'on découvre en maîtrisant le comportement (ici, la pression du rat sur le levier ou les coups de bec du pigeon sur la clé). On comprend le comportement lorsqu'on peut le maîtriser en effectuant des changements environnementaux précis. Comprendre le comportement, c'est le maîtriser en choisissant les réponses qu'on renforce ainsi que la fréquence et les intervalles des renforcements. Les programmes de renforcement peuvent être basés sur un *intervalle de temps* ou sur un *intervalle de réponses.* Dans le premier cas, le renforcement apparaît au bout d'un certain temps, disons toutes les minutes, quel que soit le nombre de réponses données par l'organisme. Dans le second cas, le renforcement apparaît une fois que l'organisme a émis un certain nombre de réponses (pressions sur un levier ou coups de bec sur une clé).

Les renforcements n'ont donc pas à être administrés après chaque réponse ; ils peuvent ne l'être que de temps à autre. De plus, ils peuvent s'administrer de manière régulière, ou *fixe,* toujours après un certain laps de temps ou après un certain nombre de réponses, ou de manière *variable,* parfois après une minute et parfois après deux minutes ; ou encore parfois après quelques réponses seulement et parfois après de nombreuses réponses. Chaque programme de renforcement tend à stabiliser le comportement d'une manière particulière.

En un sens, l'apprentissage opérant représente une version raffinée des principes de dressage des animaux. On *façonne* un comportement complexe par un processus d'**approximations successives,** ce qui signifie qu'on façonne des comportements complexes en renforçant les éléments du comportement qui ressemblent à la forme que prendra en fin de compte le comportement désiré.

Approximations successives *(successive approximations).* Dans la théorie du conditionnement opérant de Skinner, façonnement de comportements complexes par le renforcement des éléments comportementaux qui ressemblent de plus en plus à la forme définitive du comportement qu'on veut produire.

> Le conditionnement opérant façonne le comportement comme un sculpteur façonne une motte d'argile. Même si, à un moment donné, le sculpteur semble avoir produit un objet entièrement nouveau, on peut toujours remonter le cours du processus jusqu'à la motte informe d'argile et reconstituer les étapes successives, si minimes soient-elles, qui ramènent l'objet à cet état. À aucune de ces étapes, on ne constate une grande différence par rapport à l'étape précédente. [...] Un opérant n'est pas quelque chose qui apparaît sous sa forme définitive dans le comportement de l'organisme. C'est le résultat d'un processus continu de façonnement.
>
> Skinner, 1953, p. 91.

C'est dans le travail des dresseurs d'animaux qu'on voit le plus clairement ce processus de façonnement ou d'approximations successives. Les animaux de cirque n'apprennent pas leurs numéros spectaculaires comme des touts. Le dresseur construit plutôt, en renforçant des comportements précis, des séquences de réponses apprises, qui ne s'enchaîneront que par la suite. Ce qui se présente au début comme l'apprentissage de comportements isolés finit par devenir cet enchaînement complexe qui constitue le numéro de cirque. En fin de compte, on récompense l'animal de son comportement, mais il n'est récompensé que s'il a accompli les séquences de comportements apprises précédemment. De manière similaire, le processus d'approximations successives permet d'inculquer aux êtres humains des comportements complexes.

Bien que le conditionnement opérant suppose d'abord et avant tout l'utilisation de renforçateurs positifs comme la nourriture, l'argent ou les louanges, les skinnériens tablent aussi sur les renforçateurs basés sur la *fuite* ou l'*évitement* mis en œuvre par l'organisme en réponse à des stimuli aversifs (déplaisants), les réponses étant alors renforcées par le retrait ou l'évitement d'un stimulus désagréable plutôt que par l'apparition d'un stimulus agréable. Mais, dans les deux cas, le processus aura pour effet de renforcer la réponse ou d'augmenter son intensité. Cette association comporte une variante dans le cas de la *punition*. Dans la punition, le stimulus aversif suit la réponse, diminuant ainsi la probabilité qu'elle survienne. Cependant, la punition n'a qu'un effet temporaire et elle semble assez peu efficace pour éliminer un comportement, ce qui explique que Skinner ait privilégié l'utilisation du renforcement positif pour façonner le comportement.

La croissance et le développement

L'approche skinnérienne de la croissance et du développement privilégie le recours à des programmes de renforcement visant à acquérir et à conserver les comportements désirés. Au fur et à mesure que l'enfant se développe, il apprend des réponses qui restent soumises aux renforcements disponibles dans son environnement. On met en évidence le fait qu'on a affaire à des réponses spécifiques sur lesquelles influent des renforçateurs environnementaux précis. Les enfants deviennent autosuffisants grâce au renforcement d'actes par lesquels ils se débrouillent tout seuls, par exemple manger et s'habiller. Immédiatement après leur accomplissement, ces actes sont renforcés à la fois par des récompenses matérielles, comme de la nourriture, et par des récompenses octroyées par les autres, comme des éloges. Pour apprendre à l'enfant à tolérer que la gratification (renforcement) soit différée, on pourra commencer par la reporter légèrement, puis plus longuement. Au bout d'un certain temps, le comportement se stabilise et on peut dire que l'enfant a acquis la capacité de tolérer l'attente de la gratification.

Qu'en est-il des enfants qui imitent le comportement de leurs parents, de leurs frères et sœurs, ou d'autres personnes ? Les mêmes principes de renforcement s'appliquent-ils à de tels comportements ? Selon Skinner (1990), l'individu peut imiter des comportements qui n'auraient pas été renforcés directement. Cependant, cela ne se produit que si l'imitation a été renforcée à de nombreuses reprises ; par généralisation, l'imitation elle-même prend les caractéristiques d'un renforçateur. Alors qu'au début l'enfant recevait du renforcement lorsqu'il imitait certaines réponses spécifiques, à la longue, c'est l'imitation elle-même qui a été renforcée et qui a fini par s'étendre. Par conséquent, du point de vue skinnérien, de nouveaux comportements peuvent être ajoutés au moyen d'un processus d'approximations successives ou de l'acquisition d'un répertoire imitatif généralisé. Dans un cas comme dans l'autre, le comportement dépend des facteurs de renforcement environnementaux.

La psychopathologie

La position des théoriciens de l'apprentissage à propos de la psychopathologie peut s'énoncer comme suit : les principes de base de l'apprentissage fournissent une interprétation complètement satisfaisante des troubles mentaux et les explications selon lesquelles les symptômes auraient des causes sous-jacentes sont inutiles. Du point de vue béhavioriste, les troubles du comportement ne constituent pas des maladies, mais bien des modèles de réponses apprises qui se conforment aux mêmes principes de comportement que tous les modèles de réponses.

Les skinnériens rejettent toute idée d'« inconscient » ou de « personnalité pathologique ». Les individus ne sont pas malades, ils ne répondent tout simplement pas de manière appropriée aux stimuli ; ou bien ils n'ont pas pu apprendre de réponses adaptées, ou bien les réponses apprises sont inadaptées. Dans le premier cas, on parlera de **déficit comportemental**. Par exemple, les individus qui ne se comportent pas de manière adaptée en société peuvent avoir eu des antécédents de renforcements erronés qui ne leur ont pas permis d'acquérir certaines habiletés sociales. Comme on n'a pas renforcé ces habiletés sociales durant leur socialisation, une fois adultes, ils ne disposent que d'un répertoire inadéquat de réponses aux situations sociales.

Déficit comportemental *(behavioral deficit).* Dans l'approche skinnérienne des troubles mentaux, échec de l'apprentissage d'une réponse adaptée.

Réponse inadaptée *(maladaptive response).* Dans l'approche skinnérienne des troubles mentaux, apprentissage d'une réponse que le milieu n'accepte pas, soit parce qu'elle est inacceptable en elle-même, soit parce qu'elle survient dans des circonstances inappropriées.

Le renforcement joue un rôle crucial non seulement dans l'apprentissage de réponses adaptées, mais aussi dans le maintien du comportement. Par conséquent, l'un des résultats possibles de l'absence de renforcements dans l'environnement est la dépression. De ce point de vue, la dépression représente une diminution du taux de réponses émises par la personne. La personne déprimée ne répond plus parce qu'elle est privée de renforcement positif (Ferster, 1973).

Lorsqu'une personne apprend une **réponse inadaptée,** le problème vient de ce que son milieu ou la société en général n'accepte pas cette réponse apprise, soit parce qu'elle est inacceptable en soi (un comportement hostile, par exemple), ou parce qu'elle survient dans des circonstances inappropriées (faire des plaisanteries de mauvais goût dans une réunion officielle, par exemple). L'apparition du *comportement superstitieux* s'apparente à ce genre de situation (Skinner, 1948) ; celui-ci résulte des rapports établis fortuitement entre une réponse et un renforcement. Ainsi, Skinner a constaté que s'il donnait à des pigeons de petites quantités de nourriture à intervalles réguliers, indépendamment de ce qu'ils faisaient, nombre d'oiseaux en venaient à considérer le comportement récompensé par hasard comme un renforcement systématique. Par exemple, si un pigeon recevait par hasard de la nourriture pendant qu'il tournait en rond dans le sens des aiguilles d'une montre, cette réponse pouvait se transformer en réponse conditionnée, même si elle n'avait en fait aucun rapport causal avec le renforcement. Ce comportement que l'oiseau reproduisait constamment finissait par être renforcé de nouveau, tout aussi fortuitement, et pouvait ainsi se maintenir sur de longues périodes.

Le comportement superstitieux
Skinner soutient que le comportement superstitieux résulte des rapports établis fortuitement entre une réponse et un renforcement.

En somme, les gens acquièrent des répertoires de comportements inadéquats, qualifiés de « maladifs » ou de « pathologiques », pour les raisons suivantes : leurs comportements adaptés n'ont pas été renforcés ; ils ont été punis pour des comportements qu'on jugerait maintenant adaptés ; leurs comportements inadaptés ont été renforcés ; ou bien on a renforcé dans des circonstances inappropriées certains comportements qui sont adaptés dans d'autres circonstances. Quoi qu'il en soit, on insiste sur les réponses observables et les programmes de renforcement plutôt que sur des concepts comme la motivation, le conflit, l'inconscient ou l'estime de soi.

L'évaluation du comportement

L'importance accordée à des comportements précis associés à des caractéristiques situationnelles données est le fondement de ce qu'on appelle à présent l'**évaluation du comportement**. Fortement influencée par la pensée de Skinner, cette approche béhavioriste de l'évaluation du comportement repose essentiellement sur les trois éléments suivants : (1) la détermination de comportements précis, souvent appelés **comportements cibles**, ou **réponses cibles** ; (2) la détermination des facteurs environnementaux qui suscitent ou renforcent les comportements cibles ; et (3) la détermination des facteurs environnementaux sur lesquels on peut jouer pour modifier le comportement. Par exemple, l'évaluation du comportement d'un enfant qui fait des crises de colère comprendrait une définition claire et objective du comportement colérique, une description complète de la situation qui déclenche les colères, une description complète des réactions des parents et de l'entourage — réactions qui peuvent renforcer le comportement —, et une analyse des facteurs permettant de susciter et de renforcer les comportements non colériques (Kanfer et Saslow, 1965 ; O'Leary, 1972). Cette **analyse fonctionnelle** du comportement, qui exige qu'on déploie des efforts pour repérer les conditions environnementales qui déterminent le comportement, suppose donc que le comportement s'établit par rapport à des événements précis dans l'environnement. On donne souvent à cette approche le nom d'**évaluation ABC** : on évalue les antécédents (A) du comportement, le comportement lui-même (B pour *behavior*) et ses conséquences (C).

Évaluation du comportement *(behavioral assessment).* Évaluation fondée sur l'importance de comportements précis associés à des caractéristiques situationnelles données (l'évaluation ABC, par exemple).

Comportements cibles [réponses cibles] *(target behaviors [target responses]).* Dans l'évaluation du comportement, détermination des comportements précis à observer et à mesurer en fonction des changements environnementaux.

Analyse fonctionnelle *(functional analysis).* Dans les approches béhavioristes, et en particulier dans l'approche skinnérienne, détermination des stimuli environnementaux qui régulent le comportement.

Évaluation ABC *(ABC assessment).* Évaluation du comportement où l'on examine les antécédents (A) du comportement, le comportement lui-même (B pour *behavior*) et ses conséquences (C) ; analyse fonctionnelle du comportement qui exige qu'on détermine les conditions environnementales qui régulent des comportements donnés.

L'évaluation du comportement est en général étroitement liée aux objectifs thérapeutiques. Prenons l'exemple de cette mère venue en consultation parce qu'elle n'arrivait pas à gérer les crises de colère et la désobéissance généralisée de son petit garçon de quatre ans (Hawkins *et al.*, 1966). Les psychologues qui ont travaillé sur ce cas ont suivi une démarche béhavioriste d'évaluation et de traitement du genre de celles qu'on suit habituellement. D'abord, ils ont observé la mère et l'enfant à la maison pour déterminer la nature des manifestations comportementales indésirables, les moments où elles survenaient et les renforçateurs qui semblaient les alimenter. L'essentiel du comportement indésirable de l'enfant se ramenait aux manifestations suivantes : (1) mordre sa chemise ou son bras ; (2) tirer la langue ; (3) donner des coups de pied à des gens ou à des objets, se mordre lui-même ou mordre des gens ou des objets ; (4) crier des injures à quelqu'un ou à quelque chose ; (5) se déshabiller ou menacer de le faire ; (6) dire « non ! » avec force ; (7) menacer de briser quelque chose ou de faire mal à quelqu'un ; (8) lancer des objets ; (9) bousculer sa sœur. L'observation de l'interaction mère-enfant indiquait que le comportement indésirable était entretenu par l'attention que lui prêtait la mère, qui essayait souvent de lui changer les idées en lui proposant des jouets ou de la nourriture.

Le programme thérapeutique commença par une analyse du comportement : on calcula combien de fois par heure le bambin se livrait à un comportement inacceptable durant des séances d'une heure, deux ou trois fois par semaine, à domicile. Deux psychologues jouaient le rôle d'observateurs pour garantir la fiabilité de l'évaluation du comportement indésirable. Cette première étape, qu'on appelle *période de référence,* comporta seize séances, pendant lesquelles la mère et l'enfant continuèrent à interagir comme d'habitude. Après avoir évalué rigoureusement le comportement indésirable observé pendant la période de référence, les psychologues commencèrent leur intervention. Ils demandèrent à la mère de dire à son enfant de cesser de se livrer à des comportements indésirables ou de l'isoler dans sa chambre sans jouets chaque fois que cela se produisait ; autrement dit, ils éliminèrent ce qui renforçait le comportement inacceptable. Parallèlement, ils demandèrent à la mère d'accorder de l'attention à l'enfant et de lui manifester son approbation lorsqu'il se comportait bien ; autrement dit, ils lièrent les renforçateurs positifs au comportement désirable. Pendant cette période, dite *première période expérimentale,* ils évaluèrent de nouveau la fréquence des comportements inacceptables. Comme le montre la figure 10.3, on observa un déclin marqué de la fréquence du comportement inacceptable : de 18 à 113 réponses inacceptables par séance d'une heure (période de référence préexpérimentale), à 1 à 8 par séance (première période expérimentale).

Après la première période expérimentale, on demanda à la mère de revenir à son comportement initial afin de vérifier si la modification de comportement que connaissait son fils était attribuable au changement de renforcement. Durant cette *deuxième période de référence,* le comportement inacceptable retrouva le rythme de 2 à 24 par séance (figure 10.3). La fréquence du comportement augmenta, sans toutefois revenir à la fréquence de référence. La mère expliqua qu'elle avait du mal à réagir comme elle le faisait auparavant parce qu'elle se sentait maintenant « plus sûre d'elle ». Par conséquent, même durant cette période, elle donna à son fils des

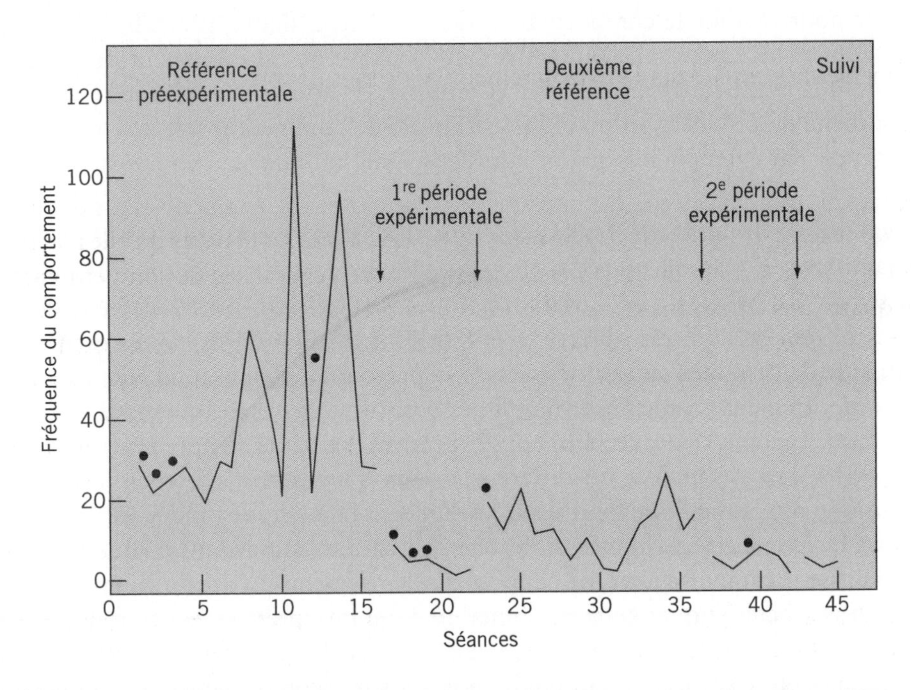

Figure 10.3 Nombre d'épisodes de comportement inacceptable (intervalles de 10 s) par séance d'une heure Les points indiquent les séances où la fiabilité de l'évaluation a été testée. (Hawkins *et al.* © 1966, reproduction autorisée par Elsevier.)

ordres plus fermes que pendant la première période de référence, lui céda moins souvent après lui avoir dit non et lui donna plus d'affection en réaction à ses comportements positifs. Après cette deuxième période de référence, on reprit le programme thérapeutique et on observa de nouveau un déclin du comportement inacceptable *(deuxième période expérimentale)*. La fréquence du comportement inacceptable resta faible après une période de 24 jours (*période de suivi*) et la mère constata que ses rapports avec son enfant s'étaient améliorés.

Modèle de recherche ABA [modèle autocontrôlé] *(ABA research [own-control] design).* Variante skinnérienne du modèle expérimental consistant à soumettre un individu à trois phases expérimentales : période de référence (A) ; introduction de renforçateurs pour modifier la fréquence d'un comportement précis (B) ; retrait du renforcement et observation du comportement pour voir s'il revient à sa fréquence du début (période de référence) (A) .

Le modèle de recherche ABA ■ En somme, dans ce cas, il a été possible d'évaluer dans l'environnement familial tant les réponses cibles que leurs renforçateurs, puis de mettre au point un traitement qui a entraîné des modifications mesurables dans la fréquence de ces comportements. En plus de fournir un exemple d'évaluation comportementale, cette étude illustre une variante intéressante de la méthode expérimentale : le **modèle de recherche ABA** de Skinner, ou modèle autocontrôlé (Krasner, 1971). Fondamentalement, le modèle ABA suppose qu'on joue sur les variables d'un comportement donné et qu'on démontre que la modification de ce comportement est directement attribuable à des changements précis dans les variables environnementales. On recourt à un seul participant qui sert également de témoin pour vérifier l'effet des variations des conditions expérimentales. Dans la première phase ou phase de référence (A) de ce modèle, on compte la fréquence d'apparition du comportement auquel on s'intéresse. Dans la deuxième phase ou phase de renforcement (B), on fait suivre ce comportement d'un renforçateur afin d'accroître sa fréquence. Une fois la réponse comportementale bien établie et selon la fréquence désirée, on peut retirer le renforçateur (phase A) pour vérifier si le comportement revient à la fréquence initiale (période de référence) ; c'est ce qu'on appelle la *période sans renforcement*. Au lieu de comparer un individu qui a reçu un renforcement avec un individu qui n'en a pas reçu, on traite le même individu de diverses manières aux diverses phases de la thérapie : il sert lui-même de témoin. Dans certaines recherches, on ajoute une quatrième phase durant laquelle on réutilise le renforçateur pour rétablir le comportement désiré (voir la figure 10.3). De plus, dans certaines expériences, on commence par la phase de renforcement pour passer ensuite à la phase sans renforcement et réutiliser de nouveau le renforcement. C'est l'approche de prédilection quand il est inutile de commencer par une période de référence, par exemple lorsqu'il s'agit d'enseigner un nouveau comportement.

Méthode fondée sur les signes *(sign approach).* Terme utilisé par Mischel pour décrire les approches de l'évaluation qui déduisent les traits de la personnalité à partir des questionnaires, par opposition à la méthode fondée sur les échantillons.

Méthode fondée sur les échantillons *(sample approach).* Terme utilisé par Mischel pour décrire les approches de l'évaluation où l'on s'intéresse au comportement lui-même en relation avec les conditions environnementales, par opposition à la méthode fondée sur les signes.

L'évaluation : la méthode fondée sur les signes et la méthode fondée sur les échantillons ■ Comme nous l'avons vu précédemment, dans l'évaluation du comportement on privilégie les variables uniques (comportements cibles bien définis) et la collecte de données objectives et fiables. L'évaluation du comportement se distingue de certaines autres mesures de la personnalité en ceci qu'elle s'intéresse au comportement lui-même, et non à des constructions théoriques (par exemple, la force de l'ego ou l'extraversion) qui s'exprimeraient par le comportement. Mischel (1968, 1971) a mis au jour ces différences dans la manière d'effectuer l'évaluation en distinguant la **méthode fondée sur les signes** et la **méthode fondée sur les échantillons.** Dans la méthode fondée sur les *signes*, les traits sont déduits du questionnaire portant sur le comportement ; on suppose que les éléments du test reflètent adéquatement les caractéristiques de la personnalité et on interprète le test en fonction des traits sous-jacents dont on présume l'existence. Autrement dit, il existe un degré d'inférence élevé entre le questionnaire portant sur le comportement et les interprétations concernant les caractéristiques de la personnalité. Dans la méthode fondée sur les *échantillons*, on se penche sur le comportement lui-même et sur l'effet qu'ont sur lui les modifications des conditions environnementales. On s'intéresse au comportement manifeste et on suppose que, pour comprendre un comportement donné, il faut comprendre les stimuli émanant de l'environnement. Le degré d'inférence reste faible entre le comportement observé et d'autres comportements du même genre chez l'individu. Dans la méthode fondée sur les *signes,* on s'interroge sur les motivations et les traits de personnalité qui interagissent de façon à produire le comportement observé ; dans la méthode fondée sur les *échantillons,* on s'interroge sur les variables environnementales qui influent sur la fréquence, l'intensité et la durée du comportement observé.

La modification du comportement

Dans un **système de jetons,** on se sert des principes du conditionnement opérant pour réguler le comportement (Ayllon et Azrin, 1965). Le technicien du comportement récompense les comportements du patient qui sont considérés comme désirables par des jetons qui peuvent s'échanger contre des produits (bonbons, cigarettes, etc.) ou des avantages (regarder la télé, sortir, etc.). Ainsi, les patients pourraient recevoir des renforçateurs lorsque, par exemple, ils servent les repas ou lavent les planchers. Dans un milieu étroitement surveillé, tel un établissement de soins psychiatriques de longue durée, on peut faire en sorte que pratiquement tous les produits et avantages que peut désirer le patient dépendent des comportements désirés. Des données de recherches ont confirmé l'efficacité des systèmes de jetons pour améliorer les comportements liés aux interactions avec les autres, à l'hygiène personnelle et à l'accomplissement de menus travaux chez les patients gravement perturbés et chez les déficients. On s'en est aussi servi pour atténuer le comportement agressif chez les enfants ainsi que pour diminuer les querelles conjugales (Kazdin, 1977).

Système de jetons *(token economy).* Environnement thérapeutique conçu selon les principes du conditionnement opérant de Skinner : les comportements considérés comme désirables chez les patients sont récompensés par des jetons.

En somme, le technicien du comportement d'approche skinnérienne tente d'appliquer directement le conditionnement opérant à la modification du comportement. On choisit les comportements cibles et on fait dépendre les renforçateurs de l'obtention des réponses désirées. Cette perspective met donc l'accent sur la manière dont l'environnement agit sur les gens, et non l'inverse ; elle a entraîné l'émergence d'un groupe d'ingénieurs sociaux dont la tâche consiste à agir sur l'environnement. Watson prétendait qu'en maîtrisant l'environnement il pourrait faire d'un bébé n'importe quel type de spécialiste. Les ingénieurs sociaux skinnériens poussent ce principe encore plus loin : en instaurant des systèmes de jetons et en mettent sur pied des communes thérapeutiques fondées sur les principes skinnériens, ils cherchent à concevoir des environnements qui maîtrisent de vastes pans du comportement humain.

La théorie stimulus-réponse de Hull, Dollard et Miller

Élaborée par des scientifiques comme Hull, Dollard et Miller à peu près à la même époque que le conditionnement opérant de Skinner, la théorie stimulus-réponse (S-R) a probablement atteint plus tôt son apogée que l'approche skinnérienne pour ce qui est de la systématisation et de l'influence. Pendant un certain temps, ces deux approches concurrentes ont alimenté des débats considérables portant sur leurs mérites respectifs.

APPLICATIONS ACTUELLES

Le programme d'apprentissage destiné aux parents d'enfants récalcitrants

Que doivent faire les parents d'un enfant récalcitrant, qui refuse de faire ce qu'on lui demande ou ce qu'on lui dit? La plupart des parents ont ressenti un jour ou l'autre de la frustration et de l'impuissance devant un enfant têtu, obstiné et méfiant. La majorité d'entre eux ont surmonté cette période de stress temporaire, mais le comportement récalcitrant de leur enfant devient pour certains une source de préoccupation continuelle. Outre qu'il mène souvent à des consultations psychologiques, le comportement récalcitrant chez l'enfant annonce les problèmes psychologiques ultérieurs. La thérapie du comportement peut-elle être d'une quelconque utilité?

Selon les psychologues Wierson et Forehand, tous deux spécialistes de la question, le comportement récalcitrant est appris et renforcé au moyen des interactions avec les personnes de l'entourage, et en particulier les parents. D'habitude, les parents des enfants récalcitrants renforcent positivement leur comportement en leur accordant de l'attention. De plus, il y a souvent renforcement négatif: les parents cèdent à l'enfant pour mettre fin à ses protestations, ce qui a pour effet de renforcer le comportement qu'ils tentent d'éviter. Ici, le refus d'obéir permet à l'enfant d'échapper à une situation qu'il trouve pénible: le parent cède et annule la demande ou l'ordre. Intermittent et incohérent, ce comportement parental crée chez l'enfant une réponse forte (refus d'obéir) et difficile à faire disparaître.

Les parents peuvent-ils comprendre ces principes et apprendre à les appliquer de manière à restreindre le comportement récalcitrant? Oui, répondent Wierson et Forehand: on peut leur enseigner des habiletés parentales qui supposent de meilleures stratégies de renforcement et de gestion des renforçateurs. Dans le programme béhavioriste d'apprentissage destiné aux parents, on leur enseigne à modifier le comportement de manière positive (par exemple, en renforçant les comportements désirés en offrant des éloges et de l'attention) et à recourir à des techniques disciplinaires (par exemple, en ne tenant pas compte du comportement récalcitrant ou en donnant des directives fermes et en les faisant respecter). On privilégie le renforcement positif des comportements de l'enfant qui sont incompatibles avec le comportement récalcitrant. On enseigne également des techniques de punition non aversives et sans douleur (par exemple, faire asseoir l'enfant dans un coin). Après avoir donné des directives verbales aux parents, le thérapeute se livre à une démonstration des techniques de renforcement par modelage, leur propose des jeux de rôles où ils s'exercent aux comportements prescrits et supervise des séances de mise en pratique du traitement à la clinique et à domicile.

Quels résultats obtient-on? Selon les psychologues, les parents sont souvent surpris de la rapidité des changements dans le comportement des enfants. Comparativement aux enfants non traités appartenant aux groupes témoins, les enfants du programme d'apprentissage parental présentent une diminution sensible du comportement récalcitrant. En fait, après la thérapie, ils sont aussi conciliants que des enfants qui n'ont jamais été dirigés vers des services psychologiques. Mieux encore, des données indiquent que les effets s'étendent à d'autres comportements inappropriés, non seulement chez l'enfant traité, mais aussi chez ses frères et sœurs, bien que ceux-ci n'aient pas participé à la thérapie. Qui plus est, ces effets semblent se maintenir durant des années, bien que rien ne prouve qu'ils passent de la maison à l'école. Wierson et Forehand concluent que:

> [...] dans l'ensemble, la recherche démontre que l'apprentissage comportemental des parents est une stratégie clinique efficace pour gérer le comportement récalcitrant de l'enfant et qui atteint son objectif sous-jacent: mettre fin aux échanges coercitifs entre parents et enfants en fournissant aux parents des stratégies plus efficaces pour s'occuper de leurs enfants (p. 149).

SOURCE: Wierson et Forehand, 1994.

APERÇUS BIOGRAPHIQUES

De nombreux théoriciens ont contribué à l'élaboration de la théorie S-R de l'apprentissage, mais trois d'entre eux émergent plus particulièrement. Le premier, Clark L. Hull, s'est distingué par le travail considérable qu'il a consacré à l'élaboration d'une théorie globale et systématique de l'apprentissage, tandis que les deux autres, John Dollard et Neal E. Miller, se sont illustrés par leurs efforts visant à concilier les réalisations remarquables de Freud et de Hull.

Clark L. Hull

Clark Hull (1884-1952) est né à New York, mais sa famille a déménagé dans une ferme du Michigan alors qu'il était encore tout jeune. Dès ses premières années d'école, Hull s'est passionné pour les mathématiques : il décrira son apprentissage de la géométrie comme l'événement le plus important de sa vie intellectuelle. Au collège, il commença par étudier les mathématiques, la physique et la chimie, dans l'espoir de devenir ingénieur des mines, mais au bout de deux ans il contracta une poliomyélite qui le força à choisir une autre profession. Son intérêt pour la théorie scientifique et pour la conception d'équipements automatisés l'incita à étudier la psychologie. Après une convalescence pénible et malgré une guérison incomplète, Hull retourna au collège et s'inscrivit en psychologie à l'Université du Michigan.

Après avoir brièvement enseigné au Kentucky, Hull s'inscrivit au doctorat de psychologie de l'Université du Wisconsin. Il tenta d'abord d'établir une base scientifique pour les tests d'aptitudes, puis se consacra à l'étude systématique du phénomène de l'hypnose. À l'université, les idées de Watson sur le béhaviorisme commençaient à se répandre et Hull se découvrit une communauté de vues avec cette nouvelle quête d'objectivité.

Hull devint professeur de psychologie à Yale en 1929. Il venait alors de lire *Conditioned Reflexes* de Pavlov et il s'intéressait aux comparaisons entre la recherche de Pavlov et les expériences qui étaient menées aux États-Unis. De plus, il se vit forcé de mettre fin à sa recherche sur l'hypnose à cause de la méfiance que le participant inspirait aux autres psychologues. Dans les années qui suivirent, tous les intérêts de Hull — mathématiques, géométrie, théorie scientifique, conception d'appareils et psychologie en tant que science naturelle — convergèrent donc vers la mise au point d'une théorie systématique du processus de l'apprentissage par essais et erreurs, effort considérable qui déboucha sur la publication de ses ouvrages *Mathematico-Deductive Theory of Role Learning* (1940) et *Principles of Behavior* (1943).

Axés sur l'élaboration d'une théorie systématique de l'apprentissage, sur l'expérimentation rigoureuse et sur la création d'habitudes (liens S-R) au moyen des récompenses, les travaux de Hull ont appliqué nombre d'éléments fondamentaux relevant de la théorie de l'apprentissage à la psychologie sociale et à l'étude de la personnalité.

John Dollard et Neal E. Miller

Natif du Wisconsin, John Dollard (1900-1980) termina ses études de premier cycle à l'Université du Wisconsin en 1922 et obtint un doctorat en sociologie de l'Université de Chicago en 1931. Par la suite, il enseigna la sociologie, l'anthropologie et la psychologie à Yale. Ajoutons, parce que cet aspect insolite de son parcours professionnel eut une influence considérable sur sa pensée, qu'il reçut une formation en psychanalyse à l'Institut psychanalytique de Berlin. Tout au long de sa carrière, Dollard continua à s'intéresser à la psychanalyse, au travail clinique et aux sciences sociales.

Lui aussi natif du Wisconsin, Neal E. Miller (1909) fit ses études de premier cycle à l'Université de Washington, puis obtint son doctorat à Yale en 1935. C'est à cette époque qu'il rencontra Hull et Dollard. Il se dota également d'une formation psychanalytique à l'Institut de psychanalyse de Vienne. La majeure partie de sa carrière se déroula à Yale, jusqu'en 1966, année où il passa à l'Université Rockefeller. À Yale, Miller contribua largement, tant sur le plan théorique que sur le plan expérimental, à l'élaboration de la théorie S-R, surtout en ce qui concerne la motivation en général et les pulsions (*drives*) acquises. Par la suite, il devint une figure éminente dans le domaine de la rétroaction biologique, ou apprentissage de la maîtrise volontaire de fonctions physiologiques comme la fréquence cardiaque et la pression artérielle (Miller, 1978, 1983), et il fut élu à la présidence de l'American Psychological Association en 1951.

La collaboration de Dollard et de Miller a mené à la publication de trois ouvrages majeurs. Dans le premier, *Frustration et Aggression* (1939), préparé en collaboration avec leurs collègues de l'Institut des relations humaines de Yale, ils tentent d'élaborer une théorie scientifique du comportement agressif à partir du postulat que l'agression représente une réponse à la frustration. Dans le deuxième, *Social Learning and Imitation* (1941), Miller et Dollard tentent d'appliquer la théorie de Hull à l'étude de la personnalité et à la psychologie sociale. Enfin, dans leur troisième ouvrage, *Personality and Psychotherapy* (1950), ils essaient de concilier les acquis de la théorie de l'apprentissage, telle qu'elle a été formulée par Pavlov, Hull et d'autres théoriciens, et ceux de la théorie psychanalytique, telle qu'elle a été formulée par Freud. Plus précisément, ils tentent d'appliquer les principes de base de l'apprentissage au fonctionnement complexe de la personnalité, aux phénomènes névrotiques et à la psychothérapie. Ce travail eut le grand mérite d'attirer l'attention sur l'application de la théorie de l'apprentissage à des phénomènes cliniques. Cependant, leur utilisation de la théorie de l'apprentissage n'a pas débouché en elle-même sur de nouvelles techniques thérapeutiques.

LA THÉORIE S-R DE LA PERSONNALITÉ

> Nu et impuissant, le bébé humain naît avec des pulsions primaires comme la faim, la soif et les réactions au froid et à la douleur. Cependant, il est dépourvu de nombreuses pulsions qui distinguent l'adulte de telle ou telle tribu, nation, classe sociale, profession ou occupation. Nombre de motivations extrêmement importantes, comme le désir de gagner de l'argent, l'ambition de devenir artiste ou érudit, les peurs et les sentiments de culpabilité, s'apprennent au cours de la socialisation.
>
> Dollard et Miller, 1950, p. 62.

Habitude *(habit).*
Dans la théorie de Hull, association entre un stimulus et une réponse.

Pulsion *(drive).*
Dans la théorie de Hull, stimulus interne assez puissant pour déclencher un comportement.

Pulsion primaire *(primary drive).*
Dans la théorie de Hull, stimulus interne inné qui déclenche un comportement.

Pulsion secondaire *(secondary drive).*
Dans la théorie de Hull, stimulus interne appris lorsqu'il se trouve associé à la satisfaction des pulsions primaires et qui déclenche un comportement.

La structure

Comme dans la théorie du conditionnement opérant, le concept structurel clé dans la théorie S-R est la réponse. Toutefois, alors que Skinner accorde peu d'importance au stimulus qui entraîne la réponse et y devient associé, selon la perspective S-R, les stimuli deviennent liés aux réponses pour former des liens S-R. Dans la théorie hullienne, l'association entre un stimulus et une réponse s'appelle **habitude** et la structure de la personnalité se constitue largement d'habitudes ou de liens S-R.

L'autre concept structurel clé qu'utilisent les disciples de Hull est celui de **pulsion**. Essentiellement, une pulsion se définit comme un stimulus assez puissant pour déclencher un comportement. Dans le modèle hullien, ce sont les pulsions qui poussent l'individu à répondre. On y distingue les **pulsions primaires,** qui sont innées, et les **pulsions secondaires**, qui sont apprises. Les pulsions primaires, comme la faim et la douleur, sont généralement associées à des états physiologiques de l'organisme. Les pulsions secondaires sont des motivations apprises parce qu'elles ont été associées à la satisfaction des pulsions primaires. Basée sur la pulsion primaire de la douleur, l'anxiété (la peur) est une pulsion acquise majeure: elle s'apprend rapidement, devient parfois très forte, peut pousser un organisme à toute une gamme de comportements et joue un rôle capital dans le comportement anormal.

Les processus

Le modèle hullien met l'accent sur les pulsions (primaires et secondaires), c'est-à-dire sur les stimuli internes qui entraînent des réponses. L'apprentissage survient quand les réponses sont récompensées par la réduction des besoins pulsionnels. Dans l'**apprentissage par essais et erreurs**, on privilégie l'utilisation de réponses apprises pour réduire les stimuli pulsionnels (par exemple, récompense, fuite de la douleur, évitement de la douleur).

Apprentissage par essais et erreurs *(instrumental learning)*.
Dans la théorie S-R, apprentissage de réponses permettant de se retrouver dans une situation désirable (récompense, évitement de la douleur, etc.).

Dans une expérience typique d'apprentissage par essais et erreurs, on joue sur l'intensité de la pulsion et sur l'importance de la récompense pour en observer les effets sur l'apprentissage. Ainsi, un expérimentateur qui voudrait étudier l'apprentissage d'un labyrinthe chez un rat pourrait moduler le nombre d'heures de privation de nourriture (pulsion de la faim) de même que la quantité de nourriture qui récompense une réponse correcte de l'animal dans le labyrinthe afin de déterminer les effets de ces modifications sur l'apprentissage du labyrinthe. Les réponses par essais et erreurs (déplacements corrects dans le labyrinthe) sont renforcées par la réduction de cette source de pulsion qu'est la faim.

Prenons un autre exemple: l'apprentissage de la fuite par essais et erreurs. Dans ce type d'expérience (Miller, 1951), on met un rat dans une boîte à deux compartiments — un compartiment blanc comportant un grillage en guise de plancher et un compartiment noir muni d'un épais plancher —, reliés par une porte. Au début de l'expérience, le rat reçoit des décharges électriques quand il se trouve dans le compartiment blanc, mais on le laisse s'enfuir quand il est dans le compartiment noir. On conditionne ainsi le rat à avoir peur du compartiment blanc. Puis on procède à un test pour vérifier si la peur du compartiment blanc peut mener à l'apprentissage d'une nouvelle réponse: pour fuir vers le compartiment noir, le rat doit dorénavant tourner une roue placée dans le compartiment blanc. Tourner la roue ouvre la porte qui mène au compartiment noir et permet au rat de s'échapper. Après un certain nombre d'essais, le rat en vient à tourner la roue très rapidement. Selon l'interprétation de la théorie S-R, le rat a acquis une pulsion de peur liée au compartiment blanc. Cette motivation le pousse à agir et prépare le terrain au renforcement, exactement comme le faisait la pulsion de la faim dans l'expérience du labyrinthe. La fuite menant du compartiment blanc au compartiment noir suppose l'apprentissage d'une nouvelle réponse, tourner la roue. Cet apprentissage par essais et erreurs se fonde sur la fuite hors du compartiment blanc et sur la réduction de la force de ce stimulus qu'est la peur.

La croissance et le développement

En général, la théorie S-R envisage la croissance et le développement comme une accumulation d'habitudes qui s'enchaînent les unes aux autres en se conformant à une hiérarchie (ordre d'importance). L'interprétation de l'apprentissage social que donnent Miller et Dollard met l'accent sur l'**imitation**. Selon eux, le processus imitatif est basé sur le renforcement positif du comportement d'imitation. Supposons, par exemple, qu'un jeune garçon entende son père arriver et qu'il accoure pour l'accueillir, après quoi il recevra des bonbons. Un jour, le voyant agir, sa petite sœur

Imitation *(imitation)*.
Comportement qui s'acquiert par l'observation d'autrui; dans la théorie S-R, résultat d'un processus fondé sur le renforcement d'un comportement qui reproduit celui d'autrui. Par exemple, les enfants calquent leur comportement sur celui de leurs parents et en sont récompensés.

voudra faire comme lui et elle accourra elle aussi. Elle recevra alors des bonbons, de sorte qu'elle sera récompensée pour avoir imité son grand frère. Subséquemment, suivant un processus d'extension, la fillette imitera d'autres comportements mis en œuvre par son grand frère. Dans une analyse expérimentale de ce genre de situation, Miller et Dollard ont récompensé des rats dans un labyrinthe chaque fois qu'ils empruntaient la même direction que le leader. Ils ont constaté que si le rat leader était entraîné à se fier à un signal pour trouver de la nourriture, ce n'était pas le cas des rats habitués à le suivre : en effet, dans d'autres situations, ils continuaient à imiter le comportement du leader plutôt que d'utiliser de manière autonome les signaux disponibles. En somme, les rats qui avaient reçu du renforcement pour avoir imité le comportement d'un leader avaient appris la réponse de l'imitation et cette réponse apprise au début avait été étendue à d'autres situations.

D'autres tentatives de traduire la théorie hullienne en principes de croissance et de développement ont misé sur l'importance des récompenses dans les pratiques éducatives parentales. Par exemple, un programme de recherche a révélé que la méthode d'éducation la plus susceptible d'entraîner l'apparition d'une « conscience supérieure » chez les enfants était celle dans laquelle la mère se montrait généralement aimante et chaleureuse, mais utilisait aussi la menace de retirer son affection comme technique de régulation (Sears *et al.*, 1965). La théorie S-R met l'accent sur l'apprentissage des caractéristiques de la personnalité (liens S-R) en employant des récompenses et des punitions attribuées tant par les parents que par d'autres personnes clés dans l'environnement.

La psychopathologie

Dollard et Miller (1950) furent parmi les premiers à lier les principes théoriques de l'apprentissage aux phénomènes de la personnalité en général, et au comportement anormal en particulier. Ce faisant, ils ont mis l'accent sur les concepts de pulsion, de conflit de motivations, d'anxiété et de renforcement grâce à l'atténuation de l'anxiété.

Selon Dollard et Miller, au cours de leur socialisation, les enfants doivent apprendre à trouver des exutoires socialement acceptables pour leurs pulsions. À cet égard, les situations d'apprentissage qui ont trait aux comportements liés à l'alimentation, à la propreté, à la sexualité et à l'agressivité sont les plus cruciales. En grandissant, les enfants pourront vouloir exprimer certaines pulsions mais risquent d'être punis par leurs parents lorsqu'ils le feront. La punition aura pour résultat l'apparition d'une pulsion de peur acquise, liée à certains stimuli. Comme nous l'avons vu, Miller a démontré que la réponse de peur pouvait être conditionnée par un stimulus neutre jusque-là (compartiment blanc) et acquérir ensuite les propriétés d'un stimulus de pulsion. De même, parce qu'il a peur de la douleur associée à la punition, l'enfant peut apprendre à redouter plusieurs stimuli ou situations qu'autrement il percevrait comme neutres. Il apprend alors les réponses qui aboutissent à la réduction de la pulsion, acquise, de peur. Le sentiment de culpabilité et l'évitement représentent des réponses qui peuvent s'apprendre dans de telles conditions.

Conflit approche-évitement *(approach-avoidance conflict).* Dans la théorie S-R, présence simultanée de pulsions opposées poussant l'individu à la fois à s'approcher d'un objet et à le fuir.

Les types de conflits ■ Au cours du développement, un stimulus donné peut susciter à la fois une réponse d'approche et une réponse d'évitement, plongeant l'individu dans ce qu'on appelle un **conflit approche-évitement**. Ainsi, un garçon peut hésiter entre le désir de faire des avances sexuelles à une fille (approche) et la peur d'agir ainsi (évitement). Ou encore un individu peut avoir envie de se mettre en colère, mais craindre d'agir ainsi parce qu'il a été puni pour ce comportement. La plupart des gens peuvent trouver dans leur vie quotidienne de nombreux exemples de ce genre de conflit approche-évitement.

Le conflit approche-évitement entre deux motivations est l'ingrédient de base du comportement névrotique. Le conflit et l'anxiété qu'il entraîne chez l'individu provoquent l'apparition d'un symptôme qui atténue l'anxiété et soulage la tension causée par le conflit. Ainsi, Dollard et Miller ont décrit le cas d'une femme mariée de vingt-trois ans qui avait acquis un certain nombre de craintes, dont l'une était que son cœur cesserait de battre si elle ne se concentrait pas pour en compter les battements. Ses problèmes avaient commencé lorsqu'elle s'était évanouie dans un magasin ; elle s'était ensuite mise à avoir peur de sortir seule, puis à craindre de souffrir de troubles cardiaques. Pour Dollard et Miller, ces symptômes étaient liés à un conflit désir-peur. Lorsqu'elle marchait seule dans la rue, cette femme redoutait la tentation sexuelle. Elle craignait que quelqu'un ne lui fasse des avances et qu'elle y cède. Le désir sexuel croissant qui accompagnait ce fantasme déclenchait chez elle anxiété et sentiment de culpabilité, d'où le conflit sexualité-anxiété. Les réponses consistant à revenir à la maison et à éviter de sortir seule réduisaient l'anxiété et atténuaient le conflit, de sorte qu'elles se trouvaient renforcées. De même, le comptage des battements cardiaques était renforcé parce qu'il lui occupait l'esprit et l'empêchait d'évoquer la possibilité d'être séduite. L'habitude du comptage était renforcée par la diminution de l'anxiété. Cet exemple montre bien de quelle façon Dollard et Miller utilisaient les concepts de pulsion, de conflit pulsionnel, d'anxiété et de renforcement par réduction de la pulsion pour expliquer l'apparition d'une névrose. Bien que les détails en aient à peine été esquissés, cette étude de cas illustre aussi comment Dollard et Miller ont tenté d'utiliser la théorie hullienne d'une manière qui soit cohérente avec la théorie psychanalytique.

Bien qu'ils se soient surtout penchés sur le rôle des conflits approche-évitement dans l'apparition des névroses, Dollard et Miller ont également mis en lumière l'importance des conflits de type approche-approche et évitement-évitement.

Dans un conflit *approche-approche,* l'individu hésite entre deux possibilités désirables. Devrait-il sortir avec cette charmante personne-ci ou avec cette charmante personne-là ? Ira-t-il voir ce bon film-ci ou ce bon film-là ? Achètera-t-il cette belle voiture-ci ou cette belle voiture-là ?

Le conflit Ce garçon en proie à un conflit approche-approche se demande quelles croustilles il devrait choisir.

Dans un conflit *évitement-évitement,* l'individu hésite entre deux possibilités indésirables, désagréables. Devrait-il payer cette facture maintenant et se retrouver sans le sou, ou garder l'argent et avoir ensuite à payer une facture plus élevée ? Vaut-il mieux divorcer ou supporter cette situation désagréable ? Ou, pire encore, vaut-il mieux pour l'enfant avouer son méfait à ses parents et risquer d'être puni, ou se taire et ressentir de la culpabilité ?

On l'a dit, Dollard et Miller ont tenté de concilier les principes de la théorie S-R de l'apprentissage et ceux de la théorie psychanalytique. Leur ouvrage *Personality and Psychotherapy* (1950) illustre de façon brillante comment la théorie S-R de l'apprentissage par essais et erreurs peut rendre compte de concepts psychanalytiques comme la répression, le symptôme et le transfert. D'autres théoriciens et cliniciens spécialistes de la personnalité ont utilisé la théorie S-R, tout en rejetant néanmoins le modèle médical symptôme-maladie de même que les rapports qu'elle établit avec la théorie psychanalytique. Toutefois, ni les uns ni les autres n'ont abouti à de nouvelles techniques de modification comportementale.

Les approches fondées sur l'apprentissage et les théories traditionnelles

Ce chapitre portait sur les approches du comportement fondées sur l'apprentissage, et plus particulièrement sur les principes du conditionnement classique, du conditionnement opérant et de l'apprentissage S-R. Or, les divergences de vues et l'hostilité entre les partisans de ces trois approches sont encore plus vives qu'entre les disciples des autres approches que nous avons étudiées jusqu'ici, ce qui rend difficiles les comparaisons. Heureusement, les approches décrites dans ce chapitre ont par ailleurs suffisamment en commun pour qu'on puisse les envisager globalement et les comparer aux approches décrites précédemment.

L'élément le plus distinctif des approches dont traite le présent chapitre est probablement le fait qu'elles mettent l'accent sur le *processus* d'apprentissage plutôt que sur des *structures* comme les pulsions, les traits de personnalité ou l'image de soi. En partie à cause de cela, les approches du comportement fondées sur l'apprentissage tendent à accorder plus d'importance à des comportements précis qu'aux caractéristiques générales de la personnalité. De plus, elles s'intéressent davantage aux lois générales de l'apprentissage qu'aux différences entre les individus. Par ailleurs, la méthodologie de recherche est axée davantage sur l'expérience en laboratoire que sur l'étude clinique ou le questionnaire. Finalement, ces approches se distinguent des approches décrites précédemment par l'intérêt qu'elles accordent respectivement aux variables internes et aux variables externes : lorsqu'on les compare avec les autres, les théories exposées dans ce chapitre attribuent une plus grande importance aux variables environnementales dans la régulation et la maîtrise du comportement (tableau 10.2).

Tableau 10.2 Éléments privilégiés par les approches fondées sur l'apprentissage et par les théories de la personnalité traditionnelles

Approches fondées sur l'apprentissage	Théories de la personnalité traditionnelles
Processus d'apprentissage	Structures de la personnalité
Comportements précis	Caractéristiques générales
Lois générales	Différences entre les individus
Données de laboratoire	Données cliniques et questionnaires
Variables environnementales	Variables internes

L'évaluation critique

Nous venons de parcourir un terrain considérable, jalonné par des approches théoriques et pratiques très diversifiées. Il est maintenant temps de faire le point sur les approches du comportement fondées sur l'apprentissage.

LES AVANTAGES

Les approches fondées sur l'apprentissage ont apporté trois contributions majeures à la psychologie : (1) attachement envers la recherche méthodique et l'avancement théorique ; (2) reconnaissance et approfondissement de l'influence des variables situationnelles et environnementales sur le comportement ; et (3) approche pragmatique de la thérapie, ouvrant ainsi d'importantes avenues.

Les psychologues de l'apprentissage ont en commun un certain parti pris pour l'empirisme, pour la recherche méthodique. Au-delà de leurs divergences théoriques, leurs approches se caractérisent par le respect de la méthodologie scientifique et des données de recherche qui ouvrent de nouvelles voies. Contrairement à la psychanalyse — et, dans une certaine mesure, aux conceptions phénoménologique et humaniste —, les approches fondées sur l'apprentissage ont évolué en lien étroit avec les universités. Elles misent sur la clarté des concepts et la reproductibilité des résultats de recherche. Si ces principes peuvent parfois limiter le nombre des participants étudiés et la conceptualisation des phénomènes, ils ont le mérite de restreindre également les spéculations de salon et les débats quasi religieux. Plus que la plupart des conceptions étudiées jusqu'ici, les approches fondées sur l'apprentissage privilégient donc la recherche en laboratoire et l'établissement de relations causales.

Le deuxième point fort des approches fondées sur l'apprentissage est la reconnaissance et l'approfondissement de l'influence des variables situationnelles et environnementales sur le comportement. La plupart des approches fondées sur l'apprentissage accordent une importance majeure à la régulation ou au maintien des conditions environnementales, et toutes insistent sur l'importance de l'analyse situationnelle. Les théories de la personnalité traditionnelles et leurs applications ont longtemps négligé ce type de variables. Les théoriciens des traits de personnalité et ceux de la psychanalyse ont souligné l'importance de la situation ou du milieu, mais sans aller jusqu'à l'explorer activement ou à s'adonner à des élaborations sur le plan conceptuel. À bien des égards, il est déplorable que l'insistance sur les variables situationnelles et sur les aspects de la performance spécifiquement liés à la situation ait été associée au *débat personne — situation*. Comme le reconnaissent maintenant la plupart des spécialistes de la personnalité, le comportement s'explique à la fois par des variables personnelles *et* par des variables situationnelles, et on doit en comprendre les interactions. Les approches fondées sur l'apprentissage ont mis en lumière la variabilité et la flexibilité qui caractérisent pour une bonne part le comportement humain, ainsi que la diversité des habiletés requises par des tâches spécifiques.

Étroitement lié à ce qui précède, le pragmatisme des approches fondées sur l'apprentissage a permis d'élaborer des procédés de modification comportementale incontournables. Contrairement à de nombreux programmes thérapeutiques traditionnels qui s'adressent essentiellement à des patients jeunes, prospères, intelligents et volubiles, bien des programmes de modification comportementale ont d'abord été conçus pour traiter des gens que presque tout le monde considérait comme irrécupérables : schizophrènes chroniques, enfants autistes, déficients, toxicomanes, etc. Comme on n'obtenait pas de succès en recourant aux thérapies traditionnelles, il fallait trouver autre chose ; les thérapies comportementales ont comblé ce vide, principalement en appliquant les principes skinnériens dans le cadre de programmes de modification comportementale. Bien qu'ils soulèvent des questions d'ordre éthique et moral — jusqu'où doit aller la maîtrise du comportement humain ? —, ces programmes ont eu dans l'ensemble le mérite d'aider des gens qui autrement auraient été laissés pour compte.

LES LIMITES

Si les points forts que nous venons de décrire peuvent sembler considérables, les limites de ces approches ne le sont pas moins et, dans certains cas, ont trait aux mêmes éléments (voir le tableau 10.3) ; autrement dit, la réalité n'est pas toujours à la hauteur de l'idée qu'on veut bien s'en faire. Ainsi, malgré leur souci de rigueur et d'objectivité, les approches fondées sur l'apprentissage ont simplifié la personnalité à outrance et ont négligé des phénomènes importants.

La critique selon laquelle les théoriciens de l'apprentissage simplifient le comportement à outrance se décompose en plusieurs éléments. D'abord, comme les principes dont ils se réclament découlent de recherches portant sur l'apprentissage des rats et d'autres animaux, on se demande jusqu'à quel point ils peuvent rendre pleinement compte de l'apprentissage chez l'être humain. Autrement dit, les lois qui s'appliquent au comportement des rats s'appliquent-elles également au comportement humain ?

Cette critique comporte également l'aspect suivant : les comportements étudiés par les théoriciens de l'apprentissage sont superficiels. Dans leur volonté de maîtriser rigoureusement toutes les variables expérimentales, ils s'en sont tenus aux réponses les plus simples, négligeant les comportements complexes. Rappelons ici l'argument de Cattell, selon qui les méthodes béhavioristes obligeaient les chercheurs à s'en tenir à l'étude de quelques variables, de sorte qu'ils devaient mettre de côté les comportements impossibles à reproduire en laboratoire. Crucial, le troisième élément de cette critique de simplification abusive a trait au comportement cognitif, c'est-à-dire au comportement lié à la façon dont l'individu reçoit, organise et transmet l'information. Les travaux de nombreux psychologues ont montré combien il était essentiel de comprendre ces phénomènes que les béhavioristes ont longtemps refusé d'aborder. Peut-être à cause de leur réticence à prendre en considération les processus internes ou complexes, les théoriciens de l'apprentissage se sont acharnés à expliquer tous les comportements par des liens stimulus-réponse, ou par des opérants et des approximations successives.

On note aussi dans ces approches l'absence d'une théorie de l'apprentissage unique et globale, ainsi qu'un immense fossé entre la théorie et la pratique. Un tenant de la thérapie comportementale a déjà avancé qu'il s'agissait d'un ensemble de techniques plutôt que d'une méthode fondée sur une théorie scientifique : « Toutefois, si on en élimine les polémiques, les opinions et les affirmations gratuites, que reste-t-il de la théorie qui délimite son champ et explique ce dont il s'agit ? Pas grand-

Tableau 10.3 Points forts et limites des approches fondées sur l'apprentissage

Avantages	Limites
1. Attachement envers la recherche méthodique et l'avancement théorique	**1.** Simplification abusive de la personnalité ; certains phénomènes importants sont laissés de côté
2. Reconnaissance et approfondissement de l'influence des variables situationnelles et environnementales sur le comportement	**2.** Absence d'une théorie unique, globale ; fossé entre la théorie et la pratique
3. Approche thérapeutique pragmatique, ouvrant de nouvelles avenues	**3.** Peu de données probantes quant à l'efficacité thérapeutique proclamée

chose » (London, 1972, p. 916). Qui plus est, bien qu'on ait démontré l'efficacité de certains procédés comme la désensibilisation systématique, on s'interroge encore sur le processus qu'elle met en œuvre ; autrement dit, ces résultats positifs pourraient bien tenir à des raisons tout autres que celles que proposent les thérapeutes béhavioristes (Kazdin et Wilson, 1978 ; Levis et Malloy, 1982).

Au fait, dans quelle mesure les approches thérapeutiques fondées sur l'apprentissage sont-elles efficaces ? Les données qui corroboreraient l'efficacité de la plupart des procédés de la thérapie comportementale restent très insuffisantes, en particulier quant à leur utilisation auprès des populations qu'on rencontre en milieu clinique et quant à la persistance à long terme des résultats concluants. Comme souvent lorsqu'on effectue une nouvelle percée, l'emballement suscité par les premiers succès de la thérapie comportementale a fait place à des questions qui donnaient à réfléchir. Par exemple, dans quelle mesure les effets de la thérapie comportementale pourraient-ils passer d'une situation à l'autre et d'une réponse à l'autre ? Jusqu'à quel point cette thérapie donnerait-elle des résultats durables ? Les premiers taux de réussite publiés étaient-ils exacts et les techniques comportementales s'appliquaient-elles avec le même succès à tous les patients ?

Historiquement, il s'est révélé que les résultats de la thérapie comportementale ne pouvaient souvent s'appliquer plus largement ou ne résistaient pas au temps. Des doutes ont surgi. Par exemple, les résultats obtenus en laboratoire ou en milieu clinique persistaient-ils en milieu naturel (Bandura, 1972 ; Kazdin et Bootzin, 1972) ? De plus, certaines études ont indiqué que, chez de nombreux individus, les progrès se résorbaient avec le temps (Eysenck et Beech, 1971). Finalement, des techniques qui s'étaient avérées efficaces pour soulager des problèmes mineurs en laboratoire se sont révélées nettement moins utiles auprès de patients souffrant de troubles plus graves.

Si elles ont largement dominé la psychologie nord-américaine — y compris l'étude de la personnalité et la pratique clinique — dans les années 1940 et 1950, les théories skinnériennes et S-R de l'apprentissage ont depuis perdu beaucoup de leur influence (voir aussi le chapitre 15). Que s'est-il passé ? On peut avancer de nombreuses explications, mais le principal facteur de ce déclin est probablement ce qu'on a appelé la *révolution cognitive.* Aux alentours des années 1960, les psychologues ont commencé à s'intéresser de plus en plus à la façon dont les gens pensent et traitent l'information. Alors que la théorie S-R de l'apprentissage évoquait la

LES APPROCHES FONDÉES SUR L'APPRENTISSAGE EN UN COUP D'ŒIL

Structure	Processus	Croissance et développement	Pathologie	Changement	Études de cas
Réponse	Conditionnement classique ; conditionnement par essais et erreurs ; conditionnement opérant	Imitation ; programmes de renforcement et approximations successives	Réponses apprises et inadaptées	Extinction ; apprentissage de la discrimination ; contre-conditionnement ; renforcement positif ; imitation ; désensibilisation systématique ; modification du comportement	Peter ; réinterprétation du cas du petit Hans

métaphore du standard téléphonique — les connexions stimulus-réponse s'effectuant comme des connexions téléphoniques —, les théories cognitives, elles, évoquent l'image de l'ordinateur, où l'information est encodée, emmagasinée et, éventuellement, récupérée. La révolution informatique est devenue cette révolution cognitive à laquelle nous assistons encore aujourd'hui. Les chapitres suivants seront consacrés aux théories de la personnalité engendrées par cette révolution.

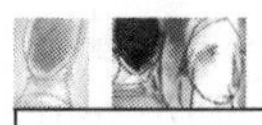

Résumé

1. Les approches de la personnalité fondées sur l'apprentissage insistent sur les principes de l'apprentissage et sur la vérification expérimentale d'hypothèses clairement définies. Elles mettent également l'accent sur la spécificité situationnelle, sur l'application des principes de l'apprentissage à la modification du comportement et sur le rejet du modèle médical symptôme-maladie issu de la psychopathologie.
2. Watson est le fondateur de l'approche béhavioriste en psychologie.
3. Les travaux de Pavlov sur le conditionnement classique montrent comment un stimulus jusque-là neutre peut déclencher une réponse après avoir été associé à un stimulus qui produit la même réponse ou une réponse similaire (par exemple, le chien salive en entendant la cloche associée à la nourriture). Pavlov a aussi étudié ces trois importants processus que sont la généralisation, la discrimination et l'extinction.
4. Le procédé du conditionnement classique suggère que de nombreux comportements anormaux résultent de réponses conditionnées inappropriées. Watson et Rayner ont illustré une telle réaction émotionnelle conditionnée en présentant le cas du petit Albert. Le cas de Peter et de la peur du lapin blanc, le traitement de l'énurésie nocturne chez les enfants et la technique de la désensibilisation systématique constituent des illustrations classiques des principes du conditionnement pavlovien. Dans la désensibilisation systématique, la réponse de relaxation sert de contre-conditionnement à une hiérarchie de stimuli imaginés et jusque-là anxiogènes.
5. Le cas du petit Hans analysé par Freud a été réinterprété selon les principes du conditionnement classique. De ce point de vue, il faut considérer la phobie comme une réaction d'anxiété conditionnée, qui a été précipitée par la vue de la chute d'un cheval, plutôt que comme l'expression de conflits non résolus.
6. Considéré par ses contemporains comme le plus grand psychologue américain, Skinner a dégagé les principes du conditionnement opérant. Cette approche met l'accent sur les réponses produites par l'organisme (opérants) et sur des programmes de renforcement qui façonnent le comportement. Le comportement complexe se façonne par approximations successives.
7. L'interprétation skinnérienne des troubles mentaux insiste sur les déficits comportementaux et sur le développement de réponses inadaptées maintenues par des renforçateurs environnementaux. L'évaluation du comportement consiste en une analyse des antécédents (A) du comportement auquel on s'intéresse, du comportement lui-même (B pour *behavior*) et de

ses conséquences (C) : l'évaluation ABC du comportement. Mischel a décrit deux types d'approches de l'évaluation : les méthodes fondées sur les signes, qui déduisent les traits de personnalité à partir d'un questionnaire, et les méthodes fondées sur les échantillons, où l'on s'intéresse au comportement lui-même en rapport avec les conditions environnementales.

8. Il existe plusieurs procédés de thérapie comportementale et de modification du comportement, tous fondés sur les principes de la théorie de l'apprentissage. Dans la modification du comportement qui repose sur les principes skinnériens du conditionnement opérant, les comportements désirés sont façonnés par approximations successives. Le modèle de recherche ABA, ou modèle autocontrôlé, peut servir à démontrer que les renforçateurs sur lesquels on joue représentent les agents causals du processus de changement. Le système de jetons applique ces principes à la régulation du comportement en milieu institutionnel.

9. Dans l'apprentissage par essais et erreurs S-R de Hull, Dollard et Miller, les habitudes s'acquièrent par le renforcement d'associations stimulus-réponse (liens S-R). Le renforcement consiste en la réduction des pulsions, qu'il s'agisse de pulsions primaires innées (comme la faim et la douleur) ou de pulsions secondaires apprises (comme l'anxiété). Pour ce qui est de la croissance et du développement, cette approche repose sur les habitudes apprises par renforcement et par imitation. L'interprétation S-R des troubles mentaux accorde une importance primordiale au rôle des conflits approche-évitement et de l'anxiété en tant que pulsion. Comme dans les autres approches fondées sur l'apprentissage, on considère que les principes fondamentaux de l'apprentissage permettent de comprendre adéquatement le comportement anormal.

10. Malgré leur diversité et leurs spécificités, les approches fondées sur l'apprentissage, prises comme un tout, peuvent se comparer avec les théories traditionnelles de la personnalité en ceci qu'elles s'intéressent à des comportements précis et aux lois générales de l'apprentissage.

11. Les approches fondées sur l'apprentissage ont en commun leur attachement à la recherche et à l'avancement théorique. Leurs autres avantages sont la reconnaissance de l'importance des variables environnementales et une approche pragmatique de la thérapie qui a favorisé la mise au point de nouveaux procédés de modification du comportement. Par contre, elles ont tendance à simplifier la personnalité à outrance et à négliger des phénomènes importants. De plus, il n'existe toujours pas de théorie unique et globale de l'apprentissage, et les données qui corroboreraient l'efficacité de la plupart des procédés de la thérapie comportementale restent insuffisantes.

Chapitre 11

L'approche cognitive de la personnalité : La théorie des construits personnels de George A. Kelly

George A. Kelly : aperçu biographique

La conception de la personne

La science, la théorie et la recherche

La théorie de la personnalité

La structure

Les processus

La croissance et le développement

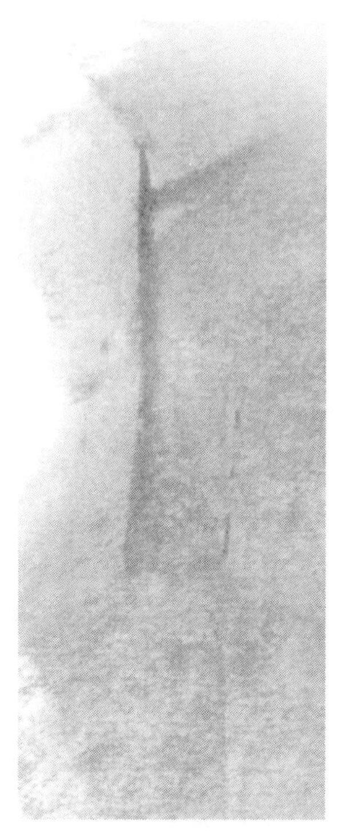

Vous venez de terminer un roman que vous avez adoré. Dans votre enthousiasme, vous appelez un ami pour lui recommander ce livre, en lui vantant plus particulièrement les descriptions de lieux et de personnages truffées de détails savoureux. À votre grande consternation, votre ami vous répond qu'il a lu ce livre et l'a détesté : l'intrigue lui a paru insignifiante et d'une insupportable lenteur. Comment cela est-il possible ? Vous avez l'un et l'autre lu le même livre, mais de manière totalement différente, chacun prêtant attention à certains aspects plutôt qu'à d'autres et *construisant ses interprétations personnelles au fil de sa lecture.*

La façon singulière et personnelle dont chacun perçoit, interprète et conceptualise le monde, voilà précisément ce qui fait l'objet de la théorie des construits personnels conçue par George A. Kelly. De même que vous avez, vous et votre ami, fait deux lectures différentes de ce livre, de même chacun a sa propre interprétation du monde. Dans la perspective théorique et clinique de Kelly, on considère l'individu comme un *scientifique* qui élabore une théorie (un *système de construits*) pour donner un sens au monde et être en mesure de prévoir les événements. La contribution la plus importante de Kelly à l'évaluation de la personnalité est son *répertoire des construits* (aussi appelé « Rep test », ou test de Kelly), un test destiné à mettre en lumière le système de construits personnels de l'individu pour mieux comprendre sa personnalité.

Le chapitre... *en questions*

1. Pourquoi dit-on que les gens procèdent comme des scientifiques dans leur fonctionnement psychologique ?
2. Dans quelle mesure la personnalité est-elle liée à la façon dont les gens conçoivent le monde ? Autrement dit, si vous saviez comment un individu conçoit ou interprète les événements, que sauriez-vous de sa personnalité ?
3. Peut-on envisager le comportement motivé autrement que selon le modèle freudien de réduction de la tension/quête du plaisir ou selon le modèle rogérien d'actualisation de soi ?
4. Comment les gens composent-ils avec les situations imprévisibles ? Désirent-ils que les événements soient entièrement prévisibles, même si cela peut devenir une source de monotonie et d'ennui ?

Dans les chapitres précédents, nous avons étudié deux théories cliniques de la personnalité : la théorie psychodynamique de Freud et la théorie phénoménologique de Rogers. Ces deux théories découlent du travail clinique effectué auprès de clients qui suivent des thérapies ; toutes deux mettent l'accent sur les différences entre les individus ; toutes deux croient en une certaine constance de l'individu au fil du temps et des situations, et toutes deux envisagent la personne comme un système global. Freud et Rogers ont tenté de comprendre, de prévoir, de conceptualiser et d'influencer le comportement sans décomposer la personne en pièces détachées. Au-delà de ces caractéristiques communes, ces deux théories ont débouché comme nous l'avons vu sur des approches différentes en matière de théorie et de recherche.

Dans ce chapitre, nous examinerons une troisième théorie, représentative celle-là d'une approche clinique reposant sur une certaine manière de comprendre la personnalité. Comme les théories de Freud et de Rogers, la *théorie des construits personnels* de Kelly découle essentiellement du travail clinique effectué auprès de clients en thérapie et elle envisage la personne dans sa globalité. Comme l'a souligné Kelly, la théorie des construits personnels ne s'intéresse pas en premier lieu aux personnes en tant que membres d'un groupe, ni à une partie de la personne ou à un processus particulier de son comportement, mais bien à la personne elle-même en tant qu'individu. Le clinicien ne doit pas fragmenter le client, ni ramener l'ensemble de ses difficultés à une seule question; il doit plutôt envisager l'individu sous plus d'un angle à la fois.

Même si elle a des points communs avec d'autres théories cliniques, la théorie de Kelly diffère largement des théories de Freud et de Rogers. Elle interprète le comportement en fonction de la *cognition,* c'est-à-dire qu'elle est axée sur la façon dont nous percevons les événements, dont nous les interprétons en relation avec les structures existantes et dont nous nous comportons en relation avec ces interprétations. Pour Kelly, un **construit** est une façon de percevoir ou d'interpréter les événements; par exemple, les gens interprètent souvent les événements selon un construit « bien-mal ». Le système de construits personnels d'un individu comprend à la fois les construits dont il dispose — les façons d'interpréter les événements — et les relations entre ces construits.

Construit *(construct).* Dans la théorie de Kelly, façon de percevoir ou d'interpréter les événements.

Comment catégoriser la théorie de Kelly par rapport aux autres théories de la personnalité ? Le problème est de taille, car outre le fait que Kelly lui-même a refusé d'y accoler quelque étiquette que ce soit, la théorie des construits personnels a été diversement interprétée. Pour certains, il s'agit d'une théorie phénoménologique parce qu'elle insiste sur les façons dont les individus interprètent le monde. Pour d'autres, il s'agit d'une théorie existentielle parce qu'elle considère la personne comme un agent actif dans son rapport au monde. D'autres encore y voient une théorie béhavioriste parce que son approche thérapeutique mise sur ce que les gens peuvent faire pour modifier leur façon de *penser*. Enfin, on l'a qualifiée de théorie dynamique parce qu'elle met l'accent sur l'interaction entre les divers éléments appartenant au système de construits de l'individu et parce que, comme nous l'avons mentionné plus haut, elle envisage la personne comme un agent actif dans son rapport au monde. Même s'il concevait sa théorie comme une théorie dynamique, Kelly a toujours refusé, répétons-le, de lui accoler une étiquette particulière (Winter, 1992).

Dans cet ouvrage, nous considérerons la théorie des construits personnels comme une approche cognitive de la personnalité. Notons que Kelly a récusé le terme de *cognitif,* estimant qu'il était trop restrictif et qu'il établissait une division artificielle entre la cognition (la pensée) et l'affect (l'état émotionnel). Cependant, on range le plus souvent la théorie de Kelly parmi les théories cognitives (Neimeyer, 1992; Winter, 1992), à juste titre d'ailleurs. D'abord, il s'agit d'une théorie constructiviste, c'est-à-dire d'une théorie qui repose sur le fait que l'individu se livre à une interprétation du monde. Or, il s'agit là d'un processus cognitif. À cause de son insistance sur la manière dont l'individu attribue un sens aux événements et s'efforce de les prévoir, la théorie des construits personnels porte clairement sur des processus cognitifs. L'autre raison qui nous amène à définir la théorie de Kelly comme une approche cognitive et à nous y intéresser à ce moment précis de notre exposé est qu'elle pave incontestablement la voie aux développements cognitifs que la théorie de la personnalité a connus par la suite. À l'heure actuelle, la théorie de la personnalité — ainsi que la psychologie en général — a pour une bonne part pris le virage cognitif. Or, la théorie de Kelly fait en quelque sorte le pont entre les théories cognitives précédant ce virage et les avancées subséquentes, que nous décrirons en détail dans les chapitres qui suivent. Comme l'a fait remarquer un partisan de la théorie des construits personnels, « ironiquement, la théorie de Kelly devient de plus en plus actuelle avec le temps » (Neimeyer, 1992, p. 995).

En somme, dans ce chapitre aussi bien que dans le suivant, nous nous pencherons sur cette théorie de la personnalité qui découle principalement de l'expérience clinique et qui, mises à part les similarités qu'elle entretient avec certaines des théories étudiées jusqu'ici, s'en distingue par son insistance sur le processus cognitif. Comme nous l'avons souligné précédemment, Kelly refusait d'étiqueter sa théorie ou de la classer selon les critères employés habituellement par les psychologues de son époque. Il tenait à ce qu'on l'envisage avec ce même regard neuf qu'il avait lui-même osé porter sur la psychologie pour la réinterpréter, la *reconstruire*. Cet énorme défi, aussi excitant qu'angoissant, nous devons être prêts à le relever, car Kelly, comme nous allons le découvrir, ne concevait pas la vie autrement.

George A. Kelly : aperçu biographique

Même si Kelly (1905-1966) a fait couler beaucoup moins d'encre que ne l'ont fait Freud et Rogers, nous connaissons relativement bien son parcours et sa personnalité transparaît à travers ses écrits. Il a été, dirait-on, une personne semblable à ce qu'il encourageait les autres à devenir, c'est-à-dire un aventurier dans l'âme, qui ne craint pas d'avoir sur les gens des idées peu orthodoxes ni d'explorer des mondes inconnus.

Les positions théoriques et philosophiques de Kelly tiennent en partie à la diversité de ses expériences (Sechrest, 1963). Kelly fit ses études de premier cycle à l'Université Friends, dans le Kansas de son enfance, puis au Collège Park, au Missouri. Il poursuivit ses études universitaires au Kansas, au Minnesota et à Édimbourg, en Écosse ; l'Université d'État de l'Iowa lui décerna un doctorat en 1931. Par la suite, il mit sur pied une clinique psychologique itinérante au Kansas, fut psychologue dans l'armée de l'air durant la Deuxième Guerre mondiale, puis devint professeur de psychologie à l'Université d'État de l'Ohio et à l'Université Brandeis.

Kelly connut ses premières expériences cliniques dans les écoles publiques du Kansas. Il constata alors que les problèmes que les enseignants attribuaient aux élèves qu'ils lui envoyaient à sa clinique itinérante en disaient long sur les enseignants eux-mêmes. Kelly décida qu'au lieu de vérifier le bien-fondé des plaintes des enseignants il essayerait de les considérer comme leurs interprétations des événements. Par exemple, si un enseignant se plaignait qu'un élève était paresseux, au lieu d'évaluer l'élève pour vérifier la justesse du diagnostic de l'enseignant, Kelly essayait de comprendre d'une part les comportements de l'enfant, d'autre part la perception qu'en avait l'enseignant — l'interprétation qu'il en donnait — et qui l'avait incité à se plaindre de la paresse de l'enfant. En pratique, cette importante reformulation du problème, qui supposait qu'on s'intéresse aux enseignants aussi bien qu'aux élèves, élargissait considérablement l'éventail des solutions. Qui plus est, elle amena Kelly à penser qu'il n'existe pas de vérité objective et absolue, que les phénomènes n'ont de sens qu'en relation avec les interprétations qu'en donne l'individu.

On le devine, George Kelly n'était pas homme à classer les choses en noir ou blanc, en vrai ou faux. Il aimait tenter de nouvelles expériences, récusait les vérités absolues, n'hésitait pas à réinterpréter les phénomènes, contestait le concept de réalité objective et se donnait toute liberté pour s'ébattre dans le monde de l'imaginaire. Pour lui, les événements arrivent à des *individus*; il s'intéressait donc aux interprétations qu'en donnaient ces individus. Sa théorie n'était à ses propres yeux qu'un échafaudage temporaire lui servant à contester des opinions que d'autres tenaient pour des faits. Il connut les périls et les frustrations, mais aussi les joies et les satisfactions qu'offre le monde de l'inconnu à ceux qui ont l'audace de l'explorer.

La conception de la personne

Les théories de la personnalité comportent des postulats implicites ayant trait à la nature humaine. Souvent, on ne découvre ces postulats qu'en cherchant à savoir pourquoi tel théoricien explore tel phénomène plutôt que tel autre, ou en constatant que ses conclusions dépassent les données dont il dispose d'une manière révélatrice quant à sa propre vie. On trouve chez Kelly une conception explicite de la personne; il commence même sa présentation de la psychologie des construits personnels par un exposé sur le sujet. Il part du postulat que tout être humain raisonne comme un scientifique. Le scientifique tente de prévoir et de maîtriser les phénomènes. Selon Kelly, les psychologues essaient de prévoir et de maîtriser le comportement, tout comme le font les scientifiques, sans songer que leurs objets d'étude procèdent de manière similaire. Kelly décrit cette situation comme suit:

> Tout se passe comme si les psychologues se disaient: « Moi qui suis un psychologue, et donc un scientifique, je réalise cette expérience afin d'arriver à mieux prévoir et à mieux maîtriser certains phénomènes. Mais mon sujet, lui, étant un simple être humain, est évidemment animé par les motivations inexorables qui montent en lui, ou encore par son interminable quête de nourriture et d'abri. »
>
> Kelly, 1955, p. 5.

Les scientifiques échafaudent des théories, vérifient des hypothèses et soupèsent les résultats de leurs expériences. Selon Kelly, cela décrit parfaitement ce que font tous les êtres humains. Comme nous l'avons vu au chapitre 1, tous les êtres humains font des expériences, perçoivent des similitudes et des différences entre ces événements, élaborent des concepts ou des construits afin de mettre de l'ordre dans ces phénomènes et, à partir de ces construits, tentent de prévoir les événements. En ce sens, nous sommes tous des scientifiques.

Pour Kelly, le fait de concevoir les êtres humains comme des scientifiques a de nombreuses répercussions. Premièrement, cela signifie que nous sommes essentiellement tournés vers l'avenir. « C'est l'avenir qui tourmente l'homme[1], et non le passé. L'homme regarde toujours vers l'avenir par la fenêtre du présent » (Kelly, 1955, p. 49). Deuxièmement, cela veut dire que nous avons la capacité de nous « représenter » l'environnement, plutôt que de simplement y réagir. Comme les scientifiques peuvent échafauder tour à tour diverses constructions théoriques, les êtres humains peuvent interpréter et réinterpréter, construire et reconstruire leur environnement. La vie constitue une représentation, une construction de la réalité, ce qui nous permet de nous bâtir et de nous rebâtir.

Certains ont la capacité d'envisager la vie de diverses manières; d'autres s'en tiennent à une interprétation arrêtée. Mais les uns comme les autres ne peuvent percevoir les événements que dans les limites des catégories (construits) dont ils disposent. Pour reprendre les termes de Kelly, nous sommes libres d'interpréter les événements,

1. Kelly parle souvent de « l'homme », ce qui peut sembler choquant aujourd'hui. Il faut rappeler que ses écrits datent des années 1950 et qu'ils précèdent donc nos efforts pour rendre la langue moins sexiste.

mais nous sommes bornés par nos interprétations (construits). Cette perspective donne un nouvel éclairage à la question du libre arbitre et du déterminisme. Pour Kelly, nous sommes à la fois libres *et* déterminés :

> Ce système de construits personnels lui donne [au genre humain] la liberté de choix et lui fournit en même temps les limites de son champ d'action : liberté, parce que l'homme peut composer avec la signification des événements plutôt que de les subir dans l'impuissance ; limites, parce que ses choix sont toujours restreints au monde de possibles qu'il s'est construit.
>
> Kelly, 1958a, p. 58.

Nous nous enfermons dans ces constructions, mais nous pouvons élargir encore et encore notre espace de liberté en reconstruisant constamment notre vie et notre environnement. Nous ne sommes donc pas victimes du passé ou de ce qui nous détermine… sinon dans la mesure où nous choisissons de nous construire ainsi.

La science, la théorie et la recherche

Constructivisme *(constructive alternativism).* Position de Kelly selon laquelle il n'existe pas de réalité objective ou de vérité absolue à découvrir, mais seulement diverses manières d'interpréter les événements.

La pensée de Kelly, y compris sa conception de la science, se fonde en bonne partie sur la position philosophique du **constructivisme**. Selon cette perspective, il n'y a aucune réalité objective ou vérité absolue à découvrir ; seuls existent les efforts déployés pour « construire » les événements, pour interpréter les phénomènes afin de leur donner un sens. On trouve toujours diverses interprétations parmi lesquelles il est possible de choisir, et cela est aussi vrai pour les scientifiques que pour les gens ordinaires qui se comportent comme des scientifiques. Dans la conception de Kelly, l'entreprise scientifique ne vise pas à découvrir la vérité ni, comme le suggérait Freud, à dévoiler des choses présentes dans l'esprit mais jusque-là occultées ; il s'agit plutôt d'un effort destiné à élaborer des systèmes de construits servant à prévoir les événements.

Kelly s'inquiétait de la tendance au dogmatisme en psychologie. Il reprochait aux psychologues de croire que les construits portant sur les traits de personnalité et les états intérieurs existent réellement, plutôt que de les envisager comme des « choses » provenant de la tête des théoriciens. Une fois qu'une personne a été qualifiée d'introvertie, nous avons tendance à l'examiner pour savoir si elle l'est vraiment, alors que nous pourrions plutôt étudier celui ou celle qui a fait une telle affirmation. Ce refus de la « vérité » et des dogmes revêt une importance considérable, car il ouvre la possibilité de créer cette « disposition accueillante » où l'individu peut étudier librement plus d'une interprétation des phénomènes et retenir des propositions qui *a priori* auraient pu lui sembler absurdes. Pour le scientifique professionnel comme pour la personne qui suit une thérapie, cette « disposition à l'accueil » représente un aspect essentiel de l'exploration du monde. C'est cette même disposition qui habite le romancier créatif mais, alors que celui-ci publie les histoires qu'il imagine sans nécessairement se soucier d'étayer ses constructions, le scientifique professionnel essaie de réduire autant que possible la part d'imaginaire et de se concentrer sur les données probantes.

Selon Kelly, c'est la liberté d'utiliser son imagination et d'instaurer une disposition à l'accueil qui permet d'élaborer des hypothèses. On ne devrait jamais traiter les hypothèses comme des faits, mais plutôt les considérer comme des éléments permettant au scientifique d'en explorer les conséquences, *comme si* elles étaient exactes. Pour Kelly, les théories représentent des formulations provisoires de ce qui a été observé et de ce à quoi on s'attend. Toute théorie comporte un **champ d'appli-**

cation, qui délimite l'étendue des phénomènes qu'elle couvre, et des **domaines d'application**, qui indiquent dans quels secteurs la théorie fonctionne avec le plus de pertinence. Par exemple, la théorie de Freud a un champ d'application très vaste, proposant des interprétations pour presque tous les aspects de la personnalité, mais ses domaines d'application sont l'inconscient et le comportement anormal. La théorie de Rogers a un champ d'application plus restreint, et ses domaines d'application sont surtout le soi en tant que concept et le processus de changement. Les domaines d'application de la théorie des traits de personnalité sont la structure de la personnalité et les grandes généralisations concernant les différences de tempérament entre les individus. Bref, les théories ont des champs et des domaines d'application différents.

Champ d'application *(range of consciousness).* Dans la théorie des construits personnels de Kelly, événements ou phénomènes auxquels s'appliquent un construit ou un système de construits.

Domaines d'application *(focus of convenience).* Dans la théorie des construits personnels de Kelly, événements ou phénomènes auxquels la théorie s'applique avec le plus de pertinence.

Pour Kelly, les théories sont susceptibles d'être modifiées et, éventuellement, rejetées. Une théorie donnée sera modifiée ou abandonnée lorsqu'elle ne suggère plus de prévisions nouvelles ou lorsqu'elle mène à des prévisions erronées. Chez les scientifiques comme chez la plupart des gens, la durée pendant laquelle on continue à se fier à une théorie même si on dispose d'informations qui la contredisent est en partie une affaire de goût et de style personnels.

Pareille conception de la science n'a rien de singulier, mais la clarté de sa formulation, les éléments qu'elle met en évidence (figure 11.1) ainsi que ses ramifications multiples et cruciales lui confèrent un intérêt particulier. Premièrement, pour Kelly il n'existe pas de « faits » et, puisque les théories ont des champs d'application distincts, nous n'avons pas à défendre la justesse de telle théorie par rapport à telle autre ; il s'agit simplement de constructions différentes. Deuxièmement, Kelly a critiqué le fait qu'on attribue aux mesures une importance excessive. À son avis, ce genre d'approche peut amener les psychologues à oublier que les concepts sont des représentations, non des réalités, et à se prendre pour des techniciens plutôt que pour des scientifiques. Troisièmement, sa conception de la science privilégie la recherche clinique par rapport à la méthode expérimentale. En effet, Kelly considère que la recherche clinique est utile parce qu'elle « parle le langage de l'hypothèse », qu'elle fait émerger de nouvelles variables et qu'elle reste centrée sur les questions importantes. Cette dernière caractéristique nous amène au quatrième élément majeur de la conception que Kelly se faisait de la science : celle-ci devrait se concentrer sur des questions importantes. Pour Kelly, trop de psychologues renoncent à

1. Il n'existe ni « réalité objective » ni « faits » à découvrir. Les diverses théories proposent diverses interprétations (construits) des phénomènes et elles ont différents champs et domaines d'application.
2. Les théories devraient déboucher sur des recherches. Cependant, le fait d'insister sur les mesures de manière excessive peut devenir limitatif et faire oublier que les concepts constituent des représentations et non des réalités.
3. La recherche clinique est utile parce qu'elle favorise l'élaboration d'idées nouvelles et qu'elle se concentre sur les questions importantes.
4. Une bonne théorie de la personnalité est une théorie qui nous aide à résoudre les problèmes des gens et de la société.
5. Les théories sont conçues pour être modifiées et même abandonnées.

Figure 11.1 Quelques éléments de la conception de la science énoncée par Kelly.

s'attaquer à d'importants aspects du comportement humain de crainte de faire quoi que ce soit qui puisse ne pas être considéré comme « scientifique ». Il leur suggéra de ne plus tenter d'être des scientifiques et de s'atteler à la tâche de comprendre les gens. Pour Kelly, une théorie scientifique est bonne si elle donne lieu à l'invention de nouvelles approches visant à résoudre les problèmes des gens et de la société.

Finalement, comme nous l'avons noté plus haut, Kelly dénonçait vigoureusement le dogmatisme. Il soutenait que de nombreux chercheurs perdaient leur temps à infirmer les thèses de leurs collègues à seule fin de faire place aux leurs. Kelly lui-même a amplement démontré qu'il avait le sens des proportions, le sens de l'humour et qu'il était ouvert à la critique, notamment en disant de ses propres écrits théoriques qu'ils ne contenaient que des « demi-vérités », ou encore de sa théorie des construits personnels — théorie sur laquelle nous allons maintenant nous pencher — qu'elle contribuait à la mise en évidence de ses propres limites.

La théorie de la personnalité

LA STRUCTURE

Dans la conception de la personne comme scientifique proposée par Kelly, le concept structurel clé est celui de *construit*. Un construit est une façon d'expliquer le monde, de l'interpréter; c'est un concept dont on se sert pour classer les événements par catégories et pour noter l'évolution d'un comportement. Selon Kelly, la personne tente de prévoir les événements en cernant les modèles et les constantes. Elle vit certains événements, les interprète, leur donne une structure et un sens. Au fur et à mesure qu'ils vivent des événements, les gens remarquent que quelques-uns d'entre eux ont des caractéristiques communes les différenciant des autres événements; ils distinguent des similitudes et des différences. Ainsi, ils constatent que certaines personnes sont de grande taille et d'autres de petite taille, qu'il y a des hommes et des femmes, que certains objets sont durs et d'autres mous, etc. C'est cette interprétation des similitudes et des différences qui finit par former un construit. Sans construits, notre vie serait un chaos: nous serions incapables d'organiser notre univers, de décrire et de classer les événements, les objets et les gens.

Selon Kelly, il faut disposer d'au moins trois éléments pour former un construit: deux de ces éléments doivent être perçus comme similaires et le troisième comme différent des deux premiers. La façon dont deux éléments sont perçus comme similaires représente le **pôle de similarité** du construit; la façon dont ils diffèrent du troisième élément, son **pôle de différence**. Par exemple, le fait d'observer deux personnes qui aident leur prochain et une troisième personne qui nuit à son prochain pourrait mener à la formation du construit bon-cruel, la bonté étant le pôle de similarité et la cruauté le pôle de différence. Kelly insiste sur la nécessité de reconnaître qu'un construit se compose d'une comparaison similitude-différence, suggérant par là qu'il est impossible de comprendre la nature d'un construit en utilisant seulement son pôle de similarité ou seulement son pôle de différence. Ainsi, nous ne pouvons pas savoir ce que le construit *respect* signifie pour une personne donnée si nous ignorons quels sont pour elle les événements compris dans ce construit et quels sont les événements qui lui semblent exclus.

Pôle de similarité *(similarity pole).* Dans la théorie des construits personnels de Kelly, pôle d'un construit déterminé par la façon dont deux éléments sont perçus comme similaires.

Pôle de différence *(contrast pole).* Dans la théorie des construits personnels de Kelly, pôle d'un construit déterminé par la façon dont un troisième élément du construit est perçu comme différent des deux éléments qui constituent le pôle de similarité.

Les construits ne sont pas dimensionnels, au sens où ils ne comportent pas de points entre les pôles de similarité et de différence. On ajoute davantage de subtilité ou de complexité à l'interprétation des événements en recourant à d'autres construits, par exemple à des construits de quantité et de qualité. Par exemple, le construit *noir-blanc* combiné à un construit de quantité pourra fournir l'échelle de référence suivante : noir, légèrement noir, légèrement blanc et blanc (Sechrest, 1963).

Les construits et leurs répercussions sur les rapports interpersonnels

Réfléchir aux construits que les gens utilisent représente un exercice aussi fascinant qu'éclairant. Ces construits font souvent partie du langage courant. Pourtant, on pourrait être surpris d'apprendre que ces catégories ne sont que des construits et qu'il existe d'autres façons d'interpréter le monde. Songez, par exemple, aux construits qui composent votre système de construits personnels. Quels termes ou quelles caractéristiques utilisez-vous pour décrire les gens ? Chacun de ces termes s'accompagne-t-il de son contraire pour former une paire similitude-différence, ou le pôle du construit manque-t-il dans certains cas ? Pouvez-vous penser aux construits auxquels recourent les gens que vous connaissez pour parler d'eux-mêmes en tant qu'individus ? Pouvez-vous nommer des construits communs aux membres d'une classe ou d'une culture et que les membres d'une autre classe ou d'une autre culture n'emploient pas ? Que vous inspire la réflexion de Kelly selon laquelle tous les construits qu'un individu applique aux autres peuvent éventuellement s'appliquer à lui-même : « On ne peut qualifier une autre personne de malveillante sans faire de la malveillance une dimension de sa propre vie » (Kelly, 1955, p. 133) ?

Les différences entre les systèmes de construits sont souvent en partie à l'origine des problèmes de communication qui surviennent entre les gens et entre les groupes. Pensez à des construits que les gens de votre connaissance utilisent et qui entraînent souvent des problèmes dans leurs relations personnelles. Par exemple, un problème courant dans les relations de couple vient de ce que les partenaires mettent l'accent sur le construit central *coupable-innocent.* Habituellement, chacun des deux partenaires soutient qu'il n'a rien à se reprocher et attribue à l'autre la responsabilité des difficultés du couple. S'ils consultent un conseiller, ils risquent de le percevoir au départ comme un juge qui rendra un verdict plutôt que comme quelqu'un qui pourrait les aider à envisager les choses sous un autre angle ou à revoir leurs construits.

Cette réflexion d'un de mes proches constitue également un bel exemple de ce phénomène : « N'y a-t-il pas dans toute relation un gagnant et un perdant ? » Cette personne ignorait manifestement que « gagnant-perdant » représente un construit possible, mais pas indispensable. Une autre personne aurait pu évoquer le construit *souple-rigide* ou le construit *tolérant-intolérant,* qui débouchent sur des modes relationnels très différents. Les relations de couple courent souvent à l'échec parce qu'elles sont vues comme des rapports de pouvoir et comme des mises à l'épreuve plutôt que sous l'angle de l'aide et de l'empathie. Même s'ils peuvent sembler abstraits, les construits influent donc considérablement sur certains aspects fondamentaux de nos vies.

Les types de construits et le système de construits

Conclure de ce qui précède que les construits sont toujours verbaux ou que celui qui les conçoit peut toujours les exprimer verbalement serait une erreur. Bien qu'il ait insisté davantage sur les aspects cognitifs du fonctionnement humain — sur ce que les freudiens appellent le conscient —, Kelly a aussi pris en considération des phénomènes que les freudiens qualifient d'inconscients. Kelly n'a pas utilisé le construit conscient-inconscient ; cependant, il a eu recours au construit *verbal-préverbal*

Construit verbal *(verbal construct).* Dans la théorie des construits personnels de Kelly, construit qui peut se traduire en mots.

Construit préverbal *(preverbal construct).* Dans la théorie des construits personnels de Kelly, construit qu'on utilise sans pouvoir le traduire en mots parce qu'il s'est formé avant l'acquisition du langage.

Construit submergé *(submerged construct).* Dans la théorie des construits personnels de Kelly, construit qui a pu s'exprimer en mots, mais dont l'un des pôles, ou les deux, ne peut se verbaliser.

Construit central *(core construct).* Dans la théorie des construits personnels de Kelly, construit fondamental dans le système de construits d'un individu et dont la modification entraîne nécessairement des répercussions majeures sur le reste du système.

Construit périphérique *(peripheral construct).* Dans la théorie des construits personnels de Kelly, construit qui n'est pas fondamental dans le système de construits d'un individu et dont la modification n'a pas de répercussions importantes sur le reste du système.

Construit englobant *(subordinate construct).* Dans la théorie des construits personnels de Kelly, construit qui se situe plus haut dans la hiérarchie du système de construits et qui comprend donc des construits plus restreints et plus précis (les construits englobés).

Construit englobé *(superordinate construct).* Dans la théorie des construits personnels de Kelly, construit qui se situe plus bas dans la hiérarchie du système de construits et qui est donc compris dans un construit plus large (le construit englobant).

pour traiter d'éléments qui pourraient aussi être interprétés comme conscients ou inconscients. Un **construit verbal** peut s'exprimer en mots, tandis qu'un **construit préverbal** s'utilise sans que l'individu puisse l'exprimer en mots. Le construit préverbal se forme avant l'acquisition du langage.

Parfois, un des pôles du construit ne permet pas la verbalisation ; on le considère alors comme **submergé**. Si quelqu'un affirme avec insistance que les gens agissent toujours bien, on peut présumer que l'autre pôle du construit a été *submergé* ; en effet, pour avoir formé le pôle « positif » du construit, cette personne a forcément déjà eu conscience de l'existence de comportements opposés. Le fait qu'un construit ne permette pas la verbalisation et que l'individu ne puisse pas rendre compte de tous ses éléments ne signifie donc pas que l'inconscient existe. Bien qu'on reconnaisse l'importance des construits préverbaux et des construits submergés, étonnamment, personne n'a mis au point des moyens de les étudier et les psychologues qui s'intéressent aux construits personnels ont généralement négligé d'explorer ce domaine.

Les construits qu'une personne utilise pour interpréter et prévoir les événements sont organisés en système. Chaque construit a son champ et ses domaines d'application au sein du système. Le champ d'application d'un construit comprend tous les événements auxquels l'usager pourrait trouver utile d'appliquer ce construit. Le domaine d'application d'un construit comprend les événements particuliers pour lesquels l'application du construit serait la plus utile. Par exemple, le construit *compatissant-non compatissant* pourrait s'appliquer dans toute situation où on requiert de l'aide (champ d'application), mais il serait encore plus utile dans des situations qui nécessitent une sensibilité et un effort particuliers (domaine d'application). De plus, Kelly distingue les **construits centraux**, qui sont plus fondamentaux et qu'on ne peut modifier sans que cela ait d'importantes répercussions sur les autres éléments appartenant au système de construits, et les **construits périphériques**, beaucoup moins essentiels et qu'on peut modifier sans qu'il y ait de répercussions majeures sur la structure de base.

Le système de construits s'organise de manière hiérarchique. Par exemple, en matière d'animaux, on pourrait avoir le construit animal-chien-caniche. Au sommet de la hiérarchie, on trouve les construits les plus larges et les plus inclusifs (animal). Comme leur nom l'indique, ces **construits englobants** comprennent des construits plus étroits et plus précis (chien, chat, girafe, etc.). À leur tour, ces construits intermédiaires comprennent de nombreux **construits englobés** (caniche, golden retriever, berger allemand, etc.). Bref, les construits diffèrent par leur portée et leur extension.

Il importe de comprendre que, dans un système, tous les construits sont plus ou moins liés entre eux. La plupart du temps, le comportement d'une personne se rapporte à son système de construits plutôt qu'à un construit isolé. De plus, en modifiant un aspect du système de construits, on modifie généralement d'autres aspects de ce système. Habituellement, les construits s'organisent de manière à réduire le plus possible les incompatibilités et les incohérences. Cependant, il arrive que certains construits du système entrent en conflit avec d'autres, créant tensions et difficultés quand vient le moment d'effectuer des choix (Landfield, 1982).

En résumé, selon la théorie des construits personnels de Kelly, la personnalité d'un individu est constituée par son système de construits. L'individu utilise ses construits pour interpréter le monde et prévoir les événements. Les construits d'un individu définissent donc son univers.

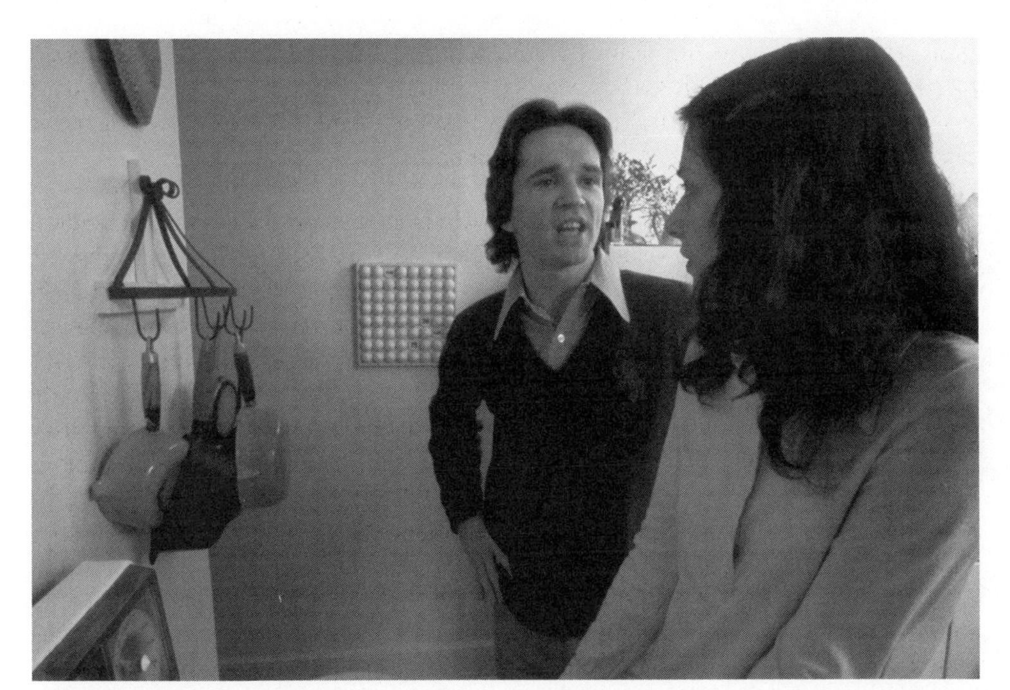

Les construits centraux Les problèmes de couple tournent souvent autour de construits centraux, comme le construit coupable-innocent.

Les gens diffèrent les uns des autres tant par le contenu de leurs construits que par l'organisation de leurs systèmes de construits respectifs. Ils se distinguent par les types de construits qu'ils utilisent, par le nombre de construits dont ils disposent, par le degré de complexité de leur système de construits et par leur capacité de modifier ce système. Les individus qui se ressemblent ont des systèmes de construits similaires.

Plus important encore, on ne connaît une personne que dans la mesure où l'on connaît les construits qu'elle utilise, les événements sur lesquels reposent ces construits, la façon dont ces construits tendent à fonctionner et la manière dont ils s'organisent les uns par rapport aux autres pour former un système (Adams-Webber, 1998).

Le répertoire des construits de rôles (test de Kelly)

Connaître quelqu'un, c'est donc connaître les construits dont cette personne se sert pour interpréter le monde. Mais comment découvrir quels sont ces construits ? En lui demandant de vous le dire, répond Kelly sans détour : « Si vous ne savez pas ce qui se passe dans l'esprit d'une personne, demandez-le-lui ; il se peut qu'elle vous le dise » (1958b, p. 330). Plutôt que d'utiliser des tests mis au point par d'autres et reflétant leurs systèmes théoriques, Kelly a élaboré son propre instrument d'évaluation, le **répertoire des construits de rôles** (souvent appelé « Rep test », ou test de Kelly).

Répertoire des construits de rôles [test de Kelly, ou « Rep test »] *(Role Construct repertory test).* Test conçu par Kelly pour déterminer les construits qu'utilise une personne, les relations entre ces construits et la façon dont ils s'appliquent à des personnes précises.

Le répertoire des construits de rôles est probablement le test d'évaluation globale le plus étroitement lié à une théorie de la personnalité ; découlant directement de la théorie des construits personnels de Kelly, il est spécifiquement conçu pour mettre au jour ces construits.

Essentiellement, le test de Kelly s'effectue au moyen de deux procédés : (a) on établit, à partir d'un *inventaire de rôles,* une liste de personnes réelles ; (b) on formule des construits en comparant des personnes réunies par groupe de trois. On commence par fournir à chacun des participants une *liste de rôles* (comprenant habituellement

APPLICATIONS ACTUELLES

L'unité des construits Disposer d'un construit pertinent peut améliorer la perception des goûts et des odeurs.

Comment verbaliser les perceptions sensorielles

« Pourquoi sommes-nous si mal outillés pour les exprimer ? » se demandait un étudiant en parlant des saveurs, des odeurs et des sensations tactiles. Qu'est-ce que cela changerait si nous disposions d'un vocabulaire plus étendu — c'est-à-dire d'un plus grand nombre de construits — pour exprimer verbalement ces phénomènes ? A-t-on un odorat plus aiguisé si on dispose d'un plus grand nombre de construits olfactifs ? Goûte-t-on de mieux en mieux au fur et à mesure qu'on échafaude des construits gustatifs ? Serait-ce là le secret des fins gourmets ?

On a cru un temps que le langage déterminait notre façon de percevoir et d'organiser le monde mais, à la lumière des données dont nous disposons aujourd'hui, des nuances s'imposent. Nous pouvons percevoir et reconnaître de nombreux phénomènes pour lesquels nous n'avons ni mot ni concept. Cependant, disposer d'un concept (construit) peut nous aider à expérimenter certains phénomènes et à nous en souvenir. Ainsi, la recherche concernant l'identification des odeurs indique que celle-ci est facilitée par le fait de disposer de mots appropriés pour la décrire : « Les gens peuvent améliorer leur capacité à reconnaître les odeurs par la pratique, et plus précisément grâce à diverses interventions cognitives où les mots confèrent aux odeurs une identité perceptuelle ou olfactive. » Nommer une odeur contribue à transformer ce qui était flou en quelque chose de plus clair. On ne peut pas donner n'importe quel nom, cependant, car certains mots semblent plus aptes que d'autres à rendre l'expérience sensorielle. L'essentiel, c'est que la cognition joue un rôle important dans presque tous les aspects de l'expérience sensorielle.

En somme, si à lui seul l'élargissement de nos construits sensoriels ne suffit pas à améliorer notre acuité sensorielle, il peut y contribuer largement lorsqu'il est associé à la pratique. Vous voulez devenir un fin palais ? Exercez vos papilles et n'oubliez pas d'étendre votre système de construits !

SOURCE : *Psychology Today*, juillet 1981.

de vingt à trente rôles) dont on croit qu'ils ont de importance pour tous (par exemple, la mère, le père, un professeur qu'on a aimé, un voisin qu'on a du mal à comprendre, etc.), en leur demandant de nommer une personne de leur connaissance correspondant à chacun de ces rôles (de ces *personnages*). Puis l'examinateur choisit trois personnes figurant dans la liste et demande au participant de dire en quoi deux d'entre elles se ressemblent et diffèrent de la troisième. Ce en quoi deux des personnes se ressemblent dans la perception du sujet devient le pôle de similarité du construit, et ce en quoi la troisième diffère des deux autres devient le pôle de différence du construit. Par exemple, le participant à qui on a demandé de penser à des gens correspondant aux personnages de la mère, du père et du professeur aimé pourra décider que le père et le professeur aimé se ressemblent par leur *assurance*, et diffèrent en cela de la mère, qui est *timide*. On dégage ainsi un construit *assurance-timidité*. L'examinateur propose au participant de recommencer l'exercice avec d'autres groupes de trois personnages — habituellement de vingt à trente — et, chaque fois, le participant produit ainsi un construit, nouveau ou non. Le tableau 11.1 présente des exemples de construits échafaudés par un participant.

Tableau 11.1 Exemples de construits engendrés par le test de Kelly

Personnages similaires	***Pôle de similarité du construit***	**Personnage différent**	***Pôle de différence du construit***
Moi, père	*Axés sur le bonheur*	Mère	*Dotée d'esprit pratique*
Professeur, personne heureuse	*Calmes*	Sœur	*Anxieuse*
Ami, amie	*Savent écouter*	Ancien ami	*A de la difficulté à exprimer ses sentiments*
Personne antipathique, employeur	*Se servent des autres à leurs propres fins*	Personne appréciée	*Prévenante*
Père, personne qui réussit	*Actifs dans la communauté*	Employeur	*Absent dans la communauté*
Personne antipathique, employeur	*Méprisants*	Sœur	*Respectueuse des autres*
Mère, ami de sexe masculin	*Introvertis*	Ancien ami	*Extraverti*
Moi, professeur	*Indépendants*	Personne aidée	*Dépendante*
Moi, amie	*Créatifs*	Ami de sexe masculin	*Peu créatif*
Employeur, amie	*Raffinés*	Frère	*Peu raffiné*

Cet exemple montre à quel point le test mis au point par Kelly est conforme à la théorie qu'il a conçue : on met au jour les construits personnels des gens — leur manière de percevoir le monde — en se basant sur ce qu'ils estiment être la façon par laquelle deux « choses » jugées similaires diffèrent d'une troisième. Cette technique d'évaluation est particulièrement attrayante, car les participants ont toute liberté pour exprimer leurs façons d'interpréter le monde. Cependant, elle repose sur des postulats de taille. Premièrement, on suppose que la *liste de rôles* fournie aux participants est vraiment représentative des personnages qui ont de l'importance dans leur vie. Deuxièmement, on postule que les construits verbalisés sont vraiment ceux que les participants utilisent pour interpréter le monde ; cela suppose en soi que les participants sont capables de verbaliser leurs construits et qu'ils se sentent libres de le faire en situation de test. Enfin, on postule que les mots qu'utilisent les participants pour désigner leurs construits indiquent à l'examinateur de manière adéquate comment ils ont organisé les événements dans le passé et comment ils s'y prennent pour prévoir l'avenir.

L'une des caractéristiques les plus remarquables du test de Kelly est son extraordinaire souplesse. En variant les personnages ou les instructions données aux participants, l'examinateur peut en effet déterminer tout un éventail de construits et de significations. Par exemple, on a utilisé une version modifiée du test de Kelly pour savoir sur quels construits se basaient les consommatrices en matière d'achat de cosmétiques et de parfums, construits que les publicitaires ont utilisés afin de concevoir des publicités attrayantes pour la clientèle cible (Stewart et Stewart, 1982). Dans une autre étude, on s'est servi d'un test de Kelly modifié (le « Sex Rep Test ») pour cerner les significations que les hommes et les femmes associaient aux concepts de masculinité et de féminité. Les recherches menées auparavant à propos des

DÉBATS ACTUELS

Un test de Kelly destiné aux enfants : comment interprètent-ils la personnalité ?

Quelles sortes de construits utilisez-vous pour différencier les gens que vous connaissez ? Par exemple, en quoi votre mère et votre père sont-ils semblables entre eux, et différents de vous ? Votre analyse des similitudes et des différences entre vous et vos parents a-t-elle changé depuis votre enfance ?

D'après une étude menée récemment par Donahue (1994), votre système de construits aurait effectivement changé, tant dans le contenu que dans la forme. Donahue s'est servi d'une version simplifiée du test de Kelly afin de dégager les construits qu'utilisaient des enfants de onze ans pour décrire la personnalité. Il leur a fourni une liste de rôles comportant neuf personnages : moi, mon(ma) meilleur(e) ami(e), un pair de l'autre sexe « qui s'assoit près de moi à l'école », un pair antipathique, ma mère (ou une personne qui joue le rôle de la mère), mon père (ou une personne qui joue le rôle du père), un professeur aimé, mon moi idéal et un adulte antipathique. On a écrit sur des fiches les noms des diverses personnes associées à ces personnages et on les a présentés par groupe de trois à chaque enfant. Par exemple, pour cerner le premier construit, on a demandé à chaque enfant de penser à lui-même ou à elle-même (moi), à son meilleur ami ou à sa meilleure amie et au professeur aimé pour trouver un mot ou une phrase décrivant en quoi deux de ces personnes se ressemblaient, puis un mot contraire décrivant en quoi la troisième personne était différente des deux autres. En procédant ainsi, chaque enfant produisit neuf construits.

Quelles sortes de construits les enfants utilisèrent-ils ?

Pour ce qui est du *contenu*, Donahue a catégorisé les construits selon le modèle de personnalité à cinq facteurs (les « Cinq Grands ») : extraversion, amabilité, esprit consciencieux, stabilité émotionnelle et ouverture aux expériences nouvelles (voir le chapitre 8). Les enfants utilisèrent des construits des cinq dimensions, mais la très grande majorité de leurs construits concernaient l'amabilité (par exemple, « il est gentil » ou « il se querelle souvent ») et l'extraversion (« il veut être le chef » ou « il aime jouer calmement »). Par rapport aux descriptions de personnalité fournies par les adultes, celles des enfants recouraient beaucoup moins aux trois autres dimensions du modèle à cinq facteurs. La plupart de leurs construits étaient donc de nature interpersonnelle, ce qui dénotait l'importance qu'ils accordaient à la bonne entente avec leurs pairs, leurs parents et leurs professeurs.

Pour ce qui est de la *forme*, Donahue a distingué six façons de structurer ou d'exprimer les construits personnels : les faits (« il vient de l'Oklahoma »), les habitudes (« il mange beaucoup de bonbons »), les habiletés (« il est le champion aux billes »), les préférences (« il aime les BD »), les tendances comportementales (« il a toujours des ennuis avec le professeur ») et les traits de personnalité (« il est timide »). Comme on pouvait s'y attendre, les enfants utilisèrent moins les traits et beaucoup plus les faits que les adultes. Ces résultats indiquent que les systèmes de construits, plus concrets chez l'enfant, deviennent de plus en plus abstraits et psychologiques avec l'âge.

Comme l'illustrent ces résultats, le test de Kelly permet de comprendre comment notre système de construits personnels se transforme avec l'âge, tant sur le plan du contenu que sur celui de la forme. Évidemment, on pourrait se livrer à d'autres comparaisons intéressantes : par exemple, on pourrait chercher à savoir quelles sont les différences entre les systèmes de construits énoncés par les hommes et par les femmes, ou encore entre ceux des gens appartenant à deux groupes ethniques ou culturels. Le test de Kelly nous permet d'explorer à la fois ce qu'il y a de singulier et ce qu'il y a de commun dans la façon dont divers individus ou divers groupes interprètent le monde.

stéréotypes sexuels indiquaient que les hommes tout autant que les femmes percevaient plus positivement les traits de personnalité associés au concept de masculinité que ceux qui sont associés au concept de féminité. Or, la recherche entreprise à l'aide du « Sex Rep Test » a révélé que les femmes pouvaient se percevoir comme féminines et avoir néanmoins des résultats très positifs au chapitre de l'estime de soi et de la santé. Autrement dit, l'image culturelle ou stéréotypée associée aux concepts de masculinité et de féminité peut être assez différente des significations personnelles associées à ces mêmes concepts (Baldwin *et al.,* 1986). Sur le plan de l'image culturelle — du stéréotype —, les traits de personnalité associés au concept de masculinité peuvent sembler plus positifs ou plus désirables tant pour les hommes que pour les femmes. Cependant, sur le plan personnel, la santé psychologique peut se traduire chez les hommes par le fait de se percevoir comme masculins et chez les femmes par le fait de se percevoir comme féminines, et cela sans que la masculinité soit perçue comme intrinsèquement supérieure à la féminité, ou vice-versa. Le test de Kelly permet de mettre en lumière ce type de significations personnelles.

La complexité cognitive

Nous l'avons dit, on peut décrire les gens selon le contenu de leurs construits, mais aussi selon la structure de leur système de construits. Là encore, les recherches ont confirmé l'utilité du test de Kelly et de ses variantes. L'étude que Bieri (1955) a consacrée à la complexité cognitive est l'une des premières recherches portant sur les aspects structurels du système de construits. Bieri a étudié le degré de différenciation de la hiérarchie d'un système de construits en l'inscrivant dans un continuum de **complexité-simplicité cognitive**. Un système de construits est très différencié (complexité cognitive) lorsqu'il comporte de multiples construits et qu'il permet à l'individu de faire un très grand nombre de distinctions dans la perception des phénomènes. Un système de construits peu différencié ne contient que quelques construits et ne permet d'effectuer que peu de distinctions dans la perception des phénomènes. Ainsi, la complexité cognitive permet à l'individu de percevoir chez les autres des caractéristiques très nombreuses et très variées, alors que l'individu qui ne dispose que d'un système de construits très simple voit les gens de manière indifférenciée, au point parfois de n'utiliser qu'un seul construit dans son interprétation d'autrui (bon-mauvais, par exemple). À l'aide d'un test de Kelly modifié, Bieri a sélectionné des individus dotés les uns d'un système complexe et les autres d'un système simple afin de comparer leur capacité à prévoir correctement le comportement d'autrui et à déterminer en quoi consistent les différences entre soi et les autres. Comme prévu, les résultats de cette étude révélèrent que, concernant le comportement d'autrui, les prévisions des individus disposant d'un système complexe étaient plus exactes que celles des individus ne disposant que d'un système simple. De plus, les premiers étaient également plus en mesure de déterminer les différences entre eux-mêmes et les autres. Ces résultats indiquent sans doute que, disposant d'un plus grand nombre de construits, les individus dotés d'un système complexe étaient capables de faire des prévisions plus exactes et de mieux reconnaître les différences.

Complexité/simplicité cognitive *(cognitive complexity-simplicity).* Dimension du fonctionnement cognitif d'une personne, qui se définit à un extrême par l'utilisation d'un très grand nombre de construits ayant entre eux de multiples relations (degré élevé de complexité cognitive) ou, à l'autre extrême, par l'utilisation d'un nombre très restreint de construits ayant peu de relations entre eux (faible degré de complexité cognitive).

Bieri est allé plus loin. Selon lui, la dimension complexité-simplicité cognitive représente une dimension de la personnalité, dimension qu'il définit comme une variable servant à traiter l'information : « La complexité cognitive peut se définir comme la capacité de donner une interprétation multidimensionnelle du comportement social » (Bieri *et al.,* 1966). Dans une étude portant sur le traitement de l'information, on a constaté que les individus qui présentent un degré élevé de complexité cognitive se démarquent des individus dotés d'un système simple par leur manière de gérer les informations ambiguës ayant trait à une personne : les premiers avaient tendance à essayer d'utiliser l'information ambiguë pour se former une impression, tandis que les seconds avaient tendance à se former une impression ferme de la personne et à rejeter toute information qui ne correspondait pas à cette impression (Mayo et Crockett, 1964). Des recherches menées par la suite ont

APPLICATIONS ACTUELLES

Complexité cognitive, leadership et crises internationales

Des études nombreuses et passionnantes indiquent que le style cognitif, et en particulier la dimension de la complexité cognitive, peut avoir un retentissement considérable en matière de leadership et de relations internationales. Ainsi, auriez-vous soupçonné que la complexité cognitive, qu'elle soit plus élevée ou plus faible, peut représenter un avantage pour un leader révolutionnaire ? Une étude portant sur la réussite ou l'échec des leaders de quatre révolutions (la révolution américaine, la révolution russe, la révolution chinoise et la révolution cubaine) indique qu'une faible complexité cognitive est associée au succès pendant la phase de la lutte révolutionnaire, tandis qu'une grande complexité cognitive est associée au succès pendant la phase de consolidation. On propose d'expliquer ainsi ce phénomène : adopter une approche résolue et catégorique constitue un atout durant la première phase d'une révolution, mais se rabattre sur une façon d'agir plus intégrée et plus souple devient nécessaire pendant sa deuxième phase. Une plus grande complexité cognitive serait également préférable afin d'exercer le leadership dans une grande entreprise. En effet, pour réussir, les dirigeants d'entreprise doivent pouvoir élaborer des plans à géométrie variable, tenir compte de divers types d'information dans la prise de décisions et établir des liens entre ces décisions.

Quels rapports y a-t-il entre la complexité cognitive et les relations internationales ? Les recherches suggèrent que les communications diplomatiques qui précèdent les crises internationales se caractérisent par une complexité cognitive moindre que les communications diplomatiques qui ne débouchent pas sur une guerre. Par exemple, les communications entre les États-Unis et l'URSS étaient beaucoup moins complexes avant le déclenchement de la guerre de Corée qu'avant le blocus de Berlin ou la crise des missiles cubains. De plus, des analyses d'échantillons de discours prononcés par des représentants d'Israël et des États arabes aux Nations Unies indiquent qu'ils se caractérisaient par un degré de complexité nettement moins élevé avant les guerres de 1948, 1956, 1967 et 1973 au Moyen-Orient. Pourrait-on effectuer des mesures permettant de prévoir les guerres et, éventuellement, de les éviter ? Pourrait-on considérer ces mesures comme fiables ou bien la duperie serait-elle trop facile ?

SOURCE : Suedfeld et Tedock, 1991.

également révélé que les individus dotés d'un système plus complexe étaient plus aptes à assumer le rôle d'autres personnes (Adams-Webber, 1979, 1982 ; Crockett, 1982). Par rapport aux cinq grandes dimensions de la personnalité décrites au chapitre 8, c'est à la cinquième, le goût des expériences nouvelles, que la complexité cognitive se trouve le plus étroitement liée (Tetlock, Peterson et Berry, 1993).

On peut donc utiliser le test de Kelly pour déterminer le contenu et la structure du système de construits d'un individu, ainsi que pour comparer les effets de différentes structures de construits. Ce test a l'avantage de découler d'une théorie et de permettre aux sujets de produire leurs propres construits plutôt que de les forcer à utiliser les dimensions fournies par l'examinateur. En somme, Kelly soutient que le système de construits de l'individu constitue la structure de sa personnalité. L'individu, affirme-t-il, est constitué de la somme des regards qu'il porte sur lui-même et sur autrui ; son test est un instrument destiné à établir la nature de ces constructions.

LES PROCESSUS

En ce qui a trait au comportement de l'être humain, la perspective de Kelly se démarque radicalement des théories traditionnelles de la motivation. Nous l'avons noté plus haut, la psychologie des construits personnels n'interprète pas le comportement en fonction des motivations ou des besoins; selon cette théorie, le terme de *motivation* est redondant. Il suppose en effet que l'être humain est inerte et qu'il a besoin de quelque chose pour s'animer. Or, si on suppose au contraire que les êtres humains sont fondamentalement actifs, la controverse sur ce qui pousse un organisme inerte à entrer en action perd toute pertinence, puisque «[...] l'organisme entre de plain-pied dans le monde psychologique, bien en vie et se battant déjà» (Kelly, 1955, p. 37). Kelly explique ainsi en quoi consiste la différence entre sa perspective et les autres théories de la motivation:

> Les théories motivationnelles peuvent se diviser en deux catégories: les théories du «pousser» et les théories du «tirer». Dans les théories du «pousser», on trouve des termes comme motivation, mobile ou même stimulus. Les théories du «tirer», elles, utilisent des construits comme but, valeur et besoin. Pour reprendre une métaphore bien connue, il y a d'un côté les théories du bâton; de l'autre, les théories de la carotte. Notre théorie diffère des unes et des autres. Comme nous préférons nous pencher sur la nature de l'animal lui-même, le mieux serait probablement d'en parler comme d'une théorie de l'âne.
>
> Kelly, 1958a, p. 50.

Anticiper les événements: prévoir l'avenir

Traditionnellement, on a utilisé le concept de motivation afin d'expliquer pourquoi les êtres humains sont actifs et pourquoi leur activité prend telle ou telle orientation. Puisque Kelly ne voyait pas en quoi le concept de motivation pouvait servir à rendre compte de l'activité d'une personne, comment expliquait-il l'orientation que prenait cette activité? Sa position s'énonce très simplement dans ce postulat fondamental: *les processus à l'œuvre chez l'individu sont canalisés psychologiquement par la façon dont il anticipe les événements.* Ce postulat, que Kelly propose sans le mettre en doute, indique que nous tentons de prévoir les événements, que nous les anticipons, que nous regardons l'avenir par la fenêtre du présent.

Lorsqu'il vit des événements, l'individu observe des similarités et des différences, et forme ainsi des construits. Puis, se basant sur ces construits, comme un vrai scientifique, il fait des prévisions à propos de l'avenir. Lorsque des événements de même nature se répètent encore et encore, l'individu modifie ses construits de manière à ce qu'ils lui permettent d'énoncer des prévisions plus exactes, puis il teste leur efficacité. Et qu'est-ce qui détermine l'orientation du comportement? Là encore, comme un vrai scientifique, l'individu choisit les comportements qu'il juge les plus prometteurs pour prévoir les événements. Comme le scientifique qui essaie d'améliorer sa théorie pour qu'elle mène à des prévisions plus justes, l'individu tente constamment d'améliorer l'efficacité de son système de construits. Par conséquent, il choisit l'option qu'il juge la plus prometteuse pour la mise en œuvre de son système de construits.

Lorsqu'il choisit un construit particulier, l'individu fait, d'une certaine manière, un «pari» en prévoyant que tel ou tel événement ou enchaînement d'événements se produira. S'il y a des incohérences dans le système de construits, les paris s'annulent plutôt que de s'additionner. Par contre, s'il est cohérent, le système mène à une prévision susceptible d'être testée. Si l'événement survient, la prévision se réalise et le construit est validé, du moins pour un certain temps. Si la prévision ne se réalise pas, le construit est invalidé. Dans ce cas-là, l'individu doit soit élaborer un nouveau construit, soit restreindre ou élargir l'ancien construit afin qu'il englobe la prévision de l'événement qui s'est produit.

Essentiellement, l'individu continue à faire des prévisions et à modifier son système de construits selon que les modifications précédentes mènent ou non à des prévisions exactes. Notons que l'individu ne cherche ni à aggraver la douleur ni à l'éviter, mais plutôt à valider ses construits et à parfaire son système de construits. Si une personne s'attend à ce qu'il se produise quelque chose de déplaisant et que cet événement survient, sa prévision se trouve validée même si l'événement se révèle négatif ou déplaisant. Cette personne pourrait même préférer vivre un événement douloureux confirmant la validité de son système de prévision plutôt qu'un événement neutre ou plaisant qui l'infirmerait (Pervin, 1964).

Selon Kelly, les gens ne cherchent pas à obtenir le type de certitude qu'offre, par exemple, le tic-tac répétitif d'une horloge ; au contraire, ils fuient habituellement l'ennui engendré par les événements répétitifs et le fatalisme qui résulte de l'inévitable. Ils cherchent plutôt à prévoir les événements et à élargir le champ d'application de leur système de construits en repoussant ses limites. Ce qui nous amène à faire une distinction entre les idées de Kelly et celles de Rogers. Selon Kelly, les individus ne cherchent ni la congruence pour la congruence, ni même la simple cohérence ; ils cherchent à prévoir les événements, ce qu'un système cohérent leur permet de faire.

L'anxiété, la peur et la menace

Jusqu'ici, le système de Kelly peut sembler raisonnablement simple et direct, mais les choses se compliquent quand on introduit les concepts d'anxiété, de peur et de menace. Pour Kelly, l'**anxiété** surgit lorsque l'individu constate que les événements auxquels il est amené à faire face se situent hors du champ d'application de son système de construits. Il devient anxieux lorsqu'il se retrouve sans construits, qu'il « a perdu sa prise structurelle sur les événements », que « ses construits sont mis en échec ». Les gens se protègent contre l'anxiété de diverses manières. Lorsqu'ils vivent des événements qu'ils n'arrivent pas à interpréter — qui se situent hors du champ d'application de leur système de construits —, ils peuvent soit élargir les construits pour les appliquer à une plus vaste gamme d'événements, soit restreindre leurs construits pour se concentrer sur les détails. Supposons par exemple qu'une femme qui utilise le construit *généreux-égoïste* et se considère comme une personne généreuse constate qu'elle est en train d'agir de manière égoïste. Comment interprétera-t-elle ce qui se passe ? Elle pourra soit élargir le construit « personne généreuse » de manière à y faire entrer ce comportement égoïste, soit — ce qui serait plus facile dans ce cas précis — ne plus l'appliquer qu'aux personnes importantes dans sa vie, de sorte qu'il viserait dorénavant moins de gens et d'événements.

Anxiété *(anxiety).*
Émotion suscitée par la perception de l'imminence d'une menace ou d'un danger ; dans la théorie des construits personnels de Kelly, celle-ci surgit lorsque l'individu prend conscience que les événements qu'il perçoit se situent hors du champ d'application de son système de construits.

Toujours selon Kelly, la **peur** diffère de l'anxiété en ce qu'elle survient lorsque l'individu prend conscience qu'un nouveau construit est sur le point de s'intégrer à son système de construits. Plus grave encore, il sera question de **menace** quand la personne a le sentiment qu'un changement dans la structure d'un construit central est imminent. L'individu se sent menacé quand son système de construits est sur le point d'être fortement ébranlé. Par exemple, il se sentira menacé par la mort s'il la perçoit comme imminente et si cela suppose un changement draconien dans ses construits centraux. La mort n'est pas menaçante lorsqu'elle ne semble pas imminente ou si l'individu ne l'interprète pas comme quelque chose qui modifiera fondamentalement le sens de sa vie.

Peur *(fear).*
Dans la théorie des construits personnels de Kelly, émotion qui survient lorsque l'individu prend conscience qu'un nouveau construit est sur le point d'être intégré à son système de construits.

Menace *(threat).*
Dans la théorie des construits personnels de Kelly, perception de l'individu qui prend conscience de l'imminence d'un changement majeur qui ébranlera son système de construits.

La menace, en particulier, a de multiples ramifications. Chaque fois qu'ils entreprennent une nouvelle activité, les gens s'exposent à éprouver de la confusion et à se sentir menacés. Il en est ainsi quand ils se rendent compte que leur système de

Changer de construits Les coopérants, comme ceux que nous voyons ici, doivent se préparer à élaborer de nouveaux construits alors qu'ils entrent en contact avec les valeurs, les attitudes et les comportements caractérisant les autres cultures.

construits est sur le point d'être radicalement bouleversé par ce qu'ils ont découvert. « C'est ce moment qu'on ressent comme menaçant, le moment de franchir le seuil entre la certitude et la confusion, entre l'ennui et l'anxiété. C'est à ce moment précis que la tentation de revenir en arrière est la plus grande » (Kelly, 1964, p. 141). La réponse à la menace peut être de renoncer à l'aventure, de régresser et de retourner aux anciens construits pour éviter la panique. La menace plane quand nous progressons dans la compréhension de l'être humain et quand nous sentons qu'un profond changement est sur le point de se produire en nous.

La menace, c'est-à-dire le sentiment qu'un changement dans la structure d'un construit central est sur le point de se produire, peut être liée à bien des expériences. Pensons par exemple à ce que vivent des étudiants en musique qui s'apprêtent à jouer devant le jury qui déterminera s'ils réussissent leur examen semestriel. Dans quelle mesure peuvent-ils s'attendre à se sentir menacés par la possibilité d'un échec ? Pourquoi certains d'entre eux devraient-ils ressentir une plus grande anxiété que d'autres ? S'appuyant sur Kelly, deux psychologues ont testé l'hypothèse suivante : les étudiants se sentiront menacés par la possibilité d'un échec devant le jury dans la mesure où cet échec suppose la réorganisation de la composante « construits sur soi » de leur système de construits. Pour vérifier cette hypothèse, au début du semestre les chercheurs ont administré à des étudiants en musique un « test de menace » constitué de quarante construits centraux (compétent-incompétent, productif-improductif, mauvais-bon, etc.) par rapport auxquels les étudiants ont évalué d'abord leur *soi,* puis leur *soi en cas de piètre performance devant le jury.* Un « indice de menace » a été attribué à chaque étudiant selon le nombre de construits centraux pour lesquels le *soi* et le *soi en cas de piètre performance devant le jury* recevaient des évaluations diamétralement opposées. On a mesuré l'anxiété des étudiants à l'aide d'un questionnaire administré en début de semestre, puis trois jours avant le début des prestations devant jury. Conformément à la théorie des construits personnels, les étudiants pour qui, de leur propre aveu, un échec devant jury entraînerait les changements les plus importants dans les construits sur soi furent aussi ceux qui se disaient les plus anxieux à la veille de leur prestation devant le jury (Tobacyk et Downs, 1986).

Malheureusement, les auteurs de l'étude ont utilisé le concept d'anxiété d'une manière qui n'est pas nécessairement conforme aux idées de Kelly. Et, plus regrettable encore, ils ne se sont pas penchés sur ce que suscitait chez les étudiants l'anticipation de la possibilité que leur performance devant jury soit très supérieure à celle qu'ils pouvaient escompter, compte tenu de leurs construits sur soi. Autrement dit, un changement majeur qui résulterait d'une prestation exceptionnelle et inattendue serait-il également perçu comme une menace ? La question est importante car, selon la théorie de Kelly, c'est le sentiment de l'imminence d'un changement majeur dans le système de construits qui devrait être menaçant, et non l'échec en soi.

Plus récemment, des psychologues de la théorie des construits personnels ont concentré leurs efforts de recherche sur les attitudes envers la mort, à la fois par rapport aux interprétations qu'elle inspire et à la menace qu'elle représente (Moore et Neimeyer, 1991 ; Neimeyer, 1994). Pour ce qui est des interprétations qu'inspire la mort, la recherche indique que les gens utilisent des construits comme *sens-absence de sens*, *positive-négative*, *acceptée-refusée*, *prévue-imprévue* et *définitive-vie après la mort*. Pour ce qui est de l'intensité de la menace associée à la mort, la recherche suppose qu'on puisse mesurer l'écart entre les construits sur soi de l'individu et ses construits sur la mort. En effet, selon la théorie des construits personnels, la menace est lourde de conséquences si la personne est incapable d'imaginer que la mort a un rapport avec soi. Le test de menace a révélé que les individus s'analysent et analysent leur propre mort en fonction de construits comme *en bonne santé-malade*, *fort-faible, prévisible-imprévisible* et *utile-inutile*. L'indice de menace d'un individu représente la différence entre ces deux séries d'évaluations. On suppose que si l'écart est grand, l'interprétation de construits de mort s'appliquant à soi indiquerait un changement radical dans le système de construits. Ainsi définie, l'influence de la menace de mort s'est révélée moindre : (1) pour les individus hospitalisés en soins palliatifs que pour les individus hospitalisés dans d'autres services ; (2) pour les individus en phase avec leurs émotions que pour ceux qui répriment leurs émotions ; et (3) pour les individus axés sur l'épanouissement et l'actualisation de soi que pour ceux qui ne le sont pas, ou qui le sont moins.

Les concepts d'anxiété, de peur et de menace revêtent une grande importance parce qu'ils ajoutent une nouvelle dimension aux idées de Kelly concernant le fonctionnement humain. On constate à présent que la dynamique de ce fonctionnement suppose qu'il existe une interaction entre le désir qui anime l'individu d'étendre son système de construits et sa volonté d'échapper à la menace d'un bouleversement de ce système. Les gens cherchent constamment à conserver et à améliorer leur système de prévision, mais devant l'anxiété et la menace il peut arriver que certains adhèrent de façon rigide à un système étriqué plutôt que de se risquer à élargir leur système de construits.

En bref

Partant du postulat que l'organisme est actif, Kelly s'abstient donc d'avancer des hypothèses sur les forces motivationnelles. Pour lui, les êtres humains se comportent comme des scientifiques : ils interprètent les événements, font des prévisions et cherchent à étendre leur système de construits. Parfois — et en cela aussi ils ressemblent aux scientifiques —, l'inconnu provoque chez eux une telle anxiété et le changement leur semble si menaçant qu'ils s'accrochent à des vérités absolues et deviennent dogmatiques. Par contre, quand ils procèdent en bons scientifiques, ils réussissent à adopter une disposition à l'accueil et à ouvrir leur système de construits à toute la diversité des événements que leur offre la vie.

LA CROISSANCE ET LE DÉVELOPPEMENT

Kelly n'a jamais été très explicite en ce qui concerne l'origine du système de construits. Il a constaté que les construits proviennent de l'observation d'événements ou d'enchaînements d'événements qui se répètent, mais il n'a pas expliqué pourquoi les divers événements mènent à des différences comme celles qu'on constate entre les systèmes de construits simples et les systèmes complexes. Il axe la croissance et le développement sur la mise en place des construits préverbaux dans la petite enfance et considère la culture comme un processus d'attentes apprises. Les gens appartiennent à un même groupe culturel parce qu'ils ont en commun certaines façons d'interpréter les événements et le même type d'attentes en ce qui concerne le comportement.

De manière générale, la recherche développementale associée à la théorie des construits personnels s'est intéressée à deux types de changements. Premièrement, on a voulu savoir pourquoi le système de construits se complexifie avec l'âge (Crockett, 1982 ; Hayden, 1982 ; Loevinger, 1993) ; deuxièmement, on a étudié les changements qualitatifs dans les construits et dans la capacité manifestée par les enfants de devenir plus empathiques, ou plus conscients des systèmes de construits d'autrui (Adams-Webber, 1982 ; Donahue, 1994 ; Morrison et Cometa, 1982 ; Sigel, 1981). Pour ce qui est de la complexité du système de construits, la recherche indique qu'au fur et à mesure qu'ils se développent, les enfants disposent d'un plus grand nombre de construits, qu'ils acquièrent la capacité de déceler des différences plus subtiles et que leurs construits présentent une organisation ou une intégration plus hiérarchisée. Pour ce qui est de l'empathie, la recherche indique qu'en se développant les enfants deviennent de plus en plus conscients que de nombreux événements ne sont pas liés au soi ; ils apprécient davantage les construits d'autrui (Sigel, 1981).

L'élaboration du système de construits Le fait d'être mis en contact avec des stimuli nombreux et variés facilite la mise en place du système de construits. Conscients de ce fait, certains parents tentent de créer des « superbébés ».

Deux études peuvent nous éclairer quant à ce qui détermine les structures cognitives complexes. L'une a révélé que le degré de complexité cognitive des participants était lié à la diversité des contextes culturels qu'ils avaient connus dans l'enfance (Sechrest et Jackson, 1961). L'autre étude indique que les enfants présentant un degré élevé de complexité cognitive avaient des parents plus enclins à leur accorder une certaine autonomie et moins portés à l'autoritarisme que les enfants qui présentaient un faible degré de complexité cognitive (Cross, 1966). Le fait de pouvoir observer un plus grand nombre d'événements différents et de connaître des expériences plus variées favorise sans doute le développement d'une structure complexe. On peut aussi s'attendre à ce que les enfants soumis à des menaces lourdes et persistantes de la part de parents autoritaires élaborent un système de construits rigide et étriqué.

La question des facteurs qui déterminent le contenu des construits et la complexité du système de construits est d'une importance capitale. Cela est particulièrement vrai dans le domaine de l'éducation, puisque celle-ci vise en bonne partie à mettre en place un système de construits complexe, souple et adaptatif. Malheureusement, Kelly lui-même ne s'est pas beaucoup avancé sur ce terrain et les chercheurs ne font que commencer à explorer cette partie de la théorie.

Résumé

1. La théorie des construits personnels de George Kelly est axée sur la façon dont l'individu interprète les événements.
2. Kelly voyait dans l'être humain un scientifique, c'est-à-dire un observateur qui élabore des concepts, ou construits, afin d'organiser les phénomènes et qui utilise ces construits pour faire des prévisions.
3. Dans le constructivisme de Kelly, la vérité absolue n'existe pas. Les gens choisissent certains construits parmi d'autres qui seraient possibles et ils gardent toujours la liberté de réinterpréter les événements.
4. Selon Kelly, toute théorie comporte un champ d'application, qui délimite les événements ou les phénomènes auxquels s'appliquent les construits ou le système de construits, et des domaines d'application, qui indiquent quels sont les événements ou les phénomènes pour lesquels la théorie a le plus de pertinence.
5. Pour Kelly, la personnalité de l'individu correspond à son système de construits personnels, c'est-à-dire aux types de construits qu'il a formés et à leur organisation. Les construits s'échafaudent par l'observation de similitudes entre divers événements. Les construits centraux constituent les fondements du système, auxquels se greffent des construits périphériques de moindre importance.
6. Kelly a mis au point le répertoire des construits de rôles (aussi appelé test de Kelly, ou « Rep test ») ; ce test est destiné à évaluer le contenu et la structure du système de construits d'un individu. Le test de Kelly a permis d'étudier le degré de complexité cognitive dont dispose un individu, c'est-à-dire le degré de différenciation de son système de construits.

7. Kelly ne croyait pas à la nécessité de recourir au concept de motivation. Il postulait que les êtres humains sont actifs, qu'ils anticipent les événements et qu'ils modifient leur système des construits pour améliorer son efficacité à effectuer des prévisions.

8. Selon Kelly, les gens éprouvent de l'anxiété lorsqu'ils vivent des événements qui se situent hors du champ d'application de leur système de construits. Ils ont peur lorsqu'ils constatent qu'un nouveau construit est sur le point d'être intégré à leur système — l'imminence d'un changement majeur susceptible d'ébranler ce dernier est pour eux une menace.

9. Certains construits s'acquièrent avant le développement du langage (construits préverbaux), mais la plupart des construits peuvent se traduire en mots. Lorsqu'il s'échafaude normalement, le système de construits devient de plus en plus complexe, c'est-à-dire à la fois plus différencié et plus intégré. Cependant, si l'individu se sent menacé dès qu'il tente d'interpréter la vie différemment, son système de construits peut rester simple, rigide et étriqué.

Chapitre 12

L'approche cognitive de la personnalité :

La théorie de Kelly, applications et évaluation

Les applications cliniques

La psychopathologie

Le changement

Les conceptions connexes et l'évolution de la théorie

L'évaluation critique

Les avantages et les limites

L'approche cognitive de la personnalité et les autres théories

Kelly et Freud

Kelly et Rogers

Kelly et la théorie des traits de personnalité

Kelly et la théorie de l'apprentissage

Quelques construits liés à la théorie de la personnalité

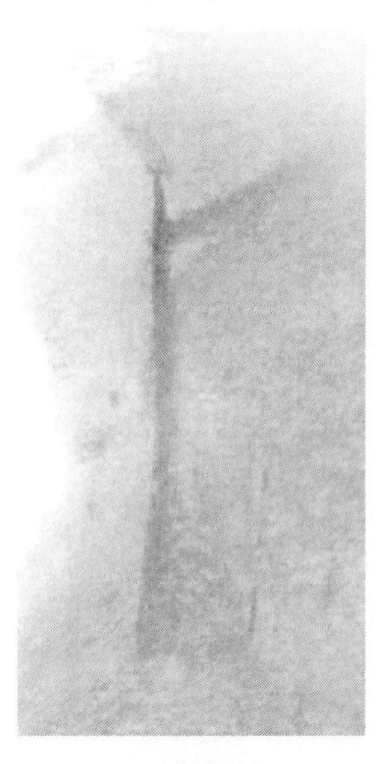

Les bons acteurs mettent beaucoup de temps et d'énergie à « entrer » dans un rôle. Ils doivent réfléchir à leur personnage jusqu'à ce qu'ils le comprennent assez bien pour « entrer dans sa peau » et voir le monde à travers ses yeux. Les acteurs doivent apprendre à utiliser le système de construits des personnages qu'ils incarnent, dirait sans doute Kelly, dont l'approche thérapeutique, appelée thérapie d'assignation de rôle, s'appuie justement sur cette idée. Dans la thérapie d'assignation de rôle, on demande au client d'agir comme s'il était quelqu'un d'autre, c'est-à-dire une personne dont le système de construits s'oppose aux aspects dysfonctionnels du sien.

Dans ce chapitre, nous allons nous pencher sur les applications cliniques de la théorie des construits personnels. Pour Kelly, une théorie de la personnalité n'était valable que dans la mesure où elle proposait des moyens d'aider les gens. Non seulement Kelly s'intéressait-il de très près à la psychothérapie, mais il y voyait l'un des principaux « champs d'application » de la théorie des construits personnels.

Le chapitre... *en questions*

1. Comment explique-t-on les perturbations du fonctionnement psychologique en se plaçant dans la perspective cognitive des construits personnels ?
2. Compte tenu de la théorie de la personnalité qu'il a élaborée, à quel type d'approche thérapeutique pouvait-on s'attendre de la part de Kelly ?
3. L'importance qu'accorde Kelly aux construits donne-t-elle à penser qu'il existe des façons de comparer les diverses théories de la personnalité ?

Les applications cliniques

LA PSYCHOPATHOLOGIE

Selon Kelly, les troubles mentaux représentent des façons inadaptées de répondre à l'anxiété. Comme dans les théories de Freud et de Rogers, les concepts d'anxiété, de peur et de menace jouent un rôle majeur dans la théorie de Kelly portant sur les troubles mentaux. Cependant, il ne faut pas perdre de vue que, si Kelly a retenu ces concepts, il les a redéfinis en fonction de la théorie des construits personnels.

Pour Kelly, les troubles mentaux découlent d'un dysfonctionnement du système de construits. Seul un scientifique médiocre retiendrait une théorie et continuerait à l'utiliser pour effectuer des prévisions, alors que ses résultats de recherche contredisent ces prévisions à répétition. De même, le comportement anormal suppose que l'on déploie des efforts pour maintenir l'intégrité du contenu et de la structure d'un système de construits qui mène de manière répétée à des prévisions erronées ou invalidées. Cette adhésion rigide à un système de construits s'explique par l'anxiété, la peur et le sentiment d'être menacé. Selon Kelly, on peut interpréter le comportement humain comme une tentative pour échapper à l'anxiété fondamentale. Pour lui, les troubles psychologiques sont liés à l'anxiété et aux efforts infructueux visant à rétablir l'impression qu'il est possible de prévoir les événements.

> En un sens, tous les troubles de la communication sont liés à l'anxiété. La personne « névrosée » cherche frénétiquement de nouvelles façons d'interpréter les événements de son monde. Qu'elle essaie de comprendre les « petits » ou les « grands » événements, elle est toujours en train de lutter contre l'anxiété. La personne « psychotique », elle, semble avoir trouvé temporairement une solution à son anxiété. Cependant, au mieux, il s'agit d'une solution précaire qu'il faut continuer à mettre en œuvre malgré l'existence de preuves qui l'invalideraient aux yeux de la plupart d'entre nous.
>
> Kelly, 1955, p. 895-896.

Les dysfonctionnements du système de construits

Peut-on définir certains des efforts pathologiques que font les gens pour conserver leur système de construits ? Selon les spécialistes des construits personnels, ces efforts se caractérisent par des dysfonctionnements qu'on observe : (1) dans l'application des construits à de nouveaux événements ; (2) dans l'utilisation des construits pour faire des prévisions ; et (3) dans l'organisation générale du système de construits. Voyons comment on peut illustrer chacun de ces cas.

La perméabilité et l'imperméabilité excessives des construits représentent des exemples d'application pathologique. Le **construit** trop **perméable** s'ouvre à pratiquement tout nouvel élément de contenu ; tandis que le **construit** complètement **imperméable** ne laisse entrer aucun élément nouveau. La perméabilité excessive peut amener l'individu à n'utiliser que quelques rares construits extrêmement vastes ; il aura du mal à discerner les différences, même importantes, entre les gens et entre les événements. Comme c'est le cas pour les stéréotypes, trop d'éléments se trouvent réunis dans le même construit. D'autre part, il arrive que l'imperméabilité excessive pousse l'individu à envisager les nouvelles expériences comme si chacune d'entre elles était totalement distincte des autres, et donc à rejeter les événements impossibles à catégoriser. Ce mode de fonctionnement se retrouve chez les gens qu'on dit très compulsifs.

Construit perméable *(permeable construct).* Dans la théorie des construits personnels de Kelly, construit qui peut englober de nouveaux éléments.

Construit imperméable *(impermeable construct).* Dans la théorie des construits personnels de Kelly, construit qui ne peut pas englober de nouveaux éléments.

Resserrement *(tightening).* Dans la théorie des construits personnels de Kelly, utilisation du même construit pour effectuer diverses prévisions.

Flou *(loosening).* Dans la théorie des construits personnels de Kelly, utilisation de construits pour effectuer les mêmes prévisions sans égard aux circonstances.

Le **resserrement** et le **flou** excessifs des construits représentent des exemples d'utilisation pathologique des construits en vue d'effectuer des prévisions. Lorsqu'il y a resserrement excessif, la personne fait le même genre de prévisions en toutes circonstances ; lorsqu'il y a flou excessif, la personne se livre aux prévisions les plus diverses à partir du même construit. Dans un cas comme dans l'autre, les prévisions ne sont jamais très exactes puisque la personne ignore quelles circonstances pourraient exiger qu'on effectue des changements dans le système de construits, soit en prévoyant toujours les mêmes choses, soit en faisant des prévisions aléatoires et chaotiques. Le resserrement peut s'observer chez la personne compulsive qui s'attend à ce que sa vie reste toujours semblable, même si les circonstances changent. Le relâchement peut s'observer chez la personne psychotique dont le système de construits est trop chaotique pour lui permettre de communiquer avec autrui. « Ils [les schizophrènes] ne sont jamais à court de construits. Mais quels construits ! » (Kelly, 1955, p. 497).

Les spécialistes des construits personnels ont cherché à savoir jusqu'à quel point les schizophrènes interprètent les autres d'une manière instable et floue. Ainsi, dans une étude, les chercheurs ont demandé à des participants d'évaluer huit photographies selon six caractéristiques : gentil, stupide, égoïste, sincère, mesquin et honnête. Puis, on leur a demandé de recommencer leurs évaluations sans faire appel aux souvenirs qu'ils avaient de leur évaluation précédente. Deux questions intéressaient plus particulièrement les chercheurs. Premièrement, dans quelle mesure les participants verraient-ils des liens entre ces six caractéristiques (concepts) ? Pour le savoir, on a utilisé un indice d'intensité qui mesurait jusqu'à quel point les huit évaluations d'un participant étaient liées les unes aux autres : les participants qui traitaient ces six caractéristiques comme si elles avaient peu ou pas de liens entre elles avaient un indice faible. Deuxièmement, les évaluations de la première série seraient-elles reprises dans la deuxième ? Comme les photographies restaient les mêmes et que les participants n'étaient soumis à aucune autre expérience entre les deux séries d'évaluations, cette corrélation mesurait essentiellement la fiabilité d'un test répété, c'est-à-dire la constance (*consistency*) d'une série à l'autre des évaluations d'un participant. Ici, on a utilisé un indice de constance, qui montre, lorsqu'il est faible, que le participant a appliqué les concepts de manière très différente dans les deux séries d'évaluations.

Les chercheurs ont soumis à ces tests plusieurs groupes de patients ainsi qu'un groupe d'individus en bonne santé, puis ils ont calculé les indices moyens d'intensité et de constance de chaque groupe. Ils ont ainsi pu vérifier leur hypothèse de départ, à savoir que les indices d'intensité et de constance des schizophrènes seraient particulièrement faibles, ce qui dénoterait l'instabilité et le flou de leurs construits. En effet, les indices d'intensité et de constance du groupe de schizophrènes à la pensée désorganisée étaient sensiblement plus faibles que ceux des autres groupes de patients et que ceux du groupe d'individus en bonne santé (Bannister et Fransella, 1966). En somme, les schizophrènes se distinguaient tant par les types de construits qu'ils formaient que par la façon dont ils les utilisaient.

Constriction *(constriction).*
Dans la théorie des construits personnels de Kelly, rétrécissement du système de construits afin de réduire les incompatibilités.

Dilatation *(dilation).*
Dans la théorie des construits personnels de Kelly, élargissement du système de construits ainsi rendu plus complet.

La constriction et la dilatation constituent des efforts désordonnés pour maintenir l'organisation générale du système de construits. Lorsqu'il y a **constriction,** l'individu rétrécit les domaines et les champs d'application de son système de construits afin de réduire le nombre d'incompatibilités qui pourraient s'y trouver. La constriction se voit surtout chez les gens déprimés dont les intérêts deviennent de plus en plus limités, comme si leur attention se concentrait sur une zone de plus en plus restreinte. Lorsqu'il y a **dilatation,** l'individu tente au contraire d'élargir et de réorganiser son système de construits pour le rendre plus complet. On observe une extrême dilatation chez l'individu maniaque qui passe du coq à l'âne et s'adonne à de grandes généralisations à partir d'un rien, comme si tout pouvait dorénavant s'intégrer à son système de construits.

Notons que tous ces exemples se rapportent aux aspects structurels du système de construits, et non au contenu des construits. Probablement parce que, dans la théorie des construits personnels, on s'intéresse beaucoup à la diversité des interprétations de la réalité, on a effectué relativement peu de recherches quant aux contenus potentiellement problématiques des construits (Winter, 1992). Cependant, selon certains théoriciens des construits personnels, même s'il est possible d'envisager d'autres élaborations, le contenu spécifique des construits peut se révéler problématique pour l'individu. C'est ainsi que la personne disposant de construits abstraits trop peu nombreux pourra avoir de la difficulté à percevoir les relations entre des événements et que celle dont les construits émotionnels ou interpersonnels présentent des lacunes ne parviendra peut-être pas à percevoir les différences entre diverses relations humaines ou diverses expériences émotionnelles.

En résumé, selon Kelly, les troubles mentaux traduisent les efforts de l'individu pour se protéger contre l'anxiété (la conscience que son système de construits ne s'applique pas à certains événements) et contre la menace (la conscience d'un changement majeur imminent dans son système de construits) en recourant à des mécanismes de défense. Cette conception n'est pas très éloignée des vues freudiennes concernant l'anxiété et les mécanismes de défense. Selon Kelly d'ailleurs, l'individu qui ressent de l'anxiété pourrait soustraire certains de ses construits à la verbalisation, par exemple en submergeant un des pôles d'un construit ou en faisant abstraction des éléments qui s'intègrent mal à ce construit ; il s'agit là d'une réponse à l'anxiété qui se rapproche beaucoup du concept freudien de répression.

Le suicide et l'hostilité

Les mécanismes de défense inadéquats que la personne met en place afin d'éviter de ressentir de l'anxiété et d'échapper à la menace d'un changement dans le système de construits illustrent les efforts déployés par Kelly pour rendre compte du comportement pathologique à l'aide de la théorie des construits personnels. On peut en dire autant de son explication du suicide.

Selon la perspective psychanalytique, tout suicide représente un homicide potentiel : à cause de l'anxiété ou de la culpabilité ressentie par l'individu, l'hostilité, qui autrement serait dirigée contre autrui, est retournée contre le soi. La psychologie des construits personnels ne reprend pas cette explication. Selon Kelly (1961), il faudrait plutôt considérer le suicide comme un acte destiné à valider sa propre existence ou encore un acte d'abandon. Dans ce cas-là, le suicide résulte soit d'une attitude fataliste (la suite des événements semble si prévisible qu'il est inutile d'attendre qu'elle se produise) ou d'une anxiété paroxystique (tout semble si imprévisible que la seule possibilité qui soit claire et nette consiste à quitter définitivement la scène). On l'a dit, il faut souvent choisir entre une certitude immédiate et la possibilité d'aboutir à une compréhension plus large. Dans le cas du suicide, l'individu choisit la certitude immédiate ; c'est la constriction ultime. « À l'homme aux perspectives étriquées dont l'univers commence à s'effondrer la mort peut apparaître comme la seule certitude immédiate à sa portée » (Kelly, 1955, p. 64).

Si Kelly ne s'est pas attardé au concept d'hostilité dans son explication du suicide, il en a reconnu l'importance dans le fonctionnement humain. Ici encore, le concept est redéfini en fonction de la théorie des construits personnels. Kelly fait une distinction importante entre l'agressivité et l'hostilité, distinction souvent absente dans d'autres théories. Selon Kelly, l'**agressivité** représente une forme d'expansion du système de construits de la personne, expansion qui ne s'immisce pas dans le fonctionnement d'autrui. On parle d'**hostilité**, par contre, quand l'individu essaie d'obtenir des autres qu'ils se comportent de telle ou telle manière. Par exemple, intimider quelqu'un pour qu'il adopte un comportement de soumission constitue un acte d'hostilité. Selon ce point de vue, la personne hostile n'a pas l'intention de faire du tort à l'autre et il ne faut voir dans le fait qu'elle blesse une ou plusieurs personnes en essayant de les forcer à se comporter de telle ou telle manière que la conséquence accidentelle de ses efforts pour protéger son système de construits. Le contraire de l'hostilité est la curiosité et le respect de la liberté d'autrui.

Agressivité *(agression).*
Dans la théorie des construits personnels de Kelly, expansion active du système de construits de l'individu.

Hostilité *(hostility).*
Dans la théorie des construits personnels de Kelly, tentative à laquelle se livre l'individu pour obtenir d'autrui qu'il se comporte de telle ou telle manière, et ce afin de valider son propre système de construits.

En bref

Pour résumer les idées de Kelly en matière de troubles mentaux, revenons à l'analogie du scientifique proposée au début de cet ouvrage. Le scientifique tente de prévoir les événements à l'aide de théories. S'il a peur de s'aventurer dans l'inconnu, s'il craint de vérifier ses hypothèses et de faire des paris, s'il s'accroche à ses théories et refuse de les modifier alors qu'elles sont invalidées par les données, si ses théories ne parviennent à expliquer que des faits dénués d'importance ou s'il prétend qu'elles expliquent des choses qui, en fait, sortent de leur champ d'application, le scientifique fait preuve d'incompétence. Lorsque l'individu agit ainsi, on dit qu'il est malade. Lorsque les gens savent doser flou et resserrement, on dit qu'ils sont créatifs et on récompense leurs efforts. Lorsque les gens sont trop flous ou trop « rigides », on dit qu'ils sont malades et on songe à les hospitaliser. Tout dépend de leurs construits… et de la façon dont les autres les interprètent.

LE CHANGEMENT

Selon Kelly, le processus de changement positif est lié à l'acquisition d'un meilleur système de construits. Puisque la personne souffrant de troubles mentaux utilise ses construits d'une façon qui l'amène constamment à des prévisions erronées ou invalidées, la psychothérapie consistera à aider les clients à améliorer leurs prévisions, et donc à devenir de meilleurs scientifiques. La psychothérapie constitue un processus de réinterprétation du monde, c'est-à-dire de reconfiguration du système de construits. Il faut remplacer certains construits et en ajouter de nouveaux; resserrer certains construits et en relâcher d'autres; rendre certains d'entre eux plus perméables et d'autres moins perméables. Quel que soit le déroulement du processus, *la psychothérapie est une reconstruction psychologique de la vie.*

Les conditions favorisant le changement

Selon la théorie de Kelly, trois conditions favorisent la formation de nouveaux construits.

Premièrement, et c'est peut-être là le plus important, il doit y avoir un climat d'expérimentation. Cela signifie qu'en thérapie, par exemple, tout n'est pas joué « une fois pour toutes »; dans la vraie tradition scientifique, on s'efforce plutôt d'« essayer » les construits (Kelly, 1955, p. 163). Le client doit se montrer disponible et accepter le langage de l'hypothèse. La psychothérapie est une forme d'expérimentation : on échafaude des construits (hypothèses), on les soumet à des expériences et on les révise en fonction des données empiriques. Le thérapeute aide le client à devenir un meilleur scientifique en faisant preuve de réceptivité et d'ouverture, en lui donnant les outils nécessaires à l'expérimentation et en l'encourageant à formuler des hypothèses.

La deuxième condition clé du changement est l'apport d'éléments nouveaux, qui ne sont pas vraiment rattachés aux vieux construits. La pièce où se déroule la thérapie est un « environnement protégé » où le client peut admettre de nouveaux éléments et y faire face. Le thérapeute lui-même représente un élément nouveau; le client peut commencer à élaborer de nouveaux construits se rapportant à lui. C'est alors que la question du *transfert* surgit et que le thérapeute doit se demander : « Quel rôle le client m'attribue-t-il en ce moment ? » Le client peut essayer de transférer un des construits de son vieux répertoire aux rapports qu'il instaure avec son thérapeute. Il peut le considérer comme un de ses parents, comme quelqu'un qui lui donnera l'absolution et le soulagera de sa culpabilité, ou encore comme un symbole d'autorité, une figure prestigieuse ou un faire-valoir. Quel que soit le contenu du transfert, le thérapeute doit s'efforcer d'y apporter des éléments nouveaux dans un climat d'imagination et d'expérimentation.

La troisième condition du changement est que le thérapeute propose au client des données de validation. Le fait de connaître les résultats, nous dit-on, facilite l'apprentissage. On sait aussi que, dans un climat propice et compte tenu de la perméabilité du système de construits, le fait d'infirmer une hypothèse peut engendrer le changement (Bieri, 1953; Poch, 1952). Le thérapeute fournit des éléments nouveaux au client lorsque celui-ci se trouve dans une situation où il tente d'utiliser d'abord ses vieux construits. La tâche du thérapeute est de faire part de ses perceptions et de ses réactions personnelles au client, lequel pourra alors s'en servir pour confirmer ou infirmer ses propres hypothèses: « En fournissant au client des données de validation sous forme de réponses à ses interprétations de toute nature, dont certaines sont très floues, fantaisistes ou grossières, le clinicien lui donne autant d'occasions de valider ses construits, occasions qu'habituellement il n'a pas » (Kelly, 1955, p. 165).

La thérapie d'assignation de rôle

Nous savons qu'il y a des différences entre les individus quant à la résistance au changement et que la rigidité dénote l'existence de troubles mentaux (Pervin, 1960a). Cependant, lorsqu'ils sont dans une atmosphère d'expérimentation, qu'ils disposent de nouveaux éléments et qu'on leur fournit des données de validation, les gens changent. Inversement, la menace, la trop grande importance accordée à la biographie de l'individu et l'absence d'un « laboratoire » où l'expérimentation serait possible représentent des conditions défavorables au changement. C'est évidemment dans des conditions favorables au changement que Kelly a mis au point sa propre technique: la **thérapie d'assignation de rôle.**

Thérapie d'assignation de rôle *(fixed-role therapy).* Technique thérapeutique mise au point par Kelly; celle-ci consiste à proposer au client d'endosser le rôle d'un personnage donné, ce qui lui donne l'occasion d'essayer de se comporter et de se percevoir différemment.

La thérapie d'assignation de rôle se fonde sur le postulat que, sur le plan psychologique, (1) *la façon dont les gens se conçoivent* et (2) *la façon dont ils se comportent* représentent ce qu'ils sont. La thérapie d'assignation de rôle incite le client à *adopter de nouvelles façons de se concevoir, de nouvelles manières de se comporter* et de nouveaux construits sur soi, afin de devenir des personnes nouvelles. Ce processus a pour but de rétablir un esprit d'exploration; il vise à amener le client à faire de la construction de sa vie une œuvre de création. Kelly se méfiait de la notion rogérienne d'« être soi-même » (voir les chapitres 5 et 6); comment pourrait-on être quelqu'un d'autre que soi-même ? Pour lui, rester ce qu'on est ne présente pas d'intérêt et indique un certain manque d'audace. À son avis, les gens doivent plutôt laisser libre cours à leur imagination, se permettre de jouer et se construire ainsi.

Dans la thérapie d'assignation de rôle, on propose au client une toute nouvelle personnalité, qu'on lui demande d'incarner comme s'il s'agissait d'un personnage. À partir de ce qu'ils comprennent du client, des psychologues se réunissent pour ébaucher la description d'une personne nouvelle. La tâche du client consiste à se comporter comme s'il était cette nouvelle personne. La description du personnage que doit jouer le client l'oblige à endosser une personnalité différente de la sienne, dont bien des caractéristiques tranchent radicalement avec son propre fonctionnement. S'appuyant sur la théorie des construits, Kelly a émis l'hypothèse qu'il pouvait être plus facile pour les gens de jouer des rôles qui seraient à l'opposé, croyaient-ils, de leur manière habituelle de se comporter que de se comporter juste un peu différemment de ce qu'ils avaient fait jusque-là. Le personnage proposé doit être conçu de manière à mettre en branle des processus qui auront des effets sur tout le système de construits. La thérapie d'assignation de rôle ne vise pas à effectuer des améliorations mineures, mais bien à mettre en œuvre une reconstruction de la personnalité. Elle propose au client d'adopter un nouveau rôle, une nouvelle personnalité qui lui permette de tester de nouvelles hypothèses, d'essayer de nouvelles interprétations des événements, cela se passant dans la plus totale sécurité puisque tout est imaginaire.

Comment une thérapie d'assignation de rôle se déroule-t-elle ? Une fois la nouvelle personnalité ébauchée, on la propose au client. On lui demande ensuite s'il aimerait connaître une telle personne et s'il se sentirait à l'aise avec elle ; on s'assure ainsi que cette nouvelle personnalité ne sera pas trop menaçante pour lui. Dans la phase suivante, le thérapeute invite le client à se comporter comme s'il était cette personne, à oublier qui il est pour devenir cette personne pendant environ deux semaines. Si la nouvelle personne s'appelle André Durand, le thérapeute déclare au client : « Pendant deux semaines, essayez d'oublier qui vous êtes et qui vous avez été. Vous êtes André Durand. Vous agissez comme lui. Vous pensez comme lui. Vous parlez à vos amis comme vous pensez qu'il leur parlerait. Vous faites ce que vous pensez qu'il ferait. Vous vous intéressez aux mêmes sujets que lui et vous aimez ce qu'il aimerait. » Le client pourra résister ; il aura peut-être même l'impression de jouer la comédie ou d'être hypocrite. Le thérapeute accepte ces réactions en faisant preuve de compréhension, mais il encourage le client à essayer tout de même de jouer ce rôle pour voir quels seront les effets de ce changement. On ne dit pas au client qu'il devrait devenir éventuellement le personnage qu'on lui demande de jouer ; on lui demande simplement d'endosser cette personnalité pendant quelque temps, de renoncer provisoirement à être soi pour pouvoir se découvrir.

Dans les semaines qui suivent, le client mange, dort et vit dans la peau de son personnage. Il rencontre périodiquement le thérapeute pour discuter des problèmes que lui pose l'interprétation de son rôle. Lors des séances de thérapie, on pourra faire quelques répétitions pour donner au thérapeute comme au client l'occasion d'examiner le fonctionnement du nouveau système de construits. Le thérapeute doit se montrer disponible et se préparer à incarner divers personnages. Il doit à tout moment « jouer en soutenant du mieux qu'il peut un acteur — le client — qui rate continuellement ses répliques et qui contamine son rôle » (Kelly, 1955, p. 399).

La thérapie d'assignation de rôle
Dans la thérapie d'assignation de rôle de Kelly, on invite le client à essayer de nouvelles manières de se comporter et de se concevoir. (Illustration de Lippman. © 1972, *The New Yorker Magazine*, Inc., reproduction autorisée.)

La thérapie d'assignation de rôle ne constitue pas la seule technique thérapeutique décrite ou utilisée par Kelly (Bieri, 1986), mais c'est la plus étroitement associée à la théorie des construits personnels et elle illustre certains des principes du changement qui caractérisent cette théorie. Le changement en thérapie vise à reconstruire le soi. Le client abandonne certains construits, en crée de nouveaux, en resserre certains et en relâche d'autres; il acquiert ainsi un système de construits qui mène à des prévisions plus exactes. Le thérapeute encourage le client à « faire comme si », à tenter des expériences, à énoncer clairement diverses possibilités et à réinterpréter le passé à la lumière de ses nouveaux construits. Le processus thérapeutique est complexe. On doit traiter chaque client différemment et surmonter la résistance de celui-ci au changement. Cependant, dirigé par un bon metteur en scène, l'apprenti comédien qui joue son drame humain s'améliore, comme le scientifique devient plus créatif lorsqu'il est dirigé par un bon professeur.

Les résultats de recherche

En psychothérapie, les recherches ont porté principalement sur divers facteurs, liés au système de construits et à la relation thérapeutique, qui influent sur le changement. Comme on pouvait s'y attendre, les résultats de recherche indiquent qu'il est beaucoup plus difficile de changer les construits englobants que les construits englobés, vraisemblablement parce que la possibilité d'un bouleversement du système de construits évoque une menace d'une importance bien plus grande. L'émergence de nouveaux éléments constitue un facteur décisif dans le processus de déconstruction des construits. Ainsi, Landfield (1971) constate qu'il doit exister un certain degré de similarité entre les systèmes de construits du thérapeute et du client pour faciliter la communication, mais que le changement se trouve facilité s'il existe un certain degré de différences structurelles. La psychothérapie suppose que la relation thérapeute-client favorise la nouvelle élaboration du système de construits du client.

Les thérapeutes qui recourent à la théorie des construits personnels ont exploré l'utilité potentielle de la théorie de Kelly de diverses manières et dans divers contextes (Epting, 1984). Dans certains cas, ces tentatives supposaient que d'importants changements soient apportés à la technique proposée par Kelly. Il est arrivé une fois qu'on utilise l'imagerie mentale pour aider les clients à se souvenir d'événements du passé et à les réinterpréter (Morrison et Cometa, 1982). Ainsi, grâce à des techniques d'imagerie mentale, une patiente qui n'avait que des souvenirs négatifs de son père est parvenue à se rappeler et à revivre en imagination des scènes où son père avait agi d'une manière positive, ce qui a permis à la cliente d'ajouter de nouveaux construits à son système et de donner une plus grande perméabilité aux construits existants. Pourtant, malgré ces efforts et d'autres similaires, une bonne partie de la théorie de Kelly reste inexplorée.

La thérapie des construits et les autres approches thérapeutiques

Comme la théorie des construits personnels, la thérapie qui en découle présente des similarités avec d'autres approches, alors qu'elle s'en distingue par d'autres aspects (Winter, 1992). En ce qui concerne la psychanalyse, Kelly respectait Freud en tant que clinicien et acceptait — parfois en les révisant — certains concepts psychanalytiques comme l'inconscient, l'anxiété et les mécanismes de défense, le transfert et la résistance au changement. Par contre, Kelly rejetait la théorie psychanalytique et la place si importante qu'elle accorde à la conscience en tant que découverte de la vérité ou de la réalité. Kelly concevait la thérapie beaucoup plus comme un processus de construction et de reconstruction que comme la mise au jour d'une prétendue réalité ou vérité inconsciente.

L'approche thérapeutique de Kelly peut aussi s'apparenter à l'approche phénoménologique (Rogers) de même qu'aux notions humanistes-existentielles de sens, d'expérience, d'autoactualisation et de vision holistique de la personne. Par ailleurs, comparativement à Rogers, Kelly estimait que le thérapeute devait participer de manière beaucoup plus active au processus thérapeutique et, dans les jeux de rôles par exemple, il accordait beaucoup moins d'importance à l'authenticité du thérapeute. Kelly compare son approche à celle de Rogers de la manière suivante : « Le client ne vient pas voir le thérapeute pour le regarder être "sincère" pendant une heure, mais pour obtenir de l'aide » (Kelly, 1955, p. 1153).

Quant aux approches de l'apprentissage, Kelly n'en est pas trop éloigné lorsqu'il insiste sur l'expérience et sur la nécessité pour le client de tester de nouveaux construits en tentant de se comporter différemment. Cependant, il soutient également que « ne voir que les comportements, c'est perdre l'homme de vue » (Kelly, 1969, p. 137). Par ailleurs, les thérapeutes qui s'appuient sur la théorie des construits personnels relèvent chez les béhavioristes une certaine propension à imposer aux clients leurs propres interprétations.

Enfin, la thérapie des construits personnels s'apparente aux thérapies cognitives dont nous traiterons aux chapitres suivants puisqu'elle s'intéresse tout particulièrement aux problèmes associés à la cognition et au système de construits. Cependant, elle accorde une plus grande importance à l'émotion et insiste moins sur les idées et les représentations irréalistes. En somme, les thérapeutes des construits personnels proposent à leurs clients de revoir leur système de construits ; en intervenant activement, ils mettent en œuvre un processus visant à aider les clients à agir, à sentir et à penser autrement tout en explorant de nouvelles façons de se construire et de bâtir leur vie (tableau 12.1).

Tableau 12.1 Thérapie des construits personnels et autres approches thérapeutiques

Approche psychothérapeutique	Similarités	Différences
Approche psychanalytique	Inconscient (construits submergés), anxiété et mécanismes de défense, transfert	Constructivisme ou bien quête de la vérité (conscience)
Approche phénoménologique *Approche humaniste-existentielle*	Holisme ; notions de sens, d'expérience et de croissance	« Le client ne vient pas voir le thérapeute pour le regarder être "sincère" pendant une heure, mais pour obtenir de l'aide » (Kelly, 1955, p. 1153).
Approche de l'apprentissage	Expérimentation de nouvelles façons de se comporter et vérification de nouvelles hypothèses (de nouveaux construits)	« Ne voir que les comportements, c'est perdre l'homme de vue » (Kelly, 1969, p. 137).

SOURCE : Winter, 1992.

Étude de cas : Ronald Barrett

Selon la perspective phénoménologique et selon la théorie des construits personnels, le client a toujours raison. Bien qu'ils puissent décider d'interpréter différemment les événements, les cliniciens ne devraient jamais négliger les interprétations de leurs clients. C'est ce qui a amené Kelly à dire : « Si vous ne savez pas ce qui ne va pas chez une personne, demandez-le-lui. Elle vous le dira peut-être. » Par exemple, le thérapeute comprendra mieux son client s'il lui demande de rédiger son autoportrait. Ronald Barrett, étudiant qui se plaignait de problèmes d'adaptation sociale, scolaire et professionnelle, s'est livré à cet exercice.

L'autoportrait

Dans son autoportrait, Ronald commençait par mentionner qu'il était calme et tranquille, et qu'il détestait attirer l'attention sur lui. Cependant, mis à part ce calme affiché en public, il se disait enclin à s'emporter. Il n'extériorisait pas beaucoup sa colère, expliquait-il, mais il accumulait beaucoup de frustration par rapport à ses propres erreurs et à celles des autres. Selon lui, ce comportement s'expliquait en bonne partie par ses efforts pour impressionner autrui, ainsi que pour se montrer sincère et attentionné. Il considérait que son comportement devait répondre aux règles dictées par la morale et l'éthique ; il se sentait coupable de manquer de bonté. Ronald affirmait qu'il s'efforçait d'être logique, rigoureux et soucieux des détails. Enfin, il se disait relativement inflexible et considérait qu'il attachait trop d'importance au fait d'embrasser les femmes.

L'interprétation de Kelly

Dans les commentaires qu'il émet sur cet autoportrait, Kelly fait remarquer que, dans les approches classiques, on relèverait les aspects compulsifs de l'autodiscipline de Ronald. Au-delà de cette observation, Kelly tente de voir le monde avec les yeux du client. Dans son analyse de l'autoportrait de Ronald, Kelly indique qu'il est important d'examiner l'ordre dans lequel le client présente le matériel et la façon dont il l'organise, les termes qu'il choisit (irréflexion, sincérité, application, morale, éthique, culpabilité, bonté), les thèmes récurrents qu'il évoque, ainsi que les similarités et les différences qui s'en dégagent. À partir de ces éléments, Kelly fait les observations suivantes :

1. Le fait que Ronald tienne tellement à paraître calme et serein donne à penser qu'il est sensible au regard des autres. L'effort pour garder un masque en public semble avoir à ses yeux une importance extrême.
2. Le calme affiché par Ronald contraste avec un sentiment dont il fait état par ailleurs, à savoir que sa violence risque d'exploser à tout moment. Certains comportements d'autrui le bouleversent ; il s'agit de comportements liés à la perte de la maîtrise intellectuelle, dont il reconnaît la présence en lui et qu'il rejette.
3. Ronald note des incohérences dans son comportement et il semble avoir conscience de failles dans son système de construits.
4. La sincérité est un construit clé chez Ronald, liée à la considération pour autrui et à la bonté. Cela signifie que l'absence de sincérité, de considération pour autrui et de bonté est tout aussi cruciale dans son interprétation des événements. Ronald semble hésiter entre ces deux pôles, aucun d'entre eux ne le satisfaisant totalement.
5. Apparemment, Ronald se sert de l'autocritique et de l'autopunition comme de processus intellectuels destinés à éviter les explosions de violence. Son extrême souci du détail est pour lui une façon de rester vertueux.

6. Ronald, semble-t-il, raisonne en fonction du « tout ou rien », de construits préventifs et de stéréotypes. Il s'exprime au moyen de formulations concrètes et il n'est pas très imaginatif.

La thérapie d'assignation de rôle

Au moment où il a rédigé cet autoportrait, Ronald avait déjà suivi quelques séances de thérapie, mais comme celles-ci ne s'inscrivaient pas dans le cadre de la thérapie d'assignation de rôle, on la lui proposa. Des cliniciens se réunirent pour rédiger la description du personnage que l'on présenterait à Ronald. Ce personnage s'efforçait de trouver des réponses aux problèmes auxquels il faisait face en usant de perspicacité pour se mettre au diapason des émotions d'autrui plutôt qu'en s'y opposant. Baptisé Kenneth Norton, le personnage concentrait son attention sur les émotions. Voici comment on le décrivit à Ronald Barrett.

> Kenneth Norton appartient au type d'homme qui donne l'impression de vous connaître intimement après avoir conversé avec vous pendant seulement quelques minutes. Cette caractéristique s'exprime naturellement, non pas par les questions qu'il pose, mais par sa façon d'écouter, pleine de compréhension. C'est comme s'il avait le don de se mettre à votre place. Les choses qui vous importent semblent lui tenir également à cœur. Il saisit non seulement vos mots, mais les moindres nuances émotives qu'ils comportent et les moindres parcelles de sens que vous leur attribuez. Kenneth Norton est tellement absorbé par les pensées de ceux et celles à qui il parle qu'il semble s'oublier complètement. On dirait qu'il ne s'inquiète jamais de la gaucherie dont il pourrait faire preuve et si jamais une telle préoccupation l'effleurait, manifestement, elle serait aussitôt chassée par ses efforts pour voir le monde par les yeux de l'autre. Non pas qu'il ait honte de lui-même ; simplement, il est trop fasciné par la richesse des univers qu'il découvre chez les autres pour accorder plus qu'une pensée fugitive à un examen de conscience. Certains pourront penser qu'il a tort, mais Kenneth Norton est ainsi fait, c'est sa forme de sincérité.
>
> Kenneth trouve les femmes attirantes à bien des égards, notamment parce qu'elles lui donnent l'occasion de voir le monde du point de vue féminin. Contrairement à certains hommes, Kenneth ne se lance pas à la conquête des femmes, mais quand il leur tend une oreille si attentive, les femmes ne tardent pas à se lancer à la sienne, ce qu'il apprécie énormément.
>
> Chez lui, avec ses parents et ses intimes, Kenneth se montre plus ouvert ; il exprime davantage ses idées et ses sentiments, ce qui permet à ses proches de partager, tout autant que de nourrir, ses enthousiasmes et ses réalisations.
>
> Kelly, 1955, p. 374-375.

Au début, Ronald avait du mal à comprendre le rôle qu'il devait endosser et il avait le sentiment d'être très maladroit. Mais il a rencontré une ancienne camarade de classe avec qui, a-t-il constaté, son rôle était plus facile à tenir qu'avec n'importe qui d'autre. En fait, la jeune femme ne tarda pas à lui faire des compliments et à lui dire qu'il avait changé depuis son départ du collège (apparemment en mieux). Les séances de thérapie donnèrent à Ronald l'occasion de répéter son rôle. De temps à autre, il lui arrivait de retomber dans ses habitudes et de jouer le rôle dominant dans la conversation, mais à d'autres moments il arrivait à faire parler le thérapeute qui endossait le rôle de diverses personnes appartenant à l'entourage de Ronald. Chaque fois que celui-ci parvenait à endosser son rôle, le thérapeute le félicitait chaleureusement.

Les premiers temps, Ronald incarnait un Kenneth Norton sans chaleur ni spontanéité, mais peu à peu il commença à se sentir plus à l'aise dans sa nouvelle personnalité. Il déclara au thérapeute qu'il prenait de l'assurance en société, qu'il se querellait moins avec les autres et qu'il se sentait plus productif dans son travail. Un jour, Ronald décrivit à son thérapeute une situation problématique. « Comment aurait réagi Kenneth Norton ? » lui demanda le thérapeute. Ensemble, ils rejouèrent la situation et Ronald manifesta plus de chaleur et de spontanéité. Son thérapeute, qui essayait de renforcer tout nouveau comportement qu'affichait

Ronald, le félicita d'avoir renforcé ce nouveau comportement.

Après quelques séances de thérapie, l'année scolaire arriva à sa fin et Ronald Barrett quitta le collège, de sorte qu'il ne termina jamais sa thérapie. Malheureusement, nous ne disposons d'aucune donnée portant sur les changements précis survenus chez Ronald, ni sur leur persistance. Il aurait été intéressant, par exemple, de savoir comment Ronald aurait répondu au test de Kelly immédiatement avant et immédiatement après le traitement, puis quelque temps plus tard ; Rogers utilise parfois ce procédé. Cependant, si incomplète soit-elle, cette étude de cas a au moins le mérite de montrer comment un thérapeute des construits personnels peut interpréter la personnalité d'un client et s'engager avec lui dans un processus de changement créateur.

L'histoire de Jacques

Le test de Kelly

Jacques a passé le test de Kelly (voir page suivante) destiné aux groupes, indépendamment des autres tests. Ce test est structuré par les rôles qu'on propose au participant et par la tâche qu'il doit accomplir, soit la formulation de construits formés d'un pôle de similarité et d'un pôle de différence. Le participant a toute liberté en ce qui concerne le contenu des construits. Comme on l'a vu au chapitre 10, le test de Kelly découle logiquement de la théorie des construits personnels. Deux grands thèmes se dégagent de ces construits. Mentionnons d'abord la *qualité des relations interpersonnelles.* Fondamentalement, il s'agit de déterminer si le participant est chaleureux et généreux, ou bien froid et narcissique. Ce thème s'exprime dans des construits comme *aimant/égocentrique, sensible/insensible* ou *ouvert aux autres/indifférent aux autres.* Le deuxième grand thème a trait au *sentiment de sécurité*; il s'exprime dans des construits comme *complexé/sain d'esprit, peu sûr de lui/sûr de lui,* ou *satisfait de sa vie/malheureux.* La fréquence avec laquelle reviennent les construits relevant de ces thèmes donne à penser que Jacques a une vision du monde relativement étriquée, c'est-à-dire que sa compréhension des événements se réduit pour une bonne part aux dimensions chaleur/froideur et sécurité/insécurité.

Comment les construits proposés nous éclairent-ils sur ceux qui les suggèrent ? Jacques a utilisé des construits exprimant l'insécurité. Ainsi, il se considère comme semblable à sa petite sœur (si complexée qu'on se pose des questions sur sa santé psychologique) et comme différent de leur frère « fondamentalement sain et stable ». Dans deux autres types de construits, il se décrit comme peu sûr de lui et manquant d'aisance en public. Ces construits élaborés sur lui-même tranchent sur ceux qu'il entretient sur son père, décrit comme introverti et réservé, mais aussi comme autosuffisant, à l'esprit ouvert, brillant et remarquable.

Contradictoires eux aussi, les construits relatifs à la mère de Jacques ne manquent pas d'intérêt. D'une part, il la considère comme quelqu'un d'ouvert, de sociable, et d'aimant ; d'autre part, il la dit banale, prévisible, étroite d'esprit et conservatrice.

Le construit « étroite d'esprit et conservatrice » est particulièrement révélateur lorsqu'on sait que Jacques l'associe également à la personne avec qui il se sent le plus mal à l'aise. Donc, il oppose sa mère et la personne avec qui il se sent le plus mal à l'aise à son père, décrit comme un homme à l'esprit ouvert et libéral. La combinaison des construits de Jacques donne à penser que pour lui la personne idéale est chaleureuse, sensible, sûre d'elle, intelligente, ouverte d'esprit et brillante. Il semble qu'à ses yeux les femmes de sa vie (sa mère, sa sœur, sa petite amie et son ex-petite amie) possèdent quelques-unes de ces caractéristiques, mais sont dépourvues de certaines autres.

CONSTRUIT	**PÔLE DE DIFFÉRENCE**
Satisfait de lui-même	Doute de lui-même
Peu désireux de communiquer avec les autres étudiants en tant qu'êtres humains	Désireux d'entrer en communication avec les autres étudiants en tant qu'êtres humains
Gentil	Odieux
Sensible aux signaux des gens	Insensible aux signaux que lui envoient les autres
Ouvert et sociable	Introverti et réservé
Introspectif et complexé	Satisfait de lui-même
Intellectuellement dynamique	Banal et prévisible
Brillant, remarquable	Médiocre
Odieux	Très aimable
Satisfait de sa vie	Malheureux
Timide, doute de lui	Sûr de lui
Ouvert d'esprit, sage	Étroit d'esprit, chauvin
Ouvert, facile à comprendre	Complexe, difficile à connaître
Capable de donner beaucoup d'amour	Relativement égocentrique
Autosuffisant	Dépendant des gens
S'intéresse aux gens	Ne se soucie que de ses propres intérêts
Tellement complexé qu'on se pose des questions sur sa santé psychologique	Fondamentalement sain et stable
Prêt à blesser les gens pour rester « objectif »	Essaie autant que possible de ne pas blesser les gens
Étroit d'esprit, conservateur	Esprit ouvert, libéral
Manque de confiance en soi	Sûr de soi
Sensible	Insensible, égocentrique
Mal à l'aise en société	Sûr de soi et à l'aise en société
Intelligent, s'exprime bien	D'intelligence moyenne

Jacques : les résultats de son test de Kelly.

Commentaires

Le test de Kelly nous fournit des données précieuses sur la façon dont Jacques interprète son environnement. Si nous les examinons à la lumière de l'approche phénoménologique que nous avons décrite en parlant de Rogers, nous constatons une fois de plus que Jacques tend à percevoir son univers toujours à travers les deux mêmes construits : *personnes chaleureuses/personnes froides* et *gens sûrs d'eux/gens peu sûrs d'eux et malheureux.* Grâce au test de Kelly, nous comprenons mieux pourquoi Jacques se sent si limité dans ses relations avec autrui et pourquoi il a tellement de mal à se montrer créatif. Ses deux construits ne lui permettent pas à eux seuls d'entrer librement en relation avec les gens en tant qu'individus; il ne peut envisager les gens et les problèmes que de manière très conventionnelle, voire stéréotypée. Un univers perçu de manière si peu diversifiée peut difficilement être emballant et on peut s'attendre à ce que cette peur constante de l'insensibilité des autres et du rejet entretienne la morosité de Jacques.

Comme la théorie de Kelly, les résultats de son test présentent un caractère séduisant. Ce qu'on en voit semble très clair et très valable, mais on peut s'interroger sur ce qui ne s'y trouve pas. On a l'impression que le squelette — la structure de la personnalité — se tient bien, mais qu'il manque de chair. La façon dont Jacques se conçoit et conçoit son environnement constitue un élément important de sa personnalité. L'évaluation de ses construits et de son système de construits nous aide à comprendre comment il interprète les événements et comment il envisage l'avenir. Mais où est la chair sur les os, cette personne qui n'arrive pas à être ce qu'elle ressent, qui s'efforce d'être chaleureuse alors qu'elle éprouve de l'hostilité et qui essaie d'entrer en relation avec les femmes, alors que ses sentiments envers elles sont si confus?

Les conceptions connexes et l'évolution de la théorie

À l'heure actuelle, presque tous les théoriciens de la personnalité tentent de conceptualiser les variables cognitives, qu'ils n'y voient qu'une des composantes de l'organisme ou sa presque totalité. Comme nous l'avons noté en introduction, la théorie de Kelly préfigurait un certain nombre de découvertes récentes de la psychologie cognitive. Pour reprendre les mots d'un des tenants de cette théorie: « Ironiquement, la théorie de Kelly devient de plus en plus actuelle au fur et à mesure que le temps passe » (Neimeyer, 1992, p. 995).

Bien que la théorie des construits personnels ait fait beaucoup de bruit en 1955, peu de recherches lui ont été consacrées au cours de la décennie qui a suivi. Depuis, par contre, on a exploré un certain nombre de pistes ouvertes par Kelly (Neimeyer et Neimeyer, 1992), notamment le test de Kelly et la structure du système de construits. Les études portant sur la fiabilité du test de Kelly indiquent que les réponses des individus sont relativement stables, tant en ce qui concerne les personnes associées à la liste de rôles que les construits proposés (Landfield, 1971). On a utilisé le test de Kelly pour étudier des individus présentant divers problèmes psychologiques, mais aussi pour examiner les systèmes de construits de nombreux couples ainsi que d'autres personnes entretenant des relations de toute sorte (Duck, 1982). Diverses versions du test de Kelly ont également servi à étudier la complexité structurelle du système de construits, la perception des situations et, comme nous l'avons mentionné précédemment, l'utilisation des construits non verbaux. En fait, le test de Kelly a donné lieu à tant de recherches que Landfield, un des tenants les plus connus de la théorie des construits personnels, s'est demandé un jour: « Toute l'expérimentation de la psychologie des construits personnels serait-elle paralysée si nous acceptions un moratoire de cinq ans sur l'usage des traditionnels répertoires de construits? » (cité par Bonarius, Holland et Rosenberg, 1981, p. 3).

Presque tous les aspects de la théorie de Kelly ont fait l'objet d'au moins une étude (Mancuso et Adams-Webber, 1982). L'organisation du système de construits et les changements qu'entraînent les avancées de la science ont suscité un intérêt particulier (Crockett, 1982). Les théories développementales de Kelly et de Piaget présentent un certain nombre de similarités quant aux principes qui les guident :

1) passage graduel d'un système global et indifférencié à un système différencié et intégré ;
2) utilisation croissante de structures abstraites pour gérer plus économiquement une plus grande quantité de données ;
3) évolution en réponse à des efforts visant à intégrer de nouveaux éléments au système cognitif ;
4) développement du système cognitif en tant que système (par opposition à la simple addition de nouveaux éléments ou de nouvelles composantes).

La théorie de Kelly a engendré d'autres recherches, menées grâce à des approches de la personnalité et du traitement de l'information plus contemporaines (voir le chapitre 15). Par exemple, Higgins (1999) croit comme Kelly que les gens élaborent des construits afin de représenter et de catégoriser leur univers à partir de leur expérience. Mais, se demande Higgins, qu'est-ce qui détermine que des construits seront activés ou utilisés pour interpréter les événements ? L'activation, ou la sélection, de tel ou tel construit dépend en partie de la situation à laquelle il se rapporte. Ainsi, les caractéristiques d'une situation peuvent sauter aux yeux ; par exemple, tout le monde pourra s'entendre pour dire qu'un chef est *autoritaire* ou *compatissant*. Mais souvent les situations sont beaucoup plus ambiguës et se prêtent davantage aux interprétations de chacun, tributaires des systèmes de construits personnels. Tous les systèmes comprennent des construits qui sont plus ou moins *accessibles*, c'est-à-dire qui permettent une interprétation relativement facile des événements. Les gens se différencient non seulement par les construits présents dans leur système de construits, mais aussi par les construits auxquels ils ont le plus aisément accès. Les construits qui sont activés par la moindre information — les **construits accessibles en tout temps**, comme les appelle Higgins — ont une importance toute particulière dans le fonctionnement de la personnalité. Conscients ou inconscients, ils sont mis en branle rapidement et sans grand effort de pensée. Leur utilisation ne requiert pas beaucoup d'énergie, mais ils peuvent aussi biaiser notre perception et notre mémoire en nous orientant vers ce que nous savons déjà. Autrement dit, une fois devenus accessibles en tout temps, les construits peuvent figer notre vision du monde et accroître la difficulté à changer. Si nous estimons que nous sommes bons, nous aurons tendance à percevoir et à retenir les événements qui confirment cette perception ; si nous nous croyons méchants, nous aurons tendance à percevoir et à retenir les événements qui confirment notre méchanceté. Ce principe s'applique à tous les construits accessibles en tout temps que nous entretenons sur nous-mêmes et sur notre univers.

Construit accessible en tout temps *(chronically accessible construct).* Concept proposé par Higgins et désignant un construit facilement activé par la moindre information.

Relevons également une recherche intéressante portant sur la question des différences culturelles dans la formation et l'utilisation des construits. Nous savons, par exemple, que les gens appartenant à des cultures différentes se différencient lorsqu'ils expliquent les événements, car ils privilégient soit les explications liées aux personnes, soit les explications liées aux situations (Miller, 1984 ; Morris et Peng, 1994). Mais, plus intéressant encore, les gens qui appartiennent aux sociétés occidentales ont tendance à établir une dichotomie entre ces deux types d'explications, alors que ceux qui appartiennent à d'autres cultures sont peu enclins à établir cette démarcation. Alors que les Occidentaux voient le monde et raisonnent plutôt en fonction de contradictions, les gens qui vivent dans d'autres cultures tendent à voir le monde et à raisonner en fonction d'une constante interaction entre les opposés :

> Selon la croyance chinoise, l'existence n'est pas statique, mais dynamique et modifiable. Si l'on se réfère aux éléments les plus profonds de la pensée philosophique chinoise, *être ou ne pas être* n'est pas la question, parce que vivre consiste à passer constamment d'un état à un autre, de sorte qu'être est aussi ne pas être et que ne pas être est aussi être. [...] La réalité n'est ni précise ni tranchée au couteau, mais pleine de contradictions. Comme le changement est constant, la contradiction l'est aussi. L'ancien et le nouveau, le bien et le mal, la force et la faiblesse, et ainsi de suite, tout cela coexiste en tout.
>
> Peng et Nisbett, 1999.

Ces résultats confirment que Kelly avait raison d'insister sur les différences relevées dans les interprétations que l'on fait de la réalité ; cependant, ils soulèvent aussi la question de savoir si, dans toutes les cultures, les gens forment leurs construits en fonction d'un pôle de similarité et d'un pôle de différence, comme l'a laissé entendre Kelly.

L'évaluation critique

Nous venons de prendre connaissance d'une théorie de la personnalité qui nous met au défi de changer notre façon de penser, de reconstruire la personne et les processus de la personnalité. Tandis que nous tentons d'interpréter cette théorie selon sa propre grille, le moment est venu d'évaluer ses points forts et ses limites, et de la comparer aux autres approches étudiées jusqu'ici.

LES AVANTAGES ET LES LIMITES

La théorie des construits personnels peut être considérée comme une théorie essentiellement cognitive parce qu'elle met en évidence la façon dont les gens reçoivent et traitent l'information et parce qu'elle utilise le test de Kelly pour déterminer les concepts qui orientent les perceptions de l'individu. En ce sens, la théorie de Kelly adopte certainement (autant que faire se peut) un point de vue cognitif sur le comportement ; son modèle structurel, axé sur les construits et sur le système de construits, représente un apport important à la théorie de la personnalité. L'interprétation du comportement de l'individu en fonction de ses construits a une utilité aussi bien théorique que pratique ; elle permet de rendre compte tant des aspects uniques du comportement individuel que des grands principes auquel il obéit en bonne partie. Dans la mesure où l'insistance de Kelly sur les structures cognitives a influé sur les recherches actuelles portant sur le style cognitif, sa théorie a largement contribué à l'avancement des connaissances. Le test de Kelly, qui a l'avantage de découler directement de sa théorie, constitue un instrument d'évaluation important. Bien que certains lui aient reproché d'être si flexible qu'il en devient ingérable (Vernon, 1963), d'autres y voient une technique de quantification très imaginative et relativement souple (Kleinmuntz, 1967 ; Mischel, 1968). Par ailleurs, comme la théorie dans son ensemble, le test de Kelly pose une difficulté qui n'a pas encore été résolue : il exige que l'individu recoure à des mots. Or, comme la théorie de Kelly reconnaît l'existence de construits préverbaux et de **construits submergés** ayant une grande importance clinique, l'absence de moyen permettant de les évaluer représente une limite importante.

Construit submergé *(submerged construct).* Dans la théorie des construits de Kelly, construit qui a pu s'exprimer en mots, mais dont l'un des pôles, ou les deux, ne peut se verbaliser.

Les idées de Kelly concernant le processus retiennent l'attention à plusieurs égards — et notamment parce qu'elles sont en rupture avec les vues proposées par Freud et par d'autres théoriciens à propos des pulsions ou de la réduction de la tension —, mais bien des éléments restent sans réponse. Sur quoi se fonde l'action des individus ? Ce n'est pas clair. Par exemple, comment l'individu sait-il quel construit sera le meilleur instrument prévisionnel ? Comment sait-il quel pôle du construit il convient d'utiliser (similarité ou différence) ? Et qu'est-ce qui détermine la réponse de l'individu à l'invalidation d'un construit (Sechrest, 1963) ? Par exemple, à quel moment les nouvelles informations pénètrent-elles dans les anciens construits et dans quelles conditions les anciens construits sont-ils modifiés pour y admettre une information nouvelle ?

Lorsqu'il se livre à la critique de la théorie de Kelly, Bruner (1956) en parle comme de la plus importante contribution de la décennie (1945-1955) à la théorie du fonctionnement de la personnalité. De toute évidence, la théorie de Kelly bénéficiait alors de l'effet de nouveauté et suscitait beaucoup d'intérêt. Toutefois, la psychologie des construits personnels semble s'appliquer de façon plus pertinente dans certains secteurs de la psychologie que dans d'autres. Par exemple, elle avait jusqu'à récemment peu à dire sur la croissance et le développement. Par ailleurs, si elle proposait une analyse intéressante de l'anxiété, elle n'avait pas grand-chose à énoncer non plus à propos de cet important phénomène émotionnel qu'est la dépression. En fait, même si elle souligne à juste titre l'importance de la cognition, la théorie de Kelly ne propose qu'une conception limitée de la personne. Bien que Kelly l'ait nié, sa théorie présente de grandes faiblesses en ce qui concerne les émotions et les sentiments des êtres humains. Comme le constatait Bruner dans sa critique, les gens ne sont peut-être pas les cochons que voit en eux la théorie de l'apprentissage, mais on se demande aussi s'ils ne sont que des scientifiques comme le pensait Kelly.

> J'ai plutôt le sentiment que, quand certaines personnes se mettent en colère, ont une inspiration ou tombent amoureuses, elles n'ont cure de l'ensemble de leur système [de construits]! On a l'impression que l'auteur, dans sa théorie de la personnalité, réagit de façon excessive à une génération d'irrationalisme.
>
> Bruner, 1956, p. 356.

Malgré les efforts entrepris pour rendre compte des émotions humaines (McCoy, 1981), bien des interprétations proposées par les théoriciens des construits personnels semblent forcées et, dans l'ensemble, les émotions restent hors du champ d'application de cette conception.

Deux autres points méritent d'être soulignés. D'abord, même si les systèmes de construits ont fait l'objet de très nombreuses études, il existe peu de données établissant que les mesures de ces systèmes sont liées au comportement manifeste (Crockett, 1982 ; Duck, 1982). En théorie, on arriverait à cette conclusion, mais il faut encore en faire la preuve. Deuxièmement, la théorie de la motivation de Kelly reste problématique. Nous l'avons dit plus haut, Kelly n'a pas réussi à expliquer avec précision sur quoi les gens se basent pour prendre leurs décisions en fonction de leur système de construits. Les explications fournies par les théoriciens des construits personnels reprennent pourtant certaines conceptions traditionnelles de la motivation. Par exemple, la théorie soutient que les gens n'aiment ni l'ennui ni la surprise (Mancuso et Adams-Webber, 1982). Par ailleurs, la nouveauté ou la stimulation, à des niveaux moyens, sont associés en règle générale au plaisir, au renforcement ou aux théories hédonistes de la motivation. De plus, l'émotion ou le plaisir sont souvent évoqués lors du travail clinique. Par exemple, Landfield (1982) soutient que les gens choisissent le pôle du construit qui est le plus valorisé. Qui plus est, dans ses commentaires sur un cas, il soutient que la patiente a mis fin à une liaison amoureuse pour des raisons émotionnelles plutôt que pour des raisons strictement cognitives : « Après tout, elle préférait son mari à son amant » (p. 203).

Notre dernière remarque concernant l'évaluation de la théorie de Kelly portera sur la place qu'elle occupe dans les recherches en cours. Il est clair que cette théorie a suscité de plus en plus d'intérêt et inspiré un certain nombre de recherches. Cependant, deux auteurs qui font l'inventaire de ces travaux se demandent si des progrès réels ont été accomplis ; la théorie des construits personnels n'aurait-elle pas vu son évolution entravée par trop de déférence, d'étroitesse d'esprit, de sens de l'orthodoxie (Rosenberg, 1980 ; Schneider, 1982) ? Comme l'a fait remarquer un disciple de Kelly, sans l'apport d'idées nouvelles, les théories de la personnalité ne peuvent survivre (Sechrest, 1977).

Il y a maintenant cinquante ans que Kelly a publié sa théorie. Un critique de la psychologie des construits personnels a dressé le bilan de l'influence des idées de Kelly durant cette période ; il en conclut que, sauf parmi un petit groupe d'enthousiastes, elle est relativement négligeable en Amérique du Nord (Jankowicz, 1987). On ne peut en dire autant de l'Angleterre, où les idées de Kelly, très connues, font partie de la formation dont bénéficient la plupart des cliniciens. Mais, même aux États-Unis où de nombreux cliniciens les respectent, elles ont peu d'influence sur la psychologie comme discipline. Et bien que la psychothérapie qui en découle constitue un domaine d'application de la théorie des construits personnels, son approche thérapeutique n'est pas très populaire dans les cours de psychologie clinique ni très utilisée dans la pratique (Winter, 1992).

Pourquoi en est-il ainsi ? Deux facteurs peuvent nous aider à le comprendre. D'abord, Kelly était un homme plutôt discret et réservé ; par conséquent, il n'a pas propagé ses idées ni recruté beaucoup de disciples parmi ses étudiants. Deuxièmement, en tentant de rompre radicalement avec les perspectives traditionnelles, Kelly a lui-même dissocié son travail de celui des autres théoriciens : « C'était dans le caractère de Kelly que d'éviter d'établir des liens entre ses idées et celles des autres » (Bieri, 1986, p. 673). À leur tour, les autres théoriciens ont donc pour une bonne part passé ses idées sous silence.

En bref

La théorie des construits personnels comporte des points forts et des limites (voir le tableau 12.2). Ses points forts pourraient se résumer ainsi : (1) elle a fait une percée déterminante en inscrivant au premier plan l'importance de la cognition et du système de construits dans la personnalité ; (2) elle tente de saisir à la fois la singularité de l'individu et les règles qui s'appliquent à l'être humain en général ; (3) elle a permis de mettre au point le test de Kelly, technique d'évaluation nouvelle et intéressante qui en découle directement. Voici quelles en sont les limites : (1) cette théorie néglige certains champs cruciaux, comme l'émotion et la motivation ; (2) même si Kelly prétendait que les théories sont faites pour être reformulées ou abandonnées, elle n'a connu depuis 1955 aucune avancée notable ; (3) elle reste marginale par rapport aux grands courants de la recherche qui mettent en rapport la psychologie cognitive et la personnalité. Nombre de ces approches reconnaissent l'importance des travaux de Kelly, mais suivent d'autres voies.

Tableau 12.2 Points forts et limites de la théorie des construits personnels

Points forts	Limites
1. Place les processus cognitifs à l'avant-plan de la théorie de la personnalité.	**1.** N'a pas suscité de grandes avancées en recherche.
2. Présente un modèle de personnalité qui tente de saisir à la fois la singularité de l'individu et les règles qui s'appliquent à l'être humain en général.	**2.** Néglige ou explique mal certains aspects importants de la personnalité (croissance, émotions).
3. Propose une technique cohérente avec la théorie, susceptible d'être utilisée pour l'évaluation de la personnalité et la recherche (test de Kelly).	**3.** N'a pas encore été reliée à la théorie et à la recherche plus générale en psychologie cognitive.

L'approche cognitive de la personnalité et les autres théories

Selon la théorie de Kelly, il faut au moins trois éléments pour former un construit — deux éléments perçus comme similaires, qui constituent le pôle de similarité, et un troisième élément, perçu comme différent, qui constitue le pôle de différence. Comme nous avons examiné jusqu'ici bon nombre de grandes approches, nous disposons maintenant de suffisamment d'éléments (théories) pour nous livrer à des comparaisons et former certains construits. Nous allons d'abord comparer la théorie de Kelly avec chacune des autres théories que nous avons vues pour former ensuite certains construits sur les théories de la personnalité.

KELLY ET FREUD

Kelly estimait à leur juste valeur les nombreuses observations et contributions cliniques de Freud, mais il était très critique par rapport à la théorie psychanalytique. Ses objections portent essentiellement sur trois points : la conception freudienne de la personne, l'atmosphère de dogmatisme qui règne dans la pensée psychanalytique et la faiblesse de la psychanalyse en tant que théorie scientifique. Le fait que Freud conçoive la personne en tant qu'organisme biologique ne lui convient pas davantage et il propose sa propre conception de la personne en tant que scientifique. Kelly reproche aussi à Freud ses métaphores et son insistance sur les instincts et les motivations inconscientes.

Kelly a beaucoup misé sur deux facteurs — l'interprétation des événements fournie par l'individu et le caractère provisoire des théories avancées — qui dénotent tous deux une certaine ouverture d'esprit. Il n'est donc pas étonnant qu'il ait jeté un regard critique sur les efforts déployés par Freud pour comprendre ce que les clients veulent dire en examinant *ce qu'ils ne disent pas*. Selon Kelly, cette approche conférait à la psychanalyse un dogmatisme et une étroitesse d'esprit néfastes. Il reprochait également aux disciples de Freud leur stérile opposition au changement.

La troisième critique majeure que Kelly a adressée à la psychanalyse était de se poser en tant qu'entreprise scientifique. Kelly note que les observations de Freud concernant l'inconscient sont difficiles à explorer scientifiquement. À son avis, le mouvement psychanalytique avait tourné le dos à la méthode scientifique et privilégié l'observation impressionniste. Ses hypothèses avaient un caractère si élastique qu'elles ne pouvaient être invalidées. Kelly les qualifiait d'hypothèses élastiques ou « en caoutchouc » : on pouvait les étirer à volonté pour y inclure n'importe quel élément de preuve. Pour Kelly, c'était le talon d'Achille de la psychanalyse.

Malgré les critiques qu'il énonçait, Kelly pensait par ailleurs que la dynamique du système psychanalytique permettait au clinicien de déterminer qu'il se passait quelque chose chez le client. Il trouvait que Freud s'était livré à beaucoup d'observations astucieuses et que son esprit d'aventure avait ouvert le champ de la psychothérapie à l'exploration. En lisant Kelly, on est d'ailleurs frappé par le fait qu'il se penche souvent sur des phénomènes qui ont été décrits par Freud, bien que leurs interprétations diffèrent. Par exemple, Kelly s'intéressait beaucoup aux rapports étroits entre les contraires, idée très présente dans la pensée de Freud. Il est vrai que dans les rêves les idées sont souvent représentées par leurs contraires. Freud et Kelly étaient tous deux sensibles au fait que les opinions que les gens entretiennent à propos des autres sont souvent révélatrices des opinions qu'ils ont d'eux-mêmes. Tous deux estimaient que les gens ne se sentent menacés que par ce qu'ils croient plausible et qu'ils « protestent trop » quand ils ne veulent pas admettre la véracité d'une assertion. Tous deux croyaient que le fonctionnement psychologique est parfois déterminé par des principes dont les gens n'ont pas conscience : l'un met en avant le concept d'inconscient, l'autre les construits préverbaux. Tous deux ont noté que les éloges peuvent mettre les gens mal à l'aise : l'un insiste sur le concept de culpabilité, l'autre sur le caractère étrange des nouveaux éloges et sur la réorganisation complexe qu'ils pourraient entraîner. Tous deux attribuaient une grande importance au concept de transfert en thérapie et tous deux notaient que les patients résistaient au changement. Il n'est pas étonnant que les théories de Freud et de Kelly aient en commun un certain nombre d'observations, puisque leurs domaines d'application sont relativement similaires.

KELLY ET ROGERS

Les travaux de Kelly et de Rogers présentent aussi des similarités. Ils considèrent tous deux la personne comme plus active que réactive. Tous deux ont élaboré des théories qui s'inscrivent dans une perspective phénoménologique, quoique, selon Kelly, la psychologie des construits personnels n'a pas un caractère seulement phénoménologique. Tous deux insistent sur la cohérence, Rogers s'intéressant à la cohérence interne en soi, alors que pour Kelly les prévisions peuvent s'additionner au lieu de s'annuler. Et tous deux insistent aussi sur le fonctionnement de l'organisme, pris comme un tout.

Le fait qu'ils aient en commun une approche phénoménologique et qu'ils aient tous deux rejeté le modèle motivationnel du fonctionnement humain montre qu'il existe une grande parenté entre Kelly et Rogers. À un moment donné, Kelly ne s'est-il pas demandé : « Le thérapeute peut-il arriver un jour à mieux connaître le système de construits du client que le client lui-même ne le connaît ? » À cette question il a donné une réponse claire : « Nous croyons que non » (Kelly, 1955, p. 1020). Malgré ces similarités, les deux théories présentent d'importantes différences. Kelly s'intéressait beaucoup moins au soi que Rogers. De plus, même s'il était d'accord avec Rogers sur le fait que le présent est ce qui compte le moins, il se refusait à adopter une approche totalement anhistorique du comportement. Le passé intéressait Kelly parce que, disait-il, les perceptions qu'en ont les gens fournissent des indices sur leur système de construits et parce qu'une réinterprétation du passé peut se révéler importante dans le traitement. De manière générale, l'intérêt manifesté par Kelly pour toutes sortes de phénomènes cliniques (comme le transfert, les rêves, le diagnostic, l'importance des construits préverbaux, etc.) le rapprochait davantage de Freud que de Rogers à cet égard.

Kelly considérait que la position de Rogers était davantage l'expression de ses convictions philosophiques concernant la nature de la personne humaine qu'une véritable théorie psychologique. Kelly n'était pas d'accord avec le principe rogérien de croissance (l'épanouissement du potentiel intérieur) et il y opposait sa théorie des construits personnels (développement d'un système de construits qui change constamment et s'étend continuellement). Rogers insistait sur le fait qu'il est important d'être et de devenir ; Kelly insistait sur le fait qu'il est important d'inventer et d'agir. Ces écarts ont des répercussions majeures sur le traitement, comme le souligne Kelly :

> Parce qu'il croit en l'être émergeant, le thérapeute non dirigiste demande au client d'être attentif à lui-même dans ses réactions de tous les jours : quelque part, le soi mature attend la possibilité de s'actualiser [...]. Le psychologue qui adhère à la théorie des construits personnels sera probablement plus enclin à encourager le client à faire des expériences avec la vie et à chercher ses réponses dans la succession d'événements que lui réserve la vie plutôt qu'en lui-même.
>
> Kelly, 1955, p. 401-402.

Par opposition à Rogers, pour qui le thérapeute devait être une « vraie personne », Kelly accordait beaucoup d'importance à l'aisance verbale et aux qualités de comédien déployées par le thérapeute ; il regardait d'un œil critique les thérapeutes de l'approche phénoménologique qui se lancent dans de « magnifiques relations personnelles ». Kelly et Rogers étaient très différents sur le plan personnel et ces différences se sont traduites dans leurs conceptions respectives de la thérapie. Dans le compte rendu critique qu'il effectuait à propos du travail de Kelly, Rogers (1956) affirmait que Kelly avait trouvé une approche qui convenait à sa personnalité. Rogers a été influencé par le théoricien des construits personnels ; ainsi, il s'est servi des construits de complexité et de flexibilité dans son analyse du processus de changement en thérapie. Cependant, il critiquait le fait que Kelly semblait envisager la thérapie comme un processus intellectuel et désapprouvait la thérapie d'assignation de rôle à cause de la trop grande activité qu'elle exige, de l'emprise qu'elle suppose de la part du thérapeute. Pour Rogers, la thérapie est beaucoup plus une affaire de sentiment que de pensée et la congruence du thérapeute est plus importante que son habileté à manipuler la situation.

KELLY ET LA THÉORIE DES TRAITS DE PERSONNALITÉ

De toutes les théories étudiées jusqu'ici, la théorie de Kelly est celle qui s'écarte le plus de la théorie des traits de personnalité. Premièrement, ces deux conceptions se fondent sur des approches différentes de la découverte et de la recherche : l'approche clinique de la théorie des construits personnels et l'approche corrélationnelle de la théorie des traits. Il ne s'agit pas de nier ici que d'autres méthodes puissent être utilisées dans les deux contextes théoriques, mais plutôt de souligner que leurs points de départ diffèrent. Il en va de même de leur technique d'évaluation : questionnaire de la personnalité NEO-PI-R dans le cas de la théorie des traits de personnalité et test de Kelly dans le cas de la théorie des construits personnels. De plus, la théorie de Kelly s'intéresse tout particulièrement aux processus cognitifs, dimension virtuellement inexistante dans la théorie des traits de personnalité.

Mais la différence la plus fondamentale réside probablement dans la conception du fonctionnement de l'organisme humain. Alors que la théorie des traits de personnalité se concentre sur ce qui reste fixe, stable et permanent, indépendamment de la situation, Kelly, lui, envisage la personne comme un agent actif qui, recourant à la différenciation et à l'interprétation, est constamment engagé dans un processus de changement. En ce qui concerne la controverse personne-situation (voir le chapitre 8), Mischel s'inspire des travaux de Kelly lorsqu'il traite de discrimination entre les situations et de réponse différentielle. Sans nier le fait que le comportement individuel présente une certaine prévisibilité, Kelly pensait que les gens se comportent différemment dans diverses situations selon l'interprétation qu'ils donnent de chacune. Selon lui, leur comportement n'était limité que par leurs compétences en matière de comportement et leur capacité d'interpréter les situations de diverses manières. Les théoriciens des traits considéraient qu'une fois dépassé le milieu de la vingtaine la personnalité était relativement fixée, en partie pour des raisons génétiques. Kelly était beaucoup plus optimiste quant au potentiel de changement dont l'individu peut faire preuve. Alors que les théoriciens des traits proposaient une conception relativement statique de la personne, Kelly a élaboré une théorie de la personnalité qui est éminemment dynamique (Pervin, 1994a).

Enfin, mentionnons deux autres différences méritant d'être soulignées entre la théorie des traits de personnalité et la théorie des construits personnels. La première concerne leur champ d'application. Alors que la théorie des traits a pour champ d'application la structure de la personnalité et ne s'applique pratiquement pas au processus de changement de la personnalité, la psychothérapie représente justement le principal champ d'application de la théorie des construits personnels. Deuxièmement, si les théoriciens des traits s'intéressent aux différences entre les individus, c'est pour inscrire tous les individus dans des dimensions communes : par exemple, les cinq grandes dimensions de la personnalité. Kelly a fait le contraire : s'il s'est intéressé aux principes généraux qui s'appliquent à tous les humains, c'est pour mieux se concentrer sur les aspects personnels, idiosyncrasiques, du système de construits de l'individu. Kelly aurait très probablement vu dans les « Cinq Grands » non pas les structures de base de la personnalité, mais de simples construits mis au point par des psychologues.

KELLY ET LA THÉORIE DE L'APPRENTISSAGE

Selon la perspective des construits personnels, les diverses approches de l'apprentissage constituent des simplifications abusives et mécanistes du comportement humain. Le théoricien des construits personnels s'intéresse beaucoup plus à la personne dans sa globalité qu'à ses réponses particulières et il se préoccupe beaucoup plus de l'interprétation qu'elle donne des événements que de ce qui se passe « réellement » dans l'organisme (conditionnement classique) ou de ce qui se passe à l'extérieur de l'organisme selon l'expérimentateur (conditionnement opérant). Alors que la théorie S-R met en avant un modèle motivationnel centré sur la pulsion et la réduction de la tension (théorie du « pousser »), Kelly privilégie l'expansion cognitive du système de construits (« théorie de l'âne »). Les théories de l'apprentissage ont été en bonne partie supplantées par les avancées que la révolution cognitive a permis de réaliser en psychologie. On peut considérer que la théorie de Kelly fait partie intégrante de cette révolution.

QUELQUES CONSTRUITS LIÉS À LA THÉORIE DE LA PERSONNALITÉ

Serait-il possible d'élaborer un système de construits s'appuyant sur les diverses théories de la personnalité étudiées jusqu'ici ? Par exemple, qu'arriverait-il si la

KELLY EN UN COUP D'ŒIL

Structure	Processus	Croissance et développement	Pathologie	Changement	Étude de cas
Construits	Processus canalisé par la représentation des événements	Définition, complexification accrue du système de construits	Dysfonctionnement du système de construits	Reconstruction psychologique de la vie ; « disposition accueillante » ; thérapie d'assignation de rôles	Ronald Barrett

liste de ces théories était envisagée comme une liste de rôles dans le test de Kelly et qu'on demandait à un étudiant de les comparer par groupes de trois pour former des construits comportant un pôle de similarité et un pôle de différence ? Quels sont les construits qui pourraient s'appliquer aux théories de la personnalité et jusqu'à quel point différeraient-ils d'un étudiant à l'autre ou d'un théoricien de la personnalité à l'autre ? En voici quelques-uns, que nous laissons à l'appréciation du système de construits personnels des étudiants et des étudiantes :

- *holistique/axé sur un ou plusieurs éléments;*
- *dynamique/statique;*
- *personnalité relativement fixe/personnalité relativement changeante;*
- *s'intéresse à l'inconscient/ne s'intéresse pas à l'inconscient;*
- *insiste sur le soi/n'insiste pas sur le soi;*
- *constructivisme/«réalité»;*
- *personne active/personne passive ou réactive.*

Résumé

1. Pour Kelly, les troubles mentaux représentent une réponse inadaptée à l'anxiété, à la menace ou à la peur, entraînant le dysfonctionnement du système de construits.
2. Les réponses inadaptées à l'anxiété peuvent s'observer dans la façon dont les construits sont appliqués à de nouveaux événements (perméabilité ou imperméabilité excessive), dans la façon dont les construits sont utilisés pour faire des prévisions (resserrement ou flou excessif) et dans l'organisation de tout le système de construits (constriction ou dilatation).
3. Selon Kelly, le suicide et l'hostilité constituent des tentatives pour contrer une menace au système de construits. Par le suicide, l'individu échappe soit à la certitude (fatalisme), soit à l'incertitude totale ; par l'hostilité, il tente d'obliger les autres à se comporter selon ses attentes.
4. Pour Kelly, la psychothérapie représente un processus de reconstruction du système de construits. Les conditions qui favorisent les changements positifs sont les suivantes : une atmosphère propice à l'expérimentation, l'apport de nouveaux éléments et de nouveaux construits et le fait de pouvoir disposer de données de validation.

5. Dans la thérapie d'assignation de rôle, on incite les clients à essayer de nouvelles manières de se concevoir, de se comporter et de se construire.
6. Le cas de Ronald Barrett illustre les efforts déployés par Kelly pour appliquer l'analyse des construits personnels à un individu en particulier et pour utiliser la thérapie d'assignation de rôle afin de produire un changement positif dans le système de construits.
7. La recherche portant sur la théorie des construits personnels s'est surtout concentrée sur le test de Kelly. Cependant, des recherches menées récemment dans le cadre de la psychologie cognitive (chapitre 15) ont porté sur les effets des construits accessibles en tout temps et sur les différences entre les cultures dans le contenu et la formation des construits.
8. Même si Kelly a refusé d'accoler une étiquette à sa théorie, on peut la définir comme une théorie cognitive de la personnalité dans la mesure où elle met l'accent sur la façon dont les gens traitent l'information et où elle recourt au test de Kelly pour évaluer le système de construits.
9. L'évaluation de la théorie des construits personnels permet de dégager ses points forts : insistance sur les processus cognitifs, mise en lumière de grands principes dans le respect de la singularité de l'individu, élaboration d'un instrument d'évaluation et d'une technique de psychothérapie inspirés par elle. Mais cette théorie a également des limites : elle néglige certaines composantes importantes de la personnalité ; elle est incapable de répondre à certaines questions fondamentales et elle a des répercussions limitées sur les recherches et les efforts thérapeutiques des autres théories.
10. Dans l'esprit de la théorie des construits personnels, on peut choisir trois théoriciens de la personnalité, comme Freud, Rogers et Kelly, élaborer sur eux des construits comportant un pôle de similarité et un pôle de différence et comparer leurs théories de la personnalité en fonction de ces construits.

Chapitre 13

L'approche sociocognitive : Bandura et Mischel

Aperçus biographiques
Albert Bandura
Walter Mischel

La conception de la personne

La conception de la science, de la théorie et de la recherche

La théorie sociocognitive de la personnalité
La structure
Les processus
La croissance et le développement

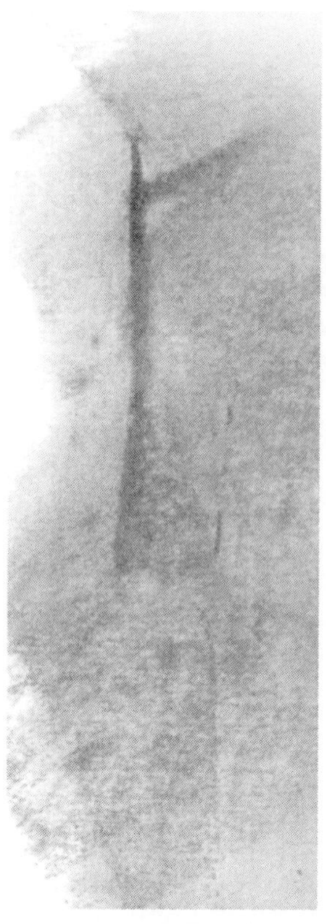

Vous souvenez-vous de votre premier jour à l'école secondaire ? Peut-être ne souhaitez-vous pas vous le rappeler… Y a-t-il quelque chose de plus déroutant que de ne pas savoir comment se comporter, surtout quand il est primordial de « s'adapter » à son nouveau milieu ? Nerveuse et ne sachant pas trop à quoi s'attendre, une jeune fille avait tout de même décidé de considérer son entrée à l'école secondaire comme une occasion d'apprendre. Elle allait se modeler sur ceux qui, parmi les élèves de dernière année, étaient les plus populaires de l'école. Pour cela, elle les observa avec attention afin de savoir de quoi ils parlaient et de quelle façon ils le faisaient, comment ils s'habillaient, où ils allaient et quand ils y allaient, etc.; c'est ainsi qu'elle devint très vite la nouvelle élève la plus « branchée » de l'école…

Cette jeune fille subissait sans aucun doute l'influence de son nouveau milieu, mais sa façon de réagir montre clairement qu'elle était aussi un agent actif. Cette anecdote illustre un concept clé de la théorie sociocognitive de la personnalité : le comportement résulte de l'interaction entre la personne et l'environnement. La théorie sociocognitive se caractérise par son insistance sur les origines sociales du comportement et sur l'importance de la cognition (les processus de pensée) dans le fonctionnement humain. Selon les tenants de cette théorie, les gens peuvent diriger activement leur vie et apprendre des modes de comportement complexes en l'absence de récompenses. Bien qu'elle découle de la théorie traditionnelle de l'apprentissage, la théorie sociocognitive y ajoute de nouvelles dimensions et elle s'est taillé une place de choix dans le domaine de la psychologie de la personnalité.

Le chapitre… *en questions*

1. Dans quelle mesure le comportement des gens est-il cohérent d'une situation à l'autre ?
2. Dans quelle mesure le renforcement est-il essentiel à l'apprentissage ?
3. Dans quelle mesure les modèles de rôle sont-ils importants dans le développement de la personnalité ?
4. Dans quelle mesure l'opinion que l'individu entretient concernant ses propres compétences influe-t-elle sur sa motivation et son rendement ? Est-ce utile de parler d'estime de soi ou de sentiment d'autoefficacité ?

La théorie sociocognitive s'enracine dans la théorie traditionnelle de l'apprentissage (chapitre 10). Dans les éditions précédentes de cet ouvrage, la *théorie sociocognitive*, d'abord appelée *théorie de l'apprentissage social,* figurait parmi les autres approches de l'apprentissage. Mais elle a beaucoup évolué au fil du temps, devenant de plus en plus systématique et insistant de plus en plus sur le rôle de la cognition dans le fonctionnement humain. Aujourd'hui, la *théorie sociocognitive* mérite qu'on l'étudie séparément des autres approches de la personnalité fondées sur l'apprentissage.

La théorie sociocognitive insiste sur les origines *sociales* du comportement et sur l'importance des processus cognitifs dans tous les aspects du fonctionnement humain : la motivation, l'émotion et l'action. Les deux psychologues qui l'ont présentée le plus clairement sont Albert Bandura et Walter Mischel.

Lorsqu'ils ont énoncé leurs idées, les théoriciens sociocognitifs ont critiqué quelques aspects des théories étudiées jusqu'ici. Ainsi, ils ont remis en cause l'importance accordée par la psychanalyse aux instincts et aux forces de l'inconscient, qu'on ne peut étudier systématiquement. Ils ont aussi critiqué la psychanalyse et les théories traditionnelles des traits pour s'être intéressées aux dispositions intérieures sur lesquelles se fonderait la cohérence du comportement dans diverses situations (Bandura, 1986, 1999; Mischel et Shoda, 1998, 1999). Les théoriciens sociocognitifs insistent au contraire sur la variabilité du comportement de l'individu, qui répond de cette manière aux changements dans son environnement. Selon la théorie sociocognitive, le comportement est déterminé par la situation et les gens ont des modes de comportement situationnels distinctifs (Shoda, Mischel et Wright, 1994). Ces modes de comportement particuliers aux situations détermineraient davantage la personnalité que la moyenne des comportements dans l'ensemble des situations, moyenne sur laquelle se concentrent souvent les théoriciens des traits. Ainsi, les théoriciens sociocognitifs affirment qu'il est plus important de savoir dans quels types de situations la personne se montre extravertie ou introvertie que de connaître son degré habituel d'extraversion-introversion par rapport à d'autres individus. Au-delà du traditionnel débat sur l'importance relative des déterminants internes et des déterminants externes du comportement, les théoriciens sociocognitifs avancent que l'organisme et son environnement sont en interaction constante.

Les théoriciens sociocognitifs tentent également de dépasser le vieux clivage entre les deux conceptions comportementales de la personne, la conception béhavioriste « par opposition à » la conception humaniste. Ils sont béhavioristes parce qu'ils mettent l'accent sur l'étude systématique du comportement et humanistes parce qu'ils sont convaincus que l'individu peut influer sur sa destinée et s'épanouir dans le cadre de ses limites biologiques (Bandura, 1999). Finalement, ils rompent avec la théorie traditionnelle de l'apprentissage par le renforcement en insistant sur le rôle des processus cognitifs et en affirmant qu'il y a apprentissage même en l'absence de récompenses (tableau 13.1).

En Amérique du Nord, la théorie sociocognitive est probablement la théorie la plus populaire chez les universitaires et elle gagne de plus en plus d'adeptes dans les milieux cliniques.

Aperçus biographiques

ALBERT BANDURA

Albert Bandura (1925) a grandi au Canada, plus précisément dans le nord de l'Alberta, et il a fait ses études de premier cycle à l'Université de la Colombie-Britannique. Son diplôme en poche, il décide de poursuivre ses études de deuxième

Tableau 13.1 Caractéristiques de la théorie sociocognitive

Dans la théorie sociocognitive, on insiste sur:

1. le fait que la personne représente un agent actif;
2. les origines sociales du comportement;
3. les processus cognitifs (les processus de pensée);
4. la spécificité situationnelle du comportement;
5. la recherche systématique;
6. l'apprentissage de modes de comportement complexes en l'absence de récompenses.

cycle en psychologie clinique à l'Université de l'Iowa, aux États-Unis, réputée pour l'excellence de ses recherches sur les processus d'apprentissage. Dès cette époque, Bandura s'intéresse à l'application de la théorie de l'apprentissage aux phénomènes cliniques :

> Je me passionnais pour la conceptualisation des phénomènes cliniques afin qu'ils fassent l'objet de recherches expérimentales. En tant que praticiens, nous avions, me semblait-il, la responsabilité d'évaluer l'efficacité des procédés thérapeutiques pour éviter de soumettre les gens à des traitements dont nous ignorions les effets.
>
> Bandura, cité par Evans, 1976, p. 243.

À l'Université de l'Iowa, Bandura est influencé par Kenneth Spence, qui est un disciple de Clark Hull ; la rigueur de l'analyse conceptuelle et de la recherche expérimentale apparaît comme une nécessité à ses yeux. Il s'intéresse également aux écrits de Neal Miller et de John Dollard. En 1952, après avoir obtenu son doctorat, Bandura s'installe à Stanford et commence à se consacrer aux processus interactifs en psychothérapie, ainsi qu'aux modèles familiaux qui entraînent l'agressivité chez les enfants. Réalisé en collaboration avec Richard Walters (son premier étudiant au doctorat), ce travail portant sur les causes familiales de l'agressivité amène Bandura à s'intéresser au rôle central du modelage (apprentissage par observation des autres) dans le développement de la personnalité. Ces découvertes et les recherches en laboratoire sur le processus du modelage auxquelles elles donnent lieu feront l'objet de deux ouvrages : *Adolescent Aggression* (1959) et *Social Learning and Personality Development* (1963).

Bandura dit de lui-même qu'il mène un programme de recherche multidimensionnel visant à clarifier les aspects de la capacité humaine sur lesquels devrait se concentrer une théorie complète du comportement humain, théorie qu'il tente lui-même d'élaborer, comme en témoigne son ouvrage *Social Foundations of Thought and Action* (1986). L'importance qu'accorde Bandura aux capacités de l'être humain découle de son intérêt pour le développement de la personnalité et le changement thérapeutique. Ses travaux récents se concentrent sur la motivation et les répercussions du sentiment d'autoefficacité (sentiment de compétence personnelle) sur le bien-être physique et psychologique. De plus, ses derniers travaux portent sur le rôle que jouent des facteurs comme la position sociale et la situation économique dans la façon dont les gens perçoivent leur capacité d'influer sur les événements (Bandura, 1997).

Bandura a reçu de nombreuses distinctions scientifiques. En 1974, il a été élu président de l'American Psychological Association, qui lui a décerné en 1980 le *Distinguished Scientific Contribution Award* pour « l'exemple magistral qu'il donne en tant que chercheur, professeur et théoricien ».

WALTER MISCHEL

Né à Vienne, Walter Mischel (1930) a passé les neuf premières années de sa vie « non loin de la maison de Freud », dont il décrit l'influence comme suit :

> Quand j'ai commencé à étudier la psychologie, c'est Freud qui m'a le plus fasciné. Lorsque je fréquentais le City College (à New York, où ma famille s'était installée en 1939 après avoir dû quitter l'Europe à cause d'Hitler), la psychanalyse me semblait offrir une vision complète de l'être humain. Mon enthousiasme a fondu quand je suis devenu travailleur social et que j'ai voulu appliquer ses idées auprès de « jeunes délinquants » du Lower East Side [à New York]. Pour une raison ou pour une autre, mes efforts pour amener ces jeunes à une certaine « prise de conscience » [*insight*] ne les aidaient ni eux ni moi. Les concepts ne collaient pas à ce que je voyais, alors j'en ai cherché de plus utiles ailleurs.
>
> Mischel, 1978, communication personnelle.

Cette expérience auprès des jeunes délinquants retient notre attention pour deux raisons. D'abord, c'est en partie à elle qu'on doit l'intérêt indéfectible de Mischel pour les mécanismes psychologiques de la maîtrise de soi et de la capacité à différer la gratification. Deuxièmement, elle rejoint l'expérience de Bandura, qui à ses débuts a lui aussi travaillé auprès d'adolescents agressifs.

Mischel fait ses études de deuxième cycle à l'Université de l'Ohio, où il fut influencé par George Kelly, qui l'amena à s'intéresser à l'interprétation que les gens donnent d'eux-mêmes et de leurs expériences, et par Julian Rotter, qui lui démontra l'importance des attentes et des valeurs par rapport aux résultats pour la détermination de l'action dans une situation donnée (théorie attentes-valeurs, Mischel, 1999). Mischel décrit ainsi ces influences :

> George Kelly et Julian Rotter étaient mes mentors et ils ont tous deux influencé durablement ma pensée. Mon propre travail sur la cognition et l'apprentissage social s'appuie clairement sur leurs travaux, envisageant l'individu à la fois comme un interprète et un acteur, en interaction avec les vicissitudes de son environnement et tentant de redonner une cohérence à la vie en dépit de toutes ses incohérences.
>
> Mischel, 1978, communication personnelle.

Après avoir obtenu son doctorat à l'Université de l'Ohio, aux États-Unis, Mischel passe plusieurs années à Harvard, puis va rejoindre Bandura à Stanford. À cette époque (1965), il participe à un projet d'évaluation du Peace Corps qui le marquera profondément. Ce projet révèle en effet que les mesures de traits globales sont très peu efficaces pour prévoir le rendement, encore moins que les mesures basées sur l'autoévaluation. Cette découverte accroît le scepticisme de Mischel quant à l'utilité des théories traditionnelles de la personnalité qui, comme la théorie des traits et la théorie psychanalytique, mettent l'accent sur les caractéristiques stables et largement généralisées de la personnalité (Mischel, 1990). Ce scepticisme culmine en 1968, avec la publication de *Personality and Assessment* (voir le chapitre 8), ouvrage sur lequel se concentrera la controverse personne-situation. Voici comment Mischel résume ses doutes sur l'utilité des caractéristiques très généralisées de la personnalité, notamment des traits :

> Le fait de caractériser les individus en fonction de dimensions communes (comme l'« esprit consciencieux » ou la « sociabilité ») avait fourni des aperçus utiles concernant leur niveau moyen de comportement, mais avait laissé de côté, me semblait-il, cette étonnante capacité de discrimination que révélait l'observation étroite et prolongée d'un même individu dans diverses situations. Cette personne qui, avec sa famille, se montrait plus généreuse, attentionnée et compatissante que la majorité des gens ne pouvait-elle pas se révéler moins généreuse et altruiste que la plupart des gens dans d'autres contextes ? Ces variations selon les situations ne pouvaient-elles pas être des modes stables et importants qui caractérisaient la personne durablement, plutôt que des fluctuations aléatoires ? Si oui, que reflétaient-elles et comment pouvait-on les comprendre ? Méritaient-elles qu'on les prenne en considération dans l'évaluation de la personnalité afin de conceptualiser la stabilité et la flexibilité du comportement humain et de ses propriétés ? Ces questions commencèrent à m'obséder et le désir d'y répondre devint un de mes objectifs fondamentaux pour le reste de ma vie.
>
> Mischel, cité par Pervin, 1996, p. 76.

En 1978, Mischel reçoit le Distinguished Scientist Award de la section de psychologie clinique de l'American Psychological Association et cette dernière lui décerne une mention en 1983 pour ses contributions exceptionnelles à la théorie et à l'évaluation de la personnalité. Depuis 1984, Mischel enseigne la psychologie à l'Université Columbia, à New York.

La conception de la personne

Bandura et Mischel reconnaissent tous deux qu'il existe une relation entre la conception générale de la personne et les théories de la personnalité et ils ont l'un et l'autre tenté d'être explicites sur le sujet. Bandura écrit :

> Les opinions concernant la nature humaine déterminent en partie les aspects du fonctionnement psychologique qu'on choisit d'étudier en profondeur et ceux qu'on laisse de côté. De même, les conceptions théoriques déterminent les paradigmes qui guident la collecte des données, lesquels, à leur tour, façonnent les théories.
>
> Bandura, 1977a, p. VI.

Autrement dit, il y a aller-retour ou relation de réciprocité entre conception de la personne, programme de recherche et théorie de la personnalité.

Actuellement, la théorie sociocognitive conçoit la personne comme un agent actif, qui utilise ses processus cognitifs pour se représenter les événements, prévoir l'avenir, choisir parmi divers moyens d'action et communiquer avec autrui (Bandura, 1999 ; Mischel, 1999 ; Mischel et Shoda, 1999). Les psychologues sociocognitifs rejettent aussi bien les conceptions de la personne qui en font la victime passive d'impulsions inconscientes que celles pour qui la personne ne fait que réagir aux événements extérieurs. Ils repoussent les premières parce qu'en se concentrant strictement sur les facteurs internes elles ne tiennent pas compte de la réaction de chacun à diverses situations ; et les deuxièmes, parce qu'en se concentrant strictement sur les facteurs externes elles ne tiennent pas compte du rôle des processus cognitifs dans le comportement.

Déterminisme réciproque *(reciprocal determinism).* Influences réciproques entre deux ou plusieurs variables (par exemple, l'interaction constante, décrite par Bandura, entre les facteurs inhérents à la personne et les facteurs environnementaux).

Rejetant l'idée que les gens ne sont mus que par des forces intérieures tout autant que l'idée qu'ils ne font que réagir aux stimuli environnementaux, la théorie sociocognitive avance que le comportement peut s'expliquer par l'interaction entre la personne et l'environnement, processus que Bandura appelle **déterminisme réciproque**. Les gens subissent l'influence des forces environnementales, mais ils choisissent également la façon dont ils se comporteront. La personne réagit aux situations, les interprète et influe activement sur elles. Les gens choisissent des situations et ces situations les façonnent ; ils influent sur le comportement d'autrui et le comportement d'autrui les façonne. Voici comment Mischel décrit l'image de l'être humain qui émerge de la théorie sociocognitive :

> L'image est celle d'un être humain habile à résoudre les problèmes, capable de mettre à profit un large éventail d'expériences et de compétences cognitives, doté d'un grand potentiel pour le bien et pour le mal, construisant activement son univers psychologique, influant sur l'environnement, mais aussi influencé par lui selon des règles précises [...]. C'est une image très éloignée de celle que proposent les théories traditionnelles de la personnalité : modèles instinctuels de réduction des pulsions, modèles de traits globaux statiques ou modèles de relations automatiques entre les stimulus et les réponses. C'est une image qui met en lumière les faiblesses de toutes les théories simplistes qui prétendent que le comportement résulte exclusivement d'une mince série de déterminants strictement internes ou strictement externes, qu'il s'agisse d'habitudes, de traits de personnalité, de pulsions, de renforçateurs, de construits, d'instincts ou de gènes.
>
> Mischel, 1976, p. 253.

La conception de la science, de la théorie et de la recherche

Bandura et Mischel sont de fervents utilisateurs de la théorie et de la recherche empirique ; ils s'efforcent de ne recourir qu'à des concepts clairs et fondés sur des observations systématiques. Selon eux, les théories axées sur des forces motivationnelles comme les besoins, les pulsions et les impulsions sont vagues et de peu d'utilité pour prévoir ou modifier le comportement.

Alors que les béhavioristes radicaux rejettent l'étude des processus cognitifs parce qu'ils se méfient des données introspectives, Bandura et Mischel estiment que l'étude de ces processus internes s'impose et que l'utilisation de certains types d'autoévaluation est légitime et souhaitable. Selon eux, les autoévaluations spécifiques et administrées dans des conditions qui n'éveillent pas d'appréhension peuvent contribuer à la compréhension des processus cognitifs.

En somme, la théorie sociocognitive se préoccupe tant des divers aspects du comportement humain que de rigueur scientifique. Elle s'intéresse à d'importants processus internes (ceux de la cognition) tout en se souciant de procéder à des observations systématiques. C'est cette combinaison qui explique probablement en bonne partie pour quelle raison la théorie sociocognitive est aujourd'hui tellement populaire.

La théorie sociocognitive de la personnalité

La table est maintenant mise pour que nous puissions passer à l'étude détaillée de la théorie sociocognitive de la personnalité. Ce faisant, nous devons garder à l'esprit l'importance des processus cognitifs dans la motivation, l'émotion et les comportements humains, de même que les origines sociales du comportement humain.

LA STRUCTURE

Les structures de la personnalité auxquelles s'intéresse la théorie sociocognitive ont principalement trait aux processus cognitifs. Trois concepts structuraux y prennent une importance particulière : les attentes-croyances, les compétences-habiletés et les objectifs.

Les attentes-croyances

Attentes *(expectancies)*.
Dans la théorie sociocognitive, conséquences prévues de comportements spécifiques dans des situations spécifiques.

La théorie sociocognitive s'intéresse tout particulièrement aux **attentes** que manifestent les gens par rapport aux événements de même qu'aux croyances qu'ils entretiennent sur eux-mêmes. Ainsi, les gens nourrissent des attentes à propos du comportement d'autrui et des récompenses ou des punitions que leur vaudra leur propre comportement dans tel ou tel type de situations. Ils entretiennent également des croyances concernant leur propre capacité d'accomplir des tâches et de relever des défis dans divers types de situations. Ces attentes résultent nécessairement de processus cognitifs comme la catégorisation des situations (situations de travail et situations amusantes, situations officielles et situations détendues, situations sécurisantes et situations menaçantes, etc.), les prévisions à propos de l'avenir et la réflexion sur soi. L'important ici est la spécificité situationnelle des attentes et des croyances d'une personne. Bien que les gens puissent entretenir certaines attentes et croyances générales (comme les attentes généralisées émanant du lieu de contrôle interne évoquées par Rotter), leurs attentes et leurs croyances par rapport à des situations précises ou à des groupes de situations précis sont plus importantes encore. Si nous ne faisions aucune discrimination entre les situations, nous agirions toujours de la même façon, quelle que soit la situation. Aucun animal ne pourrait survivre en se comportant ainsi ; la discrimination entre les situations selon les besoins à satisfaire (faim, sexualité, sécurité, etc.) est essentielle à la survie. Qui plus est, grâce à leur formidable capacité cognitive, les humains peuvent faire des distinctions incroyablement diverses entre les situations ; la façon dont les individus envisagent ou regroupent des situations données recèle un caractère hautement idiosyncrasique. Ainsi, un individu considérera comme menaçante une situation que d'autres jugeront excitante, ou considérera comme très semblables deux situations que d'autres jugeront complètement différentes. Or, cela va de soi, le comportement diffère en fonction des perceptions que l'on se fait de la situation. Selon les théoriciens sociocognitifs, l'essence de la personnalité réside dans les différentes manières qu'ont différents individus de percevoir les situations, ainsi que dans les modes de comportement qu'ils adoptent en fonction de ces perceptions différentes.

La discrimination entre les situations et la cohérence de la personnalité ■ Comme nous l'avons mentionné précédemment, selon la théorie sociocognitive, les individus diffèrent dans leurs modes de comportement situationnels. Ils se créent des attentes de type *si... alors: si* ce genre de situation survient, *alors* je peux m'attendre à ceci. Par conséquent, ils acquièrent des modes stables de relations situation-comportement. Y a-t-il des preuves d'une telle particularité dans l'organisation des situations et peut-on décrire les individus en fonction de profils stables quant aux relations situation-comportement ? Ce sont là des questions qui, de son propre aveu, ont obsédé Mischel, et l'essentiel de ses travaux de recherche vise à y répondre.

La recherche effectuée à partir de données d'autoévaluation indique clairement que les gens ont des sentiments et des comportements différents dans diverses situations ou types de situations (Pervin, 1976). Par exemple, une participante signale qu'elle se sent et se montre détendue et extravertie dans les contacts avec ses pairs, mais tendue et introvertie à la maison. Un autre participant explique qu'il se sent et se montre colérique et dominateur au travail, mais tendre et attentionné à la maison. Les individus regroupent différemment les situations qu'ils vivent, les sentiments et les comportements qu'ils associent à ces groupes ou types de situations diffèrent, mais ils disent tous se sentir et agir différemment dans divers groupes de situations. Cependant, il s'agit là d'autoévaluations. Des mesures objectives du comportement confirmeraient-elles ces observations ? Une étude réalisée récemment par Mischel et ses collaborateurs fournit des indices importants à cet égard (Shoda, Mischel et Wright, 1994). Les chercheurs ont observé pendant six semaines des filles et des garçons vivant dans un campement, dans divers contextes : travaux de menuiserie, réunions de chalet, salle de classe, repas, terrain de jeu et salle de télévision. Dans chacun de ces contextes, les situations étaient définies selon que l'interaction avait lieu avec un pair ou avec un conseiller adulte, et qu'elle était positive ou négative ; par exemple, l'enfant a été félicité (ou puni) par un conseiller, ou encore l'enfant a été taquiné par un pair. On a observé régulièrement à quelle fréquence chaque enfant manifestait dans tel ou tel type de situations l'un ou l'autre des cinq types de comportement suivants : se livre à une agression verbale (agace, provoque ou menace autrui) ; se livre à une agression physique (bouscule, frappe ou blesse physiquement autrui) ; pleurniche ou se livre à des enfantillages ; obtempère ou cède ; tient un discours prosocial. Ces observations se faisaient toutes les heures, pendant 5 heures, 6 jours par semaine, pendant 6 semaines, pour une moyenne de 167 heures d'observation par enfant. Bref, on a recueilli une grande quantité d'observations portant sur les comportements de chaque enfant dans diverses situations et pendant une période relativement longue.

Quels ont été les résultats de cette étude ? Naturellement, on a observé des différences considérables dans les comportements manifestés dans différents contextes. Les gens se comportent différemment dans différents types de situations ; généralement, ils n'ont pas le même comportement sur un terrain de jeu et dans une salle de classe, dans une réunion de chalet ou dans un atelier de menuiserie. Et, naturellement, il y avait des différences entre les individus dans la moyenne des apparitions de chacun des cinq types de comportement observés. Comme le suggèrent les théoriciens des traits, les individus diffèrent les uns des autres dans leur façon stable de se comporter selon les situations. Cependant, la question plus critique pour la théorie sociocognitive est de savoir si on peut décrire les individus en fonction de leurs modes distinctifs de relations situation-comportement. Autrement dit, les individus peuvent-ils différer dans leurs modes de comportement même s'ils obtiennent des résultats globaux identiques ? Deux individus peuvent-ils présenter le même degré moyen de comportement agressif, être identiques par rapport à un trait de personnalité comme l'agressivité, mais différer quant aux types de situations où ils manifestent de l'agressivité ? Mischel et ses collaborateurs ont effectivement trouvé des indications claires confirmant que les individus ont des profils distinctifs stables quant à la manifestation de comportements donnés dans divers types de situations. Ainsi, les profils d'agression verbale de deux individus dans cinq types de situations psychologiques montrent clairement qu'ils diffèrent à cet égard (figure 13.1). Chacun présente un comportement relativement cohérent dans tel ou tel type de situations, mais leurs comportements diffèrent d'un type de situations à l'autre. Ne regarder que leur comportement moyen, toutes situations confondues, masquerait ces modes distinctifs de relations situation-comportement.

Que peut-on conclure de cette étude ? Mischel et ses collaborateurs soutiennent que les individus ont des profils de relations situation-comportement qui sont distinctifs ; ces profils se nomment **signatures comportementales**. Selon eux, il ne s'agit pas de se concentrer sur le comportement le plus fréquent dans l'ensemble des situations, comme on le fait dans la théorie des traits, mais plutôt de se pencher sur « ce type de stabilité dans le mode et l'organisation du comportement qui semble particulièrement crucial pour une psychologie de la personnalité vouée à comprendre et à saisir l'unicité du fonctionnement individuel » (Shoda, Mischel et Wright, 1994, p. 683). Autrement dit, selon les tenants de l'approche sociocognitive, l'étude de la personnalité devrait s'intéresser davantage à l'expression particulière des traits dans les différentes situations de la vie.

Signatures comportementales *(behavioral signatures).*
Profils distinctifs individuels de relations situation-comportement.

Le soi et le sentiment d'autoefficacité ■ Le soi en tant que concept sociocognitif se rapporte aux processus inhérents au fonctionnement psychologique de la personne : la personne n'est pas dotée d'une structure appelée « le soi », mais d'autoprocessus

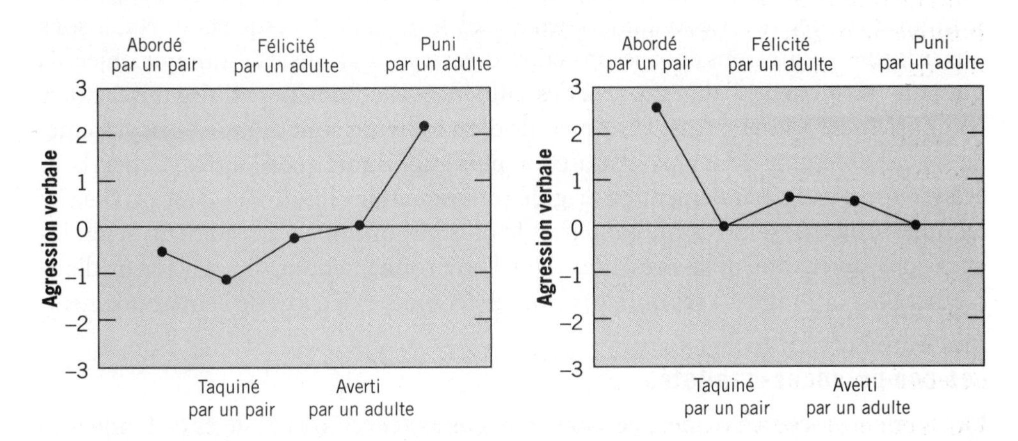

Figure 13.1 Profils d'agression verbale de deux individus dans cinq types de situations psychologiques (d'après Shoda, Mischel et Wright, 1994, p. 6).

qui font partie de la personne. Les théoriciens sociocognitifs avancent la critique suivante : les conceptualisations du soi proposées par les théories précédentes sont trop globales. Ils considèrent que l'individu dispose non pas d'un seul concept de soi, mais plutôt de plusieurs concepts portant sur soi et sur la maîtrise de soi, concepts qui peuvent changer au fil du temps et des situations. Un aspect particulier de la perception du soi est devenu central dans la pensée de Bandura : il s'agit du **sentiment d'autoefficacité**, c'est-à-dire de la perception qu'entretient l'individu à propos de sa capacité de composer avec des situations précises (Bandura, 1997). Le concept de sentiment d'autoefficacité se rapporte aux jugements que les gens portent sur leur capacité d'agir en regard d'une tâche ou d'une situation donnée. Selon Bandura, nos jugements sur l'autoefficacité influent sur les activités dans lesquelles nous nous engageons, sur l'effort que nous déployons dans une situation donnée, sur notre persévérance à la tâche et sur nos réactions émotionnelles lorsque nous envisageons ou vivons une situation. Manifestement, nous pensons, nous nous sentons et nous nous comportons différemment dans les situations où nous avons confiance en nos capacités et dans les situations où nous nous jugeons incompétents. En somme, notre sentiment d'autoefficacité influe sur nos habitudes, notre motivation, notre rendement et notre état émotionnel. Nous reviendrons sur ces effets plus loin dans ce chapitre, mais il importe d'abord d'expliquer comment Bandura évalue le sentiment d'autoefficacité et comment il le distingue d'autres concepts qui pourraient s'en approcher.

Sentiment d'autoefficacité *(self-efficacy).*
Dans la théorie sociocognitive, la perception qu'a l'individu de sa capacité de composer avec des situations données.

Pour ce qui est de l'évaluation, Bandura privilégie ce qu'il appelle une stratégie de **recherche microanalytique**. Celle-ci consiste à prendre des mesures détaillées du sentiment d'autoefficacité avant que l'individu entre en action dans des situations précises. On invite donc les participants à indiquer les tâches qu'ils peuvent accomplir dans une situation donnée et leur degré d'assurance quant à leur capacité de s'en acquitter adéquatement. Cette stratégie correspond à l'idée que le sentiment d'autoefficacité dépend de la situation et non de dispositions générales que peuvent mesurer les inventaires de personnalité globaux. Comme nous l'avons indiqué plus haut, les psychologues sociocognitifs critiquent la notion de concept de soi global parce qu'elle « ne rend pas justice à la complexité des perceptions relatives au sentiment d'autoefficacité, lesquelles varient selon les activités, les niveaux d'une même activité et d'autres facteurs situationnels » (Bandura, 1986, p. 41).

Recherche microanalytique *(microanalytic research).*
Stratégie de recherche privilégiée par Bandura pour évaluer le sentiment d'autoefficacité et où l'on enregistre des jugements spécifiques plutôt que globaux.

Les objectifs

Le concept d'**objectifs** est lié à la capacité qu'ont les gens de prévoir l'avenir et de se motiver eux-mêmes. Ce sont nos objectifs qui nous guident lorsque nous établissons nos priorités et que nous choisissons entre diverses situations. Ce sont nos objectifs qui nous permettent d'aller au-delà des influences du moment et d'organiser notre comportement à long terme. Les objectifs d'un individu sont organisés en système, de sorte que certains sont plus cruciaux ou plus importants que d'autres. Cependant, ce système n'est généralement pas rigide ou immuable ; l'individu peut privilégier tel ou tel objectif, selon ce qui lui paraît le plus important sur le moment, selon les occasions qui semblent se présenter dans l'environnement et son sentiment d'autoefficacité par rapport à ses objectifs compte tenu des exigences de l'environnement.

Objectifs *(goals).*
Dans la théorie sociocognitive, événements souhaités qui motivent la personne sur de longues périodes et lui permettent de dépasser les influences du moment.

Les compétences-habiletés

La théorie sociocognitive met l'accent sur les **compétences**, ou habiletés de l'individu, et plus particulièrement sur ses compétences et ses habiletés cognitives, c'est-à-dire sur sa capacité de résoudre des problèmes et de composer avec les difficultés de la

Compétence *(competencies).*
Dans la théorie sociocognitive, unité structurelle reflétant la capacité de l'individu à résoudre les problèmes ou à s'acquitter des tâches liées à l'atteinte de ses objectifs.

vie (Cantor, 1990; Mischel et Shoda, 1998, 1999). Plutôt que d'insister sur les traits stables de la personne, la théorie sociocognitive insiste sur ses compétences telles qu'elles se manifestent de façon variable dans ce que fait cette personne, dans sa façon de réfléchir aux problèmes de la vie et dans ses habiletés comportementales lorsqu'elle tente de résoudre ces problèmes. Plus important encore, cette théorie avance que les compétences sont souvent liées à des contextes précis; autrement dit, une personne compétente dans un contexte donné — les études, par exemple — ne le sera pas nécessairement dans d'autres contextes — les relations sociales ou le monde des affaires, par exemple. On passe ainsi de traits indépendants du contexte à un fonctionnement qui varie selon les situations.

LES PROCESSUS

Selon la théorie sociocognitive, le comportement se maintient non pas strictement à cause de ses conséquences immédiates, mais à cause des attentes, ou conséquences prévues. L'élaboration cognitive d'attentes concernant les résultats de diverses actions permet aux gens de réfléchir aux conséquences d'un comportement avant d'agir, et de prévoir récompenses et punitions longtemps d'avance.

Buts, normes et autorégulation

En ce qui concerne le processus motivationnel, deux concepts de la théorie sociocognitive présentent un intérêt particulier. Premièrement, selon cette théorie, nous disposons de **normes internes** afin d'évaluer notre propre comportement et celui d'autrui; ces normes sont à la fois des objectifs à atteindre et les bases à partir desquelles nous attendons le renforcement fourni par autrui et par nous-mêmes. Deuxièmement, le processus d'**autorenforcement** est particulièrement important pour maintenir le comportement sur de longues périodes en l'absence de renforçateurs externes. Ainsi, grâce à des réponses autoévaluatives internes comme les félicitations ou la culpabilité, nous pouvons nous récompenser pour avoir respecté nos normes ou nous punir pour les avoir enfreintes.

Normes internes *(internal standards).*
Dans la théorie sociocognitive, normes apprises pour renforcer le comportement (par la fierté, la honte, etc.) afin de le réguler et de le maintenir, et qui font à présent partie de l'individu.

Autorenforcement *(self-reinforcement).*
Dans la théorie sociocognitive, processus par lequel l'individu se récompense ou se punit lui-même; il suppose des réponses autoévaluatives comme les félicitations ou la culpabilité; il est particulièrement important pour l'autorégulation du comportement sur de longues périodes.

Insister sur les objectifs, comme le fait la théorie sociocognitive, souligne la prévoyance de l'être humain, notre capacité de prévoir les résultats et de planifier en conséquence (Bandura, 1990). Ainsi, selon Bandura, « la motivation humaine est pour une bonne part engendrée par la cognition » (Bandura, 1992, p. 18). Les gens diffèrent à cause des normes qu'ils se fixent. Certains se fixent des objectifs ambitieux, et d'autres des objectifs faciles à atteindre; certains préfèrent les objectifs très précis, et d'autres les objectifs ambigus; certains privilégient les objectifs à court terme et proximaux, d'autres les objectifs à long terme et distaux (Cervone et Williams, 1992). Mais dans tous les cas, c'est le fait de prévoir la satisfaction liée à l'atteinte des objectifs visés (ou l'insatisfaction qu'engendrerait le fait de ne pas les atteindre) qui sert d'incitation à l'effort. En somme, les normes de rendement et les conséquences prévues rendent compte du comportement axé sur les objectifs.

Deux choses méritent d'être soulignées dans cette analyse. D'abord, les gens y sont considérés comme proactifs plutôt que comme simplement réactifs; ils établissent leurs propres normes et fixent leurs propres objectifs au lieu de simplement répondre aux exigences de l'environnement. Deuxièmement, la capacité de l'individu d'établir ses propres normes ainsi que son potentiel d'autorenforcement favorisent dans une grande mesure l'**autorégulation.** Plutôt que de dépendre de motivateurs et de récompenses externes, nous pouvons fixer nos propres objectifs et nous récompenser

Autorégulation *(self-regulation).*
Dans la théorie de Bandura, processus par lequel l'individu régule lui-même son comportement.

nous-mêmes de les avoir atteints. Ainsi, par l'acquisition de mécanismes cognitifs comme les attentes, les normes internes et l'autorenforcement, nous pouvons décider de nos buts et mieux maîtriser notre destinée (Bandura, 1989a, 1989b, 1999).

Le sentiment d'autoefficacité et le rendement

Jugements sur l'autoefficacité *(self-efficacity judgments).* Dans la théorie sociocognitive, attentes de la personne quant à sa capacité de se comporter de manière spécifique dans une situation donnée.

Nous l'avons indiqué précédemment, Bandura (1997, 1999) a accordé une importance de plus en plus grande aux perceptions relatives au sentiment d'autoefficacité en tant que médiateurs cognitifs de l'action. Tandis qu'ils envisagent une action et une fois qu'ils y sont engagés, les gens portent des jugements sur leur capacité d'exécuter les diverses tâches qu'elle suppose. Ces **jugements sur l'autoefficacité** se répercutent sur la pensée (« Voilà ce que je dois faire et je peux y arriver » ou « Je n'y arriverai jamais. Qu'est-ce que les gens vont penser de moi ? »), sur les émotions (excitation et joie ou inquiétude et dépression) et sur l'action (engagement accru ou inhibition et paralysie). Toute personne se fixe des normes et des objectifs, et porte des jugements sur sa capacité de s'acquitter des tâches nécessaires à l'atteinte de ces objectifs.

Dans une édition précédente de cet ouvrage, nous reprochions aux théoriciens sociocognitifs leur peu d'intérêt pour la motivation. Depuis, celle-ci est devenue un sujet de préoccupation important pour eux et Bandura a élaboré une conception mettant de plus en plus en évidence le caractère résolu de l'action humaine. Bandura et Cervone (1983) ont étudié les effets des objectifs et de la rétroaction sur le rendement. On souhaitait vérifier l'hypothèse selon laquelle pour être motivé, il faut avoir des objectifs et il faut savoir quel est son rendement par rapport aux normes : « Le simple fait de se fixer des objectifs, qu'ils soient faciles ou difficiles à atteindre, semble n'avoir aucun effet appréciable sur la motivation si l'individu n'a pas conscience de son propre rendement » (1983, p. 123). Le postulat était qu'un écart plus grand entre les normes et le rendement entraînerait généralement une insatisfaction de soi plus grande et des efforts accrus pour améliorer le rendement. Cependant, les jugements que l'individu porte sur son efficacité personnelle sont cruciaux. La recherche a donc testé l'hypothèse selon laquelle ces jugements, comme les jugements autoévaluatifs, servent de médiateurs entre les objectifs et les efforts orientés vers les objectifs.

Dans cette étude, les participants se sont livrés à une activité physique exténuante — présentée comme faisant partie d'un projet de planification et d'évaluation de programmes d'exercices destinés à la réadaptation des malades coronariens —, dans les quatre conditions suivantes : (1) objectifs comportant une rétroaction sur le rendement ; (2) objectifs seuls ; (3) rétroaction seule ; et (4) ni objectifs ni rétroaction. S'étant livrés une première fois à cette activité, les participants devaient indiquer dans quelle mesure ils seraient satisfaits ou insatisfaits d'eux-mêmes si leur rendement restait le même à la séance suivante. Ils ont également dû évaluer le sentiment d'autoefficacité procuré par divers niveaux de rendement. On a ensuite mesuré de nouveau leur rendement au sommet de l'effort. Conformément à l'hypothèse élaborée par les chercheurs, la condition « objectifs et rétroaction sur le rendement » a eu un effet motivationnel important, ce qui ne fut pas le cas pour la condition « objectifs seuls » ou la condition « rétroaction seule » (figure 13.2). De plus, c'est quand les participants se sont dits à la fois insatisfaits d'un rendement inférieur aux normes et animés d'un fort sentiment d'autoefficacité par rapport à un bon rendement que leur effort a été le plus intense à la séance suivante. Ni l'insatisfaction ni un fort sentiment d'autoefficacité n'ont eu d'effet comparable à eux seuls. Lorsque les participants n'étaient pas mécontents de leur rendement et qu'ils

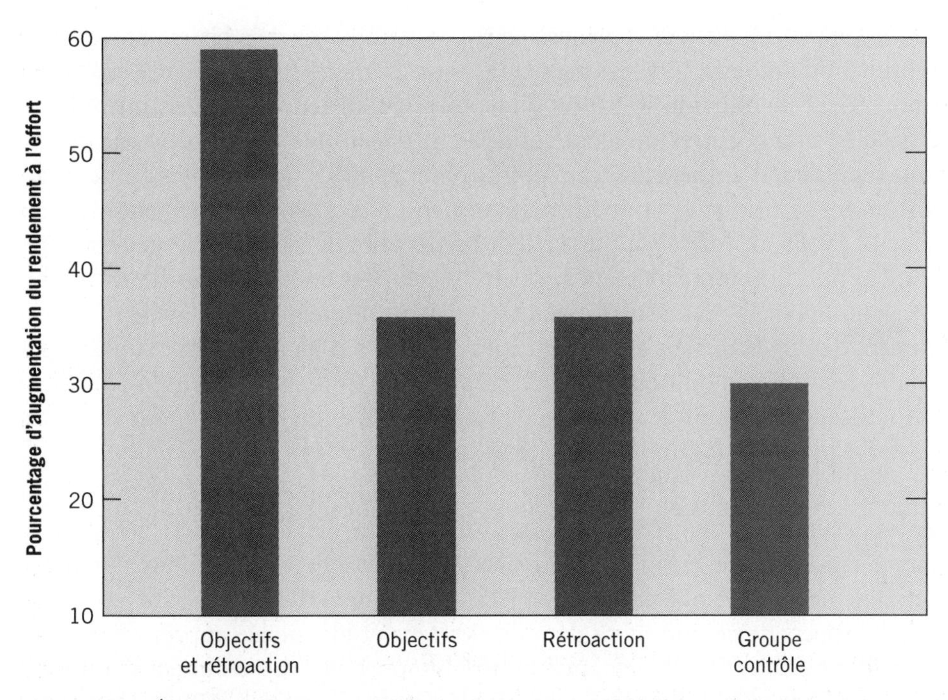

Figure 13.2 Évolution du pourcentage moyen du rendement à l'effort, selon la présence ou l'absence d'objectifs ou de rétroaction sur le rendement. (Bandura et Cervone, 1983. © 1983, American Psychological Association, reproduction autorisée.)

avaient un faible sentiment d'autoefficacité, ils ont souvent diminué leurs efforts à la séance suivante. Les auteurs ont conclu que ces résultats étayaient la théorie selon laquelle les objectifs servent à motiver par la médiation des jugements autoévaluatifs et du sentiment d'autoefficacité.

La rétroaction sur le rendement et le sentiment d'autoefficacité se sont révélés particulièrement importants pour ce qui est de l'intérêt intrinsèque. Ainsi, des psychologues ont réussi à accroître l'intérêt des étudiants pour l'apprentissage ainsi que leur rendement en les aidant à décomposer leurs tâches en sous-objectifs, en leur apprenant à être attentifs à leur propre rendement et en leur fournissant une rétroaction améliorant leur sentiment d'autoefficacité (Bandura et Schunk, 1981 ; Morgan, 1985 ; Schunk et Cox, 1986). L'intérêt intrinsèque augmente quand l'individu a des normes assez exigeantes pour que son autoévaluation soit positive quand il les atteint et un fort sentiment d'autoefficacité par rapport à ces normes. C'est en bonne partie ce type d'intérêt intrinsèque qui facilite l'effort sur de longues périodes en l'absence de récompenses externes. À l'inverse, il est difficile pour l'individu de rester motivé s'il a l'impression que les récompenses externes ou internes (l'autoévaluation) sont insuffisantes, ou que son sentiment d'autoefficacité est si faible qu'un résultat positif lui semble impossible. Le sentiment d'inefficacité personnelle peut annuler le potentiel de motivation que procurent les résultats, même les plus désirables. Par exemple, bien que la perspective de devenir une vedette de cinéma soit attrayante, les gens n'ont pas la motivation nécessaire pour emprunter cette voie sauf s'ils pensent disposer des habiletés nécessaires ; sans un tel sentiment d'autoefficacité, devenir une vedette de cinéma peut rester un fantasme, mais ne se transforme jamais en un objectif qui les pousse à l'action.

Les effets du sentiment d'autoefficacité sur l'effort et le rendement peuvent être assez marqués pour gommer des différences par ailleurs considérables dans les habiletés. Ainsi, dans une étude, des hommes et des femmes devaient se livrer à une épreuve compétitive d'endurance musculaire des jambes. Les chercheurs ont manipulé le sentiment d'autoefficacité des participants en disant à certains d'entre eux qu'ils affronteraient un individu souffrant d'une blessure au genou (fort sentiment d'autoefficacité) et à d'autres qu'ils affronteraient un ou une athlète de haut niveau (faible sentiment d'autoefficacité). Comme on pouvait s'y attendre, les participants ayant un fort sentiment d'autoefficacité ont eu un rendement nettement meilleur que ceux ayant un faible sentiment d'autoefficacité et, de manière générale, les hommes ont fourni un rendement supérieur à celui des femmes. Mais il y avait plus surprenant : pour l'épreuve de force, le rendement des femmes qui avaient un fort sentiment d'autoefficacité a été légèrement supérieur à celui des hommes qui avaient un faible sentiment d'autoefficacité. Autrement dit, la manipulation du sentiment d'autoefficacité a gommé les importantes différences entre les sexes pour ce qui est de la force physique (Weinberg, Gould et Jackson, 1979).

Le sentiment d'autoefficacité influe également sur la façon dont les gens composent avec les déceptions et le stress liés à leurs objectifs de vie. De manière générale, la recherche indique que le fait d'entretenir un sentiment de maîtrise de soi facilite le fonctionnement humain (Schwarzer, 1992). Le sentiment d'autoefficacité représente l'un des aspects de ce sentiment de maîtrise. Une étude menée auprès de femmes qui avaient vécu un avortement a démontré l'importance du sentiment d'autoefficacité dans l'adaptation à des événements stressants (Cozzarelli, 1993). Dans cette étude, des femmes qui étaient sur le point de subir un avortement ont rempli un questionnaire mesurant des variables de la personnalité comme l'estime de soi et l'optimisme, ainsi qu'une échelle d'autoefficacité mesurant leurs attentes par rapport à leur adaptation après l'avortement. Ainsi, on leur demandait si elles pensaient qu'elles se sentiraient à l'aise auprès de bébés ou d'enfants après l'avortement, si elles estimaient qu'elles pourraient continuer à avoir des relations sexuelles agréables, etc. Immédiatement après l'avortement et trois semaines plus tard, on a également mesuré l'humeur et la dépression (pour vérifier dans quelle mesure les femmes avaient des regrets, se sentaient déprimées, soulagées, coupables, tristes, sereines, etc.). Les résultats ont clairement confirmé l'hypothèse que le sentiment d'autoefficacité est un déterminant clé de l'adaptation après l'avortement. Des variables de la personnalité comme l'estime de soi et l'optimisme y étaient également liées, mais leurs effets semblaient dépendre de leur contribution au sentiment d'autoefficacité.

Bref, le sentiment d'autoefficacité a des effets importants sur le processus motivationnel. Plus précisément, on peut décrire ces effets comme suit :

La sélection ■ Le sentiment d'autoefficacité influe sur les objectifs que les gens se fixent (ainsi, les gens qui ont un fort sentiment d'autoefficacité se fixent des buts plus stimulants et plus difficiles à atteindre que ceux qui ont un faible sentiment d'autoefficacité).

Effort, persévérance, rendement ■ Les gens qui ont un fort sentiment d'autoefficacité déploient plus d'efforts, se montrent plus persévérants et ont un meilleur rendement que ceux qui ont un faible sentiment d'autoefficacité (Stajkovic et Luthans, 1998).

L'émotion ■ Les gens qui ont un fort sentiment d'autoefficacité abordent les tâches avec une humeur plus positive (c'est-à-dire avec moins d'anxiété et de dépression) que les gens qui ont un faible sentiment d'autoefficacité.

Les stratégies d'adaptation *(coping)* ■ Les gens qui ont un fort sentiment d'autoefficacité adoptent de meilleures stratégies d'adaptation devant les déceptions et le stress que les gens qui ont un faible sentiment d'autoefficacité.

APPLICATIONS ACTUELLES

Sentiment d'autoefficacité et usage du condom : comment changer les comportements ?

L'épidémie de sida a beaucoup compliqué les relations sexuelles, surtout pour les jeunes. En fait, l'éducation sexuelle est devenue une forme de médecine préventive. Il est certain que la sensibilisation représente un pas dans la bonne direction et qu'il est indispensable d'être bien informé sur le VIH, le sida et les comportements à risque, mais est-ce suffisant pour influer sur le comportement des jeunes ? Une étude récente indique que ce n'est pas le cas. Cette recherche visait à vérifier si un programme d'intervention basé sur la *théorie sociocognitive* pouvait contribuer à la prévention du sida, et plus précisément s'il pouvait accroître le *sentiment d'autoefficacité par rapport aux relations sexuelles protégées*.

Bandura (1992) a proposé un modèle conceptuel liant la théorie sociocognitive et le sentiment d'autoefficacité à la maîtrise des comportements sexuels qui augmentent le risque d'infection par le VIH. Essentiellement, le modèle de Bandura lance l'idée que la façon dont nous percevons notre capacité de composer avec une situation et d'en maîtriser les résultats constitue l'élément clé influant réellement sur le comportement.

Basen-Engquist (1994) a mis à l'épreuve le modèle de Bandura en menant une étude quasi expérimentale auprès d'étudiants de niveau collégial. Les participants ont été répartis en trois groupes : le premier groupe a participé à un atelier portant sur l'efficacité des activités sexuelles protégées, le deuxième groupe a reçu un cours magistral sur le VIH et le dernier groupe (groupe contrôle) a assisté à une conférence portant sur un tout autre sujet. Comme on s'y attendait, le test réalisé immédiatement après ces activités indiquait que les membres des premier et deuxième groupes avaient un plus fort sentiment d'autoefficacité quant aux activités sexuelles protégées et disaient plus souvent *avoir l'intention* d'utiliser un condom que les membres du groupe contrôle. Cependant, un test réalisé deux mois plus tard a révélé que les membres du premier groupe, qui avaient participé à un atelier sur l'efficacité des activités sexuelles protégées, déclaraient utiliser davantage le condom que les membres des deux autres groupes. Autrement dit, c'est la manipulation du sentiment d'autoefficacité par rapport aux relations sexuelles protégées — et non la seule information sur le VIH — qui avait produit un véritable changement de comportement.

Cette recherche démontre que les efforts de prévention du VIH doivent prendre en considération les aspects psychologiques des comportements sexuels protégés. La polarisation des efforts sur la sensibilisation par l'information a été telle qu'on a oublié de se demander ce que les jeunes faisaient de toute cette information. Le fossé qui existe entre l'intention d'utiliser le condom et son usage réel chez ceux qui avaient assisté à un cours sur le VIH donne à penser que l'information n'entraîne pas autant de changements de comportement que le voudraient les éducateurs. La théorie sociocognitive, et plus précisément le sentiment d'autoefficacité, peut fournir cet important lien psychologique entre l'information et le changement comportemental.

SOURCE : Basen-Engquist, 1994.

Bandura résume comme suit les résultats de la recherche consacrée aux effets du sentiment d'autoefficacité sur la motivation et le rendement : « Les persévérants ont fait progresser l'humanité davantage que les pessimistes. La confiance en soi n'est pas toujours un gage de succès, mais l'absence de confiance en soi mène assurément à l'échec » (1997, p. 77).

En bref

Selon la conception sociocognitive de la motivation, la personne se fixe des objectifs, ou normes, qui deviennent la base de son action. Les gens envisagent diverses actions possibles et prennent des décisions en fonction des résultats qu'ils prévoient obtenir (externes et internes) et du sentiment d'autoefficacité qu'ils éprouvent par rapport aux comportements qu'exigent ces actions. Une fois l'action accomplie, ses résultats sont évalués en fonction des récompenses externes (venant d'autrui) et internes (autoévaluation positive). Un bon rendement peut accroître le sentiment d'autoefficacité et entraîner soit un relâchement de l'effort, soit la fixation de normes plus exigeantes pour un effort subséquent. Un rendement médiocre ou un échec peut pousser l'individu soit à abandonner, soit à maintenir ses efforts, selon la valeur qu'il accorde au résultat attendu et le sentiment d'autoefficacité qu'il éprouve devant l'effort à déployer.

Ces concepts peuvent s'appliquer au travail scolaire, par exemple. L'individu restera motivé dans ses études s'il s'est fixé des normes suffisamment exigeantes, s'il prévoit obtenir des résultats positifs en fonction de ses objectifs, si leur atteinte est associée à un sentiment de fierté et s'il se sent capable de réussir. Par contre, si ses normes sont peu exigeantes, s'il prévoit obtenir peu de récompenses externes ou internes et s'il se pense incapable de réussir, il risque fort de s'ennuyer et d'être peu motivé.

LA CROISSANCE ET LE DÉVELOPPEMENT

La théorie sociocognitive met l'accent sur l'acquisition de compétences cognitives, sur les attentes, les objectifs et les normes, sur le sentiment d'autoefficacité et les fonctions d'autorégulation par l'observation d'autrui et par l'expérience directe (Bussey et Bandura, 1999; Mischel, 1999a). L'apprentissage par observation suppose la capacité d'apprendre des comportements complexes en regardant les autres. « Le fait que les gens soient capables d'apprendre ce qu'ils ont à faire en suivant l'exemple donné par les autres, du moins approximativement, leur évite de faire des erreurs inutiles » (Bandura, 1977b, p. 22).

L'apprentissage par observation

Selon la théorie de l'**apprentissage par observation,** les gens peuvent apprendre certains comportements simplement en regardant comment se comporte autrui, la personne observée servant alors de *modèle*. La recherche confirme qu'un individu peut apprendre des comportements simplement en observant un modèle qui manifeste ces comportements; ainsi, l'enfant peut apprendre le langage en observant ses parents et d'autres personnes lorsqu'ils parlent, selon un processus qu'on appelle **modelage.** Les comportements qui résultent du modelage font souvent partie de ce qu'on désigne par les termes *imitation* et *identification*; cependant, le terme d'imitation se rapporte strictement à la réponse de mimétisme, tandis qu'à l'autre extrême le terme d'identification comprend plusieurs modes comportementaux. Le modelage décrit quelque chose de plus large que l'imitation, mais de moins diffus que l'identification. De plus, la théorie sociocognitive rejette les termes d'imitation et d'identification parce qu'ils sont associés l'un à la théorie du renforcement de type stimulus-réponse et l'autre à la théorie psychanalytique, toutes deux considérées comme inadéquates pour rendre compte des phénomènes observés.

Apprentissage par observation *(observational learning).*
Concept proposé par Bandura; processus par lequel les gens font un apprentissage simplement en observant le comportement d'autres individus (modèles).

Modelage *(modeling).*
Concept proposé par Bandura; processus par lequel les gens reproduisent des comportements appris en observant autrui.

Acquisition *(acquisition).*
Apprentissage de nouveaux comportements; pour Bandura, l'acquisition ne dépend pas de la récompense, contrairement à la manifestation.

Manifestation *(manifestation).*
Production de comportements appris (acquis); pour Bandura, la manifestation dépend de la récompense, contrairement à l'acquisition.

La distinction entre l'acquisition et la manifestation ■ La distinction entre l'**acquisition** et la **manifestation** d'un comportement représente un aspect important de la théorie du modelage. Un mode de comportement nouveau et complexe peut s'apprendre — *s'acquérir* — avec ou sans renforçateurs; par contre, l'expression de ce comportement dépend des récompenses et des punitions. Une étude désormais classique de Bandura et de ses collaborateurs illustre cette distinction (Bandura, Ross et Ross, 1963a). Dans cette étude, trois groupes d'enfants ont observé un

L'apprentissage par observation Le comportement agressif peut s'apprendre par l'observation de ces comportements à la télévision. (Dessin de Etta Hulme, NEA, Inc., reproduction autorisée.)

modèle qui manifestait un comportement agressif envers une poupée de plastique. Dans le premier groupe, le comportement agressif du modèle n'entraînait pas de conséquences (groupe « pas de conséquences pour le modèle ») ; dans le deuxième groupe, le comportement agressif du modèle était récompensé (groupe « modèle récompensé ») et pour le troisième groupe, il était puni (groupe « modèle puni »). Après avoir observé le comportement agressif du modèle et ce qui s'ensuivait, les enfants des trois groupes étaient soumis à deux situations. Dans la première, on les laissait seuls dans une pièce avec de nombreux jouets, dont une poupée de plastique, et on les observait derrière un miroir sans tain pour voir s'ils manifesteraient

Le modelage Les théoriciens de l'apprentissage social insistent sur l'importance de l'observation d'autrui dans l'acquisition d'un comportement. (Dessin de Opie. © 1978, *The New Yorker Magazine*, Inc., reproduction autorisée.)

les comportements agressifs du modèle (situation « sans incitatif ») ; dans la deuxième, les enfants recevaient des incitatifs intéressants pour reproduire le comportement du modèle (situation « avec incitatifs »).

Deux questions intéressaient les chercheurs. Premièrement, les enfants se comporteraient-ils plus agressivement si on leur donnait un incitatif que si on ne leur en donnait pas ? L'étude révéla qu'il y avait beaucoup plus de comportements agressifs imitatifs dans la situation « avec incitatifs » que dans la situation « sans incitatif » (figure 13.3). Autrement dit, les enfants avaient appris (acquis) des comportements agressifs qu'ils n'ont pas manifestés dans la situation « sans incitatif », mais qu'ils ont manifestés dans la situation « avec incitatifs » ; ces résultats démontraient l'utilité de la distinction entre *acquisition* et *manifestation* du comportement. Deuxièmement, les conséquences pour le modèle auraient-elles un effet sur l'expression des comportements agressifs chez les enfants ? L'observation du comportement des enfants dans la situation « sans incitatif » a révélé de nettes différences : les enfants du groupe « modèle puni » ont manifesté beaucoup moins de comportements imitatifs que les enfants des groupes « modèle récompensé » et « pas de conséquences pour le modèle » (figure 13.3). Cependant, ces différences ont disparu lorsqu'on a offert aux enfants des incitatifs visant à reproduire le comportement du modèle (situation « avec incitatifs »). Autrement dit, les conséquences pour le modèle ont eu des effets sur la manifestation des comportements agressifs, mais non sur leur apprentissage.

Le conditionnement vicariant ■ D'autres études ont démontré que l'observation des conséquences pour le modèle influe sur la manifestation du comportement, mais non sur son acquisition. La différence entre l'acquisition et la manifestation suggère que, d'une manière ou d'une autre, les enfants sont sensibles à ce qui arrive au

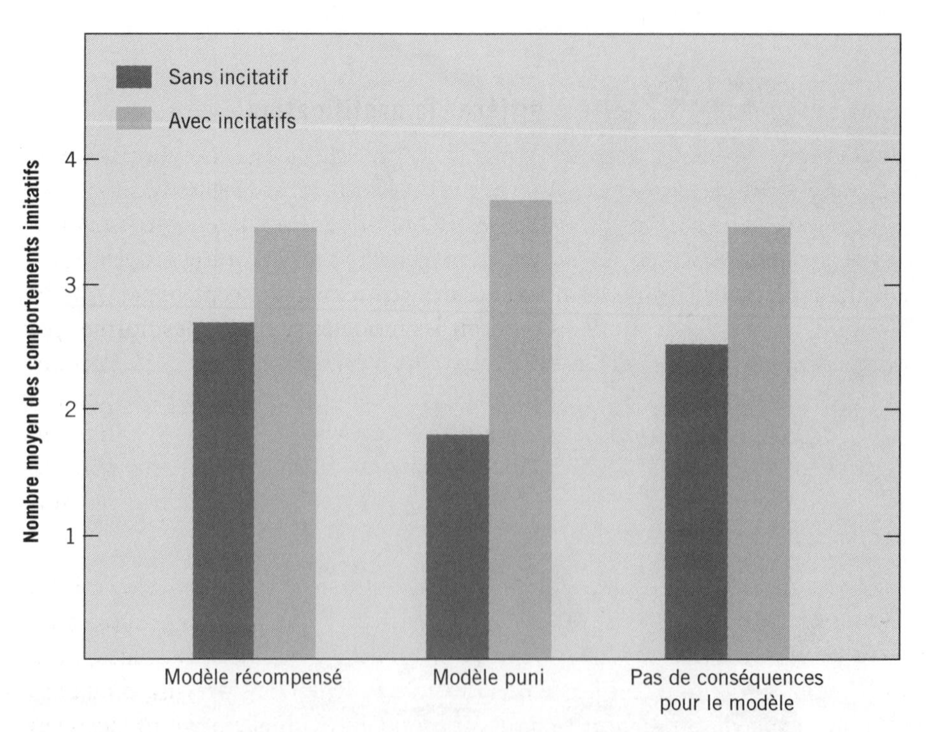

Figure 13.3 Nombre moyen des comportements imitatifs produits par les enfants, selon les conséquences pour le modèle et selon la présence ou l'absence d'incitatifs. (Bandura, 1965. © 1965, American Psychological Association, reproduction autorisée.)

modèle ; cela signifie que, pour des raisons d'ordre cognitif ou d'ordre émotionnel (ou les deux), les enfants réagissent aux conséquences pour le modèle. Cela indique que les enfants ont appris certaines réponses émotionnelles en sympathisant avec le modèle, simplement en l'observant. Donc, non seulement on peut apprendre un comportement grâce à l'observation, mais il est également possible de conditionner des réactions émotionnelles comme la peur et la joie par la simple observation : « Il n'est pas rare que des individus acquièrent de fortes réactions émotionnelles envers des choses, des personnes ou des lieux avec lesquels ils n'ont jamais été personnellement en contact » (Bandura, 1986, p. 185).

On a démontré que le processus d'apprentissage des réactions émotionnelles par l'observation d'autrui, ou **conditionnement vicariant,** existe chez les humains comme chez les animaux. Ainsi, les participants humains qui ont observé un modèle exprimant une réponse de peur conditionnée ont acquis une réponse émotionnelle conditionnée à un stimulus jusque-là neutre (Bandura et Rosenthal, 1966 ; Berger, 1962). De même, une expérience sur des animaux a révélé que les jeunes singes qui avaient vu leurs parents exprimer de la peur en présence de serpents véritables ou de serpents jouets acquéraient une peur des serpents intense et persistante. Le plus frappant dans cette recherche est que la période d'observation de la réponse émotionnelle des parents était parfois très brève. De plus, une fois installé le conditionnement vicariant, la peur se révélait intense, persistante et présente dans des situations différentes de celles où la réponse émotionnelle avait été observée (Mineka *et al.,* 1984).

Conditionnement vicariant *(vicarious conditioning).* Processus d'apprentissage des réactions émotionnelles par l'observation des réactions émotionnelles d'autrui.

Même si l'apprentissage par observation peut être un processus efficace, il ne faut pas croire qu'il soit automatique ou que l'individu soit forcé de suivre les traces d'autrui. Les enfants ont des modèles multiples : leurs parents, leurs frères et sœurs, leurs enseignants, leurs pairs, la télévision, etc. De plus, ils apprennent aussi par expérience directe. Enfin, en grandissant, ils peuvent choisir les modèles qu'ils observeront et tenteront d'imiter.

L'apprentissage de la capacité à différer la gratification

La recherche a démontré l'importance du modelage et de l'apprentissage par observation dans l'acquisition de normes de rendement pour la réussite et les récompenses, normes qui servent ensuite de base à la **gratification différée.** Les enfants dont les modèles se fixent des normes de rendement exigeantes pour l'autorécompense sont plus enclins à réserver l'autorécompense à des rendements exceptionnels que les enfants qui n'ont pas eu de modèles ou dont les modèles se fixent des normes peu exigeantes (Bandura et Kupers, 1964). Les enfants prennent exemple sur les normes du modèle, même si cela les empêche de se voir accorder les récompenses disponibles (Bandura, Grusec et Menlove, 1967) ; de plus, ils imposent aux autres enfants les normes apprises (Mischel et Liebert, 1966). On peut amener les enfants à tolérer de plus longs retards de la gratification en leur proposant des modèles qui sont eux-mêmes capables de les tolérer.

Gratification différée *(delay of gratification).* Retard du plaisir jusqu'au moment approprié ou optimal ; concept sur lequel la théorie sociocognitive insiste plus particulièrement en relation avec l'autorégulation.

Une recherche de Bandura et Mischel (1965) illustre bien cette influence du modèle sur les comportements de gratification différée chez les enfants. On a proposé à des enfants capables de retarder la gratification et à d'autres qui en étaient incapables des modèles qui avaient un comportement inverse au leur. Dans une situation comportant un modèle vivant, chaque enfant a observé individuellement une scène où l'on demandait à un modèle adulte de choisir entre une récompense immédiate et un objet de plus grande valeur, mais qu'il recevrait plus tard. Les enfants capables de retarder longtemps la gratification ont observé un modèle qui choisissait la récompense immédiate et en commentait les avantages, alors que les enfants incapables de retarder longtemps la gratification ont observé un modèle qui choisissait la récompense plus tardive et en commentait les avantages. Dans une situation comportant un modèle symbolique, on a présenté aux enfants des comptes rendus verbaux de ces mêmes comportements ; ici encore, le compte rendu verbal décrivait un comportement opposé à leur mode de comportement habituel. Finalement, dans une situation ne comportant pas de modèle, les enfants étaient simplement soumis au même choix que les adultes, sans qu'on leur ait proposé de modèle. Après avoir mis les enfants dans l'une de ces trois situations, on leur donna de nouveau le choix entre une récompense immédiate et une récompense plus tardive, mais de plus grande valeur. Les chercheurs ont alors constaté que, dans les trois situations, les enfants qui retardaient la gratification à l'origine avaient sensiblement modifié leur comportement en faveur d'une gratification immédiate, la situation comportant un modèle étant celle qui produisait le changement le plus marqué (figure 13.4). Les enfants qui toléraient mal la gratification différée à l'origine et à qui on avait proposé un modèle ayant le comportement inverse avaient sensiblement modifié leur comportement au bénéfice d'un retard de la gratification, sans qu'il y ait de différence notable entre les effets du modèle vivant et ceux du modèle symbolique. Enfin, ces effets se sont révélés stables chez tous les participants lorsqu'on a refait des tests quatre à cinq semaines plus tard.

Comme nous l'avons noté plus haut, les conséquences pour le modèle observé influent sur l'expression des comportements imitatifs. Par exemple, les enfants qui regardent un film où un enfant joue avec des jouets interdits par sa mère sans

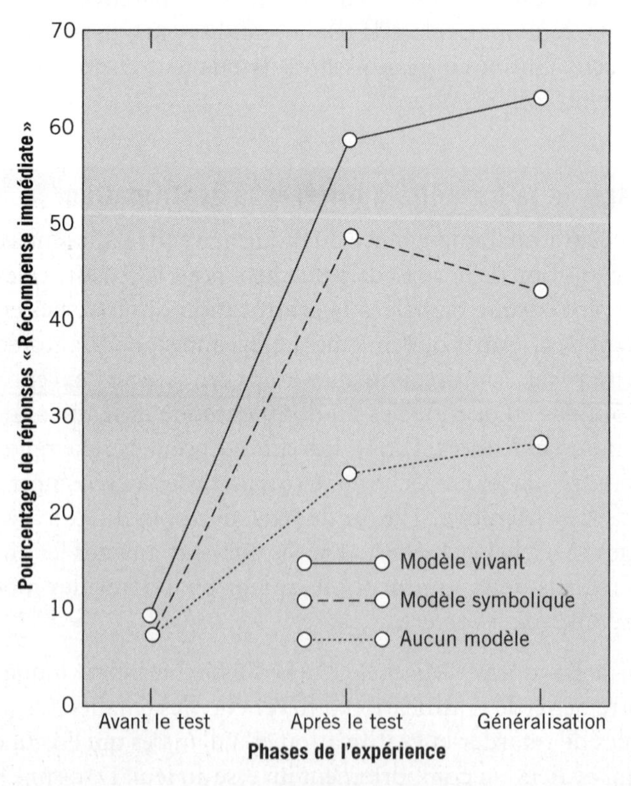

Figure 13.4 Pourcentage moyen de réponses « Récompense immédiate » chez les enfants capables de tolérer de longs retards de gratification pour chacune des trois phases de l'expérience et dans chacune des trois situations expérimentales. (Bandura et Mischel, 1965. © American Psychological Association, reproduction autorisée.)

recevoir de punition par la suite ont été plus enclins à jouer avec des objets interdits que les enfants qui n'avaient pas regardé de film ou qui avaient regardé un film où l'enfant était puni (Walters et Parke, 1964). L'enfant n'imite donc pas tout ce qu'il voit, mais ce qui est récompensé ou ce qui n'est pas puni. Après tout, l'enfant n'est pas fou !

La capacité de différer la gratification suppose l'acquisition de **compétences cognitives** et de **compétences comportementales**. Les comportements nécessaires s'acquièrent par observation d'autrui et par expérience directe. La capacité de différer la gratification est déterminée par les résultats auxquels on s'attend en fonction des expériences qu'on a connues soi-même, de l'observation des conséquences vécues par des modèles comme les parents et les pairs, et de ses propres réactions.

Compétences cognitives *(cognitive competencies).* Habiletés qui permettent de penser de diverses façons ; concept sur lequel la théorie sociocognitive insiste plus particulièrement en relation avec la capacité de retarder la gratification.

Compétences comportementales *(behavioral competencies).* Habiletés qui permettent de se comporter d'une façon particulière ; concept sur lequel la théorie sociocognitive insiste plus particulièrement en rapport avec le rendement et la gratification différée.

Mischel (1990, 1996) a fait énormément de recherche sur les mécanismes cognitifs auxquels les enfants recourent pour retarder la gratification et ne pas céder à la tentation que représentent les stimuli à leur portée. En plus des règles que l'on se donne et des déclarations que l'on se fait (« Tu n'es pas censé faire cela »), les enfants mettent au point des stratégies pour résister à la tentation. L'une de ces stratégies est la diversion, c'est-à-dire le fait de détourner son attention de l'objet tentant. Une autre de ces stratégies consiste à fixer son attention sur les propriétés abstraites ou « froides » de l'objet convoité, plutôt que sur ses propriétés concrètes ou « chaudes ». Par exemple, l'enfant pourra se concentrer sur les photos d'un aliment plutôt que sur son goût : « Ainsi, ce qu'il y a dans la tête des enfants — et non ce qu'il y a physiquement devant eux — influe de manière cruciale sur leur capacité de supporter résolument le retard de la gratification afin d'atteindre les objectifs qu'ils préfèrent, mais qui ne sont pas immédiatement à leur portée. [...] Si les enfants imaginent la présence des objets réels, ils ne peuvent pas attendre longtemps. Si, au contraire, ils imaginent des images de ces objets, ils peuvent attendre très longtemps » (Mischel, 1990, p. 123).

La gratification différée
Les enfants doivent apprendre à retarder le plaisir jusqu'au moment approprié. Ici, une fillette calcule combien elle devra économiser pour acheter le jouet qu'elle désire.

Comme cette recherche portait sur des enfants, on peut s'interroger sur le sens de ces résultats pour le développement de la personnalité. Mischel a creusé la question en comparant les mesures de gratification différée chez des enfants d'âge préscolaire à des mesures de leurs compétences cognitives et sociales à l'adolescence, soit à peu près dix ans plus tard. Les mesures des compétences des adolescents étaient basées sur des évaluations de leurs habiletés cognitives et de leur maîtrise de soi effectuées par les parents. De plus, on a demandé aux parents de fournir les résultats du SAT (Scholastic Aptitude Test, test normalisé d'aptitudes scolaires, utilisé aux États-Unis) verbal et quantitatif de leur enfant, données qui se sont révélées fiables quand on les a confrontées aux résultats fournis par l'Educational Testing Service. Les résultats de cette étude ont indiqué une grande continuité entre les mesures de gratification différée prises chez des enfants d'âge préscolaire dans une situation de laboratoire et les mesures de compétences cognitives et sociales obtenues à l'adolescence (tableau 13.2; Shoda, Mischel et Peake, 1990). Mischel conclut que ces résultats révèlent que « l'enfant capable de retarder sa gratification à l'âge préscolaire est devenu un adolescent qu'on dit capable d'être attentif, de se concentrer et d'exprimer clairement ses idées, d'entendre raison, de se montrer compétent et habile, de prévoir et de planifier les événements, de s'adapter aux circonstances et de composer avec le stress en faisant preuve de maturité. Plus important encore peut-être, les caractéristiques qu'évoquent les évaluations des adolescents correspondent aux compétences cognitives essentielles à la gratification différée mises en lumière par la recherche expérimentale, nommément la capacité de recourir à des stratégies de diversion et de maîtrise de l'attention afin d'atteindre l'objectif fixé » (1999, p. 484).

Tableau 13.2 Exemples de corrélations entre la période de gratification différée chez des enfants d'âge préscolaire et les évaluations parentales de leurs compétences à l'adolescence, ainsi que les résultats obtenus au SAT (Shoda, Mischel et Peake, 1990, p. 983)

Réponses des parents à certains éléments du questionnaire (adolescence)	Mesures de gratification différée (âge préscolaire)
1. Probabilité d'être détourné de son objectif par des revers mineurs	– 0,30*
2. Probabilité de garder la maîtrise de soi dans des situations frustrantes	0,58***
3. Capacité de composer avec des problèmes importants	0,31*
4. Capacité de réussir à l'école lorsque la motivation est bonne	0,37*
5. Probabilité de céder à la tentation	– 0,50***
6. Probabilité de privilégier un objectif immédiat, mais moins désirable	– 0,32*
7. Capacité d'atteindre des objectifs lorsque la motivation est bonne	0,38*
8. Capacité de garder la maîtrise de soi dans des situations où existe la tentation	0,36*
9. Capacité de se concentrer	0,41**
10. Capacité de garder la maîtrise de soi en cas de frustration	0,40**
11. SAT verbal	0,42*
12. SAT quantitatif	0,57

* p < 0,05 ** p < 0,01 *** p < 0,001

Taille de l'échantillon : 43 pour les éléments 1 à 10, et 35 pour les éléments 11 et 12

En bref

La théorie sociocognitive insiste sur l'importance de l'expérience directe dans le développement de la personnalité, mais aussi des modèles et de l'apprentissage par observation. Les individus acquièrent des comportements et des réponses émotionnelles en observant les comportements et les réponses émotionnelles fournis par des modèles (apprentissage par observation et conditionnement par observation). Le fait que les comportements se manifestent ou non dépend des conséquences dont l'individu a eu l'expérience directe et des conséquences pour les modèles observés. Les **conséquences externes directes** apprennent aux individus à attendre des récompenses et des punitions pour des comportements précis dans des contextes précis. Les **conséquences observées chez autrui** apprennent aux individus certaines réactions émotionnelles et certaines attentes acquises sans qu'ils aient à faire eux-mêmes l'expérience de conséquences souvent douloureuses. Ainsi, c'est par l'expérience directe et par l'observation, par les récompenses et les punitions directes et par le conditionnement par observation que les individus acquièrent d'importantes caractéristiques de la personnalité comme les compétences, les attentes, les objectifs-normes et le sentiment d'autoefficacité. Ces processus lui permettent également d'acquérir des capacités autorégulatoires. Ainsi, par l'acquisition de normes et de compétences cognitives, ils peuvent se représenter l'avenir et se récompenser ou se punir selon leur capacité à atteindre les objectifs qu'ils se sont fixés. Ces **conséquences autogénérées** sont particulièrement importantes pour le maintien des comportements sur de longues périodes en l'absence de renforçateurs externes.

Conséquences externes directes *(direct external consequences).* Dans la théorie sociocognitive, événements externes qui font suite à un comportement et qui influent sur le rendement futur.

Conséquences observées chez autrui *(vicarious experiencing of consequences).* Dans la théorie sociocognitive, conséquences faisant suite au comportement d'autrui observées par l'individu et influant sur le rendement futur.

Conséquences autogénérées *(self-produced consequences).* Dans la théorie sociocognitive, conséquences du comportement de l'individu que celui-ci engendre lui-même (conséquences internes) et qui jouent un rôle crucial dans l'autorégulation et la maîtrise de soi.

Il est important de le souligner, la théorie sociocognitive est en rupture avec les conceptions qui se fondent sur des stades de développement fixes ou sur de grands types de personnalité. Selon Bandura et Mischel, les gens acquièrent des habiletés et des compétences dans des domaines particuliers. Ils acquièrent, non pas une conscience ou un ego sain, mais plutôt des compétences et des guides motivationnels adaptés à des contextes précis et qui les poussent à l'action. Cette perspective insiste sur la capacité de faire la discrimination entre les situations et de réguler la flexibilité du comportement en fonction aussi bien des objectifs fixés par soi que des exigences de la situation.

Résumé

1. La théorie sociocognitive s'intéresse plus particulièrement à l'apprentissage indépendant du renforcement et aux processus cognitifs. Ses deux principaux représentants, Albert Bandura et Walter Mischel, insistent sur l'interaction entre la personne et l'environnement, phénomène que traduit le concept de déterminisme réciproque.

2. Les structures de la personnalité sur lesquelles insiste la théorie sociocognitive sont les compétences-habiletés, les objectifs et le soi. Les compétences cognitives qui permettent à l'individu de résoudre les problèmes de sa vie y prennent une importance particulière. Les objectifs orientent l'individu vers les résultats à venir. Les théoriciens sociocognitifs considèrent que l'individu dispose non pas d'un seul concept de soi, mais plutôt de plusieurs concepts portant sur soi et sur la maîtrise de soi, concepts qui peuvent changer au fil du temps et selon les situations. Un aspect particulièrement important de la perception de soi est le sentiment d'autoefficacité (perception que l'individu

a de sa capacité de composer avec des situations données). Tous ces concepts sont centrés sur le fonctionnement de l'individu dans des situations spécifiques plutôt que sur de grandes dispositions ou des traits globaux indépendants du contexte. Selon cette théorie, les individus ont des signatures comportementales, c'est-à-dire des profils distinctifs individuels de relations situation-comportement. La théorie sociocognitive privilégie donc une stratégie de recherche microanalytique.

3. La conception sociocognitive de la motivation insiste sur l'importance des normes-objectifs. Par les processus cognitifs de la prévision et de l'anticipation, les individus tentent de réduire les écarts entre leur rendement actuel et leurs normes ou objectifs de rendement. Ils entreprennent une action en fonction des conséquences qu'ils s'attendent à subir (récompenses et punitions) de la part de sources externes ou internes. L'établissement d'objectifs plus proches et plus immédiats, et l'autorenforcement (la fierté, par exemple) leur permettent de poursuivre leurs objectifs sur de longues périodes. Les gens peuvent prendre en main leur destinée par un processus d'autorégulation qui suppose à la fois la sélection d'objectifs et l'autorenforcement.
4. Les jugements concernant l'autoefficacité, ou la perception qu'entretient l'individu de pouvoir accomplir les tâches exigées par la situation, jouent un rôle clé dans la motivation parce qu'ils influent sur le choix des objectifs, sur l'effort et la persistance de l'effort nécessaire à l'atteinte d'un objectif, sur l'état émotionnel dans lequel l'individu aborde les tâches (par exemple, l'anxiété et la dépression associées à un faible sentiment d'efficacité personnelle), ainsi que sur les stratégies d'adaptation devant le stress et les événements négatifs.
5. La théorie sociocognitive met l'accent sur l'acquisition d'habiletés-compétences, de normes et d'un sentiment d'autoefficacité, au moyen de l'observation d'autrui, du renforcement venant d'autrui et de l'expérience directe. Elle insiste également sur l'importance des modèles dans le processus d'apprentissage par observation. L'un des aspects de ce processus est l'apprentissage de réactions émotionnelles au moyen de l'observation des réactions émotionnelles que vivent les modèles (conditionnement vicariant). On fait une distinction importante entre l'acquisition de modes comportementaux, qui ne dépend pas des récompenses et des punitions, et la manifestation de ces comportements qui, elle, en dépend.
6. La recherche portant sur l'acquisition des compétences cognitives et comportementales associées à la gratification différée illustre les principes sociocognitifs de la croissance et du développement. Les normes sont apprises par l'observation de modèles et par le renforcement. La capacité de retarder la gratification suppose l'acquisition de compétences cognitives et comportementales par l'observation d'autrui et par l'expérience directe. Le comportement de gratification différée est influencé par les résultats auxquels on s'attend, y compris les réponses d'autrui et les réponses autoévaluatives.
7. La théorie sociocognitive met l'accent sur l'acquisition d'habiletés et de compétences dans des domaines particuliers. Elle insiste sur la capacité manifestée par l'individu de discriminer les situations et de réguler son comportement en fonction des objectifs internes et des exigences externes. Ici encore, on passe des traits indépendants du contexte au fonctionnement de l'individu dans des situations précises.

Chapitre 14

L'approche sociocognitive : Applications et évaluation

Les applications cliniques

La psychopathologie

Le changement

L'évolution récente

L'analyse comparative

La théorie sociocognitive et la psychanalyse

La théorie sociocognitive et la phénoménologie

La théorie sociocognitive et la théorie des construits personnels

La théorie sociocognitive et la théorie des traits de personnalité

La théorie sociocognitive et la théorie de l'apprentissage

L'évaluation critique

Les avantages

Les limites

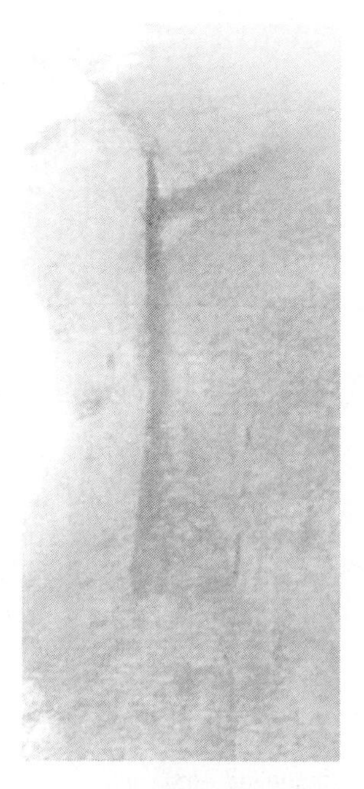

Un collégien qui travaillait tard le soir à la rédaction de ses demandes d'admission dans diverses facultés de médecine se retrouva à ce point paralysé par l'anxiété qu'il dut prendre une pause. Qu'adviendrait-il de lui s'il était refusé partout? Cette possibilité occupa tellement son esprit qu'il fut incapable de terminer ses demandes à temps. Il finit tout de même par les envoyer, mais ce retard diminua considérablement ses chances d'être admis. Ainsi, son propre comportement avait augmenté de beaucoup le risque que l'éventualité tant redoutée devienne réalité.

Les cognitions de ce jeune homme comportaient des attentes et des conceptions de soi dysfonctionnelles. Ces processus cognitifs dysfonctionnels constituent précisément la cible des applications cliniques qui découlent de la théorie sociocognitive. Ce chapitre traite du rôle des cognitions dysfonctionnelles dans le comportement anormal ainsi que des procédés qui visent à produire des changements thérapeutiques. Plus précisément, nous nous intéresserons au rôle joué par le sentiment d'autoefficacité et aux techniques destinées à améliorer les opinions qu'ont les gens sur leur capacité de s'adapter à des situations précises. En conclusion, nous comparerons la théorie sociocognitive aux autres théories de la personnalité étudiées jusqu'ici.

Le chapitre... *en questions*

1. Quel est le rôle des perturbations du sentiment d'autoefficacité dans le fonctionnement psychologique anormal?
2. Y a-t-il des facteurs communs à tout changement thérapeutique?
3. La psychothérapie peut-elle reposer uniquement sur les processus cognitifs, ou l'expérience concrète représente-t-elle une composante incontournable du changement thérapeutique?

Les applications cliniques

LA PSYCHOPATHOLOGIE

Selon la théorie sociocognitive, le comportement inadapté résulte d'un apprentissage dysfonctionnel. Comme c'est le cas pour tout apprentissage, les réponses inadaptées peuvent avoir été apprises par expérience directe ou par observation, c'est-à-dire parce que des modèles inadéquats ou « pathologiques » ont été proposés. Ainsi, selon Bandura, le fait que les parents eux-mêmes se modèlent sur des formes de comportement anormales constitue souvent un facteur causal important dans l'apparition d'un trouble mental. Pour Bandura, il est inutile ici encore de se mettre en quête d'incidents traumatiques que l'individu aurait vécus dans son enfance ou de conflits non résolus; il n'est pas nécessaire non plus de trouver dans son passé des antécédents de renforcement susceptibles d'expliquer pour quelles raisons ce comportement pathologique aurait été acquis au départ. Par contre, une fois ces comportements appris par observation, il est probable que leur maintien est attribuable au renforcement direct et à l'observation. La recherche consacrée au conditionnement des réponses émotionnelles par l'observation indique que l'apprentissage par observation et le conditionnement vicariant peuvent expliquer pour une bonne part les peurs et les phobies des êtres humains ; songeons notamment à cette étude portant sur des singes qui, ayant vu leurs parents manifester leur peur des serpents, ont ainsi acquis une réponse émotionnelle conditionnée qui est intense, persistante et qui s'applique à d'autres contextes que celui de l'apprentissage initial. Non seulement les jeunes singes ont-ils peur des serpents, mais cette émotion s'exprime également dans d'autres situations.

Les attentes dysfonctionnelles et les conceptions de soi

Si l'apprentissage de certains comportements et réactions émotionnelles qui se manifestent au grand jour est important en psychopathologie, la théorie sociocognitive insiste de plus en plus sur le rôle joué par les **attentes** et **conceptions de soi dysfonctionnelles**. Les gens peuvent s'attendre à tort à ce que certains événements soient suivis d'autres événements, douloureux, ou associer à tort la souffrance à des situations particulières. Ils pourront se comporter de manière à éviter de se trouver dans certaines situations ou à créer ces situations mêmes qu'ils essayaient d'éviter. Par exemple, la personne qui s'attend à ce que l'intimité engendre de la souffrance et qui fait preuve d'hostilité à l'égard d'autrui provoque ainsi le rejet, ce qui semble confirmer ses craintes (attentes) que l'intimité n'entraîne que rejet et déception.

Attentes dysfonctionnelles *(dysfunctional expectancy).*
Dans la théorie sociocognitive, attentes inadaptées quant aux conséquences de comportements particuliers.

Conceptions de soi dysfonctionnelles *(dysfunctional self-evaluations).*
Dans la théorie sociocognitive, normes personnelles inadaptées quant à l'autorécompense, ce qui, selon les psychologues, a d'importantes répercussions sur les troubles mentaux.

Les processus cognitifs peuvent également jouer un rôle dans les troubles mentaux lorsqu'ils donnent lieu à des autoévaluations dysfonctionnelles, et en particulier à un faible sentiment d'autoefficacité ou à un sentiment d'inefficacité totale. On se souvient que le sentiment d'autoefficacité se définit comme la perception qu'entretient l'individu de sa capacité à s'adapter à une situation donnée ou à s'acquitter des tâches qu'elle requiert. L'individu qui se sent inefficace a l'impression de ne pas pouvoir faire face aux exigences de la situation ou de ne pas pouvoir s'acquitter des tâches qu'elle requiert. Selon la théorie sociocognitive, le sentiment d'inefficacité joue un rôle central dans l'anxiété et la dépression (Bandura, 1997).

Le sentiment d'autoefficacité et l'anxiété ▪ Quel rôle le sentiment d'autoefficacité joue-t-il dans l'anxiété ? Selon la théorie sociocognitive, le fait de ressentir un faible sentiment d'autoefficacité par rapport à une menace éventuelle déclenche une forte anxiété. En regard de l'anxiété, ce n'est pas l'événement menaçant en soi qui est fondamental, mais plutôt le sentiment d'être incapable de s'adapter à lui. La recherche indique que ceux qui se pensent incapables de faire face aux événements menaçants éprouvent une grande détresse. Ils peuvent également acquérir d'autres cognitions dysfonctionnelles, par exemple s'inquiéter de ce qui pourrait arriver. Autrement dit, la personne anxieuse risque de se concentrer sur le désastre qui l'attend et sur son incapacité de faire face à ce désastre, plutôt que sur ce qu'elle pourrait faire pour venir à bout du problème qui se pose à elle. Le sentiment d'être incapable de s'adapter à la situation peut se compliquer du sentiment d'être incapable de s'adapter à l'anxiété elle-même… et avoir « peur de la peur » peut mener à la panique (Barlow, 1991).

Le sentiment d'autoefficacité et la dépression ▪ Si le sentiment d'inefficacité devant les événements menaçants peut déclencher l'anxiété, le sentiment d'inefficacité par rapport à l'obtention de résultats satisfaisants entraîne la dépression, la dépression représentant alors la réponse à l'incapacité perçue d'atteindre les résultats satisfaisants désirés. Cependant, chez les dépressifs, le problème s'explique peut-être en bonne partie par des normes personnelles démesurément élevées. Autrement dit, les personnes enclines à la dépression s'imposent des normes personnelles et des objectifs trop exigeants; lorsque les résultats ne répondent pas à leurs attentes, ils s'accablent de reproches et attribuent ce qui est arrivé à leur incapacité et à leur incompétence. En fait, l'autocritique excessive constitue souvent une composante majeure de la dépression. Bref, si le sentiment qu'éprouve l'individu d'être incapable d'atteindre les objectifs qu'il s'est fixés est fondamental dans la dépression, le problème tient peut-être en partie au fait qu'il s'est fixé des objectifs irréalistes. De plus, entretenir un faible sentiment d'autoefficacité peut avoir comme effet de diminuer le rendement, de sorte que l'individu sera encore moins à la hauteur de ses normes personnelles et se blâmera encore davantage (Kavanagh, 1992). Une recherche effectuée sur la dépression durant l'enfance a justement mis au jour une relation de ce type. Cette étude a montré que non seulement le sentiment d'inefficacité sociale et scolaire contribue directement à la dépression, mais qu'il y contribue aussi indirectement, en incitant à des comportements problématiques qui compromettent la réussite sociale et scolaire à venir (Bandura, Pastorelli, Barbaranelli et Caprara, 1999). Ainsi, le faible sentiment d'autoefficacité contribue à la dépression accompagnée de problèmes comportementaux; un cycle autodestructeur s'installe alors, qui débouche sur un sentiment d'inefficacité et une dépression qui ne font que croître.

Bandura (1992) a posé une question intéressante en soulignant le fait que l'écart entre les normes personnelles et le rendement peut avoir des effets différents, entraînant tantôt un effort accru, tantôt l'apathie ou la dépression. Qu'est-ce qui détermine les effets de l'écart entre les normes personnelles et le rendement? Selon Bandura, cet écart déclenche une forte motivation si l'individu se sent capable d'atteindre l'objectif visé. Le sentiment que cet objectif se trouve au-delà des capacités de l'individu et qu'il est par conséquent irréaliste entraîne l'abandon de l'objectif et possiblement l'apathie, mais pas la dépression. La personne qui se dit « Cette tâche est trop difficile » et qui l'abandonne ressentira peut-être de la frustation et de la colère, mais elle ne sera pas déprimée. La dépression survient lorsque l'individu se sent inefficace par rapport à un objectif, mais juge cet objectif raisonnable et croit donc qu'il doit continuer à essayer de l'atteindre. Les effets de l'écart entre les normes personnelles et le rendement sur l'effort et sur l'humeur dépendent donc du sentiment d'autoefficacité qu'éprouve l'individu et de sa manière de percevoir le réalisme et l'importance des normes personnelles ou de l'objectif visé.

Le sentiment d'autoefficacité et la santé ■ La relation entre le sentiment d'autoefficacité et la santé représente l'un des points saillants de la recherche sociocognitive (Bandura, 1997). Les résultats de cette recherche se résument facilement: entretenir un fort sentiment d'autoefficacité est bon pour la santé et un faible sentiment d'autoefficacité est mauvais pour la santé (Schwarzer, 1992). Le sentiment d'autoefficacité influe sur la santé essentiellement de deux façons: par ses effets sur les comportements liés à la santé et par ses effets sur le fonctionnement physiologique (Contrada, Leventhal et O'Leary, 1990; Miller, Shoda et Hurley, 1996). Le sentiment d'autoefficacité influe à la fois sur la probabilité de souffrir de diverses maladies et sur le processus de guérison (O'Leary, 1992).

Le sentiment d'autoefficacité a été associé à des comportements tels que le tabagisme, la consommation d'alcool et l'usage du condom (en relation avec la grossesse ou avec le sida). Par exemple, le sentiment d'autoefficacité par rapport aux relations sexuelles protégées a été associé à la probabilité d'adopter des pratiques sexuelles protégées. On a utilisé le modelage, la fixation d'objectifs de même que d'autres techniques afin d'accroître le sentiment d'autoefficacité et de réduire ainsi le nombre de comportements à risque (O'Leary, 1992). Les changements dans le sentiment d'autoefficacité se sont également révélés importants dans le processus de guérison. Ainsi, pour guérir d'une crise cardiaque, il est important de bien doser l'activité physique. Or, les gens qui se rétablissent d'une crise cardiaque ont parfois un sentiment d'autoefficacité exagéré et abusent de l'exercice ; ces patients doivent alors ramener leur sentiment d'autoefficacité à un niveau plus réaliste et retrouver des habitudes d'exercice plus saines (Ewart, 1992).

Pour ce qui est de la relation entre le sentiment d'autoefficacité et le fonctionnement physiologique, la recherche montre qu'un fort sentiment d'autoefficacité protège contre les effets du stress et améliore le fonctionnement du système immunitaire. On sait qu'un stress excessif peut altérer le fonctionnement du système immunitaire, alors qu'une plus grande capacité à gérer le stress peut améliorer son fonctionnement (O'Leary, 1990). Dans une expérience conçue pour étudier l'effet du sentiment d'autoefficacité sur le système immunitaire par rapport à la maîtrise des facteurs de stress, Bandura et ses associés ont constaté qu'un fort sentiment d'autoefficacité améliorait réellement le fonctionnement du système immunitaire (Wiedenfeld *et al.*, 1990).

Dans cette recherche, des personnes souffrant d'une phobie (peur excessive) des serpents ont été testées selon trois modalités : (1) une phase de référence ne comportant pas d'exposition au facteur de stress phobique (serpent) ; (2) une phase d'acquisition du sentiment d'autoefficacité, au cours de laquelle on a aidé les participants à acquérir un certain sentiment d'autoefficacité quant à leur capacité de s'adapter à ce facteur de stress ; et (3) une phase où le sentiment d'autoefficacité était optimal. À chacune de ces phases, on a prélevé un peu de sang chez les participants et on l'a analysé afin de mesurer la présence de cellules qui, on le sait, favorisent la régulation du système immunitaire. Par exemple, on a mesuré les lymphocytes T auxiliaires qui contribuent à la destruction des virus et des cellules cancéreuses. Ces analyses ont indiqué qu'un sentiment d'autoefficacité accru était associé à une amélioration du fonctionnement du système immunitaire, comme le montrait

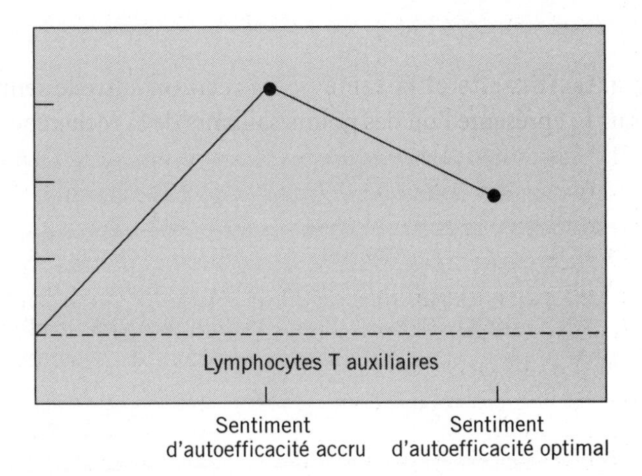

Figure 14.1 Changements dans les lymphocytes T auxiliaires lors de l'exposition au facteur de stress phobique pendant la phase d'acquisition du sentiment d'autoefficacité et lorsque celui-ci est perçu comme optimal. (Wiedenfeld *et al.*, 1990. © 1990, American Psychological Association, reproduction autorisée.)

APPLICATIONS ACTUELLES

Il existe des programmes qui amplifient le sentiment d'autoefficacité des patients arthritiques pour les aider à surmonter leurs craintes à propos de la douleur et de leurs incapacités.

Le sentiment d'autoefficacité et la santé

Selon la théorie sociocognitive, le sentiment que nous avons de notre autoefficacité entraîne d'importantes répercussions sur la façon dont nous réagissons émotionnellement aux situations et sur notre motivation à adopter divers comportements. Si cette hypothèse était confirmée, cela pourrait avoir des conséquences importantes pour la santé et nous permettre de mieux comprendre les réponses émotionnelles et comportementales des individus non seulement à l'égard des situations stressantes, mais aussi à l'égard des programmes thérapeutiques ou préventifs prescrits par les professionnels de la santé.

Or, les recherches menées récemment par Bandura et par d'autres chercheurs semblent confirmer cette hypothèse. Diverses études indiquent qu'un faible sentiment d'autoefficacité est associé à des réponses telles qu'un stress accru, une moindre tolérance face à la douleur et une faible motivation à suivre des programmes thérapeutiques. Inversement, un sentiment accru d'autoefficacité est associé à un stress autodéclaré moindre, à une diminution des réponses physiologiques indicatrices de stress, à une capacité d'adaptation accrue et à une participation accrue aux programmes thérapeutiques ou préventifs prescrits par des professionnels de la santé. Dans le cadre d'un programme thérapeutique, des patients arthritiques ont suivi une thérapie visant à augmenter leur sentiment d'autoefficacité par rapport à leur capacité à s'adapter à l'affection dont ils souffrent. Non seulement la thérapie a-t-elle atteint ce but, mais elle a eu pour résultats de réduire l'inflammation et les douleurs articulaires, ainsi que d'améliorer le fonctionnement psychosocial. Dans un autre programme thérapeutique, destiné celui-là à des boulimiques (personnes qui mangent compulsivement, puis se font vomir pour se purger des aliments ingérés), on a constaté qu'un sentiment d'autoefficacité accru était associé à une plus grande maîtrise de soi par rapport à l'alimentation et à une diminution de la fréquence des vomissements. Enfin, dans un troisième programme de prévention, destiné à des patients présentant un risque de cardiopathie, on a constaté qu'un sentiment d'autoefficacité accru par rapport à la marche était associé à une pratique plus assidue des exercices prescrits. Jusqu'ici, la recherche donne à penser que la théorie du sentiment d'autoefficacité a des effets importants sur divers comportements liés à la santé, notamment l'abandon de la consommation de tabac, la perception et la gestion de la douleur, la maîtrise de l'alimentation et du poids, de même que la participation à des programmes de prévention de la maladie.

SOURCES : Bandura, 1997 ; Miller, Shoda et Hurley, 1996 ; O'Leary, 1993 ; Schneider *et al.*, 1987 ; Schwarzer, 1992.

notamment l'augmentation des lymphocytes T auxiliaires (figure 14.1). De sorte que, même si les effets du stress sont négatifs, le fait d'éprouver un sentiment d'autoefficacité accru par rapport au facteur de stress peut avoir des propriétés adaptatives intéressantes pour ce qui est du fonctionnement du système immunitaire.

LE CHANGEMENT

Bien qu'il s'agisse aujourd'hui d'un domaine de théorie et de recherche d'une grande importance, c'est tout récemment qu'on a commencé à effectuer du travail thérapeutique dans une perspective sociocognitive. Bandura a consacré de plus en plus de temps à la mise au point de méthodes favorisant le changement thérapeutique et à l'élaboration d'une théorie intégrée de la modification comportementale. Même si Bandura insiste sur la nécessité de mettre au point de tels procédés, il se montre extrêmement prudent dans son approche. Selon lui, leur application clinique ne devrait se faire qu'une fois leurs mécanismes fondamentaux élucidés et leurs effets adéquatement évalués.

Le modelage et la participation guidée

Selon Bandura, le processus de changement suppose non seulement qu'on acquière de nouveaux modes de pensée et de comportement, mais également qu'on les applique de manière générale et qu'on les conserve. La perspective sociocognitive de la thérapie insiste donc sur la nécessité d'effectuer des changements dans le sentiment d'autoefficacité. La thérapie sociocognitive privilégie surtout l'acquisition de compétences cognitives et comportementales grâce au *modelage* et à la *participation guidée*. Dans le **modelage**, divers modèles exécutent les activités désirées, qui comportent des effets positifs ou du moins n'entraînent pas de conséquences négatives. Généralement, les modes de comportement complexes proposés en apprentissage sont décomposés et hiérarchisés en habiletés secondaires et en tâches secondaires de plus en plus difficiles de façon que les progrès soient optimaux. Dans la **participation guidée**, on aide l'individu à acquérir les comportements du modèle et à les maîtriser. En somme, contrairement aux approches thérapeutiques qui privilégient la communication verbale comme facteur de changement personnel, la théorie sociocognitive préconise la maîtrise des expériences pertinentes (Bandura, 1997).

Modelage *(modeling)*. Concept proposé par Bandura ; processus par lequel les gens reproduisent des comportements appris en observant autrui.

Participation guidée *(guided mastery)*. Dans la théorie sociocognitive, approche thérapeutique où l'on aide la personne à reproduire les comportements d'un modèle.

Les résultats de recherche ■ La recherche portant sur le modelage thérapeutique et sur la participation guidée a été effectuée essentiellement en laboratoire, où elle avait pour objectif de modifier le comportement des enfants atteints d'une forte phobie des serpents et d'une peur des chiens. Dans une des premières études, on a comparé la technique de modelage à la désensibilisation systématique et à une situation de contrôle dans laquelle les participants ne recevaient aucun traitement (Bandura, Blanchard et Ritter, 1967). Les chercheurs ont choisi les participants parmi les personnes qui avaient répondu à une publicité, publiée dans un journal, qui proposait de l'aide aux gens qui avaient la phobie des serpents. On a mesuré jusqu'à quel point les participants pouvaient tolérer le contact avec un serpent avant et après avoir été soumis à l'un des quatre types de conditions expérimentales suivants : (1) *modelage avec participation*, où un modèle faisait la démonstration du comportement désiré, puis aidait chaque participant à faire l'apprentissage de réponses de plus en plus difficiles ; (2) *modelage symbolique*, où les participants regardaient un film montrant des enfants et des adultes qui avaient des interactions de plus en plus menaçantes avec un serpent de grande taille et apprenaient à se détendre tout en regardant le film ; (3) *désensibilisation systématique* ; (4) *contrôle sans traitement*. Les résultats ont révélé que les participants du groupe de contrôle ne présentaient aucun changement dans leur comportement d'évitement, que les participants soumis au modelage symbolique et à la désensibilisation systématique présentaient des réductions substantielles du comportement phobique et que les participants soumis au modelage de même qu'à la participation guidée présentaient la plus grande amélioration. Le modelage vivant avec participation guidée s'est avéré être le meilleur traitement ; exceptionnellement efficace, il a complètement éliminé la phobie des serpents chez la grande majorité des participants. Ainsi, tous les membres de ce groupe ont fait des progrès considérables ; ils ont pu rester assis trente secondes avec un serpent sur les genoux.

Une étude menée auprès des enfants d'une garderie qui avaient peur des chiens a révélé que l'observation d'un autre enfant jouant avec un chien éliminait une bonne partie de la peur et du comportement d'évitement (Bandura, Grusec et Menlove, 1967) ; une évaluation complémentaire effectuée un mois plus tard a révélé que ces gains s'étaient maintenus dans une grande mesure. Bandura et Menlove (1968) ont démontré que le fait de regarder des films dans lesquels des modèles jouaient avec des chiens pouvait atténuer considérablement la peur et le comportement d'évitement chez les enfants. Cette étude a permis de faire une découverte particulièrement intéressante : peut-être les modèles inspirant les enfants avaient-ils en réalité peur des chiens. Dans le groupe des enfants « audacieux », seulement un des parents a déclaré éprouver une certaine peur des chiens, tandis que dans le groupe des enfants craintifs de nombreux parents disaient avoir peur des chiens.

On peut imaginer beaucoup d'applications possibles du modelage et de la participation guidée, tant chez les enfants que chez les adultes. Par exemple, un nageur débutant peut se défaire de sa peur de l'eau en voyant ses pairs surmonter la leur. Ou encore, le fait d'observer des étudiants qui réussissent et de participer à des séances d'étude avec eux peut aider un étudiant qui connaît des difficultés à acquérir une plus grande compétence en matière d'étude. C'est ainsi que le modelage et la participation guidée peuvent aider les gens à se débarrasser de peurs inutiles et à acquérir de nouvelles habiletés et de nouvelles compétences.

Ces études montrent que l'observation de modèles peut atténuer la peur et diminuer la fréquence des comportements d'évitement. Mais à quel processus faut-il attribuer ces changements ? Bandura avance que, quelle qu'en soit la forme, les techniques

La participation guidée Bandura a mis en lumière l'importance du modelage et de la participation guidée dans la modification comportementale. Ici, une thérapeute aide une femme qui a la phobie des araignées à surmonter sa crainte.

thérapeutiques psychologiques modifient le niveau et l'intensité du sentiment d'autoefficacité, c'est-à-dire la façon dont l'individu perçoit sa capacité à s'adapter à des situations particulières (Bandura, 1982). Les processus cognitifs contribuent à la mise en place des troubles mentaux lorsqu'ils comportent des perceptions et attentes dysfonctionnelles quant à l'efficacité personnelle. Il est donc logique de s'attendre à ce que les techniques thérapeutiques efficaces modifient ces attentes et ces perceptions de soi. Or, le modelage et la participation guidée facilitent les modifications de ce genre, atténuent ainsi les peurs liées à l'appréhension et diminuent la fréquence des comportements d'évitement. Ces procédés thérapeutiques reposent sur le processus cognitif par lequel l'individu modifie ses attentes quant à son efficacité.

Cette théorie du changement psychologique est-elle corroborée par les résultats de recherche ? Dans un certain nombre d'études, les personnes phobiques ont reçu le traitement tandis qu'on mesurait aussi bien leurs attentes par rapport à l'autoefficacité que leurs comportements (Bandura et Adams, 1977 ; Bandura, Adams et Beyer, 1977 ; Bandura, Reese et Adams, 1982 ; Williams, 1992). Conformément aux hypothèses des chercheurs, les déclarations des participants quant à leur efficacité personnelle permettaient de prévoir quel serait leur rendement par rapport à diverses tâches ou menaces. Autrement dit, au fur et à mesure que les techniques thérapeutiques amélioraient leur sentiment d'autoefficacité, les participants étaient de plus en plus en état de composer avec l'objet de leur peur.

Ainsi, dans une de ces études, des personnes qui souffraient d'une phobie chronique des serpents ont été répartis dans des groupes soumis à trois types de conditions : (1) *modelage avec participation guidée* (le thérapeute se livre à des activités menaçantes pour les participants et les aide à exécuter des tâches de plus en plus difficiles jusqu'à ce qu'ils y arrivent seuls) ; (2) *modelage* (les participants observent le thérapeute pendant qu'il accomplit les tâches, mais ils ne les accomplissent pas eux-mêmes ; et (3) *groupe de contrôle* (Bandura, Adams et Beyer, 1977). Avant et après l'expérience, les participants ont passé un test mesurant le comportement d'évitement (Comportemental Avoidance Test, ou BAT) constitué de vingt-neuf tâches exigeant des interactions de plus en plus anxiogènes avec un boa constricteur à queue rouge, la dernière tâche supposant que le participant, gardant les mains à ses côtés, laisse le serpent ramper sur ses genoux. Pour évaluer si le changement s'appliquait de manière générale à la suite du traitement, les participants ont aussi passé le test avec un serpent appartenant à une autre espèce, une couleuvre des blés en l'occurrence. De plus, avant le traitement on a évalué leurs attentes quant à l'autoefficacité ; on s'est livré à la même opération après le traitement, mais avant le deuxième BAT; puis après le deuxième BAT; et, encore une fois, un mois plus tard. Les résultats indiquaient que le modelage accompagné de participation guidée et le modelage seul avaient produit une amélioration notable des comportements d'approche, tant avec un serpent de la même espèce qu'avec un serpent appartenant à une autre espèce, de même qu'une hausse du sentiment d'autoefficacité (figure 14.2). Ces gains surpassaient de façon significative ceux des participants du groupe de contrôle. En outre, les déclarations relatives au sentiment d'autoefficacité (avant le deuxième BAT) permettaient de prévoir le rendement avec précision, un fort sentiment d'autoefficacité étant associé à des probabilités plus élevées de réussite dans l'accomplissement de la tâche. En fait, on prévoyait mieux le rendement en s'appuyant sur ces attentes qu'en se fiant au rendement antérieur ! Les données de suivi ont indiqué que non seulement les participants avaient maintenu leurs gains quant au sentiment d'autoefficacité et aux comportements d'approche, mais qu'ils avaient fait de

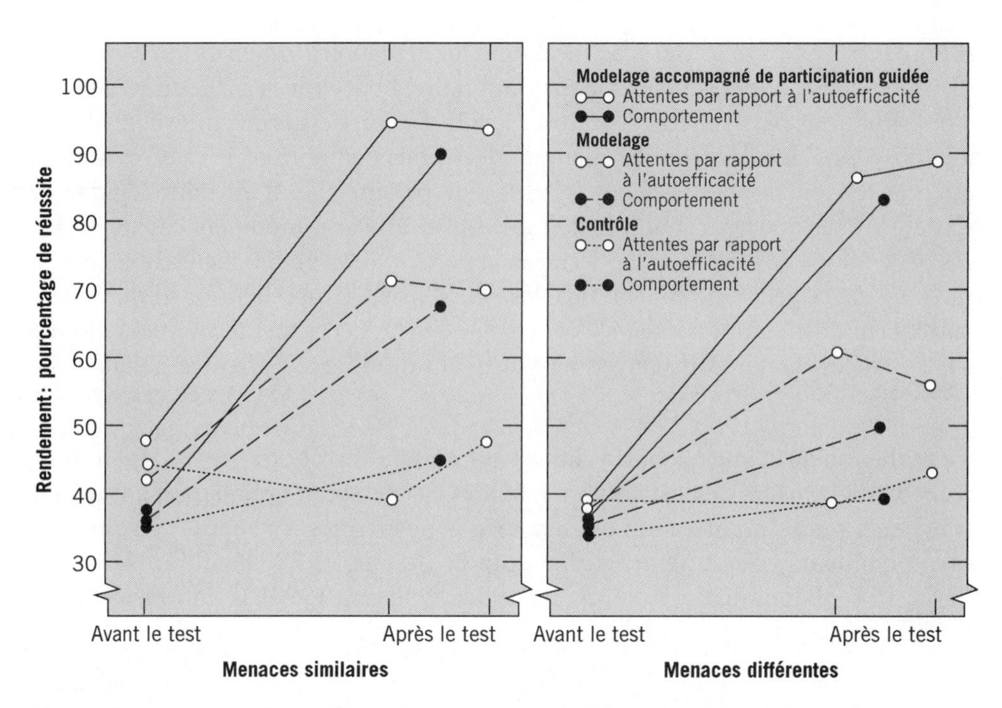

Figure 14.2 Sentiment d'autoefficacité et comportement d'approche à l'égard de diverses menaces manifestés par les participants qui ont suivi une thérapie de modelage ou de modelage accompagné de participation guidée. Remarque : Dans la phase qui suit le test, le sentiment d'autoefficacité a été mesuré avant que les participants aient passé des tests visant à mesurer le comportement d'évitement et il a de nouveau été mesuré après les tests. (Bandura, Adams et Beyer, 1977. © 1977, American Psychological Association, reproduction autorisée.)

nouveaux progrès. En somme, les données ont confirmé l'utilité de la participation guidée et l'hypothèse sociocognitive selon laquelle les thérapies améliorent le rendement parce qu'elles améliorent le sentiment d'autoefficacité.

Notre exposé portait sur le traitement des phobies et des peurs. Cependant, comme nous l'avons indiqué dans la section consacrée aux rapports entre le sentiment d'autoefficacité et la santé, l'approche sociocognitive a été utilisée dans le traitement de toutes sortes de maladies. Ainsi, les études ont démontré l'utilité d'acquérir des habiletés adaptatives et d'améliorer le sentiment d'autoefficacité pour gérer l'anxiété avant les examens (Smith, 1989) et pour rendre les femmes moins vulnérables en cas d'agression (Ozer et Bandura, 1990). Dans ce cas, les femmes qui avaient suivi un programme de modelage où elles avaient appris à maîtriser les habiletés physiques nécessaires pour se défendre contre des agresseurs non armés ont accru leur liberté d'action et réduit leurs comportements d'évitement. Toutes ces études révèlent que l'expérience de la maîtrise entraîne l'accroissement thérapeutique du sentiment d'autoefficacité (figure 14.3).

Quelle que soit l'approche thérapeutique, la persistance des effets thérapeutiques et leur généralisation à d'autres aspects du fonctionnement de la personne sont d'une importance particulière, quelle que soit l'approche thérapeutique. Ceux qui restent sceptiques par rapport au modelage et à la participation guidée pourraient s'attendre à ce qu'il y ait peu de preuves de la persistance du changement ou de sa généralisation à d'autres phénomènes tels que, par exemple, la phobie traitée. Cependant, la recherche confirme qu'il y a souvent persistance des effets et transfert du sentiment d'autoefficacité à d'autres domaines (Cervone et Scott, 1995 ; Williams, 1992). Bandura décrit ces effets comme suit :

APPLICATIONS ACTUELLES

Renoncer aux dépendances et éviter les rechutes

Des millions de gens présentent des modes de comportement compulsifs qui relèvent de la dépendance : tabagisme, compulsions alimentaires, jeu pathologique, alcoolisme, toxicomanie, etc. Souvent, ils arrivent à renoncer au comportement problématique pendant un certain temps, mais ils finissent par y revenir. Comment expliquer la rechute et comment diminuer le risque qu'elle se produise ?

Selon bien des gens, le comportement de dépendance aurait un fondement physiologique. Cependant, deux points méritent d'être soulignés. (1) Bien que certains de ces comportements compulsifs ne comportent pas de dépendance physiologique, le besoin psychologique n'en est pas moins fort ; de plus, les périodes de besoin intense sont généralement associées au sentiment d'être menacé et d'être incapable de s'adapter aux événements. (2) Nombre de gens parviennent à supporter de longues périodes d'abstinence, puis ils recommencent à trop manger, à fumer, etc. Les chercheurs qui étudient ce phénomène ont découvert un élément commun dans les rechutes. Ceux qui parviennent à rester abstinents se jugent davantage capables de s'adapter aux événements et de les infléchir que ceux qui rechutent ; leur sentiment d'autoefficacité est plus fort. La plupart des gens connaissent des rechutes occasionnelles. Or, ceux qui rechutent y voient un jugement sur eux-mêmes et sur leur efficacité, et ils font des déclarations comme celles-ci : « Je ne vaux rien » ; « Je suis incapable d'arrêter » ; ou « Je n'ai aucune volonté ». Se sentant déjà vulnérables par rapport à la tâche qui les attend, ils donnent à leurs rechutes une interprétation qui ne fait que détériorer l'opinion qu'ils ont d'eux-mêmes.

Dans le traitement des dépendances et des modes de comportement compulsifs, amener les gens à l'abstinence n'est qu'une partie du travail ; dans bien des cas, cela se révèle plus facile que de les aider à rester abstinents. Évidemment, un aspect important du travail consiste à les amener à interpréter autrement leurs rechutes occasionnelles et à rehausser leur sentiment d'autoefficacité par rapport à l'abstinence.

SOURCES : Marlatt, Baer et Quigley, 1995 ; Marlatt et Gordon, 1980 ; *The New York Times*, 23 février 1983.

> Traditionnellement, les traitements psychologiques ont tenté de modifier le comportement par la parole. Selon la perspective sociocognitive, la maîtrise des expériences peut améliorer le fonctionnement humain de manière plus fondamentale et plus durable que la conversation. En traduisant cette notion dans une pratique de traitement des troubles phobiques, mes étudiants et moi avons mis au point une thérapie de participation guidée très efficace. Cette thérapie éradique le comportement phobique et les réactions biochimiques de stress, élimine les ruminations phobiques et les cauchemars récurrents, et engendre des attitudes positives à propos des menaces autrefois redoutées. N'importe qui peut bénéficier de ces changements spectaculaires, et ce en très peu de temps. Les changements persistent [...]. Lors de nos évaluations de suivi, nous avons découvert que non seulement les participants avaient maintenu leurs gains thérapeutiques, mais qu'ils avaient fait des progrès notables dans des domaines assez éloignés du dysfonctionnement traité. Par exemple, après avoir maîtrisé une phobie animale, la timidité en société de certains participants avait diminué, leurs compétences dans diverses sphères s'étaient élargies et ils se montraient plus audacieux à maints égards. Le fait d'avoir surmonté en quelques heures de thérapie une phobie qui les tourmentait et limitait leurs activités depuis vingt ou trente ans avait profondément changé l'opinion des participants quant à leur efficacité personnelle et à leur capacité de mieux maîtriser leur vie. Ils se mettaient eux-mêmes à l'épreuve et accueillaient leurs succès avec autant de plaisir que d'étonnement.
>
> Bandura, cité par Pervin, 1996, p. 82.

PERSPECTIVE GÉNÉRALE

Quel que soit le procédé, les thérapies psychologiques ont pour effets de créer et de renforcer les attentes positives par rapport à l'efficacité personnelle, d'améliorer le sentiment d'autoefficacité. La thérapie sociocognitive vise l'acquisition de compétences cognitives et comportementales par le modelage et la participation guidée.

CARACTÉRISTIQUES DES BONS MODÈLES : PERTINENCE ET CRÉDIBILITÉ

Les modèles qui captent l'attention, qui inculquent la confiance, qui apparaissent comme des figures à qui on peut se comparer de façon réaliste et dont les normes personnelles semblent raisonnables aux yeux de l'apprenant représentent les meilleurs modèles pour le modelage thérapeutique. Ces caractéristiques peuvent se résumer par les termes *pertinence* et *crédibilité*.

QUELQUES RÈGLES VISANT À PRODUIRE ET À MAINTENIR LES CHANGEMENTS DÉSIRÉS

1. Structurer méthodiquement les tâches à apprendre en une série d'étapes de plus en plus difficiles.
2. Expliquer les règles générales ou les principes généraux et en faire la démonstration. S'assurer que le client les comprend bien et lui fournir des occasions de les clarifier.
3. Organiser des répétitions simulées guidées, comportant une rétroaction sur les réussites et les erreurs.
4. Une fois établi le comportement désiré, fournir au client de plus en plus d'occasions de le mettre lui-même en pratique.
5. Tester les habiletés nouvellement acquises en milieu naturel et dans des conditions susceptibles de donner des résultats positifs.
6. Tester ces habiletés dans des situations de plus en plus exigeantes jusqu'à ce que les compétences et le sentiment d'autoefficacité aient atteint un niveau satisfaisant.
7. Donner au client l'occasion de consulter le thérapeute et d'obtenir une rétroaction durant la période où il acquiert une maîtrise croissante du comportement désiré.

EFFETS THÉRAPEUTIQUES DU MODELAGE

1. *Acquisition de nouvelles habiletés* L'observation de modèles et la participation guidée permettent d'acquérir de nouveaux modes de comportement et de nouvelles stratégies d'adaptation. Ainsi, les clients peuvent apprendre à reproduire un comportement plus affirmé.
2. *Changement dans les inhibitions touchant l'expression de soi* Le modelage peut avoir pour résultat d'affaiblir ou de renforcer les réponses dont dispose une personne. Par exemple, le fait d'observer des modèles présentant des comportements qui sont suivis de conséquences négatives peut avoir des effets inhibiteurs. Plus courants en thérapie, les effets désinhibiteurs résultent de l'observation de modèles se livrant à des comportements qui entraînent des conséquences positives ou qui, du moins, n'entraînent pas de conséquences négatives, ce qui permet de surmonter certaines peurs.
3. *Facilitation de certains modes de comportement préexistants* Sous l'influence du modelage, certains comportements manifestés par l'individu et qui ne sont pas associés à de l'anxiété peuvent devenir plus fréquents. Par exemple, on peut aider des apprenants à mieux maîtriser l'art de la conversation.
4. *Adoption de normes personnelles plus réalistes pour juger de son propre rendement* L'observation de modèles qui s'octroient des récompenses lorsqu'ils parviennent à tel ou tel rendement peut modifier les normes personnelles d'autoévaluation de l'apprenant. Par exemple, le modelage peut assouplir les normes personnelles et les exigences très rigides que les dépressifs ont par rapport à eux-mêmes.

CONCLUSION

« Une documentation foisonnante confirme la valeur des thérapies de modelage pour corriger certaines carences dans les habiletés cognitives et sociales, et pour abolir le comportement défensif d'évitement. »

Figure 14.3 La théorie sociocognitive en bref (Rosenthal et Bandura, 1978, p. 622).

Étude de cas : Gary W.

Fait intéressant, et peut-être significatif, les tenants de la théorie sociocognitive n'ont présenté pratiquement aucune étude de cas fouillée. Mischel (1968, 1976) a réinterprété dans une perspective sociocognitive un cas qu'avaient à l'origine analysé deux psychiatres-psychanalystes dans un livre traitant des blessures physiques et des traumatismes psychologiques subis par les militaires durant la Deuxième Guerre mondiale (Grinker et Spiegel, 1945). Le cas en question était celui d'un bombardier qui, lors de l'une de ses missions, avait été blessé et avait subi un traumatisme psychologique. Atteint par des tirs de batteries antiaériennes, son avion avait plongé et ne s'était redressé que quelques secondes avant l'écrasement, projetant l'homme contre le viseur de bombardement. Lorsque ce dernier recommença à voler, il constata qu'il s'évanouissait dès que son avion atteignait une altitude d'environ trois mille mètres, ce qui l'empêchait évidemment de reprendre du service.

Les psychanalystes, nota Mischel, associèrent les évanouissements du bombardier à une anxiété profondément enfouie remontant à l'enfance. Insatisfait de cette explication psychodynamique, Mischel proposa une analyse liée au comportement, selon laquelle le trauma émotionnel avait probablement été conditionné à l'altitude où volait l'avion du bombardier au moment de l'accident. Lorsqu'il remontait en avion et que l'appareil atteignait cette altitude, le bombardier recevait de nouveau les signaux associés à l'accident et devenait émotionnellement impuissant. Autrement dit, les causes de son problème résidaient dans les circonstances de l'accident et non dans la petite enfance.

Plus récemment, Mischel (1999) s'est servi du cas de Gary W. pour montrer comment l'approche sociocognitive permet de comprendre l'individu. Au moment de l'évaluation, Gary avait vingt-cinq ans et poursuivait des études de deuxième cycle dans une école de commerce. Pour ce qui est de sa personnalité vue par rapport aux unités sociocognitives de la personnalité, Gary était décrit comme un individu qui *répartissait les situations* en deux types : celles où il risquait d'être humilié et celles où il avait des chances de réussir. Les premières suscitaient en lui anxiété et dépression. Par exemple, les relations avec les femmes lui semblaient à la fois désirables et menaçantes, et il était enclin à se mettre en colère lorsqu'il se sentait rejeté par elles. Il se considérait comme très consciencieux et déclarait éprouver un fort sentiment d'*autoefficacité* par rapport au travail. Cependant, là encore, il se montrait sensible aux réactions d'autrui et soucieux de se protéger pour éviter d'être blessé. Il affichait un *style explicatif* pessimiste, qui se révélait particulièrement problématique, ses *normes personnelles* étant celles d'un perfectionniste qui jugeait très sévèrement ce qu'il percevait comme ses échecs ou ses défaillances. Les observations suivantes illustrent la volonté de comprendre Gary en tenant compte tant de la personne que de la situation : « *Si* Gary se sent provoqué ou menacé dans une relation intime avec une femme, il devient *alors* enclin à des accès de colère. Par contre, *s*'il se sent en sécurité, il peut *alors* se montrer extrêmement affectueux. Ces relations "*si..., alors...*" sont autant de fenêtres sur des modes comportementaux particuliers, mais néanmoins stables, de Gary, la "signature" de sa personnalité. »

Dans ses commentaires sur la personnalité de Gary évaluée d'un point de vue sociocognitif, Mischel (1999a) insiste sur la différence entre les situations où Gary affichait d'excellentes habiletés (les études, par exemple) et celles où son fonctionnement devenait plus problématique (les relations avec les femmes, par exemple). Pour Mischel, il fallait, pour que la thérapie soit efficace, que Gary reconnaisse les signaux qu'il associait à une menace et qu'il acquière des habiletés adaptatives et autorégulatrices, y compris de nouveaux schémas cognitifs servant à interpréter les situations et les résultats qu'on s'attend à obtenir.

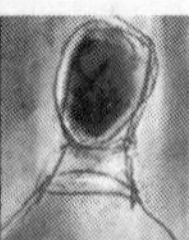

L'histoire de Jacques

Objectifs, renforçateurs et sentiment d'autoefficacité

Jacques avait été évalué vingt ans plus tôt, selon divers points de vue : l'approche psychanalytique, l'approche phénoménologique, l'approche des construits personnels et l'approche des traits de personnalité. Comme la théorie sociocognitive en était encore à ses premiers balbutiements, Jacques n'avait pas été évalué de ce point de vue ; deux décennies plus tard, il fut possible de recueillir quelques données sur Jacques en se plaçant dans ce cadre théorique. Bien qu'il soit difficile de les comparer avec les données recueillies antérieurement à cause du temps écoulé, cette évaluation sociocognitive nous permet d'en apprendre un peu plus sur la personnalité de Jacques.

Les objectifs

Lorsqu'on a demandé à Jacques quels étaient ses objectifs immédiats et ses objectifs à plus long terme, il a déclaré qu'ils étaient essentiellement les mêmes : (1) apprendre à connaître son fils et être un bon père pour lui ; (2) devenir plus tolérant et moins sévère envers sa femme et envers les autres ; (3) se sentir à l'aise dans son travail de consultant. De manière générale, il estimait avoir de bonnes chances d'atteindre ces objectifs, mais il restait circonspect, car il avait des doutes sur sa capacité de « sortir de [lui]-même » et d'arriver ainsi à se consacrer davantage à sa femme et à son enfant.

Les valeurs subjectives : les renforçateurs

On a interrogé Jacques à propos des renforçateurs positifs et négatifs (aversifs), c'est-à-dire sur ce qu'il trouvait gratifiant et ce qu'il trouvait déplaisant. Pour ce qui est des renforçateurs positifs, il déclara que l'argent en était un « majeur ». Il parla aussi du temps passé avec les êtres aimés, de l'ambiance qui régnait dans les premières et, plus généralement, du plaisir d'aller au théâtre et au cinéma. Jacques eut du mal à trouver des renforçateurs aversifs. Il parla du travail d'écriture comme d'une lutte et il ajouta : « Cela me cause des problèmes. » Lorsqu'on mentionna sa peur du rejet, Jacques répondit : « Oh, c'est certain. Je suis d'accord. Pour une raison ou pour une autre, j'ai un vide. Je crois qu'il y a plus que ça, mais je ne sais pas. »

Les compétences et le sentiment d'autoefficacité

On interrogea Jacques à propos de ses compétences et de ses habiletés intellectuelles et sociales. Sur le plan intellectuel, Jacques déclara qu'il se considérait comme très brillant et qu'il pensait jouir d'un fonctionnement intellectuel de très haut niveau. Il ne croyait pas avoir de vraies faiblesses intellectuelles. Il fit cependant une distinction entre d'une part la pensée logique et rigoureuse et d'autre part la pensée libre et créative, admettant se sentir plus faible quant à celle-ci. De même, il avait l'impression de bien écrire du point de vue de l'organisation et de la clarté de la présentation, mais il disait n'avoir jamais écrit quoi que ce soit de créatif ou de novateur.

Sur le plan social, Jacques se sentait très compétent aussi : « Cela me vient facilement et naturellement. En société, je peux faire tout ce que je veux et j'ai une très grande confiance en moi. Si je devais rencontrer le président Reagan demain matin, cela ne me poserait aucun problème. Je suis aussi à l'aise avec les hommes qu'avec les femmes et aussi sûr de moi dans un contexte professionnel que dans un contexte mondain. » Il évoqua une seule préoccupation d'ordre social : il se demandait constamment, disait-il, « jusqu'à quel point je devrais être égocentrique et me considérer comme visé personnellement ». Il avait parfois l'impression de se sentir trop souvent visé personnellement. Ainsi, il se sentait souvent blessé, offensé et déçu lorsque les gens ne lui téléphonaient pas ; il se demandait pourquoi ils ne se souciaient pas de lui, s'il avait fait quelque chose qui les avait offensés, etc. Il lia cela à l'époque où il vivait en communauté, alors que tous les soirs il passait en revue chacune des personnes qui vivaient avec lui en se demandant comment il s'était comporté avec elle : « Mon sentiment de sécurité dépend de la façon dont je me comporte avec les autres. Je mets beaucoup d'énergie dans mes amitiés et, quand j'ai de bons rapports avec les autres, je me sens bien. »

Pour ce qui est du sentiment d'autoefficacité, Jacques avait, de toute évidence, beaucoup d'opinions très positives sur lui-même. Il pensait réussir dans la plupart des domaines, se considérant comme un bon athlète, un consultant compétent, un homme brillant et doté de solides compétences en société. Y avait-il des sphères où son sentiment d'autoefficacité était faible ? Jacques en mentionna trois. D'abord, il avait l'impression de ne pas vraiment accepter sa femme ; il était enclin à se montrer sévère envers les gens en général et envers elle en particulier. Deuxièmement, et cela est lié à ce qui précède, il a parlé de sa difficulté à « sortir de [lui]-même pour [se] consacrer vraiment aux autres ». Il s'inquiétait plus particulièrement de sa capacité d'être un parent aussi attentif et dévoué qu'il le voulait. C'était là une de ses grandes priorités, mais il craignait de se sentir dérangé ou contrarié par l'arrivée d'un autre enfant. Finalement, Jacques avait un faible sentiment d'autoefficacité par rapport à la créativité : « Je sais que je ne suis pas créatif, alors je n'essaie pas de créer. »

Malgré l'insistance de Bandura sur la spécificité situationnelle du sentiment d'autoefficacité, Jacques avait l'impression que ces informations couvraient bien les sphères où son sentiment d'autoefficacité était fort et celles où il était faible ; il ne put citer plus précisément des situations par rapport auxquelles ses croyances à ce sujet auraient pu être exposées plus en détail.

Commentaires

Sous plusieurs aspects, les données sociocognitives dont nous disposons à propos de Jacques sont plus limitées que celles qui sont associées aux autres théories de la personnalité. Nous découvrons certains aspects importants de sa vie, mais de toute évidence il existe de grandes lacunes, et cela pour deux raisons. D'abord, le temps consacré à l'évaluation était restreint. Deuxièmement, et c'est peut-être là le plus important, les théoriciens sociocognitifs n'ont pas mis au point de tests de la personnalité qui soient complets, en partie parce qu'ils se consacrent davantage à la

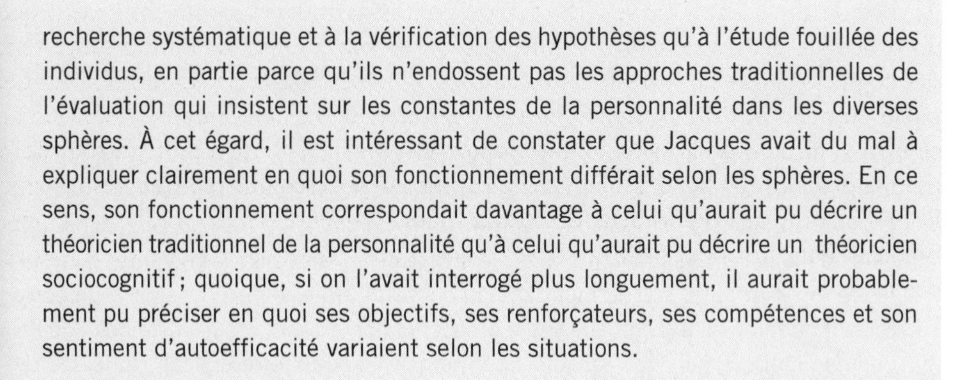

recherche systématique et à la vérification des hypothèses qu'à l'étude fouillée des individus, en partie parce qu'ils n'endossent pas les approches traditionnelles de l'évaluation qui insistent sur les constantes de la personnalité dans les diverses sphères. À cet égard, il est intéressant de constater que Jacques avait du mal à expliquer clairement en quoi son fonctionnement différait selon les sphères. En ce sens, son fonctionnement correspondait davantage à celui qu'aurait pu décrire un théoricien traditionnel de la personnalité qu'à celui qu'aurait pu décrire un théoricien sociocognitif ; quoique, si on l'avait interrogé plus longuement, il aurait probablement pu préciser en quoi ses objectifs, ses renforçateurs, ses compétences et son sentiment d'autoefficacité variaient selon les situations.

L'évolution récente

Trois nouveaux éléments de la théorie sociocognitive valent la peine d'être signalés (Mischel, 1999 ; Mischel et Shoda, 1995, 1998, 1999). Premièrement, on y a ajouté une nouvelle dimension de la personnalité (variable personnelle) : celle des *affects, sentiments* ou *émotions*. La théorie sociocognitive a accordé de plus en plus d'importance aux émotions « chaudes » et aux cognitions « froides » dans le fonctionnement des individus : si les gens ont des cognitions froides, ils ont souvent aussi des réactions émotionnelles fortes, immédiates et automatiques aux situations, à leur propre comportement et à leurs contacts avec autrui. L'ajout de l'émotion, facteur crucial mais longtemps négligé, aux variables de la personnalité représente un élément important dans l'évolution de la théorie sociocognitive.

Deuxièmement, la théorie sociocognitive voit les unités de la personnalité non pas comme des composantes isolées et statiques, mais comme des composantes en interaction dans un système dynamique. Plutôt que d'opérer indépendamment, ces variables de la personnalité que sont les cognitions et les affects interagissent de façon organisée ; autrement dit, il y a de la cohérence dans le fonctionnement de la personnalité (Cervone et Shoda, 1999). C'est cette organisation qui constitue la structure fondamentale stable de la personnalité, structure propre à chaque individu. Mais c'est aussi l'interaction entre d'une part ces cognitions et ces affects et d'autre part les stimuli internes et les situations externes qui explique la variabilité du fonctionnement individuel.

Cette insistance à la fois sur la stabilité et sur la variabilité situationnelle du fonctionnement de la personnalité exprime la volonté de Mischel d'opérer un rapprochement avec la théorie des traits de personnalité, de dépasser la controverse personne-situation et de jeter les bases d'une science à la fois cumulative et « intégrée » :

> Peut-on réconcilier et intégrer dans un cadre théorique unique ces deux approches de la personnalité, l'une axée sur les dispositions et les traits de personnalité, l'autre sur le processus du traitement de l'information ? À cela nous répondons qu'à ce stade de développement de notre champ d'étude elles peuvent probablement être intégrées et qu'elles devraient probablement l'être si la psychologie de la personnalité doit devenir une science cumulative.
>
> Mischel et Shoda, 1999, p. 213.

Afin de rendre compte de cet effort d'intégration tant des dispositions (traits) que du processus du traitement de l'information, et par ailleurs de l'importance tant des cognitions que des affects dans le fonctionnement de la personnalité, Mischel parle aujourd'hui du **système cognitivo-affectif de la personnalité.** Le système cognitivo-affectif de la personnalité pourrait-il servir de base à l'intégration de la théorie des traits de la personnalité et de la théorie sociocognitive ? Cela reste à voir. Pour l'instant, les théoriciens des traits n'ont pas tenté de rapprochement semblable et Bandura s'exprime de façon toujours aussi critique à l'égard de la théorie des traits (1999).

Système cognitivo-affectif de la personnalité *(cognitive affective personality system [CAPS].)* Modèle traduisant la volonté de Mischel d'intégrer les affects et les cognitions, tout comme les dispositions et la dynamique des processus, dans une théorie intégrée de la personnalité.

L'analyse comparative

Il pourrait être intéressant, à ce moment-ci de notre exposé, de comparer la théorie sociocognitive avec les autres théories décrites jusqu'ici. Nous serons aidés en cela par Bandura lui-même, dont un ouvrage publié en 1986 s'ouvrait sur une critique de la théorie psychanalytique, de la théorie des traits de personnalité et du béhaviorisme radical. Notre analyse sera plus facile à suivre si on garde en tête les quatre grandes idées qui se dégagent de la théorie sociocognitive :

1. Les processus cognitifs jouent un rôle important dans la motivation, l'émotion et l'action.
2. Les individus établissent des distinctions entre les situations et le comportement tend à avoir une spécificité situationnelle ou contextuelle.
3. Il y a relation réciproque et interaction entre la personne et la situation (c'est-à-dire que les gens influent sur les situations, qui elles-mêmes influent sur eux, et inversement), de même qu'entre la pensée, l'émotion et le comportement (autrement dit, les pensées, les émotions et les comportements peuvent influer les uns sur les autres).
4. La recherche expérimentale est cruciale quand il s'agit de définir les concepts, ainsi que d'améliorer l'efficacité des méthodes thérapeutiques.

LA THÉORIE SOCIOCOGNITIVE ET LA PSYCHANALYSE

Bandura reproche à la psychanalyse de reposer sur des concepts qu'on ne peut étudier expérimentalement et sur des procédés thérapeutiques dont il n'a pas été démontré qu'ils peuvent changer le fonctionnement psychosocial. Plus particulièrement, Bandura avance que les recherches en laboratoire « n'ont jamais prouvé l'existence d'un inconscient tel que le postule la théorie psychodynamique » (1986, p. 3) et que le fait d'« explorer la dynamique d'un inconscient improbable a peu d'effets sur le comportement » (p. 5). Pour ce qui est de l'anxiété, Bandura l'attribue à une incapacité perçue de s'adapter aux événements potentiellement aversifs (faible sentiment d'autoefficacité) plutôt qu'à un conflit psychique ou à la menace représentée par les pulsions inconscientes. En ce qui concerne la thérapie, il soutient que modifier le fonctionnement cognitif conscient des gens leur est plus bénéfique que d'explorer leur inconscient.

L'importance qu'accorde Bandura aux données de la recherche expérimentale effectuée en laboratoire contraste avec les prémisses d'une théorie psychanalytique enracinée dans la pratique thérapeutique et clinique. Mais plus fondamentalement encore, les deux théories ont des conceptions très différentes du fonctionnement de l'organisme. Les théoriciens sociocognitifs regardent d'un œil critique le fait que la théorie psychanalytique mette l'accent sur les dispositions fondamentales de la personnalité (types de caractères) et sur la relative fixité du comportement instauré au cours des premières années de la vie; ils lui opposent la spécificité situationnelle d'un comportement déterminé par ce qui se passe dans le présent. Enfin, ils s'intéressent tout particulièrement au développement qui se réalise dans des domaines précis plutôt qu'aux grands stades de développement; aux attentes et aux autoévaluations particulières plutôt qu'aux dynamiques et aux mécanismes de défense s'appliquant de manière généralisée; à l'apprentissage par observation et au conditionnement vicariant plutôt qu'aux expériences traumatiques précoces, aux changements dans le fonctionnement cognitif conscient plutôt qu'à l'exploration de la dynamique de l'inconscient.

LA THÉORIE SOCIOCOGNITIVE ET LA PHÉNOMÉNOLOGIE

Comme Rogers et les tenants de l'approche humaniste, la théorie sociocognitive met l'accent sur le soi en tant que concept et sur l'immense potentiel des êtres humains. Cependant, ces points communs sont éclipsés par des différences plus fondamentales. Selon la théorie sociocognitive, les gens entretiennent certaines idées sur eux-mêmes et ils se livrent à des autoévaluations, mais ils n'ont ni soi ni concept de soi à portée générale: « L'idée d'une conception de soi globale ne rend pas justice à la complexité du sentiment d'autoefficacité, lequel varie selon les activités, les niveaux d'activité et les circonstances » (Bandura, 1986, p. 410).

Ces deux approches théoriques présentent d'autres différences. D'abord, bien que Rogers ait insisté sur l'importance de la recherche, il n'en valorisait pas moins les observations cliniques. D'autres tenants de l'approche humaniste ont eu tendance à négliger la recherche, et en particulier la recherche en laboratoire; de toute évidence, ce n'est pas le cas de Bandura ni des tenants de la théorie sociocognitive. Deuxièmement, alors que Rogers voyait dans le climat thérapeutique le plus grand facteur de changement, dans la théorie sociocognitive on s'intéresse plutôt aux expériences qui influent sur le sentiment d'autoefficacité. Enfin, si la théorie rogérienne et la théorie sociocognitive reconnaissent toutes deux l'importance des émotions et des cognitions, Rogers s'intéresse surtout aux émotions (considération positive, compréhension empathique, congruence), et Bandura aux cognitions.

LA THÉORIE SOCIOCOGNITIVE ET LA THÉORIE DES CONSTRUITS PERSONNELS

La théorie sociocognitive et la théorie des construits personnels mettent toutes deux l'accent sur le rôle des processus cognitifs dans le comportement humain, ainsi que sur l'utilité des expériences comportementales dans la modification des construits ou des cognitions. Malgré cela et bien que Mischel reconnaisse l'influence que Kelly a eue sur lui, les tenants des deux approches ont tendance à suivre des chemins parallèles et Bandura passe sous silence le travail de Kelly, à toutes fins pratiques.

Pourquoi en est-il ainsi ? En partie probablement parce que les deux approches diffèrent par leurs prémisses et en partie parce qu'elles ne s'appuient pas sur les mêmes bases. Si Kelly a élaboré sa théorie en rompant avec la psychologie traditionnelle, la théorie sociocognitive se fonde sur la théorie de l'apprentissage et, tout en évoluant, elle continue à s'inspirer de la psychologie traditionnelle. Tandis que les théoriciens des construits personnels sont enclins à s'en tenir à l'étude des construits — et au test de Kelly comme instrument de mesure —, les théoriciens sociocognitifs envisagent la théorie et la recherche de façon beaucoup plus large. Dans une certaine mesure, on peut aussi dire que les théoriciens des construits personnels se sont intéressés à ce que les gens pensent et que les théoriciens sociocognitifs se sont intéressés à ce que les gens pensent en relation avec ce qu'ils ressentent et avec ce qu'ils font. Enfin, si Kelly rejetait le concept de motivation et les théories de la motivation fondées sur « la carotte et le bâton », la théorie sociocognitive insiste sur les effets que peuvent avoir les récompenses sur les résultats et sur le rendement.

LA THÉORIE SOCIOCOGNITIVE ET LA THÉORIE DES TRAITS DE PERSONNALITÉ

Les théoriciens sociocognitifs reprochent aux théoriciens des traits d'insister sur les dispositions entendues au sens large plutôt que de se pencher sur les processus qui expliquent comment les comportements s'acquièrent, se maintiennent et se modifient. Comme nous l'avons mentionné au chapitre 8, ces deux perspectives se sont cristallisées et polarisées dans le débat personne-situation. Même si les théoriciens des traits de personnalité et les théoriciens sociocognitifs ont en commun leur intérêt pour la recherche, ils diffèrent quant à leurs hypothèses fondamentales et quant à l'objet de la recherche. Tandis que les théoriciens des traits de personnalité avancent que le comportement est largement déterminé par les dispositions et relativement constant au fil du temps et des situations, les théoriciens sociocognitifs mettent l'accent sur le rôle des compétences cognitives qui permettent aux gens d'établir des distinctions entre les situations tant par rapport aux résultats auxquels ils s'attendent que par rapport à leur sentiment d'autoefficacité. À l'heure actuelle, les théoriciens des traits et les théoriciens sociocognitifs s'entendent pour reconnaître qu'il y existe des preuves tant de la constance que de la variabilité du comportement. Cependant, ils sont en désaccord sur l'importance relative de cette constance et de cette variabilité, sur la façon d'expliquer le comportement et sur ce qu'il convient étudier. Les théoriciens sociocognitifs insistent sur ce qu'une personne *peut faire*, particulièrement dans des contextes précis, plutôt que sur les traits que *possède* cette personne sans égard au contexte ; sur les attentes et les compétences cognitives apprises, plutôt que sur les grandes dispositions qui tendent à avoir une base génétique ; sur l'adaptation à des circonstances changeantes plutôt que sur les facteurs structurels stables. Et, bien que les uns et les autres reconnaissent la validité des autodéclarations, les théoriciens sociocognitifs privilégient l'évaluation des pensées et des affects qui se manifestent dans des situations particulières par rapport à l'autoévaluation globale du fonctionnement en général. Comme nous l'avons noté plus haut, Mischel a tenté de rapprocher la théorie des traits de personnalité de la théorie sociocognitive, d'élaborer une théorie intégrée et une science cumulative de la personnalité. Cependant, les modèles et la recherche sont encore à ce point éloignés que toute intégration reste problématique.

LA THÉORIE SOCIOCOGNITIVE ET LA THÉORIE DE L'APPRENTISSAGE

Nous l'avons indiqué plus haut, la théorie sociocognitive, qui s'est d'abord appelée *théorie de l'apprentissage social*, découle de la théorie de l'apprentissage. Comme les approches hullienne et skinnérienne, elle insiste sur la recherche, sur l'importance des comportements appris en rapport avec des situations ou des contextes précis et sur l'effet des récompenses sur le comportement. De plus, les deux théories rejettent le modèle médical symptôme-maladie et considèrent que la thérapie vise l'apprentissage de nouveaux modes de pensée et comportements plutôt que le traitement de quelque problème sous-jacent. Cependant, lorsqu'ils insistent sur les processus cognitifs, les théoriciens sociocognitifs avancent que le comportement est régulé non seulement par ses conséquences externes, mais aussi par les attentes et les processus d'autorégulation internes.

Une autre différence importante a trait au recours aux données provenant des autodéclarations. Alors que les théoriciens de l'apprentissage évitent d'habitude d'utiliser ce type de données et que les skinneriens s'opposent à ce qu'on s'en serve pour en tirer des conclusions sur ce qui se passe à l'intérieur de l'individu, Bandura défend un tout autre point de vue. Selon lui, si les processus cognitifs ne sont pas observables, les données provenant des autodéclarations peuvent nous éclairer sur leur nature. Il leur accorde à tout le moins la valeur d'une question empirique ouverte ; de plus, il laisse entendre que les autodéclarations peuvent avoir une certaine utilité lorsqu'elles sont très précises et qu'elles précèdent immédiatement l'action.

L'évaluation critique

Dans les milieux universitaires nord-américains, la théorie sociocognitive est probablement la théorie la plus prisée des psychologues de la personnalité ; de nombreux cliniciens se qualifieraient eux-mêmes de psychologues sociocognitifs. Comment expliquer une telle popularité et une telle influence ?

LES AVANTAGES

L'influence incontestable de la théorie sociocognitive s'explique probablement en grande partie par la mise en valeur de l'expérimentation et, parallèlement, par le fait qu'elle rend compte d'importants phénomènes humains. Mais il faut ajouter à cela une impressionnante ouverture au changement ainsi qu'aux points de vue différents. Examinons maintenant de plus près ces points forts.

L'intérêt pour l'expérimentation et les données de recherche

L'évolution de la théorie sociocognitive repose sur des recherches expérimentales rigoureuses. Bandura et Mischel ont pris soin de définir leurs concepts de manière qu'ils se prêtent à la vérification empirique et ils ont toujours eu des programmes de recherche en cours. La diversité des phénomènes étudiés et des méthodes de recherche est impressionnante. Par exemple, la recherche sur le modelage indique que l'observation des modèles entraîne l'acquisition de nouvelles réponses et modifie la fréquence des comportements appris dans le passé. On s'est penché sur des comportements tels que l'agression, les jugements moraux, l'établissement de normes personnelles, le conditionnement des peurs au moyen de l'observation, de la gratification différée et de l'amélioration du comportement. Les enfants comme les adultes, a-t-on découvert, sont influencés par toutes sortes de modèles : êtres humains en chair et en os, êtres humains apparaissant à l'écran, comportements décrits verbalement et bandes dessinées. On a étudié diverses facettes du processus de modelage (les effets résultant des caractéristiques du modèle, des caractéristiques de l'observateur, ou encore les conséquences pour le modèle que peut entraîner le comportement affiché). Le sentiment d'autoefficacité a été étudié sous l'angle de ce qui le détermine, des répercussions qu'il peut avoir sur tout un éventail de comportements et de son utilité potentielle pour le changement, le tout constituant un impressionnant dossier de recherche.

L'importance des phénomènes considérés

Une bonne partie de la recherche sociocognitive a porté sur les comportements sociaux des humains, de sorte que, lorsqu'on nous présente les résultats, on ne nous demande pas de passer du comportement animal au comportement humain, ni des comportements simples aux processus complexes ayant cours chez les êtres humains. Enfin, la théorie sociocognitive étudie, et tente d'expliquer, des phénomènes qui préoccupent la plupart des gens : agression, influence des parents et des médias de masse sur les enfants, modification des comportements dysfonctionnels, acquisition de capacités d'autorégulation et d'une plus grande maîtrise de sa propre vie.

L'ouverture au changement

La théorie sociocognitive a changé et évolué au fil du temps. Il suffit de comparer *Social Learning and Personality Developement* (1963), de Bandura et Walters, avec les formulations les plus récentes de la théorie sociocognitive (Bandura, 1999; Mischel et Shoda, 1999) pour se convaincre de l'ampleur de ces changements.

Les théoriciens sociocognitifs continuent à insister sur le comportement, sur l'apprentissage par observation et sur l'importance des renforçateurs dans le maintien du comportement. Mais on constate qu'avec le temps ils mettent davantage l'accent sur les processus cognitifs et sur l'autorégulation et qu'ils tiennent compte non seulement des facteurs externes, mais aussi des facteurs internes. Ainsi, le processus du déterminisme réciproque suppose que les événements environnementaux façonnent les gens, mais aussi que les gens façonnent les événements environnementaux. Ils mettent l'accent tout autant sur le comportement que sur la cognition et l'émotion. Qui plus est, ils s'intéressent tout particulièrement aux rapports entre la pensée, l'émotion et le comportement. Les théoriciens sociocognitifs ont voulu rester au fait de l'évolution en cours dans d'autres champs de la psychologie et modifier leur position de manière qu'elle en tienne compte. Par ailleurs, la théorie sociocognitive a elle-même influencé et fait progresser d'autres champs de la psychologie. Si elle s'est inspirée des avancées que connaissent des domaines comme la cognition et le développement, elle y a également contribué. Comme le note un critique, « les contributions de Bandura à la compréhension théorique du développement de l'être humain ont eu une importance majeure dans le domaine [...]. La théorie sociocognitive a évolué au fil du temps, restant réceptive aux nouvelles données » (Grusec, 1992, p. 784).

La mise en évidence d'enjeux importants

Les théoriciens sociocognitifs ont joué un grand rôle en soumettant à la critique d'autres positions théoriques (psychanalyse, théorie des traits de personnalité, théorie skinnérienne), mais aussi en mettant au premier plan des questions théoriques cruciales comme le rôle du renforcement dans l'acquisition et la manifestation du comportement. Mischel, en particulier, a eu une grande influence en attirant l'attention sur les problèmes liés aux perspectives qui surestiment l'importance des traits de personnalité. La polémique personne-situation a débouché sur quelques discussions futiles (par exemple, sur les spéculations concernant l'importance respective de la personne et de la situation dans la détermination du comportement), mais de façon générale elle a abouti à une évaluation plus réaliste de la complexité des facteurs qui rendent compte du comportement et des rapports qu'ils entretiennent.

La conception de la personne et les préoccupations sociales

La théorie sociocognitive ne réduit pas la personne à l'état de robot ou de standard téléphonique et elle propose des solutions à des problèmes qui sont de véritables enjeux sociaux. On utilise les approches sociocognitives pour aider les individus à surmonter les problèmes de la vie courante, mais aussi pour aborder des problèmes plus vastes de changement social. Bandura (1977a) a réfléchi à la validité d'un système juridique et légal fondé sur la dissuasion, à la possibilité de créer des environnements qui favorisent l'apprentissage et le développement intellectuel, à la problématique de la liberté individuelle et aux limites que toute société doit imposer à ses membres. Son livre se termine ainsi : « En tant que science qui se soucie des répercussions sociales de ses applications, la psychologie doit favoriser la compréhension par le plus grand nombre des enjeux psychologiques inhérents aux politiques sociales afin de s'assurer que ses découvertes soient mises au service du progrès de l'humanité » (p. 213).

LES LIMITES

Compte tenu de ses impressionnants points forts, quelles sont les limites de la théorie sociocognitive ? Certaines sont associées à ses éléments nouveaux et tiennent au fait que quelques-unes de ses approches sont encore récentes. Si la théorie sociocognitive s'est montrée ouverte au changement, la voie qu'elle a empruntée n'a pas débouché sur un réseau rigoureusement intégré d'hypothèses théoriques. Plus d'un concept, résultat de recherche ou méthode thérapeutique ont été remis en question par les tenants d'autres conceptions. Enfin, la théorie sociocognitive semble encore passer sous silence des phénomènes importants, pourtant reconnus par d'autres approches. Examinons de plus près ces limites.

La systématisation et l'intégration incomplètes

La théorie sociocognitive n'est pas encore une théorie systématique et intégrée, au sens où elle comprendrait un réseau d'hypothèses organisé de manière systématique et menant à des prévisions précises. Bandura a déployé récemment des efforts notables dans cette direction. Selon un de ses critiques, il y a là l'ébauche d'une « splendide théorie » du comportement de l'être humain et « que peut-on demander de plus à un simple universitaire et à un collègue ? » (Baron, 1987, p. 415). En même temps, il faut reconnaître que la théorie sociocognitive consiste en un amalgame de contributions et de concepts — dont certains lui sont propres et d'autres ont été empruntés à d'autres théories — plutôt qu'en une théorie intégrée. Parfois, les divers concepts ne sont qu'agglomérés et parfois des résultats contradictoires semblent s'insérer aussi bien les uns que les autres dans la théorie. En tentant de dépasser l'alternative simpliste entre les déterminants internes (personne) et les déterminants externes (environnement), sans tomber dans l'affirmation non moins simpliste selon laquelle la cognition, l'affect et le comportement observé ont une importance égale, la théorie sociocognitive constitue un apport considérable à la psychologie de la personnalité. Cependant, ce qu'elle propose représente davantage une perspective ou une orientation générale que la formulation pleinement développée d'un ensemble de relations.

Les problèmes liés à l'évolution récente

Comme il fallait peut-être s'y attendre, chaque avancée de la théorie sociocognitive engendre de nouvelles critiques et de nouvelles difficultés. Son insistance sur l'apprentissage d'actions complexes a toujours été contestée par les skinneriens, lesquels soutiennent que l'apprentissage par observation pourrait en fait mettre en lumière une réponse imitative généralisée et qui est parfois renforcée, mais pas toujours (Gewirtz, 1971). Selon les skinneriens, le fait qu'un individu puisse apprendre sans renforcement une réponse illustrée par un modèle ne signifie pas que le renforcement n'ait pas été nécessaire au processus d'apprentissage dans son ensemble, ce qu'on ne peut déterminer sans connaître le passé de l'individu. Des psychologues qui travaillent dans une perspective strictement béhavioriste protestent contre l'importance qu'ont prise récemment dans la théorie sociocognitive les variables internes et les données provenant des autodéclarations verbales. Il y a eu une évolution à cet égard, notamment en ce qui concerne les écueils de la recherche portant sur le soi et l'utilisation des autodéclarations verbales. Il est curieux, et peut-être heureux, que les psychologues s'intéressent à ce que les gens ont à dire sur eux-mêmes. Reste à savoir si les autodéclarations verbales détaillées et les conditions dans lesquelles elles se font peuvent tenir compte du fait que les gens ne connaissent pas leurs processus internes. Des années de recherche sur le soi en tant que concept nous ont laissé sur les bras une foule de problèmes majeurs non résolus (Wylie, 1974). La théorie sociocognitive pourra-t-elle trouver le moyen de les surmonter ?

Plus récemment, on a attaqué le concept de sentiment d'autoefficacité, essentiellement en ce qui concerne trois aspects. D'abord, on a laissé entendre que les croyances relatives à l'efficacité personnelle sont liées aux résultats auxquels on s'attend et que ces résultats déterminent le comportement. Normalement, si les gens se croient capables de s'acquitter des tâches exigées par une situation, ne s'attendent-ils pas à obtenir un résultat positif ? Et s'ils s'estiment incapables de s'en acquitter, ne s'attendent-ils pas à obtenir un résultat négatif ? Dans la mesure où une personne considère que son rendement est lié aux résultats, on s'attendrait à ce que son sentiment d'autoefficacité soit assez étroitement lié à ses attentes relatives aux résultats.

Toutefois, Bandura avance que le sentiment d'autoefficacité ne correspond pas toujours aux résultats attendus, en particulier dans les situations où les résultats dépendent en partie ou totalement de facteurs indépendants de la personne. De plus, la recherche indique que le sentiment d'autoefficacité permet de prévoir le comportement de façon plus exacte que les résultats attendus. Bandura soutient donc qu'il existe une différence fondamentale entre le sentiment d'autoefficacité et le résultat auquel on s'attend, que ce dont l'individu se croit capable diffère des résultats prévus. En regard de cette controverse, il reste encore à clarifier à quel moment les facteurs déterminant le sentiment d'autoefficacité et ceux qui déterminent les résultats prévus correspondent les uns aux autres et à quel moment ils divergent, de même que leur contribution respective au comportement.

Un deuxième aspect de la critique du concept de sentiment d'autoefficacité tient au fait que, bien que Bandura ait largement cerné les facteurs qui contribuent au développement du sentiment d'autoefficacité, nous ne comprenons toujours pas des événements comme l'érosion soudaine du sentiment d'autoefficacité ou la rapidité avec laquelle le sentiment d'autoefficacité peut se transformer en sentiment d'inefficacité, ou inversement. Il reste aussi à déterminer pourquoi certaines croyances relatives à l'autoefficacité sont stables et d'autres instables, certaines résistantes au changement et d'autres modifiables.

La troisième critique a trait aux rapports entre le sentiment d'autoefficacité et le comportement envisagé de manière plus large. Le sentiment d'autoefficacité se mesure selon la stratégie microanalytique de Bandura — c'est-à-dire à des moments précis et par rapport à des tâches précises —, ce qui donne une précision considérable dans les mesures, mais ne débouche pas sur des explications plus vastes (Seligman, 1992). Si les perceptions relatives à l'autoefficacité se réfèrent à des tâches et à des contextes particuliers, quelle est leur valeur par rapport aux aspects plus généraux de la vie d'une personne ou par rapport à de nouvelles situations ? De plus, comment expliquerons-nous les situations où le sentiment d'autoefficacité ne semble pas lié au comportement, par exemple quand les gens disent se sentir capables de faire quelque chose et croire en la nécessité de le faire, mais se retrouvent néanmoins dans l'incapacité d'agir ?

En somme, le sentiment d'autoefficacité semble être un concept valable, mais on doit encore l'examiner et le mettre au point davantage.

Les domaines relativement négligés

À l'heure actuelle, aucune théorie de la personnalité ne peut vraiment tout englober. Mais même en acceptant cela, il apparaît tout de même que les théoriciens sociocognitifs s'intéressent très peu ou pas du tout à certains aspects importants du fonctionnement de l'être humain. Sans adhérer complètement au point de vue que soutiennent les théoriciens des stades de développement, on peut penser que les facteurs liés au vieillissement peuvent jouer un grand rôle dans les émotions que vivent les gens et dans leur façon de traiter l'information. Les émotions de nature sexuelle deviennent plus cruciales à certains moments du cycle de vie et à plusieurs égards la pensée d'un enfant diffère fondamentalement de celle d'un adulte.

Or, bien que les théoriciens sociocognitifs reconnaissent l'importance des facteurs motivationnels et du conflit, ce n'est que récemment qu'ils ont commencé à s'y intéresser sérieusement. Si l'élaboration des concepts de normes personnelles et d'objectifs constitue une avancée importante dans la conception sociocognitive de la motivation, celle-ci n'en reste pas moins à développer. Il faudra, en particulier, se consacrer à des études portant sur les types d'objectifs que se fixent les gens et se demander comment ils les adoptent. Bandura semble assimiler les objectifs aux normes personnelles, comme si les gens n'étaient motivés que par leurs propres normes personnelles. Mais les individus ne poursuivent-ils pas d'autres objectifs ? De même, Bandura suggère que les gens sont motivés par l'écart entre le rendement et leur norme personnelle. Mais les gens ne sont-ils pas tout autant, sinon plus, motivés par le désir d'atteindre l'objectif lui-même que par le désir de combler l'écart entre le rendement et leurs normes personnelles ?

En ce qui concerne le concept de conflit, étrangement, Bandura le passe sous silence, alors qu'il reconnaît que le comportement est pour l'essentiel déterminé par de multiples objectifs. Mischel insiste sur l'interaction dynamique qui a cours entre les composantes du système de la personnalité, mais il omet de prendre en considération la possibilité du conflit dans ce système. La plupart des gens peuvent facilement penser à des situations où ils ont senti qu'il existait un conflit entre leurs objectifs et certains reconnaîtront que le conflit est une composante fondamentale de leur vie. Enfin, non seulement le concept de conflit est-il au centre de la théorie psychanalytique, mais les théoriciens de l'apprentissage Dollard et Miller ont reconnu son importance. On peut donc s'étonner que les théoriciens sociocognitifs aient négligé un concept apparemment aussi important.

Le caractère préliminaire des résultats

Tout au long de son histoire, la psychologie, et plus particulièrement la psychothérapie, a été en proie à des engouements passagers. Il convient donc d'user de prudence pour éviter de confondre progrès véritable et simple emballement pour une nouvelle idée. Si les théories qui mettent l'accent sur les processus cognitifs ont d'abord été accueillies avec scepticisme, elles ont été très vite adoptées par la suite : « On pourrait bien dire que 1976 a été, pour le théoricien comme pour le praticien, l'année de la cognition. Comme les activités de Superman et du Scarlet Pimpernel, la cognition est dans l'air ; elle est ici, elle est là, elle est partout » (Franks et Wilson, 1978, p. VII). Sans minimiser l'importance des processus cognitifs, nous devons nous garder d'en faire prématurément nos concepts explicatifs de base.

Bien que les résultats du modelage et de la participation guidée soient impressionnants, ces processus thérapeutiques doivent encore être testés par d'autres thérapeutes, avec d'autres patients présentant d'autres types de problèmes. Bandura a répondu aux critiques qui soutiennent que ses résultats donnent lieu à des applications limitées. Cependant, l'histoire de la psychothérapie regorge de méthodes qui ont été présentées comme une panacée pour ceux qui souffrent sur le plan psychologique. Les évaluations les plus récentes des efforts déployés en modification comportementale et en thérapie comportementale devraient nous éclairer sur la complexité du problème et sur le travail qui reste à faire. En somme, il y a autant de bonnes raisons de s'enthousiasmer pour la théorie sociocognitive que de rester prudent, voire sceptique. La théorie sociocognitive constitue une avancée majeure. Elle continue à évoluer et ses prochaines initiatives méritent qu'on leur prête une attention particulière (tableau 14.1).

Tableau 14.1 Avantages et limites de la théorie sociocognitive

Avantages	Limites
1. Présente un impressionnant dossier de recherche.	**1.** Ne constitue pas une théorie systématique et intégrée.
2. Prend en considération des phénomènes importants.	**2.** Recèle potentiellement des problèmes associés à l'utilisation de données provenant des autodéclarations verbales.
3. Évolue de manière constante et cohérente en tant que théorie.	**3.** Exige une exploration et une élaboration plus poussées dans certains domaines (motivation, affects, propriétés du système organisationnel de la personnalité).
4. Attire l'attention sur d'importantes questions théoriques.	**4.** Fournit des résultats plus préliminaires que concluants en ce qui concerne l'efficacité de la thérapie.

L'APPROCHE SOCIOCOGNITIVE EN UN COUP D'ŒIL

Structure	Processus	Croissance et développement	Pathologie	Changement	Étude de cas
Attentes ; normes personnelles ; objectifs ; sentiment d'autoefficacité	Apprentissage par observation ; conditionnement vicariant ; processus symboliques ; autoévaluation et processus d'autorégulation (normes personnelles)	Apprentissage social par observation et par expérience directe ; acquisition de jugements sur l'autoefficacité et normes d'autorégulation	Modes de réponse appris ; normes personnelles trop exigeantes ; sentiment d'autoefficacité dysfonctionnel	Modelage ; participation guidée ; hausse du sentiment d'autoefficacité	Gary W.

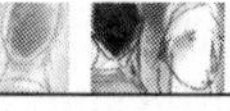

Résumé

1. La théorie sociocognitive rejette le modèle médical (symptôme-maladie) proposé par la psychopathologie ; elle y voit plutôt un apprentissage dysfonctionnel de comportements, d'attentes, de normes personnelles pour l'autorécompense, et surtout de croyances relatives à l'autoefficacité.
2. L'apprentissage dysfonctionnel peut se faire par observation de modèles, et en particulier par le conditionnement vicariant, ou encore par l'expérience directe.
3. Les gens qui ont un faible sentiment d'autoefficacité par rapport à des menaces particulières éprouvent une forte anxiété.
4. Le fait de se sentir inefficace par rapport à des résultats gratifiants peut entraîner la dépression. Les normes personnelles trop rigoureuses, selon lesquelles l'individu se déprécie s'il ne parvient pas à être à la hauteur, représentent une autre composante de la dépression.
5. La recherche indique qu'un fort sentiment d'autoefficacité peut favoriser la santé en augmentant la probabilité que se manifestent des comportements liés à la santé et en améliorant le fonctionnement du système immunitaire.
6. La thérapie sociocognitive vise l'amélioration du sentiment d'autoefficacité du client pour l'aider à composer avec des situations qu'il évitait jusque-là et à connaître de nouvelles expériences. Selon la théorie sociocognitive, tout changement thérapeutique résulte de la modification du niveau et de l'intensité du sentiment d'autoefficacité.
7. Le modelage et la participation guidée sont des procédés thérapeutiques qui permettent d'acquérir des compétences cognitives et comportementales. Dans le modelage, les modèles font la démonstration des habiletés et sous-habiletés qu'exigent des situations particulières. Dans la participation guidée, le thérapeute aide le client à reproduire les comportements du modèle. La recherche confirme que ces procédés contribuent à l'amélioration du sentiment d'autoefficacité.
8. Lorsqu'on compare la théorie sociocognitive avec les théories étudiées jusqu'ici, on constate qu'elle met l'accent sur : (a) les processus cognitifs conscients et les données expérimentales, par opposition aux processus inconscients et aux données cliniques que privilégie la psychanalyse ; (b) la spécificité du sentiment d'autoefficacité, par opposition aux conceptions de soi globales que privilégie Rogers ; (c) la spécificité et la variabilité situationnelles du comportement, par opposition aux dispositions générales que privilégient les théoriciens des traits de personnalité. Récemment, Mischel a tenté de formuler une théorie de la personnalité intégrée (le système cognitivo-affectif de la personnalité).
9. Parmi les principaux avantages de la théorie sociocognitive, notons l'intérêt pour la recherche, l'histoire de son évolution et de sa mise au point en tant que théorie et le fait qu'elle met l'accent sur des questions théoriques importantes. Cependant, il ne s'agit pas encore d'une théorie systématique, elle exige une exploration et une élaboration plus poussées dans certains domaines comme la motivation et l'organisation de la personnalité, et elle doit encore faire ses preuves par rapport à un vaste éventail de difficultés psychologiques.

Chapitre 15

L'approche cognitive du traitement de l'information

Les structures cognitives

Les catégories
Les explications et les attributions causales
La théorie implicite de la personnalité

Les applications cliniques

Le stress et les stratégies d'adaptation
La pathologie et le changement

L'évolution récente

Des cognitions aux émotions et aux motivations
Des cognitions conscientes aux cognitions inconscientes
De la pensée à l'action
Du soi occidental au soi transculturel

La théorie du traitement de l'information et les théories traditionnelles

L'évaluation critique

Les avantages
Les limites

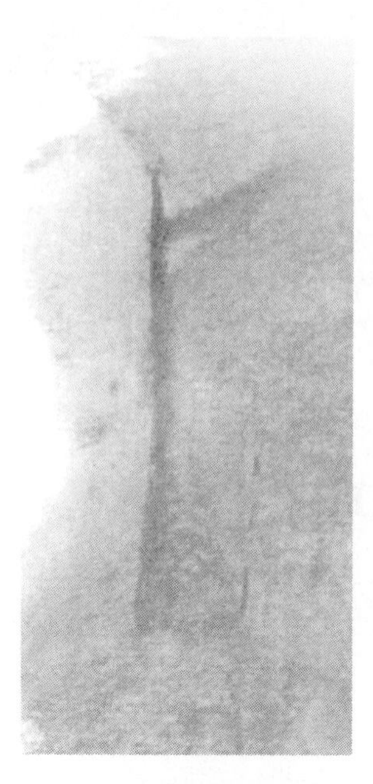

Vous sortez d'une entrevue où l'on vient de vous offrir l'emploi d'été de vos rêves. Ah ! Vous devez vous asseoir sur un banc public pour penser à ce qui vient de vous arriver. Qu'est-ce qui vous passe par la tête ? Vous demandez-vous comment vous avez réussi à décrocher ce travail fabuleux ; vous félicitez-vous d'avoir si bien préparé cette rencontre, ou encore vous congratulez-vous d'avoir si bien répondu aux questions qu'on vous a posées en entrevue ? Mais il se peut aussi que vous vous demandiez s'il ne s'agit pas d'un simple coup de chance et que vous vous mettiez à douter de votre capacité à relever le défi qui vous attend.

Les théories cognitives de la personnalité portent précisément sur ce genre de pensées, d'attributions et d'attentes. Notre monde complexe et changeant nous fournit de l'information en quantité phénoménale. Comment nous y prenons-nous pour traiter cette information (c'est-à-dire pour la filtrer et la comprendre) afin de réussir à mener une vie relativement stable et productive ? Telle est la question sur laquelle se penchent les psychologues qui adoptent la théorie cognitive de la personnalité. Le chapitre qui suit décrit cette approche, qui étudie le comportement humain en s'appuyant sur le modèle de l'ordinateur.

Le chapitre... *en questions*

1. Jusqu'à quel point peut-on considérer que les êtres humains fonctionnent comme des ordinateurs ? Peut-on dire que les ordinateurs ont une personnalité ?
2. Comment organisons-nous et utilisons-nous l'information dont nous disposons sur le monde extérieur et sur notre propre expérience ?
3. L'ordinateur a-t-il un soi ? Sinon, comment envisager le soi selon le modèle de l'ordinateur ?
4. Dans quelle mesure les troubles psychologiques tiennent-ils à des pensées et à des processus cognitifs problématiques et irrationnels ? Peut-on améliorer le fonctionnement psychologique en recourant à des procédés destinés à corriger les pensées irrationnelles et à améliorer la façon dont les gens traitent l'information ? Pouvons-nous être « reprogrammés » pour penser plus sainement ?

Les théories de la personnalité sont généralement associées aux modèles représentant la nature humaine. Par exemple, la théorie psychanalytique repose sur le modèle de la personne en tant que système d'énergie hydraulique et la théorie des construits personnels sur le modèle de la personne en tant que scientifique. Depuis les années 1960, la psychologie connaît une révolution, la révolution cognitive (Robins, Gosling et Craik, 1999), qui correspond à une révolution technologique, celle de l'ordinateur et du traitement de l'information. La révolution cognitive voit dans l'être humain un processeur d'information, complexe et de haute technicité, mais enclin à l'erreur.

Comme tous les modèles de ce genre, le modèle de l'ordinateur ne peut être pris à la lettre. Aucun psychologue ne prétend que les êtres humains sont vraiment comme des ordinateurs, ni que les ordinateurs peuvent raisonner comme les êtres humains. Cependant, ces modèles nous aident à conceptualiser la façon dont les gens pensent et à cerner les questions qu'il est le plus important d'étudier. Ainsi, beaucoup de psychologues se sont mis à se demander en quoi le fonctionnement des gens peut ressembler à celui de l'ordinateur. Les ordinateurs sont des outils qui traitent l'information : ils la reçoivent (l'encodent), la stockent (la gardent en mémoire) et la retrouvent (la récupèrent) au besoin. Les mots clés ici sont encodage, mémoire et récupération : les psychologues cognitifs s'intéressent à la façon dont les gens encodent, stockent et récupèrent l'information.

Les structures cognitives

Quelles sont les unités structurales pertinentes dans un modèle de la personnalité fondé sur l'ordinateur ? Autrement dit, quelles sont les unités cognitives de la personnalité ? Comment organisons-nous et utilisons-nous l'information pour comprendre le monde ? Quelles catégories constituons-nous pour classer les objets et les gens ? Comment élaborons-nous des explications causales des événements ? Comment se fait-il que certaines de ces catégories et de ces explications causales tantôt nous aident à fonctionner efficacement, tantôt nous causent des problèmes ?

LES CATÉGORIES

Comment parvenons-nous à fonctionner efficacement malgré l'énorme quantité d'information qui provient aussi bien de stimuli externes que de stimuli internes comme les pensées et les émotions ? Pour y arriver, il nous faut simplifier le monde, ce qui s'effectue de deux façons. Premièrement, nous sélectionnons ce à quoi nous prêtons attention : lorsque nous nous concentrons sur une tâche, nous nous concentrons sur l'information en rapport avec cette tâche et nous filtrons le reste. Si nous sommes incapables de filtrer l'information, notre concentration et notre rendement en souffrent, phénomène que connaissent bien la plupart des étudiants. Deuxièmement, nous simplifions le monde en classant les informations dans des catégories qui regroupent des éléments similaires, sinon identiques, ce qui nous évite d'avoir à traiter chaque information comme si elle était complètement nouvelle et d'avoir à décider de ce qu'il convient d'en faire. Traiter une information comme un élément relevant d'une catégorie nous permet d'y réagir immédiatement, tout comme nous réagissons à d'autres éléments appartenant à cette catégorie. Lorsque nous passons devant un boisé, nous ne traitons pas chaque arbre comme s'il était singulier, mais nous le considérons comme un élément de la catégorie *arbre,* ce qui nous permet de réagir comme il convient. De même, pour le meilleur et pour le pire, nous traitons les gens que nous rencontrons en tant qu'éléments d'une catégorie plutôt qu'en tant qu'individus singuliers. Nous utilisons tantôt des catégories usuelles — comme le sexe, la religion, la race, la nationalité ou l'appartenance à un club —, tantôt des catégories personnelles que nous avons créées à nos propres fins. Dans les deux cas, nous employons la plupart du temps les mêmes catégories.

Dans les théories cognitives, on donne souvent à ces catégories le nom de **schéma**; il s'agit de structures cognitives qui organisent l'information et qui influent ainsi sur notre façon de percevoir les informations subséquentes (objets matériels, gens et événements) et d'y réagir.

Schéma *(schema).*
Structure cognitive qui organise l'information et qui influe ainsi sur notre façon de percevoir les informations subséquentes (objets matériels, gens, personnes et événements) et d'y réagir.

Les objets matériels

Commençons notre étude des catégories, ou schémas, par les objets matériels. Quel genre de catégories d'objets matériels peut-on créer ? Si on utilise devant vous le terme *véhicule de transport à quatre roues,* savez-vous de quoi il est question ?

Vous en avez probablement une idée générale, mais pour déterminer précisément de quoi il s'agit, vous aurez besoin de plus d'information. La catégorie *véhicule de transport à quatre roues* vous indique clairement qu'il ne s'agit ni de personnes ni de plantes, mais il existe aussi des sous-catégories comme voiture ou camion. Combien y a-t-il de ces sous-catégories ? De manière générale, les gens s'entendent-ils sur ces sous-catégories, sur les éléments qu'elles englobent et sur les caractéristiques qui déterminent l'appartenance à telle ou telle catégorie ?

Examinez la structure hiérarchique du schéma présenté à la figure 15.1. Les sous-catégories proposées pour la catégorie plus large *véhicule à quatre roues* vous semblent-elles relativement raisonnables ? La plupart des gens s'entendraient-ils sur les caractéristiques d'une voiture sport par opposition à celles d'une berline ? La recherche portant sur la catégorisation des objets matériels et des personnes est parvenue aux conclusions suivantes.

1. On s'entend assez bien sur la taxonomie, ou organisation hiérarchique des catégories.

2. Les participants peuvent arriver à très bien s'entendre en ce qui concerne les caractéristiques associées à une catégorie donnée. Par exemple, ils sont d'accord sur les caractéristiques d'une voiture.

3. Aucune caractéristique n'est nécessaire ou suffisante pour déterminer l'appartenance à une catégorie, pour déterminer par exemple si une automobile donnée est une voiture sport. On détermine plutôt l'appartenance à une catégorie en recourant à un ensemble de caractéristiques ; les voitures sport peuvent différer considérablement les unes des autres, mais elles ont en commun cet ensemble de caractéristiques.

4. Bien que les ensembles de caractéristiques qui définissent les catégories diffèrent, ils peuvent se chevaucher. Par exemple, les voitures sport et les berlines ont des ensembles de caractéristiques différents, mais elles présentent aussi des caractéristiques communes.

5. S'il arrive très rarement qu'un élément présente toutes les caractéristiques descriptives de sa catégorie, certains éléments sont plus représentatifs. Ainsi, la Porsche pourrait être le meilleur exemple de la catégorie *voiture sport*. On parle alors de **prototype**.

Prototype *(prototype)*.
Élément d'une catégorie dont l'ensemble des caractéristiques en fait l'exemple type de cette catégorie, les autres éléments de la catégorie ne possédant pas nécessairement toutes les caractéristiques du prototype.

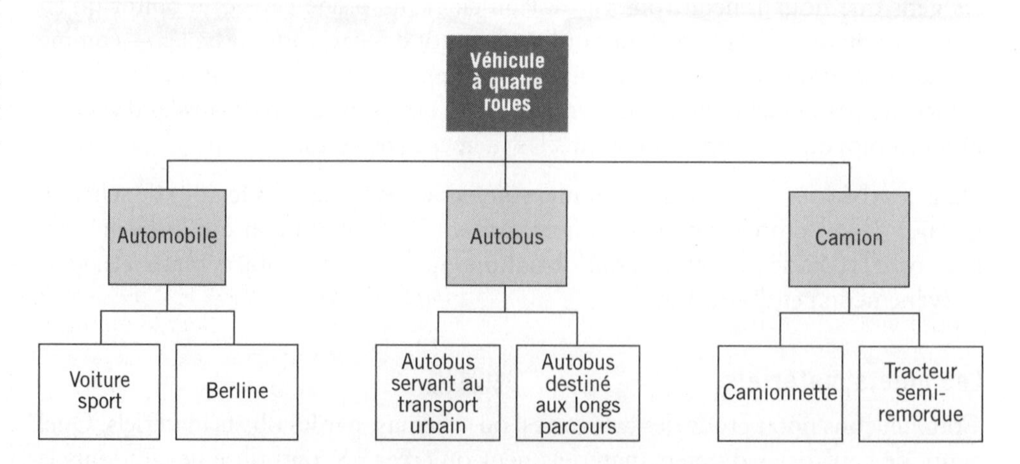

Figure 15.1 Structure hiérarchique d'une catégorie (Rosch *et al.*, 1976).

6. À cause du chevauchement des catégories, d'autres éléments sont au contraire difficiles à classer. Leurs contours sont flous ou ambigus. Par exemple, une voiture à hayon est-elle une berline ou une voiture sport ? On parle alors d'*hybrides,* ou de croisements entre deux ou plusieurs catégories.

7. Les premières catégories dont se servent les enfants sont de niveau intermédiaire (auto, par exemple). Les catégories de niveau supérieur (véhicule, par exemple) sont plus abstraites ; elles sont distinctives (un véhicule n'est ni un être humain ni une plante), mais peu précises. Les catégories de niveau inférieur (par exemple, voiture sport) sont très précises, mais leur utilisation n'est pas économique. Chaque niveau présente un certain intérêt, mais les catégories de niveau intermédiaire sont d'une grande utilité parce qu'elles offrent tout à la fois économie et précision.

Les situations

Si ce qui précède énonce certains principes servant à catégoriser les objets matériels, qu'en est-il des autres catégories, des situations par exemple ? Si le comportement varie selon la perception que les gens ont de l'environnement, nous devons nous intéresser à la façon dont ils organisent et classent l'information relative aux situations. Les principes valant pour les objets matériels s'appliquent-ils aussi aux situations ? Dans une étude portant sur la question, on a demandé aux participants de classer des situations en catégories, de décrire les caractéristiques associées à chaque catégorie, puis de hiérarchiser les catégories (Cantor, Mischel et Schwartz, 1982). Les résultats furent semblables à ceux qu'on avait obtenus pour les objets matériels : les participants ont créé des taxonomies similaires et se sont entendus sur les caractéristiques associées aux situations. Voici une hiérarchie situationnelle produite par les participants.

Véhicule hybride Croisement entre l'automobile, le camion et le véhicule utilitaire.

« Se trouver en société »			
Fête		**Sortie en couple**	
Fête du club étudiant	Fête d'anniversaire	Sortie à deux couples	Sortie « arrangée » *(blind date)* avec un(e) inconnu(e)

Enfin, les participants s'entendaient sur les comportements auxquels on pouvait s'attendre dans chacune de ces situations.

Les scénarios ■ En somme, la recherche confirme qu'il est utile pour les gens de recourir aux catégories et de modeler sur elles leurs attentes relatives aux conduites à tenir. Apparemment, lorsqu'une situation se présente à nous, nous percevons et encodons de l'information qui nous amène à conclure qu'il s'agit de tel ou tel genre de situation. À partir de cette catégorisation, une série d'émotions et d'attentes comportementales additionnelles se font jour, ayant trait aussi bien à nous-mêmes qu'à ceux avec qui nous allons nous trouver en contact.

Scénario *(script).*
Ensemble ou série de comportements considérés comme appropriés dans une situation donnée.

Certains tenants du modèle de l'ordinateur utilisent le concept de **scénario** pour définir un ensemble ou une série de comportements considérés comme appropriés dans une situation donnée (Schank et Abelson, 1977). Par exemple, le comportement à adopter dans un restaurant est généralement très scénarisé : non seulement on s'attend à des comportements précis, mais ceux-ci doivent s'enchaîner dans un ordre clairement établi.

Dans des situations de ce genre, nous jouons généralement des rôles et notre comportement est régulé par des normes ou par les sanctions qu'entraînerait un comportement inapproprié. Le fait de ne pas se conformer au scénario dans un restaurant peut parfois être amusant, mais le plus souvent cela aboutira à des erreurs dans le service, à des regards réprobateurs ou même à l'expulsion des lieux, surtout si le restaurant a une atmosphère assez guindée. Pour fonctionner adéquatement dans des situations de ce genre, nous devons admettre que nous devons respecter le scénario et nous remettre en mémoire les éléments qui lui conviennent. Toute défaillance des habiletés cognitives ou comportementales requises pour se conformer au scénario sera source de difficultés. D'autres situations sont moins structurées ou moins scénarisées. Par exemple, les rencontres informelles entre amis comportent habituellement moins de prescriptions et de scénarios rigides. Habituellement, les gens s'y sentent moins inhibés et plus libres d'être eux-mêmes.

Les catégories individuelles : les émotions et les comportements qui y sont associés ■ Il existe donc des preuves que les gens s'entendent sur certaines taxonomies situationnelles. Cependant, la recherche indique aussi que, lorsque les participants se réfèrent aux situations appartenant à leur propre vie, ils créent des catégories de situations plus personnelles, souvent en se basant sur les émotions associées à ces situations (par exemple, contextes de *stress, conflit, tendresse,* etc.), et c'est de manière distinctive qu'ils classent telle ou telle situation dans ces catégories (Pervin, 1976, 1981). Cette étude met en lumière la signification très personnelle que les individus donnent aux situations et montre à quel point il est difficile de prévoir le comportement en se fondant uniquement sur la connaissance objective qu'on peut avoir d'une situation. Si de nombreuses situations sont hautement scénarisées, d'autres laissent beaucoup de latitude aux variations de comportement entre les individus ; une part importante de la personnalité s'exprime dans la façon de catégoriser les situations, ainsi que dans les émotions et comportements que l'individu associe à chacune de ces situations. Mischel et Shoda (1999) soutiennent que les gens adoptent le même type de comportement dans les situations auxquelles ils prêtent une signification similaire, mais que ces comportements varient selon les situations lorsqu'ils leur prêtent des significations différentes et les associent à des émotions différentes.

Scénarios Certaines situations, par exemple un repas au restaurant, nous obligent à adopter une série de comportements clairement définis.

Les gens

Quels termes utilisons-nous lorsqu'on nous demande de décrire des gens que nous connaissons ? Si nous pensons à nos amis, nous constatons que nous utilisons des termes particuliers pour les décrire et que parfois nous regroupons les gens selon des types ; par exemple, nous dirons d'une amie qu'elle est « le genre de personne qui... ». Lorsque nous rencontrons des personnes que nous ne connaissons pas, nous sommes aussi enclins à prêter attention à des caractéristiques particulières et à employer des termes particuliers pour décrire ce que nous percevons. Dans certains cas, les caractéristiques perçues sont plus ou moins neutres ; dans d'autres cas, elles sont lourdes de connotations. Par exemple, on peut décrire quelqu'un selon des traits physiques qui ne comportent aucun jugement de valeur (grand, au teint coloré, osseux), ou au contraire selon des traits généralement associés à beaucoup d'émotion (par exemple, honnête, gentil, hostile, etc.).

Si les individus diffèrent par les termes qu'ils utilisent pour décrire les gens et par leur manière d'organiser ces termes, nous tentons tous d'organiser l'information dont nous disposons sur autrui. Compte tenu de la diversité des gens que nous croisons et de la variabilité situationnelle de leur comportement, il nous est indispensable d'organiser le monde pour le comprendre et pour lui assurer une certaine stabilité. Dans le chapitre portant sur le modèle de personnalité à cinq facteurs (chapitre 8), nous avons examiné comment on pouvait se servir de catégories communes pour décrire les gens : introvertis ou extravertis *(extraversion)*, personnes névrosées ou émotionnellement stables *(névrosisme),* responsables ou irresponsables (*esprit consciencieux*), etc. De plus, en nous penchant sur l'organisation hiérarchique des traits de personnalité (voir le chapitre 7), nous avons vu comment chacune de ces catégories pouvait comporter des sous-catégories de traits et des réponses encore plus précises. Il s'agit là du dénominateur commun des scénarios élaborés par de nombreux participants. Cependant, ces derniers se distinguent par les catégories qu'ils utilisent, par le contenu qu'ils inscrivent dans ces catégories et par la complexité de ces catégories. Sous de nombreux aspects, nous retrouvons ici ce que Kelly (chapitre 11) voulait faire comprendre grâce à sa théorie des construits personnels. Autrement dit, alors que le modèle des traits se concentre sur les catégories servant à décrire les gens et sur les caractéristiques utilisées pour définir ces catégories, la théorie des construits personnels tente de dégager des moyens de catégoriser les gens de façon plus individualisée, personnelle.

Le soi et les schémas de soi ■ Les chapitres précédents ont mis en lumière l'importance du soi en tant que concept dans certaines théories de la personnalité. Mais nous avons vu aussi que les théories de la personnalité ne mettent pas toutes l'accent sur le concept de soi et que celui-ci a parfois été discrédité. Durant la première période de la révolution cognitive, on s'est désintéressé du concept de soi; pourquoi donc un modèle fondé sur l'ordinateur s'embarrasserait-il d'une telle notion ? Par la suite, Markus (1977) a redonné un élan aux travaux effectués dans ce domaine; elle a laissé entendre que le soi est un concept ou une catégorie semblable à n'importe quel concept ou catégorie et que les gens élaborent des structures cognitives portant sur le soi — des *schémas de soi* — tout autant que sur d'autres phénomènes. Par exemple, une personne peut se considérer comme *dépendante-indépendante* ou *coupable-innocente,* c'est-à-dire avoir des représentations de soi que n'ont pas d'autres personnes. Comme nous l'avons mentionné au chapitre 5, certains individus peuvent considérer certaines parties du soi comme malléables, alors que d'autres individus les jugent immuables (Dweck, Chiu et Hong, 1995); on en trouve d'autres encore qui n'ont aucune représentation de soi comme *malléable-immuable,* autrement dit, elles sont « sans schéma » pour ce concept.

Schémas de soi *(self-schemas).* Généralisations cognitives sur le soi découlant des expériences antérieures, qui organisent et guident le traitement de l'information liée à soi-même.

Selon la perspective cognitive du soi, les **schémas de soi** constituent des généralisations cognitives sur le soi qui, découlant des expériences du passé, organisent et orientent le traitement de l'information relative à nous-mêmes. Les concepts ou dimensions que nous utilisons pour nous définir (par exemple *intelligent-inintelligent, sociable-introverti, sûr de soi-peu sûr de soi, courageux-lâche*) sont autant de représentations de soi. Comme les autres schémas ou concepts, les schémas de soi influent sur l'attention qu'on accorde à l'information, sur la façon dont on la structure et sur la facilité avec laquelle on la retient. Par exemple, les gens qui se considèrent comme indépendants fonctionnent différemment de ceux qui se considèrent comme dépendants; les uns et les autres fonctionnent différemment de ceux qui n'ont pas de schéma de soi lié à l'indépendance ou à la dépendance. En effet, Markus a montré que les gens qui ont des schémas de soi précis — comme celui de l'indépendance ou de la dépendance, par exemple — *traitent* l'information pertinente avec facilité, *récupèrent* aisément l'information relative aux indices comportementaux et *résistent* aux informations qui contredisent leurs schémas de soi. Autrement dit, une fois que nous avons acquis des façons particulières de nous concevoir (des schémas de soi), nous avons fortement tendance à les conserver; nous avons des partis pris en ce qui concerne ce à quoi nous prêtons attention, ce que nous retenons et ce que nous sommes prêts à accepter comme vrai quant à nous-mêmes. Il faut donc tenir compte tant du rôle des schémas de soi que du rôle des partis pris servant à les confirmer.

Une étude récente montre que les schémas de soi sont liés non seulement au traitement de l'information, mais aussi aux actes qui en découlent: dans le cas qui nous occupe, au comportement sexuel et à l'engagement amoureux. Dans cette étude, les chercheurs avaient posé comme hypothèse que les femmes qui avaient des schémas de soi différents traiteraient différemment l'information interpersonnelle et se comporteraient de manière différente dans leurs rapports sexuels et amoureux (Andersen et Cyranowski, 1994). On a demandé aux femmes de s'autoévaluer à partir d'une liste de cinquante adjectifs, dont seulement vingt-six seraient utilisés pour constituer une *échelle des schémas sexuels de soi* (par exemple non inhibée, tendre, romantique, passionnée, directe). Comme les éléments pertinents étaient dissimulés parmi d'autres éléments appartenant à une liste plus longue, les participants ne connaissaient pas l'existence de cette échelle et croyaient se livrer à une autoévaluation générale. Les résultats ont indiqué clairement que les femmes qui obtenaient des notes élevées sur l'*échelle des schémas sexuels de soi*, et surtout celles qui avaient des représentations de soi positives quant à leur sexualité, étaient plus actives sexuellement, éprouvaient plus d'excitation et plus de plaisir sexuel, et étaient davantage capables de s'engager dans des relations amoureuses que les femmes dont les notes étaient faibles. Les auteurs en ont conclu que les schémas sexuels, définis comme des généralisations cognitives concernant les aspects sexuels du soi, étaient liés de manière significative aux émotions et aux comportements qui se rapportent à la sexualité et aux relations amoureuses.

Il importe de le noter, nous parlons ici de plusieurs schémas de soi et non d'un seul, puisqu'il peut exister plusieurs catégories portant sur le soi et non une seule. Autrement dit, il peut y avoir ce qu'on pourrait appeler « une famille de schémas de soi » plutôt qu'une seule (Cantor et Kihlstrom, 1987). Selon cette perspective, nous sommes beaucoup de choses, dans beaucoup d'endroits et avec beaucoup de gens. Par conséquent, nous avons de nombreux schémas de soi contextuels, chacun doté d'un ensemble de caractéristiques qui se recoupent sous certains aspects et se distinguent sous d'autres aspects. Chacun de nous, donc, abrite une famille de schémas de soi dont le contenu et l'organisation sont particuliers. Dans cette famille de schémas de soi, il peut y avoir un prototype de soi, un concept de soi dont nous pensons « c'est ce que je suis *réellement* » et des représentations de soi floues, des aspects de nous dont nous ignorons quelle est leur relation exacte avec les autres aspects de nous.

En somme, la théorie du traitement de l'information propose qu'on traite et qu'on étudie empiriquement les représentations de soi comme on le ferait de n'importe quelle autre catégorie, en tenant compte toutefois du fait qu'elles peuvent avoir une importance particulière dans le fonctionnement de la personne. De ce point de vue, la théorie du traitement de l'information rejoint la théorie de Kelly, selon laquelle on traite le soi comme un des construits appartenant au système de construits de l'individu. Cependant, en faisant du soi un schéma dans le cadre d'une approche de traitement de l'information, les psychologues cognitifs ont pu rattacher leurs recherches à d'autres études effectuées dans le champ de la psychologie cognitive, ce qui a représenté et représente encore un apport important à la psychologie de la personnalité (Banaji et Prentice, 1994).

Les aspects motivationnels du soi ▪ Au début, les psychologues cognitifs se sont concentrés sur les processus cognitifs non motivationnels, collant de très près au modèle de l'ordinateur dépourvu d'émotions ou de motivation. Ils envisageaient alors les inexactitudes dans la perception du soi comme de simples erreurs dans le traitement de l'information plutôt que comme l'effet des motivations (Kahneman et Tversky, 1984; Nisbett et Ross, 1980). Toutefois, avec le temps, ils en sont venus à prendre en considération la façon dont les schémas de soi peuvent inciter une personne à traiter l'information de telle ou telle manière et peuvent constituer des motivations ou des buts pour l'action (Banaji et Prentice, 1994; Higgins, 1996, 1997; Kunda, 1990). En fait, les psychologues de la personnalité qui adhèrent à l'approche cognitive ont mis en lumière deux motivations liées au soi: le désir d'**autovalorisation** et le désir **d'autovérification**.

Désirs d'autovalorisation et d'autovérification
(self-enhancement and self-verification motives).
Processus motivationnels associés au soi, le premier désignant notre désir de nous voir sous un jour positif, et le deuxième, notre désir d'obtenir d'autrui la confirmation ou la corroboration de notre vision de nous-mêmes, et ce même si cette vision est négative.

Dans le premier cas, il existe des preuves que nous avons tendance à nous voir sous un jour positif (Tesser *et al.*, 1989). Selon l'hypothèse du désir d'autovalorisation, l'individu cherche à mettre en place et à conserver des images de soi positives. Nous préférons la rétroaction positive à la rétroaction négative. Sans nécessairement être narcissiques (chapitre 4), nous surestimons nos caractéristiques positives et sous-estimons nos caractéristiques négatives. De plus, nous nous comparons favorablement avec ceux qui nous sont « inférieurs » et nous essayons de nous associer avec ceux que nous percevons comme dotés de caractéristiques désirables (Wood, 1989).

DÉBATS ACTUELS

Les sources de l'estime de soi chez les hommes et chez les femmes : comment les schémas de soi fonctionnent-ils ?

Les hommes et les femmes diffèrent-ils en ce qui concerne leurs schémas de soi ? Josephs, Markus et Tafarodi (1992) pensent qu'il en est ainsi. Leurs travaux nous éclairent sur la nature des différences entre les hommes et les femmes en ce qui concerne l'image de soi ; ils montrent comment fonctionnent les schémas de soi, comment ils organisent et orientent le traitement de l'information liée au soi. Cette recherche repose sur l'idée suivante : la culture nous fournit des normes concernant les comportements appropriés pour chaque sexe ; les hommes comme les femmes apprennent ces normes et les reprennent dans leurs schémas de soi. Quel est le contenu de ces schémas ? Une recension poussée de la documentation a trait à la perception qu'ont les hommes et les femmes d'être liés aux autres ou au contraire d'en être séparés. Les hommes sont plus enclins à se considérer comme « individualistes », « indépendants » ou « autonomes », et à se représenter les autres comme séparés et distincts de soi. Les femmes, au contraire, ont tendance à se considérer comme « intégrées à la communauté », « proches des autres » et « en rapport avec les autres », et à envisager leurs relations avec les autres comme des éléments fondamentaux du soi.

Les chercheurs ont ensuite émis l'hypothèse que la façon dont nous nous sentons par rapport à nous-mêmes dépend du fait que nous estimons être ou non à la hauteur de ce que nos schémas de soi proposent concernant le comportement approprié à notre sexe. Si cette hypothèse était exacte, le fait de se considérer comme *indépendant* et *unique* serait associé pour les hommes à une bonne estime de soi, tandis que pour les femmes ce serait au contraire le fait de considérer qu'on est *en rapport avec les autres* qui serait associé à une bonne estime de soi. Pour tester cette hypothèse, les chercheurs ont effectué trois études.

Dans la première étude, ils ont demandé aux participants d'indiquer quel était selon eux le pourcentage de gens aussi compétents qu'eux quant à diverses capacités ou habiletés. Comme on s'y attendait, contrairement aux hommes qui avaient une piètre estime de soi et aux femmes en général, les hommes qui avaient une excellente estime de soi pensaient qu'ils possédaient des habiletés supérieures et singulières.

La deuxième étude se fondait sur l'idée selon laquelle plus les souvenirs qu'on conserve de certains types particuliers d'information ont un caractère précis, plus cette information a de l'importance pour les schémas de soi. Les participants ont appris à « encoder » des mots et à les associer soit à eux-mêmes, soit à des gens importants pour eux. Comme on l'avait annoncé, contrairement aux femmes qui avaient une piètre estime de soi et aux hommes en général, les femmes qui avaient une excellente estime de soi avaient conservé un meilleur souvenir des mots qu'elles avaient associés à autrui. Ces résultats concordaient avec l'hypothèse avancée par les chercheurs : les femmes qui ont une excellente estime de soi se souviennent mieux des mots associés à autrui parce que leurs relations avec autrui sont importantes pour elles et pour leur représentation de soi.

Finalement, la troisième étude portait sur *les réactions à l'information menaçant le soi*. Les participants passaient un test de personnalité bidon et recevaient une rétroaction manipulée qui portait : (a) sur leur réussite individuelle ; et (b) sur leur réussite dans les rapports avec autrui. Comme on s'y attendait, lorsque les hommes qui avaient une excellente estime de soi ont reçu une rétroaction négative regardant leur réussite individuelle, ils ont réagi à cette menace touchant leur opinion d'eux-mêmes en annonçant qu'ils allaient améliorer leurs résultats lors du prochain test. De même, lorsque les femmes qui avaient une excellente estime de soi ont reçu une rétroaction négative regardant leur réussite dans les contacts avec autrui, elles ont réagi à cette menace touchant leur opinion d'elles-mêmes en annonçant qu'elles allaient s'améliorer. Ces résultats montrent que les hommes tout autant que les femmes se sentent menacés dans leur opinion d'eux-mêmes lorsqu'ils n'arrivent pas à confirmer leurs schémas de soi, mais que le contenu de ces schémas de soi diffère, les hommes étant plus centrés sur l'indépendance et la réussite individuelle, et les femmes sur les rapports avec autrui et sur l'interdépendance.

Les résultats de ces trois études montrent que les normes sexuées influent sur la façon dont nous construisons notre estime de soi. Elles révèlent également que nos schémas de soi influent sur la façon dont nous traitons l'information : comment nous nous comparons aux autres (première étude), quel type d'information nous retenons le mieux (deuxième étude) et comment nous réagissons à l'information menaçante (troisième étude), autant de processus cognitifs importants dans lesquels nos schémas de soi jouent un rôle crucial.

SOURCE : Josephs, Markus et Tafarodi, 1992.

Parallèlement, affirme Swann (1991, 1992), les gens désirent voir confirmer leur image de soi, c'est-à-dire qu'ils sollicitent auprès d'autrui une certaine corroboration de leur vision d'eux-mêmes et qu'ils se présentent de manière à susciter cette corroboration. Selon Swann, cela tient au besoin de cohérence et de prévisibilité que ressentent les gens. La prévisibilité et la maîtrise que donne la confirmation de soi deviennent impossibles quand certains événements, par exemple la rétroaction provenant d'autrui, contredisent nos représentations de soi. Cela peut sembler évident, mais ce qui l'est moins dans la théorie de Swann, c'est que les gens cherchent à faire confirmer par autrui même leurs schémas de soi négatifs. Autrement dit, un individu qui a un schéma de soi négatif cherchera auprès d'autrui l'information et la rétroaction confirmant cette représentation de soi négative, devenant ainsi de lui-même son pire ennemi. Par exemple, les dépressifs qui ont des schémas de soi négatifs pourront, en recourant à l'autovérification, chercher de l'information qui leur servira à entretenir leur image de soi négative et leur dépression (Giesler, Josephs et Swann, 1996). Plus généralement, Swann a trouvé des données qui montrent que, conformément à son hypothèse portant sur l'autovérification, les gens entretiennent des relations avec ceux qui les voient comme ils se voient eux-mêmes, de sorte que, non seulement les gens qui ont des images de soi positives sont-ils plus attachés à un conjoint qui a une bonne opinion d'eux qu'à un conjoint qui en a une mauvaise, mais les gens qui ont des images de soi négatives sont plus attachés à un conjoint qui a une mauvaise d'eux qu'à un conjoint qui en a une bonne (De La Ronde et Swann, 1998 ; Swann, De La Ronde et Hixon, 1992*)*. Pour reprendre le mot célèbre de l'acteur Groucho Marx : « Jamais je ne ferais partie d'un club qui m'accepterait comme membre. »

Mais que se passe-t-il s'il y a conflit entre le désir d'autovalorisation et le désir d'autovérification ? Préférons-nous recevoir une rétroaction exacte ou une rétroaction positive, une vérité désagréable ou une agréable illusion ? Est-ce que nous aimons mieux être aimés pour ce que nous sommes, ou adorés pour ce que nous voudrions être (Strube, 1990 ; Swann, 1991) ? Bref, que se passe-t-il quand il y a conflit entre notre besoin cognitif de cohérence ou d'autovérification et notre besoin émotionnel d'autovalorisation, quand nous sommes pris entre ces deux feux *cognitifs-affectifs,* comme l'écrit Swann (Swann *et al.,* 1987, 1989) ? Nous ne pouvons pas encore répondre à cette question de manière complète, mais la recherche dont nous disposons à présent indique que si nous préférons en général recevoir une rétroaction positive, par contre, lorsque nous avons des représentations de soi négatives, nous préférons recevoir une rétroaction négative. Conformément à ce qui précède, la recherche montre que les événements qui contredisent l'image de soi peuvent entraîner des troubles physiques, même si ces événements sont positifs (Brown et McGill, 1989). Autrement dit, les événements positifs peuvent nuire à la santé s'ils entrent en conflit avec une image de soi négative et ébranlent l'identité négative de l'individu. On note cependant des différences entre les individus à cet égard ; un individu peut être plus orienté vers l'autovalorisation dans certaines de ses relations et vers l'autovérification dans d'autres. Par exemple, les résultats de recherche indiquent que l'autovalorisation est plus importante dans les premiers stades d'une relation, mais que l'autovérification devient de plus en plus importante au fur à mesure que la relation devient plus intime (Swann, De La Ronde et Hixon, 1994).

Le concept des **soi possibles** de Markus (Markus et Nurius, 1986) illustre également les propriétés motivationnelles du soi. Les soi possibles représentent ce que les gens pensent qu'ils pourraient devenir, ce qu'ils aimeraient devenir et ce qu'ils ont peur de devenir. En ce sens, les soi possibles ne servent pas seulement à organiser l'information ;

Soi possibles *(possible selves).* Idées qu'ont les gens sur ce qu'ils pensent pouvoir devenir, sur ce qu'ils aimeraient devenir et sur ce qu'ils ont peur de devenir.

ils ont aussi une puissante influence motivationnelle, nous poussant à aller vers certaines choses et à en éviter d'autres (Markus et Ruvolo, 1989). Le concept des soi possibles nous aide à comprendre pourquoi les gens ont des problèmes de volonté ou de maîtrise de soi. Selon Markus, nous sommes capables d'aller au bout de nos intentions lorsque nous estimons que la fin désirée est en harmonie avec notre soi ou avec un de nos soi possibles; dans le cas contraire, nous ne parvenons pas à concrétiser nos intentions. Par exemple, pour réussir à suivre un régime amaigrissant, il doit y avoir un recoupement entre le « concept de régime » et le concept de soi; on doit avoir l'impression que les phrases « je me sentirai plus légère » et « je me débarrasserai de mes vêtements trop grands » représentent toutes deux des soi possibles. « Si la satisfaction anticipée de porter des vêtements de deux tailles au-dessous correspond à des représentations de soi plus fortes sur le plan cognitif, émotionnel ou physique que la satisfaction fournie par les plaisirs gustatifs et la gratification immédiate, nous pourrons plus facilement envisager de ne pas manger pendant une heure de plus » (Cross et Markus, 1990, p. 729).

Guides personnels *(personal guides)*. Normes concernant le soi que l'individu a l'impression de devoir respecter; elles résultent des premières expériences d'apprentissage et ont d'importantes répercussions émotionnelles.

Finalement, il faut prendre en considération le concept de **guides personnels** proposé par Higgins (1987, 1989, 1996). Les guides personnels sont les normes que les individus ont à respecter et qui résultent des premières expériences d'apprentissage social; ces guides sont associés aux répercussions émotionnelles du respect ou du non-respect des normes. Comme les autres schémas de soi, les guides personnels organisent l'information, mais ils jouent aussi un rôle majeur dans l'émotion et la motivation. Comme nous l'avons mentionné au chapitre 6, les guides personnels sont particulièrement importants dans les catégories relevant du moi idéal et du moi imposé, le *moi idéal* représentant les attributs qu'idéalement nous voudrions posséder, et le *moi imposé* les attributs que nous estimons devoir posséder. Selon la théorie de Higgins, nous sommes poussés par le désir d'atténuer les incongruences entre notre vision de nous-mêmes et ce que nous voudrions idéalement être, de même que par la volonté d'atténuer les incongruences entre notre vision de nous-mêmes et ce que nous croyons que nous devrions être. L'incapacité d'être à la hauteur de ces différents types de guides personnels entraîne des conséquences différentes. L'incapacité de combler l'écart entre le soi et le soi idéal est associée à la tristesse et au découragement, tandis que l'incapacité de combler l'écart entre le moi et le moi imposé est associée à la culpabilité et à l'anxiété. De plus, il semble que l'existence de ces écarts diminue l'efficacité du système immunitaire dans la lutte contre la maladie (Strauman, Lemieux et Coe, 1993).

Selon Higgins (1996, 1997; Higgins, Shaw et Friedman, 1997), les guides personnels jouent également un rôle en orientant notre attention soit vers la recherche du plaisir, soit vers l'évitement de la douleur. Alors que les guides personnels idéaux orientent notre attention vers les réussites et les réalisations possibles — vers la *promotion* —, les guides personnels imposés l'orientent vers la sécurité, les responsabilités et les désagréments à éviter, vers la *prévention*. Atteindre des objectifs liés à l'orientation vers la *promotion* est associé au plaisir et atteindre des objectifs associés à l'orientation vers la *prévention* est associé au soulagement. On a constaté que les individus diffèrent en ce qu'ils se concentrent soit sur la promotion, soit sur la prévention, et qu'ils se différencient aussi par les émotions qu'ils éprouvent au quotidien.

LES EXPLICATIONS ET LES ATTRIBUTIONS CAUSALES

Dans les sections précédentes, nous avons vu comment les gens organisent l'information relative aux personnes et aux situations. Dans cette section, nous allons nous pencher sur la façon dont ils organisent l'information relative aux événements, et plus particulièrement sur la façon dont ils leur attribuent des causes. Si nous voyons quelqu'un que nous connaissons frapper une autre personne ou l'invectiver, nous cherchons à savoir quelle est la raison de ce comportement. Cet individu est-il généralement hostile ? L'autre personne a-t-elle essayé de lui nuire ? De même, si nous voyons quelqu'un de notre connaissance agir de manière étrange, nous nous demandons si cette personne va bien. Nous serions-nous trompés sur ces gens ? Devons-nous maintenant les regarder d'un autre œil ? Voilà le genre de déductions et d'attributions que nous faisons constamment.

Les explications

Nous savons déjà que les individus peuvent entretenir des croyances sur leur capacité d'influer sur les événements ou de les maîtriser (voir par exemple, au chapitre 2, les passages consacrés à la résignation acquise et au lieu de contrôle). Les études portant sur la manière d'expliquer le succès ou l'échec représentent un domaine de recherche connexe. Weiner (1990, 1996 ; Weiner et Graham 1999) soutient que les explications causales comportent trois dimensions. La première, liée aux travaux de Rotter sur le lieu de contrôle et appelée **lieu de causalité**, a trait au fait que les causes sont perçues comme provenant soit de l'intérieur de la personne (causes internes), soit de l'extérieur (causes externes). La deuxième, la **stabilité**, désigne le fait que les causes sont perçues soit comme stables et relativement fixes, soit comme instables ou variables. Le tableau 15.1 illustre les attributions causales qui résultent de la combinaison de ces deux dimensions : selon le cas, on pourra attribuer le succès ou l'échec à l'habileté (« Je suis intelligent »), à l'effort investi (« J'ai beaucoup étudié »), au degré de difficulté de la tâche (« L'examen était facile ») ou encore à la chance (« Je suis tombé par hasard sur la bonne réponse »). Enfin, la troisième dimension, la **maîtrisabilité**, a trait au sentiment de maîtriser les événements ou de pouvoir influer sur eux en faisant des efforts supplémentaires. Par exemple, on peut attribuer le rejet social qu'entraîne la laideur physique à des causes externes, stables et impossibles à maîtriser, et le rejet social qu'entraîne un comportement odieux à des causes internes, instables et maîtrisables. Dans les deux cas, ce sont les croyances et les attributions qui importent. Ainsi, une personne pourra considérer son apparence physique comme quelque chose d'impossible à maîtriser, tandis qu'une autre y verra quelque chose de maîtrisable. Ou encore une personne pourra attribuer son rendement intellectuel au quotient intellectuel, et une autre aux efforts déployés et aux connaissances acquises (Dweck, 1991, 1999 ; Dweck, Chiu et Hong, 1995).

Lieu de causalité *(locus of causality).* Dans le schème des attributions causales de Weiner, dimension qui a trait au fait que les causes sont perçues comme provenant soit de l'intérieur de la personne (causes internes), soit de l'extérieur (causes externes) ; les deux autres dimensions causales de Weiner sont la *stabilité* (causes stables ou instables) et la *maîtrisabilité* (événements maîtrisables ou non maîtrisables).

Les conséquences

Une étude effectuée par Wilson et Linville (1985) auprès de collégiens de première année illustre les conséquences pratiques de différentes attributions concernant le rendement. Dans cette étude, des collégiens dont les notes étaient inférieures à la

Tableau 15.1 Causes auxquelles on attribue le succès ou l'échec

Cause	Interne	Externe
Stable	Habileté personnelle	Difficulté de la tâche
Variable	Effort personnel	Chance ou hasard

SOURCE : Weiner, 1979.

moyenne et qui se disaient inquiets de leur rendement scolaire furent répartis en deux groupes. Ceux du premier groupe reçurent de l'information donnant à penser que les causes de leur piètre rendement pouvaient fluctuer ; il s'agissait de statistiques indiquant que, d'habitude, les notes des étudiants s'amélioraient après la première année et de vidéos présentant des interviews d'étudiants plus avancés qui disaient avoir eu de mauvaises notes durant leur première année au collège et avoir amélioré leur rendement par la suite. Les étudiants du deuxième groupe (groupe de contrôle) reçurent quant à eux de l'information générale sans rapport avec l'amélioration des notes et regardèrent des interviews sur vidéo où il n'était pas question de rendement. On voulait tester l'hypothèse suivante : le fait d'attribuer les mauvaises notes à des causes susceptibles de fluctuer pouvait atténuer l'anxiété par rapport au rendement scolaire et hausser les attentes quant aux notes à venir, améliorant ainsi le rendement réel. Or, on constata en effet que les membres du premier groupe (attribution à des causes pouvant fluctuer) améliorèrent davantage leurs notes que ceux du deuxième groupe (groupe de contrôle). De plus, une plus petite proportion des étudiants du premier groupe quitta le collège au cours du semestre suivant. Les auteurs de l'étude en conclurent que le fait de montrer aux étudiants de première année que leurs notes médiocres pouvaient être attribuées à des causes sujettes au changement avait des chances d'améliorer grandement leur rendement scolaire.

L'important ici, ce ne sont pas les dimensions elles-mêmes — on en a d'ailleurs proposé d'autres —, mais le fait que les gens se livrent à des attributions causales qui ont des effets psychologiques marqués, par exemple en ce qui concerne la motivation. Une personne sera plus encline à persister dans une tâche si elle croit que le succès ou l'échec dépendent de l'effort investi que si elle les attribue à la seule chance. De même, les gens se comporteront différemment selon qu'ils attribuent la santé et la maladie à des causes internes (« Je suis une personne maladive ») ou externe (« Ce virus a eu raison de moi ») et selon qu'ils croient à l'efficacité des soins qu'ils se donnent (« Prendre des précautions élémentaires permet d'éviter d'être malade ») ou non (« Il n'y a pas grand-chose à faire pour prévenir la maladie ») [Lau, 1982].

Les attributions causales ont également de l'importance en regard des stéréotypes. Par exemple, on a tendance à attribuer le succès des hommes et l'échec des femmes à leur talent plus ou moins grand, et l'échec des hommes et le succès des femmes aux efforts ou à la chance (Deaux, 1976). Ces différences en ce qui concerne les attributions causales ont aussi de grands effets sur le plan émotionnel. Comme pour la résignation acquise, on voit dans la dépression le résultat d'une attribution interne, stable et globale. La fierté que procure le succès dont on attribue la cause au talent et la culpabilité qui résulte de l'échec dont on attribue la cause à l'insuffisance d'efforts illustrent aussi les conséquences émotionnelles des attributions causales (Weiner, 1990 ; Weiner et Graham, 1999). Finalement, les attributions causales entraînent de grandes conséquences en regard des jugements moraux. Par exemple, on considérera qu'une punition est appropriée si l'on attribue l'échec à l'insuffisance d'efforts, mais non si on l'attribue à l'insuffisance de talent. Autre exemple : dans la mesure où nous attribuons les problèmes de santé de quelqu'un à des circonstances indépendantes de sa volonté, nous les considérons comme des *malades* et nous réagissons par la sympathie, alors que si nous les attribuons à un comportement que nous jugeons maîtrisable — la consommation d'alcool ou de drogue, par exemple, ou encore les pratiques sexuelles à risque —, nous y voyons une faute et nous réagissons par la condamnation et la colère (Weiner, 1993, 1996 ; Weiner et Graham, 1999). En somme, nous pouvons estimer que nombre d'émotions, de motivations et de comportements trouvent leur origine dans les attributions.

LA THÉORIE IMPLICITE DE LA PERSONNALITÉ

On appelle **théorie implicite de la personnalité** la façon dont nous organisons l'information portant sur le fonctionnement de notre personnalité et de celle d'autrui. Le terme donne à penser que nous avons tous notre propre théorie de la personnalité, théorie qui correspond aux catégories que nous utilisons pour décrire autrui, au contenu et à l'organisation de ces catégories, et aux explications que nous donnons aux comportements des gens, y compris à nos explications et à nos attributions causales. On dit de ces théories qu'elles sont implicites parce que la plupart des gens ne peuvent ni les formuler explicitement ni les organiser en fonction d'une théorie reconnue de la personnalité.

Théorie implicite de la personnalité *(implicit personality theory).*
Ensemble des croyances qu'entretient le profane sur les caractéristiques ou les traits qui permettent de regrouper les gens en catégories ; elle est dite implicite parce que la plupart des gens ne peuvent ni formuler explicitement ni organiser ces croyances en fonction d'une théorie structurée de la personnalité.

Pour rendre plus explicite votre propre théorie de la personnalité, vous pouvez commencer par examiner les catégories que vous utilisez dans votre perception d'autrui, les caractéristiques qui déterminent l'appartenance à chacune de ces catégories et les explications que vous donnez habituellement aux événements. Pouvez-vous organiser hiérarchiquement les catégories que vous utilisez ? Le cas échéant, quelles sont les distinctions (catégories) fondamentales que vous faites entre les gens ? Avez-vous un prototype d'individu pour chacune de ces catégories ? Par exemple, si vous utilisez la catégorie *personne extravertie*, avez-vous en tête l'image d'une personne qui, mieux que toute autre, correspond aux caractéristiques des gens extravertis ? Par ailleurs, y a-t-il des gens que vous avez du mal à classer parce qu'ils tombent dans des zones grises entre deux catégories ? Dans quelle mesure catégorisez-vous les gens à partir d'une caractéristique quelconque en supposant ensuite qu'ils affichent aussi les autres caractéristiques de la catégorie (étiquetage), au lieu de songer d'abord à la combinaison singulière d'attributs qu'ils présentent ? Une fois que vous avez catégorisé quelqu'un, vous arrive-t-il d'être surpris de le voir adopter dans une situation donnée un comportement qui ne correspond pas à votre catégorisation ? Lorsque vous caractérisez les gens, dans quelle mesure recourez-vous à des catégories intermédiaires comme les traits de personnalité, plutôt qu'à des catégories plus abstraites comme les types, ou à des catégories liées plus directement à la situation ? Vos explications varient-elles en fonction des gens et des circonstances ou avez-vous une série d'explications assez stables qui s'appliquent à la plupart des événements ? Du point de vue du traitement de l'information, ce sont là quelques-unes des questions dont les réponses peuvent éclairer votre personnalité.

En bref

En résumé, la perspective du traitement de l'information nous permet d'examiner tant la façon dont l'information est traitée que son contenu. Nous disposons d'une perspective à la fois structurelle et dynamique, puisque nous y avons incorporé des concepts motivationnels et non motivationnels afin d'expliquer pour quelles raisons on traite l'information comme on le fait. Ainsi, la perspective cognitive voit dans le soi un ensemble de structures cognitives qui influent sur l'encodage, l'organisation et la mémorisation d'une quantité de données considérable. Le fait de considérer le soi comme une catégorie cognitive permet de l'étudier comme on le ferait d'autres catégories cognitives et de comprendre son fonctionnement en fonction de processus cognitifs communs à toutes les catégories cognitives. Le soi devient une catégorie conceptuelle importante, plutôt que quelque homoncule ou agent interne. Si le soi se distingue, c'est par le fait que les représentations de soi tendent à occuper une place centrale dans l'organisation du système cognitif de l'individu et à avoir une influence émotionnelle et motivationnelle considérable. Les représentations de soi peuvent constituer des objectifs à atteindre et nous pousser à l'autovérification et à l'autovalorisation. Bien que similaire à d'autres concepts de soi définis dans cet ouvrage, et surtout à celui du modèle de Kelly, qui met l'accent sur les construits qu'on élabore sur soi, le modèle du soi proposé par la théorie cognitive du traitement de l'information comporte des caractéristiques propres. Les plus distinctives sont l'influence des schémas de soi sur l'encodage, la récupération (mémorisation) et l'interprétation des événements, ainsi que le caractère contextuel des représentations de soi.

Les applications cliniques

Les applications cliniques empruntées au modèle cognitif du traitement de l'information ont exercé une influence considérable sur les professionnels de la santé. En très peu de temps, c'est-à-dire en une décennie à peu près, ces applications sont devenues l'un des thèmes majeurs des psychologues qui tentent de comprendre et de traiter les troubles liés au stress ainsi que de graves problèmes psychologiques comme la dépression. Bien qu'on ne puisse pas faire état d'une théorie ou d'une méthode thérapeutique intégrée, les différentes approches reposent toutes sur un certain nombre de postulats communs.

1. Les cognitions (attributions, croyances, attentes et souvenirs relatifs à soi ou à autrui) déterminent les émotions et les comportements de manière cruciale ; par conséquent, on doit s'intéresser à ce que les gens pensent et disent d'eux-mêmes.

2. Sans pour autant nier l'importance de certaines attentes et croyances générales, on s'intéresse surtout aux cognitions liées à certaines situations ou catégories de situations.

3. Les troubles mentaux résultent de cognitions inadaptées ou fausses, ou encore de distorsions cognitives concernant le soi, les autres et les événements ; les divers troubles découlent de différentes cognitions ou de différentes façons de traiter l'information.

4. Les cognitions erronées ou inadaptées occasionnent des émotions et des comportements problématiques, qui engendrent à leur tour des cognitions problématiques ; il peut ainsi s'instaurer un cercle vicieux où la personne agit de manière à confirmer et à conserver ses distorsions cognitives et ses croyances erronées.

5. La thérapie cognitive suppose que thérapeute et client travaillent en collaboration afin de déterminer quelles sont les cognitions erronées ou inadaptées qui engendrent des difficultés, puis de les remplacer par des cognitions plus réalistes et plus adaptatives. L'approche thérapeutique tend à être active, structurée et axée sur le présent.

6. Contrairement à d'autres approches, les approches cognitives ne considèrent pas l'inconscient comme un facteur important, sauf dans la mesure où les clients peuvent ne pas être conscients de leurs façons habituelles de penser à eux-mêmes et à la vie. De plus, ces approches mettent l'accent sur la modification de certaines cognitions problématiques plutôt que sur la modification globale de la personnalité.

LE STRESS ET LES STRATÉGIES D'ADAPTATION

Le travail des psychologues d'orientation cognitive a été d'une importance majeure dans les domaines du stress et de la santé. Lazarus, dont les ouvrages ont eu une influence considérable en la matière, soutient que le stress psychologique dépend de cognitions relatives à la personne et à l'environnement (Lazarus, 1990).

Le stress

Selon la théorie cognitive du stress psychologique et de l'adaptation, le **stress** survient quand la personne juge que les circonstances dépassent ses capacités ou épuisent ses ressources et menacent son bien-être. Cela suppose une évaluation en deux étapes : lors de la *première évaluation,* l'individu analyse les enjeux de la situation et cherche à déterminer s'il y a menace ou danger. Par exemple, son estime de soi risque-t-elle d'en souffrir ou d'en bénéficier ? Sa santé ou celle d'un être cher est-elle menacée ? Lors de la *seconde évaluation,* l'individu tente de déterminer s'il peut faire quelque chose pour éviter de subir des dommages, ou en limiter l'étendue, ou encore pour tirer parti de la situation. Autrement dit, l'évaluation secondaire suppose que l'individu évalue de quelles ressources il dispose pour faire face au danger ou tirer parti de l'avantage entrevu lors de l'évaluation primaire.

Stress *(stress).*
Perception de l'individu qui juge que les circonstances dépassent ses capacités ou épuisent ses ressources, et donc menacent son bien-être, ce qui selon Lazarus suppose une évaluation en deux étapes : l'évaluation primaire et l'évaluation secondaire.

Les stratégies d'adaptation

Dans une situation stressante, l'individu peut envisager diverses stratégies d'adaptation (*coping*) pour gérer, maîtriser ou supporter les circonstances qui, à ce qu'il croit, dépassent ses capacités ou épuisent ses ressources. On distingue ici les stratégies d'adaptation axées sur le problème (par exemple, les tentatives pour modifier la situation) et les stratégies d'adaptation centrées sur l'émotion (par exemple, la distanciation émotionnelle, la fuite-évitement, la recherche de soutien social). Ce modèle a permis à des chercheurs de mettre au point un questionnaire appelé Techniques d'adaptation au stress (*Ways of Coping Scale*) et destiné à évaluer diverses stratégies adaptatives ainsi que leurs conséquences sur la santé. Les conclusions de leur recherche sont les suivantes (Folkman, Lazarus, Gruen et DeLongis, 1986 ; Lazarus, 1993).

1. Les résultats révèlent que les stratégies d'adaptation auxquelles les gens recourent pour composer avec des situations stressantes sont à la fois stables et variables. Si l'utilisation de certaines stratégies semble influencée par des facteurs liés à la personnalité, le recours à de nombreuses stratégies d'adaptation semble fortement influencé par le contexte situationnel.

2. En général, plus est élevée l'intensité déclarée du stress et des efforts pour s'y adapter, moins la santé physique des individus est bonne et plus ils sont susceptibles d'éprouver des symptômes psychologiques ; au contraire, plus les individus ont l'impression de maîtriser la situation, meilleure est leur santé physique et psychologique.

3. Bien que la valeur d'une stratégie d'adaptation particulière dépende du contexte dans lequel on l'utilise, de manière générale la résolution de problème inscrite dans un plan (« Je fais un plan d'action et je le suis » ou « Concentrons-nous simplement sur la prochaine étape ») constitue une stratégie plus adaptative que la fuite ou l'évitement (« Pourvu qu'un miracle se produise » ou « J'essaie de

réduire la tension en mangeant, en buvant ou en me droguant ») et que la confrontation (« J'exprime mes émotions d'une manière ou d'une autre » ou « Je manifeste ma colère à ceux qui sont responsables du problème »).

La technique d'immunisation contre le stress

Technique d'immunisation contre le stress *(stress inoculation technique).*
Procédé mis au point par Meichenbaum pour apprendre aux gens à mieux composer avec le stress.

Lazarus n'a pas présenté de procédé visant à réduire le stress, mais Don Meichenbaum (1995) a mis au point une **technique d'immunisation contre le stress** basée sur la perspective cognitive du stress. En accord avec Lazarus, Meichenbaum soutient que le stress peut être envisagé selon la perspective cognitive, qu'il suppose des évaluations cognitives de la part de l'individu et que les gens stressés entretiennent souvent des idées nocives et autodestructrices. De plus, ces cognitions autodestructrices et les comportements qui y sont liés ont une composante de confirmation de soi (par exemple, les gens obtiennent qu'on les surprotège). Enfin, la perception et la mémorisation des événements se réalisent d'une manière qui s'accorde avec le parti pris négatif. La technique d'immunisation contre le stress de Meichenbaum est conçue pour aider les gens à mieux se défendre contre le stress, comme la vaccination les aide à se défendre contre la maladie affectant le corps.

La technique d'immunisation contre le stress suppose qu'on instruise le client sur la nature cognitive du stress, après quoi on lui enseigne des procédés lui permettant de composer avec le stress et de modifier ses cognitions erronées, pour finalement lui montrer comment appliquer ces procédés en situation réelle. En ce qui concerne la nature cognitive du stress, on s'efforce d'amener le client à prendre conscience de ses pensées automatiques négatives et génératrices de stress, par exemple « Faire quoi que ce soit exige un tel effort... » ou « Je ne peux rien faire pour maîtriser ces pensées ou pour changer la situation ». Ce qui importe ici, c'est que la personne peut ne pas avoir conscience de ces pensées automatiques et qu'on doit donc lui apprendre à y prêter attention et à en comprendre les effets. En ce qui concerne les techniques d'adaptation au stress et de rectification des cognitions erronées, on enseigne aux clients à pratiquer la relaxation et à recourir à des stratégies cognitives qui rendent le stress plus facile à gérer, la restructuration cognitive des problèmes, par exemple. De plus, on enseigne aux clients diverses stratégies de résolution de problèmes : comment cerner les problèmes, faire l'inventaire des solutions possibles, évaluer les avantages et les inconvénients de chacune d'entre elles et mettre en œuvre celle qui est la plus souhaitable et praticable. On apprend aussi au client à recourir à des pensées adaptatives telles que « Je peux y arriver » ; « Une étape à la fois » ; « Je me concentre sur le présent : que dois-je faire maintenant ? » ; « Je peux être satisfait de mes progrès » et « Continue à essayer, ne t'attends pas à atteindre la perfection ou le succès du premier coup ». Finalement, on apprend au client à maîtriser tous ces procédés d'abord en les répétant mentalement, puis en les appliquant dans le monde réel. Lorsqu'il pratique la répétition mentale, le client s'imagine en train d'utiliser ses nouvelles habiletés adaptatives dans diverses situations stressantes. Le passage à la pratique se fait par des jeux de rôle et des exercices de modelage avec le thérapeute, ensuite par des exercices en situation réelle.

La technique d'immunisation contre le stress de Meichenbaum est un procédé actif, convergent, structuré et bref, qui a été utilisé auprès de clients qui étaient sur le point de subir une intervention chirurgicale, auprès d'athlètes afin de les aider à affronter le stress de la compétition, auprès de victimes d'agressions sexuelles afin de les aider à surmonter leur traumatisme et auprès de travailleurs et travailleuses en milieu professionnel afin de leur apprendre des stratégies d'adaptation plus efficaces et afin d'aider les équipes de travailleurs et de gestionnaires à mieux composer avec le changement organisationnel.

LA PATHOLOGIE ET LE CHANGEMENT

Selon la perspective cognitive du traitement de l'information, la psychopathologie résulte de cognitions irréalistes et inadaptées. La thérapie suppose donc des efforts pour corriger ces distorsions cognitives ou pour les remplacer par des cognitions plus réalistes et plus adaptatives.

La thérapie émotivo-rationnelle d'Ellis

Ex-psychanalyste, Albert Ellis a mis au point une approche thérapeutique de la personnalité appelée **thérapie émotivo-rationnelle** (TÉR; Ellis, 1962, 1987; Ellis et Harper, 1975). Selon la théorie d'Ellis, les problèmes psychologiques de l'individu découlent des croyances et des convictions irrationnelles qu'il entretient à propos de lui-même: *je dois* faire cela, *il faut que* je me sente de telle manière, *je devrais* être tel type de personne, *je ne peux rien faire* pour changer mes émotions ou ma situation, etc. Quelles sortes de cognitions inadaptées les gens entretiennent-ils? Elles sont aussi nombreuses que les processus cognitifs. En voici quelques-unes.

Thérapie émotivo-rationnelle *(rational-emotive therapy).* Approche thérapeutique mise au point par Albert Ellis et qui met l'accent sur la modification des croyances irrationnelles ayant des conséquences émotionnelles et comportementales destructrices.

Croyances irrationnelles « S'il m'arrive quelque chose de bien, je peux être certaine qu'une catastrophe se prépare » ; « Si j'exprime mes besoins, les autres vont me rejeter ».

Raisonnements erronés « J'ai échoué, ce qui prouve mon incompétence » ; « Ils n'ont pas réagi comme je le voulais, ce qui prouve qu'ils ont une piètre opinion de moi ».

Attentes dysfonctionnelles « S'il est possible que quelque chose aille mal, je n'y échapperai pas » ; « Je cours à la catastrophe ».

Opinions de soi négatives « J'ai toujours l'impression que les autres sont mieux que moi » ; « Je ne fais jamais rien de bon ».

Attributions inadaptées « J'ai de mauvais résultats aux examens parce que je suis une personne nerveuse » ; « Si je gagne, c'est un coup de chance; si je perds, c'est ma faute ».

Distorsions de la mémoire « Ma vie est horrible et l'a toujours été » ; « Je n'ai jamais rien fait de bon ».

Attention inadaptée « Si j'échoue, ce sera terrible; je ne pense qu'à ça » ; « Mieux vaut ne pas y penser; de toute façon, je n'y peux rien ».

Stratégies autodestructrices « Je vais me déprécier avant que les autres le fassent » ; « Je vais rejeter les autres avant qu'ils me rejettent; je verrai bien s'ils m'aiment encore ».

De toute évidence, ces exemples se recoupent — les cognitions inadaptées les plus importantes comportent souvent plus d'une faille —, mais ils nous donnent une bonne idée du genre de cognitions qui engendrent des émotions et des situations problématiques.

Ellis propose le recours à la logique, à l'argumentation, à la persuasion, à l'humour ou au ridicule pour essayer de modifier les croyances irrationnelles problématiques. Après avoir été longtemps mises à l'écart par les thérapeutes béhavioristes axés sur le comportement moteur manifeste, les idées d'Ellis suscitent un regain d'intérêt grâce à la popularité que connaissent les thérapies cognitives (Dobson et Shaw, 1995; Meichenbaum, 1995).

La thérapie de la dépression mise au point par Beck

Comme Albert Ellis, Aaron Beck est un psychanalyste désenchanté qui, petit à petit, a élaboré une approche cognitive de la thérapie surtout connue pour sa pertinence dans le traitement de la dépression, mais pouvant néanmoins s'appliquer à d'autres types de troubles psychologiques. Selon Beck (1987), les problèmes psychologiques sont attribuables aux pensées automatiques, aux postulats dysfonctionnels et aux opinions négatives que l'on entretient sur soi.

Triade cognitive de la dépression *(cognitive triad).*

Selon Beck, facteurs cognitifs qui engendrent la dépression ; l'individu dépressif dévalue systématiquement ses expériences antérieures et actuelles, ce qui l'amène : (1) à se voir comme un perdant ; (2) à voir le monde comme une source de frustration ; et (3) à envisager l'avenir sous un jour sinistre.

La triade cognitive de la dépression ■ Le modèle cognitif de la dépression élaboré par Beck se concentre sur le fait que l'individu dépressif dévalue systématiquement ses expériences antérieures et actuelles, ce qui l'amène à se voir comme un perdant, à considérer le monde comme une source de frustration et à envisager l'avenir sous un jour sinistre. On parle de ces trois visions négatives comme de la **triade cognitive de la dépression.** Cette triade comprend des visions de soi négatives comme « Je suis médiocre, non désirable et sans intérêt », des visions du monde négatives comme « Le monde est trop exigeant à mon égard ; ma vie est une suite ininterrompue de défaites » et des visions d'avenir négatives comme « Je ne connaîtrai jamais rien d'autre que cette vie de souffrance et de privation ». De plus, la personne déprimée est encline aux erreurs de traitement de l'information ; par exemple, elle est portée à considérer les difficultés quotidiennes comme des catastrophes et à sauter au moindre signe de rejet à la conclusion que « Personne ne m'aime ». Pour Beck, ces pensées dysfonctionnelles, ces représentations négatives et ces erreurs cognitives sont les causes de la dépression.

La recherche portant sur les cognitions erronées ■ Les efforts visant à déterminer le rôle des cognitions erronées dans la dépression et dans d'autres troubles psychologiques ont donné lieu à une recherche d'une ampleur considérable. De manière générale, elle corrobore la présence de la triade cognitive de Beck, ainsi que celle d'autres cognitions erronées (Segal et Dobson, 1992). En particulier, si on les compare aux individus non déprimés, les dépressifs semblent se concentrer davantage sur eux-mêmes (Wood, Saltzberg et Goldsamt, 1990) et recourir à des construits sur soi négatifs plus immédiatement accessibles (Bargh et Tota, 1988 ; Strauman, 1990) ; ils ont également un parti pris de pessimisme, particulièrement en relation avec le soi (Epstein, 1992 ; Taylor et Brown, 1988). Par contre, la recherche n'a toujours pas établi si de telles cognitions *causent* la dépression, ou si elles n'en sont qu'une composante. Et même si l'on prouvait qu'elles jouent un rôle causal, il resterait encore à déterminer comment elles naissent et se développent.

L'une des questions qui suscitent la curiosité des psychologues qui croient au rôle des cognitions erronées dans la dépression est la suivante : qu'advient-il de ces cognitions erronées quand la dépression disparaît ? Il s'agit d'une question importante, car l'individu qui a souffert d'une dépression grave est enclin à rechuter et présente un risque accru de souffrir d'une autre dépression. Pourquoi serait-ce le cas si ses cognitions erronées ont disparu ? La recherche indique de plus en plus clairement que la réponse à cette question est la suivante : les cognitions erronées qui rendent la personne vulnérable à la dépression sont latentes et ne deviennent manifestes que dans certaines conditions de stress (Alloy, Abramson et Francis, 1999 ; Dykman et Johll, 1998 ; Ingram, Miranda et Segall, 1998 ; Wenzlaff et Bates, 1998). Autrement dit, les cognitions erronées peuvent s'exprimer de manière plus ou moins forte selon les circonstances et être plus ou moins accessibles à la conscience. Les gens enclins à la dépression peuvent être porteurs d'attitudes négatives envers le soi, attitudes qui ne deviennent manifestes que lorsque leur estime de soi chute.

La tâche de la thérapie consiste donc à modifier fondamentalement ces cognitions, mais aussi à amener l'individu à prendre conscience des conditions dans lesquelles elles s'activent.

La thérapie cognitive ■ La thérapie cognitive de la dépression, qui s'effectue généralement en quinze à vingt-cinq séances hebdomadaires, vise à repérer et à corriger les distorsions conceptuelles et les croyances dysfonctionnelles (Beck, 1993; Brewin, 1996). On la décrit habituellement comme une série d'apprentissages très précis où l'on enseigne au client à avoir à l'oeil ses pensées automatiques négatives, à se rendre compte que ces pensées déclenchent des émotions et des comportements problématiques, à soumettre ces cognitions à un examen rigoureux pour y déceler les erreurs et les distorsions, et à y substituer des interprétations qui sont plus proches de la réalité. Le thérapeute aide le client à constater que ses interprétations des événements engendrent des émotions dépressives. Voici, à titre d'exemple, l'extrait d'un dialogue entre un client et un thérapeute.

> **Client :** Je suis déprimé quand les choses vont mal. Quand je rate un examen, par exemple.
>
> **Thérapeute :** Comment le fait de rater un examen peut-il vous déprimer ?
>
> **Client :** Eh bien, si je rate un examen, je n'entrerai jamais à la faculté de droit.
>
> **Thérapeute :** Donc, rater un examen est lourd de sens pour vous. Mais si rater un examen pouvait mener les gens à la dépression clinique, est-ce qu'on ne devrait pas s'attendre à ce que tous ceux qui ratent un examen fassent une dépression grave ? [...] Est-ce que tous les étudiants qui ont raté l'examen ont fait une dépression assez grave pour nécessiter un traitement ?
>
> **Client :** Non, mais ça dépend de l'importance que chacun accorde à la réussite de l'examen.
>
> **Thérapeute :** C'est vrai. Et qui décide de cela ?
>
> **Client :** C'est moi.
>
> Beck, Rush et Shaw, 1979, p. 146.

En plus d'examiner la logique, la validité et la valeur adaptative des croyances irrationnelles, le thérapeute donne au client des « devoirs » à faire pour l'aider à prendre conscience de ses cognitions et postulats inadaptés. Il peut s'agir d'activités conçues pour lui procurer du plaisir et du succès. En général, la thérapie se concentre sur des cognitions précises dont on pense qu'elles contribuent à la dépression. Selon Beck, la **thérapie cognitive** se distingue de la thérapie analytique classique parce que le thérapeute restructure constamment la thérapie, parce qu'il se concentre sur ce qui se déroule « ici et maintenant » et parce qu'il met l'accent sur les facteurs conscients. La thérapie cognitive de Beck s'étend aujourd'hui à d'autres troubles psychologiques, notamment à l'anxiété, aux troubles de la personnalité, à la toxicomanie et aux problèmes de couple (Beck, 1988; Beck et Freeman, 1990; Beck, Wright, Newman et Liese, 1993; Clark, Beck et Brown, 1989; Epstein et Baucom, 1988; Jeunes, 1990). Le postulat de base est que chaque difficulté correspond à un ensemble précis de croyances, croyances relatives à l'échec et à la dévalorisation dans le cas de la dépression, à une menace ou à un danger dans le cas de l'anxiété, etc. La recherche confirme l'efficacité de la thérapie cognitive (Antonuccio, Thomas et Danton, 1997; Craighead, Craighead et Ilardi, 1995; Hollon, Shelton et Davis, 1993; Merles et Hayes, 1993). Bien qu'il faille encore déterminer en quoi consistent les aspects thérapeutiques propres à la thérapie cognitive et qu'il reste à établir si la modification des croyances représente vraiment l'ingrédient thérapeutique clé (Dobson et Shaw, 1995; Hollon, DeRubeis et Evans, 1987), certains résultats de recherche obtenus récemment indiquent que le changement cognitif est effectivement suivi d'un changement thérapeutique (Tang et DeRubeis, 1999a, 1999b).

Thérapie cognitive *(cognitive therapy).* Approche thérapeutique qui met l'accent sur la modification des pensées erronées et inadaptées.

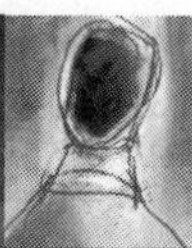

L'histoire de Jacques

La théorie du traitement de l'information : cognitions et stratégies d'adaptation

Comme c'était le cas pour la théorie sociocognitive, au moment de la première évaluation de Jacques l'approche cognitive du traitement de l'information n'avait pas encore émergé et il était donc impossible de l'évaluer selon cette grille théorique. De plus, comme nous l'avons mentionné dans notre exposé consacré à la théorie sociocognitive, les approches de traitement de l'information se sont davantage concentrées sur la vérification d'hypothèses précises que sur la mise au point d'instruments servant à évaluer la personnalité de manière plus large.

Pourtant, les résultats obtenus grâce à d'autres instruments d'évaluation intéresseraient probablement les théoriciens qui emploient l'approche du traitement de l'information. Les résultats du test de Kelly portant sur les construits de Jacques, et en particulier ceux qui ont trait au soi (ou au schéma de soi) seraient pour eux d'un grand intérêt ; on pourrait en dire autant des objectifs de Jacques, évalués selon la théorie cognitive, de même que des croyances qu'il entretient quant à son autoefficacité. Enfin, il nous a fourni une évaluation sommaire de ses cognitions, attributions, pensées dysfonctionnelles et stratégies d'adaptation.

Les cognitions en général, les attributions et les pensées dysfonctionnelles

On a interrogé Jacques à propos de ses croyances générales et particulières. Il a déclaré croire aux vertus du travail, à la nécessité de gagner ce qu'on possède et d'assumer la responsabilité de ses actes. Selon lui, certaines personnes sont par nature des gagnants ou des perdants ; les premiers se facilitent la vie et les autres se la compliquent. De manière générale, il se considérait comme un gagnant et disait prendre la vie du bon côté. Il s'est dit intelligent, travailleur, bien de sa personne et doté d'un bon sens de l'humour, d'un grand besoin d'être approuvé et d'un côté dépressif. Idéalement, il aurait aimé être plus généreux et plus désintéressé, plus en état de supporter les revers et plus détendu. Pour ce qui est des attentes en général, les réponses de Jacques au test d'orientation générale (*Life Orientation Test*, Scheier et Carver, 1985) mesurant l'optimisme-pessimisme ont indiqué une orientation fortement pessimiste qui confirmait son côté dépressif. Par exemple, il était tout à fait en désaccord avec les énoncés « Je crois au dicton *Après la pluie, le beau temps* » et « Je suis toujours optimiste quant à mon avenir ». Par contre, il était tout à fait en désaccord avec l'énoncé « Je m'attends toujours à ce que les choses ne se passent pas comme je le veux », ce qui reflète probablement sa ferme conviction qu'il est toujours possible et souhaitable de maîtriser les choses. Jacques a obtenu une note extrêmement élevée sur l'échelle de la maîtrise souhaitable (*Desirability of Control Scale*, Burger et Cooper, 1979).

Jacques a dit utiliser les catégories suivantes pour interpréter le monde : *qui a du succès-qui n'a pas de succès, riche-pas riche, attirant-pas attirant, intelligent-pas intelligent, intéressant-pas intéressant, gentil et affectueux-pas affectueux, patient-impatient, généreux-pas généreux, profond-superficiel.*

En ce qui concerne les attributions, il a souligné aussi qu'il croyait à la responsabilité, à la nécessité de se maîtriser et de maîtriser sa vie, plutôt qu'à la chance, au hasard ou au destin. Les réponses fournies par Jacques au questionnaire portant sur le style d'attribution (*Attributional Style Questionnaire*) ont révélé chez lui une tendance à se livrer en général à des attributions internes, stables et globales. Ce modèle d'attribution correspond à ses tendances dépressives et à sa conviction qu'il est souhaitable de se maîtriser et de maîtriser sa vie. Cependant, une analyse des sous-sections de ce questionnaire révèle que Jacques applique davantage ce mode aux événements positifs qu'aux événements négatifs, surtout en ce qui concerne ses attributions internes et stables. Sa conviction que ses efforts peuvent déboucher sur des événements positifs et stables, conviction reflétée par le fait qu'en général il s'attend à ce que les choses se passent comme il le veut, lui permet donc probablement d'être moins déprimé qu'il ne le serait autrement. De plus, ses réponses indiquent une propension à recourir plus souvent à l'attribution interne pour expliquer ce qui se passe dans ses rapports avec les autres que pour expliquer les événements relatifs à la réussite professionnelle.

Finalement, en ce qui concerne les croyances irrationnelles, les pensées dysfonctionnelles et les distorsions cognitives, il importe de revenir sur ce que Jacques décrit comme sa tendance à se sentir visé personnellement : « C'est un problème que j'ai. Si quelqu'un ne me téléphone pas, j'attribue cela à ses sentiments envers moi. Parfois, je suis terriblement blessé. » Durant l'entrevue, Jacques n'a pu donner aucun exemple de croyances irrationnelles ou de pensées dysfonctionnelles qu'il aurait pu entretenir, mais ses réponses au questionnaire des pensées automatiques (*Automatic Thoughts Questionnaire,* Hollon et Kendall, 1980) ont jeté une certaine lumière sur cet aspect de son fonctionnement. Il a déclaré que certaines pensées lui traversaient souvent l'esprit : « Je laisse tomber les gens » ; « J'aimerais être une meilleure personne » ; « Je suis déçu de moi » et « Je ne peux pas supporter cela ». Ces pensées étaient associées à son regret de ne pas être aussi affectueux ou aussi généreux qu'il l'aurait voulu, à ses exigences élevées envers lui-même sur le plan professionnel et sur le plan physique, à sa peur obsessionnelle que les choses tournent mal et à son incapacité de supporter qu'elles ne se passent pas selon ses désirs. Par exemple, il détestait être coincé dans la circulation : « Je ne peux pas supporter cela, c'est intolérable. » Jacques ne pensait pas grand bien du travail d'Ellis et il a déclaré en entrevue ne pas avoir beaucoup de croyances irrationnelles ; pourtant, lorsqu'il a rempli le questionnaire, il a coché quatre éléments sur neuf en déclarant y reconnaître des pensées qu'il avait fréquemment : « J'ai besoin de l'amour ou de l'approbation d'autrui » ; « Quand les gens agissent mal, je les blâme » ; « Quand je me sens très frustré ou rejeté, j'ai tendance à en faire un drame » et « J'ai tendance à m'inquiéter pour des choses qui me semblent épouvantables ». Il a également décrit sa tendance à envisager comme une catastrophe la possibilité d'arriver en retard au cinéma : « C'est une véritable calamité pour moi. Arriver avant le début du film devient une question de vie ou mort. Je brûle les feux rouges, j'actionne le klaxon et je roule sur les chapeaux de roues. » Ce comportement est d'autant plus intéressant que Jacques a l'habitude d'arriver à presque tous ses rendez-vous avec quelques minutes de retard, rarement plus cependant.

Les stratégies d'adaptation

Interrogé sur ses stratégies d'adaptation, Jacques a répondu : « La compulsion intensive. Ça fait partie de mon caractère et c'est dans tout : faire le lit le matin, tout ranger à sa place dans l'appartement, nettoyer les cendriers de la voiture... L'ordre est très important pour moi. C'est envahissant. Il y a aussi l'intellectualisation et l'humour. » Les résultats de Jacques sur l'échelle d'adaptation au stress (*Ways of Coping Scale,* Folkman, Lazarus, DeLongis et Gruen, 1986) indiquent que les stratégies qu'il déploie en premier lieu pour s'adapter aux événements stressants consistent à « assumer [s]es responsabilités » (« Me critiquer et me faire la leçon » ; « Comprendre que je me suis mis moi-même dans le pétrin ») et à s'attaquer au problème (« Juste me concentrer sur ce que je dois faire » ; « Me servir de mes expériences antérieures ; il m'est déjà arrivé d'être dans une situation similaire »). En général, Jacques a tendance à se maîtriser et à réfléchir au problème plutôt qu'à recourir à la fuite ou à l'évitement, à se lancer dans des solutions téméraires ou à chercher le soutien et la sympathie d'autrui. Cette dernière réaction révèle qu'il ne se pardonne pas d'être en difficulté. Bien que ces stratégies d'adaptation semblent plutôt positives, elles ne lui donnent pas l'impression de s'améliorer ou de grandir en tant que personne, selon ce que révèlent d'autres réponses qu'il fournit.

RÉSUMÉ

À partir de l'information obtenue en combinant l'approche sociocognitive et l'approche cognitive du traitement de l'information, que pouvons-nous dire de Jacques au mitan de sa vie ? Nous avons vu que, de manière générale, il éprouve un fort sentiment d'autoefficacité par rapport à ses habiletés intellectuelles et sociales, mais qu'il se sent moins efficace en ce qui concerne la pensée créative et la capacité de se monter affectueux, généreux et désintéressé avec les gens qui lui sont chers. Il valorise l'argent et la réussite financière, mais il a choisi de se concentrer plutôt sur sa vie de famille et sur son travail de consultant. Il accorde beaucoup d'importance à la responsabilité individuelle et à la maîtrise des événements. Ses attributions ont tendance à être internes, stables et globales, et il a un côté pessimiste et dépressif. Il est préoccupé par son besoin d'obtenir l'approbation d'autrui, par son perfectionnisme et par son impatience, ainsi que par sa tendance à s'en faire pour tout et pour rien. Lorsqu'il doit composer avec le stress, il est enclin à se maîtriser plutôt qu'à éviter les problèmes ou à les fuir. Généralement, il se considère comme une personne compétente et se montre d'un optimisme circonspect quant à ses chances d'atteindre ses objectifs de vie.

L'évolution récente

Dans ce chapitre, nous avons présenté une approche de la personnalité fondée sur le modèle de l'ordinateur, mais les travaux que nous devons aux tenants de cette approche du traitement de l'information montrent clairement qu'ils ne sont pas restés enfermés dans ce modèle, entendu au sens le plus étroit. Trois nouveaux éléments en témoignent plus particulièrement. D'abord, ils ont accordé de plus en plus d'attention aux émotions et à la motivation. Deuxièmement, ils se sont intéressés à la façon dont les pensées, les émotions et les motivations s'expriment par des actes, c'est-à-dire au fait que les gens ne font pas que penser et qu'ils sont poussés à agir. Troisièmement, surtout en ce qui concerne le soi, on se penche sur d'autres façons d'envisager le monde que celles des Occidentaux.

DES COGNITIONS AUX ÉMOTIONS ET AUX MOTIVATIONS

Dans les éditions précédentes de l'ouvrage, on reprochait aux psychologues appartenant à cette approche de négliger l'affect (l'émotion) et la motivation. Les gens pensent peut-être comme des ordinateurs — ou peut-être ont-ils fabriqué des ordinateurs qui pensent comme eux —, mais ils ont aussi des émotions et des motivations qui influent sur leurs pensées, tout comme nos pensées influent sur ce que nous ressentons et sur ce que nous faisons. Or, les travaux plus récents de ces psychologues ont beaucoup porté sur ce type de relations, comme le montrent les recherches sur le soi. Des concepts comme ceux des *soi possibles* et des *guides personnels* se rapportent aux propriétés motivationnelles des représentations de soi : autrement dit, nous sommes incités à correspondre à certaines de nos représentations de soi et à éviter de ressembler à certaines autres, et nous sommes incités à nous comporter conformément à nos normes personnelles, idéales ou imposées. De plus, la recherche indique que nous sommes incités à agir par une image de soi positive, mais aussi par la nécessité de nous adonner à l'autovérification, même si cette vérification confirme notre vision négative de nous-mêmes. Par conséquent, les cognitions comme les schémas de soi influent constamment sur nos émotions et sur nos motivations, mais subissent également l'influence de nos émotions et de nos motivations.

DES COGNITIONS CONSCIENTES AUX COGNITIONS INCONSCIENTES

Dans les premières années de la révolution cognitive, on ne s'intéressait qu'aux cognitions conscientes, mais avec le temps il est devenu évident que nombre de cognitions et de processus cognitifs importants étaient hors de portée de la conscience, qu'ils étaient non conscients ou inconscients. Par exemple, il ne faisait aucun doute que les gens pouvaient percevoir des choses sans avoir conscience de les percevoir et apprendre des choses sans avoir conscience de les apprendre. On dit de ce genre de processus qu'ils sont implicites, comme ces perceptions et ces apprentissages dont nous venons de parler, par opposition aux perceptions et aux apprentissages explicites, qui se font de manière consciente. On s'intéresse aux cognitions et aux processus cognitifs implicites notamment à cause de leur importance potentielle dans les rapports avec les autres où les attitudes inconscientes influeraient sur le comportement social (Bargh et Barndollar, 1996). Par exemple, nous pourrions classer inconsciemment les gens comme bons ou mauvais et avoir ensuite tendance à nous en approcher ou à les éviter automatiquement sans nécessairement avoir conscience des raisons de nos actes (Chen et Bargh, 1999).

Si on peut parler de perceptions inconscientes et d'apprentissages inconscients, peut-on aussi parler de motivations inconscientes et d'émotions inconscientes ? Selon Kihlstrom (1999), un des plus éminents psychologues cognitifs de la personnalité, il est peut-être temps d'envisager cette possibilité. Les psychologues d'orientation cognitive seraient-ils sur le point d'accepter le concept freudien de l'inconscient ? Non, répond Kihlstrom. Selon lui, il n'y a pas lieu de mettre l'accent sur les contenus sexuels ou agressifs, ni sur le mécanisme de défense de la répression, pas plus qu'il n'y a lieu de revenir au symbolisme des rêves ou à la psychanalyse comme moyens d'explorer l'inconscient. Pour Kihlstrom, l'inconscient cognitif est plus aimable et plus doux que l'inconscient psychanalytique, et il ressemble moins à une marmite qui bouillonne de désirs interdits. De plus, l'inconscient cognitif opère selon les mêmes principes que les processus cognitifs conscients, alors que l'inconscient freudien fonctionne selon des processus de pensée plus primitifs. Bref, les psychologues cognitifs s'intéressent de plus en plus aux cognitions inconscientes et aux processus cognitifs inconscients, mais il ne faudrait pas en conclure qu'ils acceptent l'inconscient freudien.

DE LA PENSÉE À L'ACTION

La révolution cognitive risquait d'envisager la personne uniquement comme un être pensant. Mais si nous ne sommes que des ordinateurs, pourquoi ne nous contentons-nous pas de traiter l'information (Pervin, 1983) ? La question s'imposait et, comme nous l'avons vu, les tenants de l'approche du traitement de l'information se sont penchés sur la motivation. Contrairement à l'approche strictement cognitive qui se concentre sur les pensées, l'approche du traitement de l'information s'intéresse aussi à l'action. Et contrairement à l'approche des traits de personnalité qui se concentre sur ce dont disposent les gens, elle s'intéresse à ce que les gens essaient de faire (Cantor, 1990).

Une fois encore, on a formulé divers concepts pour exprimer cet aspect motivationnel : *objectifs, projets personnels, quêtes et ambitions personnelles, choses à faire* (Cantor et Zirkel, 1990). Tous ces concepts ont en commun de mettre l'accent sur les buts à atteindre, comme le suggéraient des concepts comme les *soi possibles* et les *guides personnels*. Du point de vue cognitif, on veut savoir comment les gens établissent leurs objectifs, élaborent des plans ou des stratégies pour y parvenir (Cantor et Harlow, 1994). Ce qui importe ici, c'est qu'au lieu de laisser la personne s'embourber dans sa pensée la théorie du traitement de l'information se concentre sur la façon dont la pensée se traduit par des actes, c'est-à-dire sur la façon dont la personne se fixe un objectif et planifie des stratégies pour résoudre les divers problèmes qui se posent dans sa vie.

DU SOI OCCIDENTAL AU SOI TRANSCULTUREL

La psychologie est en bonne partie occidentale, et cela est aussi vrai dans le champ de la personnalité que dans les autres champs de la psychologie. Or, nous l'avons souligné au chapitre 1, la culture joue un rôle dans le façonnement de la personnalité. On pourrait donc s'attendre à ce que l'examen des similarités et des différences entre les cultures occupe une place privilégiée dans l'étude de la personnalité. Malheureusement, en gros, cela n'a pas été le cas. En l'absence d'études comparatives, il est souvent difficile de dire si les questions que nous formulons et les réponses que nous trouvons n'ont de pertinence que dans notre culture, ou si elles ont une portée plus vaste.

Mais, vous demandez-vous peut-être, les structures et les processus de la personnalité ne sont-ils pas les mêmes dans toutes les cultures ? Les gens n'ont-ils pas tous, indépendamment de leur culture, les mêmes structures et processus de la personnalité comme ils ont tous les mêmes structures et processus corporels ?

Il s'agit là d'une question très compliquée et souvent débattue, que nous ne réglerons pas ici. Mais prenons simplement, à titre d'exemple, la question du soi. Nous savons tous ce qu'est le soi. Même s'il y a eu des périodes où le concept a été mis en doute, on peut se demander comment une théorie de la personnalité pourrait s'en passer. Tout le monde n'a-t-il pas un soi ? Eh bien, justement… dans certaines cultures, le mot *moi* n'existe pas et, dans d'autres, il correspond à tout autre chose que dans les sociétés occidentales (Roland, 1988 ; Shweder, 1991). On s'intéresse de plus en plus à la différence entre le *soi individuel* et le *soi collectif* (Cousins, 1989 ; Markus et Cross, 1990; Markus et Kitayama, 1991; Triandis, 1989; Triandis, McCusker et Hui, 1990). Dans les sociétés axées sur le soi individuel, l'identité se fonde sur les caractéristiques propres à chaque individu. Quand on leur demande « Qui êtes-vous ? », la plupart des Nord-Américains répondent en donnant leur nom et en disant ce qu'ils font. Dans les sociétés qui privilégient le soi collectif, l'identité se fonde sur les liens que chacun entretient avec les autres membres du groupe. Quand on leur demande « Qui êtes-vous ? », les membres de ces sociétés pourront répondre en indiquant de quelle ville ils viennent et de quelle famille ils font partie. Dans les sociétés individualistes, l'identité de chacun se fonde sur ce qu'il possède et sur ce qu'il accomplit. On valorise l'indépendance et l'autosuffisance. Dans les sociétés collectivistes, l'identité se fonde sur l'appartenance à un groupe — le soi collectif — et on valorise la conformité. Les premières valorisent le soi privé; les secondes, le soi public.

Le soi Il existe des différences culturelles dans la façon de définir et de vivre le soi.

Ce qui précède donne à penser que la nature même du soi — l'information qu'on privilégie et ses rapports avec le comportement social — peut varier énormément d'une culture à l'autre, au point qu'on peut se demander quelles sont les frontières du soi. Si on les interrogeait sur leur vrai soi, la plupart des Nord-Américains le situeraient quelque part dans leur corps; en Inde, le vrai soi est le soi spirituel qui réside à l'extérieur du corps. Les membres des deux sociétés s'entendent sur la localisation et les contours des parties du corps, mais ils ne s'entendent pas sur ce qui constitue le soi ni sur ses frontières. Ce qui est relatif au soi pour les uns ne l'est pas pour les autres. De plus, la recherche indique que la pensée attributionnelle n'occupe pas la même place dans toutes les cultures et que, si les attributions concernant les événements physiques peuvent être similaires dans toutes les cultures, les attributions concernant les événements sociaux varient considérablement d'une culture à l'autre (Morris et Peng, 1994). Par exemple, même s'ils attribuent souvent le comportement à des traits de personnalité ou à des dispositions, les Asiatiques sont beaucoup plus enclins que les Occidentaux à replacer le comportement dans son contexte situationnel et à considérer que les dispositions sont malléables (Choi, Nisbett et Norenzayan, 1999).

Ces faits soulèvent des questions de fond qui ont des conséquences décisives pour l'étude de la personnalité et qui remettent même en question la possibilité de dégager des principes universels (Cross et Markus, 1999; Markus, Kitayama et Heiman, 1996). Pour revenir à la métaphore de l'informatique, un ordinateur est constitué à la fois de pièces d'équipement et de logiciels. L'équipement (la machine elle-même) peut être de série et durable; les logiciels, par contre, peuvent varier énormément et changer rapidement. La question qui se pose est la suivante: dans quelle mesure la personnalité ressemble-t-elle aux pièces de l'ordinateur et dans quelle mesure ressemble-t-elle plutôt aux logiciels ? Jusqu'à quel point pouvons-nous parler de structures et de processus communs à tous les êtres humains — transculturels, donc — par opposition à des structures et des processus qui, comme les logiciels, seraient des particularités culturelles ou individuelles ? Les tenants de la théorie du traitement de l'information tentent de formuler des hypothèses de recherche qui leur permettraient de répondre à cette question. Et quelles que soient les réponses qu'ils trouveront, il est certain que cette démarche fera avancer considérablement l'étude de la personnalité.

La théorie du traitement de l'information et les théories traditionnelles

Ayant décrit l'approche cognitive du traitement de l'information, que pouvons-nous en dire par rapport aux autres approches étudiées jusqu'ici ? De toute évidence, certains de ces concepts nous paraissent familiers. Nous entrevoyons les similarités qu'elle présente avec la théorie sociocognitive, mais l'insistance sur la cognition rappelle aussi les travaux de George Kelly. De plus, en mettant l'accent sur le concept de soi et sur la signification que les gens donnent au monde qui les entoure, elle peut faire penser aux travaux de Carl Rogers.

Malgré ces similarités, on observe aussi des différences fondamentales. Par exemple, les travaux de Rogers et de Kelly découlaient de leur expérience clinique, alors que dans l'approche du traitement de l'information les travaux s'appuient sur la recherche expérimentale. Rogers et Kelly tentaient d'élaborer une théorie de la personnalité, tandis qu'ici il s'agit plus d'une *approche* de la personnalité que d'une véritable théorie. Rogers et Kelly voulaient étudier les individus, tandis que les psychologues cognitifs de la personnalité ont encore à démontrer en quoi leur approche peut aider à expliquer l'individu ou en quoi le fait d'étudier les individus peut servir à expliquer les gens en général. Rogers a mis l'accent sur le processus et sur le changement, mais il a aussi souligné l'importance de la structure et de la continuité de la personnalité. Les psychologues cognitifs de la personnalité, eux, ont tendance à insister davantage sur le processus et sur la variabilité du fonctionnement de la personnalité. Ils s'intéressent tout particulièrement au soi contextualisé et aux familles de soi, alors que Rogers voit dans le soi un concept plus unitaire.

Les différences entre la théorie cognitive de la personnalité et les théories traditionnelles de la personnalité (théorie des traits de personnalité et théorie psychanalytique) attirent davantage l'attention et méritent d'être relevées (tableau 15.2). La plus décisive réside dans l'importance accordée par les théories traditionnelles de la personnalité à la structure et à la stabilité du fonctionnement de la personnalité. Les psychologues cognitifs de la personnalité, au contraire, insistent sur les processus et sur la flexibilité ainsi que sur la capacité de la personne à faire des distinctions entre les situations et à moduler le comportement en conséquence. De plus, les théories traditionnelles de la personnalité mettent beaucoup plus l'accent sur la motivation que les approches cognitives de la personnalité. Celles-ci, comme nous l'avons dit, considèrent les gens comme des *chercheurs d'information* plutôt que comme des *chercheurs de plaisir*. Enfin, les psychologues cognitifs de la personnalité privilégient les observations expérimentales du comportement et relient les concepts désignant les processus internes — les cognitions, par exemple — à des comportements mesurables. Les théoriciens traditionnels de la personnalité, eux, privilégient l'observation clinique (théorie psychanalytique) et les réponses aux questionnaires (théorie des traits de personnalité). Selon les psychologues cognitifs de la personnalité, on devrait étudier les structures catégorielles et les raisonnements des gens plutôt que leurs besoins et leurs dispositions ; on devrait se pencher sur le comportement et ses représentations cognitives plutôt que sur les réponses aux questionnaires ou sur les techniques projectives ; et on devrait se mettre en rapport avec d'autres écoles psychologiques, comme la psychologie cognitive et la psychologie sociale, plutôt que de travailler en vase clos.

Tableau 15.2 Théories traditionnelles de la personnalité et théorie cognitive du traitement de l'information

Théories traditionnelles de la personnalité	Théorie cognitive du traitement de l'information
1. Stabilité et cohérence de la personnalité	**1.** Capacité de faire des distinctions entre les situations et flexibilité du comportement
2. Prévisions généralisables portant sur le comportement de la personne	**2.** Prévisions liées à des situations particulières
3. Insistance sur la stabilité structurelle	**3.** Insistance sur la fluidité des processus
4. Dispositions, traits, besoins	**4.** Catégories structurelles, système de croyances, stratégies fondées sur la déduction, compétences cognitives
5. Motivation et psychodynamique	**5.** Économie cognitive et processus cognitifs quotidiens
6. Le soi en tant que concept unitaire	**6.** Le soi en tant que schéma multiple

L'évaluation critique

Plus tôt, nous nous demandions si l'approche cognitive du traitement de l'information pouvait apporter sa contribution propre à l'étude de la personnalité. Maintenant que nous avons pris connaissance de ses principaux aspects théoriques et des recherches pertinentes, que répondrons-nous ?

LES AVANTAGES

Les rapports avec la psychologie cognitive

L'approche du traitement de l'information comporte trois grands avantages qui contribuent à enrichir l'étude de la personnalité (tableau 15.3). D'abord, elle est liée au fondement expérimental de la psychologie cognitive et elle obéit à cette tradition dans son exploration de la personnalité. De nombreuses théories de la personnalité ont souffert de leurs concepts trop vagues et de leur difficulté à proposer des recherches expérimentales pertinentes. Jusqu'à un certain point, il en a été ainsi de la psychanalyse ; et dans une plus grande mesure encore de la théorie humaniste et des théories de la croissance personnelle. Presque toutes les théories de la personnalité ont émergé indépendamment des autres approches de la psychologie. Lorsqu'on examine les théories dont traite cet ouvrage, il est souvent difficile de dégager ce qui a été appris, puis emprunté aux autres champs de la psychologie ; cette affirmation s'applique surtout aux théories cliniques dont il était question dans les premiers chapitres, mais aussi, bien que dans une moindre mesure, aux théories de l'apprentissage que nous avons étudiées par la suite. L'approche cognitive du traitement de l'information est en rupture radicale avec cette tradition, puisque ses représentants ont fait appel aux concepts et aux techniques expérimentales de la psychologie sociale et de la psychologie cognitive qui pouvaient être utiles dans l'exploration de la personnalité.

Tableau 15.3 Avantages et limites de l'approche cognitive du traitement de l'information

Avantages	Limites
1. Est en lien avec les travaux de la psychologie cognitive expérimentale. Concepts clairement définis qui permettent de soumettre ses hypothèses à la vérification expérimentale.	**1.** Ne constitue pas encore une théorie intégrée de la personnalité.
2. Couvre plusieurs aspects importants de la personnalité (par exemple, traite de la façon dont les individus se représentent les gens, les situations, les événements et eux-mêmes).	**2.** Néglige encore l'importance de l'affect et de la motivation en tant que corrélats et déterminants de la cognition.
3. Apporte une contribution notable à la gestion des problèmes de santé et à la psychothérapie.	**3.** Restent en suspens des questions quant à la rigueur conceptuelle et à l'efficacité des thérapies cognitives.

L'examen d'aspects importants de la personnalité

Le deuxième avantage de l'approche cognitive du traitement de l'information réside dans le choix des phénomènes étudiés. Même si elle privilégie la tradition expérimentale, elle ne néglige aucun des aspects les plus importants du fonctionnement de la personnalité, puisqu'elle traite de la façon dont les gens se représentent autrui, les situations, les événements, eux-mêmes, autant de facettes qui devraient intéresser tous les psychologues de la personnalité. Quand on compare les explorations effectuées par les psychologues cognitifs de la personnalité à celles qui furent entreprises par les tenants des autres théories de la personnalité, on ne peut y voir qu'un avantage. L'approche cognitive du traitement de l'information ne passe sous silence aucune question cruciale. Si les psychologues axés sur l'expérimentation ont mis de côté pendant un certain temps les questions du soi, du non-conscient ou de l'inconscient, ils sont maintenant prêts à les aborder. Et, s'ils continuent à travailler en laboratoire, ils ne s'intéressent pas moins aux phénomènes observés dans la vie quotidienne.

Les contributions à la gestion des problèmes de santé et à la thérapie

Finalement, il faut souligner l'importance des applications cliniques associées à cette approche. La thérapie cognitive se définit par son intérêt pour ce que les gens pensent et disent d'eux-mêmes, mais aussi pour la façon dont ils traitent l'information, pour les distorsions cognitives qui entraînent des problèmes psychologiques et pour les procédés qui peuvent remédier à ces distorsions. Elle se démarque radicalement de la psychanalyse et de la thérapie rogérienne par son approche active et structurée, et du béhaviorisme par son insistance sur ce qui se passe à l'intérieur de la personne, ce qui lui a valu et lui vaut encore des attaques en règle de la part des béhavioristes conservateurs. Cependant, les rangs des psychologues qui se considèrent comme des thérapeutes cognitifs grossissent constamment et ceux-ci appliquent leur approche à un éventail de problèmes de plus en plus large.

LES LIMITES

Les problèmes liés au modèle de l'ordinateur

Mais quelles sont les limites de l'approche du traitement de l'information ? Ici encore, nous énumérerons trois éléments. D'abord, on peut envisager d'un œil critique le modèle sous-jacent. Jusqu'à quel point le modèle de l'ordinateur sur lequel repose cette approche est-il utile dans l'étude de la personnalité ? À cet égard, il importe de souligner qu'un modèle n'a pas à refléter en tous points les comportements humains pour être utile. La question n'est donc pas de savoir si les humains fonctionnent comme des ordinateurs, mais plutôt si le fait d'étudier les gens en supposant qu'ils fonctionnent comme des ordinateurs nous aide à comprendre leur comportement.

Dans une certaine mesure, on peut dire que le jury délibère toujours sur la question. Nous savons que sous bien des aspects les gens ne pensent pas comme des ordinateurs et nous savons qu'ils ne se comportent nullement comme des ordinateurs. George Miller, l'un des premiers psychologues à avoir participé à l'élaboration du modèle de l'ordinateur, soutient que « le fonctionnement de l'ordinateur ne correspond pas plus au fonctionnement de l'esprit humain que le mécanisme de la roue ne correspond à la façon dont les gens marchent » (1982, p. CI). Les ordinateurs deviennent de plus en plus rapides, ils sont capables de traiter des quantités de données prodigieuses et nous réussissons de mieux en mieux à concevoir des logiciels qui permettent aux ordinateurs de penser comme des êtres humains. Cependant, bien des gens croient que la pensée humaine est fondamentalement différente de la pensée de la machine. Non seulement les machines ne peuvent se passer d'un être humain pour sélectionner l'information à emmagasiner et pour créer les logiciels qui organisent cette information — deux processus cruciaux dans le traitement de l'information —, mais les machines sont incapables d'établir les relations irrationnelles et les innombrables raccourcis inhérents à la pensée humaine. De plus, les êtres humains portent des jugements, par exemple en découvrant des intentions dans les actes d'autrui. Bien qu'on puisse programmer un ordinateur à penser de manière analogue, le fossé entre la pensée de l'ordinateur et celle de l'être humain reste considérable. Qui plus est, il se peut que le fait de penser à un phénomène social dans un contexte social soit fondamentalement différent du traitement en vase clos d'une information neutre.

L'omission de l'affect et de la motivation

La première critique de cette approche en soulève une deuxième : en empruntant la voie cognitive, la psychologie a longtemps occulté des phénomènes humains aussi importants que l'affect et la motivation (Berscheid, 1992 ; Hastorf et Cole, 1992). Si elle suit à la trace la psychologie cognitive, la psychologie de la personnalité risque de commettre à son tour les mêmes erreurs sans rien apporter de nouveau. En misant trop sur notre tête, nous risquons de perdre notre âme.

Il y a quelque temps, on faisait la distinction entre la « cognition froide » et la « cognition à chaud ». Or, cette distinction reste pertinente dans la mesure où les psychologues, y compris les psychologues cognitifs et les psychologues cognitifs de la personnalité, ont tendance à concentrer leurs études sur les cognitions froides. Certes, ils étudient des phénomènes importants, mais ils tendent à n'en étudier que les aspects les plus émotionnellement neutres, et ce dans le milieu relativement froid du laboratoire. Or, les vraies cognitions sociales dans les situations importantes de la vie pourraient bien être fondamentalement différentes des processus froids et détachés qu'on étudie généralement. Après avoir passé en revue les résultats des recherches menées selon le modèle du traitement de l'information, un éminent psychologue cognitif a avancé qu'ils « avaient davantage trait à l'intelligence humaine qu'au système purement cognitif » et qu' « une science de la cognition ne pouvait se permettre de passer sous silence ces autres phénomènes » (Norman, 1980, p. 4), les autres phénomènes évoqués étant notamment l'émotion et la motivation.

Depuis 1980, la situation a évolué et on peut observer des signes d'intérêt encourageants pour la motivation et la cognition à chaud. Les travaux sur les objectifs et les soi possibles, les travaux sur le stress et les stratégies d'adaptation cognitive, de même que les travaux sur les effets qu'entraînent des émotions comme la dépression sur les processus cognitifs sont autant de pas dans cette direction. Cependant, ces efforts sont encore embryonnaires et il est impossible de dire dans quelle mesure ils nous permettront de progresser dans notre compréhension des rapports entre la cognition, l'émotion et la motivation.

Les thérapies : bilan à établir

Finalement, la thérapie cognitive, ou plus précisément les thérapies fondées sur la cognition, soulèvent certaines questions. D'abord, même si elles ont en commun de miser sur la cognition, elles ne s'appuient sur aucun modèle théorique intégré et les liens qu'elles entretiennent avec les travaux de psychologie cognitive sont souvent très ténus (Brewin, 1989). Deuxièmement, comme nous l'avons mentionné plus haut, même si ces approches reposent sur le postulat selon lequel les distorsions cognitives sont les causes des troubles émotionnels comme l'anxiété et la dépression, on n'a toujours pas établi clairement si elles déterminent ces affects négatifs, si elles y sont simplement associées ou si elles en résultent (Brewin, 1996 ; Segal et Dobson, 1992). Troisièmement, on doit se demander si la thérapie cognitive mise sur les cognitions rationnelles et réalistes ou sur les cognitions adaptatives. Les deux termes sont employés, souvent indifféremment. Or, la recherche indique que les dépressifs, par exemple, ont *moins* de distorsions cognitives que les gens « normaux » (Power et Champion, 1986). Le but de la thérapie serait-il d'aider les gens à mieux déformer la réalité afin de se sentir mieux ? Si oui, quelle sorte de scientifiques sommes-nous en train de former ? Enfin, s'il est vrai que *certaines* études confirment l'efficacité de certaines formes de thérapie cognitive auprès de *certains* clients, la portée et les limites de cette efficacité thérapeutique doivent encore être établies. Bref, les thérapies cognitives sont prometteuses et il faut reconnaître leur apport, mais on doit rester circonspect en ce qui concerne leur rigueur conceptuelle et leur efficacité clinique.

L'APPROCHE COGNITIVE DU TRAITEMENT DE L'INFORMATION EN UN COUP D'ŒIL

Structure	Processus	Croissance et développement	Pathologie	Changement	Étude de cas
Catégories cognitives et représentations cognitives ; attributions ; attentes généralisées	Stratégies de traitement de l'information ; attributions ; soi possibles et guides personnels	Acquisition de compétences cognitives, de schémas de soi, d'attentes et d'attributions	Croyances irréalistes ou inadaptées ; erreurs dans le traitement de l'information	Thérapie cognitive, modification des croyances irrationnelles, des pensées dysfonctionnelles et des attributions inadaptées	Jacques

Résumé

1. En s'appuyant sur le modèle de l'ordinateur, les psychologues cognitifs de la personnalité s'intéressent à la façon dont les gens traitent (encodent, stockent et récupèrent) l'information.
2. L'intérêt pour la façon dont les gens se représentent le monde (les objets matériels, les situations et les gens) se concentre sur les catégories qu'ils utilisent et sur l'organisation hiérarchique de ces catégories, lesquelles se définissent selon un ensemble de caractéristiques. Un prototype est un élément dont l'ensemble des caractéristiques en fait l'exemple type d'une catégorie.
3. Les gens se font des scénarios en fonction de situations ou de catégories de situations données. Un scénario est un ensemble ou une série de comportements considérés comme appropriés dans une situation donnée.
4. Les gens se dotent de schémas de soi, c'est-à-dire de généralisations relatives au soi qui influent sur l'information à laquelle ils prêtent attention, ainsi que sur l'organisation et le stockage (mémorisation) de cette information. Une fois formés, les schémas de soi peuvent être difficiles à modifier en raison d'un parti pris favorable à l'information qui les confirme et de la tendance à susciter la confirmation de soi chez autrui.
5. Nous avons non pas un soi unitaire, mais une « famille de soi » constituée par nos diverses façons d'être dans diverses situations et par nos « soi possibles » (ce que nous pensons pouvoir devenir, ce que nous aimerions devenir et ce que nous avons peur de devenir).
6. Les rapports qui existent entre d'une part le traitement de l'information et d'autre part l'affect et la motivation sont mis en évidence par divers concepts — soi possibles et guides personnels (normes à respecter) —, ainsi que par la recherche portant sur l'autovérification et l'autovalorisation.
7. Lorsqu'il organise l'information relative aux gens, l'individu se forme une théorie implicite de la personnalité (ensemble des croyances qu'entretient le profane sur les caractéristiques ou les traits qui permettent de regrouper les gens en catégories).
8. Selon Lazarus, le stress survient quand l'individu juge que les circonstances dépassent ses capacités ou épuisent ses ressources et menacent son bien-être, ce qui selon Lazarus suppose une évaluation en deux étapes : la première évaluation (évaluation de la menace) et la seconde évaluation (évaluation des ressources dont il dispose). Selon leur personnalité et le contexte situationnel, les gens peuvent recourir soit à une stratégie d'adaptation (*coping*) axée sur le problème, soit à une stratégie d'adaptation axée sur l'émotion.
9. La technique d'immunisation contre le stress de Meichenbaum vise à aider les gens à mieux composer avec le stress.
10. Les approches cognitives de la psychopathologie et du changement reposent sur le postulat que les cognitions déterminent les émotions et les comportements, que les cognitions inadaptées entraînent des émotions et des comportements problématiques, et que la thérapie appropriée consiste à remplacer ces cognitions problématiques par des cognitions plus réalistes et plus adaptatives.

11. Selon Ellis, les croyances irrationnelles sont les causes des problèmes psychologiques. Dans sa thérapie émotivo-rationnelle, le thérapeute tente par divers procédés d'ébranler et de modifier ces croyances irrationnelles.

12. Selon le modèle cognitif de la dépression élaboré par Beck, la dépression résulte d'une triade cognitive : une vision négative du soi, une vision négative du monde et une vision négative de l'avenir. Bien que la recherche confirme la présence de telles cognitions chez les dépressifs, on n'a pas établi si elles causent la dépression, si elles y sont simplement associées ou si elles en résultent. La thérapie cognitive de Beck consiste en une série d'apprentissages très précis où l'on enseigne au client à avoir à l'oeil ses pensées automatiques négatives, à constater que ces pensées déclenchent des émotions et des comportements problématiques, à soumettre ces cognitions à un examen rigoureux pour y déceler les erreurs et les distorsions et à y substituer des cognitions qui sont plus adaptées à la réalité.

13. Les travaux récents des tenants de l'approche du traitement de l'information ont porté sur : (1) la relation du traitement de l'information avec les émotions et la motivation ; (2) la façon dont les pensées, les émotions et les motivations se traduisent en action ; et (3) les différences culturelles dans le traitement de l'information, par exemple la différence entre le soi individuel des Occidentaux et le soi collectif d'autres sociétés.

14. Les psychologues cognitifs de la personnalité mettent l'accent sur les structures catégorielles et sur les raisonnements plutôt que sur les besoins et les dispositions ; ils s'intéressent surtout aux cognitions problématiques particulières qui doivent être modifiées plutôt qu'aux modifications touchant l'organisation de la personnalité dans son ensemble ou des éléments comportementaux isolés.

15. L'approche cognitive du traitement de l'information entretient des rapports intéressants avec la psychologie cognitive, elle tient compte des aspects importants de la personnalité, elle a apporté une contribution valable à la gestion des problèmes de santé et des diffficultés psychologiques. Par ailleurs, on peut s'interroger sur le recours au modèle de l'ordinateur pour expliquer le comportement de l'être humain, sur le fait qu'on ait jusqu'à tout récemment passé sous silence l'affect et la motivation, ainsi que sur le statut conceptuel et l'efficacité clinique des thérapies cognitives.

Chapitre 16

Les théories de la personnalité : Tableau général, évaluation et recherche

Les théories et l'évolution de la science

Le stade embryonnaire
Le stade du consensus scientifique : les paradigmes
Le stade de la révolution scientifique

Les grands débats

La conception philosophique de la personne
Les déterminants internes et externes du comportement
La stabilité à travers les situations et le temps
L'unité du comportement et le soi en tant que concept
Les différents états de conscience et le concept d'inconscient
Les liens entre la cognition, l'affect et le comportement manifeste
L'influence du passé, du présent et de l'avenir sur le comportement

La théorie de la personnalité : une réponse aux questions sur le comportement ?

La structure
Les processus
La croissance et le développement
La psychopathologie
Le changement

Les fondements biologiques et les niveaux d'explication

Les rapports entre la théorie, l'évaluation et la recherche

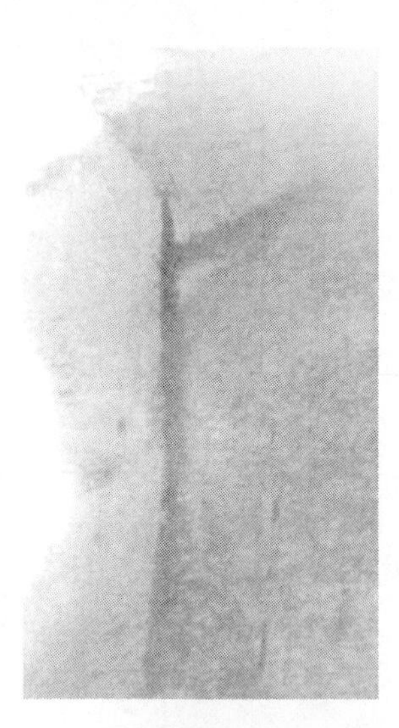

Représentez-vous chacune des théories exposées dans cet ouvrage comme une des pièces de ce casse-tête complexe que nous appelons la personnalité. Comment toutes ces pièces peuvent-elles s'emboîter ? En fait, il peut y avoir différentes façons de reconstituer le casse-tête. Dans ce dernier chapitre, notre objectif sera donc d'approfondir les grandes questions auxquelles s'intéresse la recherche portant sur la personnalité. En nous livrant à des comparaisons, nous essayerons de parvenir à une meilleure évaluation des théories que nous avons analysées dans cet ouvrage. Nous reviendrons d'abord sur certains des grands débats qui divisent les théoriciens de la personnalité. Puis, nous passerons en revue les concepts dont se sert chacune des théories pour expliquer le quoi, le comment et le pourquoi du comportement de l'être humain. Finalement, nous reviendrons encore une fois sur les rapports entre la théorie, l'évaluation et la recherche. Ce faisant, nous tâcherons de dégager ce que chacune des théories peut apporter à une compréhension plus globale de la personnalité humaine.

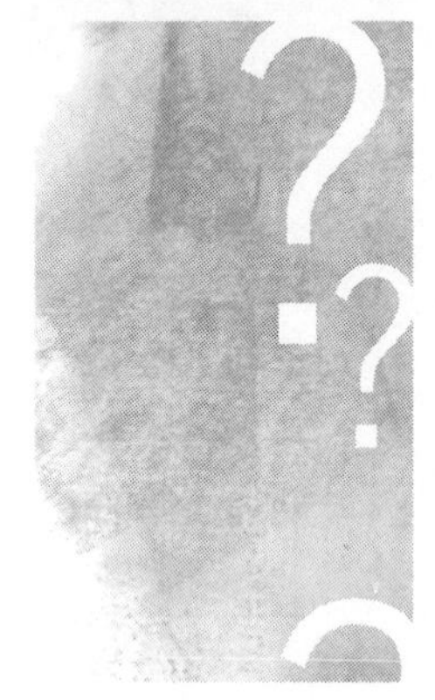

Le chapitre... *en questions*

1. Pourquoi cet ouvrage présente-t-il de si nombreuses théories de la personnalité ?
2. Que pouvons-nous conclure quant aux principales questions sur lesquelles les théories analysées dans cet ouvrage se trouvent en désaccord ?
3. Comment peut-on concilier les différents portraits de Jacques que tracent les diverses théories et leurs instruments d'évaluation privilégiés ?

> Les opinions des théoriciens concernant la nature humaine influent sur le choix qu'ils font des déterminants et des mécanismes du fonctionnement humain à explorer en profondeur ou au contraire à laisser de côté. Toute théorie psychologique donne forme à une conception de la nature humaine qui ne pose pas que des problèmes philosophiques.
>
> Bandura, 1986, p. 1.

Tout au long de cet ouvrage, nous avons cherché à mieux comprendre pourquoi les gens se comportent comme ils le font et cela en nous concentrant sur la façon dont les différentes théories de la personnalité conceptualisent le comportement. Nous avons aussi analysé les différentes approches en matière d'évaluation et de recherche. Enfin, nous avons vu comment s'articulent les divers types de théories, de techniques d'évaluation et de styles de recherche, chaque théorie de la personnalité privilégiant tel ou tel aspect du fonctionnement de la personnalité, et telle ou telle méthode de collecte et d'analyse des données. Dans ce dernier chapitre, nous allons faire le point sur le chemin parcouru et nous attarder sur les questions toujours ouvertes.

Les théories et l'évolution de la science

Au chapitre 1, nous avons parlé des critères d'évaluation des théories et nous avons insisté sur la nécessité d'évaluer toute théorie en fonction de son stade de développement. En survolant l'évolution historique de la plupart des disciplines scientifiques, nous pourrons mieux saisir certaines questions pertinentes. Kuhn (1970) distingue trois stades dans le développement scientifique : le stade embryonnaire, le stade du consensus scientifique et le stade de la révolution scientifique.

LE STADE EMBRYONNAIRE

Le stade embryonnaire de l'activité scientifique se caractérise par une rivalité continuelle entre plusieurs écoles de pensées, ou conceptions du monde. Chaque école croit appliquer les règles de la méthode et de l'observation scientifiques. En fait, ces écoles rivales se différencient non pas par leur soumission plus ou moins grande aux impératifs de la méthode scientifique, mais plutôt par leur façon d'envisager le monde et de pratiquer la science d'une manière conforme à cette vision. Comme il n'existe pas encore de tronc commun de données et de croyances, chaque école érige son domaine sur ses propres bases et l'étaye de ses propres observations et expériences. À ce stade, les faits recueillis ont un caractère aléatoire et on observe rarement une accumulation systématique de connaissances. Essentiellement, la discipline est alors dépourvue d'un modèle dominant, ou paradigme, qui définirait le champ des observations et les méthodes de recherche.

LE STADE DU CONSENSUS SCIENTIFIQUE : LES PARADIGMES

Le stade du consensus scientifique commence par l'acceptation d'un paradigme ; il repose sur une réalisation scientifique dont l'importance est évidente. On s'entend alors sur un modèle délimitant les problèmes qui représentent des domaines d'étude légitimes et on détermine des méthodes de recherche appropriées. La discipline se définit de manière plus rigide, la recherche se concentre, le champ des observations se restreint et les connaissances s'accumulent. Chaque nouvel élément de savoir sert de tremplin à d'autres avancées. À ce stade, les scientifiques se montrent très attachés à la tradition et ils continuent à se fier au modèle dominant. Il y a peu d'écoles rivales ; en fait, il n'existe souvent qu'une seule école.

LE STADE DE LA RÉVOLUTION SCIENTIFIQUE

Aucune théorie, aucun paradigme ne peut expliquer *tous* les faits. On se butera donc tôt ou tard, au cours du stade du consensus scientifique, à certaines observations qui ne cadrent pas avec le ou les modèles communément acceptés. Ces observations, ou *anomalies,* engendrent une crise : la tradition est mise en pièces et, après une période de turbulence, un nouveau paradigme émerge. Copernic, Newton et Einstein ont tous été associés à un stade de révolution scientifique durant lequel une théorie qui semblait bien assise fut éclipsée par une théorie nouvelle. Dans chacun de ces cas, cette nouvelle théorie était incompatible avec l'ancienne et elle rendait compte des observations que les anciens paradigmes ne pouvaient expliquer. Habituellement, le nouveau paradigme ne s'impose qu'après une période de lutte intense entre des conceptions rivales, période de recherche tous azimuts. Cette période offre donc des caractéristiques communes avec le stade embryonnaire : rivalité entre les écoles de pensée, champ de recherche largement ouvert, débats portant sur des questions fondamentales et nouvelles connaissances qui ne s'additionnent pas de manière cumulative. Le stade de la révolution scientifique se distingue pourtant du stade embryonnaire, car il succède à une période où l'on avait articulé un paradigme et il fournit des réponses à certaines observations bien précises qui ne cadraient pas avec ce paradigme. Bien que le nouveau paradigme ait une portée restreinte, on l'accepte parce qu'il propose des solutions à des problèmes cruciaux au sein de la

DÉBATS ACTUELS

L'ascension et le déclin des écoles en psychologie : laquelle a connu la plus grande notoriété ?

Depuis l'avènement de la psychologie scientifique, il y a de cela plus d'un siècle, de nombreuses écoles de pensée ont émergé, puis décliné. Bien des gens affirment que la perspective cognitive occupe aujourd'hui la place dominante dans la psychologie scientifique et qu'elle l'a emporté sur la psychanalyse et le béhaviorisme. Mais d'autres personnes soutiennent que cette révolution cognitive n'a pas eu lieu : « Le fait que de nombreux psychologues cognitifs ont à plusieurs reprises claironné que cette perspective avait un caractère révolutionnaire témoigne davantage de leur enthousiasme pour leur champ d'étude que de ce qui se passe dans la réalité » (Friman, Allen, Kerwin et Larzelere, 1993, p. 662).

Malgré les déclarations passionnées et les discussions enflammées, peu d'efforts ont été déployés pour étayer scientifiquement ces prétentions. Dans une étude effectuée récemment, Robins, Gosling et Craik (1999) ont voulu aller au-delà des spéculations en mesurant comment la notoriété de la psychanalyse, du béhaviorisme et de la psychologie cognitive a fluctué au cours de l'histoire. (Notons que cette analyse portait sur la psychologie en général, et non sur la psychologie de la personnalité en particulier, ce qui explique que l'approche des traits de personnalité n'y figure pas en tant qu'école de pensée.)

Le fait qu'une école scientifique connaît la notoriété suppose que ses réalisations ont retenu l'attention du reste de la communauté scientifique qui est à l'œuvre dans ce champ d'étude. Par conséquent, soutiennent Robins et ses collaborateurs, on peut déterminer la notoriété *dans le courant dominant de la psychologie scientifique* en examinant ce que les revues scientifiques de psychologie générale les plus influentes citent et publient. Ces « publications clefs » — la *Psychological Review* et *The American Psychologist,* par exemple — jouent un double rôle : elles reflètent les tendances du moment et indiquent la direction des travaux à venir. Donc, la notoriété d'une école de pensée auprès des publications clefs devrait se refléter dans le *nombre d'articles publiés sur des sujets ayant trait à cette école.* Par exemple, s'il est vrai que la psychologie cognitive a acquis une plus grande notoriété scientifique, on peut s'attendre à un accroissement du nombre d'articles consacrés à des thèmes cognitifs dans les publications clefs.

Pour connaître le nombre d'articles pertinents, les chercheurs ont dressé une liste de mots clés pour chaque école, puis ils ont déterminé la fréquence d'apparition de ces mots clés dans les articles parus depuis 1950 dans les publications clefs. Ils ont ensuite calculé pour chaque école le pourcentage d'articles comprenant au moins un des mots clés associés à cette école.

La figure ci-contre résume les tendances observées dans les publications clefs de 1950 à 1997. On constate que les articles relatifs à la psychologie cognitive y ont été de plus en plus nombreux, tandis que les articles relatifs à la psychologie béhavioriste sont devenus plus rares. On voit également que les articles relatifs à la psychanalyse étaient pratiquement absents des publications clefs. Durant ces trois décennies, soit de 1967 à 1997, le pourcentage d'articles consacrés à la psychologie cognitive dans les publications clefs a plus que doublé (passant de moins de 7 % à plus de 16 %), tandis que le pourcentage d'articles consacrés à la psychologie comportementale est devenu trois fois moins important (passant de 9 % à environ 2,5 %). Durant la même période, le pourcentage d'articles consacrés à la psychanalyse n'a connu aucune variation significative.

La figure illustre également la tendance observée dans les publications clefs en ce qui concerne les articles consacrés aux neurosciences. À la grande surprise des chercheurs et de leurs collègues, on n'a relevé aucun indice d'une percée importante de la perspective des neurosciences en psychologie. Après avoir procédé à de nombreuses autres analyses dans le but de vérifier ce résultat, les chercheurs en sont venus à la conclusion que, même s'il y avait des signes montrant que les neurosciences gagnaient en importance, leur notoriété dans le courant dominant de la psychologie était faible en comparaison de celle que connaissait la psychologie cognitive » (p. 123). Les auteurs de l'étude notent pourtant du même souffle que l'impression générale que les neurosciences sont en expansion n'en est pas moins fondée. À preuve, ils mentionnent le nombre phénoménal de nouvelles revues consacrées aux neurosciences et l'augmentation spectaculaire des citations d'articles provenant de ces revues dans d'autres publications scientifiques de haut niveau. Il est donc évident que

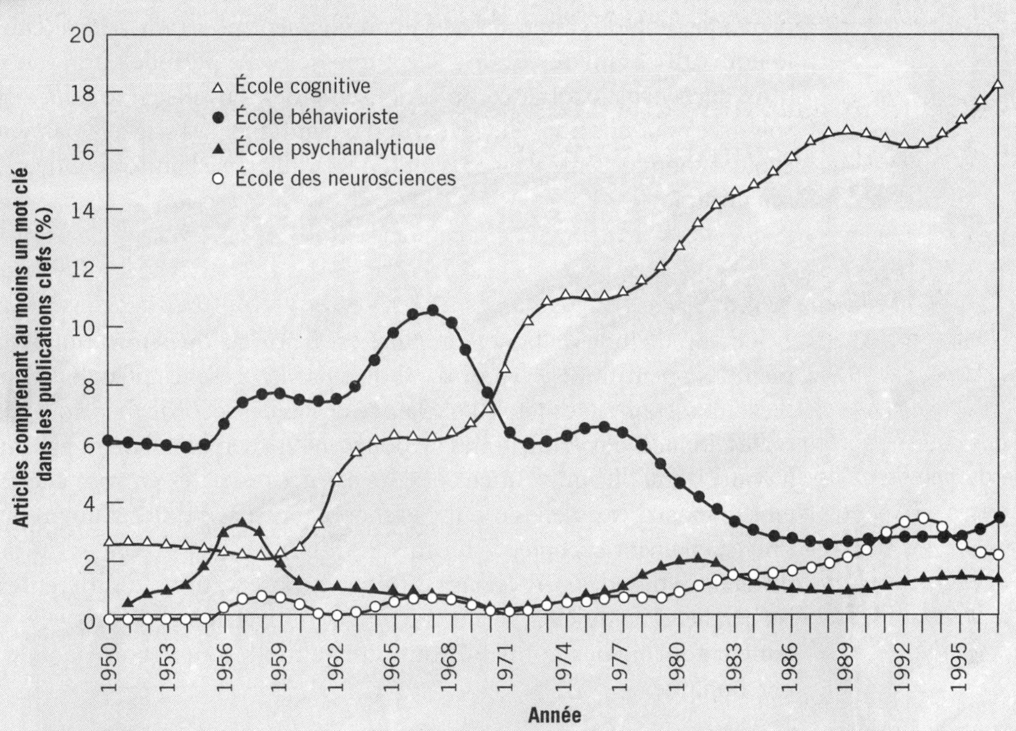

Note : Une fonction mathématique de lissage a été utilisée pour transformer les données brutes.

Pourcentage d'articles parus dans les publications clefs et comprenant au moins un mot clé se rapportant aux écoles cognitive, béhavioriste, psychanalytique ou des neurosciences. (© American Psychological Association, reproduction autorisée.)

les développements biologiques mentionnés au chapitre 9 ont une importance considérable et qu'il faut leur faire une place dans le courant dominant de la psychologie générale, et plus particulièrement en psychologie de la personnalité.

Ces données nous permettent de dégager les tendances suivantes :

(1) La psychologie cognitive a éclipsé la psychologie béhavioriste en tant qu'école prédominante au sein de la psychologie scientifique.

(2) Bien que ses tenants affirment le contraire, la psychologie béhavioriste est en déclin.

(3) Le courant dominant de la psychologie scientifique a accordé peu d'attention à la recherche psychanalytique, les publications clefs n'ont publié pratiquement aucun article de l'école psychanalytique au cours des trois dernières décennies et, bien que les idées issues de la psychanalyse continuent à influer sur la recherche effectuée en psychologie, on ne considère pas que les écrits psychanalytiques contemporains relèvent de la psychologie scientifique.

(4) Les découvertes des neurosciences n'ont pas encore été intégrées au courant dominant de la psychologie, mais leur importance est telle qu'elles devront l'être.

Que nous apprennent ces tendances sur la psychologie en tant que science ? Interprétés dans une perspective kuhnienne, les résultats de Robins et de ses collaborateurs pourraient donner à penser que le cognitivisme est le dernier d'une succession de paradigmes. Mais cette conclusion serait prématurée ; il faudrait en effet disposer d'autres preuves pour déclarer qu'il y a bien révolution au sens kuhnien du terme. Ainsi, le processus de socialisation à l'œuvre dans la science — sur lequel insiste Kuhn — exigerait que tous les manuels de psychologie scientifique adoptent une orientation cognitive et que la majorité des jeunes psychologues inscrivent leurs travaux dans la perspective cognitive, ce qui n'est certainement pas (encore) le cas, comme nous l'avons constaté dans le présent ouvrage. La psychologie cognitive deviendra-t-elle le paradigme dominant ou restera-t-elle une perspective parmi d'autres, transmettant de l'information aux autres et en recevant elle aussi ? Cela reste à voir.

SOURCES : Robins, Gosling et Craik, 1999 ; Friman, Allen, Kerwin et Larzelere, 1993.

discipline. Plutôt que de s'opposer à l'ancien paradigme, il le remplace, ce qui provoque une réévaluation de faits qui étaient pourtant admis. Une fois accepté, le nouveau paradigme est associé à une nouvelle période où la science fait l'objet d'un consensus jusqu'à ce qu'on observe de nouvelles *anomalies* et que la table soit mise pour une nouvelle révolution scientifique. Les sciences parvenues à maturité évoluent habituellement en passant d'un paradigme à l'autre au moyen de révolutions scientifiques.

En bref

Le champ d'étude de la personnalité est truffé de questions qui divisent radicalement les scientifiques, ce qui se traduit par la présence d'écoles de pensée rivales. Il est important d'admettre l'existence de ces désaccords théoriques, que les débats ou les données expérimentales ne pourront vraisemblablement pas faire disparaître à court terme. Khun soutient que les sciences sociales en sont encore à leur stade embryonnaire et qu'elles n'ont pas encore réussi à se doter d'un premier paradigme universellement accepté. S'il a raison, il ne faut pas s'étonner du fait qu'il existe différentes théories privilégiant différentes observations et différentes méthodes de recherche. Bien qu'elles soient en compétition, chacune d'entre elles peut éventuellement fournir des contributions substantielles au savoir dans le champ de la personnalité.

Les grands débats

Au chapitre 1, nous avons vu qu'à plusieurs reprises les théoriciens de la personnalité se sont attaqués à certaines questions fondamentales, que les explications qu'ils ont données à ces problèmes représentaient en partie le reflet de leurs expériences de vie, ainsi que des grandes tendances scientifiques et sociales de leur époque. Mais si l'on veut creuser davantage, on dira que les positions que l'on adopte sur ces questions influent sur la façon dont le théoricien s'intéresse à tel ou tel aspect particulier du fonctionnement humain, puis décide de l'étudier. Comme nous avons pu nous familiariser avec les grandes orientations théoriques de la psychologie de la personnalité, nous allons revenir sur ces questions fondamentales dont débattent les théoriciens.

LA CONCEPTION PHILOSOPHIQUE DE LA PERSONNE

Nous avons mentionné le fait que la plupart des théories de la personnalité reposent sur une conception implicite ou explicite de la personne et que cette conception diffère selon les théoriciens. Freud considère la personne comme un système d'énergie; Rogers, comme un organisme qui s'autoactualise; Kelly, comme un scientifique; Skinner, comme un organisme répondant au conditionnement de l'environnement; les théoriciens sociocognitifs, comme un organisme qui résout des problèmes; les théoriciens cognitifs de l'approche du traitement de l'information, comme quelqu'un qui traite une information complexe. Bien sûr, il pourrait exister d'autres conceptions de la personne et, parmi les théoriciens appartenant à la même orientation (à la théorie des traits de personnalité, par exemple), des conceptions différentes peuvent se faire jour. De plus, des formules descriptives aussi sommaires ne peuvent rendre justice à la complexité inhérente à toute conception de la personne. Pourtant, ces formules ont le mérite de saisir le caractère distinctif de chacune des perspectives théoriques ; ainsi nous aident-elles à prendre conscience du fait qu'il existe de nombreuses conceptions. Ici, l'insistance sur la cognition, qu'on retrouve si souvent dans l'évolution théorique récente (dans la psychologie du moi, la théorie sociocognitive et la théorie cognitive du traitement de l'information), suscite un intérêt tout particulier.

Chaque conception de l'organisme ouvre certaines avenues de réflexion, de recherche et d'analyse, mais chacune d'entre elles ferme aussi d'autres voies. À ses débuts, la conception stimulus-réponse (S-R) de la personne a occulté le rôle que jouent les fonctions cognitives. La mise en valeur de la cognition à laquelle on assiste actuellement peut remédier à ce déséquilibre, mais elle peut aussi nous inciter à négliger d'autres éléments cruciaux de l'expérience, comme la motivation et l'émotion. Il ne s'agit pas de déclarer que telle conception de la personne est juste et telle autre erronée, mais de reconnaître l'existence de ces conceptions et d'en tenir compte dans notre analyse de chacune des théories et dans notre évaluation de leurs avantages et de leurs limites.

LES DÉTERMINANTS INTERNES ET EXTERNES DU COMPORTEMENT

Les causes du comportement résident-elles à l'intérieur de la personne ou dans son environnement ? Cette deuxième question fait elle aussi l'objet de débats chez les théoriciens. Au chapitre 1, nous avons comparé deux positions se situant aux deux extrêmes à propos de ce problème : celle de Freud et celle de Skinner. Nous avons aussi vu comment les questions des chercheurs se sont modifiées au fil des ans. D'abord, ils ont cherché à savoir *si* le comportement était causé par la personne ou par la situation, puis *dans quelle mesure* il fallait attribuer le comportement à des facteurs liés à la personne ou à des facteurs liés à la situation, et enfin *comment* les facteurs liés à la personne et les facteurs liés à la situation *interagissaient* pour déterminer le comportement.

Dans les théories que nous avons étudiées, c'est en rapport avec la théorie des traits de personnalité et avec la théorie sociocognitive que cette question se pose le plus clairement. D'une part, la théorie des traits soutient que le comportement des gens est stable et constant au fil du temps et des situations. Nous avons vu que la théorie psychanalytique, en se penchant sur la structure de la personnalité, met elle aussi l'accent sur les causes internes du comportement et sur la stabilité générale du fonctionnement de la personnalité. D'autre part, la théorie de l'apprentissage s'intéresse tout particulièrement aux déterminants environnementaux du comportement et à la variabilité ou la spécificité situationnelle du comportement. Ces caractérisations permettent de mettre en évidence d'importantes différences théoriques mais, soulignons-le, aucune de ces théories ne s'en tient à un seul ensemble de causes. Elles reconnaissent toutes, dans une certaine mesure, que le comportement est déterminé par l'interaction de l'individu et de l'environnement, ou de la personne et de la situation. La théorie des traits de personnalité, par exemple, reconnaît l'importance des facteurs situationnels dans l'activation des traits et dans l'état émotionnel de l'individu. Aucun théoricien des traits ni théoricien psychanalytique ne s'attend à ce qu'une personne se comporte de la même façon en toutes circonstances. De même, la théorie sociocognitive reconnaît l'importance des facteurs personnels dans des concepts tels que ceux d'objectifs, de compétences cognitives et comportementales, de sentiment d'autoefficacité et d'autorégulation. Le concept de déterminisme réciproque ou de relation causale mutuelle entre la personne et la situation constitue une pierre angulaire de la théorie sociocognitive.

Comme pour d'autres questions débattues en psychologie de la personnalité, on n'accorde pas toujours de l'importance aux mêmes éléments ; on met l'accent tantôt sur les facteurs internes, personnels, tantôt sur les facteurs externes, environnementaux. À un certain moment, on a présenté bon nombre de données donnant à penser que le comportement humain est assez variable, ce qui ébranla les conceptions traditionnelles de la structure et des dispositions de la personnalité mises de l'avant par la théorie des traits et la théorie psychodynamique (Mischel, 1968). Plus récemment, on a fourni des données indiquant que le comportement humain est plus constant qu'on ne le croyait (Epstein, 1983 ; Pervin, 1985) et que cette constance ne s'explique apparemment pas par l'invariabilité des circonstances. Il est souvent impressionnant de voir à quel point certains comportements résistent au changement, bien qu'il y ait eu dans l'environnement des changements spectaculaires. Par conséquent, si à un moment donné on a pu insister sur les déterminants situationnels, de nombreux psychologues ont mis de nouveau l'accent sur les dispositions ou les réactions propres à l'individu.

Bien que les diverses théories de la personnalité diffèrent considérablement selon qu'elles se penchent davantage sur les causes internes (la personne) ou sur les causes externes (la situation), tous admettent qu'il est indispensable de tenir compte des unes et des autres si l'on veut comprendre le comportement. Peut-être pouvons-nous nous attendre à ce que les théoriciens traitent à présent de ces questions en prenant en compte ces deux ensembles de causes, plutôt que de s'en tenir presque exclusivement soit aux causes externes, soit aux causes internes. Dès lors que tous les théoriciens de la personnalité admettent qu'il y a à la fois de la constance et de la variabilité dans le comportement des individus, leur tâche consistera désormais à expliquer le fonctionnement de ces modes de stabilité et de changement, caractéristiques des êtres humains.

LA STABILITÉ À TRAVERS LES SITUATIONS ET LE TEMPS

Comme nous l'avons mentionné précédemment, la question de savoir jusqu'à quel point la personnalité reste constante indépendamment des situations représente un point de divergence majeur entre les théories de la personnalité. Cette controverse *personne-situation* rapproche d'un côté (constance situationnelle) des perspectives aussi différentes que celles de la théorie psychanalytique et de la théorie des traits, et de l'autre (spécificité situationnelle) la théorie sociocognitive et la théorie du traitement de l'information. Bien sûr, la théorie psychanalytique et la théorie des traits de personnalité ne donnent pas la même explication de la constance du comportement, la première se concentrant sur la mise en place d'une structure de base de la personnalité durant les premières années de la vie, et la deuxième sur le rôle des déterminants génétiques. Cependant, les deux théories postulent un degré important de constance de la personnalité, en particulier si on pousse l'analyse et qu'on va au-delà des différences superficielles relevant des apparences (phénotypes) pour s'intéresser aux structures plus fondamentales (génotypes). Les conceptions de la personnalité plus axées sur la cognition et le traitement de l'information mettent au contraire l'accent sur le degré de spécificité contextuelle de l'apprentissage et sur le degré d'autorégulation du comportement selon les exigences situationnelles.

On observe une plus grande correspondance entre les théories en ce qui concerne la stabilité longitudinale. Toutes les théories de la personnalité reconnaissent qu'il y a une stabilité notable de la personnalité au fil du temps, surtout une fois que l'individu a atteint l'âge adulte. Cependant, elles divergent dans les explications qu'elles donnent de cette stabilité et dans leurs opinions concernant le potentiel de changement de l'individu. Les théoriciens des traits de personnalité insistent sur le rôle des influences génétiques ; les théoriciens psychanalytiques, sur la continuité des structures de la personnalité édifiées dans la petite enfance ; et les théoriciens cognitifs, sur le rôle de la personne dans le choix des situations qui permettent de maintenir la constance dans le temps et sur le rôle des autres dans la confirmation du concept de soi. Dans ce dernier cas, on mettra donc l'accent sur les motivations cognitives, sur la nécessité de se livrer à l'autovérification de soi et de conserver la constance du soi. Les théoriciens cognitifs sont aussi plus nombreux que les théoriciens des traits et que les théoriciens psychanalytiques à supposer qu'il existe un plus grand potentiel de changement. À cet égard, Rogers était assez proche des idées cognitives. Cependant, l'optimisme de Rogers quant au potentiel de changement relève davantage de sa conception philosophique de la personne que d'une insistance sur les processus cognitifs ou sur la spécificité situationnelle du comportement.

Où en sommes-nous donc ? Nous savons que certaines personnes sont plus constantes que d'autres et que la plupart d'entre elles sont constantes pour certaines caractéristiques et variables pour d'autres. De même, nous savons que certaines personnes changent très peu au fil du temps, tandis que d'autres changent énormément. Nous savons également qu'avec le temps certains aspects de notre personnalité changent très peu, tandis que d'autres changent considérablement. Il reste donc à expliquer tant la constance et la variabilité du fonctionnement que la stabilité et le changement de la personnalité au fil du temps. Un jour, une théorie intégrée de la personnalité devra expliquer les raisons de la constance et de la variabilité, de même que les raisons de la stabilité et du changement. Ces raisons relèvent de facteurs inhérents à la personne et de facteurs environnementaux qui favorisent la constance ou la variabilité, ou encore le changement ou la résistance au changement.

L'UNITÉ DU COMPORTEMENT ET LE SOI EN TANT QUE CONCEPT

En tant que système vivant, les organismes humains tendent à fonctionner de façon intégrée et à atténuer les conflits. Les théories de la personnalité divergent dans l'accent qu'elles mettent sur les aspects systémiques unifiés et modélisés du fonctionnement humain. On constate que les théories cliniques de Freud, de Rogers et de Kelly insistent davantage sur l'unité du comportement. Sauf dans le cas d'Allport, cette remarque vaut beaucoup moins pour la théorie des traits de personnalité et pour la théorie de l'apprentissage. Pourquoi en est-il ainsi ? Les raisons en sont évidemment variées et complexes, mais on peut relever certains éléments.

D'abord, les théories cliniques reposent sur l'observation de nombreux comportements chez un individu. Les théories de Freud, de Rogers et de Kelly découlent d'observations cliniques de ce genre. Leurs efforts visaient à mieux comprendre les rapports entre pensées, comportements et sentiments. Ils furent intrigués par les conflits et les menaces assurant la cohérence de la personnalité. Bien qu'on ne puisse nier l'existence et l'importance des approches cliniques qui se basent sur la théorie de l'apprentissage, force est de constater qu'elles ont évolué indépendamment des théories plutôt que de leur servir de fondement.

Il faut tenir compte d'un deuxième élément : l'insistance des théoriciens des traits et des théoriciens de l'apprentissage sur l'exploration de certaines variables particulières, insistance fondée sur l'idée qu'on peut analyser le comportement en s'adonnant à l'étude systématique de certaines variables ou de certains processus. Ici, la stratégie consiste à étudier systématiquement les phénomènes en allant du plus simple au plus complexe. Pour bien se représenter le modèle et l'organisation, il faut avoir une connaissance suffisante de ce qui les constitue.

Traditionnellement, le soi en tant que concept a servi à exprimer les aspects organisés et modélisés du fonctionnement de la personnalité. Dans la théorie psychanalytique, le moi désigne ce qui appartient à la gestion ou à l'intégration du système. Même si on a parfois décrit le moi comme un homoncule qui se trouverait à l'intérieur de l'individu (« Le moi cherche à réduire le conflit »), il s'agit en fait d'un *processus* interne. Pour Rogers comme pour Kelly, le soi en tant que concept a une importante fonction intégrative. Pour Rogers, la personne cherche à s'autoactualiser et à assurer la congruence entre le soi et l'expérience. Pour Kelly, le contenu et l'organisation des construits associés au soi jouent un rôle important dans le fonctionnement de la personne. Mais c'est peut-être Allport qui exprime le plus clairement cette vision du soi en tant qu'unité organisatrice : ses idées concernant le soi en tant que concept — le *proprium,* comme il l'appelle, autrement dit ce qui appartient en propre à l'individu — témoignent de la complexité du système humain arrivé à maturité.

Par souci d'éviter tout ce qui est vague, romantique ou fantaisiste, bien des théoriciens n'ont pas tenu compte du soi en tant que concept ; ils ont critiqué plus particulièrement la conception faisant du soi un homoncule qui serait tapi à l'intérieur de la personne et qui déterminerait sa façon d'agir. Cependant, comme nous l'avons mentionné précédemment, dans son évolution récente la théorie sociocognitive accorde beaucoup d'importance au concept de soi. Toutefois, le concept de soi avancé diffère quelque peu de ceux des autres théories ; il comprend des normes relatives à l'autosatisfaction et à l'autocritique ainsi qu'à d'autres fonctions régulatrices. Malgré tout, il s'agit bien d'un concept de soi. De plus en plus important dans la théorie de Bandura, le concept d'*autoefficacité* (autrement dit, la capacité de mettre en œuvre le comportement indispensable à l'obtention d'un résultat donné) suppose l'existence de certaines cognitions ou croyances à l'égard du soi ; en fait, le soi est considéré comme un concept hautement intégrateur et qui peut rendre compte de nombreuses observations. Ainsi la théorie sociocognitive en est-elle arrivée à l'heure actuelle à insister tout autant sur les aspects organisés de la personnalité humaine que sur l'importance du concept de soi dans cette organisation. Finalement, la perspective cognitive du traitement de l'information met clairement en lumière les fonctions organisatrices et directrices des schémas de soi. Tout système complexe doit avoir des unités de commande de niveau supérieur ; le moi peut être envisagé comme un ensemble de schémas ou de construits qui organisent et intègrent le fonctionnement des autres composantes du système. Il faut toutefois souligner de nouveau le fait que cette perspective postule un soi multiple (une famille de soi) plutôt qu'un concept de soi unique et globalisant.

Même si l'utilité et la nécessité du soi en tant que concept restent controversées, les théories de la personnalité y reviennent continuellement. Sous une forme ou une autre, le soi en tant que concept se retrouve dans la plupart des théories, ce qui montre que l'être humain dispose de mille façons de se connaître et de comprendre le fonctionnement de sa personnalité.

LES DIFFÉRENTS ÉTATS DE CONSCIENCE ET LE CONCEPT D'INCONSCIENT

La psychologie s'est de plus en plus intéressée aux divers états de conscience. Comme nous l'avons dit au début, bien des théoriciens ne sont pas à l'aise avec le concept d'inconscient tel que formulé par Freud ; les notions de « choses enfouies dans l'inconscient » ou de « forces inconscientes qui cherchent à s'exprimer » sont trop métaphoriques pour la plupart de ceux qui tentent de penser de manière systématique. Pourtant, si nous acceptons l'idée que nous ne sommes pas toujours conscients des facteurs qui influent sur notre comportement, comment conceptualiserons-nous ces phénomènes ? Est-ce simplement que nous n'y sommes pas attentifs et que le fait de concentrer notre attention les ramène à la conscience ? Est-ce plutôt, comme le soutiennent certains théoriciens cognitifs, que ce que d'aucuns considèrent comme des processus inconscients ne constitue en fait que la répétition de comportements automatiques, de réponses conditionnées ? Autrement dit, est-il inutile de les considérer comme des processus particuliers et de les qualifier d'inconscients ?

Comme nous l'avons vu, Rogers et Kelly ont évité d'employer le concept d'inconscient, proposant plutôt des concepts qui supposent que certains aspects du fonctionnement ne sont pas accessibles à la conscience. Rogers affirme que les expériences qui ne sont pas congruentes avec le concept de soi peuvent être déformées ou niées. Les émotions menaçantes peuvent être inaccessibles à la conscience, mais tout de même vécues par l'entremise du processus de perception infraliminaire. Kelly a avancé que l'un ou l'autre des pôles d'un construit peut être submergé et indisponible à la conscience. Chacune de ces théories décrit un processus défensif dont il résulte que d'importants aspects du fonctionnement de la personnalité sont indisponibles à la conscience. Alors que certains théoriciens de l'apprentissage, Dollard et Miller par exemple, ont accepté l'existence de tels processus et tenté de les interpréter en les inscrivant dans le cadre théorique hullien, d'autres ont rejeté ces concepts, les qualifiant de vagues et d'inutiles. Bien que les processus inconscients les aient laissés assez indifférents au départ, les théoriciens cognitifs s'y sont intéressés récemment, quoique pas nécessairement en suivant la même voie que les théoriciens de l'école psychanalytique.

Il reste à savoir quelle est l'importance réelle des processus inconscients et comment il faudrait s'y prendre pour les conceptualiser. Si notre comportement est gouverné en bonne partie par des renforçateurs tant internes qu'externes, sommes-nous toujours conscients de la nature de ces facteurs ? Et sinon, pourquoi n'est-ce pas le cas ? Est-ce parce que nous avons assimilé certains d'entre eux dans notre petite enfance, avant d'avoir appris à leur accoler des étiquettes ? Est-ce parce que certains appartiennent à ce point à notre vie quotidienne que nous n'y prêtons plus attention ? Ou est-ce parce que nous choisissons souvent de ne pas prendre conscience de ce qui nous rend mal à l'aise ou anxieux ? L'attention accordée à ces phénomènes et l'interprétation qu'on en donne représentent des éléments de divergence majeurs entre les théories de la personnalité.

LES LIENS ENTRE LA COGNITION, L'AFFECT ET LE COMPORTEMENT MANIFESTE

Comme nous l'avons vu, les théories de la personnalité diffèrent par l'importance relative qu'elles accordent aux divers processus cognitifs, émotionnels et comportementaux. Analyser les relations qu'entretiennent ces divers processus n'est pas une mince tâche. Bien qu'il ait insisté sur les processus de la cognition et de la motivation, Freud attribue un rôle crucial aux émotions dans sa conceptualisation du comportement de l'être humain. Cela est particulièrement clair en ce qui a trait à l'anxiété, mais lui et ses successeurs se sont aussi intéressés à d'autres émotions comme la colère, la dépression, la culpabilité, la honte et la jalousie. Ils ont étudié également le comportement manifeste, mais seulement dans la mesure où il illustre le fonctionnement des processus motivationnels. Rogers et Kelly considèrent tous deux l'individu comme un interprète actif des événements, mais chez Rogers « l'expérience ressentie » est capitale, tandis que pour Kelly les émotions découlent d'interprétations cognitives ; on retrouve aussi ce point de vue dans la théorie de l'attribution et dans d'autres théories cognitives. Dans ces théories, les propriétés cognitives sont centrales et préalables aux émotions et aux comportements. Le béhaviorisme radical, évidemment, se concentre exclusivement sur le comportement manifeste. Cependant, les thérapeutes comportementaux se sont mis à s'intéresser de plus en plus aux processus cognitifs et même, plus récemment, au rôle joué par les processus émotionnels.

Dans l'histoire de la psychologie, certaines questions ont d'abord été formulées en opposant deux termes. L'hérédité ou l'environnement ? La personne ou la situation ? Par la suite, le débat a porté sur l'importance relative de chacun de ces deux termes : lequel était prépondérant ? Finalement, on a reconnu que ces questions étaient trop complexes pour qu'on puisse les résoudre en répondant « ceci et pas cela » ou « ceci est plus important que cela ». On admet maintenant que le fonctionnement complexe résulte de multiples facteurs, chacun y contribuant dans une mesure plus ou moins grande selon les moments et les situations. Dès lors, l'essentiel n'est plus de choisir entre divers facteurs, mais d'analyser les rapports entre les variables. Comment l'hérédité et l'environnement interagissent-ils ? Quelle influence les variables personnelles et situationnelles exercent-elles l'une sur l'autre ? De même, nous comprenons enfin que les gens sont continuellement en train de penser, de ressentir et d'agir, et qu'il nous reste à élucider comment ces processus interagissent dans le flux ininterrompu du fonctionnement de l'être humain.

L'INFLUENCE DU PASSÉ, DU PRÉSENT ET DE L'AVENIR SUR LE COMPORTEMENT

Quand on évoque Freud, on pense presque automatiquement à un comportement déterminé par le passé. Quand on évoque Kelly, on pense à un individu qui s'efforce de se représenter l'avenir ; la prévision devient alors la clé de son comportement. Nous avons, d'une part, Skinner qui met l'accent sur les événements qui ont autrefois joué le rôle de renforcements et, d'autre part, la théorie sociocognitive qui met l'accent sur les attentes. Le comportement est-il soumis au passé ou régi par nos attentes regardant l'avenir ?

Cette question fait elle aussi l'objet de débats chez les théoriciens de la personnalité. Souvent, des différences ténues dans les théories entraînent de grandes répercussions. Ainsi, Bandura établit une distinction subtile, mais néanmoins cruciale, quand il traite du rôle joué autrefois par les renforcements dans ce qui a été *appris* et des attentes relatives aux renforcements dans ce qui est *accompli*. Cette distinction s'appuie à son tour non seulement sur la distinction entre l'acquisition d'un comportement et sa manifestation, mais aussi sur l'intérêt marqué pour le fonctionnement cognitif. En fait, il semble y avoir des rapports étroits entre l'insistance sur l'avenir et l'insistance sur les processus cognitifs, ce qui n'a rien d'étonnant, puisque l'acquisition des processus mentaux supérieurs et du langage est essentielle pour que les organismes soient en état d'envisager l'avenir.

En fait, les événements appartenant à notre passé, les expériences de notre présent et nos attentes concernant l'avenir influent les uns sur les autres. La façon dont nous nous représentons l'avenir est inévitablement liée à notre passé. Mais il est probable que la façon dont nous nous représentons l'avenir influe aussi sur notre interprétation du passé. Par exemple, si notre avenir nous déprime, il se peut que nous nous sentions emprisonnés par notre passé, tandis que si nous sommes optimistes quant à notre avenir, notre passé pourra nous sembler libérateur. Nos conceptions du passé, du présent et de l'avenir appartiennent toutes à notre expérience; c'est pourquoi analyser les relations qu'elles entretiennent constitue l'une des tâches de toute théorie de la personnalité.

La théorie de la personnalité : une réponse aux questions sur le comportement?

Au chapitre 1, nous avons dit qu'une théorie de la personnalité devrait expliquer le *quoi*, le *comment* et le *pourquoi* du comportement. Dans les chapitres suivants, nous avons étudié les principaux concepts utilisés par divers théoriciens pour expliquer la personnalité humaine (tableau 16.1). Nous allons maintenant passer en revue certains de ces concepts, dégager les similarités entre les diverses théories et relever un certain nombre de questions qui restent sans réponse.

LA STRUCTURE

Chacune des théories que nous avons étudiées dans cet ouvrage propose des concepts relatifs à la structure de la personnalité. Ces théories diffèrent non seulement par le contenu de ces unités conceptuelles, mais aussi par leur degré d'abstraction et par la complexité de l'organisation structurelle. Les unités structurelles de Freud se caractérisent par un très grand degré d'abstraction : personne n'a pu observer le ça, le moi ou le surmoi, pas plus que le conscient, le préconscient ou l'inconscient. Les unités structurelles proposées par Rogers et Kelly sont un peu moins abstraites. Les définitions actuelles du soi restent problématiques à plusieurs égards, mais les définitions proposées par Rogers débouchent sur des méthodes de recherche systématiques. De même, bien que les propriétés qui définissent les construits restent encore à clarifier, nous disposons d'une technique pour évaluer le système de construits d'un individu. Les unités structurelles de Cattell ont un degré d'abstraction variable, les traits de source étant plus abstraits que les traits de surface. C'est avec la réponse, c'est-à-dire avec la principale unité structurelle utilisée par les théoriciens de l'apprentissage pour décrire le comportement, qu'on trouve le plus faible degré d'abstraction. Qu'il s'agisse d'un simple réflexe ou d'un comportement complexe, la réponse est toujours externe et observable. Elle est définie par le comportement. Dans ce cas, on ne passe pas d'un acte particulier à une unité structurale; l'acte *est* l'unité structurale. La réponse n'est pas quelque chose d'interne, quelque chose qu'on ne peut observer qu'indirectement; elle fait partie du comportement observable de l'organisme.

À ses débuts, la théorie sociocognitive s'intéressait tout particulièrement elle aussi à la réponse comportementale manifeste. Les unités de la personne étaient concrètes, clairement définies et elles se mesuraient objectivement. Les variations dans la réponse étaient également liées à des variations environnementales clairement définies et mesurées objectivement. Cependant, à force de souligner l'importance des activités cognitives et du comportement autorégulateur, la théorie sociocognitive a débouché sur l'examen d'unités structurales plus abstraites. Des concepts comme les normes personnelles, les objectifs et le sentiment d'autoefficacité ont dans l'ensemble un caractère plus abstrait que le concept de *réponse*; qui plus est,

Tableau 16.1 Principaux concepts théoriques en un coup d'œil

Théoricien, théorie ou approche	Structure	Processus	Croissance et développement
Freud	Ça, moi, surmoi ; inconscient, préconscient, conscient	Pulsions sexuelles et pulsions agressives ; angoisse et mécanismes de défense	Zones érogènes ; stades de développement oral, anal et phallique ; complexe d'Œdipe
Rogers	Soi, soi idéal	Autoactualisation ; congruence entre le soi et l'expérience ; incongruence, déformation et déni défensifs	Congruence et autoactualisation, par opposition à incongruence et attitude de défense
Théorie des traits de personnalité	Traits	Traits dynamiques, motivations associées aux traits	Part de l'hérédité et de l'environnement dans les traits
Approches fondées sur l'apprentissage	Réponse	Conditionnement classique ; conditionnement par essais et erreurs ; conditionnement opérant	Imitation ; programmes de renforcement et approximations successives
Kelly	Construits	Processus canalisé par la représentation des événements	Définition, complexification accrue du système de construits
Approche socio-cognitive	Attentes ; normes personnelles ; objectifs ; sentiment d'autoefficacité	Apprentissage par observation ; conditionnement vicariant ; processus symboliques ; autoévaluation et processus d'autorégulation (normes personnelles)	Apprentissage social par observation et par expérience directe ; acquisition de jugements sur l'autoefficacité et normes d'autorégulation
Approche cognitive du traitement de l'information	Catégories cognitives et représentations cognitives ; attributions ; attentes généralisées	Stratégies de traitement de l'information ; attributions ; soi possibles et guides personnels	Acquisition de compétences cognitives, de schémas de soi, d'attentes et d'attributions

Pathologie	Changement	Étude de cas
Sexualité infantile ; fixation et régression ; conflit ; symptômes	Transfert ; résolution des conflits intrapsychiques ; « le moi doit être à la place du ça »	Le petit Hans
Maintien défensif du soi ; incongruence	Climat thérapeutique : congruence, considération positive inconditionnelle et compréhension empathique	Mme Oak
Scores extrêmes dans les dimensions des traits (par exemple, névrosisme)	(Aucun modèle formel)	Un homme de 69 ans
Réponses apprises et inadaptées	Extinction ; apprentissage de la discrimination ; contre-conditionnement ; renforcement positif ; imitation ; désensibilisation systématique ; modification du comportement	Peter ; réinterprétation du cas du petit Hans
Dysfonctionnement du système de construits	Reconstruction psychologique de la vie ; « disposition accueillante » ; thérapie d'assignation de rôles	Ronald Barrett
Modes de réponse appris ; normes personnelles trop exigeantes ; sentiment d'autoefficacité dysfonctionnel	Modelage ; participation guidée ; hausse du sentiment d'autoefficacité	Gary W.
Croyances irréalistes ou inadaptées ; erreurs dans le traitement de l'information	Thérapie cognitive, modification des croyances irrationnelles, des pensées dysfonctionnelles et des attributions inadaptées	Jacques

ils exigent des instruments de mesure différents, ce qui a amené les théoriciens sociocognitifs à se servir des rapports verbaux. Il faut mentionner que cet intérêt accru pour un type d'unités différent n'a pas entraîné chez les théoriciens cognitifs une baisse du souci de rigueur, d'objectivité, ou de l'intérêt pour les mesures. Ils continuent à privilégier les concepts clairement définis et pour lesquels on dispose d'une technique de mesure appropriée. On peut en dire autant des psychologues qui privilégient l'approche cognitive du traitement de l'information. Souvent associés aux théoriciens sociocognitifs, ces psychologues privilégient les concepts qui permettent d'effectuer des mesures systématiques, comme les attributions et les représentations.

Les théories de la personnalité diffèrent par leur degré d'abstraction, mais aussi par la complexité de l'organisation structurelle. On peut juger de la complexité d'une organisation structurelle au nombre d'unités qu'elle comporte et à la *configuration des relations hiérarchiques* que ces unités entretiennent les unes avec les autres. Prenons, par exemple, la structure relativement simple que décrivent la plupart des théoriciens de l'apprentissage : les réponses s'inscrivent dans un petit nombre de catégories ; on ne voit pas dans le comportement l'expression conjuguée de plusieurs unités ; et cette idée s'oppose au concept de types de personnalité, qui implique que de nombreuses réponses dénotent une organisation stable. À l'autre extrême, la grille de compréhension fournie par la psychanalyse propose de nombreuses unités structurales entre lesquelles il est possible d'établir des rapports d'une façon quasi illimitée. Il en va de même de la grille de Kelly, qui ouvre la porte à un système complexe comportant de nombreux construits, certains englobants, d'autres englobés.

Ces différences dans la complexité de l'organisation structurelle peuvent être liées à des différences dans l'importance qu'on accorde à la structure dans le comportement. Le concept de *structure* sert généralement à expliquer les aspects les plus stables de la personnalité ainsi que la constance du comportement de l'individu au fil du temps et des situations. Ainsi, pour comparer des opposés, la théorie psychanalytique met énormément l'accent sur la stabilité du comportement au fil du temps et des situations, ce qui n'est pas du tout le cas de la théorie de l'apprentissage. D'une part, la théorie psychanalytique suppose l'existence d'unités abstraites et d'une organisation structurelle complexe ; d'autre part, la théorie de l'apprentissage suppose l'existence d'unités concrètes et d'une organisation négligeable. Autrement dit, il semble y avoir, dans les théories de la personnalité, une relation entre l'importance attribuée à la structure et son insistance sur la stabilité et la constance du comportement.

LES PROCESSUS

Dans notre étude des théories de la personnalité, nous avons dégagé les principales conceptions relatives au *pourquoi* du comportement. Comme nous l'avons indiqué au chapitre 1, de nombreuses théories de la motivation soulignent les efforts de l'individu pour *réduire la tension*. Cette tendance à la réduction de la tension apparaît clairement dans la théorie psychanalytique et dans l'approche hullienne de la théorie de l'apprentissage. Pour Freud, l'individu vise à exprimer ses pulsions sexuelles et ses pulsions agressives et, par conséquent, à réduire la tension associée à ces pulsions. Pour Hull, Dollard et Miller, le renforcement est associé à la satisfaction des motivations primaires ou secondaires et, par conséquent, à la réduction de la tension résultant de ces motivations.

La théorie de Rogers s'exprime dans un modèle motivationnel fondé sur l'idée que, souvent, les gens *cherchent la tension.* Rogers soutient que les individus cherchent à s'autoactualiser, qu'ils visent la croissance et la réalisation de leur potentiel, même au prix d'une tension accrue. Toutefois, Rogers met également l'accent sur un troisième facteur motivationnel : la nécessité d'être cohérent, qui prend la forme particulière d'une congruence entre le moi et l'expérience. Kelly insiste également sur la cohérence, mais les variables pertinentes sont à son avis différentes : les construits de l'individu doivent être cohérents pour éviter de donner lieu à des prévisions contradictoires. Il importe également que les prévisions correspondent aux expériences, autrement dit que les événements confirment et valident le système de construits.

La théorie de l'apprentissage opérant et la théorie sociocognitive insistent toutes deux sur l'importance du renforcement mais, contrairement à la théorie S-R de Hull, elles ne s'intéressent pas à la réduction de la tension motivationnelle. Pour Skinner, les renforcements ont des répercussions quand il s'agit d'évaluer la probabilité d'une réponse donnée, mais les concepts de *motivation* ou de *tension interne* sont inutiles. La théorie sociocognitive met l'accent sur les processus cognitifs et sur l'élaboration des attentes. Les renforçateurs jouent un rôle capital dans le rendement, mais non dans l'acquisition du comportement. Les normes évaluatives et les attentes relatives au renforcement orientent et guident le comportement ; en ce sens, elles fournissent la motivation. Finalement, selon les théoriciens du traitement de l'information, de nombreux aspects du rendement attribués à des facteurs motivationnels s'expliqueraient mieux si on voyait en eux le résultat de l'utilisation d'une heuristique ou de stratégies cognitives particulières.

Notons que tous ces modèles motivationnels ne se contredisent que dans la mesure où l'on suppose que tous les comportements doivent obéir aux mêmes principes motivationnels. Lorsqu'on parle de structure, rien ne nous oblige à supposer que l'individu n'a que des motivations, ou bien qu'il n'a qu'un concept de soi, ou encore qu'il n'a que des construits personnels. De même, rien ne nous oblige à supposer que l'individu ne cherche que la réduction de la tension, ou qu'il ne cherche que l'autoactualisation, ou qu'il ne cherche que la cohérence. Il se peut que ces trois modèles motivationnels aient tous une certaine pertinence quand on veut rendre compte du comportement. Un individu pourrait à certains moments s'efforcer de réduire la tension, à d'autres moments de s'autoactualiser, à d'autres moments encore d'atteindre une certaine cohérence cognitive. Il se peut également qu'à un moment donné deux types de motivation entrent en conflit. Ainsi, un individu peut chercher à libérer ses pulsions agressives en frappant quelqu'un, alors qu'il aime cette personne et qu'il est lui-même étonné de ce comportement. Il existe encore d'autres possibilités : divers types de motivation peuvent se combiner et se renforcer l'une l'autre. Ainsi, faire l'amour avec quelqu'un peut représenter à la fois la réduction de la tension liée aux pulsions sexuelles, l'actualisation du soi et un acte congruent avec le concept de soi de l'individu et les prévisions de son système de construits. S'il y a ainsi place pour plus d'une sorte de processus, il revient alors aux psychologues de découvrir quelles sont les conditions favorables à l'expression de chaque type de motivation et comment différents types de motivation peuvent se combiner pour déterminer le comportement.

LA CROISSANCE ET LE DÉVELOPPEMENT

Au chapitre 1, nous avons passé en revue les déterminants (causes) de la personnalité : culture, classe sociale, famille, pairs et gènes. Aucune des théories que nous avons étudiées n'accorde toute l'attention nécessaire à l'ensemble des facteurs qui influent sur la croissance et le développement. Les théoriciens des traits de personnalité ont effectué de nombreux travaux portant sur les influences de l'hérédité et de l'environnement, ainsi que sur les tendances liées à l'âge dans le développement de la personnalité. Les théoriciens psychanalytiques se sont penchés sur le rôle des facteurs biologiques et environnementaux dans le développement de la personnalité, mais dans la plupart des cas ils en sont restés aux spéculations. Rogers et Kelly se sont malheureusement très peu intéressés à la question. Enfin, même si les théoriciens de l'apprentissage ont effectué un travail considérable sur l'interprétation du processus par lequel se transmettent les influences liées à la culture, à la classe sociale et à la famille, ils ont grandement négligé les facteurs biologiques et laissé de côté jusqu'à tout récemment les questions cruciales de la croissance et du développement de la cognition. Cependant, les théoriciens cognitifs réalisent aujourd'hui d'indéniables avancées en la matière ; pensons notamment aux recherches de Bandura concernant l'apprentissage par observation et à celles de Mischel concernant la façon dont les enfants acquièrent des techniques pour les aider à supporter que les gratifications soient de plus en plus différées. Plus les psychologues de la personnalité accordent d'attention aux variables cognitives, plus ils sont en mesure d'intégrer à leurs activités les résultats de la somme considérable de travail théorique et de recherche qu'on a consacrée au développement cognitif.

Lorsqu'on étudie les théoriciens dont il est question dans cet ouvrage, on constate que, en ce qui a trait au développement, leurs avis divergent sur deux points : l'utilité du concept de stades de développement et l'importance des expériences de la petite enfance dans le développement de la personnalité. La théorie psychanalytique attache une grande importance aux premières années de la vie, et plus particulièrement aux expériences au sein de la famille, ainsi qu'au concept de *stades de développement*. Ces vues contrastent avec celles des théoriciens des traits, qui explorent surtout les questions liées à l'hérédité et à l'environnement non partagé, notamment aux expériences hors du milieu familial. Les théoriciens sociocognitifs, pour leur part, contestent le concept de *stades de développement* tout comme l'idée que la personnalité a été relativement établie par ce qui s'est passé durant la petite enfance. Ils soutiennent au contraire que les diverses composantes de la personnalité peuvent se développer de diverses manières et que les expériences ultérieures peuvent entraîner des changements.

LA PSYCHOPATHOLOGIE

Bien que les théories de la personnalité proposent des interprétations différentes quant à l'origine des troubles psychiques, la plupart considèrent comme crucial le concept de *conflit*. Cela est particulièrement clair dans le cas de la théorie psychanalytique. Selon Freud, les troubles mentaux surviennent quand les pulsions instinctives du ça entrent en conflit avec le fonctionnement du moi. Bien que Rogers ne mette pas l'accent sur la notion de conflit en tant que telle, on peut décrire le problème de l'incongruence comme un conflit entre l'expérience et le concept de soi. La théorie de l'apprentissage offre un certain nombre d'explications des troubles psychiques et au moins l'une d'entre elles met l'accent sur le rôle des conflits approche-évitement. Les théoriciens cognitifs n'insistent pas sur la notion de conflit, mais on peut penser aux objectifs conflictuels, ou encore aux croyances ou aux attentes conflictuelles. De plus, puisqu'ils se penchent à présent sur les questions d'ordre motivationnel, ils reconnaissent la possibilité de conflit entre les motivations d'autovérification et d'autovalorisation. De nombreuses questions complexes concernant les troubles mentaux sont encore sans réponse. Par exemple, nous savons que la fréquence des diverses formes de troubles mentaux varie selon les cultures. La dépression est rare en Afrique et très courante en Amérique du Nord. Pourquoi en est-il ainsi ? Relativement communs au temps de Freud, les symptômes de conversion, comme la paralysie hystérique du bras ou de la jambe, le sont beaucoup moins aujourd'hui. Pourquoi ? Y a-t-il de grandes différences dans les problèmes auxquels les gens font face dans diverses cultures ? Ou est-ce plutôt qu'ils s'adaptent différemment au même type de problèmes ? Ou encore, est-ce seulement qu'on est plus enclin à se plaindre de certains problèmes dans une culture et de certains autres problèmes dans une autre culture ? Si aujourd'hui les gens se préoccupent davantage des problèmes d'identité que des problèmes de culpabilité, s'ils cherchent plus à résoudre les questions relatives à la quête de sens qu'à soulager les pulsions sexuelles, quelles seront les conséquences de ces constatations pour la théorie psychanalytique et pour les autres théories de la personnalité ?

La psychopathologie occupe évidemment une place prépondérante dans les théories cliniques de la personnalité ; pour reprendre le terme de Kelly, c'est là leur principal *domaine d'application*. Pourtant, nous avons constaté que les vues concernant la nature des troubles mentaux diffèrent considérablement. Et même s'il existe des théories de la personnalité qui découlent d'observations effectuées hors du cadre thérapeutique, elles n'en ont pas moins reconnu la nécessité de rendre compte des troubles mentaux. La question qui se pose ici n'est pas de savoir si les théories de la personnalité devraient proposer des explications concernant les troubles mentaux, mais plutôt de déterminer si le sujet occupe la place centrale dans une théorie donnée et sur quelles variables celle-ci met l'accent. Il est fascinant d'observer jusqu'à quel point les diverses théories de la personnalité — chacune comportant ses propres unités structurales et ses propres concepts — peuvent se distinguer dans leur façon d'interpréter un phénomène.

LE CHANGEMENT

Chacune des théories accorde une attention plus ou moins grande aux questions suivantes : Qu'est-ce qui change ? Quelles sont les conditions du changement ? Quel est le processus à l'œuvre dans le changement ? Parce qu'elle se penche sur les changements qui interviennent dans les rapports entre l'inconscient et le conscient et entre le moi et le ça, la théorie psychanalytique s'intéresse plus particulièrement au changement structurel. En faisant de la psychothérapie une reconstruction psychologique de la vie, Kelly compose également avec le changement structurel. Rogers, lui, s'intéresse surtout aux conditions qui permettent de changer. Bien que son travail de recherche ait fini par porter sur le changement structurel (par exemple, sur la modification des écarts entre le soi et le soi idéal), Rogers avait comme objectif de dégager des critères servant à mesurer l'efficacité de diverses variables (congruence, considération positive inconditionnelle, compréhension empathique). Kelly, quant à lui, a insisté sur la nécessité de susciter un climat favorable à l'expérimentation et d'avoir une disposition accueillante, mais il existe très peu de travaux portant sur les variables indispensables à l'établissement de ce climat et de cette disposition.

Le processus de changement est le domaine d'application particulier de la théorie de l'apprentissage. Les processus d'apprentissage suivants servent à expliquer une vaste gamme de changements liés à diverses formes de psychothérapie : extinction, apprentissage de la discrimination, contre-conditionnement, renforcement positif et imitation. D'abord utilisés pour expliquer les effets des traitements découlant d'autres théories, les concepts de l'apprentissage ont récemment servi à mettre au point des méthodes thérapeutiques fondées sur l'apprentissage. Les travaux de Bandura consacrés au modelage et à la participation guidée représentent un bon exemple d'une technique thérapeutique issue d'une théorie. Il est aussi intéressant de noter que, même si la thérapie ou le changement psychologique ne constituait pas au départ un aspect majeur de la théorie sociocognitive, elle le devient de plus en plus. En fait, Bandura soutient que l'évolution ayant cours dans ce secteur pourrait bien servir à tester la théorie dans son ensemble.

On observe évidemment des différences fondamentales considérables entre les théories quant au potentiel de changement. D'un part, la théorie psychanalytique soutient qu'il est assez difficile de changer fondamentalement la personnalité, opinion liée à l'importance de la notion de structure dans cette théorie ainsi qu'à celle des expériences de la petite enfance. Si la structure est capitale et qu'elle se met en place au cours des premières années de la vie, il s'ensuit qu'il sera difficile d'effectuer des changements fondamentaux plus tard dans la vie. Les premiers théoriciens de l'apprentissage (Hull, Dollard et Miller, par exemple), et surtout ceux qui ont tenté de lier la théorie de l'apprentissage à la théorie psychanalytique, faisaient également preuve de pessimisme quant au potentiel de changement. Cependant, l'évolution récente que connaissent le conditionnement opérant, la théorie sociocognitive et la thérapie cognitive a fait souffler un vent d'optimisme en ce qui concerne le changement. Les théoriciens qui proposent ces nouvelles approches parlent très peu de la structure et beaucoup de la possibilité de changer de comportement. Avec leur foi en leur capacité de façonner le comportement en se servant des récompenses externes ou en modifiant les croyances et les attributions cognitives, ces psychologues se situent à l'opposé des psychanalystes en ce qui concerne le changement.

Les fondements biologiques et les niveaux d'explication

Comment les gens changent-ils ? Lorsqu'on aborde cette question, on ne peut que constater les différences dans la façon dont les diverses théories de la personnalité décrivent ou expliquent le processus de changement, ses conditions et les aspects du fonctionnement de la personnalité qu'il touche. Dans certains cas, ces différences reflètent des points de vue opposés et conflictuels. Dans d'autres cas, il s'agit seulement de différences dans les termes utilisés pour décrire des processus similaires. Dans d'autres cas encore, les différences résultent de ce qu'on ne s'intéresse pas aux mêmes aspects de la personne. Démêler cet écheveau constitue l'une des tâches qui attendent les psychologues et les étudiants en psychologie.

Comme nous l'avons vu au chapitre 9, la biologie, et plus particulièrement les neurosciences, a fait d'énormes progrès ces dernières années et ces progrès ont des effets considérables en psychologie de la personnalité. Dans les années qui viennent, l'une des grandes tâches auxquelles devront s'attaquer les psychologues de la personnalité consistera à intégrer les découvertes des neurosciences et d'autres secteurs de la biologie aux explications plus traditionnelles qu'ils fournissent à propos des phénomènes qui les intéressent, ce qui nous amène à la question des *niveaux d'explication,* ainsi qu'au risque de céder au *réductionnisme* ou, au contraire, de rejeter des découvertes importantes.

Le débat ayant trait aux niveaux d'explication désigne le niveau auquel on se tient pour étudier, analyser et expliquer les phénomènes. Les explications d'un phénomène peuvent se situer à un niveau inférieur — portant alors sur des éléments restreints et relativement simples de l'organisation — ou à un niveau supérieur — portant alors sur des parties plus vastes et plus complexes de l'organisation. Par exemple, on peut expliquer les émotions en se plaçant : au niveau des *neurones* en cause, au niveau du *cerveau* (rôle de l'amygdale), au niveau du *système cérébral* (rôle de la mémoire dans l'émotion), au niveau de l'*individu* (façon dont les divers souvenirs et émotions sont structurés les uns par rapport aux autres) ou au niveau *socioculturel* (façon dont les membres de chaque culture ont appris à percevoir et à exprimer les émotions). Autre exemple : on peut expliquer des problèmes comme l'alcoolisme et la toxicomanie en se plaçant au niveau des gènes et de l'hérédité, au niveau des récepteurs cellulaires, au niveau de l'apprentissage (conditionnement classique), au niveau des facteurs familiaux et d'autres stresseurs environnementaux ou au niveau des facteurs socioculturels (croyances culturelles, influence des pairs, etc.).

La plupart des psychologues considéreraient qu'il s'agit là de niveaux d'explication légitimes pour l'analyse et la recherche. Cependant, il s'en trouverait quelques-uns pour défendre deux positions extrêmes. Selon certains, tout ce qui intéresse les psychologues de la personnalité s'expliquera un jour ou l'autre par le fonctionnement du cerveau ou par d'autres composantes du système biologique de l'être humain. Selon d'autres, de telles explications sont réductionnistes, c'est-à-dire qu'elles proposent des explications de niveau inférieur à des phénomènes qui exigent de recourir à un niveau d'analyse supérieur des divers concepts et principes d'organisation. Actuellement, par exemple, on discute avec passion de la question de savoir à quel niveau on doit se placer pour comprendre la conscience, certains cherchant des explications dans le fonctionnement du cerveau et d'autres les cherchant dans la quête de sens.

La position des auteurs de cet ouvrage rejoint celle qu'a formulée Cacioppo (1999 ; Berntson et Cacioppo, 2000 ; Cacioppo et Berntson, 1992) ; il propose d'adopter une *approche intégrative multiniveaux* pour analyser les phénomènes qui intéressent les psychologues de la personnalité. Selon cette position, chaque niveau d'analyse comporte des avantages et des limites et chacun peut contribuer à la compréhension et à l'explication des phénomènes. Aucun niveau d'explication ne permet en soi d'expliquer les phénomènes qui nous intéressent et il est souhaitable d'admettre que tous les niveaux contribuent à leur élucidation. Ainsi, pour reprendre notre exemple, l'analyse et le traitement des problèmes d'alcoolisme et de toxicomanie exigent qu'on prenne en considération chacun des niveaux d'explication décrits plus haut : facteurs génétiques, cellulaires, d'apprentissage, familiaux et socioculturels. Comme l'écrit Zuckerman (1998) : « Tous les types de phénomènes peuvent s'étudier à différents niveaux, du plus moléculaire au plus molaire. Chaque niveau a ses propres méthodes, ses propres construits et ses propres limites. Une analyse effectuée à un niveau peut être parfaitement compatible avec une analyse effectuée à un autre niveau. Les modes d'explication biologique, comportemental et cognitif ne sont pas conflictuels, mais complémentaires » (p. 150).

Les scientifiques, soutient Jolly (1999), préfèrent se placer à un seul niveau d'analyse : « Fondamentalement, certaines personnes aiment réduire l'analyse aux particules constituantes ; d'autres se délectent des ensembles complexes » (p. 231). De telles préférences sont non seulement compréhensibles, mais souhaitables pour l'avancement de la science. La tâche des étudiants en psychologie est d'apprécier à leur juste valeur les apports de chaque niveau d'analyse. Et la tâche de ceux qui demain étudieront la psychologie de la personnalité sera de combler le fossé entre les divers niveaux d'analyse et d'élaborer des modèles conceptuels qui tiennent compte des apports de chacun (Klein et Kihlstrom, 1998).

Les rapports entre la théorie, l'évaluation et la recherche

À de nombreuses reprises dans les chapitres précédents, nous avons examiné séparément la théorie, l'évaluation et la recherche. Cependant, nous avons aussi essayé de garder à l'esprit les rapports étroits qu'elles entretiennent; en fait, il s'agissait là d'un des grands thèmes de cet ouvrage.

Au chapitre 1, nous avons vu que toute théorie tente d'organiser et d'expliquer un large éventail de faits en recourant à un petit nombre d'hypothèses. Au chapitre 2, nous avons étudié les outils qu'utilisent les psychologues de la personnalité pour observer et mesurer le comportement de manière systématique. De toute évidence, la recherche suppose le recours à des techniques d'évaluation pour élaborer et tester la théorie. Quelles relations la théorie, l'évaluation et la recherche entretiennent-elles ? Ici, nous pouvons observer une relation entre d'une part les hypothèses sur lesquelles se fondent les théories et d'autre part les techniques d'évaluation généralement associées à ces théories. Par exemple, une théorie psychodynamique comme la psychanalyse est associée au test de Rorschach ; une théorie phénoménologique comme celle de Rogers, à l'interview et aux mesures du concept de soi ; une théorie basée sur l'analyse factorielle, aux tests psychométriques ; une des approches de l'apprentissage, aux tests objectifs ; les théories cognitives, aux façons dont les gens traitent l'information et organisent leur monde.

Obtient-on des résultats similaires lorsqu'on applique à un même individu les diverses techniques d'évaluation associées aux différentes théories ? Rappelons ici l'histoire des vieux sages et de l'éléphant. Chacun des vieux sages examina une partie de l'éléphant et en conclut qu'il savait de quoi il s'agissait. Aucun ne savait que c'était un éléphant et chacun en arriva à une conclusion différente à partir des observations qu'il avait faites. Le premier crut que la queue était un serpent ; le deuxième prit la jambe pour un tronc d'arbre ; le troisième vit dans la trompe un tuyau d'arrosage, et le quatrième pensa que le corps était un mur. Peut-on en dire autant des théories lorsqu'elles examinent divers éléments liés au même individu, chacune brossant de lui un portrait intéressant, mais incomplet, et décrivant les mêmes caractéristiques en utilisant des termes différents ? Ou les différentes théories donnent-elles des portraits très différents du même individu ?

En bref

En un sens, chacun d'entre nous est psychologue. Chacun acquiert une certaine conception de la nature humaine et une certaine stratégie afin de prévoir les événements. Les théories et la recherche présentées dans cet ouvrage représentent le fruit des efforts déployés par les psychologues pour systématiser ce que nous savons de la personnalité humaine et pour dégager les voies à explorer. Nous avons tenté de mettre en lumière les similarités entre ce que les psychologues ont essayé d'accomplir ainsi que les différences dans ce qu'ils pensent être la meilleure façon d'effectuer des recherches. Collectivement, les psychologues expriment leur conception de la

L'histoire de Jacques

À la lumière des théories de la personnalité

Le cas de Jacques nous a permis de suivre une personne sur une période de vingt ans et de mettre en parallèle les observations effectuées selon des perspectives théoriques différentes. Nous allons maintenant comparer les observations résultant des divers tests administrés à Jacques, ainsi que les résultats obtenus à divers moments de sa vie. En terminant, nous verrons quelles réflexions ces tests de personnalité ont inspirées à Jacques.

Comparaison entre les évaluations effectuées en recourant aux diverses approches

Un certain nombre de thèmes récurrents émergent des divers tests administrés à Jacques lorsqu'il était étudiant. Tous les tests révèlent la présence : (1) de tension, d'insécurité et d'anxiété ; (2) de difficultés dans ses rapports avec les femmes ; (3) de difficultés dans ses relations interpersonnelles, particulièrement en ce qui a trait au fait de ressentir et de manifester de la chaleur ; (4) de rigidité, d'inhibition, de compulsion et de difficulté à se montrer créatif.

Cependant, sans nécessairement être contradictoires, les portraits de Jacques tracés à l'aide des diverses approches diffèrent qualitativement. Par exemple, les images de vampires et du « comte Dracula qui suce le sang » que fournit le test de Rorschach diffèrent qualitativement des déclarations qu'il fait regardant ses problèmes interpersonnels et le sadisme décelé dans ses tests projectifs est qualitativement différent de ce qu'il en dit.

Finalement, il importe de le souligner, chaque instrument d'évaluation semble saisir des aspects de la personnalité de Jacques que d'autres tests ne détectent pas nécessairement et mettre en lumière des aspects de sa personnalité que d'autres tests laissent dans l'ombre. Ainsi, les tests projectifs ont mis en évidence certains de ses conflits et de ses mécanismes de défense ; le 16 PF, ses doléances somatiques et ses sautes d'humeur ; l'entrevue autobiographique, sa perception de lui-même comme étant quelqu'un de profond, de gentil et de fondamentalement bon.

Stabilité et changement au fil du temps

Nous avons pu suivre Jacques sur un parcours de vingt ans, alors qu'il passait de l'étudiant qu'il était, incertain de son avenir et de sa carrière, au mari, au père et au professionnel établi qu'il est devenu. Durant cette période, nous avons pu lui administrer les nouveaux tests de personnalité issus des avancées théoriques de la psychologie de la personnalité. Le tableau qui en ressort révèle une stabilité considérable dans la personnalité de Jacques. Vingt ans après les premiers tests, on décèle toujours chez lui de la tension et du névrosisme, des difficultés à être aussi chaleureux qu'il le souhaiterait — surtout dans ses relations avec sa femme — et une tendance à la compulsion qui le rend moins créatif qu'il le voudrait.

Entre-temps, Jacques a aussi beaucoup changé ; ces changements sont apparents dans l'entrevue autobiographique comme dans ses réponses à d'autres tests. Vingt ans plus tard, Jacques est un homme plus heureux, qui affiche un plus grand sentiment d'autoefficacité quant à ses compétences intellectuelles et sociales, et moins d'inquiétude quant à ses capacités sexuelles. Il se montre davantage capable de sortir de lui-même, bien que cela reste assez difficile pour lui. À l'approche du mitan de sa vie, Jacques a l'impression d'aller dans la bonne direction et il se consacre à ses objectifs : être un bon mari et un bon père, améliorer ses habiletés professionnelles. Le tableau qui émerge en est un de stabilité et de changement, de continuité avec le passé, mais non de reproduction exacte du passé. Selon toute probabilité, il aurait été difficile de prévoir les changements qui sont survenus chez Jacques ; pourtant, rétrospectivement, on peut voir pourquoi sa vie s'est déroulée ainsi.

Les réflexions de Jacques

Que pense Jacques des tests de personnalité qu'on lui a administrés et des esquisses de sa personnalité qui en ont émergé ? Selon lui, les données projectives ont bien cerné ses conflits et ses mécanismes de défense, mais elles ont surestimé ses insécurités de l'époque. À son avis, les données phénoménologiques (différenciateur sémantique, test de Kelly) traçaient un portrait assez exact de ce qu'il était alors, bien qu'il soit maintenant plus conscient de ses ressemblances avec sa mère. Il a aussi l'impression d'avoir à présent des idées moins étroites sur les gens et sur le monde, et de pouvoir manifester davantage de chaleur. Quant à l'approche des traits de personnalité, selon Jacques elle a réussi comme les autres approches à cerner une partie de ce qu'il était à l'époque, bien qu'il y ait eu des changements à cet égard. Même si Jacques se préoccupe encore d'être aimé et qu'il a encore des sautes d'humeur, il ressent maintenant moins d'insécurité.

Quant à l'approche cognitive, en tant que psychologue Jacques avait une certaine idée de son orientation générale, mais il la connaissait mal. En ce sens, ce fut donc pour lui une expérience d'apprentissage professionnel. Notons cependant qu'il aborda le matériel cognitif avec un penchant psychodynamique et humaniste. De l'approche cognitive du traitement de l'information, il dit :

> Elle a révélé certaines choses intéressantes, mais nous ne sommes pas taillés dans la même étoffe. Elle propose des choses valables, mais je n'y vois pas une approche achevée. Elle a cerné une partie de la vérité, une partie de ce que je suis, mais elle m'apparaît comme un squelette sans chair. Elle occulte une partie de la puissance et du drame de la vie.

Et quelle est l'impression d'ensemble de Jacques concernant ces diverses approches ? De manière générale, il a l'impression qu'elles avaient réussi à cerner divers aspects de lui-même, à mettre en lumière différentes facettes de sa personnalité, tout en dégageant certains thèmes récurrents. Il ajouta aussi que, selon lui, ces différentes approches thérapeutiques peuvent être utiles à différentes personnes, ou encore peuvent nous permettent d'entrer plus facilement en contact avec les gens afin de mieux les comprendre.

En somme...

Il ne s'agissait pas ici d'essayer de déterminer si l'une ou l'autre des diverses approches était meilleure ou moins bonne que les autres en ce qui concerne la théorie, l'évaluation et la recherche. Nous nous sommes plutôt concentrés sur les rapports entre ces trois éléments, et sur les avantages et les limites de chacune des théories. Il semble que les aspects de la personnalité se prêtent plus ou moins à l'examen selon la perspective dans laquelle on les inscrit et selon la précision de l'instrument d'évaluation. Il semble aussi que chaque approche de la recherche et chaque instrument d'évaluation apportent une contribution particulière, mais qu'ils soient aussi des sources d'erreurs. Par conséquent, si nous nous en tenons à une seule approche de la recherche ou de l'évaluation, nous risquons de limiter nos observations aux phénomènes se rapportant directement à telle ou telle position théorique. Mieux vaut donc apprécier à leur juste valeur les apports que divers théories, méthodes de recherche et instruments d'évaluation peuvent fournir à notre compréhension du comportement humain. Comme Jacques, nous pouvons envisager la possibilité que chaque approche cerne différents aspects de la personne, mette en lumière différentes facettes de la personnalité, tout en dégageant certains thèmes communs.

personne de manière plus explicite que la moyenne des gens et sont plus systématiques dans leurs efforts pour analyser et prévoir le comportement. Cependant, on observe entre eux quelques différences. Dans cet ouvrage, nous avons étudié en détail les théories d'un certain nombre de psychologues. Ces théories sont les plus marquantes dans le domaine, mais elles ne sont pas les seules ; elles témoignent de la diversité des approches qu'on peut considérer comme raisonnables et utiles.

Nous avons tenté dans cet ouvrage de démontrer que la théorie, l'évaluation et la recherche sont intimement liées. Dans la plupart des cas, on trouve une certaine cohérence entre la nature d'une théorie, les types de tests utilisés pour obtenir des données et les problèmes choisis comme thèmes de recherche. Pourtant, il est inutile de considérer les théories de la personnalité que nous avons étudiées comme mutuellement exclusives. En fait, chacune d'entre elles donne un aperçu de l'ensemble du tableau. Le comportement de l'être humain représente un casse-tête extrêmement complexe. Les théories de la personnalité que nous avons étudiées nous fournissent toutes les pièces dont nous disposons à l'heure actuelle pour reconstituer ce casse-tête. Même si certaines de ces pièces devront être mises de côté parce qu'elles ne cadrent pas du tout avec les autres et que de nombreuses autres pièces n'y ont pas encore trouvé leur place, il est certain qu'un grand nombre figureront dans le tableau une fois qu'on l'aura reconstitué.

Résumé

1. L'histoire des sciences nous apprend que le progrès scientifique passe par trois stades : (a) le stade embryonnaire ; (b) le stade du consensus scientifique, où l'on s'entend sur un modèle ou un paradigme ; et (c) le stade de la révolution scientifique.
2. Les théories de la personnalité se sont constamment attaquées à des problèmes fondamentaux dont les solutions contribuent pour une bonne part à définir la nature fondamentale de telle ou telle théorie. Voici quelles sont ces questions :

la conception philosophique de la personne; la relation entre les causes internes et les causes externes du comportement; la stabilité du comportement au fil du temps et des situations; l'unité du comportement et le concept de soi; le concept d'inconscient; les rapports entre la cognition, l'affect et le comportement; et le poids relatif du passé, du présent et de l'avenir.

3. Toutes les théories de la personnalité tentent d'organiser le savoir accumulé et de faire avancer nos connaissances de manière à éclairer ce que nous ignorons encore. Pour ce faire, les théories recourent à des concepts relatifs à divers aspects de la personnalité: structure, processus, croissance et développement, psychopathologie et changement. On peut comparer les théories étudiées en examinant les concepts qu'elles privilégient en relation avec chacun de ces aspects (tableau 16.1).

4. Les auteurs de cet ouvrage proposent une approche multiniveaux pour intégrer les découvertes des neurosciences et d'autres domaines de la biologie aux explications plus traditionnelles que donnent les psychologues des phénomènes qui les intéressent.

5. Soulignons encore une fois que la théorie, l'évaluation et la recherche sont en général étroitement liées: des observations différentes aboutissent à diverses théories qui, à leur tour, débouchent sur différentes approches de l'évaluation et de la recherche.

6. Pour les auteurs de cet ouvrage, chacune des théories présentées ici donne un aperçu de ce tout complexe qu'est l'ensemble de la personnalité.

Glossaire

Acquiescement *(acquiescence).* Tendance des participants à adopter une attitude favorable ou défavorable quel que soit le contenu des éléments.

Acquisition *(acquisition).* Apprentissage de nouveaux comportements ; pour Bandura, l'acquisition ne dépend pas de la récompense, contrairement à la manifestation.

Activation psychodynamique subliminale *(subliminal psychodynamic activation).* Méthode expérimentale associée à la théorie psychanalytique, dans laquelle on présente des stimuli sous le seuil perceptif (subliminal) pour stimuler divers désirs et craintes.

Agressivité *(agression).* Dans la théorie des construits personnels de Kelly, expansion active du système de construits de l'individu.

Analyse factorielle *(factor analysis).* Méthode statistique utilisée pour déterminer quelles sont les variables ou les réponses aux questionnaires qui sont en corrélation. Elle sert à élaborer les tests de personnalité et elle est employée dans la théorie des traits (par exemple chez Cattell, Eysenck).

Analyse fonctionnelle *(functional analysis).* Dans les approches béhavioristes, et en particulier dans l'approche skinnérienne, détermination des stimuli environnementaux qui régulent le comportement.

Angoisse *(anxiety).* Dans la théorie psychanalytique, émotion pénible qui avertit le moi de la présence d'une menace.

Angoisse de castration *(castration anxiety).* Concept freudien désignant la peur qu'éprouve le garçon, durant le stade phallique, que son père lui coupe le pénis en raison de leur rivalité sexuelle à l'égard de la mère.

Annulation rétroactive *(undoing).* Mécanisme de défense utilisé pour annuler magiquement un acte ou un désir associé à l'angoisse.

Anxiété *(anxiety).* Émotion suscitée par la perception de l'imminence d'une menace ou d'un danger ; dans la théorie des construits personnels de Kelly, celle-ci surgit lorsque l'individu prend conscience que les événements qu'il perçoit se situent hors du champ d'application de son système de construits.

Apprentissage par essais et erreurs *(instrumental learning).* Dans la théorie S-R, apprentissage de réponses permettant de se retrouver dans une situation désirable (récompense, évitement de la douleur, etc.).

Apprentissage par observation *(observational learning).* Concept proposé par Bandura ; processus par lequel les gens font un apprentissage simplement en observant le comportement d'autres individus (modèles).

Approche phénoménologique *(phenomenological approach).* Courant appartenant au champ de la psychologie qui s'intéresse aux perceptions de l'individu et à son expérience de soi et du monde.

Approximations successives *(successive approximations).* Dans la théorie du conditionnement opérant de Skinner, façonnement de comportements complexes par le renforcement des éléments comportementaux qui ressemblent de plus en plus à la forme définitive du comportement qu'on veut produire.

Association libre *(free association).* En psychanalyse, méthode par laquelle le patient rend compte à l'analyste de tout ce qui lui vient à l'esprit.

Attentes *(expectancies).* Dans la théorie sociocognitive, conséquences prévues de comportements spécifiques dans des situations spécifiques.

Attentes dysfonctionnelles *(dysfunctional expectancy).* Dans la théorie sociocognitive, attentes inadaptées quant aux conséquences de comportements particuliers.

Attribution causale *(causal attribution).* Dans la théorie révisée de la résignation acquise et de la dépression, attributions faites selon trois dimensions : interne (personnelle)/externe (universelle), spécifique/globale, stable/instable.

Autoactualisation *(self-actualisation).* Tendance fondamentale de l'organisme à s'actualiser, à se maintenir, à s'épanouir et à réaliser son potentiel ; concept mis en évidence par Rogers et par d'autres membres du mouvement humaniste.

Autodescription ou autoévaluation *(S-data).* Données ou renseignements fournis par le participant sur lui-même.

Autonomie fonctionnelle *(functional autonomy).* Concept élaboré par Allport, selon lequel la motivation peut se détacher de ses origines infantiles ; chez les adultes, notamment, la motivation peut s'affranchir de son premier objectif, qui était de réduire la tension.

Autorégulation *(self-regulation).* Dans la théorie de Bandura, processus par lequel l'individu régule lui-même son comportement.

Autorenforcement *(self-reinforcement).* Dans la théorie sociocognitive, processus par lequel l'individu se récompense ou se punit lui-même ; il suppose des réponses autoévaluatives comme les félicitations ou la culpabilité ; il est particulièrement important pour l'autorégulation du comportement sur de longues périodes.

Béhaviorisme *(behaviorism).* Approche de la psychologie élaborée par Watson et dans laquelle on se contente d'étudier le comportement manifeste, observable.

Besoin de considération positive *(need for positive regard).* Concept rogérien exprimant le besoin de chaleur, d'affection, de respect et d'acceptation que ressent l'enfant.

Ça *(id).* Concept structurel freudien à la source de toute l'énergie des pulsions.

Caractère anal *(anal personality).* Concept freudien désignant un type de personnalité qui exprime une fixation au stade anal du développement et qui entretient un rapport au monde en fonction du désir de contrôle ou de pouvoir.

Caractère oral *(oral personality).* Concept freudien désignant un type de personnalité qui exprime une fixation au stade oral du développement et qui entretient un rapport au monde en fonction du désir d'être nourri ou englouti.

Caractère phallique *(phallic character).* Concept freudien désignant un type de personnalité qui exprime une fixation au stade phallique du développement et qui s'efforce de réussir en rivalisant avec autrui.

Catharsis *(catharsis).* Technique permettant de se libérer de ses émotions grâce à la parole.

Causes fondamentales *(ultimate causes).* Explications relatives aux comportements associés à l'évolution.

Causes immédiates *(proximate causes).* Explications relatives aux comportements associés aux processus biologiques non liés à l'évolution.

Champ d'application *(range of consciousness).* Dans la théorie des construits personnels de Kelly, événements ou phénomènes auxquels s'appliquent un construit ou un système de construits.

Champ phénoménal *(phenomenal field).* Perception et expérience subjectives du monde.

«Cinq Grands» *(Big Five).* Dans la théorie des facteurs de trait, les cinq principales catégories de traits, notamment l'émotivité, l'activité et la sociabilité.

Coefficient d'héritabilité *(heritability).* Estimation de la part de variance qu'on peut attribuer à la variance génétique pour une caractéristique donnée, mesurée d'une façon particulière, dans une population déterminée.

Cohérence *(self-consistency).* Concept rogérien exprimant l'absence de conflit dans les perceptions du soi.

Compétence *(competencies).* Dans la théorie sociocognitive, unité structurelle reflétant la capacité de l'individu à résoudre les problèmes ou à s'acquitter des tâches liées à l'atteinte de ses objectifs.

Compétences cognitives *(cognitive competencies).* Habiletés qui permettent de penser de diverses façons ; concept sur lequel la théorie sociocognitive insiste plus particulièrement en relation avec la capacité de retarder la gratification.

Compétences comportementales *(behavioral competencies).* Habiletés qui permettent de se comporter d'une façon particulière ; concept sur lequel la théorie sociocognitive insiste plus particulièrement en rapport avec le rendement et la gratification différée.

Complexe d'Œdipe *(Oedipus complex).* Concept freudien exprimant l'attrait sexuel du garçon pour sa mère et la peur d'être castré par son père, considéré comme un rival.

Complexité/simplicité cognitive *(cognitive complexity-simplicity).* Dimension du fonctionnement cognitif d'une personne, qui se définit à un extrême par l'utilisation d'un très grand nombre de construits ayant entre eux de multiples relations (degré élevé de complexité cognitive) ou, à l'autre extrême, par l'utilisation d'un nombre très restreint de construits ayant peu de relations entre eux (faible degré de complexité cognitive).

Comportements cibles [réponses cibles] *(target behaviors [target responses]).* Dans l'évaluation du comportement, détermination des comportements précis à observer et à mesurer en fonction des changements environnementaux.

Comportements opérants *(operants).* Dans la théorie du conditionnement opérant de Skinner, comportements qui apparaissent (sont émis) sans être spécifiquement associés à un stimulus antérieur (déclencheur) et qu'on étudie en les mettant en rapport avec les événements renforçateurs qui les suivent.

Concept de soi *(self-concept).* Perceptions et valeurs associées au soi, au moi ou au je.

Conceptions de soi dysfonctionnelles *(dysfunctional self-evaluations).* Dans la théorie sociocognitive, normes personnelles inadaptées quant à l'autorécompense, ce qui, selon les psychologues, a d'importantes répercussions sur les troubles mentaux.

Conditionnement classique *(classical conditioning).* Processus mis en lumière par Pavlov, dans lequel un stimulus jusque-là neutre acquiert la capacité de déclencher une réponse à cause de son association à un stimulus qui déclenche automatiquement la même réponse ou une réponse similaire.

Conditionnement opérant *(operant conditioning).* Dans la théorie de Skinner, processus par lequel les caractéristiques d'une réponse sont déterminées par ses conséquences.

Conditionnement vicariant *(vicarious conditioning).* Processus d'apprentissage des réactions émotionnelles par l'observation des réactions émotionnelles d'autrui.

Conflit approche-évitement *(approach-avoidance conflict).* Dans la théorie S-R, présence simultanée de pulsions opposées poussant l'individu à la fois à s'approcher d'un objet et à le fuir.

Congruence *(congruence).* Concept rogérien exprimant l'absence de conflit entre le concept de soi et l'expérience ; c'est également l'une des trois conditions jugées essentielles pour la croissance et le progrès thérapeutique.

Conscient *(conscient).* Qualifie les pensées, les expériences et les sentiments dont on a conscience.

Conséquences autogénérées *(self-produced consequences).* Dans la théorie sociocognitive, conséquences du comportement de l'individu que celui-ci engendre lui-même (conséquences internes) et qui jouent un rôle crucial dans l'autorégulation et la maîtrise de soi.

Conséquences externes directes *(direct external consequences).* Dans la théorie sociocognitive, événements externes qui font suite à un comportement et qui influent sur le rendement futur.

Conséquences observées chez autrui *(vicarious experiencing of consequences).* Dans la théorie sociocognitive, conséquences faisant suite au comportement d'autrui observées par l'individu et influant sur le rendement futur.

Considération positive inconditionnelle *(unconditional positive regard).* Expression employée par Rogers pour indiquer qu'on accepte la personne dans sa totalité et sans conditions. C'est également l'une des trois conditions que doit remplir le thérapeute pour assurer le développement de la personne et le progrès au cours de la thérapie.

Constriction *(constriction).* Dans la théorie des construits personnels de Kelly, rétrécissement du système de construits afin de réduire les incompatibilités.

Constructivisme *(constructive alternativism).* Position de Kelly selon laquelle il n'existe pas de réalité objective ou de vérité absolue à découvrir, mais seulement diverses manières d'interpréter les événements.

Construit *(construct).* Dans la théorie de Kelly, façon de percevoir ou d'interpréter les événements.

Construit accessible en tout temps *(chronically accessible construct).* Concept proposé par Higgins et désignant un construit facilement activé par la moindre information.

Construit central *(core construct).* Dans la théorie des construits personnels de Kelly, construit fondamental dans le système de construits d'un individu et dont la modification entraîne nécessairement des répercussions majeures sur le reste du système.

Construit englobant *(subordinate construct).* Dans la théorie des construits personnels de Kelly, construit qui se situe plus haut dans la hiérarchie du système de construits et qui comprend donc des construits plus restreints et plus précis (les construits englobés).

Construit englobé *(superordinate construct).* Dans la théorie des construits personnels de Kelly, construit qui se situe plus bas dans la hiérarchie du système de construits et qui est donc compris dans un construit plus large (le construit englobant).

Construit imperméable *(impermeable construct).* Dans la théorie des construits personnels de Kelly, construit qui ne peut pas englober de nouveaux éléments.

Construit périphérique *(peripheral construct).* Dans la théorie des construits personnels de Kelly, construit qui n'est pas fondamental dans le système de construits d'un individu et dont la modification n'a pas de répercussions importantes sur le reste du système.

Construit perméable *(permeable construct).* Dans la théorie des construits personnels de Kelly, construit qui peut englober de nouveaux éléments.

Construit préverbal *(preverbal construct).* Dans la théorie des construits personnels de Kelly, construit qu'on utilise sans pouvoir le traduire en mots parce qu'il s'est formé avant l'acquisition du langage.

Construit submergé *(submerged construct).* Dans la théorie des construits de Kelly, construit qui a pu s'exprimer en mots, mais dont l'un des pôles, ou les deux, ne peut se verbaliser.

Construit verbal *(verbal construct).* Dans la théorie des construits personnels de Kelly, construit qui peut se traduire en mots.

Courant humaniste *(human potential movement).* Groupe de psychologues, représenté par Rogers et Maslow, qui mettent en avant l'actualisation ou la réalisation du potentiel de chacun, ainsi que l'ouverture à l'expérience.

Croisements sélectifs *(selective breeding).* Méthode de recherche utilisée pour établir des relations gènes-comportement par le croisement de générations successives d'animaux possédant une caractéristique particulière.

Débat personne-situation *(person-situation controversy).* Controverse qui oppose, d'une part, les psychologues qui insistent sur l'importance des variables personnelles (internes) pour déterminer le comportement et, d'autre part, ceux qui soulignent l'importance des influences situationnelles (externes).

Défense perceptive *(perceptual defense).* Processus de défense (inconscient) mis en place pour se protéger d'un stimulus perçu comme menaçant.

Déficit comportemental *(behavioral deficit).* Dans l'approche skinnérienne des troubles mentaux, échec de l'apprentissage d'une réponse adaptée.

Déformation *(distortion).* Selon Rogers, mécanisme de défense qui consiste à modifier l'expérience pour la rendre conforme au moi.

Déni *(denial).* Mécanisme de défense mis en évidence par Freud et Rogers, par lequel la prise de conscience des sentiments menaçants se trouve bloquée ; mécanisme de défense par lequel on refuse de reconnaître une réalité interne ou externe pénible.

Désaccord entre le soi et l'expérience *(self-experience discrepancy).* Source de conflits entre le concept de soi et l'expérience, qui donnent naissance aux troubles psychologiques.

Désensibilisation systématique *(systematic desensitization).* Dans la thérapie comportementale, technique qui consiste à inhiber l'anxiété par le conditionnement d'une réponse concurrente (la relaxation, par exemple) aux stimuli anxiogènes.

Désirabilité sociale *(social desirability).* Tendance des participants à répondre en suggérant une caractéristique de la personnalité jugée socialement acceptable ou désirable.

Désirs d'autovalorisation et d'autovérification *(self-enhancement and self-verification motives).* Processus motivationnels associés au soi, le premier désignant notre désir de nous voir sous un jour positif, et le deuxième, notre désir d'obtenir d'autrui la confirmation ou la corroboration de notre vision de nous-mêmes, et ce même si cette vision est négative.

Déterminisme réciproque *(reciprocal determinism).* Influences réciproques entre deux ou plusieurs variables (par exemple, l'interaction constante, décrite par Bandura, entre les facteurs inhérents à la personne et les facteurs environnementaux).

Dilatation *(dilation).* Dans la théorie des construits personnels de Kelly, élargissement du système de construits ainsi rendu plus complet.

Discrimination *(discrimination).* Dans le conditionnement, réponse différentielle aux stimuli selon qu'ils ont été associés au plaisir, à la douleur ou à des événements neutres.

Domaines d'application *(focus of convenience).* Dans la théorie des construits personnels de Kelly, événements ou phénomènes auxquels la théorie s'applique avec le plus de pertinence.

Données biographiques *(L-data).* Dans la théorie de Cattell, données se rapportant au comportement dans la vie quotidienne ou à l'évaluation d'un tel comportement.

Données fournies par les tests objectifs *(OT-data).* Dans la théorie de Cattell, données provenant des tests objectifs ou renseignements au sujet de la personnalité fournis par l'observation du comportement dans des situations en miniature.

Données provenant des questionnaires *(Q-data).* Dans la théorie de Cattell, données au sujet de la personnalité qui sont tirées des questionnaires.

Échelle du lieu de contrôle interne-externe [i-e] *(internal-external scale [I-E]).* Échelle de personnalité élaborée par Rotter pour mesurer la croyance d'un individu en sa capacité d'agir sur les événements de sa vie (lieu de contrôle interne), par opposition à la croyance selon laquelle les événements de sa vie sont le résultat de facteurs externes échappant à son emprise, tels que le hasard, la chance ou le destin (lieu de contrôle externe).

Effets attribuables à l'expérimentateur *(experimenter expectancy effects).* Effets involontairement induits par le comportement de l'expérimentateur et qui amènent les participants à se comporter de façon à corroborer l'hypothèse de ce dernier.

Empathie *(empathic understanding).* Expression utilisée par Rogers pour désigner la capacité de percevoir et de comprendre les expériences et les sentiments d'autrui. C'est également l'une des trois conditions que doit remplir le thérapeute pour assurer le développement de la personne et le progrès au cours de la thérapie.

Envie du pénis *(penis envy).* Dans la théorie psychanalytique, l'envie qu'éprouve la fillette de posséder un pénis.

Environnements partagés et non partagés *(shared and nonshared environments)*. En génétique comportementale, comparaison à des fins de recherche des répercussions observées sur des frères et sœurs qui ont grandi dans le même environnement ou dans des environnements différents. Les chercheurs tentent plus particulièrement d'établir si les frères et sœurs élevés dans la même famille partagent ou non l'environnement familial.

Erg *(erg)*. Concept de Cattell désignant les tendances biologiques qui donnent au comportement ses motivations fondamentales.

Estime de soi *(self-esteem)*. Évaluation du soi par l'individu ou jugement personnel qu'il porte sur son mérite.

État d'esprit *(state)*. Changement émotionnel et changement d'humeur (par exemple angoisse, dépression, épuisement) qui, selon Cattell, peut influer sur le comportement d'un individu à un moment donné. On suggère d'évaluer les traits de personnalité et l'état d'esprit pour prévoir le comportement.

Étendue *(bandwidth)*. Concept se rapportant au champ des phénomènes traités par une théorie.

Études d'adoption *(adoption studies)*. Méthode de recherche utilisée pour établir des relations gènes-comportement en comparant des frères et sœurs biologiques élevés ensemble avec des frères et sœurs élevés séparément (adoptés). Ce type d'études est généralement combiné à des études de jumeaux.

Études de jumeaux *(twin studies)*. Méthode de recherche utilisée pour établir des relations gènes-comportement en comparant le degré de similarité que présentent de vrais jumeaux, de faux jumeaux, ainsi que des frères et sœurs qui ne sont pas jumeaux. Ce type d'études est souvent combiné à des études d'adoption.

Évaluation ABC *(ABC assessment)*. Évaluation du comportement où l'on examine les antécédents (A) du comportement, le comportement lui-même (B pour *behavior*) et ses conséquences (C) ; analyse fonctionnelle du comportement qui exige qu'on détermine les conditions environnementales qui régulent des comportements donnés.

Évaluation du comportement *(behavioral assessment)*. Évaluation fondée sur l'importance de comportements précis associés à des caractéristiques situationnelles données (l'évaluation ABC, par exemple).

Exigences implicites de la situation expérimentale *(demand characteristics)*. Signaux implicites inhérents au milieu expérimental ou qui influent sur le comportement du participant étudié.

Existentialisme *(existentialism)*. Approche permettant de comprendre l'individu et d'orienter la thérapie ; on l'associe au courant humaniste, qui souligne l'importance de la phénoménologie et des préoccupations inhérentes à l'existence humaine. Il a sa source dans un courant philosophique plus général.

Extinction *(extinction)*. Dans le conditionnement, affaiblissement progressif de l'association entre un stimulus et une réponse, dans le conditionnement classique parce que le stimulus conditionné n'est plus suivi du stimulus inconditionné, et dans le conditionnement opérant parce que la réponse n'est plus suivie d'un renforcement.

Extraversion *(extraversion)*. Dans la théorie d'Eysenck, l'un des pôles de la dimension introversion-extraversion de la personnalité ; l'extraverti a tendance à être sociable, amical, impulsif et intrépide.

Facettes *(facets)*. Traits plus spécifiques (ou composantes) qui relèvent des cinq grands facteurs. Par exemple, les facettes de l'extraversion sont : *activité, affirmation de soi, recherche d'émotions fortes, affects positifs, sociabilité* et *chaleur*.

Fantasme *(fantasm)*. Production de l'imagination par laquelle le moi cherche à échapper à la réalité.

Fidélité *(fidélité)*. Stabilité, fiabilité et capacité de reproduire les observations.

Fixation *(fixation)*. Concept freudien qui exprime l'arrêt ou l'interruption du développement psychosexuel de l'individu à un moment donné.

Flou *(loosening)*. Dans la théorie des construits personnels de Kelly, utilisation de construits pour effectuer les mêmes prévisions sans égard aux circonstances.

Formation réactionnelle *(reaction formation)*. Mécanisme de défense qui sert à exprimer le contraire d'un désir inacceptable.

Généralisation *(generalization)*. Dans le conditionnement, association d'une réponse avec des stimuli similaires au stimulus par lequel cette réponse a d'abord été conditionnée ou à laquelle elle a été rattachée.

Génétique comportementale *(behavioral genetics)*. Discipline qui tente de déterminer quelle est la part génétique dans les comportements qui intéressent les psychologues, principalement en comparant le degré de similarité entre des individus présentant divers degrés de similarité biologique-génétique.

Gratification différée *(delay of gratification)*. Retard du plaisir jusqu'au moment approprié ou optimal ; concept sur lequel la théorie sociocognitive insiste plus particulièrement en relation avec l'autorégulation.

Guides personnels *(personal guides)*. Normes concernant le soi que l'individu a l'impression de devoir respecter ; elles résultent des premières expériences d'apprentissage et ont d'importantes répercussions émotionnelles.

Habitude *(habit)*. Dans la théorie de Hull, association entre un stimulus et une réponse.

Hostilité *(hostility)*. Dans la théorie des construits personnels de Kelly, tentative à laquelle se livre l'individu pour obtenir d'autrui qu'il se comporte de telle ou telle manière, et ce afin de valider son propre système de construits.

Hypothèse lexicale fondamentale *(fundamental lexical hypothesis)*. Hypothèse selon laquelle les différences les plus importantes entre les individus à propos des rapports humains ont été encodées dans la langue au fil du temps, sous forme de termes uniques.

Identification *(identification)*. L'acquisition, en tant que caractéristiques personnelles, de traits de personnalité perçus comme appartenant à d'autres (par exemple, les parents).

Imitation *(imitation)*. Comportement qui s'acquiert par l'observation d'autrui ; dans la théorie S-R, résultat d'un processus fondé sur le renforcement d'un comportement qui reproduit celui d'autrui. Par exemple, les enfants calquent leur comportement sur celui de leurs parents et en sont récompensés.

Incongruence *(incongruence)*. Concept rogérien désignant l'existence d'un désaccord ou d'un conflit entre le concept de soi et l'expérience.

Inconscient *(unconscious)*. Désigne les pensées, les expériences et les émotions dont nous ne sommes pas conscients. Selon Freud, cette inconscience est la conséquence du refoulement.

Introversion *(introversion).* Dans la théorie d'Eysenck, l'un des pôles de la dimension introversion-extraversion de la personnalité; l'introverti tend à être placide, réservé, réfléchi et prudent.

Isolation *(isolation).* Mécanisme de défense par lequel l'émotion est isolée d'un désir ou d'un souvenir pénible.

Jugements sur l'autoefficacité *(self-efficacity judgments).* Dans la théorie sociocognitive, attentes de la personne quant à sa capacité de se comporter de manière spécifique dans une situation donnée.

Libido *(libido).* Terme psychanalytique désignant l'énergie psychique associée d'abord aux pulsions sexuelles et plus tard aux pulsions de vie.

Lieu de causalité *(locus of causality).* Dans le schème des attributions causales de Weiner, dimension qui a trait au fait que les causes sont perçues comme provenant soit de l'intérieur de la personne (causes internes), soit de l'extérieur (causes externes); les deux autres dimensions causales de Weiner sont la *stabilité* (causes stables ou instables) et la *maîtrisabilité* (événements maîtrisables ou non maîtrisables).

Lieu de contrôle *(locus of control).* Concept élaboré par Rotter pour exprimer l'attente généralisée ou la croyance concernant les causes de l'apparition ou de la non-apparition des renforcements et des punitions.

Manifestation *(manifestation).* Production de comportements appris (acquis); pour Bandura, la manifestation dépend de la récompense, contrairement à l'acquisition.

Maturation intrinsèque *(intrinsic maturation).* Concept de McCrae et Costa selon lequel le développement des traits de personnalité est déterminé par la biologie et est relativement indépendant de l'influence du milieu.

Mécanismes de défense *(defense mechanisms).* Concept freudien désignant les mécanismes utilisés pour contenir et réduire l'angoisse. C'est par leur intervention que certains désirs ou certaines émotions sont exclus du champ de la conscience.

Mécanismes psychologiques évolués *(evolved psychological mecanisms).* Mécanismes psychologiques fondamentaux qui, selon la perspective évolutionniste, résultent d'une évolution sélective, c'est-à-dire qu'ils existent et perdurent parce qu'ils se sont révélés favorables à la survie et à la reproduction.

Menace *(threat).* Dans la théorie des construits personnels de Kelly, perception de l'individu qui prend conscience de l'imminence d'un changement majeur qui ébranlera son système de construits.

Méthode bivariée *(bivariate method).* Chez Cattell, technique permettant d'étudier la personnalité et respectant la conception expérimentale classique: on fait fluctuer une variable indépendante et on observe les effets de ce jeu sur une variable dépendante.

Méthode clinique *(clinical method).* Chez Cattell, technique permettant d'étudier la personnalité et s'intéressant aux modèles complexes de comportement en situation naturelle, mais dont les variables ne sont pas évaluées d'une manière systématique.

Méthode fondée sur les échantillons *(sample approach).* Terme utilisé par Mischel pour décrire les approches de l'évaluation où l'on s'intéresse au comportement lui-même en relation avec les conditions environnementales, par opposition à la méthode fondée sur les signes.

Méthode fondée sur les signes *(sign approach).* Terme utilisé par Mischel pour décrire les approches de l'évaluation qui déduisent les traits de la personnalité à partir des questionnaires, par opposition à la méthode fondée sur les échantillons.

Méthode multivariée *(multivariate method).* Chez Cattell, technique privilégiée dans l'étude de la personnalité, qui consiste à analyser les corrélations entre plusieurs variables.

Modelage *(modeling).* Concept proposé par Bandura; processus par lequel les gens reproduisent des comportements appris en observant autrui.

Modèle à cinq facteurs *(five-factor model).* Consensus naissant parmi les théoriciens des traits au sujet des cinq facteurs fondamentaux de la personnalité humaine : névrosisme, extraversion, ouverture, amabilité et esprit consciencieux.

Modèle ABA [modèle autocontrôlé] *(ABA research [own-control] design).* Variante skinnérienne du modèle expérimental consistant à soumettre un individu à trois phases expérimentales : période de référence (A); introduction de renforçateurs pour modifier la fréquence d'un comportement précis (B); retrait du renforcement et observation du comportement pour voir s'il revient à sa fréquence du début (période de référence) (A).

Modèle de l'incitation *(incentive model).* Modèle qui met l'accent sur un objet externe qui attire ou repousse l'individu.

Modèle de réduction de la tension *(tension reduction model).* Modèle selon lequel des besoins internes créent chez l'individu des tensions qu'il cherche à réduire par la satisfaction des besoins en question.

Modèle de tempérament à trois facteurs [les « Trois Grands »] *(three dimensional temperament model).* Modèle selon lequel les différences de tempérament entre les individus peuvent se ramener à trois superfacteurs : *AN* (affectivité négative), *AP* (affectivité positive) et *DoI* (désinhibition ou inhibition).

Modèles intériorisés opérants *(internal working models).* Concept de Bowlby désignant les représentations mentales (images) du soi et d'autrui, associées à l'émotion, qui se développent au cours des premières années de la vie de l'enfant.

Moi *(ego).* Concept structurel freudien désignant la partie de la personnalité qui tente de satisfaire ses pulsions conformément à la réalité et aux valeurs morales de l'individu.

Neurotransmetteurs *(neurotransmitters).* Substances chimiques qui transmettent l'information d'un neurone à l'autre (comme la dopamine et la sérotonine).

Névrosisme *(neuroticism).* Dans la théorie d'Eysenck, dimension de la personnalité qui se définit par deux pôles: stabilité et faible angoisse d'une part, instabilité et grande anxiété d'autre part.

Normes internes *(internal standards).* Dans la théorie sociocognitive, normes apprises pour renforcer le comportement (par la fierté, la honte, etc.) afin de le réguler et de le maintenir, et qui font à présent partie de l'individu.

Objectifs *(goals).* Dans la théorie sociocognitive, événements souhaités qui motivent la personne sur de longues périodes et lui permettent de dépasser les influences du moment.

Observations *(O-data).* Données ou renseignements fournis par des observateurs bien informés tels que les parents, les amis ou les enseignants.

Participation guidée *(guided mastery).* Dans la théorie sociocognitive, approche thérapeutique où l'on aide la personne à reproduire les comportements d'un modèle.

Perception sans prise de conscience *(perception without awareness).* Perception inconsciente, ou perception d'un stimulus sans véritable prise de conscience d'une telle perception.

Période de latence *(latency stage)*. Dans la théorie psychanalytique, période venant après le stade phallique et pendant laquelle on assiste à une baisse des pulsions et de l'intérêt sexuels.

Personnalité *(personality)*. Caractéristiques d'une personne qui expliquent les modes stables de son comportement.

Peur *(fear)*. Dans la théorie des construits personnels de Kelly, émotion qui survient lorsque l'individu prend conscience qu'un nouveau construit est sur le point d'être intégré à son système de construits.

Phrénologie *(phrenology)*. Discipline fondée par Gall au début du XIXe siècle et qui avait pour objet la localisation des zones du cerveau auxquelles on attribuait divers aspects du fonctionnement émotionnel et comportemental. Bientôt considérée comme de la superstition et du charlatanisme, la phrénologie tomba rapidement dans le discrédit.

Plasticité [neurobiologique] *(plasticity)*. Capacité que possède le système neurobiologique de changer au fil des expériences, temporairement et pour de longues périodes, tout en restant à l'intérieur des paramètres génétiques, et cela afin de répondre aux exigences adaptatives.

Pôle de différence *(contrast pole)*. Dans la théorie des construits personnels de Kelly, pôle d'un construit déterminé par la façon dont un troisième élément du construit est perçu comme différent des deux éléments qui constituent le pôle de similarité.

Pôle de similarité *(similarity pole)*. Dans la théorie des construits personnels de Kelly, pôle d'un construit déterminé par la façon dont deux éléments sont perçus comme similaires.

Précision *(fidelity)*. Concept ayant trait à la spécificité ou à la clarté d'une théorie à l'égard du phénomène étudié.

Préconscient *(preconscious)*. Concept élaboré par Freud et désignant les pensées, les expériences et les sentiments que nous avons momentanément oubliés, mais qu'il est facile de rappeler à la mémoire.

Principe de plaisir *(pleasure principle)*. Selon Freud, un des deux régulateurs du fonctionnement psychologique ; celui-ci est axé sur la recherche du plaisir et l'évitement de la douleur.

Principe de réalité *(reality principle)*. Selon Freud, mode de fonctionnement psychologique reposant sur la réalité et dans lequel la satisfaction du plaisir est retardée jusqu'au moment le plus propice.

Processus *(process)*. Dans la théorie de la personnalité, concept qui se rapporte aux aspects motivationnels de la personnalité.

Processus de perception infraliminaire *(subception)*. Processus mis en évidence par Rogers et selon lequel l'individu perçoit le stimulus sans qu'il y ait de représentation consciente.

Processus primaire *(primary process)*. Dans la théorie psychanalytique, mode de fonctionnement de l'appareil psychique qui n'obéit pas à la logique ou ne subit pas l'épreuve de la réalité et que l'on observe dans les rêves ou dans d'autres manifestations de l'inconscient.

Processus secondaire *(secondary process)*. Dans la théorie psychanalytique, mode de fonctionnement de l'appareil psychique régi par la réalité et associé au développement du moi.

Programme de renforcement *(schedule of reinforcement)*. Dans la théorie du conditionnement opérant de Skinner, fréquence et intervalles des renforcements qui reçoivent les réponses (par exemple, intervalles de temps ou intervalles entre les réponses).

Projection *(projection)*. Mécanisme de défense par lequel on attribue aux autres (ou on projette sur eux) ses propres pulsions ou désirs inacceptables.

Prototype *(prototype)*. Élément d'une catégorie dont l'ensemble des caractéristiques en fait l'exemple type de cette catégorie, les autres éléments de la catégorie ne possédant pas nécessairement toutes les caractéristiques du prototype.

Psychotisme *(psychoticism)*. Dans la théorie d'Eysenck, dimension de la personnalité qui se définit par une propension à être solitaire et insensible d'une part, à l'acceptation des normes sociales et à une attitude empathique d'autre part.

Pulsion *(drive)*. Dans la théorie de Hull, stimulus interne assez puissant pour déclencher un comportement.

Pulsion primaire *(primary drive)*. Dans la théorie de Hull, stimulus interne inné qui déclenche un comportement.

Pulsion secondaire *(secondary drive)*. Dans la théorie de Hull, stimulus interne appris lorsqu'il se trouve associé à la satisfaction des pulsions primaires et qui déclenche un comportement.

Pulsions agressives *(aggressive instincts)*. Concept freudien désignant les pulsions axées sur le désir de causer un dommage, d'infliger des blessures corporelles ou de détruire.

Pulsions de mort *(death instinct)*. Concept freudien désignant les pulsions ou les sources d'énergie orientées vers la mort ou le retour à un état inorganique.

Pulsions de vie *(life instinct)*. Concept freudien désignant les pulsions ou les sources d'énergie (libido) axées sur l'autoconservation et la satisfaction sexuelle.

Pulsions sexuelles *(sexual instincts)*. Concept freudien désignant les pulsions axées sur la satisfaction ou le plaisir sexuels.

Questionnaire d'évaluation du style d'attribution *(Attributional Style Questionnaire [ASQ])*. Questionnaire conçu pour mesurer les attributions concernant la résignation acquise selon trois dimensions : interne (personnelle)/externe (universelle), spécifique/globale, stable/instable.

Rationalisation *(rationalization)*. Selon Freud, mécanisme de défense employé pour donner une justification acceptable à un motif ou à un acte inacceptable ; selon Rogers, mécanisme de défense par lequel l'individu déforme la perception d'un comportement pour le rendre congruent avec le soi.

Réaction émotionnelle conditionnée *(conditioned emotional reaction)*. Terme de Watson et Rayner désignant l'apparition d'une réaction émotionnelle en réponse à un stimulus jusque-là neutre (comme la peur des rats manifestée par le petit Albert).

Recherche clinique *(clinical research)*. Méthode de recherche qui implique l'étude approfondie de l'individu à partir de l'observation de son comportement spontané ou de ses rapports verbaux sur les événements qui se produisent dans son milieu de vie.

Recherche corrélationnelle *(correlational research)*. Méthode de recherche qui consiste à mesurer et à relier statistiquement les différences entre les individus.

Recherche expérimentale *(experimental research)*. Méthode de recherche qui permet à l'expérimentateur de manipuler des variables et qui vise à établir des lois générales montrant des relations de cause à effet entre ces variables.

Recherche idiographique *(idiographic approach)*. Méthode privilégiée par Allport, selon laquelle on s'intéresse tout particulièrement à l'étude des individus et à l'organisation des variables de la personnalité individuelle.

Recherche microanalytique *(microanalytic research)*. Stratégie de recherche privilégiée par Bandura pour évaluer le sentiment d'autoefficacité et où l'on enregistre des jugements spécifiques plutôt que globaux.

Refoulement *(repression)*. Mécanisme de défense primaire qui permet de repousser une pensée, une idée ou un désir hors du champ de la conscience.

Régression *(regression)*. Concept freudien qui exprime le retour à un stade antérieur de développement dans la façon dont l'individu se comporte envers autrui et envers lui-même.

Renforçateur *(reinforcer)*. Événement (stimulus) qui suit une réponse et augmente la probabilité qu'elle survienne.

Renforçateur généralisé *(generalized reinforcer)*. Dans la théorie du conditionnement opérant de Skinner, renforçateur qui permet d'obtenir d'autres avantages (de l'argent, par exemple).

Répertoire des construits de rôles [test de Kelly, ou «Rep test»] *(Role Construct repertory test)*. Test conçu par Kelly pour déterminer les construits qu'utilise une personne, les relations entre ces construits et la façon dont ils s'appliquent à des personnes précises.

Réponse inadaptée *(maladaptive response)*. Dans l'approche skinnérienne des troubles mentaux, apprentissage d'une réponse que le milieu n'accepte pas, soit parce qu'elle est inacceptable en elle-même, soit parce qu'elle survient dans des circonstances inappropriées.

Résignation acquise *(learned helplessness)*. Concept conçu par Seligman, désignant la passivité inappropriée et la réduction des efforts déployés pour échapper à une situation difficile; ces deux éléments sont liés à l'absence d'espoir découlant des expériences répétées d'événements incontrôlables.

Resserrement *(tightening)*. Dans la théorie des construits personnels de Kelly, utilisation du même construit pour effectuer diverses prévisions.

Résultats d'épreuves *(T-data)*. Données ou renseignements recueillis par la méthode expérimentale ou les tests psychométriques standardisés.

Rôle *(role)*. Comportement de l'individu considéré comme approprié selon la place ou la position qu'il occupe dans la société. Selon Cattell, l'une des variables qui réduit l'influence exercée sur le comportement par les variables de la personnalité au bénéfice de l'influence des situations.

Scénario *(script)*. Ensemble ou série de comportements considérés comme appropriés dans une situation donnée.

Schéma *(schema)*. Structure cognitive qui organise l'information et qui influe ainsi sur notre façon de percevoir les informations subséquentes (objets matériels, gens, personnes et événements) et d'y réagir.

Schémas de soi *(self-schemas)*. Généralisations cognitives sur le soi découlant des expériences antérieures, qui organisent et guident le traitement de l'information liée à soi-même.

Sentiment *(sentiment)*. Concept de Cattell désignant des modes de comportement déterminés par l'environnement, qui s'expriment dans des attitudes (volonté d'agir dans un certain sens) et qui sont liés aux ergs sous-jacents (tendances biologiques innées).

Sentiment d'autoefficacité *(self-efficacy)*. Dans la théorie sociocognitive, la perception qu'a l'individu de sa capacité de composer avec des situations données.

Signatures comportementales *(behavioral signatures)*. Profils distinctifs individuels de relations situation-comportement.

Soi idéal *(ideal self)*. Image de soi que l'individu aimerait posséder; concept clé de la théorie de Rogers.

Soi possibles *(possible selves)*. Idées qu'ont les gens sur ce qu'ils pensent pouvoir devenir, sur ce qu'ils aimeraient devenir et sur ce qu'ils ont peur de devenir.

Somatotype *(somatype)*. Désignation ou configuration des composantes primaires de la constitution physique d'un individu.

Spécificité situationnelle *(situational specificity)*. Dans la perspective béhavioriste, terme signifiant que le comportement varie en fonction de la situation, contrairement à la conception mise en avant par les théoriciens des traits de personnalité, qui insistent sur la constance du comportement dans diverses situations.

Stade anal *(anal stage)*. Concept freudien désignant la période de la vie pendant laquelle l'anus constitue le centre de l'excitation ou de la tension corporelle.

Stade génital *(genital stage)*. Dans la théorie psychanalytique, stade de développement associé à l'apparition de la puberté.

Stade oral *(oral stage)*. Concept freudien désignant la période de la vie pendant laquelle la bouche constitue le centre de l'excitation ou de la tension corporelle.

Stade phallique *(phallic stage)*. Concept freudien désignant la période de la vie pendant laquelle l'excitation ou la tension commence à se concentrer sur les organes génitaux et au cours de laquelle l'enfant est attiré par le parent du sexe opposé.

Stress *(stress)*. Perception de l'individu qui juge que les circonstances dépassent ses capacités ou épuisent ses ressources, et donc menacent son bien-être, ce qui selon Lazarus suppose une évaluation en deux étapes: l'évaluation primaire et l'évaluation secondaire.

Structure *(structure)*. Dans la théorie de la personnalité, concept qui se rapporte aux aspects les plus durables et stables de la personnalité.

Style de réponse *(response style)*. Tendance des participants à répondre aux éléments du test d'une manière systématiquement biaisée en se fondant sur la forme des questions ou des réponses plutôt que sur leur contenu.

Sublimation *(sublimation)*. Mécanisme de défense par lequel on remplace la première expression de la pulsion par un objectif culturel de plus haut niveau.

Superfacteur *(superfacteur)*. Facteur générique, ou de deuxième niveau, représentant un niveau d'organisation des traits plus élevé que les facteurs issus de l'analyse factorielle.

Surmoi *(superego)*. Concept structurel freudien désignant la partie de la personnalité qui exprime nos idéaux et nos valeurs morales.

Symptôme *(symptom)*. En psychopathologie, expression d'un conflit psychologique ou d'un fonctionnement psychologique perturbé. Selon Freud, c'est l'expression déguisée d'une pulsion refoulée.

Système cognitivo-affectif de la personnalité *(cognitive affective personality system [CAPS])*. Modèle traduisant la volonté de Mischel d'intégrer les affects et les cognitions, tout comme les dispositions et la dynamique des processus, dans une théorie intégrée de la personnalité.

Système comportemental d'attachement *(attachment behavioral system)*. Concept de Bowlby soulignant l'importance du lien qui s'établit entre le nourrisson et la figure maternelle, généralement la mère.

Système de jetons *(token economy).* Environnement thérapeutique conçu selon les principes du conditionnement opérant de Skinner : les comportements considérés comme désirables chez les patients sont récompensés par des jetons.

Système d'énergie *(energy system).* Conception freudienne de la personnalité selon laquelle celle-ci résulterait de l'interaction de diverses forces (par exemple, les pulsions), ou sources d'énergie.

Technique d'immunisation contre le stress *(stress inoculation technique).* Procédé mis au point par Meichenbaum pour apprendre aux gens à mieux composer avec le stress.

Technique du Q-sort *(Q-sort).* Instrument d'évaluation qui permet de classer des propositions en catégories selon la distribution normale ; utilisé par Rogers pour mesurer les énoncés concernant le soi et le soi idéal.

Tempérament *(temperament).* Ensemble des caractéristiques individuelles de l'humeur en général ou de la qualité de la réaction émotionnelle, qui apparaissent tôt, restent relativement stables, sont héréditaires et s'inscrivent dans des processus biologiques.

Tempéraments inhibés et non inhibés *(inhibited-unhibited temperaments).* Comparativement à l'enfant non inhibé, l'enfant *inhibé* réagit aux personnes ou aux événements qui ne lui sont pas familiers par la réserve, l'évitement et le désarroi ; il met plus de temps à se détendre dans des situations nouvelles et il connaît plus de peurs et de phobies inhabituelles. L'enfant *non inhibé,* lui, semble prendre plaisir à ces mêmes situations qui paraissent si stressantes à l'enfant inhibé ; il réagit avec spontanéité aux situations nouvelles, et se montre facilement souriant et enjoué.

Test projectif *(projective test).* Test qui comprend généralement des stimuli flous et ambigus permettant aux participants de dévoiler leur personnalité en fonction de leurs réponses individuelles (test de Rorschach, test d'aperception thématique).

Théorie de l'entité *(entity theory).* Concept de Dweck désignant la croyance que le trait de personnalité est stable et non malléable.

Théorie de l'investissement parental *(parental investment theory).* Théorie selon laquelle les femmes investissent davantage que les hommes dans leur progéniture parce qu'elles ne peuvent transmettre leurs gènes qu'à un moins grand nombre de descendants qu'eux.

Théorie implicite de la personnalité *(implicit personality theory).* Ensemble des croyances qu'entretient le profane sur les caractéristiques ou les traits qui permettent de regrouper les gens en catégories ; elle est dite implicite parce que la plupart des gens ne peuvent ni formuler explicitement ni organiser ces croyances en fonction d'une théorie structurée de la personnalité.

Théorie incrémentielle *(incremental theory).* Concept de Dweck désignant la croyance que le trait de personnalité est malléable ou susceptible de changer.

Thérapie centrée sur le client *(client-centered therapy).* Expression utilisée par Rogers au début de sa carrière ; elle désigne l'approche selon laquelle le thérapeute s'intéresse à l'expérience du soi et du monde telle que la vit le client.

Thérapie cognitive *(cognitive therapy).* Approche thérapeutique qui met l'accent sur la modification des pensées erronées et inadaptées.

Thérapie d'assignation de rôle *(fixed-role therapy).* Technique thérapeutique mise au point par Kelly ; celle-ci consiste à proposer au client d'endosser le rôle d'un personnage donné, ce qui lui donne l'occasion d'essayer de se comporter et de se percevoir différemment.

Thérapie émotivo-rationnelle *(rational-emotive therapy).* Approche thérapeutique mise au point par Albert Ellis et qui met l'accent sur la modification des croyances irrationnelles ayant des conséquences émotionnelles et comportementales destructrices.

Trait cardinal *(cardinal trait).* Concept élaboré par Allport et désignant une disposition si marquée et si envahissante dans la vie d'un individu qu'elle imprègne presque tous ses actes.

Trait central *(central trait).* Concept élaboré par Allport et désignant une disposition à se comporter d'une manière donnée dans un éventail de situations.

Trait de personnalité *(trait).* Disposition à agir d'une certaine manière, illustrée par le comportement de l'individu dans un éventail de situations.

Trait secondaire *(secondary disposition).* Concept élaboré par Allport et désignant une disposition à se comporter d'une manière donnée dans un certain nombre de situations.

Traits d'aptitude, traits de tempérament et traits dynamiques *(ability, temperament, and dynamic traits).* Dans la théorie des traits de Cattell, ces trois catégories englobent les principaux aspects de la personnalité.

Traits de source *(source traits).* Dans la théorie de Cattell, comportements qui varient de façon concomitante, qui forment une dimension indépendante de la personnalité et que l'analyse factorielle permet de découvrir.

Traits de surface *(surface traits).* Dans la théorie de Cattell, comportements qui semblent aller de pair sans toutefois se trouver en corrélation.

Transfert *(transference).* En psychanalyse, processus par lequel le patient manifeste envers l'analyste des attitudes et des sentiments enracinés dans les expériences qu'il a connues antérieurement auprès de figures parentales.

Triade cognitive de la dépression *(cognitive triad).* Selon Beck, facteurs cognitifs qui engendrent la dépression ; l'individu dépressif dévalue systématiquement ses expériences antérieures et actuelles, ce qui l'amène : (1) à se voir comme un perdant ; (2) à voir le monde comme une source de frustration ; et (3) à envisager l'avenir sous un jour sinistre.

Validité *(validity).* Pertinence des données recueillies par rapport au phénomène ou aux variables qui nous intéressent.

Zones érogènes *(erogenous zones).* Selon Freud, régions du corps qui sont des sources de tension ou d'excitation.

Bibliographie

ABRAMSON, L. Y., GARBER, J., et SELIGMAN, M. E. P. (1980). Learned helplessness in humans : An attributional analysis. Dans J. Garber et M. E. P. Seligman (Dir.), *Human helplessness* (pp. 3-37). New York : Academic Press.

ABRAMSON, L. Y., SELIGMAN, M. E. P., et TEASDALE, J. D. (1978). Learned helplessness in humans : Critique and reformulation. *Journal of Abnormal Psychology, 87,* 49-74.

ADAMS-WEBBER, J. R. (1979). *Personal construct theory: Concepts and applications.* New York : Wiley.

ADAMS-WEBBER, J. R. (1982). Assimilation and contrast in personal judgment : The dichotomy corollary. Dans J. C. Mancuso et J. R. Adams-Webber (Dir.), *The construing person* (pp. 96-112). New York : Praeger.

ADAMS-WEBBER, J. R. (1998). Differentiation and sociality in terms of elicited and provided constructs. *American Psychological Society, 9,* 499-501.

ADER, R., et COHEN, N. (1993). Psychoneuroimmunology : Conditioning and stress. *Annual Review of Psychology, 44,* 53-85.

ADOLPHS, R., RUSSELL, J. A., et TRANEL, D. (1999). A role for the human amygdala in recognizing emotional arousal from unpleasant stimuli. *Psychological Science, 10,* 167-175.

AHADI, S., et DIENER, E. (1989). Multiple determinants and effect size. *Journal of Personality and Social Psychology, 56,* 398-406.

AINSWORTH, M. D. S., et BOWLBY, J. (1991). An ethological approach to personality development. *American Psychologist, 46,* 333-341.

ALEXANDER, F., et FRENCH, T. M. (1946). *Psychoanalytic therapy.* New York : Ronald.

ALLEN, J. J., IACONO, W. G., DEPUE, R. A., et ARBISI, P. (1993). Regional electroencephalographic asymmetries in bipolar seasonal affective disorder before and after exposure to bright light. *Biological Psychiatry, 33,* 642-646.

ALLOY, L. B., ABRAMSON, L. Y., et FRANCIS, E. L. (1999). Do negative cognitive styles confer vulnerability to depression ? *Current Directions in Psychological Science, 8,* 128-132.

ALLPORT, F. H., et ALLPORT, G. W. (1921). Personality traits : Their classification and measurement. *Journal of Abnormal and Social Psychology, 16,* 1-40.

ALLPORT, G. W. (1937). *Personality: A psychological interpretation.* New York : Holt, Rinehart & Winston.

ALLPORT, G. W. (1958). What units shall we employ ? Dans G. Lindzey (Dir.), *Assessment of human motives* (pp. 239-260). New York : Holt, Rinehart & Winston.

ALLPORT, G. W. (1967). Autobiography. Dans E. G. Boring et G. Lindzey (Dir.), *A history of psychology in autobiography* (pp. 1-26). New York : Appleton-Century-Crofts.

ALLPORT, G. W., et ODBERT, H. S. (1936). Trait-names : A psycholexical study. *Psychological Monographs, 47* (N° 211 intégral).

AMERICAN PSYCHOLOGICAL SOCIETY OBSERVER, The accuracy of recovered memories. Juillet 1992, p. 6.

ANDERSEN, B. L., et CYRANOWSKI, J. M. (1994). Women's sexual self-schema. *Journal of Personality and Social Psychology, 67,* 1079-1100.

ANDERSEN, S. M., et BAUM, A. (1994). Transference in interpersonal relations : Inferences and affect based on significant-other representations. *Journal of Personality, 62,* 459-498.

ANDERSEN, S. M., et BERK, M. S. (1998). The social-cognitive model of transference : Experiencing past relationships in the present. *Current Directions in Psychological Science, 7,* 109-115.

ANDERSON, C. A., LINDSAY, J. J., et BUSHMAN, B. J. (1999). Research in the psychological laboratory : Truth or triviality ? *Current Directions in Psychological Science, 8,* 3-9.

ANGELOU, M. (1993). *Wouldn't take nothing for my journey now.* Toronto, Canada : Random House.

ANTONUCCIO, D. O., THOMAS, M., et DANTON, W. G. (1997). A cost-effectiveness analysis of cognitive behavior therapy and fluoxetine (Prozac) in the treatment of depression. *Behavior Therapy, 28,* 187-210.

APA ETHICAL PRINCIPLES OF PSYCHOLOGISTS. (1981). *American Psychologist, 36,* 633-638.

APA MONITOR. (1982). The spreading case of fraud, *13,* 1.

APA MONITOR. (1990). The risk of emotion suppression, 14 juillet.

ARONSON, E., et METTEE, D. R. (1968). Dishonest behavior as a function of differential levels of induced self-esteem. *Journal of Personality and Social Psychology, 9,* 121-127.

ASENDORPF, J. B., et VAN AKEN, M. A. G. (1999). Resilient, overcontrolled, and undercontrolled personality prototypes in childhood : Replicability, predictive power, and the trait-type issue. *Journal of Personality and Social Psychology, 77,* 815-832.

AYLLON, T., et AZRIN, H. H. (1965). The measurement and reinforcement of behavior of psychotics. *Journal of the Experimental Analysis of Behavior, 8,* 357-383.

BALAY, J., et SHEVRIN, H. (1988). The subliminal psychodynamic activation method. *American Psychologist, 43,* 161-174.

BALAY, J., et SHEVRIN, H. (1989). SPA is subliminal, but is it psychodynamically activating ? *American Psychologist, 44,* 1423-1426.

BALDWIN, A. L. (1949). The effect of home environment on nursery school behavior. *Child Development, 20,* 49-61.

BALDWIN, A., CRITELLI, J. W., STEVENS, L. C., et RUSSELL, S. (1986). Androgyny and sex role measurement : A personal construct approach. *Journal of Personality and Social Psychology, 51,* 1081-1088.

BANAJI, M., et PRENTICE, D. A. (1994). The self in social contexts. *Annual Review of Psychology, 45,* 297-332.

BANDURA, A. (1965). Influence of models' reinforcement contingencies on the acquisition of imitative responses. *Journal of Personality and Social Psychology, 1*, 589-595.

BANDURA, A. (1971). Psychotherapy based upon modeling principles. Dans A. E. Bergin et S. Garfield (Dir.), *Handbook of psychotherapy and behavior change* (pp. 653-708). New York: Wiley.

BANDURA, A. (1972). *The process and practice of participant modeling treatment.* Article présenté à la Conference on the Behavioral Basis of Mental Health, Irlande.

BANDURA, A. (1982). Self-efficacy mechanism in human agency. *American Psychologist, 37*,122-147.

BANDURA, A. (1986). *Social foundations of thought and action: A social cognitive theory.* Englewood Cliffs, NJ: Prentice Hall.

BANDURA, A. (1988). Self-efficacy conception of anxiety. *Anxiety Research, 1*, 77-98.

BANDURA, A. (1989a). Social cognitive theory. *Annals of Child Development, 6*, 1-60.

BANDURA, A. (1989b). Self-regulation of motivation and action through internal standards and goal systems. Dans L. A. Pervin (Dir.), *Goal concepts in personality and social psychology* (pp. 19-85). Hillsdale, NJ: Erlbaum.

BANDURA, A. (1989c). Human agency in social cognitive theory. *American Psychologist, 44*, 1175-1184.

BANDURA, A. (1990). Self-regulation of motivation through anticipatory and self-reactive mechanisms. *Nebraska Symposium on Motivation, 38*, 69-164.

BANDURA, A. (1992). Self-efficacy mechanism in psychobiologic functioning. Dans R. Schwarzer (Dir.), *Self-efficacy: Thought control of action* (pp. 335-394). Washington, D.C.: Hemisphere.

BANDURA, A. (1995). Exercise of personal and collective efficacy in changing societies. Dans A. Bandura (Dir.), *Self-efficacy in changing societies* (pp. 1-45). New York: Cambridge.

BANDURA, A. (1997). *Self-efficacy: The exercise of control.* New York: Freeman.

BANDURA, A. (1999). Social cognitive theory of personality. Dans L. A. Pervin et O. P. John (Dir.), *Handbook of personality: Theory and research* (pp. 154-196). New York: Guilford.

BANDURA, A., ADAMS, N. E., et BEYER, J. (1977). Cognitive processes mediating behavioral change. *Journal of Personality and Social Psychology, 35*, 125-139.

BANDURA, A., BLANCHARD, E. B., et RITTER, B. J. (1967). *The relative efficacy of modeling therapeutic approaches for producing behavioral, attitudinal and affective changes.* Manuscrit non publié, Stanford University.

BANDURA, A., et ADAMS, N. E. (1977). Analysis of self-efficacy theory of behavioral change. *Cognitive Therapy and Research, 1*, 287-310.

BANDURA, A., et BARAB, P. G. (1971). Conditions governing nonreinforced imitation. *Developmental Psychology, 5*, 244-255.

BANDURA, A., et CERVONE, D. (1983). Self-evaluative and self-efficacy mechanisms governing the motivational effect of goal systems. *Journal of Personality and Social Psychology, 45*, 1017-1028.

BANDURA, A., et KUPERS, C. J. (1964). Transmission of patterns of self-reinforcement through modeling. *Journal of Abnormal and Social Psychology, 69*, 1-9.

BANDURA, A., et MENLOVE, F. L. (1968). Factors determining vicarious extinction of avoidance behavior through symbolic modeling. *Journal of Personality and Social Psychology, 8*, 99-108.

BANDURA, A., et MISCHEL, W. (1965). Modification of self-imposed delay of reward through exposure to live and symbolic models. *Journal of Personality and Social Psychology, 2*, 698-705.

BANDURA, A., et ROSENTHAL, T. L. (1966). Vicarious classical conditioning as a function of arousal level. *Journal of Personality and Social Psychology, 3*, 54-62.

BANDURA, A., et SCHUNK, D. H. (1981). Cultivating competence, self-efficacy, and intrinsic interest. *Journal of Personality and Social Psychology, 41*, 586-598.

BANDURA, A., GRUSEC, J. E., et MENLOVE, F. L. (1967). Some social determinants of self-monitoring reinforcement systems. *Journal of Personality and Social Psychology, 5*, 449-455.

BANDURA, A., REESE, L., et ADAMS, N. E. (1982). Microanalysis of action and fear arousal as a function of differential levels of perceived self-efficacy. *Journal of Personality and Social Psychology, 43*, 5-21.

BANDURA, A., ROSS, D., et ROSS, S. (1963). Imitation of film-mediated aggressive models. *Journal of Abnormal and Social Psychology, 66*, 3-11.

BANNISTER, D. (1962). The nature and measurement of schizophrenic thought disorder. *Journal of Mental Science, 108*, 825-842.

BARGH, J. A., et BARNDOLLAR, K. (1996). Automaticity in action: The unconscious as a repository of chronic goals and motives. Dans P. M. Gollwitzer, et J. A. Bargh (Dir.), *The psychology of action* (pp. 457-481). New York: Guilford.

BARGH, J. A., et TOTA, M. E. (1988). Context-dependent automatic processing in depression: Accessibility of negative constructs with regard to self but not others. *Journal of Personality and Social Psychology, 54*, 925-939.

BARLOW, D. H. (1991). Disorders of emotion. *Psychological Inquiry, 2*, 58-71.

BARON, R. A. (1987). Outlines of a grand theory. *Contemporary Psychology, 32*, 413-415.

BARONDES, S. H. (1998). *Mood genes: Hunting for the origins of mania and depression.* New York: W.H. Freeman.

BARRICK, M. R., et MOUNT, M. K. (1991). The Big Five personality dimensions and job performance: A meta-analysis. *Personnel Psychology, 44*, 1-26.

BARRON, F. (1953). An ego-strength scale which predicts response to psychotherapy. *Journal of Consulting Psychology, 17*, 327-333.

BARTHOLOMEW, K., et HOROWITZ, L. K. (1991). Attachment styles among young adults: A test of a four-category model. *Journal of Personality and Social Psychology, 61*, 226-244.

BASEN-ENGQUIST, K. (1994). Evaluation of theory-based HIV prevention intervention in college students. *AIDS Education and Prevention, 6*, 412-424.

BAUMEISTER, R. F. (1982). A self-presentational view of social phenomena. *Psychological Bulletin, 91*, 3-26.

BAUMEISTER, R. F. (1997). ldentity, self-concept, and self-esteem: The self lost and found. Dans Hogan, R., Johnson, J., et Briggs, S. (Dir.), *Handbook of personality psychology* (pp. 681-710). San Diego, CA: Academic Press.

BAUMEISTER, R. F. (1999). On the interface between personality and social psychology. Dans L. A. Pervin et O. P. John (Dir.), *Handbook of personality: Theory and research* (pp. 367-377). New York : Guilford.

BAUMEISTER, R. F. (Dir.) (1991). *Escaping the self:* New York : Basic Books.

BAUMRIND, D. (1993). The average expectable environment is not good enough : A response to Scarr. *Child Development, 64,* 1299-1317.

BECK, A. T. (1987). Cognitive models of depression. *Journal of Cognitive Psychotherapy, 1,* 2-27.

BECK, A. T. (1988). *Love is never enough.* New York : Harper & Row.

BECK, A. T. (1991). Cognitive therapy : A 30-year retrospective. *American Psychologist, 46,* 368-375.

BECK, A. T. (1993). Cognitive therapy : Past, present, and future. *Journal of Consulting and Clinical Psychology, 61,* 194-198.

BECK, A. T., FREEMAN, A., et AUTRES. (1990). *Cognitive therapy of personality disorders.* New York : Guilford Press.

BECK, A. T., WRIGHT, F. D., NEWMAN, C. D., et LIESE, B. S. (1993). *Cognitive therapy of drug abuse.* New York : Guilford Press.

BENET, V., et WALLER, N. G. (1995). The Big Seven factor model of personality description : Evidence for its cross-cultural generality in a Spanish sample. *Journal of Personality and Social Psychology, 69,* 701-718.

BENET-MARTINEZ, V., et JOHN, O. P. (1998). *Los Cinco Grandes* across cultures and ethnic groups : Multitrait multimethod analyses of the Big Five in Spanish and English. *Journal of Personality and Social Psychology, 75,* 729-750.

BENJAMIN, J., LIN, L., PATTERSON, C., GREENBERG, B. D., MURPHY, D. L., et HAMER, D. H. (1996). Population and familial association between the D4 dopamine receptor gene and measures of novelty seeking. *Nature Genetics, 12,* 81-84.

BERKOWITZ, L., et DONNERSTEIN, E. (1982). External validity is more than skin deep. *American Psychologist, 37,* 245-257.

BERNTSON, G. G., et CACIOPPO, J. T. (2000). Psychobiology and social psychology : Past, present, and future. *Personality and Social Psychology Review, 4,* 3-15.

BERSCHEID, E. (1991). A very personal view of person perception. *Psychological Inquiry, 2,* 388-393.

BIERI, J. (1953). Changes in interpersonal perceptions following social interaction. *Journal of Abnormal and Social Psychology, 48,* 61-66.

BIERI, J. (1986). Beyond the grid principle. *Contemporary Psychology, 31,* 672-673.

BIERI, J., ATKINS, A., BRIAR, S., LEAMAN, R. L., MILLER, H., et TRIPOLDI, T. (1966). *Clinical and social judgment.* New York : Wiley.

BLOCK, J. (1977). Advancing the psychology of personality : Paradigmatic shift or improving the quality of research ? Dans D. Magnusson et N. Endler (Dir.), *Personality at the crossroads* (pp. 37-64). Hillsdale, NJ : Erlbaum.

BLOCK, J. (1993). Studying personality the long way. Dans D. C. Funder, R. D. Parke, C. Tomlinson-Keasey et K. Widaman (Dir.), *Studying lives through time* (pp. 9-41). Washington, D.C. : American Psychological Association.

BLOCK, J. (1995). A contrarian view of the five-factor approach to personality description. *Psychological Bulletin, 117,* 187-215.

BLOCK, J. H., et BLOCK, J. (1980). The role of ego control and ego resiliency in the organization of behavior. Dans W. A. Collins (Dir.), *Development of cognitive, affect, and social relations: The Minnesota symposium in child psychology* (pp. 39-101). Hillsdale, NJ : Erlbaum.

BLOCK, J., et ROBINS, R. W. (1993). A longitudinal study of consistency and change in self-esteem from early adolescence to early adulthood. *Child Development, 64,* 909-923.

BONARIES, H., HOLLAND, R., et ROSENBERG, S. (Dir.) (1981). *Personal construct psychology. Recent advances in theory and practice.* London : Macmillan.

BOND, M. H. (1994). Trait theory and cross-cultural studies of person perception. *Psychological Inquiry, 5,* 114-117.

BORGATTA, E. F. (1968). Traits and persons. Dans E. F. Borgatta et W. F. Lambert (Dir.), *Handbook of personality: Theory and research* (pp. 510-528). Chicago : Rand McNally.

BORNSTEIN, R. F., et MASLING, J. M. (1998). *Empirical perspectives on the psychoanalytic unconscious.* Washington, D.C. : American Psychological Association.

BOUCHARD, T. J., Jr., LYKKEN, D. T., McGUE, M., SEGAL, N. L., et TELLEGEN, A. (1990). Sources of human psychological differences : The Minnesota study of twins reared apart. *Science, 250,* 223-228.

BOUTON, M. E. (1994). Context, ambiguity, and classical conditioning. *Current Directions in Psychological Science, 3,* 49-53.

BRAMEL, D., et FRIEND, R. (1981). Hawthorne, the myth of the docile worker, and the class bias in psychology. *American Psychologist, 36,* 867-878.

BRETHERTON, I. (1992). The origins of attachment theory : John Bowlby and Mary Ainsworth. *Developmental Psychology, 28,* 759-775.

BREWIN, C. R. (1989). Cognitive change processes in psychotherapy. *Psychological Review, 96,* 379-394.

BREWIN, C. R. (1996). Theoretical foundations of cognitive-behavior therapy for anxiety and depression. *Annual Review of Psychology, 47,* 33-57.

BRIGGS, S. R. (1989). The optimal level of measurement for personality constructs. Dans D. M. Buss et N. Cantor (Dir.), *Personality psychology: Recent trends and emerging directions* (pp. 246-260). New York : Springer-Verlag.

BRODY, N. (1988). *Personality: In search of individuality.* New York : Academic Press.

BROWN, I. B., Jr., et INOUYE, D. K. (1978). Learned helplessness through modeling : The role of perceived similarity in competence. *Journal of Personality and Social Psychology, 36,* 900-908.

BROWN, J. D., et McGILL, K. L. (1989). The cost of good fortune : When positive life events produce negative health consequences. *Journal of Personality and Social Psychology, 57,* 1103-1110.

BROWN, N. O. (1959). *Life against death.* New York : Random House.

BROWN, N.O. (1972). *Éros et Thanatos*, trad. de l'américain par R. Villoteau, Paris, Denoël.

BRUNER, J. S. (1956). You are your constructs. *Contemporary Psychology, 1,* 355-356.

BURGER, J. M., et COOPER, H. M. (1979). The desirability of control. *Motivation and Emotion, 3,* 381-387.

BUSS, A. H. (1988). *Personality: Evolutionary heritage and human distinctiveness.* Hillsdale, NJ : Erlbaum.

BUSS, A. H. (1989). Personality as traits. *American Psychologist, 44,* 1378-1388.

BUSS, A. H. (1997). Evolutionary perspectives on personality traits. Dans R. Hogan, J. Johnson et S. Briggs (Dir.), *Handbook of personality psychology* (pp. 345-366). New York : Academic Press.

BUSS, A. H., et PLOMIN, R. (1975). *A temperament theory of personality development.* New York : Wiley Interscience.

BUSS, D. M. (1991). Evolutionary personality psychology. *Annual Review of Psychology, 42,* 459-492.

BUSS, D. M. (1995). Evolutionary psychology : A new paradigm for psychological science. *Psychological Inquiry, 6,* 1-30.

BUSS, D. M. (1999). Human nature and individual differences : The evolution of human personality. Dans L. A. Pervin et O. P. John (Dir.), *Handbook of personality: Theory and Research* (pp. 31-56). New York : Guilford.

BUSS, D. M. (2000). The evolution of happiness. *American Psychologist, 55,* 15-23.

BUSS, D. M., et CRAIK, K. H. (1983). The act frequency approach to personality. *Psychological Review, 90,* 105-126.

BUSS, D. M., et KENRICK, D. T. (1998). Evolutionary social psychology. Dans D. T. Gilbert, S. T. Fiske et G. Lindzey (Dir.), *The handbook of social psychology (4e édition)* (pp. 982-1026). New York : McGraw-Hill.

BUSSEY, K., et BANDURA, A. (1999). Social cognitive theory of gender development and differentiation. *Psychological Bulletin, 106,* 676-713.

CACIOPPO, J. T. (1999). The case for social psychology in the era of molecular biology. Discours d'ouverture à la Society for Personality and Social Psychology Preconference, 3 juin 1999, Denver, Co.

CACIOPPO, J. T., et BERNTSON, G. G. (1992). Social psychological contributions to the decade of the brain : Doctrine of multilevel analysis. *American Psychologist, 47,* 1019-1028.

CAMPBELL, J. B., et HAWLEY, C. W. (1982). Study habits and Eysenck's theory of extroversion-introversion. *Journal of Research in Personality, 16,* 139-146.

CAMPBELL, J. D., et LAVALLEE, L. F. (1993). Who am I ? The role of self-concept confusion in understanding the behavior of people with low self-esteem. Dans R. F. Baumeister (Dir.), *Self-esteem: The puzzle of low self-regard* (pp. 3-20). New York : Plenum.

CAMPBELL, W. K. (1999). Narcissism and romantic attraction. *Journal of Personality and Social Psychology, 77,* 1254-1270.

CANTOR, N. (1990). From thought to behavior : "Having" and "doing" in the study of personality and cognition. *American Psychologist, 45,* 735-750.

CANTOR, N., et HARLOW, R. E. (1994). Personality, strategic behavior, and daily-life problem solving. *Current Directions in Psychological Science, 3,* 169-172.

CANTOR, N., et KIHLSTROM, J. F. (1987). *Personality and social intelligence.* Englewood Cliffs, NJ : Prentice Hall.

CANTOR, N., et ZIRKEL, S. (1990). Personality, cognition, and purposive behavior. Dans L. A. Pervin (Dir.), *Handbook of personality: Theory and research* (pp. 135-164). New York : Guilford Press.

CANTOR, N., MISCHEL, W., et SCHWARTZ, J. C. (1982). A prototype analysis of psychological situations. *Cognitive Psychology, 14,* 45-77.

CAPRARA, G. V., et PERUGINI, M. (1994). Personality described by adjective : The generalizability of the Big Five to the Italian lexical context. *European Journal of Personality, 8,* 351-369.

CARLSON, R. (1971). Where is the person in personality research ? *Psychological Bulletin, 75,* 203-219.

CARNELLEY, K. B., PIETROMONACO, P. R., et JAFFE, K. (1994). Depression, working models of others, and relationships functioning. *Journal of Personality and Social Psychology, 66,* 127-140.

CARTWRIGHT, D. S. (1956). Self-consistency as a factor affecting immediate recall. *Journal of Abnormal and Social Psychology, 52,* 212-218.

CARVER, C. S., et BAIRD, E. (1998). The American dream revisited : Is it *what* or *why* you want it that matters ? *Psychological Science, 9,* 289-292.

CASPI, A. (2000). The child is father of the man : Personality correlates from childhood to adulthood. *Journal of Personality and Social Psychology, 78,* 158-172.

CASPI, A., et BEM, D. J. (1990). Personality continuity and change across the life course. Dans L. A. Pervin (Dir.), *Handbook of personality: Theory and research* (pp. 549-575). New York : Guilford Press.

CASPI, A., et ROBERTS, B. (1999). Personality continuity and change across the life course. Dans L. A. Pervin et O. P. John (Dir.), *Handbook of personality: Theory and research* (pp. 300-326). New York : Guilford.

CASSIDY, J., et SHAVER, P. R. (Dir.) (1999). *Handbook of attachment theory and research.* New York : Guilford.

CATTELL, R. B. (1959). Foundations of personality measurement theory in multivariate expressions. Dans B. M. Bass et I. A. Berg (Dir.), *Objective approaches to personality assessment* (pp. 42-65). Princeton, NJ : Van Nostrand.

CATTELL, R. B. (1963a). Personality, role, mood, and situation perception : A unifying theory of modulators. *Psychological Review, 70,* 1-18.

CATTELL, R. B. (1963b). The nature and measurement of anxiety. *Scientific American, 208,* 96-104.

CATTELL, R. B. (1965). *The scientific analysis of personality.* Baltimore : Penguin.

CATTELL, R. B. (1979). *Personality and learning theory.* New York : Springer.

CATTELL, R. B. (1983). *Structured personality learning theory.* New York : Praeger.

CATTELL, R. B. (1985). *Human motivation and the dynamic calculus.* New York : Praeger.

CATTELL, R. B. (1990). Advances in Cattellian personality theory. Dans L. A. Pervin (Dir.), *Handbook of personality: Theory and research* (pp. 101-110). New York : Guilford Press.

CERVONE, D. (1997). Social-cognitive mechanisms and personality coherence : Self-knowledge, situational beliefs, and cross-situational coherence in perceived self-efficacy. *Psychological Science, 8,* 43-50.

CERVONE, D., et SCOTT, W. D. (1995). Self-efficacy theory of behavioral change : Foundations, conceptual issues, and therapeutic implications. Dans W. O'Donohue et L. Krasner (Dir.), *Theories in behavior therapy.* Washington, D.C. : American Psychological Association.

CERVONE, D., et SHODA, Y. (Dir.) (1999). *The coherence of personality.* New York : Guilford.

CERVONE, D., et WILLIAMS, S. L. (1992). Social cognitive theory and personality. Dans G. Caprara et G. L. Van Heck (Dir.), *Modern personality psychology* (pp. 200-252). New York : Harvester Wheatsheaf.

CHAPLIN, W. F., JOHN, O. P., et GOLDBERG, L. R. (1988). Conceptions of states and traits : Dimensional attributes with ideals as prototypes. *Journal of Personality and Social Psychology, 54,* 541-557.

CHEN, M., et BARGH, J. A. (1999). Consequences of automatic evaluation : Immediate behavioral predispositions to approach or avoid the stimulus. *Personality and Social Psychology Bulletin, 25,* 215-224.

CHEN, S., et ANDERSEN, S. M. (1999). Relationships from the past in the present : Significant-other representations and transference in interpersonal life. Dans M. P. Zanna (Dir.), *Advances in experimental social psychology* (pp. 123-190). San Diego, CA : Academic Press.

CHEUNG, F. M., LEUNG, K., FAN, R. M., SONG, W. Z., ZHANG, J. X., et ZHANG, J. P. (1996). Development of the Chinese Personality Assessment Inventory. *Journal of Cross-Cultural Psychology, 27,* 181-199.

CHIU, C., HONG, Y., MISCHEL, W., et SHODA, Y. (1995). Discriminative facility in social competence : conditional versus dispositional encoding and monitoring-blunting of information. *Social Cognition, 13,* 49-70.

CHODORKOFF, B. (1954). Self perception, perceptual defense, and adjustment. *Journal of Abnormal and Social Psychology, 49,* 508-512.

CHOI, I., NISBET, R. E., et NORENZAYAN, A. (1999). Causal attribution across cultures : Variation and universality. *Psychological Bulletin, 125,* 47-63.

CHURCH, A. T., KATIGBAK, M. S., et REYES, J. A. (1996). Towards a taxonomy of trait adjectives in Filipino : Comparing personality lexicons across cultures. *European Journal of Personality, 10,* 3-24.

CLARK, D. A., BECK, A. T., et BROWN, G. (1989). Cognitive mediation in general psychiatric out patients : A test of the content-specificity hypothesis. *Journal of Personality and Social Psychology, 56,* 958-964.

CLARK, L. A., et WATSON, D. (1999). Temperament : A new paradigm for trait psychology. Dans L. A. Pervin et O. P. John (Dir.), *Handbook of personality: Theory and research* (pp. 399-423). New York : Guilford.

CLONINGER, C. R., SVRAKIC, D. M., et PRZBECK, T. R. (1993). A psychobiological model of temperament and character. *Archives of General Psychiatry, 50,* 975-990.

COHEN, S. (1996). Psychological stress, immunity, and upper respiratory infections. *Current Directions in Psychological Science, 5,* 86-90.

COLLINS, W. A., MACCOBY, E. E., STEINBERG, L., HETHERINGTON, E. M., et BORNSTEIN, M. H. (2000). Contempory research on parenting : The case for nature and nurture. *American Psychologist, 55,* 218-232.

COLVIN, C. R. (1993). "Judgable" people : Personality, behavior, and competing explanations. *Journal of Personality and Social Psychology, 64,* 861-873.

COLVIN, C. R., et BLOCK, J. (1994). Do positive illusions foster mental health ? An examination of the Taylor and Brown formulation. *Psychological Bulletin, 116,* 3-20.

CONLEY, J. J. (1985). Longitudinal stability of personality traits : A multitrait-multimethod-multioccasion analysis. *Journal of Personality and Social Psychology, 49,* 1266-1282.

CONTRADA, R. J., CZARNECKI, E. M., et PAN, R. L. (1997). Health-damaging personality traits and verbal-autonomic dissociation : The role of self-control and environmental control. *Health Psychology, 16,* 451-457.

CONTRADA, R. J., LEVENTHAL, H., et O'LEARY, A. (1990). Personality and health. Dans L. A. Pervin (Dir.), *Handbook of Personality: Theory and research* (pp. 638-669). New York : Guilford Press.

COOPER, R. M., et ZUBEK, J. P. (1958). Effects of enriched and restricted early environments on the learning ability of bright and dull rats. *Canadian Journal of Psychology, 12,* 159-164.

COOPERSMITH, S. (1967). *The antecedents of self-esteem.* San Francisco : Freeman.

COSTA, P. T., Jr. (1991). Clinical use of the five-factor model. *Journal of Personality Assessment, 57,* 393-398.

COSTA, P. T., Jr., et McCRAE, R. R. (1985). *The NEO Personality Inventory manual.* Odessa, FL : Psychological Assessment Resources.

COSTA, P. T., Jr., et McCRAE, R. R. (1989). *The NnEO-PI/NEO-FFI manual supplement.* Odessa, FL : Psychological Assessment Resources.

COSTA, P. T., Jr., et McCRAE, R. R. (1992). NEO-PIR : Professional manual. Odessa, FL : Psychological Assessment Resources.

COSTA, P. T., Jr., et McCRAE, R. R. (1994a). "Set like plaster ?" Evidence for the stability of adult personality. Dans T. Heatherton et J. Weinberger (Dir.), *Can personality change?* (pp. 21-40). Washington, D.C.: American Psychological Association.

COSTA, P. T., Jr., et McCRAE, R. R. (1994b). Stability and change in personality from adolescence through adulthood. Dans C. F. Halverson, Jr., G. A. Kohnstamm et R. P. Martin (Dir.), *The developing structure of temperament and personality from infancy to adulthood* (pp. 139-155). Hillsdale, NJ : Erlbaum.

COSTA, P. T., Jr., et McCRAE, R. R. (1995). Primary traits of Eysenck's PEN system : Three- and five-factor solutions. *Journal of Personality and Social Psychology, 69,* 308-317.

COSTA, P. T., Jr., et WIDIGER, T. A. (Dir.) (1994). *Personality disorders and the five-factor model of personality.* Washington, D.C.: American Psychological Association.

COUSINS, S. D. (1989). Culture and self-perception in Japan and the United States. *Journal of Personality and Social Psychology, 56,* 124-131.

COX, T., et MACKAY, C. (1982). Psychosocial factors and psychophysiological mechanisms in the etiology and development of cancer. *Social Science and Medicine, 16,* 381-396.

COYNE, J. C. (1994). Self-reported distress : Analog or ersatz depression ? *Psychological Bulletin, 116,* 29-45.

COZZARELLI, C. (1993). Personality and self-efficacy as predictors of coping with abortion. *Journal of Personality and Social Psychology, 65,* 1224-1236.

CRAIGHEAD, W. E., CRAIGHEAD, L. W., et ILARDI, S. S. (1995). Behavior therapies in historical perspective. Dans B. Bongar et L. E. Bentler (Dir.), *Comprehensive textbook of psychotherapy* (pp. 64-83). New York : Oxford University Press.

CRAMER, P. (1994). *Storytelling, narrative, and the thematic apperception test.* New York : Guilford.

CRAMER, P., et BLOCK, J. (1998). Preschool antecedents of defense mechanism use in young adults : A Longitudinal study. *Journal of Personality and Social Psychology, 74,* 159-169.

CREWS, F. (1993). The unknown Freud. *The New York Review of Books,* 18 novembre, 55-66.

CROCKETT, W. H. (1965). Cognitive complexity and impression formation. Dans B. A. Maher (Dir.), *Progress in experimental personality research* (pp. 47-90). New York : Academic Press.

CROCKETT, W. H. (1982). The organization of construct systems : The organization corollary. Dans J. C. Mancuso et J. R. Adams-Webber (Dir.), *The construing person* (pp. 62-95). New York : Praeger.

CROSS, H. J. (1966). The relationship of parental training conditions to conceptual level in adolescent boys. *Journal of Personality, 34,* 348-365.

CROSS, S. E., et MARKUS, H. R. (1990). The willful self. *Personality and Social Psychology Bulletin, 16,* 726-742.

CROSS, S. E., et MARKUS, H. R. (1999). The cultural constitution of personality. Dans L. A. Pervin et O. P. John (Dir.), *Handbook of personality: Theory and research* (pp. 378-398). New York : Guilford.

CSIKSZENTMIHALYI, M. (1990). *Flow: The psychology of optimal experience.* New York : Harper & Row.

CSIKSZENTMIHALYI, M. (1997). *Finding flow: The psychology of engagement with everyday life.* New York : Basic Books.

CSIKSZENTMIHALYI, M. (1999). If we are so rich, why aren't we happy ? *American Psychologist, 54,* 821-827.

CSIKSZENTMIHALYI, M., et CSIKSZENTMIHALYI, I. S. (Dir.) (1997). *Optimal experience: Psychological studies of flow in consciousness.* New York : Cambridge University Press.

CURTIS, R. C., et MILLER, K. (1986). Believing another likes or dislikes you : Behaviors making the beliefs come true. *Journal of Personality and Social Psychology, 51,* 284-290.

DABBS, J. M., Jr. (2000). *Heroes, rogues and lovers: Outcroppings of testosterone.* New York : McGraw-Hill.

DAMASIO, A. R. (1994). *Descartes' error.* New York : Avon.

DAMASIO, A.R. (1995). *L'erreur de Descartes: la raison des émotions,* Paris, Odile Jacob.

DARLEY, J. M., et FAZIO, R. (1980). Expectancy confirmation processes arising in the social interaction sequence. *American Psychologist, 35,* 867-881.

DARWIN, C. (1859). *The origin of the species.* London : Murray.

DARWIN, C. (1872). *The expression of the emotions in man and animals.* London : Murray.

DAVIDSON, R. J. (1992). Emotion and affective style : Hemispheric substrates. *Psychological Science, 3,* 39-43.

DAVIDSON, R. J. (1994). Asymmetric brain function, affective style, and psychopathology. *Development and Psychopathology, 66,* 486-498.

DAVIDSON, R. J. (1995). Cerebral asymmetry, emotion, and affective style. Dans R. J. Davidson et K. Hugdahl (Dir.), *Brain asymmetry* (pp. 361-387). Cambridge, MA : Massachusetts Institute of Technology.

DAVIDSON, R. J. (1998). Affective style and affective disorders : Perspectives from affective neuroscience. *Cognition and Emotion, 12,* 307-330.

DAVIDSON, R. J. (1999). Biological bases of personality. Dans V. J. Derlega, B. A. Winstead et W. H. Jones (Dir.), *Personality: Contemporary theory and research* (pp. 101-125). Chicago : Nelson-Hall.

DAVIDSON, R. J., et FOX, N. A. (1982). Asymmetrical brain activity discriminates between positive and negative affective stimuli in human infants. *Science, 218,* 1235-1237.

DAVIS, P. J., et SCHWARTZ, G. E. (1987). Repression and the inaccessibility of affective memories. *Journal of Personality and Social Psychology, 52,* 155-162.

DE LA RONDE, C., et SWANN, W. B., Jr. (1998). Partner verification : Restoring shattered images of our intimates. *Journal of Personality and Social Psychology, 75,* 374-382.

DE RAAD, B., PERUGINI, M., HREBICKOVA, M., et SZAROTA, P. (1998). Lingua franca of personality : Taxonomies and structures based on the psycholexical approach. *Journal of Cross-Cultural Psychology, 29,* 212-232.

DEAUX, K. (1976). *The behavior of women and men.* Monterey, CA : Brooks/Cole.

DECI, E. L., et RYAN, R. M. (1985). *Intrinsic motivation and self-determination in human behavior.* New York : Plenum.

DECI, E. L., et RYAN, R. M. (1991). A motivational approach to self : Integration in personality. *Nebraska Symposium on Motivation, 38,* 237-288.

DECI, E. L., KOESTNER, R., et RYAN, R. M. (1999). A meta-analytic review of experiments examining the effects of extrinsic rewards on intrinsic motivation. *Psychological Bulletin, 125,* 627-668.

DEGLER, C. (1991). *In search of human nature.* New York : Oxford University Press.

DENES-RAJ, V., et EPSTEIN, S. (1994). Conflict between intuitive and rational processing : When people behave against their better judgment. *Journal of Personality and Social Psychology, 66,* 819-829.

DEPUE, R. A. (1995). Neurobiological factors in personality and depression. *European Journal of Personality, 9,* 413-439.

DEPUE, R. A. (1996). A neurobiological framework for the structure of personality and emotion : Implications for personality disorders. Dans J. Clarkin et M. Lenzenweger (Dir.), *Major theories of personality disorders* (pp. 347-390). New York : Guilford.

DEPUE, R. A., et COLLINS, P. F. (1999). Neurobiology of the structure of personality : Dopamine, facilitation of incentive motivation, and extraversion. *Behavioral and Brain Sciences, 22,* 491-517.

DEPUE, R. A., LUCIANA, M., ARBISI, P., COLLINS, P., et LEON, A. (1994). Dopamine and the structure of personality : Relation of agonist-induced dopamine activity to positive emotionality. *Journal of Personality and Social Psychology, 67,* 485-498.

DERAKSHAN, N., et EYSENCK, M. W. (1997). Interpretive biases for one's own behavior and physiology in high-trait-anxious individuals and repressors. *Journal of Personality and Social Psychology, 73,* 816-825.

DERUBEIS, R. J., et HOLLON, S. D. (1995). Explanatory style in the treatment of depression. Dans G. M. Buchanan et M. E. P. Seligman (Dir.), *Explanatory style* (pp. 99-112). Hillsdale, NJ: Erlbaum.

DEVELLIS, R. F., DEVELLIS, B. M., et McCAULEY, C. (1978). Vicarious acquisition of learned helplessness. *Journal of Personality and Social Psychology, 36,* 894-899.

DEWSBURY, D. A. (1997). In celebration of the centennial of Ivan P. Pavlov's (1897/1902) *The Work of the Digestive Glands. American Psychologist, 52,* 933-935.

DIGMAN, J. M. (1990). Personality structure: Emergence of the five-factor model. *Annual Review of Psychology, 41,* 417-440.

DOBSON, K. S., et SHAW, B. F. (1995). Cognitive therapies in practice. Dans B. Bongar et L. E. Bentler (Dir.), *Comprehensive textbook of psychotherapy* (pp. 159-172). New York: Oxford University Press.

DOLLARD, J., DOOB, L. W., MILLER, N. E., MOWRER, O. H., et SEARS, R. R. (1939). *Frustration and aggression.* New Haven, CT: Yale University Press.

DOLLARD, J., et MILLER, N. E. (1950). *Personality and psychotherapy.* New York: McGraw-Hill.

DOLNICK, E. (1998). *Madness on the couch: Blaming the victim in the heyday of psychoanalysis.* New York: Simon & Schuster.

DONAHUE, E. M. (1994). Do children use the Big Five, too ? Content and structural form in personality descriptions. *Journal of Personality, 62,* 45-66.

DONAHUE, E. M., ROBINS, R. W., ROBERTS, B., et JOHN, O. P. (1993). The divided self: Concurrent and longitudinal effects of psychological adjustment and self-concept differentiation. *Journal of Personality and Social Psychology, 64,* 834-846.

DOSTOÏEVSKI, F. (1993). *Notes du sous-sol,* trad. du russe par J.W. Bienstock, Paris, P.O.L.

DUCK, S. (1982). Two individuals in search of agreement: The commonality corollary. Dans J. C. Mancuso et J. R. Adams-Webber (Dir.), *The construing person* (pp. 222-234). New York: Praeger.

DUDYCHA, G. J. (1936). An objective study of punctuality in relation to personality and achievement. *Archives of Psychology, 29,* 1-53.

DUNN, J., et PLOMIN, R. (1990). *Separate lives: Why siblings are so different.* New York: Basic Books.

DUTTON, K. A., et BROWN, J. D. (1997). Global self-esteem and specific self-views as determinants of people's reactions to success and failure. *Journal of Personality and Social Psychology, 73,*139-148.

DWECK, C. S. (1991). Self-theories and goals: Their role in motivation, personality, and development. Dans R. D. Dienstbier (Dir.), *Nebraska Symposium on Motivation* (pp. 199-235). Lincoln: University of Nebraska Press.

DWECK, C. S. (1999). *Self-theories: Their role in motivation, personality, and development.* Philadelphia, PA: Psychology Press/Taylor & Francis.

DWECK, C. S., CHIU, C., et HONG, Y. (1995). Implicit theories and their role in judgments and reactions: A world from two perspectives. *Psychological Inquiry, 6,* 267-285.

DYKMAN, B. M. (1998). Integrating cognitive and motivational factors in depression: Initial tests of a goal-orientation approach. *Journal of Personality and Social Psychology, 74,* 139-158.

DYKMAN, B. M., et JOHLL, M. (1998). Dysfunctional attitudes and vulnerability to depressive symptoms: A 14-week longitudinal study. *Cognitive Therapy and Research, 22,* 337-352.

EAGLE, M., WOLITZKY, D. L., et KLEIN, G. S. (1966). Imagery: Effect of a concealed figure in a stimulus. *Science, 18,* 837-839.

EAGLY, A. H., et WOOD, W. (1999). The origins of sex differences in human behavior. *American Psychologist, 54,* 408-423.

EBSTEIN, R. P., NOVICK, O., UMANSKY, R., PRIEL, B., OSHER, Y., BLAINE, D., BENNETT, E., NEWMANOV, L., KATZ, M., et BELMAKER, R. (1996). Dopamine D4 receptor (D4DR) exon III polymorphism associated with the human personality trait of Novelty seeking. *Nature Genetics, 12,* 78-80.

EDELSON, M. (1984). *Hypothesis and evidence in psychoanalysis.* Chicago: University of Chicago Press.

EISENBERG, N., FABES, R. A., GUTHRIE, I. K., et REISER, M. (2000). Dispositional emotionality and regulation: Their role in predicting quality of social functioning. *Journal of Personality and Social Psychology, 78,* 136-157.

EISENBERGER, R., et CAMERON, J. (1996). Detrimental effects of reward: Reality or myth ? *American Psychologist, 51,* 1153-1166.

EISENBERGER, R., PIERCE, W. D., et CAMERON, J. (1999). Effects of reward on intrinsic motivation–negative, neutral, and positive: Comment on Deci, Koestner, and Ryan. *Psychological Bulletin, 125,* 677-691.

EKMAN, P. (1992). An argument for basic emotions. *Cognition and Emotion, 6,* 169-200.

EKMAN, P. (1993). Facial expression and emotion. *American Psychologist, 48,* 384-392.

EKMAN, P. (1994). Strong evidence for universals in facial expressions: A reply to Russell's mistaken critique. *Psychological Bulletin, 115,* 268-287.

EKMAN, P. (1998) (Dir.), *Third edition of Charles Darwin: The expression of the emotions in man and animals.* New York: Oxford University Press.

ELLIOT, A. J., et SHELDON, K. M. (1998). Avoidance personal goals and the personality-illness relationship. *Journal of Personality and Social Psychology, 75,* 1282-1299.

ELLIOT, A. J., SHELDON, K. M., et CHURCH, M. A. (1997). Avoidance personal goals and subjective well-being. *Personality and Social Psychology Bulletin, 9,* 915-927.

ELLIS, A. (1962). *Reason and emotion in psychotherapy.* Secaucus, NJ: Lyle Stuart.

ELLIS, A. (1987). The impossibility of achieving consistently good mental health. *American Psychologist, 42,* 364-375.

ELLIS, A., et HARPER, R. A. (1975). *A new guide to rational living.* North Hollywood, CA: Wilshire.

EMMONS, R. A. (1987). Narcissism: Theory and measurement. *Journal of Personality and Social Psychology, 52,* 11-17.

ENDLER, N. S., et MAGNUSSON, D. (Dir.) (1976). *Interactional psychology and personality.* Washington, D.C.: Hemisphere (Halsted-Wiley).

EPSTEIN, N., et BAUCOM, N. (1988). *Cognitive-behavioral marital therapy.* New York : Springer.

EPSTEIN, S. (1983). A research paradigm for the study of personality and emotions. Dans M. M. Page (Dir.), *Personality: Current theory and research* (pp. 91-154). Lincoln : University of Nebraska Press.

EPSTEIN, S. (1992). The cognitive self, the psychoanalytic self, and the forgotten selves. *Psychological Inquiry, 3,* 34-37.

EPSTEIN, S. (1994). Integration of the cognitive and the psychodynamic unconscious. *American Psychologist, 49,* 709-724.

ERDELYI, M. (1984). *Psychoanalysis: Freud's cognitive psychology.* New York : Freeman.

ERICSSON, K. A., et SIMON, H. A. (1993). *Protocol analysis: Verbal reports as data.* Cambridge, MA : MIT Press.

ERIKSON, E. (1950). *Childhood and society.* New York : Norton.

ERIKSON, E. H. (1982). *The life cycle completed: A review.* New York : Norton.

ESTERSON, A. (1993). *Seductive mirage: An exploration of the work of Sigmund Freud.* New York : Open Court.

EVANS, R. I. (1976). *The making of psychology.* New York : Knopf.

EWART, C. K. (1992). The role of physical self-efficacy in recovery from heart attack. Dans R. Schwarzer (Dir.), *Self-efficacy: Thought control of action* (pp. 287-304). Washington, D.C. : Hemisphere.

EYSENCK, H. J. (1953). *Uses and abuses of psychology.* London : Penguin.

EYSENCK, H. J. (1975). *The inequality of man.* San Diego, CA : Edits Publishers.

EYSENCK, H. J. (1979). The conditioning model of neurosis. *Behavioral and Brain Sciences, 2,* 155-199.

EYSENCK, H. J. (1982). *Personality genetics and behavior.* New York : Praeger.

EYSENCK, H. J. (1990). Biological dimensions of personality. Dans L. A. Pervin (Dir.), *Handbook of personality: Theory and research* (pp. 244-276). New York : Guilford Press.

EYSENCK, H. J. (1991). Personality, stress, and disease : An interactionist perspective. *Psychological Inquiry, 2,* 221-232.

EYSENCK, H. J. (1993). Comment on Goldberg. *American Psychologist, 48,* 1299-1300.

EYSENCK, H. J. (1999). *Intelligence: A new look.* London : Transaction Publishers.

EYSENCK, H. J., et BEECH, H. R. (1971). Counter conditioning and related methods. Dans A. E. Bergin et S. Garfield (Dir.), *Handbook of psychotherapy and behavior change* (pp. 543-611). New York : Wiley.

EYSENCK, S. B. G., et LONG, F. Y. (1986). A crosscultural comparison of personality in adults and children : Singapore and England. *Journal of Personality and Social Psychology, 50,* 124-130.

FEENEY, J. A., et NOLLER, P. (1990). Attachment style as a predictor of adult romantic relationships. *Journal of Personality and Social Psychology, 58,* 281-291.

FISHER, S., et FISHER, R. L. (1981). *Pretend the world is funny and forever: A psychological analysis of comedians, clowns, and actors.* Hillsdale, NJ : Erlbaum.

FISKE, A. P., KITAYAMA, S., MARKUS, H. R., et NISBETT, R. E. (1998). The cultural matrix of social psychology. Dans D. T. Gilbert, S. T. Fiske et G. Lindzey (Dir.) (1998). *The handbook of social psychology* (4e édition) (pp. 915-981). New York : McGraw-Hill.

FOLKMAN, S., LAZARUS, R. S., GRUEN, R. J., et DELONGIS, A. (1986). Appraisal, coping, health status, and psychological symptoms. *Journal of Personality and Social Psychology, 50,* 571-579.

FRALEY, R. C. (1999). *Attachment continuity from infancy to adulthood: Meta-analysis and dynamic modeling of developmental mechanisms.* Manuscrit non publié, University of California, Davis.

FRALEY, R. C., et SHAVER, P. R. (1998). Airport separations : A naturalistic study of adult attachment dynamics in separating couples. *Journal of Personality and Social Psychology, 75,* 1198-1212.

FRANKL, V. E. (1955). *The doctor and the soul.* New York : Knopf.

FRANKL, V. E. (1958). On logotherapy and existential analysis. *American Journal of Psychoanalysis, 18,* 28-37.

FRANKS, C. M., et WILSON, G. T. (Dir.) (1978). *Annual review of behavior therapy: Theory and practice.* New York : Brunner/Mazel.

FRANKS, C. M., WILSON, G. T., KENDALL, P. C., et BROWNELL, K. D. (1982). *Annual review of behavior therapy: Theory and practice.* New York : Guilford Press.

FREUD, A. (1936). *The ego and the mechanisms of defense.* New York : International Universities Press.

FREUD, S. (1933). *New introductory lectures on psychoanalysis.* New York : Norton.

FREUD, S. (1949). *Civilization and its discontents.* London : Hogarth Press. (Édition originale, 1930.)

FREUD, S. (1953). *A general introduction to psychoanalysis.* New York : Permabooks. (Boni & Liveright edition, 1924.)

FREUD, S. (1953). The interpretation of dreams. Dans *Standard edition,* Vol. 4 et 5. London : Hogarth Press. (1re édition allemande, 1900.)

FREUD, S. (1953). *Three essays on sexuality.* London : Hogarth Press. (Édition originale, 1905.)

FREUD, S. (1959). Analysis of a phobia in a five-year-old boy. Dans *Standard edition,* Vol. 10. London : Hogarth Press. (1re édition allemande, 1909.)

FREUD, S. (1976). *Malaise dans la civilisation*, trad. de l'allemand par Ch. et J. Odier, 5e éd., Paris, PUF.

FREUD, S. (1982). *Cinq psychanalyses*, trad. par M. Bonaparte et R. Loewenstein, 11e éd., Paris, Presses universitaires de France.

FREUD, S. (1984). *Nouvelles conférences d'introduction à la psychanalyse*, Paris, Gallimard.

FRIEDMAN, H. S., TUCKER, J. S., SCHWARTZ, J. E., MARTIN, L. R., TOMLINSON-KEASY, C., WINGARD, D. L., et CRIQUI, M. H. (1995b). Childhood conscientiousness and longevity : Health behaviors and cause of death. *Journal of Personality and Social Psychology, 68,* 696-703.

FRIEDMAN, H. S., TUCKER, J. S., SCHWARTZ, J. E., TOMLINSON-KEASY, C., MARTIN, L. R., WINGARD, D. L., et CRIQUI, M. H. (1995a). Psychosocial and behavioral predictors of longevity : The aging and death of the "Termites." *American Psychologist, 50,* 69-78.

FRIMAN, P. C., ALLEN, K. D., KERWIN, M. L. E., et LARZELERE, R. (1993). Changes in modern psychology : A citation analysis of the Kuhnian displacement thesis. *American Psychologist, 48,* 658-664.

FROMM, E. (1959). *Sigmund Freud's mission.* New York : Harper.

FUNDER, D. C. (1989). Accuracy in personality judgment and the dancing bear. Dans D. M. Buss et N. Cantor (Dir.), *Personality psychology: Recent trends and emerging directions* (pp. 210-223). New York : Springer-Verlag.

FUNDER, D. C. (1993). Judgments of personality and personality itself. Dans K. H. Craik, R. Hogan et R. N. Wolfe (Dir.), *Fifty years of personality psychology* (pp. 207-214). New York : Plenum.

FUNDER, D. C. (1995). On the accuracy of personality judgment : A realistic approach. *Psychological Review, 102,* 652-670.

FUNDER, D. C., et BLOCK, J. (1989). The role of ego-control, ego-resiliency, and IQ in delay of gratification in adolescence. *Journal of Personality and Social Psychology, 57,* 1041-1050.

FUNDER, D. C., KOLAR, D. C., et BLACKMAN, M. C. (1995). Agreement among judges of personality : Interpersonal relations, similarity, and acquaintanceship. *Journal of Personality and Social Psychology, 69,* 656-672.

GAENSBAUER, T. J. (1982). The differentiation of discrete affects. *Psychoanalytic Study of the Child, 37,* 29-66.

GEEN, R. G. (1984). Preferred stimulation levels in introverts and extroverts : Effects on arousal and performance. *Journal of Personality and Social Psychology, 46,* 1303-1312.

GEISLER, C. (1986). The use of subliminal psychodynamic activation in the study of repression. *Journal of Personality and Social Psychology, 51,* 844-851.

GERARD, H. B., KUPPER, D. A., et NGUYEN, L. (1993). The causal link between depression and bulimia. Dans J. M. Masling et R. F. Bornstein (Dir.), *Psychoanalytic perspectives in psychopathology* (pp. 225-252). Washington, D.C. : American Psychological Association.

GERGEN, K. J. (1971). *The concept of self.* New York : Holt.

GEWIRTZ, J. L. (1971). Conditional responding as a paradigm for observational, imitative learning and vicarious imitative learning and vicarious reinforcement. Dans H. W. Reese (Dir.), *Advances in child development and behavior* (pp. 274-304). New York : Academic Press.

GIESLER, R. B., JOSEPHS, R. A., et SWANN, W. B., Jr. (1996). Self-verification in clinical depression : The desire for negative evaluation. *Journal of Abnormal Psychology, 105,* 358-368.

GLADUE, B. A., BOECHLER, M., et McCAULL, D. D. (1989). Hormonal response to competition in human males. *Aggressive Behavior, 15,* 409-422.

GLASSMAN, N. S., et ANDERSEN, S. M. (1999). Activating transference without consciousness : Using significant-other representations to go beyond what is subliminally given. *Journal of Personality and Social Psychology, 77,* 1146-1162.

GOFFMAN, E. (1959). *The presentation of self in everyday life.* Garden City, NY: Doubleday.

GOLDBERG, L. (1992). The development of markers for the Big-Five factor structure. *Psychological Assessment, 4,* 26-42.

GOLDBERG, L. R. (1981). Language and individual differences : The search for universals in personality lexicons. Dans L. Wheeler (Dir.), *Review of personality and social psychology* (pp. 141-165). Beverly Hills, CA : Sage.

GOLDBERG, L. R. (1990). An alternative "description of personality": The Big-Five factor structure. *Journal of Personality and Social Psychology, 59,* 1216-1229.

GOLDBERG, L. R. (1993). The structure of phenotypic personality traits. *American Psychologist, 48,* 26-34.

GOLDBERG, L. R., et ROSOLACK, T. K. (1994). The Big Five factor structure as an integrative framework : An empirical comparison with Eysenck's P-E-N model. Dans C. F. Halverson, Jr., G. A. Kohnstamm et R. P. Martin (Dir.), *The developing structure of temperament and personality from infancy to adulthood* (pp. 7-35). New York : Erlbaum.

GOLDBERG, L. R., et SAUCIER, G. (1995). So what do you propose we use instead ? A reply to Block. *Psychological Bulletin, 117,* 221-225.

GOLDSMITH, T. H. (1991). *The biological roots of human nature.* Oxford : Oxford University Press.

GOLDSTEIN, K. (1939). *The organism.* New York : American Book.

GOSLING, S. D., et JOHN, O. P. (1998, May). *Personality dimensions in dogs, cats, and hyenas.* Article présenté à l'assemblée annuelle de l'American Psychological Society, Washington, D.C.

GOSLING, S. D., et JOHN, O. P. (1999). Personality dimensions in nonhuman animals : A cross-species review. *Current Directions in Psychological Science, 8,* 69-75.

GOSLING, S. D., JOHN, O. P., CRAIK, K. H., et ROBINS, R. W. (1998). Do people know how they behave ? Self-reported act frequencies compared with online codings by observers. *Journal of Personality and Social Psychology, 74,* 1337-1349.

GOTTESMAN, I. I. (1963). Heritability of personality : A demonstration. *Psychological Monographs, 77* (9, nº 572 intégral).

GOULD, E., REEVES, A. J., GRAZIANO, M. S. A., et GROSS, C. G. (1999). Neurogenesis in the neo-cortex of adult primates. *Science, 286,* 548-552.

GRAY, J. A. (1987). *The psychology of fear and stress.* Cambridge, England : Cambridge University Press.

GRAY, J. A. (1990). A critique of Eysenck's theory of personality. Dans H. J. Eysenck (Dir.), *A model for personality,* 2e éd., Berlin : Springer-Verlag.

GREENBERG, J. R., et MITCHELL, S. A. (1983). *Object relations in psychoanalytic theory.* Cambridge, MA : Harvard University Press.

GREENSPOON, J. (1962). Verbal conditioning and clinical psychology. Dans A. J. Bachrach (Dir.), *Experimental foundations of clinical psychology.* New York : Basic Books.

GREENSPOON, J., et LAMAL, P. A. (1978). Cognitive behavior modification–Who needs it ? *Psychological Record, 28,* 323-335.

GREENWALD, A. G., SPANGENBERG, E. R., PRATKANIS, A. R., et ESKENAZI, J. (1991). Double blind tests of subliminal self-help audiotapes. *Psychological Science, 2,* 119-122.

GRIFFIN, D., et BARTHOLOMEW, K. (1994). Models of the self and other : Fundamental dimensions underlying measures of adult attachment. *Journal of Personality and Social Psychology, 67,* 430-445.

GRINKER, R. R., et SPIEGEL, J. P. (1945). *Men under stress.* Philadelphia : Blakiston.

GRODDECK, G. (1961). *The book of the it.* New York : Vintage. (Édition originale, 1923.)

GRODDECK, G. (1973). *Le livre du ça*, trad. de l'allemand par L. Lumel, Paris, Gallimard.

GROSS, J. L. (1999). Emotion and emotion regulation. Dans L. A. Pervin et O. P. John (Dir.), *Handbook of personality: Theory and research* (pp. 525-552). New York : Guilford.

GRUNBAUM, A. (1984). *Foundations of psychoanalysis: A philosophical critique.* Berkeley : University of California Press.

GRUNBAUM, A. (1993). *Validation in the clinical theory of psychoanalysis: A study in the philosophy of psychoanalysis.* Madison, CT: International Universities Press.

GRUSEC, J. E. (1992). Social learning theory and developmental psychology : The legacies of Robert Sears and Albert Bandura. *Developmental Psychology, 28,* 776-786.

HALKIDES, G. (1958). *An experimental study of four conditions necessary for therapeutic change.* Thèse de doctorat non publiée, University of Chicago.

HALL, C. S. (1954). *A primer of Freudian psychology.* New York : Mentor.

HALL, C. S., et LINDZEY, G. (1957). *Theories of personality.* New York : Wiley.

HALPERN, J. (1977). Projection : A test of the psychoanalytic hypothesis. *Journal of Abnormal Psychology, 86,* 536-542.

HALVERSON, C. F., Jr., et WAMPLER, K. S. (1997). Family influences on personality development. Dans R. Hogan, J. Johnson et S. Briggs (Dir.), *Handbook of personality psychology* (pp. 241-267). New York : Academic Press.

HALVERSON, C. F., KOHNSTAMM, G. A., et MARTIN, R. P. (Dir.) (1994). *The developing structure of temperament and personality from infancy to adulthood.* Hillsdale, NJ : Erlbaum.

HAMER, D. (1997). The search for personality genes : Adventures of a molecular biologist. *Current Directions in Psychological Science, 6,* 111-114.

HAMER, D., et COPELAND, P. (1998). *Living with our genes.* New York : Doubleday.

HARARY, K., et DONOHUE, E. (1994). *Who do you think you are?* San Francisco : Harper.

HARKNESS, A. R., et LILIENFELD, S. O. (1997). Individual differences science for treatment planning : Personality traits. *Psychological Assessment, 9,* 349-360.

HARRINGTON, D. M., BLOCK, J. H., et BLOCK, J. (1987). Testing aspects of Carl Rogers's theory of creative environments : Child-rearing antecedents of creative potential in young adolescents. *Journal of Personality and Social Psychology, 52,* 851-856.

HARRIS, B. (1979). Whatever happened to Little Albert ? *American Psychologist, 34,* 151-160.

HARRIS, J. R. (1995). Where is the child's environment ? A group socialization theory of development. *Psychological Review, 102,* 458-489.

HARRIS, J. R. (1998). *The nurture assumption: Why children turn out the way they do.* New York : Free Press.

HASTORF, A., et COLE, S. W. (1991). On getting the whole person into interpersonal perception. *Psychological Inquiry, 2,* 393-397.

HAVENER, P. H., et IZARD, C. E. (1962). Unrealistic self-enhancement in paranoid schizophrenics. *Journal of Consulting Psychology, 26,* 65-68.

HAWKINS, R. P., PETERSON, R. F., SCHWEID, E., et BIJOU, S. W. (1966). Behavior therapy in the home : Amelioration of problem parent-child relations with the parent in a therapeutic role. *Journal of Experimental Child Psychology, 4,* 99-107.

HAYDEN, B. C. (1982). Experience–A case for possible change : The modulation corollary. Dans J. C. Mancuso et J. R. Adams-Webber (Dir.), *The construing person* (pp. 170-197). New York : Praeger.

HAZAN, C., et SHAVER, P. (1987). Romantic love conceptualized as an attachment process. *Journal of Personality and Social Psychology, 52,* 511-524.

HAZAN, C., et SHAVER, P. (1990). Love and work : An attachment-theoretical perspective. *Journal of Personality and Social Psychology, 59,* 270-280.

HEINE, R. W. (1950). *An investigation of the relationship between change in personality from psychotherapy as reported by patients and the factors seen by patients as producing change.* Thèse de doctorat non publiée, University of Chicago.

HEINE, S. J., LEHMAN, D. R., MARKUS, H. R., et KITAYAMA, S. (1999). Is there a universal need for positive self-regard ? *Psychological Review, 106,* 766-794.

HELSON, R. (1993). Comparing longitudinal studies of adult development : Toward a paradigm of tension between stability and change. Dans D. Funder, R. D. Parke, C. Tomlinson-Keasey et K. Widaman (Dir.), *Studying lives through time* (pp. 93-120). Washington, D.C. : American Psychological Association.

HELSON, R., et WINK, P. (1992). Personality change in women from college to midlife. *Psychology and Aging, 7,* 46-55.

HESSE, H. (1946). *Siddhartha*, trad. de l'allemand par J. Delage, Paris, Grasset.

HESSE, H. (1951). *Siddhartha.* New York : New Directions.

HESSE, H. (1965). *Demian.* New York : Harper. (Publié pour la première fois en 1925.)

HIGGINS, E. T. (1987). Self-discrepancy : A theory relating self and affect. *Psychological Review, 94,* 319-340.

HIGGINS, E. T. (1989). Continuities and discontinuities in self-regulatory self-evaluative processes : A developmental theory relating self and affect. *Journal of Personality, 57,* 407-444.

HIGGINS, E. T. (1996). Knowledge activation : Accessibility, applicability, and salience. Dans E. T. Higgins et A. W. Kruglanski (Dir.), *Social psychology: Handbook of basic principles* (pp. 133-168). New York : Guilford.

HIGGINS, E. T. (1997). Beyond pleasure and pain. *American Psychologist, 52,* 1280-1300.

HIGGINS, E. T. (1999). Persons and situations : Unique explanatory principles or variability in general principles ? Dans D. Cervone et Y. Shoda (Dir.), *The coherence of personality* (pp. 61-93). New York : Guilford.

HIGGINS, E. T., BOND, R. N., KLEIN, R., et STRAUMAN, T. (1986). Self-discrepancies and emotional vulnerability : How magnitude, accessibility, and type of discrepancy influence affect. *Journal of Personality and Social Psychology, 51,* 5-15.

HIGGINS, E. T., SHAH, J., et FRIEDMAN, R. (1997) Emotional responses to goal attainment : Strength of regulatory focus as moderator. *Journal of Personality and Social Psychology, 72,* 515-525.

HIROTO, D. S. (1974). Locus of control and learned helplessness. *Journal of Experimental Psychology, 102,* 187-193.

HIROTO, D. S., et SELIGMAN, M. E. P. (1975). Generality of learned helplessness in man. *Journal of Personality and Social Psychology, 31,* 311-327.

HOFFMAN, L. W. (1991). The influence of the family environment on personality : Accounting for sibling differences. *Psychological Bulletin, 110,* 187-203.

HOFSTEE, W. K. B. (1994). Who should own the definition of personality ? *European Journal of Personality, 8,* 149-162.

HOFSTEE, W. K. B., KIERS, H. A., DERAAD, B., GOLDBERG, L. R., et OSTENDORF, F. (1997). A comparison of Big Five Structures of personality traits in Dutch, English, and German. *European Journal of Personality, 11,* 15-31.

HOGAN, J, et ONES, D. S. (1997). Conscientiousness and integrity at work. Dans R. Hogan, J. Johnson et S. Briggs (Dir.), *Handbook of personality psychology* (pp. 849-870). San Diego, CA : Academic Press.

HOLENDER, D. (1986). Semantic activation without conscious identification in dichotic listening, paraforeal vision, and visual masking : A survey and appraisal. *Behavioral and Brain Sciences, 9,* 1-66.

HOLLAND, J. L. (1985). *Making vocational choices: A theory of vocational personality and work environments.* Englewood Cliffs, NJ : Prentice-Hall.

HOLLON, S. D., DERUBEIS, R. J., et EVANS, M. D. (1987). Causal mediation of change in treatment for depression : Discriminating between nonspecificity and noncausality. *Psychological Bulletin, 102,* 139-149.

HOLLON, S. D., et KENDALL, P. C. (1980). Cognitive self-statements in depression : Development of an Automatic Thoughts Questionnaire. *Cognitive Therapy and Research, 4,* 383-395.

HOLLON, S. D., SHELTON, R. C., et DAVIS, D. D. (1993). Cognitive therapy for depression : Conceptual issues and clinical efficacy. *Journal of Consulting and Clinical Psychology, 61,* 270-275.

HOLMES, D. S. (1990). The evidence for repression : An examination of sixty years of research. Dans J. L. Singer (Dir.), *Regression and dissociation: Implications for personality theory, psychopathology and health* (pp. 85-102). Chicago : University of Chicago Press.

HOLT, R. R. (1978). *Methods in clinical psychology.* New York : Plenum.

HORNEY, K. (1937). *The neurotic personality of our time.* New York : Norton.

HORNEY, K. (1945). *Our inner conflicts.* New York : Norton.

HORNEY, K. (1953). *La personnalité névrotique de notre temps*, trad. de l'anglais par J. Paris, Paris, L'Arche.

HORNEY, K. (1955). *Nos conflits intérieurs*, trad. de l'anglais par J. Paris, Paris, L'Arche.

HORNEY, K. (1973). *Feminine psychology.* New York : Norton.

HOUGH, L. M., et OSWALD, F. L. (2000). Personal selection : Looking toward the future–Remembering the past. *Annual Review of Psychology, 51,* 631-664.

HULL, C. L. (1940). *Mathematico-deductive theory of rote learning.* New Haven, CT: Yale University Press.

HULL, C. L. (1943). *Principles of behavior.* New York : Appleton.

HULL, J. G., YOUNG, R. D., et JOURILES, E. (1986). Applications of the self-awareness model of alcohol consumption : Predicting patterns of use and abuse. *Journal of Personality and Social Psychology, 51,* 790-796.

HYMAN, S. (1999). Susceptibility and "second hits." Dans R. Conlan (Dir.), *States of mind* (pp. 24-28). New York : Wiley.

ICHHEISER, G. (1943). Misinterpretation of personality in everyday life and the psychologist's frame of reference. *Character and Personality, 12,* 145-152.

INGRAM, R. E., MIRANDA, J., et SEGAL, Z. V. (1998). *Cognitive vulnerability to depression.* New York : Guilford.

IYENGAR, S. S., et LEPPER, M. R. (1999). Rethinking the value of choice : A cultural perspective on intrinsic motivation. *Journal of Personality and Social Psychology, 76,* 349-366.

IZARD, C. E. (1991). *The psychology of emotion.* New York : Plenum.

IZARD, C. E. (1994). Innate and universal facial expressions : Evidence from developmental and cross-cultural research. *Psychological Bulletin, 115,* 288-299.

JACKSON, J. F. (1993). Human behavioral genetics, Scarr's theory, and her views on interventions : A critical review and commentary on their implications for African American children. *Child Development, 64,* 1318-1332.

JACOBY, L. L., LINDSAY, D. S., et TOTH, J. P. (1992). Unconscious influences revealed. *American Psychologist, 47,* 802-809.

JANKOWICZ, A. D. (1987). Whatever became of George Kelly ? *American Psychologist, 42,* 481-487.

JENSEN, M. R. (1987). Psychobiological factors predicting the course of breast cancer. *Journal of Personality, 55,* 317-342.

JOHN, O. P. (1990). The "Big Five" factor taxonomy : Dimensions of personality in the natural language and in questionnaires. Dans L. A. Pervin (Dir.), *Handbook of personality: Theory and research* (pp. 66-100). New York : Guilford Press.

JOHN, O. P., ANGLEITNER, A., et OSTENDORF, F. (1988). The lexical approach to personality : A historical review of trait taxonomic research. *European Journal of Personality, 2,* 171-203.

JOHN, O. P., CASPI, A., ROBINS, R. W., MOFFITT, T. E., et STOUTHAMER-LOEBER, M. (1994). The "Little Five": Exploring the nomological network of the Five-Factor model of personality in adolescent boys. *Child Development, 65,* 160-178.

JOHN, O. P., et ROBINS, R. W. (1993). Gordon Allport : Father and critic of the Five-Factor model. Dans K. H. Craik, R. T. Hogan et R. N. Wolfe (Dir.), *Fifty years of personality psychology* (pp. 215-236). New York : Plenum.

JOHN, O. P., et ROBINS, R. W. (1994a). Accuracy and bias in self-perception : Individual differences in self-enhancement and the role of narcissism. *Journal of Personality and Social Psychology, 66,* 206-219.

JOHN, O. P., et ROBINS, R. W. (1994b). Traits and types, dynamics and development : No doors should be closed in the study of personality. *Psychological Inquiry, 5,* 137-142.

JOHN, O. P., et SRIVASTAVA, S. (1999). The Big Five : History, measurement, and development. Dans L. A. Pervin et O. P. John (Dir.), *Handbook of personality: Theory and research* (pp. 102-138). New York : Guilford.

JOLLY, A. (1999). *Lucy's legacy.* Cambridge : Harvard University Press.

JONES, A., et CRANDALL, R. (1986). Validation of a short index of self-actualization. *Personality and Social Psychology Bulletin, 12,* 63-73.

JONES, E. (1976). *La vie et l'œuvre de Sigmund Freud*, trad. de l'anglais par A. Berman, 3e éd., Paris, PUF, 3 vol.

JONES, E. *The life and work of Sigmund Freud,* Vol. 1. New York : Basic Books, 1953 ; Vol. 2, 1955 ; Vol. 3, 1957.

JONES, M. C. (1924). A laboratory study of fear. The case of Peter. *Pedagogical Seminar, 31,* 308-315.

JOSEPHS, R. A., MARKUS, H., et TAFARODI, R. W. (1992). Gender and self-esteem. *Journal of Personality and Social Psychology, 63,* 391-402.

JOURARD, S. M., et REMY, R. M. (1955). Perceived parental attitudes, the self, and security. *Journal of Consulting Psychology, 19,* 364-366.

JUNG, C. G. (1939). *The integration of the personality.* New York : Farrar, et Rinehart.

KAGAN, J. (1994). *Galen's prophecy: Temperament in human nature.* New York : Basic Books.

KAGAN, J. (1999). Born to be shy ? Dans R. Conlan (Dir.), *States of mind* (pp. 29-51). New York : Wiley.

KAGAN, J., ARCUS, D., et SNIDMAN, N. (1993). The idea of temperament : Where do we go from here ? Dans R. Plomin et G. E. McClearn (Dir.), *Nature, nurture and psychology* (pp. 197-210). Washington, D.C. : American Psychological Association.

KAHNEMAN, D., et TVERSKY, A. (1984). Choices, values and frames. *American Psychologist, 39,* 341-350.

KANFER, F. H., et SASLOW, G. (1965). Behavioral analysis : An alternative to diagnostic classification. *Archives of General Psychiatry, 12,* 519-538.

KASSER, T., et RYAN, R. M. (1996). Further examining the American dream : Differential correlates of intrinsic and extrinsic goals. *Personality and Social Psychology Bulletin, 22,* 280-287.

KAVANAGH, D. (1992). Self-efficacy as a resource factor. Dans R. Schwarzer (Dir.), *Self-efficacy: Thought control of action* (pp. 177-194). Washington, D.C. : Hemisphere.

KAZDIN, A. E. (1977). *The token economy: A review and evaluation.* New York : Plenum.

KAZDIN, A. E., et BOOTZIN, R. R. (1972). The token economy : An evaluative review. *Journal of Applied Behavior Analysis, 5,* 343-372.

KAZDIN, A. E., et WILSON, G. T. (1978). *Evaluation of behavior theory: Issues, evidence, and research strategies.* Cambridge, MA : Ballinger.

KELLY, G. A. (1955). *The psychology of personal constructs.* New York : Norton.

KELLY, G. A. (1958). Man's construction of his alternatives. Dans G. Lindzey (Dir.), *Assessment of human motives* (pp. 33-64). New York : Holt, Rinehart & Winston.

KELLY, G. A. (1961). Suicide : The personal construct point of view. Dans N. L. Faberow et E. S. Schneidman (Dir.), *The cry for help* (pp. 255-280). New York : McGraw-Hill.

KELLY, G. A. (1964). The language of hypothesis : Man's psychological instrument. *Journal of Individual Psychology, 20,* 137-152.

KELLY, G. A. (1969). *Clinical psychology and personality: The selected papers of George Kelly.* New York : Wiley.

KENNY, D. A. (1994). *Interpersonal perception.* New York : Guilford.

KENNY, D. A., ALBRIGHT, L., MALLOY, T. E., et KASHY, D. A. (1994). Consensus in interpersonal perception : Acquaintance and the Big Five. *Psychological Bulletin, 116,* 245-258.

KENRICK, D. T. (1994). Evolutionary social psychology : From sexual selection to social cognition. *Advances in Experimental Social Psychology, 26,* 75-121.

KENRICK, D. T., et FUNDER, D. C. (1988). Profiting from controversy : Lessons from the person-situation debate. *American Psychologist, 43,* 23-34.

KENRICK, D. T., SADALLA, E. K., GROTH, G., et TROST, M. R. (1990). Evolution, traits, and the stages of human courtship : Qualifying the parental investment model. *Journal of Personality, 58,* 97-116.

KIHLSTROM, J. F. (1990). The psychological unconscious. Dans L. A. Pervin (Dir.), *Handbook of personality: Theory and research* (pp. 445-464). New York : Guilford Press.

KIHLSTROM, J. F. (1999). The psychological unconscious. Dans L. A. Pervin et O. P. John (Dir.), *Handbook of personality: Theory and research* (pp. 424-442). New York : Guilford.

KIHLSTROM, J. F., BARNHARDT, T. M., et TATARYN, D. J. (1992). The cognitive perspective. Dans R. F. Bornstein et T. S. Pittman (Dir.), *Perception without awareness,* (pp. 17-54). New York : Guilford Press.

KING, J. E., et FIGUEREDO, A. J. (1997). The Five-Factor Model plus dominance in chimpanzee personality. *Journal of Research in Personality, 31,* 257-271.

KIRKPATRICK, L. A. (1998). God as a substitute attachment figure : A longitudinal study of adult attachment style and religious change in college students. *Personality and Social Psychology Bulletin, 9,* 961-973.

KIRKPATRICK, L. A., et DAVIS, K. E. (1994). Attachment style, gender, and relationship stability : A longitudinal analysis. *Journal of Personality and Social Psychology, 66,* 502-512.

KIRSCHENBAUM, H. (1979). *On becoming Carl Rogers.* New York : Delacorte.

KITIYAMA, S., et MARKUS, H. (Dir.) (1994). *Emotion and culture.* Washington, D.C. : American Psychological Association.

KLEIN, S. B., et KIHLSTROM, J. F. (1998). On bridging the gap between social-personality psychology and neuropsychology. *Personality and Social Psychology Bulletin, 2,* 228-242.

KLEINMUNTZ, B. (1967). *Personality measurement.* Homewood, IL : Dorsey.

KLINGER, M. R., et GREENWALD, A. G. (1995). Unconscious priming of association judgments. *Journal of Experimental Psychology, Learning, Memory, and Cognition, 21,* 569-581.

KNUTSON, B., WOLKOWITZ, O. M., COLE, S. W., CHAN, T., MOORE, E. A., JOHNSON, R. C., TERPESTRA, J., TURNER., R. A., et REUS, V. I. (1998). Selective alteration of personality and social behavior by serotonergic intervention. *American Journal of Psychiatry, 155,* 373-378.

KOESTNER. R., et McCLELLAND, D. C. (1990). Perspectives on competence motivation. Dans L. A. Pervin (Dir.), *Handbook of personality: Theory and research* (pp. 527-548). New York : Guilford Press.

KOHUT, H. (1977). *The restoration of the self.* New York : International Universities Press.

KOHUT, H. (1984). *How does analysis cure?* Chicago : University of Chicago Press.

KRASNER, L. (1971). The operant approach in behavior therapy. Dans A. E. Bergin et S. L. Garfield (Dir.), *Handbook of psychotherapy and behavior change* (pp. 612-652). New York : Wiley.

KRETSCHMER, E. (1925). *Physique and character.* London : Routledge and Kegan Paul.

KRIS, E. (1944). Danger and morale. *American Journal of Orthopsychiatry, 14,* 147-155.

KROSNICK, J. A., BETZ, A. L., JUSSIM, L. J., et LYNN, A. R. (1992). Subliminal conditioning of attitudes. *Journal of Personality and Social Psychology, 18,* 152-162.

KUHN, T. S. (1970). *The structure of scientific revolutions,* 2e éd. Chicago : University of Chicago Press.

KUNDA, Z. (1990). The case for motivated reasoning. *Psychological Bulletin, 108,* 480-498.

LANDFIELD, A. W. (1971). *Personal construct systems in psychotherapy.* Chicago : Rand McNally.

LANDFIELD, A. W. (1982). A construction of fragmentation and unity. Dans J. C. Mancuso et J. R. Adams-Webber (Dir.), *The construing person* (pp. 198-221). New York : Praeger.

LAU, R. R. (1982). Origins of health locus of control beliefs. *Journal of Personality and Social Psychology, 42,* 322-324.

LAZARUS, A. A. (1965). Behavior therapy, incomplete treatment and symptom substitution. *Journal of Nervous and Mental Disease, 140,* 80-86.

LAZARUS, R. S. (1990). Theory-based stress measurement. *Psychological Inquiry, 1,* 3-13.

LAZARUS, R. S. (1993). From psychological stress to the emotions : A history of changing outlooks. *Annual Review of Psychology,* 44, 1-21

LECKY, P. (1945). *Self-consistency: A theory of personality.* New York : Island.

LEDOUX, J. (1999). The power of emotions. Dans R. Conlan (Dir.), *States of mind* (pp. 123-149). New York : Wiley.

LEHMAN, D. R., et TAYLOR, S. E. (1987). Date with an earthquake : Coping with a probable, unpredictable disaster. *Personality and Social Psychology Bulletin, 13,* 546-555.

LEPPER, M. R., GREENE, D., et NISBETT, R. E. (1973). Undermining children's intrinsic interest with extrinsic rewards : A test of the "overjustification" hypothesis. *Journal of Personality and Social Psychology, 28,* 129-137.

LESTER, D., HVEZDA, J., SULLIVAN, S., et PLOURDE, R. (1983). Maslow's hierarchy of needs and psychological health. *Journal of General Psychology, 109,* 83-85.

LEVINSON, D. J., DARROW, C. N., KLEIN, E. B., LEVINSON, M. L.,et McKEE, B. (1978). *The seasons of a man's life.* New York : Knopf.

LEVIS, D. J., et MALLOY, P. F. (1982). Research in infrahuman and human conditioning. Dans G. T. Wilson et C. M. Franks (Dir.), *Contemporary behavior therapy: Conceptual and empirical foundations* (pp. 65-l18). New York : Guilford Press.

LEVY, S. (1991). Personality as a host risk factor : Enthusiasm, evidence and their interaction. *Psychological Inquiry, 2,* 254-257.

LEVY, S. M. (1984). The expression of affect and its biological correlates : Mediating mechanisms of behavior and disease. Dans C. Van Dyke, L. Temoshok et L. S. Zegans (Dir.), *Emotions in health and illness.* New York : Grune et Stratton.

LEWIS, M. (1995). *Unavoidable accidents and chance encounters.* New York : Guilford Press.

LEWIS, M. (1999). On the development of personality. Dans L. A. Pervin et O. P. John (Dir.), *Handbook of personality: Theory and research* (pp. 327-346). New York : Guilford.

LEWIS, M., et BROOKS-GUNN, J. (1979). *Social cognition and the acquisition of self.* New York : Plenum.

LEWIS, M., FEIRING, C., McGUFFOG, C., et JASKIR, J. (1984). Predicting psychopathology in six year olds from early social relations. *Child Development, 55,* 123-136.

LIDDELL, H. S. (1944). Conditioned reflex method and experimental neurosis. Dans J. McV. Hunt (Dir.), *Personality, and the behavior disorders* (pp. 389-412). New York : Ronald Press.

LITTLE, B. R. (1999). Personality and motivation : Personal action and the conative revolution. Dans L. A. Pervin et O. P. John (Dir.), *Handbook of personality: Theory and research* (pp. 501-524). New York : Guilford.

LOEHLIN, J. C. (1982). Rhapsody in G. *Contemporary Psychology, 27,* 623.

LOEHLIN, J. C. (1992). *Genes and environment in personality development.* Newbury Park, CA : Sage.

LOEHLIN, J. C., McCRAE, R. R., COSTA, P. T., et JOHN, O. P. (1998). Heritabilities of common and measure-specific components of the Big Five personality factors. *Journal of Research in Personality, 32,* 431-453.

LOEVINGER, J. (1976). *Ego development: Conceptions and theories.* San Francisco : Jossey-Bass.

LOEVINGER, J. (1985). Revision of the Sentence Completion Test for ego development. *Journal of Personality and Social Psychology, 48,* 420-427.

LOEVINGER, J. (1993). Measurement in personality : True or false. *Psychological Inquiry, 4,* 1-16.

LOEVINGER, J., et KNOLL, E. (1983). Personality : Stages, traits, and the self. *Annual Review of Psychology, 34,* 195-222.

LOEVINGER, J., et WESSLER, R. (1970). *Measuring ego development: Vol. 1 Construction and use of a sentence completion test.* San Francisco : Jossey-Bass.

LOFTUS, E. F. (1993). The reality of repressed memories. *American Psychologist, 48,* 518-537.

LONDON, P. (1972). The end of ideology in behavior modification. *American Psychologist, 27,* 913-920.

LYKKEN, D. T. (1971). Multiple factor analysis and personality research. *Journal of Experimental Research in Personality, 5,* 161-170.

LYKKEN, D. T. (1995). *The antisocial personalities.* Mahwah, NJ : Earlbaum.

LYKKEN, D. T., BOUCHARD, T. J., Jr., McGUE, M., et TELLEGEN, A. (1993). Heritability of interests : A twin study. *Journal of Applied Psychology, 78,* 649-661.

MACCOBY, E. E. (2000). Parenting and its effects on children : On reading and misreading behavior genetics. *Annual Review of Psychology, 51,* 1-27.

MACKENZIE, K. R. (1994). Using personality measurements in clinical practice. Dans P. T. Costa, Jr. et T. A. Widiger (Dir.), *Personality disorders and the five-factor model of personality* (pp. 237-250). Washington, D.C.: American Psychological Association.

MACLEOD, R. B. (1964). Phenomenology: A challenge to experimental psychology. Dans T. W. Wann (Dir.), *Behaviorism and phenomenology* (pp. 47-73). Chicago: University of Chicago Press.

MADISON, P. (1961). *Freud's concept of repression and defence: Its theoretical and observational language.* Minneapolis: University of Minnesota Press.

MAGNUSSON, D. (1999). Holistic interactionism: A perspective for research on personality development. Dans L. A. Pervin et O. P. John (Dir.), *Handbook of personality: Theory and research* (pp. 219-247). New York: Guilford.

MAGNUSSON, D., et ENDLER, N. S. (Dir.) (1977). *Personality at the crossroads: Current issues in interactional psychology.* Hillsdale, NJ: Erlbaum.

MAIER, S. F., WATKINS, L. R., et FLESHNER, M. (1994). Psychoneuroimmunology. *American Psychologist, 49,* 1004-1017.

MANCUSO, J. C., et ADAMS-WEBBER, J. R. (Dir.) (1982). *The construing person.* New York: Praeger.

MARCIA, J. (1994). Ego identity and object relations. Dans J. M. Masling et R. F. Bornstein (Dir.), *Empirical perspectives on object relations theory* (pp. 59-104). Washington, D.C.: American Psychological Association.

MARKUS, H. (1977). Self-schemata and processing information about the self. *Journal of Personality and Social Psychology, 35,* 63-78.

MARKUS, H. (1983). Self-knowledge: An expanded view. *Journal of Personality, 51, 543-565.*

MARKUS, H., et CROSS, S. (1990). The interpersonal self. Dans L. A. Pervin (Dir.), *Handbook of personality: Theory and research* (pp. 576-608). New York: Guilford Press.

MARKUS, H., et KITAYAMA, S. (1991). Culture and the self: Implications for cognition, emotion, and motivation. *Psychological Review, 98,* 224-253.

MARKUS, H., et NURIUS, P., (1986). Possible selves. *American Psychologist, 41,* 954-969.

MARKUS, H., et RUVOLO, A. (1989). Possible selves: Personalized representations of goals. Dans L. A. Pervin (Dir.), *Goal concepts in personality and social psychology* (pp. 211-241). Hillsdale, NJ: Erlbaum.

MARKUS, H., KITAYAMA, S., et HEIMAN, R. (1996). Culture and basic psychological principles. Dans E. T. Higgins et A. W. Kruglanski (Dir.), *Social psychology: Handbook of basic principles* (pp. 857-913). New York: Guilford.

MARLATT, G. A., BAER, J. S., et QUIGLEY, L. A. (1995). Self-efficacy and addictive behavior. Dans A. Bandura (Dir.), *Self-efficacy in changing societies* (pp. 289-315). New York: Cambridge.

MARLATT, G. A., et GORDON, J. R. (1980). Determinants of relapse: Implications for the maintenance of behavior change. Dans P. O. Davidson et S. M. Davidson (Dir.), *Behavioral medicine: Changing health lifestyles.* New York: Brunner/Mazel.

MASLOW, A. H. (1954). *Motivation and personality.* New York: Harper.

MASLOW, A. H. (1968). *Toward a psychology of being.* Princeton, NJ: Van Nostrand.

MASLOW, A. H. (1971). *The farther reaches of human nature.* New York: Viking.

MASSIMINI, F., et DELLE FAVE, A. (2000). Individual development in a bio-cultural perspective. *American Psychologist, 55,* 24-33.

MATTHEWS, G. (1997). The Big Five as a framework for personality assessment. Dans N. Anderson et P. Herriot (Dir.), *International handbook of selection and assessment,* (pp. 475-492). Chichester, UK: Wiley.

MAY, R. (1950). *The meaning of anxiety.* New York: Ronald Press.

MAYO, C. W., et CROCKETT, W. H. (1964). Cognitive complexity and primacy; recency effects in impression formation. *Journal of Abnormal and Social Psychology, 68,* 335-338.

McADAMS, D. P. (1992). The five-factor model in personality: A critical appraisal. *Journal of Personality, 60,* 329-361.

McADAMS, D. P. (1999). Personal narratives and the life story. Dans L. A. Pervin et O. P. John (Dir.), *Handbook of personality: Theory and research* (pp. 478-500). New York: Guilford.

MCCAUL, K. D., GLADUE, B. A., et JOPPE, M. (1992). Winning, losing, mood, and testosterone. *Hormones and Behavior, 26,* 486-504.

McCOY, M. M. (1981). Positive and negative emotion: A personal construct theory interpretation. Dans H. Bonarius, R. Holland et S. Rosenberg (Dir.), *Personal construct psychology: Recent advances in theory and practice* (pp. 96-104). London: Macmillan.

McCRAE, R. R. (1994). New goals for trait psychology. *Psychological Inquiry, 5,* 148-153.

McCRAE, R. R. (1996). Social consequences of experiential openness. *Psychological Bulletin, 120,* 323-337.

McCRAE, R. R., COSTA, P. T., OSTENDORF, F., ANGLEITNER, A., HREBICKOVA, M., AVIA, M. D., SANZ, J., SANCHEZ-BERNARDOS, M. L., KUSDIL, M. E., WOODRIELD, R., SAUNDERS, P. R., et SMITH, P. B. (2000). Nature over nurture: Temperament, personality, and lifespan development. *Journal of Personality and Social Psychology, 78,* 173-186.

McCRAE, R. R., et COSTA, P. T. (1987). Validation of the five-factor model of personality across instruments and observers. *Journal of Personality and Social Psychology, 52,* 81-90.

McCRAE, R. R., et COSTA, P. T., Jr. (1990). *Personality in adulthood.* New York: Guilford Press.

McCRAE, R. R., et COSTA, P. T., Jr. (1994). The stability of personality: Observations and evaluations. *Current Directions in Psychological Science, 3,* 173-175.

McCRAE, R. R., et COSTA, P. T., Jr., (1997). Personality trait structure as a human universal. *American Psychologist, 52, 509-516.*

McCRAE, R. R., et COSTA, P. T., Jr., (1999). A five-factor theory of personality. Dans L. A. Pervin et O. P. John (Dir.), *Handbook of personality: Theory and research* (pp. 139-153). New York: Guilford.

McCRAE, R. R., et JOHN, O. P. (1992). An introduction to the five-factor model and its applications. *Journal of Personality, 60,* 175-215.

McGINNIES, E. (1949). Emotionality and perceptual defense. *Psychological Review, 56,* 244-251.

McGREGOR, I., et LITTLE, B. R. (1998). Personal projects, happiness, and meaning: On doing well and being yourself. *Journal of Personality and Social Psychology, 74,* 494-512.

McGUE, M. (1999). The behavioral genetics of alcoholism. *Current Directions in Psychological Science, 8,* 109-115.

McGUIRE, W. J. (1967). Some impending reorientations in social psychology: Some thoughts provoked by Kenneth Ring. *Journal of Experimental Social Psychology, 3,* 124-139.

McNULTY, S. E., et SWANN, W. B. Jr. (1994). Identity negotiation in roommate relationships: The self as architect and consequence of social reality. *Journal of Personality and Social Psychology, 67,* 1012-1023.

McPHERSON, D. A. (1990). *Order out of chaos: The autobiographical works of Maya Angelou.* New York: Peter Lang Publishing.

MEDINNUS, G. R., et CURTIS, F. J. (1963). The relation between maternal self-acceptance and child acceptance. *Journal of Consulting Psychology, 27,* 542-544.

MEICHENBAUM, D. (1985). *Stress inoculation training.* New York: Pergamon.

MEICHENBAUM, D. (1995). Cognitive-behavioral therapy in historical perspective. Dans B. Bongar et L. E. Bentler (Dir.), *Comprehensive textbook of psychotherapy* (pp. 140-158). New York: Oxford University Press.

MENDEL, G. (1865/1966). *Experiments on plant hybrids.* Dans C. Stern et E. R. Sherwood (Dir.), *The origin of genetics: A Mendel source book.* San Francisco: Freeman.

MIKULCINER, M., FLORAIN, V., et WELLER, A. (1993). Attachment styles, coping strategies, and posttraumatic psychological distress: The impact of the Gulf War in Israel. *Journal of Personality and Social Psychology, 64,* 817-826.

MILGRAM, S. (1965). Some conditions of obedience and disobedience to authority. *Human Relations, 18,* 57-76.

MILLER, G. Cité dans *The New York Times,* 12 novembre 1982, p. Cl.

MILLER, J. G. (1984). Culture and the development of everyday social explanation. *Journal of Personality and Social Psychology, 46,* 961-978.

MILLER, N. E. (1951). Comments on theoretical models: Illustrated by the development of a theory of conflict behavior. *Journal of Personality, 20,* 82-100.

MILLER, N. E. (1978). Biofeedback and visceral learning. *Annual Review of Psychology, 29,* 373-404.

MILLER, N. E. (1983). Behavioral medicine: Symbiosis between laboratory and clinic. *Annual Review of Psychology, 34,* 1-31.

MILLER, N. E., et DOLLARD, J. (1941). *Social learning and imitation.* New Haven, CT: Yale University Press.

MILLER, S. M., et MANGAN, C. E. (1983). Interacting effects of information and coping style in adapting to gynecologic stress: Should the doctor tell all? *Journal of Personality and Social Psychology, 45,* 223-236.

MILLER, S. M., SHODA, Y., et HURLEY, K. (1996). Applying cognitive-social theory to health-protective behavior: Breast self-examination in cancer screening. *Psychological Bulletin, 119,* 70-94.

MILLER, T. R. (1991). Personality: A clinician's experience. *Journal of Personality Assessment, 57,* 415-433.

MINEKA, S., DAVIDSON, M., COOK, M., et KLEIR, R. (1984). Observational conditioning of snake fear in rhesus monkeys. *Journal of Abnormal Psychology, 93,* 355-372.

MISCHEL, W. (1968). *Personality and assessment.* New York: Wiley.

MISCHEL, W. (1971). *Introduction to personality.* New York: Holt, Rinehart & Winston.

MISCHEL, W. (1973). Toward a cognitive social learning reconceptualization of personality. *Psychological Review, 80,* 252-283.

MISCHEL, W. (1976). *Introduction to personality.* New York: Holt, Rinehart & Winston.

MISCHEL, W. (1990). Personality dispositions revisited and revised: A view after three decades. Dans L. A. Pervin (Dir.), *Handbook of personality: Theory and research* (pp. 111-134). New York: Guilford Press.

MISCHEL, W. (1996). From good intentions to willpower. Dans P. M. Gollwitzer et J. A. Bargh (Dir.), *The psychology of action* (pp. 197-218). New York: Guilford Press.

MISCHEL, W. (1999a). *Introduction to personality.* New York: Harcourt Brace.

MISCHEL, W. (1999b). Personality coherence and dispositions in a cognitive-affective personality system (CAPS) approach. Dans D. Cervone et Y. Shoda (Dir.), *The coherence of personality* (pp. 37-60). New York: Guilford.

MISCHEL, W., et LIEBERT, R. M. (1966). Effects of discrepancies between observed and imposed reward criteria on their acquisition and transmission. *Journal of Personality and Social Psychology, 3,* 45-53.

MISCHEL, W., et PEAKE, P. K. (1982). Beyond déjà vu in the search for cross-situational consistency. *Psychological Review, 89,* 730-755.

MISCHEL, W., et PEAKE, P. K. (1983). Analyzing the construction of consistency in personality. Dans M. M. Page (Dir.), *Personality: Current theory and research* (pp. 233-262). Lincoln: University of Nebraska Press.

MISCHEL, W., et SHODA, Y. (1995). A cognitive-affective system theory of personality: Reconceptualizing the invariances in personality and the role of situations. *Psychological Review, 102,* 246-286.

MISCHEL, W., et SHODA, Y. (1998). Reconciling processing dynamics and personality dispositions. *Annual Review of Psychology, 49,* 229-258.

MISCHEL, W., et SHODA, Y. (1999). Integrating dispositions and processing dynamics within a unified theory of personality: The cognitive-affective personality system. Dans L. A. Pervin et O. P. John (Dir.), *Handbook of personality: Theory and research* (pp. 197-218). New York: Guilford.

MISCHEL, W., SHODA, Y., et PEAKE, P. K. (1988). The nature of adolescent competencies predicted by preschool delay of gratification. *Journal of Personality and Social Psychology, 54,* 687-696.

MISCHEL, W., SHODA, Y., et RODRIGUEZ, M. L. (1989). Delay of gratification in children. *Science, 244,* 933-938.

MONSON, T. C., HESLEY, J. W., et CHERNICK, L. (1982). Specifying when personality traits can and cannot predict behavior: An alternative to abandoning the attempt to predict single-act criteria. *Journal of Personality and Social Psychology, 43,* 385-399.

MOORE, M. K., et NEIMEYER, R. A. (1991). A confirmatory factor analysis of the threat index. *Journal of Personality and Social Psychology, 60,* 122-129.

MORGAN, M. (1985). Self-monitoring of attained subgoals in private study. *Journal of Educational Psychology, 77,* 623-630.

MOROKOFF, P. J. (1985). Effects of sex, guilt, repression, sexual "arousability," and sexual experience on female sexual arousal during erotica and fantasy. *Journal of Personality and Social Psychology, 49,* 177-187.

MORRIS, M. W., et PENG, K. (1994). Culture and cause : American and Chinese attributions for social and physical events. *Journal of Personality and Social Psychology, 67,* 949-971.

MORRISON, J. K., et COMETA, M. C. (1982). Variations in developing construct systems : The experience corollary. Dans J. C. Mancusco et J. R. Adams-Webber (Dir.), *The construing person* (pp. 152-169). New York : Praeger.

MOSKOWITZ, D. S., BROWN, K. W., et COTE, S. (1997). Reconceptualizing stability : Using time as a psychological dimension. *Current Directions in Psychological Science, 6,* 127-132.

MOSS, P. D., et McEVEDY, C. P. (1966). An epidemic of over-breathing among school-girls. *British Medical Journal,* 1295-1300.

MOWRER, O. H., et MOWRER, W. A. (1928). Enuresis : A method for its study and treatment. *American Journal of Orthopsychiatry, 8,* 436-447.

MURRAY, H. A. (1938). *Explorations in personality.* New York : Oxford University Press.

MURRAY, H. A. (1953). *Exploration de la personnalité,* trad. de l'anglais par le Dr A. Ombredane et N. Chevalier, Paris, PUF, coll. Bibliothèque scientifique, 2 vol.

NASH, M. (1999). The psychological unconscious. Dans V. J. Derlega, B. A. Winstead et W. H. Jones, (Dir.), *Personality: Contemporary theory and research* (pp. 197-228). Chicago : Nelson-Hall.

NATHAN, P. E. (1985). Aversion therapy in the treatment of alcoholism : Success and failure. *Annals of the New York Academy of Sciences, 443,* 357-364.

NEIMEYER, G. J. (1992). Back to the future with the psychology of personal constructs. *Contemporary Psychology, 37,* 994-997.

NEIMEYER, R. A. (1994). *Death anxiety handbook: Research, instrumentation, and application.* Washington, D.C. : Taylor & Francis.

NEIMEYER, R. A., et NEIMEYER, G. J. (Dir.) (1992). *Advances in personal construct psychology* (Vol. 2). Greenwich, CT : JAI Press.

NESSELROADE, J. R., et DELHEES, K. H. (1966). Methods and findings in experimentally based personality theory. Dans R. B. Cattell (Dir.), *Handbook of multivariate experimental psychology* (pp. 563-610). Chicago : Rand McNally.

NEWMAN, L. S., DUFF, K. J., et BAUMEISTER, R. F. (1997). A new look at defensive projection : Thought suppression, accessibility, and biased person perception. *Journal of Personality and Social Psychology, 72,* 980-1001.

NISBETT, R. E., et WILSON, T. D. (1977). Telling more than we know : Verbal reports on mental processes. *Psychological Review, 84,* 231-279.

NISBETT, R., et ROSS, L. (1980). *Human inference: Strategies and shortcomings of social judgment.* Englewood Cliffs, NJ : Prentice Hall.

NORMAN, D. A. (1980). Twelve issues for cognitive science. *Cognitive Science, 4,* 1-32.

NORMAN, W. T. (1963). Toward an adequate taxonomy of personality attributes. *Journal of Abnormal and Social Psychology, 66,* 574-583.

O'LEARY, A. (1990). Stress, emotion, and human immune function. *Psychological Bulletin, 108,* 363-382.

O'LEARY, A. (1992). Self-efficacy and health : Behavioral and stress-physiological mediation. *Cognitive Therapy and Research, 16,* 229-245.

O'LEARY, A., SHOOR, S., LORIG, K., et HOLMAN, H. R. (1988). A cognitive-behavioral treatment of rheumatoid arthritis. *Health Psychology, 7,* 527-544.

O'LEARY, K. D. (1972). The assessment of psychopathology in children. Dans H. C. Quay et J. S. Werry (Dir.), *Psychopathological disorders of childhood* (pp. 234-272). New York : Wiley.

OGILVIE, D. M. (1987). The undesired self : A neglected variable in personality research. *Journal of Personality and Social Psychology, 52,* 379-385.

OHMAN, A., et SOARES, J. F. (1993). On the automaticity of phobic fear : Conditional skin conductance responses to masked phobic stimuli. *Journal of Abnormal Psychology, 102,* 121-132.

ORNE, M. T. (1962). On the social psychology of the psychological experiment : With particular reference to demand characteristics and their implications. *American Psychologist, 17,* 776-783.

OSGOOD, C. E., et LURIA, Z. (1954). A blind analysis of a case of multiple personality using the semantic differential. *Journal of Abnormal and Social Psychology, 49,* 579-591.

OSGOOD, C. E., SUCI, G. J., et TANNENBAUM, P. H. (1957). *The measurement of meaning.* Urbana, IL : University of Illinois Press.

OZER, D. J. (1999). Four principles for personality assessment. Dans L. A. Pervin et O. P. John (Dir.), *Handbook of personality: Theory and research* (pp. 671-686). New York : Guilford.

OZER, E., et BANDURA, A. (1990). Mechanisms governing empowerment effects : A self-efficacy analysis. *Journal of Personality and Social Psychology, 58,* 472-486.

PATTON, C. J. (1992). Fear of abandonment and binge eating. *Journal of Nervous and Mental Disease, 180,* 484-490.

PAULHUS, D. L. (1990). Measurement and control of response bias. Dans J. P. Robinson, P. R. Shaver et L. Wrightsman (Dir.), *Measures of personality and social-psychological attitudes* (pp. 17-59). San Diego : Academic Press.

PAULHUS, D. L., FRIDHANDLER, B., et HAYES, S. (1997). Psychological defense : Contemporary theory and research (pp. 544-579). Dans R. Hogan, J. Johnson et S. Briggs (Dir.), *Handbook of personality psychology* (pp. 543-579). San Diego, CA : Academic Press.

PAULHUS, D. L., TRAPNELL, P. D., et CHEN, D. (1999). Birth order effects on personality and achievement within families. *Psychological Science, 10,* 482-488.

PAVLOV, I. P. (1927). *Conditioned reflexes.* London : Oxford University Press.

PENG, K., et NISBETT, R. E. (1999). Culture, dialectics, and reasoning about contradiction. *American Psychologist, 54,* 741-754.

PENNEBAKER, J. W. (1985). Traumatic experience and psychosomatic disease : Exploring the roles of behavioral inhibition, obsession, and confiding. *Canadian Psychology, 26,* 82-95.

PENNEBAKER, J. W. (1990). *Opening up: The healing powers of confiding in others.* New York : Morrow.

PERVIN, L. A. (1960a). Rigidity in neurosis and general personality functioning. *Journal of Abnormal and Social Psychology, 61,* 389-395.

PERVIN, L. A. (1960b). Existentialism, psychotherapy, and psychology. *American Psychologist, 15,* 305-309.

PERVIN, L. A. (1964). Predictive strategies and the need to confirm them : Some notes on pathological types of decisions. *Psychological Reports, 15,* 99-105.

PERVIN, L. A. (1967a). A twenty-college study of Student/College interaction using TAPE (Transactional Analysis of Personality and Environment) : Rationale, reliability, and validity. *Journal of Educational Psychology, 58,* 290-302.

PERVIN, L. A. (1967b). Satisfaction and perceived self-environment similarity : A semantic differential study of student-college interaction. *Journal of Personality, 35,* 623-634.

PERVIN, L. A. (1976). A free-response description approach to the analysis of person-situation interaction. *Journal of Personality and Social Psychology, 34,* 465-474.

PERVIN, L. A. (1978). *Current controversies and issues in personality.* New York : Wiley. (Deuxième édition, 1984.)

PERVIN, L. A. (1981). The relation of situations to behavior. Dans D. Magnusson (Dir.), *The situation: An interactional perspective.* Hillsdale, NJ : Erlbaum.

PERVIN, L. A. (1983). Idiographic approaches to personality. Dans J. McV. Hunt et N. Endler (Dir.), *Personality and the behavior disorders* (pp. 261-282). New York : Wiley.

PERVIN, L. A. (1984). *Current controversies and issues in personality.* New York : Wiley.

PERVIN, L. A. (1985). Personality : Current controversies, issues, and directions. *Annual Review of Psychology, 36,* 83-114.

PERVIN, L. A. (1988). Affect and addiction. *International Journal of Addictive Behaviors, 13,* 83-86.

PERVIN, L. A. (1990). A brief history of modern personality theory. Dans L. A. Pervin (Dir.), *Handbook of personality: Theory and research* (pp. 3-18). New York : Guilford Press.

PERVIN, L. A. (1994a). A critical analysis of current trait theory. *Psychological Inquiry, 5,* 103-113.

PERVIN, L. A. (1994b). Personality stability, personality change, and the question of process. Dans T. Heathertonet J. Weinberger (Dir.), *Can personality change?* (pp. 315-330). Washington, D.C. : American Psychological Association.

PERVIN, L. A. (1996). *The science of personality.* New York : Wiley.

PERVIN, L. A. (1999). Epilogue : Constancy and change in personality theory and research. Dans L. A. Pervin et O. P. John (Dir.), *Handbook of personality: Theory and research* (pp. 689-704). New York : Guilford.

PERVIN, L. A., et LEWIS, M. (Dir.) (1978). *Perspectives in interactional psychology.* New York : Plenum.

PETERSON, C. (1991). The meaning and measurement of explanatory style. *Psychological Inquiry, 2,* 1-10.

PETERSON, C. (1995). Explanatory style and health. Dans G. M. Buchanan et M. E. P. Seligman (Dir.), *Explanatory style* (pp. 233-246). Hillsdale, NJ : Erlbaum.

PETERSON, C., et PARK, C. (1998). Learned helplessness and explanatory style. Dans D. F. Barone, M. Hersen et V. B. Van Hasselt (Dir.), *Advanced personality* (pp. 287-310). New York : Plenum.

PETERSON, C., et SELIGMAN, M. E. P. (1984). Causal explanations as a risk factor for depression : Theory and evidence. *Psychological Review, 91,* 347-374.

PETERSON, C., MAIER, S. F., et SELIGMAN, M. E. P. (1993). *Learned helplessness: A theory for the age of personal control.* New York : Oxford University Press.

PETERSON, C., SCHWARTZ, S. M., et SELIGMAN, M. E. P. (1981). Self-blame and depressive symptoms. *Journal of Personality and Social Psychology, 41,* 253-259.

PETERSON, C., SEMMEL, A., VON BAEYER, C., ABRAMSON, L. Y., METALSKY, G. I., et SELIGMAN, M. E. P. (1982). The Attributional Style Questionnaire. *Cognitive Therapy and Research, 6,* 287-300.

PETRIE, K. J., BOOTH, R. J., et PENNEBAKER, J. W. (1998). The immunological effects of thought suppression. *Journal of Personality and Social Psychology, 75,* 1264-1272.

PFUNGST, O. (1911). *Clever Hans: A contribution to experimental, animal, and human psychology.* New York : Holt, Rinehart & Winston.

PICKERING, A. D., et GRAY, J. A. (1999). The neuroscience of personality. Dans L. A. Pervin et O. P. John (Dir.), *Handbook of personality: Theory and research* (pp. 277-299). New York : Guilford.

PLOMIN, R. (1990). *Nature and nurture.* Pacific Grove, CA : Brooks/Cole.

PLOMIN, R. (1994). *Genetics and experience: The interplay between nature and nurture.* Newbury Park, CA : Sage.

PLOMIN, R., CHIPUER, H. M., et LOEHLIN, J. C. (1990). Behavioral genetics and personality. Dans L. A. Pervin (Dir.), *Handbook of personality: Theory and research* (pp. 225-243). New York : Guilford Press.

PLOMIN, R., CHIPUER, H. M., et NEIDERHISER, J. M. (1994). Behavioral genetic evidence for the importance of nonshared environment. Dans E. M. Hetherington, D. Reiss et R. Plomin (Dir.), *Separate social worlds of siblings: The impact of nonshared environment on development* (pp. 1-31). Hillsdale, NJ : Erlbaum.

PLOMIN, R., et BERGEMAN, C. S. (1991). The nature of nurture : Genetic influence on "environmental" measures. *Behavioral and Brain Sciences, 14,* 373-385.

PLOMIN, R., et CASPI, A. (1999). Behavioral genetics and personality. Dans L. A. Pervin et O. P. John (Dir.), *Handbook of personality: Theory and research* (pp. 251-276). New York : Guilford.

PLOMIN, R., et DANIELS, D. (1987). Why are children in the same family so different from each other ? *Behavioral and Brain Sciences, 10,* 1-16.

PLOMIN, R., et NEIDERHISER, J. M. (1992). Genetics and experience. *Current Directions in Psychological Science, 1,* 160-163.

POCH, S. M. (1952). *A study of changes in personal constructs as related to interpersonal prediction and its outcomes.* Thèse de doctorat non publiée, Ohio State University.

PONOMAREV, I., et CRABBE, J. C. (1999). Genetic association between chronic ethanol withdrawal severity and acoustic startle parameters in WSP and WSR mice. *Alcoholism: Clinical & Experimental Research, 23,* 1730-1735.

POWELL, R. A., et BOER, D. P. (1994). Did Freud mislead patients to confabulate memories of abuse ? *Psychological Reports, 74,* 1283-1298.

POWER, M. J., et CHAMPION, L. A. (1986). Cognitive approaches to depression : A theoretical critique. *British Journal of Clinical Psychology, 25,* 201-212.

PSYCHOLOGICAL INQUIRY. (1991). Commentaries. *2,* 11-49.

RALEIGH, M. J., et McGUIRE, M. T. (1991). Bidirectional relationships between typtophan and social behavior in vervet monkeys. *Advances in Experimental Medicine and Biology, 294,* 289-298.

RASKIN, R., et HALL, C. S. (1979). A narcissistic personality inventory. *Psychological Reports, 45,* 590.

RASKIN, R., et HALL, C. S. (1981). The Narcissistic Personality Inventory : Alternate form reliability and further evidence of construct validity. *Journal of Personality Assessment, 45,* 159-162.

RASKIN, R., et SHAW, R. (1987). *Narcissism and the use of personal pronouns.* Manuscrit non publié.

RASKIN, R., et TERRY, H. (1987). *A factor-analytic study of the Narcissistic Personality Inventory and further evidence of its construct validity.* Manuscrit non publié.

RAWSTHORNE, L. J., et ELLIOT, A. J. (1999). Achievement goals and intrinsic motivation : A meta-analytic review. *Personality and Social Psychology Review, 3,* 326-344.

RAZRAN, G. (1939). A quantitative study of meaning by a conditioned salivary technique. *Science, 90,* 89-91.

REISS, D. (1997). Mechanisms linking genetic and social influences in adolescent development : Beginning a collaborative search. *Current Directions in Psychological Science,* 6, 100-105.

REISS, D., NEIDERHISER, J., HETHERINGTON, E. M., et PLOMIN, R. (1999). *The relationship code: Deciphering genetic and social patterns in adolescent development.* Cambridge, MA : Harvard University Press.

RETTEW, D., et REIVICH, K. (1995). Sports and explanatory style. Dans G. M. Buchanan et M. E. P. Seligman (Dir.), *Explanatory style* (pp. 173-186). Hillsdale, NJ : Erlbaum.

REYNOLDS, G. S. (1968). *A primer of operant conditioning.* Glenview, IL : Scott, Foresman.

RHODEWALT, F., et MORF, C. C. (1995). Self and interpersonal correlates of the Narcissistic Personality Inventory : A review and new findings. *Journal of Research in Personality, 29,* 1-23.

RHODEWALT, F., et MORF, C. C. (1998). On self-aggrandizement and anger : A temporal analysis of narcissism and affective reactions to success and failure. *Journal of Personality and Social Psychology, 74,* 672-685.

RIEMANN, R., ANGLEITNER, A., et STRELAU, J. (1997). Genetic and environmental influences on personality : A study of twins reared together using the self- and peer report NEO-FFI scales. *Journal of Personality, 65,* 449-476.

ROBERTS, B. W. (1997). Plaster or plasticity : Are adult work experiences associated with personality change in women ? *Journal of Personality, 65,* 205-232.

ROBERTS, B. W., et DEL VECCHIO, W. F. (2000). The rank-order consistency of personality traits from childhood to old age : A quantitative review of longitudinal studies. *Psychological Bulletin, 126,* 3-25.

ROBERTS, J. A., GOTLIB, I. H., et KASSEL, I. D. (1996). Adult attachment security and symptoms of depression : The mediating roles of dysfunctional attitudes and low self-esteem. *Journal of Personality and Social Psychology, 70,* 310-320.

ROBINS, C. J., et HAYES, A. M. (1993). An appraisal of cognitive therapy. *Journal of Consulting and Clinical Psychology, 61,* 205-214.

ROBINS, C. J., et HAYES, A. M. (1995). The role of causal attributions in the prediction of depression. Dans G. M. Buchanan et M. E. P. Seligman (Dir.), *Explanatory style* (pp. 71-97). Hillsdale, NJ : Erlbaum.

ROBINS, R. W., et JOHN, O. P. (1996). The quest for self-insight : Theory and research on the accuracy of self-perception. Dans R. Hogan, J. Johnson et S. Briggs (Dir.), *Handbook of personality psychology* (pp. 647-679). New York : Academic Press.

ROBINS, R. W., et JOHN, O. P. (1997). Self-perception, visual perspective, and narcissism : Is seeing believing ? *Psychological Science, 8,* 37-42.

ROBINS, R. W., GOSLING, S. D., et CRA1K, K. H. (1999). An empirical analysis of trends in psychology. *American Psychologist, 54,* 117-128.

ROBINS, R. W., JOHN, O. P., CASPI, A., MOFFITT, T. E., et STOUTHAMER-LOEBER, M. (1996). Resilient, overcontrolled, and undercontrolled boys : Three replicable personality types. *Journal of Personality and Social Psychology, 70,* 157-171.

ROBINS, R. W., JOHN, O. P., et CASPI, A. (1994). Major dimensions of personality in early adolescence : The Big Five and beyond. Dans C. F. Halverson, G. A. Kohnstamm et R. P. Martin (Dir.), *The developing structure of temperament and personality from infancy to adulthood* (pp. 267-291). Hillsdale, NJ : Erlbaum.

ROBINS, R. W., NOREM, J. K., et CHEEK, J. M. (1999). Naturalizing the self. Dans L. A. Pervin et O. P. John (Dir.), *Handbook of personality: Theory and research* (pp. 443-477). New York : Guilford.

ROBINSON, R. G., et DOWNHILL, J. E. (1995). Lateralization of psychopathology in response to focal brain injury. Dans R. J. Davidson et K. Hugdahl (Dir.), *Brain asymmetry* (pp. 693-711). Cambridge, MA : MIT Press.

ROGERS, C. R. (1942). *Counseling and psychotherapy.* Boston : Houghton Mifflin.

ROGERS, C. R. (1946). Significant aspects of client-centered therapy. Dans H. M. Ruitenbeck (Dir.), *Varieties of personality theory* (pp. 168-183). New York : Dutton. (Publié pour la première fois en 1946.)

ROGERS, C. R. (1947). Some observations on the organization of personality. *American Psychologist, 2,* 358-368.

ROGERS, C. R. (1951). *Client-centered therapy.* Boston : Houghton Mifflin.

ROGERS, C. R. (1954). The case of Mrs. Oak : A research analysis. Dans C. R. Rogers et R. F. Dymond (Dir.), *Psychotherapy aud personality change* (pp. 259-348). Chicago : University of Chicago Press.

ROGERS, C. R. (1956). Some issues concerning the control of human behavior. *Science, 124,* 1057-1066.

ROGERS, C. R. (1959). A theory of therapy, personality, and interpersonal relationships as developed in the client-centered framework. Dans S. Koch (Dir.), *Psychology: A study of science* (pp. 184-256). New York : McGraw-Hill.

ROGERS, C. R. (1961). *On becoming a person*. Boston : Houghton Mifflin.

ROGERS, C. R. (1963). The actualizing tendency in relation to "motives" and to consciousness. Dans M. R. Jones (Dir.), *Nebraska symposium on motivation* (pp. l-24). Lincoln : University of Nebraska Press.

ROGERS, C. R. (1964). Toward a science of the person. Dans T. W. Wann (Dir.), *Behaviorism and phenomenology* (pp. 109-133). Chicago : University of Chicago Press.

ROGERS, C. R. (1966). Client-centered therapy. Dans S. Arieti (Dir.), *American handbook of psychiatry* (pp. 183-200). New York : Basic Books.

ROGERS, C. R. (1970). *On encounter groups*. New York : Harper.

ROGERS, C. R. (1972). *Becoming partners: Marriage and its alternatives*. New York : Delacorte Press.

ROGERS, C. R. (1977). *Carl Rogers on personal power*. New York : Delacorte Press.

ROGERS, C. R. (1980). *A way of being*. Boston : Houghton Mifflin.

ROGERS, C. R. (Dir.) (1967). *The therapeutic relationship and its impact: A study of psychotherapy with schizophrenics*. Madison : University of Wisconsin Press.

ROGERS, C. R. (1968). *Le développement de la personne,* trad. par E.L. Herbert, préf. de M. Pagès, Paris, Dunod.

ROGERS, C. R. (1973). *Les groupes de rencontre,* trad. par D. Le Bon, préf. de A. de Peretti, Paris, Dunod.

ROGERS, C. R. (1974). *Réinventer le couple*, trad. de l'américain par T. Carlier, Paris, R. Laffont.

ROGERS, C. R. (1979). *Un manifeste personnaliste,* trad. par M. Navarro, préf. de A. de Peretti, Paris, Dunod.

ROLAND, A. (1988). *In search of self in India and Japan*. Princeton, NJ : Princeton University Press.

ROSCH, E., MERVIS, C., GRAY, W., JOHNSON, D., et BOYES-BRAEM, P. (1976). Basic objects in natural categories. *Cognitive Psychology, 8*, 382-439.

ROSENBERG, S. (1980). A theory in search of its zeitgeist. *Contemporary Psychology, 25*, 898-900.

ROSENTHAL, R. (1994). Interpersonal expectancy effects : A 30-year perspective. *Current Directions in Psychological Science, 3*, 176-179.

ROSENTHAL, R., et RUBIN, D. (1978). Interpersonal expectancy effects : The first 345 studies. *Behavioral and Brain Sciences, 3*, 377-415.

ROSENTHAL, T., et BANDURA, A. (1978). Psychological modeling : Theory and practice. Dans S. L. Garfield et A. E. Bergin (Dir.), *Handbook of psychotherapy and behavior change* (pp. 621-658). New York : Wiley.

ROSENZWEIG, S. (1941). Need-persistive and ego-defensive reactions to frustration as demonstrated by an experiment on repression. *Psychological Review, 48*, 347-349.

ROTHBARD, J. C., et SHAVER, P. R. (1994). Continuity of attachment across the life-span. Dans M. B. Sperling et W. H. Berman (Dir.), *Attachment in adults: Clinical and developmental perspectives* (pp. 31-71). New York : Guilford Press.

ROTHBART, M. K., AHADI, S. A., et EVANS, D. E. (2000). Temperament and personality : Origins and outcomes. *Journal of Personality and Social Psychology, 78*, 122-135.

ROTHBART, M. K., et BATES, J. E. (1998). Temperament. Dans W. Damon (Dir.), *Handbook of child psychology: Vol. 3. Social, emotional, and personality development* (5e éd., pp. 105-176). New York : Wiley.

ROTTER, J. B. (1966). Generalized expectancies for internal versus external control of reinforcement. *Psychological Monographs*, 80 (N° 609 intégral.)

ROTTER, J. B. (1982). *The development and application of social learning theory*. New York : Praeger.

ROWE, D. C. (1987). Resolving the person-situation debate. *American Psychologist, 42*, 218-227.

ROWE, D. C. (1994). *The limits of family influence*. New York : Guilford Press.

ROWE, D. C. (1999). Heredity. Dans V. J. Derlega, B. A. Winstead et Jones, W. H. (Dir.), *Personality: Contemporary theory and research* (pp. 66-100). Chicago : Nelson-Hall.

ROZIN, P., et ZELLNER, D. (1985). The role of Pavlovian conditioning in the acquisition of food likes and dislikes. *Annals of the New York Academy of Sciences, 443*, 189-202.

RUSHTON, J. P., et ERDLE, S. (1987). Evidence for aggressive (and delinquent) personality. *British Journal of Social Psychology, 26*, 87-89.

RYAN, R. M. (1993). Agency and organization : Intrinsic motivation, autonomy and the self in psychological development. Dans J. Jacobs (Dir.), *Nebraska symposium on motivation* (Vol. 40, pp. 1-56). Lincoln : University of Nebraska Press.

RYAN, R. M., et DECI, E. L. (2000). Self-determination theory and the facilitation of intrinsic motivation, social development, and well-being. *American Psychologist, 55*, 68-78.

RYFF, C. D. (1995). Psychological well-being in adult life. *Current Directions in Psychological Science, 4*, 99-104.

RYFF, C. D., et SINGER, B. (1998). The contours of positive human health. *Psychological Inquiry, 9*, 1-28.

RYFF, C. D., et SINGER, B. (2000). Interpersonal flourishing : A positive health agenda for the new millennium. *Personality and Social Psychology Review, 4*, 30-44.

SANDERSON, C., et CLARKIN, J. F. (1994). Use of the NEO-PI personality dimensions in differential treatment planning. Dans P. T. Costa, Jr. et T. A. Widiger (Dir.), *Personality disorders and the five factor model of personality* (pp. 219-236). Washington, D.C. : American Psychological Association.

SAPOLSKY, R. M. (1994). *Why zebras don't get ulcers*. New York : W.H. Freeman.

SAUCIER, G., et GOLDBERG, L. R. (1996). Evidence for the Big Five in analyses of familiar English personality adjectives. *European Journal of Personality, 10*, 61-77.

SCARR, S. (1992). Developmental theories for the 1990s : Development and individual differences. *Child Development, 63*, 1-19.

SCARR, S. (1993). Biological and cultural diversity : The legacy of Darwin for development. *Child Development, 64*, 1333-1353.

SCHACHTER, S., et SINGER, J. (1962). Cognitive, social, and physiological determinants of emotional state. *Psychological Review, 69*, 379-399.

SCHAFER, R. (1954). *Psychoanalytic interpretation in Rorschach testing.* New York : Grune & Stratton.

SCHAFER, R. (1984). The pursuit of failure and the idealization of unhappiness. *American Psychologist, 39,* 398-405.

SCHANK, R., et ABELSON, R. (1977). *Scripts, plans, goals, and understanding.* Hillsdale, NJ : Erlbaum.

SCHEIER, M. F., et CARVER, C. S. (1985). Optimism, coping, and health : Assessment and implications of generalized outcome expectancies. *Health Psychology, 4,* 219-247.

SCHEIER, M. F., et CARVER, C. S. (1987). Dispositional optimism and physical well-being : The influence of generalized outcome expectancies on health. *Journal of Personality, 55,* 169-210.

SCHNEIDER, D. J. (1982). Personal construct psychology : An international menu. *Contemporary Psychology, 27,* 712-713.

SCHNEIDER, J. A., O'LEARY, A., et AGRAS, W. S. (1987). The role of perceived self-efficacy in recovery from bulimia : A preliminary examination. *Behavior Research and Therapy, 25,* 429-432.

SCHULMAN, P. (1995). Explanatory style and achievement in school and work. Dans G. M. Buchanan et M. E. P. Seligman (Dir.), Jossey-Bass. *Explanatory style* (pp. 159-172). Hillsdale, NJ : Erlbaum.

SCHUNK, D. H., et COX, P. D. (1986). Strategy training and attributional feedback with learning disabled students. *Journal of Educational Psychology,* 1986, *78,* 201-209.

SCHWARZER, R. (Dir.) (1992). *Self-efficacy: Thought control of action.* Washington, D.C. : Hemisphere.

SCOTT, J. P., et FULLER, J. L. (1965). *Genetics and the social behavior of the dog.* Chicago : University of Chicago Press.

SEARS, R. R., RAU, L., et ALPERT, R. (1965). *Identification and child rearing.* Stanford, CA : Stanford University Press.

SECHREST, L. (1963). The psychology of personal constructs. Dans J. M. Wepman et R. W. Heine (Dir.), *Concepts of personality* (pp. 206-233). Chicago : Aldine. Jossey-Bass.

SECHREST, L., et JACKSON, D. N. (1961). Social intelligence and accuracy of interpersonal predictions. *Journal of Personality, 29,* 167-182.

SEGAL, Z. V., et DOBSON, K. S. (1992). Cognitive models of depression : Report from a consensus development conference. *Psychological Inquiry, 3,* 219-224.

SELIGMAN, M. E. P. (1975). *Helplessness.* San Francisco : Freeman.

SELIGMAN, M. E. P. (1991). *Learned optimism.* New York : Knopf.

SELIGMAN, M. E. P. (1992). Power and powerlessness : Comments on "cognates of personal control." *Applied and Preventive Psychology, 1,* 119-120.

SELIGMAN, M. E. P., et CSIKSZENTMIHALYI, M. (2000). Positive psychology. *American Psychologist, 55,* 5-14.

SHEDLER, J., MAYMAN, M., et MANIS, M. (1993). The illusion of mental health. *American Pschologist, 48,* 1117-1131.

SHELDON, K. M., et ELLIOT, A. J. (1999). Goal striving, need satisfaction, and longitudinal well-being : The self-concordance model. *Journal of Personality and Social Psychology, 76,* 482-497.

SHELDON, K. M., RYAN, R. M., RAWSTHORNE, L. J., et ILARDI, B. (1997). Trait self and true self : Cross-role variation in the Big-Five personality traits and its relations with psychological authenticity and subjective well-being. *Journal of Personality and Social Psychology, 73,* 1380-1393.

SHELDON, W. H. (1940). *The varieties of human physique.* New York : Harper.

SHELDON, W. H. (1942). *Varieties of temperament.* New York : Harper.

SHINER, R. L. (1998). How shall we speak of children's personalities in middle childhood ? A preliminary taxonomy. *Psychological Review, 124,* 308-332.

SHODA, Y., MISCHEL, W., et PEAKE, P. K. (1990). Predicting adolescent cognitive and self-regulatory competencies from preschool delay of gratification : Identifying diagnostic conditions. *Developmental Psychology, 26,* 978-986.

SHODA, Y., MISCHEL, W., et WRIGHT, J. C. (1994). Intra-individual stability in the organization and patterning of behavior : Incorporating psychological situations into the idiographic analysis of personality. *Journal of Personality and Social Psychology, 67,* 674-687.

SHWEDER, R. A. (1991). *Thinking through cultures: Expeditions in cultural psychology.* Cambridge, MA : Harvard University Press.

SIEGEL, S. (1984). Pavlovian conditioning and heroin overdose : Reports by overdose victims. *Bulletin of the Psychonomic Society, 22,* 428-430.

SIEGEL, S., HINSON, R. E., KRANK, M. D., et McCULY, J. (1982). Heroin "overdose" death : Contribution of drug-associated environmental cues. *Science, 216,* 436-437.

SIGEL, I. E. (1981). Social experience in the development of representational thought : Distancing theory. Dans I. E. Sigel, D. Brodzinsky et R. Golinkoff (Dir.), *New directions in Piagetian theory and practice* (pp. 203-217). Hillsdale, NJ : Erlbaum.

SILVERMAN, L. H. (1976). Psychoanalytic theory : The reports of its death are greatly exaggerated. *American Psychologist, 31,* 621-637.

SILVERMAN, L. H. (1982). A comment on two subliminal psychodynamic activation studies. *Journal of Abnormal Psychology, 91,* 126-130.

SILVERMAN, L. H., ROSS, D. L., ADLER, J. M., et LUSTIG, D. A. (1978). Simple research paradigm for demonstrating subliminal psychodynamic activation : Effects of oedipal stimuli on dart-throwing accuracy in college men. *Journal of Abnormal Psychology, 87,* 341-357.

SIMPSON, J. A., et RHOLES, W. S. (Dir.), *Attachment theory and close relationships.* New York : Guilford.

SKINNER, B. F. (1948). *Walden two.* New York : Macmillan.

SKINNER, B. F. (1953). *Science and human behavior.* New York : Macmillan.

SKINNER, B. F. (1956). A case history in the scientific method. *American Psychologist, 11,* 221-233.

SKINNER, B. F. (1959). *Cumulative record.* New York : Appleton-Century-Crofts.

SKINNER, B. F. (1967). Autobiography. Dans E. G. Boring et G. Lindzey (Dir.), *A history of psychology in autobiography* (pp. 385-414).

SKINNER, B. F. (1971). *Beyond freedom and dignity.* New York : Knopf.

SKINNER, B. F. (1972). *Par-delà la liberté et la dignité*, Paris, Robert Laffont, et Montréal, HMH.

SKINNER, B. F. (1990). Can psychology be a science of mind? *American Psychologist, 45,* 1206-1210.

SMITH, R. E. (1989). Effects of coping skills training on generalized self-efficacy and locus of control. *Journal of Personality and Social Psychology, 56,* 228-233.

SNYDER, M., et CANTOR, N. (1998). Understanding personality and social behavior : A functionalist strategy. Dans D. T. Gilbert, S. T. Fiske et G. Lindzey (Dir.), *The handbook of social psychology,* 4e éd. (pp. 635-679). New York : McGraw-Hill.

SPERLING, M. B., et BERMAN, W. H. (Dir.) (1994). *Attachment in adults: Clinical and developmental perspectives.* New York : Guilford Press.

SROUFE, L. A., CARLSON, E., et SHULMAN, S. (1993). Individuals in relationships : Development from infancy. Dans D. C. Funder, R. D. Parke, C. Tomlinson-Keasey et K. Widaman (Dir.), *Studying lives through time* (pp. 315-342). Washington, D.C. : American Psychological Association.

STAATS, A. Q., et BURNS, G. L. (1982). Emotional personality repertoire as cause of behavior : Specification of personality and interaction principles. *Journal of Personality and Social Psychology, 43,* 873-886.

STAJKOVIC, A. D., et LUTHANS, F. (1998). Self-efficacy and work-related performance : A meta-analysis. *Psychological Bulletin, 124,* 240-261.

STEINER. J. F. (1966). *Treblinka.* New York : Simon & Schuster.

STEPHENSON, W. (1953). *The study of behavior.* Chicago : University of Chicago Press.

STEWART, V., et STEWART, A. (1982). *Business applications of repertory grid.* London : McGraw-Hill.

STOOLMILLER, M. (1999). Implications of the restricted range of family environments for estimates of heritability and nonshared environment in behavior-genetic adoption studies. *Psychological Bulletin, 125,* 392-409.

STRAUMAN, T. J. (1990). Self-guides and emotionally significant childhood memories : A study of retrieval efficiency and incidental negative emotional content. *Journal of Personality and Social Psychology, 59,* 869-880.

STRAUMAN, T. J., LEMIEUX, A. M., et COE, C. L. (1993). Self-discrepancy and natural killer cell activity : Immunological consequences of negative self-evaluation. *Journal of Personality and Social Psychology, 64,* 1042-1052.

STRELAU, J. (1997). The contribution of Pavlov's typology of CNS properties to personality research. *European Psychologist, 2,* 125-138.

STRUBE, M. J. (1990). In search of self : Balancing the good and the true. *Personality and Social Psychology Bulletin, 16,* 699-704.

SUEDFELD, P., et TETLOCK, P. E. (Dir.) (1991). *Psychology and social policy.* New York : Hemisphere.

SUINN, R. M., OSBORNE, D., et WINFREE, P. (1962). The self concept and accuracy of recall of inconsistent self-related information. *Journal of Clinical Psychology, 18,* 473-474.

SULLIVAN, H. S. (1953). *The interpersonal theory of psychiatry.* New York : Norton.

SULLOWAY, F. J. (1979). *Freud: Biologist of the mind.* New York : Basic Books.

SULLOWAY, F. J. (1991). Reassessing Freud's case histories. *ISIS, 82,* 245-275.

SULLOWAY, F. J. (1996). *Born to rebel: Birth order, family dynamics, and creative lives.* New York : Pantheon.

SUOMI, S. (1999, juin). *Jumpy monkeys.* Discours prononcé lors de l'assemblée annuelle de l'American Psychological Association. Denver, CO.

SWANN, W. B. Jr., DE LA RONDE, C., et HIXON, J. G. (1994). Authenticity and positivity strivings in marriage and courtship. *Journal of Personality and Social Psychology, 66,* 857-869.

SWANN, W. B., Jr. (1991). To be adored or to be known ? The interplay of self-enhancement and self-verification. Dans E. T. Higgins et R. M. Sorrentino (Dir.), *Handbook of motivation and cognition* (pp. 408-450). New York : Guilford Press.

SWANN, W. B., Jr. (1992). Seeking "truth," finding despair : Some unhappy consequences of a negative self-concept. *Current Directions in Psychological Science, 1,* 15-18.

SWANN, W. B., Jr. (1997). The trouble with change : Self-verification and allegiance to the self. *Psychological Science, 8,* 177-180.

SWANN, W. B., Jr., GRIFFIN, J. J., Jr., PREDMORE, S. C., et GAINES, B. (1987). The cognitive-affective crossfire : When self-consistency confronts self-enhancement. *Journal of Personality and Social Psychology, 52,* 881-889.

SWANN, W. B., Jr., PELHAM, B. W., et KRULL, D. S. (1989). Agreeable fancy or disagreeable truth ? Reconciling self-enhancement and self-verification. *Journal of Personality and Social Psychology, 57,* 782-791.

TANG, T. Z., et DE RUBEIS, R. J. (1999a). Reconsidering rapid early response in cognitive behavioral therapy for depression. *Clinical Psychology: Science and Practice, 6,* 283-288.

TANG, T. Z., et DE RUBEIS, R. J. (1999b). Sudden gains and critical sessions in cognitive-behavioral therapy for depression. *Journal of Consulting and Clinical Psychology, 67,* 894-904.

TAYLOR, E. (1999). William James and Sigmund Freud : The future of psychology belongs to your work. *Psychological Science, 10,* 465-468.

TAYLOR, S. E. (1982). Social cognition and health. *Personality and Social Psychology Bulletin, 8,* 549-562.

TAYLOR, S. E. (1989). *Positive illusions: Creative self-deception and the healthy mind.* New York : Basic Books.

TAYLOR, S. E., et ARMOR, D. A. (1996). Positive illusions and coping with adversity. *Journal of Personality, 64,* 874-898.

TAYLOR, S. E., et BROWN, J. D. (1988). Illusion and well-being : Where two roads meet. *Psychological Bulletin, 103,* 193-210.

TAYLOR, S. E., et BROWN, J. D. (1994). Positive illusions and well-being revisited : Separating fact from fiction. *Psychological Bulletin, 116,* 21-27.

TAYLOR, S. E., KEMENY, M. E., REED, G. M., BOWER, J. E., et GRUENEWALD, T. L. (2000). Psychological resources, positive illusions, and health. *American Psychologist, 55,* 99-109.

TELLEGEN, A. (1985). Structures of mood and personality and their relevance to assessing anxiety, with an emphasis on self-report. Dans A. H. Tuma et J. D. Maser (Dir.), *Anxiety and the anxiety disorders* (pp. 681-706). Mahwah, NJ : Erlbaum.

TELLEGEN, A. (1993). Folk concepts and psychological concepts of personality and personality disorder. *Psychology and Inquiry, 4,* 122-130.

TELLEGEN, A., et WALLER, N. G. (2002). Exploring personality through test construction: Development of the Multidimensional Personality Questionnaire. Dans S. R. Briggs et J. M. Cheek (Dir.), *Personality measures: Development and evaluation.* Greenwich, CT: JAI Press.

TELLEGEN, A., LYKKEN, D. T., BOUCHARD, T. J., Jr., WILCOX, K. J., SEGAL, N. L., et RICH, S. (1988). Personality similarity in twins reared apart and together. *Journal of Personality and Social Psychology, 54,* 1031-1039.

TEMOSHOK, L. (1985). The relationship of psychosocial factors to prognostic indicators in cutaneous malignant melanoma. *Journal of Psychosomatic Research, 29,* 139-153.

TEMOSHOK, L. (1987). Personality, coping style, emotion and cancer: Towards an integrative model. *Cancer Surveys, 6, 545-567.*

TEMOSHOK, L. (1991). Assessing the assessment of psychosocial factors. *Psychological Inquiry, 2,* 276-280.

TESSER, A., PILKINGTON, C. J., et McINTOSH, W. D. (1989). Self-evaluation maintenance and the mediational role of emotion: The perception of friends and strangers. *Journal of Personality and Social Psychology, 57,* 442-456.

THOMAS, A., et CHESS, S. (1977). *Temperament and development.* New York: Brunnen/Mazel.

THOMPSON, R. A. (1998). Early socialization and personality development. Dans N. Eisenberg (Dir.), *Handbook of child psychology,* 5e éd., Vol. 3 (pp. 25-104). New York: Wiley.

TOBACYK, J. J., et DOWNS, A. (1986). Personal construct threat and irrational beliefs as cognitive predictors of increases in musical performance anxiety. *Journal of Personality and Social Psychology, 51,* 779-782.

TOMKINS, S. S. (1962). Commentary. The ideology of research strategies. Dans S. Messick et J. Ross (Dir.), *Measuremeni in personality and cognition* (pp. 285-294). New York: Wiley.

TOOBY, J., et COSMIDES, L. (1990). On the universality of human nature and the uniqueness of the individual: The role of genetics and adaptation. *Journal of Personality, 58,* 17-68.

TOOBY, J., et COSMIDES, L. (1992). The psychological foundations of culture. Dans J. H. Barkow, L. Cosmides et J. Tooby (Dir.), *The adapted mind: Evolutionary psychology and the generation of culture.* New York: Oxford University Press.

TRIANDIS, H. C. (1989). The self and social behavior in differing cultural contexts. *Psychological Review, 96, 506-520.*

TRIANDIS, H. C., McCUSKER, C., et HUI, C. H. (1990). Multimethod probes of individualism and collectivism. *Journal of Personality and Social Psychology, 59,* 1006-1020.

TRIVERS, R. (1972). Parental investment and sexual selection. Dans B. Campbell (Dir.), *Sexual selection and the descent of man: 1871-1971* (pp. 136-179). Chicago: Aldine.

TRIVERS, R. (1976). Foreword to R. Dawkins, *The selfish gene.* New York: Oxford University Press.

TURKHEIMER, E., et WALDRON, M. (2000). Nonshared environment: A theoretical, methodological, and quantitative review. *Psychological Bulletin, 126,* 78-108.

TVERSKY, A., et KAHNEMAN, D. (1974). Judgment under uncertainty: Heuristics and biases. *Science, 185,* 1124-1131.

VAN KAAM, A. (1966). *Existential foundations of psychology.* Pittsburgh: Duquesne University Press.

VAN LIESHOUT, C. F., et HASELAGER, G. J. (1994). The Big Five personality factors in Q-sort descriptions of children and adolescents. Dans C. F. Halverson, G. A. Kohnstamm et R. P. Martin (Dir.), *The developing structure of temperament and personality from infancy to childhood* (pp. 293-318). Hillsdale, NJ: Erlbaum.

VERNON, P. E. (1963). *Personality assessment.* New York: Wiley.

WACHTEL, P. L. (1973). Psychodynamics, behavior therapy, and the implacable experimenter: An inquiry into the consistency of personality. *Journal of Abnormal Psychology. 82,* 324-334.

WALLER, N. G. (1999). Evaluating the structure of personality. Dans C. R. Cloninger (Dir.), *Personality and psychopathology* (pp. 155-197). Washington, D.C.: American Psychiatric Press.

WALLER, N. G., et SHAVER, P. R. (1994). The importance of nongenetic influences on romantic love styles. *Psychological Science, 5,* 268-274.

WALTERS, R. H., et PARKE, R. D. (1964). Influence of the response consequences to a social model on resistance to deviation. *Journal of Experimental Child Psychology, 1,* 269-280.

WARE, A. P., et JOHN, O. P. (1995). Punctuality revisited: Personality, situations, and consistency. Affiche exposée à la l03e assemblée annuelle de l'American Psychological Association, New York, 11-15 août 1995.

WATSON, D. (2000). *Mood and temperament.* New York: Guilford.

WATSON, D., et CLARK, L. A. (1992). On traits and temperament: General and specific factors of emotional experience and their relation to the five-factor model. *Journal of Personality, 60,* 441-476.

WATSON, D., et CLARK, L. A. (1997). Extraversion and its positive emotional core. Dans R. Hogan, J. Johnson et S. Briggs (Dir.), *Handbook of personality psychology* (pp. 681-710). San Diego, CA: Academic Press.

WATSON, D., et TELLEGEN, A. (1999). Issues in the dimensional structure of affect-effects of descriptors, measurement error, and response formats: Comment on Russell and Carroll. *Psychological Bulletin, 125,* 601-610.

WATSON, D., WIESE, D., VAIDYA, J., et TELLEGEN, A. (1999). The two general activation systems of affect: Structural findings, evolutionary considerations, and psychobiological evidence. *Journal of Personality and Social Psychology, 76,* 820-838.

WATSON, J. B. (1919). *Psychology from the stand-point of a behaviorist.* Philadelphia: Lippincott.

WATSON, J. B. (1924). *Behaviorism.* New York: People's Institute Publishing.

WATSON, J. B. (1936). Autobiography. Dans C. Murchison (Dir.), *A history of psychology in autobiography* (pp. 271-282). Worcester, MA: Clark University Press.

WATSON, J. B., et RAYNER, R. (1920). Conditioned emotional reactions. *Journal of Experimental Psychology, 3,* 1-14.

WATSON, J. D. (1968). *The double helix.* New York: Atheneum.

WATSON, M. W., et GETZ, K. (1990). The relationship between Oedipal behaviors and children's family role concepts. *Merrill-Palmer Quarterly, 36,* 487-506.

WEBER, S. J., et COOK, T. D. (1972). Subject effects in laboratory research: An examination of subject roles, demand characteristics, and valid inference. *Psychological Bulletin, 77,* 273-295.

WEGNER, D. M. (1992). You can't always think what you want: Problems in the suppression of unwanted thoughts. *Advances in Experimental Social Psychology, 25,* 193-225.

WEGNER, D. M. (1994). Ironic processes of mental control. *Psychological Review, 101,* 34-52.

WEGNER, D. M., SHORTT, G. W., BLAKE, A. W., et PAGE, M. S. (1990). The suppression of exciting thoughts. *Journal of Personality and Social Psychology, 58,* 409-418.

WEGNER, D. M. (2002), *The illusion of conscious will*, Cambridge, Massachusetts, Bradford Books, The MIT Press.

WEINBERG, R. S., GOULD, D., et JACKSON, A. (1979). Expectations and performance: An empirical test of Bandura's self-efficacy theory. *Journal of Sport Psychology, 1,* 320-331.

WEINBERGER, D. A. (1990). The construct reality of the repressive coping style. Dans J. L. Singer (Dir.), *Repression and dissociation: Implications for personality, psychopathology, and health* (pp. 337-386). Chicago: University of Chicago Press.

WEINBERGER, D. A., et DAVIDSON, M. N. (1994). Styles of inhibiting emotional expression: Distinguishing repressive coping from impression management. *Journal of Personality, 62,* 587-595.

WEINBERGER, J. (1992). Validating and demystifying subliminal psychodynamic activation. Dans R. F. Bornstein et T. S. Pittman (Dir.), *Perception without awareness* (pp. 170-188). New York: Guilford Press.

WEINER, B. (1979). A theory of motivation for some classroom experiences. *Journal of Educational Psychology, 71,* 3-25.

WEINER, B. (1990). Attribution in personality psychology. Dans L. A. Pervin (Dir.), *Handbook of personality: Theory and research* (pp. 465-485). New York: Guilford Press.

WEINER, B. (1993). On sin versus sickness: A theory of perceived responsibility and social motivation. *American Psychologist, 48,* 957-965.

WEINER, B. (1996). Searching for order in social motivation. *Psychological Inquiry, 7,* 1-24.

WEINER, B., et GRAHAM, S. (1999). Attribution in personality psychology. Dans L. A. Pervin et O. P. John (Dir.), *Handbook of personality: Theory and research* (pp. 605-628). New York: Guilford.

WENZLAFF, R. M., et BATES, D. E. (1998). Unmasking a cognitive vulnerability to depression: How lapses in mental control reveal depressive thinking. *Journal of Personality and Social Psychology, 75,* 1559-1571.

WEST, S. G., et FINCH, J. F. (1997). Personality measurement: Reliability and validity issues. Dans R. Hogan, J. Johnson et S. Briggs (Dir.), *Handbook of personality psychology* (pp. 143-165). San Diego, CA: Academic Press.

WESTEN, D. (1998). The scientific legacy of Sigmund Freud: Toward a psychodynamically informed psychological science. *Psychological Bulletin, 124,* 333-371.

WESTEN, D., et GABBARD, G. O. (1999). Psychoanalytic approaches to personality. Dans L. A. Pervin et O. P. John (Dir.), *Handbook of personality: Theory and research* (pp. 57-101). New York: Guilford.

WHITE, P. (1980). Limitations of verbal reports of internal events: A refutation of Nisbett and Wilson and of Bem. *Psychological Review, 87,* 105-112.

WHITE, R. W. (1959). Motivation reconsidered: The concept of competence. *Psychological Review, 66,* 297-333.

WIDIGER, T. A. (1993). The DSM-III-R categorical personality disorder diagnoses: A critique and an alternative. *Psychological Inquiry, 4,* 75-90.

WIDIGER, T. A., et TRULL, T. J. (1992). Personality and psychopathology: An application of the five-factor model. *Journal of Personality, 60,* 363-395.

WIDIGER, T. A., VERHUEL, R., et VAN DEN BRINK, W. (1999). Personality and psychopathology. Dans L. A. Pervin et O. P. John (Dir.), *Handbook of personality: Theory and research* (pp. 347-366). New York: Guilford.

WIEDENFELD, S. A., BANDURA, A., LEVINE, S., O'LEARY, A., BROWN, S., et RASKA, K. (1990). Impact of perceived self-efficacy in coping with stressors in components of the immune system. *Journal of Personality and Social Psychology, 59,* 1082-1094.

WIERSON, M., et FOREHAND, R. (1994). Parent behavioral training for child noncompliance: Rationale, concepts and effectiveness. *Current Directions in Psychological Science, 3,* 146-150.

WIGGINS, J. S. (1973). *Personality and prediction: Principles of personality assessment.* New York: Addison-Wesley.

WIGGINS, J. S. (1984). Cattell's system from the perspective of mainstream personality theory. *Multivariate Behavioral Research, 19,* 176-190.

WIGGINS, J. S., et PINCUS, A. L. (1994). Personality structure and the structure of personality disorders. Dans P. T. Costa, Jr. et T. A. Widiger (Dir.), *Personality disorders and the five-factor model of personality* (pp. 73-94). Washington, D.C.: American Psychological Association.

WIGGINS, J. S., PHILLIPS, N., et TRAPNELL, P. (1989). Circular reasoning about interpersonal behavior: Evidence concerning some untested assumptions underlying diagnostic classification. *Journal of Personality and Social Psychology, 56,* 296-305.

WIGGINS, J. S. (1997). In defense of traits. Dans R. Hogan, J. Johnson, et S. Briggs (Dir.), *Handbook of personality psychology* (pp. 97-115). New York: Academic Press.

WILLIAMS, L. (1994). Recall of childhood trauma: A prospective study of women's memories of child sexual abuse. *Journal of Consulting and Clinical Psychology, 62,* 1167-1176.

WILLIAMS, S. L. (1992). Perceived self-efficacy and phobic disability. Dans R. Schwarzer (Dir.), *Self-efficacy: Thought control of action* (pp. 149-176). Washington, D.C.: Hemisphere.

WILSON, T. D. (1994). The proper protocol: Validity and completeness of verbal reports. *Psychological Science, 5,* 249-252.

WILSON, T. D., et LINVILLE, P. W. (1985). Improving the performance of college freshmen with attributional techniques. *Journal of Personality and Social Psychology, 49,* 287-293.

WILSON, T. D., HULL, J. G., et JOHNSON, J. (1981). Awareness and self-perception: Verbal reports on internal states. *Journal of Personality and Social Psychology, 40,* 53-71.

WILSON, T. D. (2002). *Strangers to ourselves*, Cambridge, Massachusetts, The Belknap Press of Harvard University Press.

WINDHOLZ, G. (1997). Ivan P. Pavlov: An overview of his life and psychological work. *American Psychologist, 52,* 941-946.

WINTER, D. G. (1992). Content analysis of archival productions, personal documents, and everyday verbal productions. Dans C. P. Smith (Dir.), *Motivation and personality: Handbook of thematic content analysis* (pp. 110-125). Cambridge, England : Cambridge University Press.

WINTER, D. G., et STEWART, A. J. (1995). Commentary : Tending the garden of personality. *Journal of Personality, 63,* 711-727.

WISE, R. A. (1996). Addictive drugs and brain stimulation reward. *Annual Review of Neuroscience, 19,* 319-340.

WOLF, S. (1977). "Irrationality" in a psychoanalytic psychology of the self. Dans T. Mischel (Dir.), *The self: Psychological and philosophical issues* (pp. 203-223). Totowa, NJ : Rowman & Littlefield.

WOLPE, J. (1961). The systematic desensitization treatment of neuroses. *Journal of Nervous and Mental Disorders, 132,* 189-203.

WOLPE, J., et RACHMAN, S. (1960). Psychoanalytic "evidence." A critique based on Freud's case of Little Hans. *Journal of Nervous and Mental Disease, 130,* 135-148.

WOOD, J. V. (1989). Theory and research concerning social comparison of personal attributes. *Psychological Bulletin, 106,* 231-248.

WOOD, J. V., SALTZBERG, J. A., et GOLDSAMT, L. A. (1990). Does affect induce self-focused attention ? *Journal of Personality and Social Psychology, 58,* 899-908.

WRIGHT, L. (1997). *Twins: And what they tell us about who we are.* New York : Wiley.

WYLIE, R. C. (1974). *The self-concept,* éd. rév. Lincoln : University of Nebraska Press.

YANG, K., et BOND, M. H. (1990). Exploring implicit personality theories with indigenous or important constructs : The Chinese case. *Journal of Personality and Social Psychology, 58,* 1087-1095.

YORK, K. L., et JOHN, O. P. (1992). The four faces of five : A typological analysis of women's personality at midlife. *Journal of Personality and Social Psychology, 51,* 993-1000.

ZIMBARDO, P. G. (1973). On the ethics of intervention in human psychological research : With special reference to the Stanford prison experiment. *Cognition, 2,* 243-256.

ZUCKERMAN, M. (1990). The psychophysiology of sensation seeking. *Journal of Personality, 58,* 313-345.

ZUCKERMAN, M. (1991). *Psychobiology of personality.* New York : Cambridge University Press.

ZUCKERMAN, M. (1995). Good and bad humors : Biochemical bases of personality and its disorders. *Psychological Science, 6,* 325-332.

ZUCKERMAN, M. (1996). The psychobiological model for impulsive unsocialized sensation seeking : A comparative approach. *Neuropsychobiology, 34,* 125-129.

ZUCKERMAN, M. (1998). Psychobiological theories of personality. Dans D. F. Barone, M. Hersen et V. B. Van Hasselt (Dir.), *Advanced personality* (pp. 123-154). New York : Plenum.

ZUROFF, D. C. (1986). Was Gordon Allport a trait theorist ? *Journal of Personality and Social Psychology, 51,* 993-1000. York : Oxford University Press.

Sources des illustrations

PAGE COUVERTURE: Illustration de Geneviève Côté.

CHAPITRE 1 – *Page 9:* W. des Toro/Newsday, Inc. *Page 11:* Françoise Lemoyne/Nuance Photo.

CHAPITRE 2 – *Page 34:* Ken Karp/Prentice Hall, Inc./Dorling Kindersley. *Page 36:* Scott Cunningham/PH Merrill Publishing/Dorling Kindersley. *Page 40:* Brady/Prentice Hall, Inc./Dorling Kindersley. *Page 46:* Anthony Magnacca/PH Merrill Publishing/Dorling Kindersley.

CHAPITRE 3 – *Page 73:* © The New Yorker Collection 1972 J.B. Handelsman de cartoonbank.com. Tous droits réservés.

CHAPITRE 4 – *Page 122 (en haut):* Laima Druskis/Prentice Hall, Inc./Dorling Kindersley. *Page 122 (en bas à gauche):* Anthony Magnacca/Merrill Education/Dorling Kindersley.

CHAPITRE 5 – *Page 145:* Françoise Lemoyne/Nuance Photo. *Page 146:* © Patrick McDonnell. Reproduit avec la permission spéciale de Features Syndicate. *Page 156:* J. Vézeau/ERPI.

CHAPITRE 6 – *Page 171:* Pearson Education, PH College/Dorling Kindersley. *Page 182:* AP Photo/CP Images.

CHAPITRE 7 – *Page 216:* NASA.

CHAPITRE 8 – *Page 223:* Universal Press Syndicate. *Page 254:* Reproduction de Geech autorisée par United Feature Syndicate.

CHAPITRE 9 – *Page 264:* Adam Hart-Davis/SPL/Publiphoto. *Page 266:* Stéphane J. Bourrelle, illustrateur. *Page 268:* Image Works. *Page 276:* Dorling Kindersley. *Page 285:* Françoise Lemoyne/Nuance Photo.

CHAPITRE 10 – *Page 304:* Norm Rockwell. *Page 309:* ERPI. *Page 310:* Sidney Harris. *Page 315:* Gracieuseté de B. F. Skinner. *Page 319:* ERPI. *Page 329:* N. Laforest/ERPI.

CHAPITRE 11 – *Page 347:* Prentice Hall, Inc./Dorling Kindersley. *Page 348:* J. Leroux/ERPI. *Page 355:* Émilie Lacroix-Béchard. *Page 357:* M. Charpentier/ERPI.

CHAPITRE 12 – *Page 368:* © The New Yorker Collection 1972 Peter Lippman de cartoonbank.com. Tous droits réservés.

CHAPITRE 13 – *Page 403 (en haut):* Reproduction de Etta Hulme autorisée par Newspaper Enterprise Association, Inc. *Page 403 (en bas):* © The New Yorker Collection 1978 Everett Opie de cartoonbank.com. Tous droits réservés. *Page 407:* Françoise Lemoyne/Nuance Photo.

CHAPITRE 14 – *Page 416:* Ken Karp/Prentice Hall, Inc./Dorling Kindersley. *Page 418:* Gary Ombler/Dorling Kindersley.

CHAPITRE 15 – *Page 441:* Gracieuseté de Ford Motor. *Page 443:* Paul Kenward/Dorling Kindersley.

Index des auteurs

Cet index contient les noms d'auteurs d'ouvrages, de citations ou de communications scientifiques cités dans le livre. Pour plus de détails sur les théoriciens comme Freud ou Kelly, consulter l'index des sujets.

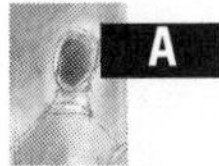

A

Abelson, R., 442
Abramson, L. Y., 42, 456
Acier, 313
Adams, N. E., 419, 420f
Adams-Webber, J. R., 347, 357, 376, 378
Adler, A., 118
Adler, J. M., 86
Adolphs, R., 289
Ahadi, S. A., 263
Ainsworth, M. D., 127
Alexander, F., 109
Allen, J. J., 290
Allen, K. D., 474
Alloy, L. B., 456
Allport, F. H., 197
Allport, G. W., 17, 29, 197, 198, 199, 200, 258
Andersen, B. L., 444
Andersen, S. M., 108
Anderson, C. A., 52
Angelou, M., 182
Angleitner, A., 224, 281, 282t, 286
Antonuccio, D. O., 457
APA *Monitor*, 81
Arbisi, P., 290
Arcus, D., 269
Armor, D. A., 79, 80
Aronson, E., 155
Asendorpf, J. B., 237
Ayllon, T., 323
Azrin, H. H., 323

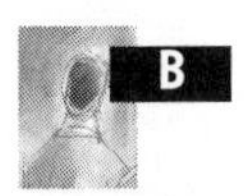

B

Babington, C., 230
Baer, J. S., 421
Baird, E., 178
Balay, J., 69
Baldwin, A. L., 157
Banaji, M., 445
Bandura, A., 251, 256, 333, 389, 390, 392, 396, 397, 398, 399, 401, 402, 404f, 405, 406f, 413, 414, 416, 417, 418, 419, 420, 420f, 422f, 427, 428, 431, 432
Bannister, 364
Barbaranelli, 414
Bargh, J. A., 456, 461
Barlow, D. H., 413
Barndollar, K., 461
Barnhardt, T. M., 71
Baron, R. A., 432
Barondes, S. H., 264, 296
Barron, F., 73
Bartholomew, K., 131, 132
Basen-Engquist, K., 401
Bates, D. E., 456
Baucom, N., 457
Baumeister, R. F., 17, 76, 171
Baumrind, D., 296
Beck, A. T., 38, 456, 457
Beech, H. R., 333
Benet-Martinez, V., 231
Benjamin, J., 283
Berger, 405
Berk, M. S., 109
Berkowitz, L., 50
Berman, W. H., 132
Bern, 90, 252
Berntson, G. G., 491
Berscheid, E., 467
Betz, A. L., 313
Beyer, J., 419, 420f
Bibring, G., 35
Bieri, J., 351, 367, 369, 379
Blackman, M. C., 28
Blanchard, E. B., 417
Block, J., 27, 73, 78, 100, 147, 159, 159f, 251, 252, 257
Block, J. H., 73, 159, 159f
Boechler, M., 295
Boer, D. P., 134
Bonarius, H., 375
Bond, M. H., 256
Bond, R. N., 167
Booth, R. J., 64, 106
Bootzin, R. R., 333
Borgatta, E. F., 257
Bornstein, R. F., 71
Bouchard, T. J., 281, 282t
Bouton, M. E., 313
Bowlby, J., 127
Bramel, D., 32
Bretherton, I., 127
Brewin, C. R., 457, 468
Briggs, S. R., 257
Brody, N., 255, 258
Brooks-Gunn, J., 145
Brown, G., 456, 457
Brown, I. B., 38
Brown, J. D., 79, 159, 177, 447
Brown, N. O., 58
Bruner, J. S., 378
Burger, J. M., 458
Burns, G. L., 312
Bushman, B. J., 52
Buss, A. H., 9, 210, 236, 252, 257, 258, 266, 274
Buss, D. M., 9, 270-272
Bussey, K., 402

C

Cacioppo, J. T., 313, 491
Cameron, J., 160
Campbell, J. B., 205
Campbell, J. D., 187
Campbell, W. K., 125
Cantor, N., 15, 274, 397, 441, 445, 462
Caprara, G. V., 228, 414
Carlson, E., 27, 132
Carlson, R., 15
Carnelley, K. B., 132
Carroll, J., 253
Cartwright, D. S., 154
Carver, C. S., 179, 458
Caspi, A., 8, 9, 11, 16, 90, 207, 234, 236, 237, 251, 252, 258, 281, 283, 286
Cassidy, J., 132
Cattell, R. B., 212, 214f, 215, 217, 223, 257
Cervone, D., 397, 398, 420, 426
Champion, L. A., 468
Chaplin, W. F., 197, 198t, 226
Cheek, J. M., 17, 145, 177, 187
Chen, D., 119
Chen, M., 461
Chess, S., 266
Cheung, F. M., 228
Chipuer, H. M., 8, 296

Chiu, C., 160, 444, 449
Chodorkoff, B., 154
Choi, I., 463
Church, M. A., 178
Clark, D. A., 457
Clark, L. A., 205, 206f, 212f, 231, 255, 291, 292, 293
Clarkin, J. F., 239
Cloninger, C. R., 291
Coe, C. L., 448
Cohen, N., 313
Cohen, S., 270
Cole, S. W., 467
Collins, P. F., 291, 293, 294
Collins, W. A., 11
Colvin, C. R., 29, 78
Cometa, M. C., 357, 369
Conley, J. J., 251
Contrada, R. J., 81, 414
Cook, T. D., 49
Cooper, H. M., 283
Cooper, R. M., 458
Coopersmith, S., 157, 158, 187
Copeland, P., 269, 277, 293, 294t, 295
Cosmides, L., 270, 274
Costa Jr., P. T., 16, 28, 223, 224, 228, 229, 230, 231, 232, 233, 234, 235, 239, 243f, 251, 257, 258, 285
Cousins, S. D., 462
Cox, P. D., 399
Cox, T., 81
Coyne, J. C., 28
Cozzarelli, C., 400
Crabbe, J. C., 277
Craighead, L. W., 457
Craighead, W. E., 457
Craik, K. H., 252, 438, 474, 475
Cramer, P., 100
Crandall, R., 151, 151f
Crews, F., 134
Crockett, W. H., 351, 357, 376, 378
Cross, H. J., 448
Cross, S. E., 10, 187, 358, 463
Csikszentmihaly, I. S., 183
Csikszentmihaly, M., 183
Curtis, F. J., 157
Curtis, R. C., 155
Cyranowski, J. M., 444
Czarnecki, E. M., 81

D

Dabbs Jr., J. M., 295
Damasio, A. R., 262, 263, 294
Daniels, D., 11, 12, 256, 285
Danton, W. G., 457
Darley, J. M., 155
Darwin, C., 264, 275
Davidson, M. N., 81
Davidson, R. J., 290, 291, 293
Davis, D. D., 457
Davis, K. E., 131
Davis, P. J., 81, 82
De La Ronde, C., 447
De Raad, B., 228, 229
Deaux, K., 450
Debner, 69
Deci, E. L., 160, 178
Degler, C., 296
Del Vecchio, W. F., 234, 237
Delhees, K. H., 217
Delle Fave, A., 183
DeLongis, A., 453, 460
Denes-Raj, V., 85
Depue, R. A., 290, 291, 293, 294
Derakshan, N., 81
De Rubeis, R. J., 457
DeVellis, B. M., 38
Dewsbury, D. A., 303
Dobson, K. S., 455, 456, 457, 468
Dollard, J., 326, 328, 329
Dolnick, E., 136
Donahue, E. M., 152, 153, 187, 350, 357
Donnerstein, E., 50
Downhill, J. E., 290
Downs, A., 356
Duck, S., 375, 378
Dudycha, G. J., 254
Duff, K. J., 76
Dunn, J., 11, 282t, 285
Dutton, K. A., 159, 177
Dweck, C. S., 160, 444, 448
Dykman, B. M., 178, 456

Eagle, M., 67
Eagly, A. H., 274
Ebstein, R. P., 283
Edelson, M., 134
Eisenberg, N., 263
Eisenberger, R., 160
Ekman, P., 10, 275
Elliot, A. J., 178
Ellis, A., 455
Emmons, R. A., 125
Endler, N. S., 15
Epstein, N., 457
Epstein, S., 71, 84, 85, 252, 255, 456, 478
Epting, 369
Erdelyi, M., 68, 82
Ericsson, K. A., 48
Erikson, E., 88, 90
Esterson, A., 134
Evans, D. E., 263
Evans, M. D., 457
Evans, R. I., 390
Ewart, C. K., 415
Eysenck, 81, 134, 196f, 201, 202f, 203, 203f, 207, 208, 209, 255, 256, 291, 333

Fabes, R. A., 263
Fazzio, R., 155
Feeney, J. A., 130
Feiring, C., 91
Ferster, 319
Fiedler, 170
Figueredo, A. J., 275
Finch, J. F., 30, 48
Fisher, R. L., 101
Fisher, S., 101
Fiske, A. P., 10
Fleshner, M., 270
Florian, V., 132
Folkman, S., 453, 460
Forehand, R., 324
Fox, N. A., 291
Fraley, R. C., 130, 132
Francis, R. L., 456
Frankl, V. E., 184
Franklin, 44
Franks, L. K., 435
Fransella, 364
Freeman, A., 457
French, T. M., 109
Freud, S., 59, 62, 64, 65, 72
Fridhandler, V., 29
Friedman, H. S., 238, 448
Friend, R., 29
Friman, P. C., 474, 475
Fromm, E., 62, 117
Fuller, J. L., 277
Funder, D. C., 28, 29, 73, 255

Gabbard, G. O., 71, 124, 136
Gaensbauer, T. J., 90
Gallien, 202, 202f
Garber, J., 42
Geen, R. G., 205
Geisler, C., 68
Gerard, H. B., 69
Gergen, K. J., 153
Getz, K., 87
Gewirtz, J. L., 432
Giesler, R. B., 447
Gladue, B. A., 295
Glassman, N. S., 108

Goldberg, L. R., 82, 197, 224, 226, 228, 229, 231, 273
Goldsamt, L. A., 456
Goldstein, K., 180
Gordon, J. R., 421
Gosling, S. D., 204, 275, 438, 474, 474
Gotlib, I. H., 132
Gottesman, I. I., 13
Gould, D., 400
Gould, E., 295
Graham, S., 449, 450
Gray, J. A., 210, 256, 291
Graziano, M. S. A., 295
Greenberg, J. R., 124
Greene, D., 160
Greenspoon, J., 186
Greenwald, A. G., 70
Griffin, D., 131, 132
Grinker, R. R., 34, 35, 423
Groddeck, G., 65
Gross, C. G., 295
Gross, J. L., 206f, 212f, 295
Gruen, R. J., 453, 460
Grunbaum, A., 134
Grusec, J. E., 405, 418, 431
Guthrie, I. K., 263

Halkides, G., 170
Hall, C. S., 21, 22, 62, 125, 126
Halpern, J., 76
Halverson Jr., C. F., 11, 236
Hamer, D., 269, 277, 291, 293, 294t, 295
Handelsman, 73
Harary, K., 153
Harkness, A. R., 239
Harlow, R. E., 462
Harper, R. A., 455
Harrington, D. M., 159, 159f
Harris, B., 307
Harris, J. R., 12, 284
Haselager, G. J., 236
Hastorf, A., 467
Havener, P. H., 188
Hawkins, R. P., 320, 321f
Hawley, C. W., 205
Hayden, B. C., 357
Hayes, A. M., 457
Hayes, S., 29
Hazan, C., 128-130
Heider, F., 42
Heiman, R., 463
Heine, R. W., 170
Heine, S. J., 187
Helson, R., 258
Hesse, H., 191
Hetherington, E. M., 287
Higgins, E., T., 167, 169, 376, 445, 448
Hippocrate, 202, 202f
Hiroto, D. S., 37, 38, 41, 42
Hixon, J. G., 447
Hoffman, L. W., 12
Hofstee, W. K. B., 29, 228
Hogan, J., 237, 255
Holender, D., 69
Holland, J. L., 375
Hollon, S. D., 457, 459
Holmes, D. S., 76, 83
Holt, R. R., 99
Hong, Y., 160, 444, 449
Horney, K., 6, 121, 122
Horowitz, L. K., 131, 132
Hui, C. H., 463
Hull, C. L., 325
Hull, J. G., 48, 171
Hurley, K., 414, 416
Hyman, S., 287, 291

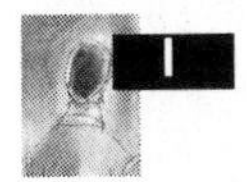

Ichheiser, G., 15
Ilardi, S. S., 457
Ingram, R. E., 456
Inouye, D. K., 38
Izard, C. E., 10, 189

Jackson, A., 400
Jackson, D. N., 358
Jackson, J. F., 296
Jacoby, L. L., 69
Jaffe, K., 132
Jankowicz, A. D., 379
Jaskir, J., 91
Jensen, M. R., 106
Jeunes, 457
Johll, M., 456
John, O. P., 28, 29, 78, 80, 125, 152, 153, 187, 194, 197, 200, 223, 224, 231, 236, 254, 255, 256, 257, 275, 285
Johnson, J., 48
Jolly, A., 491
Jones, A., 151, 151f
Jones, E., 60
Jones, M. C., 307, 308f
Josephs, R. A., 446, 447
Jourard, S. M., 157
Jouriles, E., 171
Jung, C. G., 119, 120
Jussim, L. J., 313

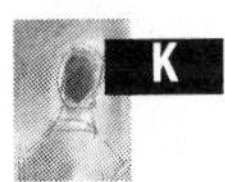

Kagan, J., 9, 263, 267, 269, 283, 290, 291, 295, 296
Kahneman, D., 445
Kanfer, F. H., 320
Kassel, I. D., 132
Kasser, T., 160, 178, 179
Kavanagh, D., 414
Kazdin, A. E., 323, 333
Kegan, P., 202f
Kelley, H., 42
Kelly, G. A., 6, 20, 29, 341, 342, 345, 347, 353, 355, 363, 365, 366, 367, 368, 370, 372, 381, 382
Kendall, P. C., 459
Kenny, D. A., 28, 29, 232
Kenrick, D. T., 9, 255, 273, 274
Kerwin, M. L. E., 474, 475
Kihlstrom, J. F., 17, 69, 71, 445, 461, 492
King, J. E., 275
Kirkpatrick, L. A., 131, 132
Kirschenbaum, H., 184
Kitamaya, S., 10, 187, 463
Klein, G. S., 67
Klein, M., 167
Klein, S. B., 492
Kleinmutz, B., 377
Klinger, M. R., 70
Knoll, E., 252
Koestner, R., 160
Kohnstamm, G. A., 236
Kohut, H., 135
Kolar, D. C., 28
Kretschmer, E., 264
Kris, E., 34
Krosnick, J. A., 313
Kuhn, T. S., 473
Kunda, Z., 445
Kupers, C. J., 405
Kupper, D. A., 69

Lacono, 290
Landfield, A. W., 346, 369, 375, 378
Larsen, 272
Larson, 44
Larzelere, R., 474, 475
Lau, R. R., 450
Lavallee, L. F., 187
Lazarus, A. A., 80, 311, 453, 460
Lecky, P., 153
LeDoux, J., 289, 290, 293
Lehman, D. R., 78, 187
Lemieux, A. M., 448

Lepper, M. R., 160, 179
Lester, D., 181f
Leventhal, H., 414
Levinson, D. J., 251
Levis, D. J., 333
Levy, S., 81
Levy, S. M., 106
Lewinsohn, 44
Lewis, M., 16, 91, 123, 145
Liebert, R. M., 405
Liese, B. S., 457
Lilienfeld, S. O., 239
Lindsay, D. S., 69
Lindsay, J. J., 52
Lindzey, G., 21, 22
Little, B. R., 8, 151
Llardi, 177, 178
Loehlin, J. C., 8, 207, 209, 210, 282t, 285, 296
Loevinger, J., 74, 252, 357
Loftus, E. F., 83
London, P., 333
Long, F. Y., 203
Luria, Z., 148, 149f
Lustig, D. A., 86
Lyengar, 178
Lykken, D. T., 256, 288
Lykkeri, 281
Lynn, A. R., 313

M

Maccoby, E. E., 11, 12
MacKay, C., 81
MacKenzie, K. R., 239
Madison, P., 73
Magnusson, D., 3, 15
Maier, S. F., 44
Malloy, P. F., 333
Mancuso, J. C., 376, 378
Mangan, C. E., 80
Manis, M., 51, 78
Marcia, J., 89
Markus, H. R., 10, 155, 187, 444, 446, 447, 448, 462, 463
Marlatt, G. A., 421
Martin, R. P., 236
Masling, J. M., 71
Maslow, A. H., 180, 181
Massimini, F., 183
Mater, 270
Matthews, G., 238
May, R., 34
Mayman, M., 51, 78
Mayo, C. W., 351
McAdams, D. P., 8, 255, 258
McCaul, K. D., 295
McCauley, C., 38
McClelland, D. C., 160
McCrea, R., R., 16, 28, 223, 224, 226, 228, 229, 230, 231, 232, 233, 234, 235, 239, 243f, 251, 255, 256, 257, 258, 285
McCusker, C., 463
McEvedy, C. P., 205
McGill, K. L., 447
McGinnies, E., 68
McGregor, I., 151
McGue, M., 280t, 281, 282t
McGuffog, C., 91
McGuire, M. T., 295
McLeod, 186, 190
McPherson, D. A., 182
Medinnus, G. R., 157
Meichenbaum, D., 454, 455
Mendel, G., 264
Menlove, F. L., 405, 418
Merles, 457
Mettee, D. R., 155
Mikulciner, M., 132
Milgram, S., 31
Miller, G., 467
Miller, J. G., 376
Miller, K., 155
Miller, N. E., 326, 327, 328, 329
Miller, S. M., 80, 414, 416
Miller, T. R., 239, 240
Mineka, S., 405
Miranda, J., 456
Mischel, W., 15, 27, 28, 251, 254, 322, 377, 389, 390, 391, 392, 394, 395, 397, 402, 405, 406f, 407, 408, 423, 426, 431, 441, 443, 478
Mitchell, S. A., 124
Moffitt, T. E., 236
Monson, T. C., 252
Moore, M. K., 356
Morf, C. C., 125-127
Morgan, C., 399
Morokoff, P. J., 81
Morris, M. W., 376, 463
Morrison, J. K., 357, 369
Moss, P. D., 205
Mowrer, O. H., 308
Mowrer, W. A., 308
Murray, H. A., 47, 48, 99, 100, 126, 257

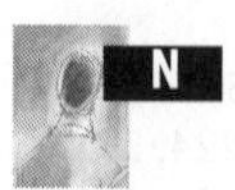
N

Nash, M., 70
Nathan, P. E., 309
Neiderhiser, J. M., 280, 287
Neimeyer, G. J., 339, 340, 356, 375
Nesselroade, J. R., 217
Newman, C. D., 457
Newman, L. S., 76
Nguyen, L., 69
Nielsen, 377
Nisbett, R. E., 10, 48, 160, 445, 463
Noller, P., 130
Norem, J. K., 17, 145, 177, 187
Norenzayan, A., 463
Norman, D. A., 468
Norman, W. T., 224
Nurius, P., 187, 447

O

Odbert, H. S., 197
Ogilvie, D. M., 167
O'Leary, A., 320, 414, 415, 416
Ones, D. S., 237, 255
Orne, M. T., 49
Osborne, D., 155
Osgood, C. E., 148, 149f
Ostendorf, F., 224
Oswald, F. L., 238
Ough, 238
Ozer, D. J., 27
Ozer, E., 420

P

Pan, R. L., 81
Park, C., 39, 43, 45, 46
Parke, R. D., 407
Pastorelli, 414
Patton, C. J., 68
Paulhus, D. L., 29, 119, 187
Pavlov, I. P., 306
Peake, P. K., 254, 408
Pedersen, 282t
Peng, K., 376, 377, 463
Pennebaker, J. W., 64, 106
Perugini, M., 228, 229
Pervin, L. A., 6, 14, 17, 28, 32, 47, 69, 148, 171, 177, 184, 187, 195, 200, 232, 251, 257, 296, 312, 354, 367, 383, 394, 421, 442, 462, 478
Peterson, C., 39, 43, 44, 46
Petrie, K. J., 64, 106
Pfungst, O., 50
Pickering, A. D., 256, 291
Pierce, W. D., 160
Pietromonaco, P. R., 132
Pincus, A. L., 255
Plomin, R., 8, 11, 12, 207, 236, 255, 256, 266, 280, 281, 282t, 283, 284, 285, 286, 286f, 287, 296
Poch, S. M., 367
Ponomarev, I., 277
Powell, R. A., 134
Power, M. J., 468
Prentice, D. A., 445
Przybeck, T. R., 291

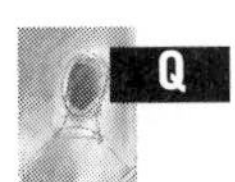

Quigley, L. A., 421

Rachman, S., 311
Raleigh, M. J., 295
Raskin, R., 125, 126
Rawsthorne, L. J., 177, 178
Rayner, R., 306, 307
Razran, G., 312
Reese, L., 419
Reeves, A. J., 295
Reiser, M., 263
Reiss, D., 287
Reivich, K., 46
Remy, R. M., 157
Rende, 282t
Rettew, D., 46
Reynolds, G. S., 316
Rhodewalt, F., 125-127
Rholes, W. S., 132
Riemann, R., 281, 282t, 286
Ritter, B. J., 417
Roberts, B., 16, 152, 153, 187, 233, 237, 251, 258
Roberts, J. A., 132
Robins, C. J., 28, 29, 474, 475
Robins, R. W., 17, 78, 80, 125, 145, 147, 152, 153, 177, 187, 200, 236, 438
Robinson, R. G., 290
Rogers, C. R., 141, 143, 150, 151, 152, 154, 166, 167, 169, 170, 172, 177, 186, 189, 382
Roland, A., 462
Rosch, E., 440f
Rosenberg, S., 375, 379
Rosenthal, R., 50
Rosenthal, T. L., 405, 422f
Rosenzweig, S., 81
Rosolack, T. K., 231
Ross, D., 402
Ross, D. L., 86
Ross, L., 445
Ross, S., 402
Rothbard, J. C., 127, 263
Rotter, J. B., 41
Routledge, 202f
Rowe, D. C., 9, 12
Rozin, P., 309
Rubin, D., 50
Rush, 457
Russell, J. A., 289
Ruvolo, A., 448
Ryan, R. M., 160, 177, 178, 179
Ryff, C. D., 151

Saltzberg, J. A., 456
Sanderson, C., 239
Sapolsky, R. M., 294t
Saslow, G., 320
Saucier, G., 228
Scarr, S., 12, 252, 296
Schafer, R., 66, 98
Schank, R., 442
Shaver, 127-130
Scheier, M. F., 458
Schneider, D. J., 379, 416
Schulman, P., 46
Schunk, D. H., 399
Schwartz, G. E., 81, 82
Schwartz, J. C., 441
Schwartz, S. M., 29, 44
Schwarzer, R., 400, 414, 416
Scott, J. P., 277
Scott, W. D., 420
Sears, R. R., 328
Sechrest, L., 340, 358, 378, 379
Segal, N. L., 281
Segal, Z. V., 456, 468
Seligman, M. E. P., 37, 38, 42, 44, 46, 183, 433
Semmelroth, 272
Shaver, P. R., 12, 132
Shaw, B. F., 448, 455, 457
Shaw, G. B., 125
Shedler, J., 51, 78
Sheldon, W. H., 177, 178, 265
Shelton, R. C., 457
Shevrin, H., 69
Shoda, Y., 27, 389, 392, 394, 395, 397, 408, 414, 416, 426, 431, 443
Shulman, S., 28, 132
Shweder, R. A., 462
Siegel, S., 305
Sigel, I. E., 357
Silverman, L. H., 68, 86, 87
Simon, H. A., 48
Simpson, J. A., 132
Singer, B., 151
Skinner, B. F., 15, 314, 317, 318, 319
Smith, R. E., 420
Snidman, N., 269
Snyder, M., 15
Sperling, M. B., 132
Spiegel, J. P., 34, 35, 423
Srivastava, S., 231
Sroufe, L. A., 27, 132
Staats, A. Q., 312
Steiner, J. F., 78
Steinmetz, 44
Stephenson, W., 146
Stewart, A., 349
Stewart, A. J., 182
Stewart, V., 349
Stoolmiller, M., 12
Stouthamer-Loeber, M., 236
Strauman, T., 167
Strauman, T. J., 448, 456
Strelau, J., 281, 282t, 286, 303
Strube, M. J., 447
Suci, G. J., 148
Suedfeld, P., 352
Suinn, R. M., 155
Sullivan, H. S., 123
Sulloway, F. J., 59, 64, 119
Suomi, S., 237
Svrakic, D. M., 291
Swann Jr., W. B., 7, 155, 447

Tafarodi, R. W., 446
Tang, T. Z., 457
Tannenbaum, P. H., 148
Tataryn, D. J., 71
Taylor, S. E., 78-80, 456
Teasdale, J. D., 42
Tedock, 352
Tellegen, A., 256, 281, 282t, 291, 292
Temoshok, L., 81, 106
Terry, H., 125
Tesser, A., 282t, 445
Thomas, A., 266
Thomas, M., 457
Thompson, C., 136
Thompson, R. A., 132
Tobacyk, J. J., 356
Tomkins, S. S., 256
Tooby, J., 270, 274
Tota, M. E., 456
Toth, J. P., 69
Tranel, D., 289
Trapnell, P. D., 119
Triandis, H. C., 463
Trivers, R., 271
Trull, T. J., 255
Tversky, A., 445

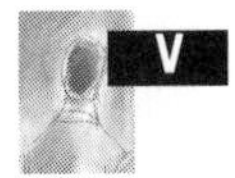

Vaidya, J., 292
Van Allen, 237
Van den Brink, W., 238
Van Kaam, A., 184
Van Lieshout, C. F., 236
Verheul, R., 238

Wagner, 48
Waller, N. G., 12, 132, 257
Walters, R. H., 407, 431
Wampler, K. S., 11
Ware, A. P., 254
Watkins, L. R., 270
Watson, D., 204, 206f, 212f, 231, 255, 291, 292, 293
Watson, J. B., 302, 303, 306, 307
Watson, M. W., 87
Weber, S. J., 49
Wegner, D. M., 64
Weinberg, R. S., 400
Weinberger, D. A., 81
Weinberger, J., 68, 69
Weiner, B., 449, 449t, 450
Weller, A., 132
Wenzlaff, R. M., 456
Wessler, R., 74
West, S. G., 30, 48
Westen, D., 71, 124, 136, 272
White, P., 48
White, R. W., 7, 72
Widiger, T. A., 238, 239, 255
Wiedenfeld, S. A., 415, 415f
Wierson, M., 324
Wiese, D., 292
Wiggins, J. S., 195, 218, 255, 257
Williams, L., 83
Williams, S. L., 397, 419, 420
Wilson, G. T., 333, 435
Wilson, T. D., 48
Winfree, P., 155
Wink, P., 258
Winter, D. G., 182, 257, 339, 364, 369, 370t, 379
Wise, R. A., 291
Wolf, S., 124
Wolitzky, D. L., 67
Wolpe, J., 310, 311
Wood, J. V., 445, 456
Wood, W., 274
Wright, F. D., 457
Wright, J. C., 27, 389, 394, 395
Wright, L., 278
Wylie, R. C., 187, 433

Yang, K., 256
Young, R. D., 171

Zellner, D., 309
Zimbardo, P. G., 32
Zirkel, S., 462
Zubeck, J. P., 283
Zuckerman, M., 255, 282t, 291, 294t, 295, 256, 257, 491
Zuroff, D. C., 257

Index des sujets

A

ABA, modèle de recherche, 322
ABC, évaluation, 320
Acceptation d'enfant, capacité d', 158
Accomplissement, incitation à l', 72
Acquiescement, 51
Acquisition, 402, 404
Action, de la pensée à l', 462
Activation psychodynamique subliminale, 68
Activité(s), 229, 267
  traits de personnalité, état d'esprit et, 197, 198t
Adaptation, stratégies d', 400, 452, 453
Adjectifs, liste d', 147
Adler, Alfred, 118
Administration de questionnaires, 26
Adolescence, 236
Adoption, études d', 276, 278, 279
Adultes, différences attribuables à l'âge chez les, 234
Affect(s), 426
  liens entre la cognition, le comportement manifeste et l', 18, 481
  omission de l', 467
  positifs, 229
Affirmation de soi, 229
Âge, 234
Agression, *voir* Pulsions agressives *ou* Agressivité
Agressivité, 228, 365
Ainsworth, Mary, 127, 128
Allport, Floyd, 197
Allport, Gordon W., 196-200, 218
Amabilité (A), 225, 225t, 227f, 230t, 234
Amygdale, 289
AN, 292
Analyse
  factorielle des traits de personnalité, 201, 202f, 209
  fonctionnelle du comportement, 320
Anarchie, 101
Angelou, Maya, 182
Angoisse, 76, 105t, 188
  de castration, 86
  fondamentale, 121
Annulation rétroactive, 79
Anomalies, 473, 476
Antagonisme, 227f
Anticipation des événements, 353
Anxiété, 354
  réaction conditionnée d', 311
  sentiment d'autoefficacité et, 413
AP, 292
Aperception thématique, test d', 99, 100f, 113
Application
  champ d', 342, 343
  domaine d', 343
Apprentissage
  approches fondées sur l', 299, 301t, 330, 330t, 332t, 484t
  de la capacité à différer la gratification, 405
  objectifs d', 160
  Kelly et la théorie de l', 383
  par essais et erreurs, 327
  par observation, 402
  personnalité et approches fondées sur l', 299, 301t
  programme d', 324
  science et personne dans la perspective de l', 301
  social, théorie de l', 388, 429
  théorie de l', 429
Approche cognitive
  de la personnalité, 337, 361, 375, 377, 380
    théorie des construits personnels de Kelly et, 337, 344, 369, 370t, 484t
  du traitement de l'information, 437
    applications cliniques, 452
    avantages et limites de l', 466t
    et théories traditionnelles, 464, 465t
    évaluation critique, 465
    évolution récente, 460
    structures cognitives, 438
Approche(s) fondée(s) sur l'apprentissage, 484t
  évaluation critique, 330
  personnalité et, 299, 301t
  points forts et limites, 331, 332, 332t
  théories traditionnelles et, 330, 330t
  voir aussi Conflits approche-approche et approche-évitement, Apprentissage
Approche intégrative multiniveaux, 491
Approche phénoménologique, 140, 164
  aperçu biographique de Carl Rogers, 141
  applications cliniques, 165
  avantages et limites de la théorie de Rogers, 191t
  conception(s)
    de la personne selon Rogers, 143
    voisines : le courant humaniste, 179
  évaluation critique, 185
  science, théorie et recherche selon Rogers, 143
  théorie de la personnalité selon Rogers, 144, 176
Approche sociocognitive, 387
  analyse comparative, 427
  applications cliniques, 412
  Bandura, Albert, 389

conception
de la personne, 392
de la science, de la théorie et de la recherche, 392
évaluation critique, 430
évolution récente, 426
Mischel, Walter, 390
théorie sociocognitive de la personnalité, 393
voir aussi Théorie sociocognitive
Approximations successives, 317
Aptitude, traits d', 212
Archétypes, 120
Aspects motivationnels du soi, 445
Assignation de rôle, thérapie d', 367
Association libre, 60, 107
Assurance-timidité, construit, 348
Attachement, 127
modèles d', 128, 129, 129f, 132f
système comportemental d', 128
Attentes, 393
dysfonctionnelles, 413
Attribution
causale, 42
questionnaire d'évaluation du style d', 43, 44f
Attributs de la personnalité associés aux types de caractère psychanalytiques, 103t
Authenticité, 177
Autoactualisation, 150
et développement psychologique sain, 157
Autodescription, 27
Autodétermination, théorie de l', 178
Autoefficacité, 480
jugements sur l', 398
sentiment d', 395, 396, 398, 413
Autoévaluation, 27, 397
Autonomie fonctionnelle, 198, 199
Autorégulation, 397
Autorenforcement, 397
Autovérification, désir d', 445
Autovalorisation, désir d', 445
Autres, évaluation des, 158
Avenir,
influence sur le comportement de l', 19, 482
prévision de l', 353

B

Bandura, Albert, 388, 389
Bébés
faciles, difficiles ou lents à démarrer, 266
réactifs, hautement ou faiblement, 268
voir aussi Nouveau-nés
Beck, 456
Béhaviorisme, 302
Besoin(s)
de compétence, 7
de considération positive, 155
hiérarchie des, 181, 181f
Bibring, Greta, 136
Bien, 101
Biologie
et enjeux sociopolitiques, 296
et personnalité, 294t
voir aussi Processus biologiques, Neurobiologie
Bonheur, 127t
Bowlby, J., 127-132
Brown, Norman O., 58
Brucke, 62
Burt, Cyril, 32, 200, 210
Buss, A., 266

C

Ça, 71
Capacité d'acceptation de l'enfant, 158
Caractère
anal, 103, 103t, 104
hystérique, 104
oral, 103, 103t
phallique, 103t, 104
types psychanalytiques de, 103t
voir aussi Stade de développement
Cartwright, 154
Cas, étude de, 26, 33, 47, 52t
Castration, angoisse de, 86
Catharsis, 60
Cattell, Raymond B., 200, 209-219, 213f, 231, 296
Causalité, lieu de, 449
Causes du comportement
fondamentales, 270
immédiates, 270
Cérébrotonie, 265
Cerveau, 289
Chaleur, 229
Champ
d'application, 342, 343
phénoménal, 143
Changement, 489
conditions favorisant le, 366
de comportement, 13, 107, 189, 207, 417, 422
de personnalité, 169
ouverture au, 431
positif, processus de, 366
psychopathologie et, 189, 207, 306, 455
stabilité et, 236
Charcot, Jean, 59
Chess, S., 266
Choix du partenaire, 271
Cibles, comportements, 320
« Cinq Grands », les, *voir* Facteurs *et* Modèle théorique
Classe sociale, 10
Cleckley, Harvey, 148
Client, thérapie centrée sur le, 166, 172
Coefficient d'héritabilité, 279, 282t
Cognition(s), 339, 461
conscientes, 461
erronées, 456

inconscientes, 461
liens entre l'affect, le comportement manifeste et la, 18, 481
Cohérence
de la personnalité, discrimination entre les situations et la, 394
du soi, 152, 154
Colère, 127t
Combat, stress au, 34
Compétence(s), 396
besoin de, 7
cognitives, 407
comportementales, 407
-habileté, 396
Complexe d'Œdipe, 86, 87t, 122
Complexité/simplicité cognitive, 351
Comportement(s), 4
analyse fonctionnelle du, 320
causes du, 270
changement de, 13, 107, 189, 207, 306, 417, 422, 455
cibles, 320
déterminants internes et externes du, 14, 477
évaluation du, 320, 397
influence du passé, du présent et de l'avenir sur le, 19, 482
manifeste, liens entre la cognition, l'affect et le, 18, 481
modification du, 301, 323
opérants, 316
origines sociales du, 388
psychopathologie et changement de, 13, 306
stabilité du, 215
superstitieux, 319
unité de, 16, 17, 479
variabilité du, 215
voir aussi Système comportemental, Profils comportementaux, Génétique comportementale, Thérapie comportementale, Déficit comportemental, Signatures comportementales, Compétences comportementales
Concept(s)
d'étendue, 21
d'éthique, 31
d'inconscient, 17, 64, 69, 480
de croissance personnelle, 151
de fidélité, 30
de précision, 21
de soi, 16, 144, 146, 186
de trait de personnalité, 194, 197, 484t
de validité, 31
motivationnels dynamiques, 6
parcimonie dans le nombre des, 21, 22
pertinence scientifique des, 21, 22
simplicité des relations entre, 21
Conception(s)
de la personne
selon Bandura et Mischel, 392
selon Kelly, 341
selon Rogers, 143
sur le plan philosophique, 476
théorie sociocognitive et, 431
de la science
selon Bandura et Mischel, 392
selon Cattell, 210
selon Kelly, 343f
de soi dysfonctionnelles, 413
psychanalytique de la personne, 135
Conditionnement
classique, 303, 306, 312
opérant, 314, 315
vicariant, 404, 405
Configuration des relations hiérarchiques, 486
Conflit(s), 104, 105t, 112, 188, 442, 488
approche-approche, 329
approche-évitement, 328
évitement-évitement, 329
Congruence, 147, 152, 154, 170
Conscience
états de, 17, 480
niveaux de, 65
perception sans prise de, 67
Conscient, 65
Conséquences
autogénérées, 409
externes directes, 409
observées chez autrui, 409
Considération positive
besoin de, 155
inconditionnelle, 170
Constitution et tempérament, 263
études longitudinales, 266
recherche de Kagan sur les enfants inhibés et non inhibés, 267
Constriction, 364
Constructivisme, 342
Construit(s), 339, 344, 349t
accessible en tout temps, 376
assurance-timidité, 348
central, 346
compatissant-non compatissant, 346
coupable-innocent, 345
de rôles, répertoire des, 347
dysfonctionnements du système de, 363
englobant, 346
englobé, 346
et leurs répercussions sur les rapports interpersonnels, 345
généreux-égoïste, 354
imperméable, 363
liés à la théorie de la personnalité, 383
périphérique, 346
perméable, 363
personnels, 338, 369, 370t, 380t
préverbal, 345, 346
répertoire des, 338, 347
souple-rigide, 345
submergé, 346, 377
système de, 338, 345, 363
tolérant-intolérant, 345
types de, 345
verbal, 345, 346
voir aussi Théorie des construits
Contact, 130
Contrôle, *voir* Lieu de contrôle
Controverse nature-culture, 8
Coopersmith, 157, 158
Copernic, 58
Coping, 453

- Corps
  - -esprit, relations, 263
  - méthode de mesure du, 265
  - types de, 265
- Courant humaniste, 179
- Cranioscopie, 264
- Croisements sélectifs, 276, 277
- Croissance
  - et développement, 8, 10, 84, 156, 233, 318, 327, 357, 402, 487
  - personnelle, 151
- Croyances, 393
- Csikszentmihalyi, 183
- Culture, 10
  - controverse nature-, 8
  - interactions nature-, 287

D

- Darwin, 58, 264, 271
- Débat personne-situation, 251, 331
- Déconditionnement, 307, 308, 308f
- Défense
  - mécanismes de, 76, 104, 105t, 153, 188
  - perceptive, 67
- Déficit comportemental, 319
- Déformation, 154
- Déni, 77, 80, 101, 154
- Déontologie, 31-33
- Dépendances, 421, 444
- Dépression
  - sentiment d'autoefficacité et, 413
  - thérapie mise au point par Beck, 456
  - triade cognitive de la, 456
- Désaccord entre le soi et l'expérience, 166, 167
- Désensibilisation systématique, 310
- Désir, 105t
  - d'autovalorisation, 445
  - d'autovérification, 445
- Désirabilité sociale, 51
- Désorganisation, 227f
- Déterminants
  - environnementaux de la personnalité, 10, 12
  - génétiques de la personnalité, 8, 12
  - internes et externes du comportement, 14, 477
- Déterminisme réciproque, 392
- Deutsch, Hélène, 136
- Développement
  - croissance et, 8, 10, 84, 156, 233, 318, 327, 357, 402, 487
  - de la personnalité, 9
  - psychologique sain, autoactualisation et, 157
  - stades de, 85, 86, 88, 488
- Différence(s)
  - hommes-femmes, 271, 272
  - pôle de, 344
- Différenciateur sémantique, 147, 148, 175, 176
- Dilatation, 364
- Dimension(s)
  - AN, AP et DoI, 292, 293
  - fondamentales de la personnalité, 202, 202f
  - *voir aussi* Extraversion, Introversion
- Discipline, 158
- Discrimination, 304
  - entre les situations, et cohérence de la personnalité, 394
- Dissimulation, 101
- DoI, 292
- Dollard, 200, 323
- Domaine d'application, 343
- Données
  - biographiques, 27, 212, 214f
  - de la psychologie de la personnalité, 27
  - fournies par les tests objectifs, 212
  - provenant des questionnaires, 212, 214f
- Dopamine, 291
- *Drives*, *voir* Pulsions
- Dweck, 160, 161

E

- EASI, 266, 267
- Échantillons, méthode fondée sur les, 322
- Échelle
  - de la croissance personnelle, 151
  - de narcissisme de Murray, 125, 126
  - des schémas sexuels de soi, 444
  - du lieu de contrôle interne-externe, 41, 41f
  - du mensonge, 204f
- Ectomorphie, 265, 266f
- Effets
  - attribuables à l'expérimentateur, 50
  - possibles, éventail des, 13
- Effort(s), 400
  - compensateurs du sentiment d'infériorité, 118
- Ellis, thérapie émotivo-rationnelle d', 455
- Émotion(s), 400, 426, 461
  - et traits de personnalité : similarité entre humains et animaux, 275
  - fortes, recherche d', 229
  - remémoration des, 82f
  - santé et répression des, 106
- Émotivité, 267
- Empathie, 170
- Endomorphie, 265, 266f
- Énergie, système d', 62
- Enfance, 122, 236
- Enfant(s)
  - « bon soi » et « mauvais soi », aux yeux des, 159
  - capacité d'acceptation d', 158
  - études sur les relations parents-, 157
  - inhibés et non inhibés, recherche de Kagan sur les, 267
  - parents-, 157, 324
- Entité, théorie de l', 160
- Envie du pénis, 87, 118
- Environnements, partagés et non partagés, 284, 286
  - *voir aussi* Facteurs environnementaux, Déterminants environnementaux

Épreuves, résultats d', 27
Epstein, 84
Erdelyi, 82
Erg, 215
Erikson, Erik, 88, 89t, 117
Éros, 75
Erreurs, apprentissage par essais et, 327
Esprit
    consciencieux (E), 225, 225t, 227f, 230t, 234, 235f, 443
    état d', 197, 198t, 216
    relations corps-, 263
Essais et erreurs, apprentissage par, 327
Estime de soi, 127t, 446
État(s)
    d'esprit, 197, 198t, 216
    de conscience, 17, 480
Étendue, concept d' 21
Éthique, 31
Étude(s)
    d'adoption, 276, 278, 279
    de cas, 26
        recherche clinique et, 33, 47, 53t
    de jumeaux, 276-278
    en laboratoire, recherche expérimentale et, 35, 49, 52t
    sur les relations parents-enfants, 157
Évaluation
    ABC, 320
    critique
        de la théorie des traits, 255-259, 258t
        des approches fondées sur l'apprentissage, 330
    des autres, 158
    du comportement, 320
        normes internes, 397
    questionnaire d', *voir* Questionnaire
    rapports entre la théorie, la recherche et l', 492
Événements, anticipation des, 353
Éventail des effets possibles, 13
Évitement, 318
    voir aussi Conflits approche-évitement *et* Conflits évitement-évitement
Évolution, *voir* Darwin *ou* Théorie évolutionniste et personnalité
Exigences implicites de la situation expérimentale, 49
Existentialisme, 183
Expérience(s)
    en laboratoire, 26
    désaccord entre le soi et l', 166, 167
    importance des premières, 90-92
    pensée fondée sur l', 84
    précoces, 19
    traumatisantes, 83
Expérimentateur, effets attribuables à l', 52
Expérimentation, 430
Explication, niveaux d', 490
Extinction, 304
Extraversion (E), 120, 202, 204f, 206, 225, 225t, 227f, 230t, 234, 443
Eysenck, Hans J., 196, 196f
    intégration de ses facteurs aux « Cinq Grands », 231
    théorie des trois facteurs de, 200-209, 218

F

Facettes, les six, 229, 230t
Facteurs
    biologiques, 293
    environnementaux et interactions gènes-environnement, 283
    les « Cinq Grands »
        et exemples de traits s'y raccordant, 224, 225t, 226, 229
        et théorie évolutionniste, 273
        intégration des facteurs d'Eysenck et de Cattell, 231
        représentation de la théorie, 233f
    modèle
        à cinq, 224, 229, 233f, 237, 273
        à trois, 292
    théorie
        des cinq, 233f, *voir aussi* Facteurs, les « Cinq Grands »
        des trois (Eysenck), 200-209
    voir aussi Superfacteurs
Famille, 11, 12
Fantasme, 60, 167
Femmes, différences hommes-, 271, 272
Fermeture aux expériences nouvelles, 227f
Fidélité, concept de, 30
Fixation, 103
Flou, 363
Fonctionnement psychique, dynamique du, 75
Fondements biologiques, 261
Formation réactionnelle, 79
Fraley et Shaver, 130
Frank, L. K., 97
Frankl, Viktor, 184
Freud, Anna, 72, 79, 123, 136
Freud, Sigmund, 15, 58, 59, 484t
    conceptions connexes et évolution de la théorie psychanalytique, 117
    contestataires de, 118
    et Kelly, comparaison des théories, 380
    étude de cas par, 109-113
    psychanalyse, 64
        applications cliniques, 96
        évaluation critique, 133
        limite de la théorie, 133-136, 136t
    rapports entre individu et société selon, 62
    science, théorie et recherche selon, 63
    voir aussi Stades de développement, Caractère, Théorie psychanalytique
Fromm, Erick, 121
Fromm-Reichman, Frieda, 136
Fuite, 318
    mouvement de, 121

G

Gall, Franz Josef, 264
Galton, 264
Généralisation, 304

Gènes
et personnalité, 276
voir aussi Interactions gènes-environnement
Génétique comportementale, 276
Goldberg, 82, 226, 227f, 229, 273
Goldstein, Kurt, 179, 189
Gratification différée, 405, 407, 408t
Grinker et Spiegel, 34, 35
Groddeck, 65
Guides personnels, 448

Habileté, compétence, 396
Habitude, 5, 326
Hall, G. Stanley, 60
Helmholtz, 62
Héritabilité
coefficient d', 279, 282t
de la personne, 280
Hiérarchie des besoins selon Maslow, 181, 181f
Higgins, 169
Hommes-femmes, différences, 271, 272
Horney, Karen, 121, 134
Hostilité, 228, 365
Hull, 200, 323
Hybrides, 441
Hypnose cathartique, 107
Hypothèse lexicale fondamentale, 226, 273

Identification, 87, 402
Identité
achevée, 89
diffuse, 90
forclose, 90
moratoire, 89
Image positive de soi, 101
Imitation, 327, 402
Immunisation contre le stress, technique d', 454
Impulsivité, 267
Incitation
à l'accomplissement, 72
modèle de l', 7
Incongruence, 153
Inconscient, 65
cognitif, 69, 70t, 74t
collectif, 119
concept d', 17, 64, 69
et recherche en psychanalyse, 66
exploration de l', 107
psychanalytique, 69, 70t, 74t
voir aussi Motivations inconscientes
Individu(s)
champ phénoménal de l', 143
et société, selon Freud, 61
voir aussi Personne
Infériorité, sentiment d', 118
Influence(s)
familiale, 11, 12
génétiques, 9
Information, approche cognitive du traitement de l', 437, 484t
voir aussi Théorie du traitement de l'information
Intégration, 17
Intellectualisation, 79
Interactions
gènes-environnement, 283
nature-culture, 287
Intérêt pour le soi et pour les motivations intrinsèques, 177
Interprétation des rêves, 60, 107
Intervalles de temps et de réponses, 317
Introspection, 48
Introversion, 120, 202, 206, 227t, 443
Intuition, 85
Inventaire
de personnalité NEO-PI-R, 229-232, 237-239, 243f
de rôles, 347
Investissement parental, théorie de l', 271
Isolation, 79

Jalousie, 272
James, William, 65
Jetons, système de, 323
Jones, Ernest, 60
Jugements sur l'autoefficacité, 398
Jumeaux, études de, 276-278
Jung, Carl G., 118, 119, 200

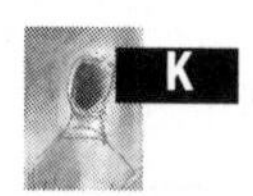

Kagan, J., 267-270
Kelly, George A., 338, 339, 340, 484t
et Freud, comparaison des théories, 380
et la théorie
de l'apprentissage, 383
des traits de personnalité, comparaison, 382
et Rogers, comparaison des théories, 381
test de, 338, 347, 349t
voir aussi Approche cognitive de la personnalité
Kernberg, O., 124
Kierkegaard, 184
Kihlstrom, 71
Klein, Mélanie, 124
Kohut, H., 124
Kraepelin, E., 264, 296
Kretschmer, E., 200, 264, 265

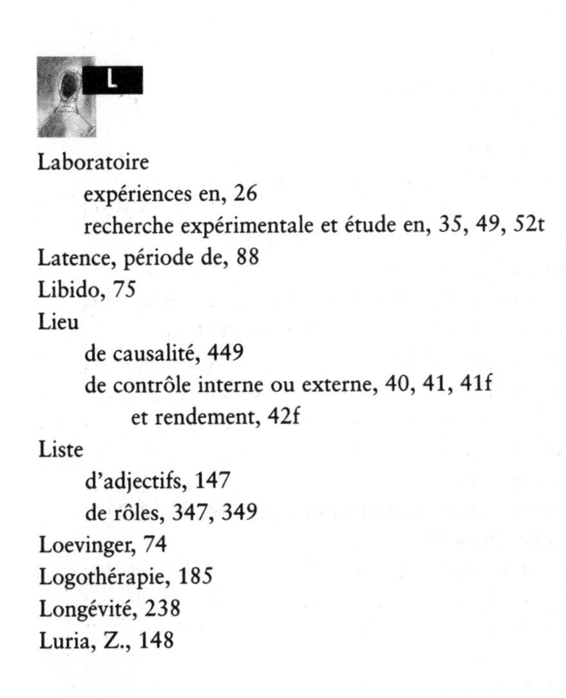

L

Laboratoire
- expériences en, 26
- recherche expérimentale et étude en, 35, 49, 52t

Latence, période de, 88
Libido, 75
Lieu
- de causalité, 449
- de contrôle interne ou externe, 40, 41, 41f
  - et rendement, 42f

Liste
- d'adjectifs, 147
- de rôles, 347, 349

Loevinger, 74
Logothérapie, 185
Longévité, 238
Luria, Z., 148

M

Maintien du contact, 130
Maîtrisabilité, 449
Mal, 101
Malher, Margaret, 136
Manifestation, 402, 404
Marcia, 89
Maslow, Abraham H., 179-183
Maturation intrinsèque, 232
Maudsley, 203, 204, 204f, 212
McDougall, W., 210
Mécanismes
- de défense, 76, 104, 105t, 153, 188
- psychologiques évolués, 270

Mémoire fictive, 83
Menace, 354
Mendel, Gregor J., 264
Mendeleïev, Dmitri, 210
Mensonge, échelle du, 204f
Mésomorphie, 265, 266f
Messages subliminaux, 70
Méthode(s)
- bivariée, 210, 211t
- clinique, 210, 211, 211t
- d'évaluation, 322
- de recherche, 33
- fondée
  - sur les échantillons, 322
  - sur les signes, 322
- multivariée, 210, 211t

Miller, 200, 323
Mischel, Walter, 25, 388, 390
Mode de vie, 292
Modelage, 402, 417, 422
Modèle(s)
- ABA, 322
- à cinq facteurs, 224, 229, 237
  - et théorie évolutionniste, 273
- à trois facteurs (tempérament), 292
- autocontrôlé, 322
- d'attachement, 128, 129, 129f, 132f
- de l'incitation, 7
- de Murray, 232
  - *voir aussi* Murray *et*, Échelle de Murray
- de recherche ABA, 322
- de réduction de la tension, 6
- de tempérament à trois facteurs, 200-209, 292
- intériorisés opérants, 128
- névrotiques, 121
- théorique des « Cinq Grands », 232

Moi, 71, 72
- bon, 122
- développement du, 73, 74t
- force du, 73
- mauvais, 122
- non, 122
- psychologie du, 72
- résilience du (et sa capacité de maîtrise), 73

Morgan, Christina, 99
Mort, pulsions de, 75
Motivation(s), 7, 461
- inconscientes, 66
- intrinsèques, intérêt pour le soi et les, 177
- omission de la, 467

Mouvement
- contre autrui, 121
- de fuite devant autrui, 121
- vers autrui, 121

Murray, Henry, 47, 97, 99, 100, 124, 125, 232

N

Narcissisme, 124, 127t
- échelle de Murray, 125, 126

Nature-culture
- controverse, 8
- interactions, 287

NEO-PI-R, *voir* Inventaire de la personnalité
Néofreudiens, 121-132
Neurobiologie 291
Neurosciences et personnalité, 289
Neurotransmetteurs, 291
Névrosisme (N), 202, 203f, 204f, 225, 225t, 227f, 230t, 234, 443
Niveaux
- d'explication, 490
- de conscience, 65

Normes internes d'évaluation de comportement, 397
Nouveau-nés, 267
- *voir aussi* Bébés

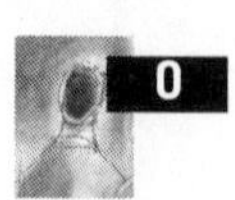

Objectifs, 396
Objet, 123
 théorie de la relation d', 123
Observation(s), 30
 apprentissage par, 402
Œdipe, complexe d', 86, 87t, 122
Ordinateur, modèle de personnalité fondé sur l', 439, 467
Organisation
 hiérarchique de la personnalité, 196, 196f
 psychique, 17
Orientation professionnelle, 237
Osgood, C., 148
Ouverture (O) 225, 225t, 227f, 230t, 234

Pairs, 11
Paradigmes, 473
Parcimonie, 21, 22
Parentalité, probabilité de, 271
Parents-enfants
 études sur les relations, 157
 programme d'apprentissage, 324
Partenaire, choix du, 271
Participation guidée, 417
Passé, influence sur le comportement, 19, 482
Pavlov, 200
 théorie du conditionnement classique de, 303
Pénis, envie du, 87, 118
Pensée, 462
 fondée sur l'expérience, 84
 rationnelle, 84
Perception
 infraliminaire, processus de, 154
 sans prise de conscience, 67
 subliminale, 67
Période
 de latence, 88
 de référence, 321
 de suivi, 322
 expérimentale, 321, 322
 sans renforcement, 322
Persévérance, 400
Personnalité, 2, 3, 4, 23
 approche(s)
  cognitive de la, 337, 361, 375, 377
  fondées sur l'apprentissage et, 299, 301t
 biologie et, 294t
 changement de, 169
 cohérence de la, 394
 concept de trait de, 194, 197, 198t
 déterminants de la, 8-13
 développement de la, 8, 9
 dimensions fondamentales de la, 202, 202f
 et psychanalyse, théorie de la, 64, 96, 113, 133
 facteurs de, 213, 213t
 fondements biologiques de la, 261
 gènes et, 276
 inventaire de, 229-232, 237-239, 243f
 modèle fondé sur l'ordinateur, 439
 narcissique, 124, 126, 127t
 neurosciences et, 289
 organisation hiérarchique de la, 196, 196f
 psychologie de la, 3, 27
 psychologue(s) de la, 2, 73
 questionnaires de, 39, 50, 52t, 229
 recherche corrélationnelle et questionnaire de, 39, 50, 52t
 système cognitivo-affectif de la, 427
 théoricien de la, 3
 théorie(s) de la, 4, 14, 20, 21, 23, 53, 64, 96, 113, 133, 144, 212, 270, 315, 326, 344, 361, 383, 393, 438, 451, 471
  voir aussi Théories *ou* Théorie des traits de personnalité, Théorie de la personnalité, Théorie implicite
 théorie évolutionniste et, 270
 théorie sociocognitive de la, 393
 trait(s) de, 195, 198, 224, 484t
  voir aussi Théorie des traits de personnalité, Analyse factorielle et évaluation des traits de personnalité, Traits
 troubles de la, 238
 types de, 102
Personne
 conception
  philosophique de la, 476
  psychanalytique de la, 134
  selon Bandura et Mischel, 392
  selon Kelly, 341
  selon Rogers, 143
  théorie sociocognitive, 431
 et science dans la perspective de l'apprentissage, 301
 héritabilité de la, 280
 -situation, le débat, 251, 331, 478
Pertinence scientifique, 21, 22
Peur, 354
 inconditionnelle, 307
Phénoménologie, 185, 191t
 théorie sociocognitive et, 428
 voir aussi Approche phénoménologique, 185
Phobie, 10
Phrénologie, 264
Plaisir, principe de, 62
Plasticité des processus biologiques, 295
Plomin, R., 266
Pôle
 de différence, 344
 de similarité, 344
Portée de la théorie, 21
Pouvoir, 101
Précision, concept de, 21
Préadolescence, 122
Préconscient, 65
Prédominance hémisphérique cérébrale, 290
Présent, influence sur le comportement du, 19, 482
Prévention, 448

Prévision de l'avenir, 353
Principe
de plaisir, 62
de réalité, 72
Prise de conscience, perception sans, 67
Probabilité de parentalité, 271
Processus, 6
biologiques, plasticité des, 295
de perception infraliminaire, 154
mentaux primaire et secondaire, 84, 85
thérapeutique, 108
Profils comportementaux d'inhibé et de non inhibé, 267
Programmes de renforcement, 317
Projection, 76, 97, 167
Promotion, 448
Proprium, 480
Prototype, 440
Psychanalyse, 58
applications cliniques, 96
concept d'inconscient, 64
évaluation critique, 133
inconscient et recherche en, 66
limites de la théorie, 133-136, 136t
structure, 64
théorie
de la personnalité, 64
sociognitive et, 427
Psychologie
analytique, 119
ascension et déclin des écoles, 474
cognitive, 465
de la personnalité, 3
données de la, 27
du moi, 72
individuelle, 118
sociale de la recherche, 49
Psychologue(s) de la personnalité, 2, 73
Psychopathologie, 102, 166, 319, 328, 362, 412, 488
et changement de comportement, 13, 189, 207, 306
théorie psychanalytique de la, 105t
Psychothérapie, 366
Psychotisme, 203, 203f
Puissance, volonté de, 119
Pulsion(s), 6, 326
acquises, 326
agressives, 62, 71, 75, 83, 104, 109, 118, 124, 137
de mort (thanatos), 75
de vie (éros), 75
développement des, 85
primaire, 326
secondaire, 326
sexuelles, 62, 71, 75, 83, 109, 118, 124, 137
Punition, 318

Q

QI familial moyen, corrélation du, 280t
Q-sort, technique du, 146
Questionnaire(s)
16 PF, 213, 213t
administration de, 26
d'évaluation
d'Eysenck, 203, 212
du narcissisme, 125, 126
du style d'attribution, 41, 42f
de personnalité
les « Cinq Grands » dans les, 229
recherche corrélationnelle et, 39, 50, 52t
données provenant des, 212, 214f

R

Rapports
interpersonnels, les construits et leurs répercussions sur les, 345
verbaux, 48
Raskin et Hall, 125, 126
Rationalisation, 79, 167
Réaction(s), 5
d'anxiété conditionnée, 311
émotionnelles conditionnées, 306
Réalité, principe de, 72
Recherche(s)
but de la, 30
clinique et étude de cas, 33, 47, 52t
conditionnement classique de Pavlov, 312
corrélationnelle, 40
et le questionnaire de personnalité, la, 39, 51, 52t
d'émotions fortes, 229
de contact, 130
en matière de cohérence de soi et de congruence, 154
en psychanalyse, l'inconscient et la, 66
en psychothérapie, résultats de, 369
expérimentale(s), 430
et étude en laboratoire, 35, 49, 52t
idiographique, 199
méthodes de, 33
microanalytique, 396
modèle ABA, 322
psychologie sociale de la, 49
rapports entre l'évaluation, la théorie et la, 492
science, théorie et
selon Bandura et Mischel, 392
selon Freud, 63
selon Kelly, 342
selon Rogers, 143
sur le modelage thérapeutique, 417
sur les cognitions erronées, 456
tests projectifs et, 101
théorie de la personnalité et la, 53
Rechutes, 421
Récompenses, *voir* Renforçateurs *et* Gratification
Réduction de la tension, modèle de, 6
Réductionnisme, 490
Référence, périodes de, 321, 322
Refoulement, 80, 82f

Régression, 103
Relation(s)
corps-esprit, 263
d'objet, théorie de la, 123
hiérarchiques, configuration des, 486
parents-enfants, études sur les, 157
personnelles chez les adultes, 127
Rendement, 400
compétitif et complexe œdipien, 87t
lieu de contrôle et, 42f
objectifs de, 160
sentiment d'autoefficacité et, 398
Renforçateurs, 316
généralisés, 317
Renforcement
période de, 322
programmes de, 317
théorie sociocognitive et, 431
Rep Test, 347
Répertoire des construits, 338
de rôles, 347
Réponse(s), 316
cibles, 320
conditionnée ou inconditionnée, 304
inadaptée, 319
intervalles de, 317
stimulus- (théorie de Hull, Dollard et Miller), 323
style de, 51
Résignation acquise, 36, 37t, 38f, 39
Résilience du moi, 73
Résistance au contact, 130
Resserrement, 363
Résultats d'épreuves, 27
Rêves, interprétation des, 60, 107
Révolution
cognitive, 333
scientifique, 473
Rhodewalt et Morf, 126, 127f
Rogers, Carl R., 140, 484t
et Kelly, comparaison des théories, 381
voir aussi Approche phénoménologique
Rôle(s), 217, 218
inventaire de, 347
liste de, 347, 349
répertoire des construits de, 347
thérapie d'assignation de, 367
Rorschach, H., 97
test de, 97, 98, 99f, 101, 102, 113, 492
Rosenzweig, 81
Rotter, 41, 449
Ryff, 151

S

Santé, 248
et répression des émotions, 106
sentiment d'autoefficacité et, 414, 416
Savoir, 85
SCA, 128
Scénario, 442
Schéma(s), 439
de soi, 443, 444, 446
Schizophrénie, 122
Science
conception
selon Cattell, 210
selon Kelly, 343f
et personne dans la perspective de l'apprentissage, 301
théorie, recherche et
selon Bandura et Mischel, 392
selon Freud, 63
selon Kelly, 342
selon Rogers, 143
théories et évolution de la, 472
Sélection, 400
Seligman, 38
Sentiment(s), 215, 426
d'autoefficacité, 396
et l'anxiété, 413
et la dépression, 413
et la santé, 414, 416
et le rendement, 398
et le soi, 395
d'infériorité, 118
de soi, 145
Sérotonine, 291
Sex Rep Test, 349, 350
Sheldon, W., 265, 266f
Signatures comportementales, 395
Signes, méthode fondée sur les, 322
Silverman, 68
Similarité, pôle de, 344
Simplicité cognitive, complexité/, 351
Situation(s)
cohérence de la personnalité et discrimination entre les, 394
débat personne-, 251, 331, 478
expérimentale, exigences implicites de la, 49
insolite, technique de la, 128
stabilité à travers les, 16, 478
Skinner, 15
théorie du conditionnement opérant de, 314
Sociabilité, 229, 267
Société et individus, selon Freud, 61
Soi
affirmation de, 229
aspects motivationnels du, 445
« bon » et « mauvais », aux yeux des enfants, 159
changeant, 152
cohérence du, 152, 154
concept de, 144, 146, 147
conceptions dysfonctionnelles de, 413
dimensions du, 132f
divergences entre les éléments du, 167
en tant que concept, 186
unité du comportement et, 16, 17, 479
estime de, 127t, 446

et expérience, désaccord entre, 166, 167
et schémas de soi, 443, 444, 446
et sentiment d'autoefficacité, 395
idéal, 145, 147, 168
image positive de, 101
intérêt pour le, 177
occidental, 462
possibles, 447
redouté, 168
schémas de, 443, 444, 446
selon Rogers, le, 144
sentiment de, 145
transculturel, 462
Somatotonie, 265
Somatotype, 265, 266f
Source, traits de, 212
Souvenirs
affectifs, 81, 82f
d'expériences traumatisantes, 83
Spearman, 210
Spécificité situationnelle, 302
Stabilité, 449
à travers les situations et le temps, 16, 478
émotionnelle, 227f
et changement, 236
intersituationnelle, 252, 253
longitudinale, 251
Stade(s) de développement, 488
selon Erikson, 88, 89t
selon Freud
anal, 85
génital, 88
oral, 85
phallique, 86
voir aussi Caractères anal, oral et phallique
Steiner, 78
Stimulus
conditionné ou inconditionné, 304
neutre, 303
-réponse (S-R), théorie de Hull, Dollard et Miller, 323
Stratégies d'adaptation, 400
stress et, 452, 453
Stress, 442, 453
au combat, 34
et stratégies d'adaptation, 452, 453
technique d'immunisation contre le, 454
Structure(s), 17
cognitives, 439
catégories, 439, 440f, 442
explications et attributions causales, 448
théorie implicite de la personnalité, 451
concept de, 5, 144
Style
d'attribution, 43, 44f
de réponse, 51
émotionnel, 292
explicatif, 44, 46
Sublimation, 83
Suicide, 365
Suivi, période de, 322
Sullivan, Harry Stack, 123
Sulloway, 119
Superfacteur, 196, 202, 224
Supériorité, tendance à la, 119
Superstition, 319
Surface, traits de, 212
Surgence, 213
Surmoi, 75
Symptôme, 105, 110
Système
cognitivo-affectif de la personnalité, 427
comportemental d'attachement (SCA), 128
voir aussi Attachement
d'énergie, 62
de construits, 338, 345
dysfonctionnements du, 363
de jetons, 323
limbique, 289, 289f

T

TAT, 99, 100f, 113
Technique
d'immunisation contre le stress, 454
de la situation insolite, 128
du Q-sort, 146
Tempérament(s), 263, 292
AN, AP et DoI, 292
conceptions de la relation corps-esprit, 263
constitution et, 263, 266, 267
inhibés et non inhibés, 267, 268
modèle à trois facteurs, 292
neurobiologie et, 291
traits de, 212
Tendances névrotiques, 121, 122
Tendresse, 442
Tension
modèle de réduction de la, 6
réduction de la, 486
Test(s)
d'aperception thématique (TAT), 99, 100f, 113
de Kelly, 338, 347, 349t
de Rorschach, 97, 99, 99f, 101, 102, 113, 492
objectifs, 212
projectifs, 96, 116
et recherche, 101
Thanatos, 5
Théorie(s)
de l'apprentissage, 429 *voir aussi* Apprentissage, Apprentissage social
de l'attachement, 127
de l'autodétermination, 178
de l'entité, 160
de l'investissement parental, 271
de la carotte, 6
et du bâton, 6

de la personnalité, 4, 15, 21, 23, 133, 438, 471, 476
construits et, 383
et évolution de la science, 472
et recherche, 53
évaluation des, 20, 133
fondements biologiques, 490
implicite, 451
niveaux d'explication, 490
psychanalyse, 65
rapports entre la théorie, l'évaluation et la recherche, 492
réponse aux questions sur le comportement, 483
selon Cattell, 212
selon Kelly, 344, 361, 375
selon Rogers, 144, 176
selon Skinner, 315
S-R, 326
voir aussi Théorie sociocognitive de la personnalité, Théorie évolutionniste
de la relation d'objet, 123
des construits personnels, 338
et autres approches thérapeutiques, 369, 370t
et théorie sociocognitive, 428
points forts et limites de la, 380t
voir aussi Construits
des traits de personnalité, 193, 484t
concept de trait de personnalité, 194
conceptions d'Allport, Eysenck et Cattell, 196-219
évaluation critique de la, 255
Kelly et, 382
modèle à cinq facteurs et applications, 224-254
théorie sociocognitive et, 429
des trois facteurs : Hans J. Eysenck, 200-209
du bâton, 6
du conditionnement
classique de Pavlov, 303
opérant de Skinner, 314
du traitement de l'information, 484t
et théories traditionnelles, 464, 465t
voir aussi Approche cognitive du traitement de l'information
évolutionniste et la personnalité, 270, 276
implicite de la personnalité, 451
incrémentielle, 160
phénoménologique de Carl Rogers, 140, 176
avantages et limites, 191t
voir aussi Approche phénoménologique, Phénoménologie
psychanalytique, 64, 113, 116
avantages et limites de la, 133-136, 136t
conceptions connexes et évolution de la, 117
de la psychopathologie, 105t
et tests projectifs, 97
évaluation critique, 133
limites de la, 133-136, 136t
orthodoxe, 123
statut scientifique de la, 134
voir aussi Freud, *et* Psychanalyse
psychodynamique, 58
rapports entre l'évaluation, la recherche et la, 492
science, recherche et
selon Bandura et Mischel, 392
selon Freud, 63
selon Kelly, 342
selon Rogers, 143
skinnérienne de la personnalité, 315
sociocognitive, 388, 389t, 393, 484t
avantages, 435t
et phénoménologie, 428
et psychanalyse, 427
et théorie de l'apprentissage, 429
et théorie des construits personnels, 428
et théorie des traits de personnalité, 429
limites de la, 432, 435t
voir aussi Approche sociocognitive
S-R (stimulus-réponse) de la personnalité, 323, 326
voir aussi Freud, Adler, Jung, Néofreudiens
Thérapie, 239
centrée sur le client, 166, 170
cognitive, 457, 468
comportementale, 301, 311
conditions du changement en, 169
d'assignation de rôle, 367
de la dépression mise au point par Beck, 456
des construits personnels, 369, 370t
émotivo-rationnelle d'Ellis, 455
Thigpen, Corbett, 148
Thomas, A., 266
Timidité, 348
Traduction empirique, 22
Trait(s), 5
cardinaux, 198
centraux, 198
d'aptitude, 212
de personnalité, 195, 484t
analyse factorielle et évaluation des, 201, 202f, 209
concept de, 194, 197, 198t
termes utilisés pour désigner les, 224, 225t
théorie des, 196, 221, 382, 429
types de, 198
de source, 212
de surface, 212
de tempérament, 212
dynamiques, 212
secondaires, 198
Transfert, 108, 366
Triade
anale, 104
cognitive de la dépression, 456
« Trois Grands », les, 200-209, 292
Troubles de la personnalité, 238
Type
asthénique, 265
athlétique, 265
concept de, 5
pycnique, 265

Validité, concept de, 31
Vie
mode de, 292
pulsions de, 75
Viscérotonie, 265
Volonté de puissance, 119

Watson, 302
White, R. W., 72
Wolpe, J., 310

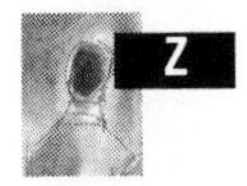

Zones érogènes, 85